강철왕국 프로이센

강철왕국
프로이센

크리스토퍼 클라크

박병화 옮김

IRON
KINGDOM

THE RISE AND
DOWNFALL OF PRUSSIA
1600–1947

마티

니나에게

일러두기

1 이 책은 영어판 Christopher Clark, *Iron Kingdom: The Rise and Downfall of Prussia 1600–1967* (London: Penguin Books, 2006)을 저본으로 삼고, 독일어판 *Preußen: Aufstieg und Niedergang 1600-1947* (München: Deutsche Verlags, 2007)을 참조해 번역했다.

2 이 책의 외래어 표기는 국립국어원의 외래어 표기법을 원칙으로 삼되, 관습적으로 굳어진 표기 용례가 있는 경우에는 이를 따랐다.

3 한때 프로이센의 영토였으나 지금은 그렇지 않은 지명의 경우, 프로이센 영토였던 시절의 독일어 명칭으로 표기했다. 현재 폴란드의 도시 포즈난은 포젠, 브로츠와프는 브레슬라우, 그단스크는 단치히 등이 그 예다.

4 후주는 모두 저자의 것이며 옮긴이 주는 [옮긴이]로 표시했다.

차 례

지도 목록

감사의 말

1985년 3월부터 1987년 10월까지 나는 이제는 존재하지 않는 서베를린에 살면서 공부했다. 그곳은 공산주의 동독 안에 갇힌, 장벽으로 둘러싸인 섬 같은 곳이었다. 한 이탈리아 관광객이 "자유를 맛보는 새장"이라고 말한 것처럼 콘크리트 담장에 둘러싸인 새장이나 다름없었다. 거기 살아본 사람이라면 서방의 이 잿빛 성채에서 풍기는 분위기를 잊지 못할 것이다. 활기 넘치는 다민족 거주지였고, 서독의 군복무를 피해 도망친 젊은이들의 피난처였다. 그리고 공식적인 통치권은 여전히 1945년의 승전 열강에 있는 냉전의 상징이기도 했다. 서베를린에서 아스라이 먼 옛날처럼 보이는 프로이센의 과거를 떠올릴 만한 것은 거의 없었다.

옛 프로이센 시가지가 있는 베를린 중심가와 마주치려면, 오로지 프리드리히슈트라세역에서 웃음기 없는 경비병에게 철저한 조사를 받고 회전문과 금속 통로를 지나 정치적 경계를 넘어가는 수밖에 없었다. 그러면 운터 덴 린덴 거리에 늘어선 기막히게 멋진 건물들과 놀랄 정도로 좌우대칭이 어울리는 포룸 프리데리치아눔(Forum Fridericianum)이 눈에 들어온다. 바로 프리드리히 대왕이 자신이 다스리는 왕국의 자부심을 한껏 과시했던 광장이다. 동서 경계를 넘는 것은 과거로 거슬러 올라가는 여행일 수밖에 없었다. 그것은 황폐한 전쟁과 이후 수십 년 동안 방치되면서 부분적으로만 가려진 과거였다. 젠다르멘마르크트(Gendarmenmarkt)에 있는 18세기 프랑스 교회의 부서진 돔에서 자라는 나무 한 그루는 석조 건물 깊숙이 뿌리를 내리고 있었다. 1945년에 대포와 총탄 공격으로 파괴된 베를린 대성당은 여전히 검게 그을린 흉물 덩어리로 남아 있었다. 한가로운 해안에 자리 잡은 시드니 출신의 호주 사람에게 당시의 동베를린 나들이는 무궁무진한 매혹 덩어리였다.

프로이센의 과거를 공부하는 사람은 세계에서 가장 복잡하고 다채로운 역사 기록을 접할 수 있다. 무엇보다 대서양 건너 영어권에는 여전히 프로이센에 관심을 갖고 글을 쓰는 풍요롭고 확고한 전통이 있다. 독일의 독자들은 모국어로 된 어마어마한 프로이센 정사(正史)가 있다. 이는 근대 분과 학문의 초창기까지 거슬러 올라간다. 프로이센 역사 서술의 고전적 시기에 나온 기사와 논문은 지금도 놀라우리만치 학문적인 깊이와 야망, 글의 활력과 기품이 돋보인다. 1989년 이후에는 독일의 소장학자들 사이에서 역사에 대한 관심이 되살아나면서 동독의 역사학자들을 인정하는 광범위한 현상이 나타났다. 독일민주주의공화국의 협소한 지적 공간에도 불구하고 동독 학자들이 프로이센 사회의 진화 구조를 조명하는 데 많은 기여를 했기 때문이다. 이 책을 집필하면서 맛본 큰 기쁨 중의 하나는, 생존하거나 사망한 많은 학자의 저술을 폭넓게 훑어볼 기회를 얻었다는 것이다.

직접 신세를 진 경우는 더 많다. 제임스 브로피, 카린 프리드리히, 안드레아스 코서트, 베냐민 마르슈케, 얀 팔모프스키, 플로리안 슈이, 개러스 스테드먼 존스는 출판되지 않은 자신의 원고를 공유하는 친절을 베풀었다. 마르쿠스 클라우지우스는 제국식민지청 문서보관소에 있는 자신의 필기록 사본을 보내주었다. 다음은 조언과 대화를 통해 도움을 준 분들이다. 홀거 아플러바흐, 마가레트 라비니아 앤더슨, 데이비드 버클리, 데릭 빌스, 슈테판 베르거, 팀 블래닝, 리처드 보스워스, 애너벨 브렛, 클라리사 캠벨-오르, 스콧 딕슨, 리처드 드레이턴, 필립 듀이어, 리처드 에번스, 나이얼 퍼거슨, 베른하르트 풀다, 볼프람 카이저, 알란 크라머, 마이클 레저-로마스, 율리아 모제스, 조너선 패리, 볼프람 피타, 제임스 르탤락, 토르스텐 리오테, 에마 로스차일드, 울링카 루플락, 마르틴 륄, 하겐 슐체, 하미시 스콧, 제임스 셰헌, 브렌단 심스, 조너선 스피버, 토마스 슈탐-쿨만, 조너선 스타인버그, 애덤 투즈, 마이켄 움바흐, 헬무트 발저-스미스, 요아힘 윌리, 피터 윌슨, 에마 빈터, 끝으로 케임브리지를 자주 방문했던 볼프강 몸젠. 2004년 뜻하지 않은 그의 죽음은 이곳 동료들에게 큰 슬픔이었다. 현재 영국에서 독일사를 연구하는 많은 학자와 마찬가지로 나는 1980년대와 1990년대 초에 팀 블래닝과 조너선 스타인버그 주재하에 케임브리지에서 특별히 실시한 세미나 「독일 패권을 둘러싼 투쟁」에서 참으로 많은 것을 배웠다. 또 나는 역사에 높은 식견이 있는 나의 장인 라이너 뤼브렌과 25년간 활발한 대화를 나누며 많은 가르침을 받았다.

원고의 일부 혹은 전부를 너그럽고 끈기 있게 읽고 논평해준 분들, 크리스 베일리, 내 아버지 피터 클라크, 제임스 매켄지, 홀거 네링, 하미시 스콧, 제임스 심슨, 개러스 스테드먼 존스, 존 톰슨에게 특별히 감사를 드린다. 패트릭 히긴스는 상상력이 뛰어난 조언을 해주면서 미사여구나 주제와 무관한 구절들을 걸러주었다. 펭귄사의 직원들(클로이 캠벨, 리처드 두구드, 리베카 리)과 함께 일한 것은 이 프로젝트에서 맛본 또 다른 기쁨이었다. 이상적인 편집자의 모범을 보여준 사이먼 윈더는 원고 안에 숨어 있는 내용을 저자 자신보다 더 정교하게 읽어내는 통찰력을 타고났다. 벨라 쿠나는 뛰어난 교열 솜씨로 실수나 모순, 삼단논법을 정교하게 가려냈다. 또 관련 그림 자료를 확보하는 데 도움을 준

세실리아 매카이에게 감사를 전한다. 이 모든 탁월한 도움 덕분에 이 책에 이론상으로는 흠이 없어야 하겠지만, 만약 잘못이 있다면 그것은 전적으로 저자의 책임이다.

가장 소중한 사람들에게 어떻게 감사를 표할 수 있을까? 조지프와 알렉산더, 두 아이는 책에 매달리는 동안 많이 자랐고 여러 가지로 내 정신을 빼앗아가며 기쁨을 주었다. 아내 니나 뤼브렌은 이기적인 내 집착을 유머와 너그러움으로 견디면서 내용 하나하나를 가장 먼저 읽어보고 비평을 해주었다. 이 책을 한없는 사랑과 함께 니나에게 바친다.

들어가며

1947년 2월 25일, 베를린의 연합군 점령 당국의 대표들은 프로이센 주를 폐지하는 법안에 서명했다. 이 순간부터 프로이센은 과거의 역사가 되었다.

> 오래전부터 독일의 군국주의와 반동주의의 온상이었던 프로이센 주는 이제 존재하지 않는다.
> 시민들의 안전과 평화를 보호하기 위해, 민주주의의 토대 위에 독일의 정치적 삶을 재건하는 것을 확실하게 하기 위해, 연합군 통제위원회는 다음의 법을 제정한다.
>
> 제1조
> 프로이센 주와 그 중앙 정부, 그리고 그 정부기관을 폐지한다.[1]
> (프로이센은 공국, 왕국, 제국, 연방국의 역사에서 내내 독립적인 국가 [Staat]였으며 바이마르 공화국 이후 프로이센 주로 격하되었지만, 여전히

거대한 규모와 기능을 유지했고 독일어 명칭은 변함없이 연방 안에서 국가 기능을 하는 주[Staat]였다 — 옮긴이)

연합국 통제위원회의 법령 46호는 행정처분 이상이었다. 유럽의 지도에서 프로이센을 지워버림으로써, 연합국 당국은 프로이센에 선고를 내렸다. 프로이센은 바덴, 뷔르템베르크, 바이에른, 작센과 같은 독일 영토 가운데 하나가 아니었다. 프로이센은 유럽을 괴롭힌 질병의 원천이었다. 독일이 평화와 정치적 근대성의 길에서 벗어나게 된 이유였다. "독일의 핵심은 프로이센이다." 처칠이 1943년 9월 21일에 영국 의회에서 한 말이다. "잊을 만하면 찾아오는 악성 역병의 근원이다."[2] 그러므로 유럽의 정치적 지도에서 프로이센을 들어내는 것은 불가피한 상징적 조치였다. 프로이센의 역사는 살아 있는 사람들의 마음을 짓누르는 악몽이 되었다.

　　저 불명예스러운 종말은 이 책의 주제를 다루는 데 큰 부담이었다. 19세기와 20세기 초 프로이센의 역사는 주로 긍정적인 톤으로 그려졌다. 프로이센 학파의 프로테스탄트 역사가들은 프로이센 국가를 합리적인 행정을 실현한 진보적 기관으로 보았으며, 합스부르크 오스트리아와 나폴레옹 프랑스의 혼란으로부터 프로테스탄트 독일을 구해준 해방자로 여겼다. 그들은 프로이센 주도로 1871년에 세워진 국민-국가를 종교개혁 이후 독일 역사가 낳을 수 있는 자연스럽고 필연적이며 최상인 결과라고 보았다.

　　프로이센 전통에 대한 이 장밋빛 전망은 나치 정권의 범죄가 독일의 과거에 긴 그림자를 드리운 1945년 이후 바래졌다. 한 저명한 역사가는 나치즘은 우연한 사건이 아니라 "[프로이센] 만성 질환의 급성 증상이다"고 주장했다. 오스트리아 사람인 히틀러가 사고방식상으로는 "선택된 프로이센 사람"이라는 것이다.[3] 이런 견해를 뒷받침하듯 독일 역사는 근대에 들어와 비교적 자유롭고 안정적인 정치 풍토의 '정상적'

인(즉 영국이나 미국이나 서유럽 같은) 노선으로 나아가는 데 실패했다. 전통적인 엘리트 계층과 정치 세력이 프랑스나 영국, 네덜란드에서는 '부르주아 혁명'으로 무너진 데 비해 독일에서는 이런 혁명이 전혀 성공을 거두지 못했기 때문이다. 그 대신 독일은 '특수노선'(Sonderweg)으로 나아갔고 이것이 12년간의 나치 독재로 절정에 올랐다.

프로이센은 이 정치적 기형의 시나리오에서 주역을 맡았다. 바로 여기서 특수노선이 가장 전형적으로 명명백백히 드러나는 것처럼 보인다. 무엇보다도 융커들의 권력이 와해되지 않았다. 엘베강 동쪽 지역의 귀족 지주인 이들의 정부, 군대, 농촌 사회 장악이 유럽 혁명 기간에도 살아남았다. 그 결과 프로이센에서, 그리고 독일로 확대되어 반자유주의와 불관용으로 점철된 정치문화, 법적인 권리를 압도하는 권력 숭배 경향, 그리고 지속된 군국주의 전통 등의 참사를 낳았다. 특수노선에 대한 이 모든 진단에는 한쪽으로 기운, 또는 '불완전한' 근대화 과정이라는 생각이 있다. 정치문화의 진보가 경제 영역의 발전과 혁신에 보조를 맞추지 못했다는 것이다. 이런 해석에 따르면 프로이센은 근대 독일과 유럽의 역사에서 골칫거리였다. 프로이센 고유의 정치적 문화를 막 생겨난 독일 국민-국가에 덧씌우면서, 독일 남부의 더 자유로운 정치문화를 하찮게 만들고 숨막히게 했으며, 정치적 극단주의와 독재의 토대를 구축했다. 권위주의 습성, 굴종과 복종의 관습이 민주주의를 붕괴시키고 독재가 도래하는 길을 열었다는 것이다.[4]

역사 인식에 대한 이런 패러다임 전환은 폐지된 국가의 평판을 복구시키려는 역사학자들(주로 서독 학자들, 특히 정치적 성향이 자유주의거나 보수적인 학자들)의 완강한 반대에 부딪혔다. 그들은 청렴한 시민 행정, 종교적 소수파에 대한 관용적인 태도, 독일의 다른 국가가 감탄하고 모방한 법전(1794년 이후), (19세기) 유럽에서 비할 바 없는 문맹률, 그리고 대단히 효율적인 관료제 같은 프로이센의 긍정적인 성취를 강조했다. 그들은 프로이센 계몽주의의 역동성에 주목했고, 위기의 시기에도 변화하고 재편하는 프로이센의 역량을 높이 샀다. 특수노선 패러다임이 강조하는 정치적 굴종에 대응하기 위해, 그들은 주목할 만한 불복종 사례들을 제시했다. 가장 중요한 예로 1944년 7월 히틀러 암살 음모에서 주요했던 프로이센 장교들의 역할을 꼽았다. 이들은 프로이센이 무결하다고 말하는 것이 아니라, 나치가 만든 인종주의 국가와는 공통점이 거의 없다는 것이다.[5]

　프로이센을 역사적으로 환기하려는 노력이 최고조에 달한 것은 1981년 베를린에서 개최되어 50만 명 이상이 찾은 대규모 프로이센 전시였다. 전 세계 학자들이 준비한 표와 글과 자료 들이 전시실마다 가득했고, 관람객들은 일련의 사건 장면과 역사적 순간을 통해 프로이센의 역사를 구석구석 살필 수 있었다. 군사용품, 귀족 가문의 가계도, 궁정 생활의 이미지와 전장을 묘사한 회화들이 있었다. 또 '관용', '해방', '혁명' 같은 주제를 다룬 전시실도 있었다. 전시의 목표는 과거를 향해 회고하는 시선을 던지는 것이 아니라(정치적으로 좌파인 비평가들이 보기에는 지나치게 긍정적이긴 했지만), 빛과 그늘을 교차시키며 프로이센 역사에 대한 '균형을 잡는' 것이었다. (공식 카탈로그나 대중 매체의) 전시에 대한 평은 현대 독일에 프로이센의 의미를 묻는 데 집중했다. 이후 많은 논의가 프로이센의 말썽 많은 근대화의 길에서 배워야 하거나 배워서는 안 되는 교훈에 초점을 맞추었다. 정치에서 독재에 기울고 군사적 업적을 찬양하는 성향 같은 구미가 동하지 않는 프로이센 전통과는 거리를 두면서, 이권에 휘둘리지 않는 공공 서비스나 관용 같은 '미덕'(virtues)을 존중해야 한다는 이야기가 나왔다.

　그로부터 20년이 지났지만 프로이센에 대한 생각은 양극단으로 갈린다. 1989년 이후 독일이 통일되고 수도가 가톨릭이고 '서부'인 본에서 프로테스탄트에 '동부'인 베를린으로 이전하자 여전히 억제되지 않은 프로이센의 힘에 관한 불안감을 불러일으켰다. '구프로이센'의 망령이 깨어나 독일 공화국에 출몰했을까? 프로이센은 소멸했지만, '프로이센'은 상징적이고 정치적인 징표로 되살아났다. 프로이센은 독일 우파의 슬로건이 되었다. 그들은 '구프로이센'의 '전통'에서 '방향 상실', '가치의 침식', '정치 부패', 요즘 독일에서 희미해진 집단 정체성에 대한 훌륭한 견제 세력을 찾았다.[7] 그러나 여전히 많은 독일인에게 '프로이센'은 독일 역사에서 역겨운 모든 것과 동의어다. 군국주의, 정복, 오만과 반자유. 폐지된 국가의 상징적 속성이 움직일 때마다 프로이센을 둘러싼 논쟁이 재차 피어오르곤 한다. 1991년 8월 상수시 궁에 있던 프리드리히 대왕의 유해를 이장하는 문제는 무척 까다로운 토론 주제였고, 베를린 한복판 슐로스플라츠에 호엔촐레른 궁을 복원하려는 계획은 공개적인 논쟁의 불을 지폈다.[8]

2002년 2월, 그렇지 않았더라면 눈에 띄지 않았을 브란덴부르크 주정부의 사민당 소속 장관인 알빈 칠은 급작스럽게 악명을 얻었다. 브란덴부르크 연방주와 베를린 시를 합병하자는 제안을 둘러싼 토론에 끼어들었던 것이다. 그는 '베를린-브란덴부르크'는 길고 거추장스럽다면서, 새로 통합된 지역을 '프로이센'이라고 하면 왜 안 되냐고 물었다. 이는 토론의 새 물꼬를 텄다. 회의론자들은 프로이센의 부활을 경고했다. 독일 전역에서 텔레비전 토크쇼의 주제가 되었고, 『프랑크푸르터 알게마이네 차이퉁』은 "프로이센은 허용되는가?"(Darf Preussen sein?)라는 제목으로 연재 기사를 실었다. 기고자 가운데 독일 특수노선에 관한 대표적인 학자 한스 울리히 벨러 교수는 칠의 제안에 맹렬히 반대하며, "프로이센은 독이다"라는 제목을 달았다.[9]

프로이센의 역사를 이해하려는 어떤 시도도 이 논쟁이 제기하는 이슈를 완전히 피해 갈 수는 없다. 프로이센이 20세기 독일의 비극에 정확히 얼마나 연루되었는가 하는 질문은 프로이센의 역사에 대한 평가의 한 부분일 수밖에 없다. 그렇다고 해서 프로이센의 역사를(다른 독일 국가의 역사 또한) 오로지 히틀러의 집권이라는 관점으로 읽어야 한다는 뜻은 아니다. 또 이분법적 윤리에 따라 빛을 칭찬하고 어둠을 개탄해야 한다는 뜻도 아니다. 오늘날의 논란에서 (그리고 역사 문헌 일부에서) 만연한 극단화된 평가는 문제가 있다. 프로이센이 겪은 복잡한 경험을 단순화하기 때문만이 아니라, 프로이센의 역사를 독일 유죄라는 사후적 목적론으로 납작하게 눌러버리기 때문이다. 진실은 프로이센은 독일이 되기 전부터 있던 유럽 국가였다는 점이다. 독일은 프로이센의 완성에서 나온 것이 아니라, (이 책의 중심 논지 중 하나를 미리 말하면) 오히려 프로이센의 실패에서 나온 것이다.

그래서 나는 프로이센의 기록을 다루면서 선악을 나누거나 그 경중을 가리지 않으려 했다. '교훈'을 전하거나 현재 또는 미래 세대에게 도덕적·정치적 조언을 전하려고도 하지 않았다. 독자들은 몇몇 프로이센에 적대적인 저작들이 그린 음산하고 전쟁을 도발하는 개미-왕국을 이 책에서 마주칠 일은 없을 것이다. 친프로이센 전통에서 나올 법한 훈훈한 노변정담 역시 없을 것이다. 21세기 케임브리지 대학교에 있는 호주 출신 역사학자의 글이기에, 나는 프로이센의 기록을 애도하거나 찬양해야 할 의무(또는 유혹)에서 기꺼이 벗어났다. 대신에 이 책은 프로이센을 만들고 없앤 힘들을 이해하고자 했다.

최근 국민과 국가가 자연스러운 현상이 아니라 우연적이고 인공적인 창조물이라는 걸 강조하는 것이 유행이 되었다. 국민이나 국가는 의지가 있는 행위들이 '주조해낸' 집단 정체성으로 구성되거나 창조되어야만 하는 '체계'라는 것이다.[10] 프로이센보다 이런 관점을 더 잘 입증하는 근대 국가는 없다. 프로이센은 이질적인 영토 조각의 집합이었다. 자연적 경계나 구별되는 하나의 민족 문화, 방언, 요리 같은 것은 없었다. 이런 난점은 프로이센의 간헐적인 영토 확장으로 새로운 주민들이 주기적으로 합병되면서 더 심화되었다. 프로이센 국가는 이 주민들로부터 충성심을 확보해야 했는데, 한다고 하더라도 굉장히 힘든 동화 과정을 거친 뒤에나 가능했다. '프로이센 사람' 만들기는 느리고 불안한 사업이었고, 프로이센의 역사가 공식적으로 끝나기 전에 이미 동력을 잃었다. '프로이센'이란 이름 자체가 부자연스러웠다. 왜냐하면 호엔촐레른 왕조의 북쪽 중심지(베를린 주변의 마르크 브란덴부르크)에서 따온 말이 아니라, 호엔촐레른 세습지 중에서 가장 북동쪽에 위치해 있는 저 멀리 떨어진 발트해 공국에서 온 이름이기 때문이다. 사실 프로이센은 브란덴부르크 선제후가 1701년 왕위 자격으로 격상된 뒤에 채택한 로고였다. 프로이센 전통의 핵심이자 정수는 전통이 없다는 것이다. 이 바싹 말랐고 추상적인 정체(政體)가 어떻게 살과 뼈를 얻었는지, 어떻게 이것이 왕위가 인쇄된 목판에서 일관되며 살아 있는 것으로 진화했는지, 또 어떻게 백성들의 자발적인 충성을 이끌어내는 법을 배웠는지, 이 책은 이런 의문들을 중점적으로 파고들었다.

'프로이센'이라는 단어는 여전히 어떤 종류의 권위주의적 질서를 나타내는 상투어이다. 그리고 프로이센의 역사는 너무나 쉽게 깔끔하게 정돈된 계획에 따라 전개된 것으로 생각되곤 한다. 호엔촐레른 왕조는 순차적으로 국가권력을 펼쳐 나갔고, 그들의 재산을 통합했으며, 세습지를 확장하고 지방 귀족들을 밀어붙였다는 식이다. 이 시나리오에서 국가는 중세의 혼란과 어둠에서 나와 전통과 단절하고 합리적이며 모든 것을 관장하는 질서를 부여한다. 이 책의 목표는 이런 서사를 뒤흔드는 것이다. 먼저 질서와 무질서가 모두 각자의 자리를 차지하는 방식으로 프로이센의 기록을 열어보려 했다. 가장 극도의 무질서인 전쟁의 경험은 프로이센 이야기를 가로지른다. 전쟁은 복잡한 방식으로 국가 건설 과정을 촉진하기도 하고 발목을 잡기도 했다. 국내 결속에 관해 말하자면, 이를 역동적이며 때로는 불안정한 사회 환경에서 펼쳐지는 우연하면서도 즉흥적인 과정으로 보아야만 한다. '행정'(administration)은 때로 통제된 격변의 다른 말이다. 19세기까지 프로이센 영토의 많은 곳에서 국가의 존재는 거의 느낄 수 없었다.

그러나 '그 국가'를 프로이센 이야기의 주변으로 밀쳐버려도 좋다는 말은 아니다. 국가를 반성적 의식의 형태, 정치적 문화의 인공물로

이해해야 한다. 프로이센의 역사에 대한 관념은 언제나 국가의 적법성과 필요성에 대한 요구와 얽혀 있다는 것이야말로 프로이센의 지적 구도에서 두드러진 특징 중 하나다. 예를 들어, 대선제후는 17세기 중반에 군주제 국가의 집행 구조 안에서 권력을 집중하는 것이야말로 외부 공격을 막아내는 가장 믿을 만한 방법이라고 주장했다. 그러나 (역사학자들이 객관적인 '외교정책의 우선 순위'라며 종종 되풀이하는) 이 주장은 그 자체로 국가가 진화해온 이야기의 한 부분이다. 다시 말해 이는 군주가 통치권을 강조하면서 꺼내 든 수사적 도구 가운데 하나인 것이다.

달리 말하면, 프로이센 국가의 역사는 프로이센 국가 역사에 관한 역사이기도 하다. 프로이센 국가는 자신들의 역사를 역사가 진행해온 것에 따라 만들어나갔다. 과거의 궤적과 현재의 목적을 공들여 설명해 나가면서 말이다. 19세기 초에, 프랑스발 혁명의 거센 도전에 맞서 프로이센의 행정을 강화해야 할 필요가 생기자 독특한 담론상의 상승 작용이 일었다. 프로이센 국가는 너무나 의기양양하게 자신이 특정한 종류의 근대화 모델이 되었다고 말하여 역사적 진보를 견인하는 주체로 스스로를 정당화했다. 그러나 당대 식자층이 마음속에 품은 국가의 권위와 숭고함은 대다수 백성이 삶에서 느끼는 국가의 무게와는 거의 아무런 관계도 없었다.

프로이센의 조상들이 물려준 영토의 소박함과 역사에서 그 장소가 누리는 명성 사이의 대조는 흥미롭다. 프로이센 국가의 핵심 지역인 브란덴부르크를 방문한 이들은 변변치 않은 자원과 생기 없는 시골 같은 도시들에 언제나 놀란다. 브란덴부르크 정체의 예외적인 역사적 이력을 말해주기는커녕 암시하는 것도 거의 없다. 볼테르는 그의 친구였던 프로이센의 프리드리히 왕이 프랑스, 러시아, 오스트리아 연합군을 격퇴하려고 고군분투한 7년전쟁(1756-63)이 시작될 무렵 다음과 같이 말했다. "누군가는 현재 무슨 일이 일어나고 있는지 써야만 한다. 그래야 모래알 같은 브란덴부르크가 어떻게 저런 힘을 행사하게 되었는지,

왜 루이 14세에 맞설 때보다 더 많은 군대가 모였는지 해명하는 데 유용할 것이다."[11] 프로이센 국가가 행사한 힘과 이를 유지하는 데 드는 국내 자원이 놀랄 만큼 일치하지 않았다는 사실은 유럽의 권력으로서 프로이센의 역사에서 가장 흥미로운 특징 중 하나를 설명해준다. 절체절명의 순간과 너무 빨리 힘이 강해진 시기가 번갈아가며 나타났다. 프로이센은 대중들에게 군사적 성공의 기억으로 인식되어 있다. 로스바흐, 로이텐, 라이프치히, 워털루, 쾨니히그레츠, 스당 등. 그러나 역사의 흐름을 보면, 브란덴부르크-프로이센은 정치적으로 멸망할 위기에 수시로 처했다. 30년전쟁 중에, 7년전쟁 중에, 그리고 나폴레옹이 프로이센 군대를 궤멸시키고 프로이센 왕국 동쪽 끝인 북유럽 메멜까지 프로이센 왕을 쫓아갔던 1806년 다시 위기에 빠졌다. 군대를 확장하고 군사를 정비하던 시기는 쪼그라들고 위축되던 긴 기간 사이사이에 흩어져 있었다. 예기치 못한 프로이센 성공의 어두운 면은 언제나 취약하다는 생각이었다. 이는 프로이센 국가의 정치적 문화에 뚜렷한 흔적을 남겼다.

이 책은 프로이센이 어떻게 만들어졌고 지워졌는지에 관한 것이다. 이 두 측면을 파악해야만, 한때 많은 사람들에게 그토록 위풍당당해 보였던 국가가 어쩌다 그렇게 급작스럽고 감쪽같이, 그 어떤 애도도 없이 사라지게 되었는지 이해할 수 있다.

여섯 개의 지도로 보는
프로이센-브란덴부르크의 역사

출처 Otto Büsch and Wolfang Neugebauer (eds.),
Moderne Preußische Geschichte 1648–1947. Eine Anthologie
(3 vols., Walter deGruyter: Berlin, 1981), vol. 3.

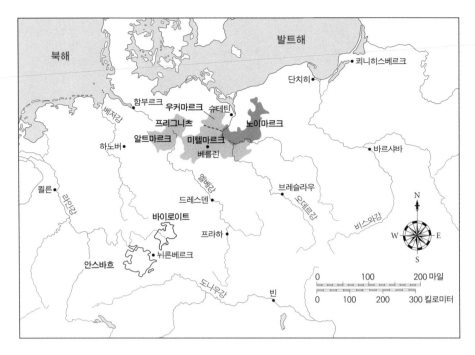

지도 1 호엔촐레른가가 브란덴부르크 선제후국을 취득한 1415년 무렵

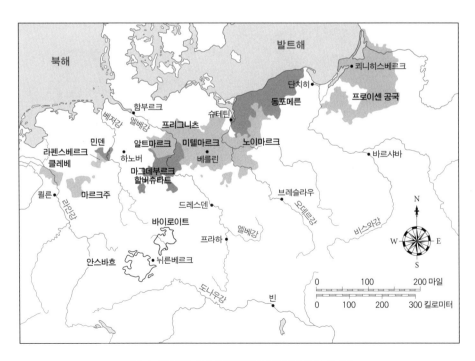

지도 2 대선제후 시기 브란덴부르크-프로이센 (1640–88)

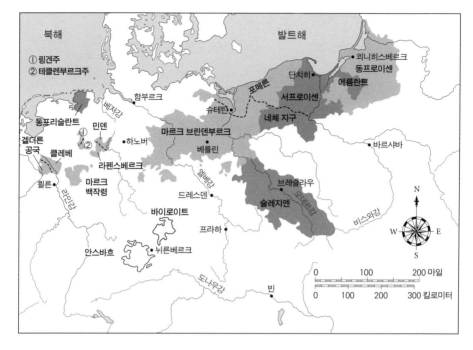

지도 3 프리드리히 대왕 시기 프로이센 왕국 (1740–86)

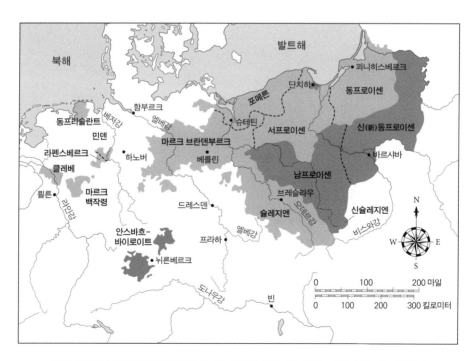

지도 4 프리드리히 빌헬름 2세 치하 프로이센, 2차와 3차 폴란드 분할로 획득한 영토를 보여준다.

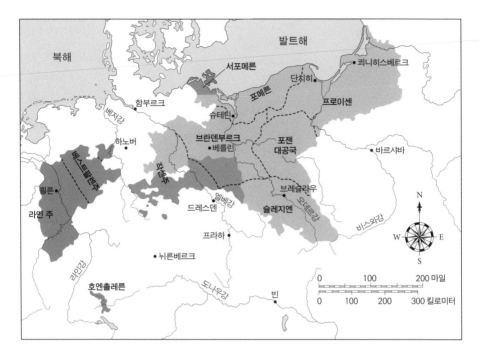

지도 5 빈 회의에 따른 프로이센 (1815)

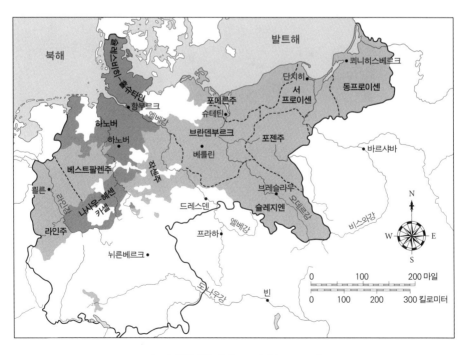

지도 6 독일제국 시절 프로이센 (1871-1918)

1

브란덴부르크의
호엔촐레른가(家)

The Hohenzollerns
of Brandenburg

심장 지대

처음에는 브란덴부르크만 있었다. 베를린 시를 중심에 둔 4만 제곱킬로 미터에 이르는 이 지역은 훗날 프로이센으로 알려지는 국가의 심장 지대였다. 네덜란드에서 북으로 폴란드까지 뻗어 있는 황량한 평원의 한 복판에 자리 잡은 브란덴부르크 시골 지역은 관광객의 관심을 끄는 곳이 아니었다. 뚜렷이 경계로 삼을 지표도 없었다. 이곳을 완만하게 흐르는 강에는 라인이나 도나우 같은 장관도 없었다. 단조로운 자작나무와 전나무 숲이 대부분의 땅을 뒤덮고 있었다. 일찍이 브란덴부르크를 소개하는 책을 쓴 지형학자 니콜라우스 로이팅거는 1598년에 '숲이 우거진 평지, 대부분은 늪지대'라고 말했다. '모래', '습지', '미개간 구역'이란 표현은 초기의 모든 설명에서 빠지지 않는다. 심지어 최고의 찬사였다.[1]

브란덴부르크의 토양은 대체로 척박했다. 특히 베를린 주변은 모래가 너무 많고 햇빛이 강해 나무가 제대로 자라지 못했고 19세기 중반까지도 별다른 변화가 없었다. 당시 한여름에 남부에서 베를린으로 접근하던 한 영국인 여행자는 다음과 같이 묘사했다. "삭막하고 뜨거운 모래밭이 광활하게 펼쳐진 지역, 마을은 보이지 않고, 있어도 드문드문 드러난다. 발육이 부진한 전나무 숲, 그 밑을 두툼한 순록이끼가 뒤덮고 있다."[2]

메테르니히는 이탈리아가 '지리적인 표현'에 불과하다는 유명한 말을 남겼는데 이 말은 브란덴부르크에는 해당되지 않는다. 육지로 둘러싸인 이곳은 방어를 위한 어떤 종류의 자연경계선도 없었다. 이곳은 전적으로 정치적 단위였다. 중세에는 이교도 슬라브족이 점령했고 다른 독일 지역은 물론이고 프랑스, 네덜란드, 북이탈리아, 영국에서 건너온 사람들이 정착한 땅들의 조합이었다. 20세기에 접어들 때까지 베를린 부근 슈프레 숲의 마을에 슬라브어를 사용하는 '벤드족'(Wenden)이라고 알려진 사람들이 남아 있기는 했지만, 슬라브적인 특징은 흐려졌다. 변경 지대라는 이 지역의 특징, 다시 말해 기독교가 독일에 정착하던 시기의 동쪽 경계라는 정체성은, 브란덴부르크 전체와 주변 다섯 개 지역 중 네 개 지역—베를린 근방의 미텔마르크, 서쪽의 알트마르크, 북쪽의 우커마르크, 동쪽의 노이마르크(다섯 번째는 북서쪽의 프리그니츠)—을 일컫는 '경계'라는 뜻의 '마르크'(Mark) 또는 '마르히'(March, 웨일스어의 마치스[Marches])라는 단어에 남아 있다.

교통수단은 원시적이었다. 브란덴부르크에는 해안이 없으니 바다에 면한 항구도 없었다. 엘베강과 오데르강은 마르크의 동서 양 날개를 거쳐 북해와 발트해를 향해 북으로 흐르지만, 이들 사이에 수로가 없기 때문에 베를린과 포츠담 같은 주거 도시는 지역의 수송 동맥과 바로 연결되지 않았다. 1548년에 베를린과 자매 도시인 쾰른(Cölln, 구베를린의 쌍둥이 도시로 지금의 베를린 미테 지구에 해당한다—옮긴이) 사이를 흐르는 슈프레강과 오데르강을 연결하는 운하 공사가 시작되었지만, 비용이 너무 많이 드는 프로젝트인지라 중단되고 말았다. 이 시대에는 수로보다 육로 수송에 훨씬 더 많은 비용이 들었기 때문에 동서를 이어주는 수로가 부족한 것은 구조적으로 심각한 약점이었다.

브란덴부르크, 1600년

발트해

슈트랄준트
콜베르크
서포메른
캄민
동포메른
시벨바인
슈베린 공국
안클람
드람부르크
슈베린
메클렌부르크-슈트렐리츠
공국
아른스발데
노이스트렐리츠
슈테틴
하노버
선제후국
엘베강
루트비히슬루스트
노이마르크
프리그니츠
우커마르크
뤼호
로소
그림니츠
쾨니히스베르크
란츠베르크
잘츠베델
하벨베르크
오라니엔부르크
알트마르크
쿠르마르크
오데르강
폴란드
왕국
클뢰체
브리첸
슈텐달
베를린
퀴스트린
브란덴부르크
미텔마르크
브라운슈바이크
공국
포츠담
슈토르코
프랑크푸르트
브라운슈바이크
루켄발데
크로센
마그데부르크
안할트-데사우
뤼벤
슐레지엔
0   50 마일
0   40   80 킬로미터
데사우
엘베강
작센
선제후국

브란덴부르크는 특산물을 기반으로 하는 독일 제조업(와인, 염료, 아마, 무명, 모직, 비단)의 주요 산지에서 벗어나 있었고, 그 시대의 핵심 광물 자원(은, 구리, 철, 아연, 주석)의 보급도 원활하지 못했다.[3] 야금술의 가장 중요한 중심지는 1550년대에 요새화된 도시 파이츠에 세워진 철 공소들이었다. 당대의 그림에는 유속이 빠른 인공 수로 사이에 자리 잡은 튼튼한 건물들이 묘사되어 있다. 거대한 수차가 무거운 망치를 움직여 금속을 펴고 다듬었다. 파이츠는 수비대에 군수품을 공급한다는 점에서 선제후에게 중요한 곳이었지만 경제적인 의미는 크지 않았다. 거기서 생산된 철은 날씨가 추울 때 잘 깨졌다. 그래서 브란덴부르크는 지역 시장에서 수출 경쟁력이 없었고 초기의 야금술 분야는 정부 주문과 수입 제한 조치가 없었다면 살아남을 수 없었을 것이다.[4] 남동쪽의 선제후국 작센에서 번창하던 주물 공장들과는 비교가 안 되었다. 17세기 초반에 스웨덴을 그 일대에서 강국으로 만들어준 무기 제작에서도 상대적으로 초라하기는 마찬가지였다.

브란덴부르크의 농업 지형에 대한 초기의 설명은 뭔가 뒤섞인 인상이다. 이 일대 상당 부분의 척박한 토질은 농산물 수확이 저조했음을 뜻한다. 일부에서는 토양의 양분이 너무 빨리 고갈되는 바람에 파종을 6년이나 9년, 12년마다 할 수밖에 없었다. 아무것도 자라지 못하는 적지 않은 '모래 불모지'나 '습지'는 말할 나위도 없었다.[5] 반면에, 집약적 곡물 재배를 뒷받침할 만큼 충분한 경지가 있는 지역(특히 알트마르크와 우커마르크, 베를린 서쪽의 비옥한 하펠란트 등)도 있었다. 이들 지역엔 1600년 무렵에 실제로 경제적으로 활기를 띠었던 징표가 있다. 16세기 유럽은 장기적인 성장기였고, 귀족계급을 중심으로 한 지주들은 이런 유리한 조건에서 수출용 곡물을 생산해 큰 재산을 모았다. 부의 증거는 부유층 가문에서 건축한(사실상 지금은 남아 있지 않은) 우아한 르네상스식 저택, 아들을 외국으로 유학 보내는 사례의 증가, 농지 가격의 급격한 상승 등에서 엿볼 수 있다. 임자 없는 농지에 정착하기 위해 프랑켄과 작센 선제후국, 슐레지엔, 라인란트 지방에서 브란덴부르크로 온 16세기 독일인의 이주 물결은 이곳이 번창했다는 또 다른 증거였다.

하지만 큰 이익을 거둔 지주들이 지역적인 규모를 넘어 곡물 생산성이나 장기적인 경제 성장에 기여했음을 시사하는 설명은 없다.[6] 브란덴부르크의 장원 제도는 서유럽이 보여준 도시 발달을 자극할 만한 충분한 잉여 노동력을 내보내거나 구매력을 만들어내지 못했다. 영지의 도시는 지역의 제조업과 무역의 편의를 봐주는 행정 중심지로 발전했지만 규모는 소박했다. 1618년에 30년전쟁이 발발했을 당시 베를린-쾰른으로 알려진 당시 이중 수도의 인구는 겨우 1만 명에 불과했다. 이 무렵 런던 시의 인구가 약 13만 명이었다.

장래성 없던 이 영지가 어떻게 강력한 유럽 국가의 심장이 되었을까? 열쇠는 통치 왕조의 분별력과 야망에 있다. 호엔촐레른 가문은 남부 독일에서 떠오르는 최고의 귀족 가문이었다. 1417년에 작지만 부유한 영지인 뉘른베르크의 성주 프리드리히 폰 호엔촐레른은 브란덴부르크를 그곳의 당시 영주인 지기스문트 황제로부터 헝가리 금화 40만 길더를 주고 구매해 땅은 물론 세력까지 얻었다. 브란덴부르크는 신성로마제국의 황제 선출권을 가진 7대 선제후국 중 하나였기 때문이다. 이때 신성로마제국은 유럽 독일어권의 크고 작은 국가들을 이어 만든 조각이불 같은 형태였다. 브란덴부르크 선제후라는 새로운 칭호를 얻은 프리드리히 1세는 오늘날 유럽 지도에서 사라진 정치 세계로 진입했다. '독일 민족의 신성로마제국'은 본질적으로 중세의 잔재였으며 자주적인 분할 통치와 제후의 특권을 공유하는 기독교 세계의 왕조를 기반으로 했다. 그것은 현대적인 의미에서 한 지역이 다른 지역을 다스리는 통치 체계인 '제국'이 아니라 황실을 중심에 둔 헌법적 질서를 가진 느슨한 연맹이었다. 규모와 법적 지위가 천차만별인 300개 이상의 자주적 영토 독립체가 여기에 속했다.[7] 신성로마제국의 주민으로는 독일인 외에 프랑스어를 사용하는 왈롱인, 네덜란드의 플랑드르인, 덴마크인, 체코인, 슬로바키아인, 슬로베니아인, 크로아티아인, 북부 이탈리아인 그리고 독일어권 동쪽 주변부의 사람들 등이 포함되었다. 가장 중요한 정치 기관은 제국의회(Dieta Imperii)였다. 각 지역의 영지와 주교구, 수도원, 백작령, 자유제국도시(함부르크와 아우크스부르크 같은 작은 도시 국가)를 대표해 의회를 구성하는 의원들이 모였다.

신성로마제국의 황제는 이토록 들쑥날쑥한 정치 지형을 관장했다. 황제는 선출직이었기 때문에(황위에 앉을 사람을 매번 선제후들이 선출했다), 이론상으로는 피선거권이 있는 왕가의 후보라면 그 자리에 오를 수 있었다. 하지만 중세 말부터 제국이 공식적으로 해체된 1806년까지 후보는 사실상 언제나 합스부르크 가문의 남자 연장자로 국한되었다.[8] 1520년대에 합스부르크 가문은 일련의 정략결혼과 운이 따른 상속(특히 보헤미아와 헝가리에서)에 힘입어 독일어권에서 단연코 가장 부강한 왕조였다. 보헤미아 왕가의 영지에는 광물이 풍부한 슐레지엔 공국과 오버라우지츠와 니더라우지츠가 있었다. 모두 제조업의 중심지였다. 그러니까 합스부르크 왕가는 헝가리의 서쪽 끝에서 브란덴부르크 남쪽 경계에 이르는 어마어마한 영지를 통치했다.

프랑켄의 호엔촐레른가는 브란덴부르크 선제후에 오름으로써 독일 군주들 중에 몇 명 되지 않는(총 일곱 명밖에 없었다) 독일 민족의 신성로마제국의 황제 선출권을 가진 엘리트 계층에 속하게 되었다. 선제후라는 직위는 엄청난 자산이었다. 왕조의 통치권 휘장과 정치 의례에서뿐만 아니라 제국의 모든 공식 행사에 동원되는 호화로운 의식에서 그것의 상징적인 탁월함이 시각적으로 드러났다. 그 지위는 브란덴부르크의 황제 선출권을 황제로부터 나오는 정치적 이권이나 선물과 주기적으로 맞바꾸는 위치로 올려놓았다. 실제로 황제 선출 시기뿐 아니라 황제가 미리 점찍은 후계자를 지원해달라고 부탁할 때마다 기회가 왔다.

호엔촐레른가는 세습 재산을 유지하고 증식하기 위해 애썼다. 그러는 와중에 16세기 중엽까지 거의 모든 선제후 통치 시기마다 작지만 중요한 영토를 획득했다. 지역 내에 있는 독일의 몇몇 다른 왕조와 달리, 호엔촐레른가는 영토 분할의 피해를 면할 수 있었다. 브란덴부르크가 분할을 피하고 통일된 형태로 세습되는 것은 '아킬레스 칙령'(1473년)으로 알려진 상속법으로 보장되었다. 물론 요아힘 1세(재위 1499~1535년)는 이 법을 비웃으며 자신이 죽은 뒤에 영토를 분할해 두 아들에게 나누어주라고 명령했지만, 작은아들이 1571년에 후사가 없이 죽는 바람에 마르크의 통합 형태가 회복되었다. 1596년 선제후 요한 게오르크(재위 1571~98년)는 배다른 아들들에게 마르크를 다시 분할해 줄 것을 골자로 하는 정치적 유언을 남겼다. 그의 후계자인 요아힘 프리드리히 선제후가 상속받은 브란덴부르크를 온전히 건사할 수 있었던 것은 오로지 남부 프랑켄 가계의 대가 끊긴 덕이었다. 이 때문에 그는 동생들에게 브란덴부르크 세습 영지 바깥에 있는 땅으로 보상해줄 수 있었다. 이 예에서 보듯이, 16세기의 호엔촐레른가는 스스로를 국가 수뇌라기보다는 여전히 가문의 족장으로 여기고 행동했다. 물론 1596년 이후로도 가문의 번성을 꾀하는 데 혹하긴 했지만, 그것이 영토의 보전을 압도할 정도로 강하지는 않았다. 이 시기에 다른 가문의 영지들은 세대를 거치며 점점 작은 땅덩어리로 갈라졌지만 브란덴부르크만은 온전히 남았다.[9]

합스부르크가의 황제는 베를린에 있는 호엔촐레른가 선제후들의 정치적 지평에서 거대한 존재였다. 그는 유력한 유럽의 군주였을 뿐 아니라 제국의 상징적인 초석이자 보증서였다. 제국이라는 고대국제(ancient constitution)는 유럽의 독일어권에서 모든 통치권의 토대였다. 황제 권력에 대한 존경은 그가 몸소 구현하고 있는 정치적 질서에 대한 깊은 애착과 서로 뒤섞여 있었다. 그렇다고 해서 이것이 합스부르크가의 황제가 제국 내의 일을 통제하거나 단독으로 지시할 수 있다는 것을 의미하지는 않았다. 제국 중앙 정부라는 것은 존재하지 않았으며 제국 차원의 징세권이나 상비군 또는 경찰력 같은 것도 없었다. 그의 의지대로 제국을 다스린다는 것은 언제나 타협하고 거래하고 술책을 쓴다는 것을 의미했다. 중세의 온갖 유산이 지속되었음에도 불구하고 신성로마제국은 불안정한 권력의 균형이라는 특징을 지닌 고도로 유동적이면서도 역동적인 체계였다.

종교개혁

1520년대와 1530년대에 접어들자, 독일의 종교개혁으로 촉발된 힘은 이 복잡한 체계의 균형을 뒤흔들고 양극화를 가속화했다. 영향력 있는 일단의 영주들과 제국자유도시 다섯 곳 중 세 곳은 루터의 신앙 노선을 받아들였다. 합스부르크의 카를 5세는 로마제국의 가톨릭 정체성을 굳건히 지키는 동시에 자신의 제국 통치권을 공고히 하기로 결심하고 반(反)루터 동맹 세력을 소집했다. 이들 동맹군은 1546~47년에 벌어진 슈말칼덴 전쟁에서 일련의 주목할 만한 승리를 거두었지만, 합스부르크가의 세력이 더욱 확대될 것을 두려워한 제국 안팎의 적들이 연합하는 결과를 낳았다. 1550년대 초에 합스부르크가의 음모를 저지하려던 프랑스는 프로테스탄트 독일 영방들에 대한 군사 지원을 시작했다. 교착 상태에 빠진 양측은 협상 끝에 1555년 아우크스부르크 평화조약에 합의하게 되었다. 아우크스부르크 종교화의는 제국 내 루터파 영방의 존재를 공식적으로 받아들였고, 루터파 제후가 선택한 신앙을 백성들에게 강제하는 권리를 인정했다.

대변혁이 벌어지는 동안 브란덴부르크의 호엔촐레른가는 중립적이면서 신중한 정책을 유지했다. 황제와 등지고 싶지 않았던 이들은 루터 신앙을 공식적으로 받아들이는 것을 주저했다. 영방 내 종교개혁은 아주 조심스럽고 단계적으로 진행되어 개종은 16세기 말에 가서야 마무리되었다. 브란덴부르크의 선제후 요아힘 1세는 자신의 아들들이 가톨릭교회에 남기를 바랐지만, 1527년 덴마크 출신의 아내 엘리자베트가 이 일에 직접 나섰고 결국 루터파로 개종했다. 이후 엘리자베트는 작센으로 도피해 프로테스탄트였던 요한 선제후의 보호를 받았다.[10] 신임 선제후 요아힘 2세(재위 1535~71년)는 브란덴부르크 권좌에 오를 때까지만 해도 가톨릭교도였지만, 곧 자신의 모후를 따라 루터파로 개종했다. 이 대목 이후에 숱하게 드러나듯, 왕조의 여인들은 브란덴부르크

1 소(小) 루카스 크라나흐 작,
선제후 요아힘 2세, 1551년 무렵.

종교정책에 결정적인 역할을 했다.

요아힘 2세는 개인적으로는 종교개혁의 이유에 공감하면서도 자신의 영방이 공식적으로 새로운 신앙을 따르는 데는 소극적이었다. 그는 여전히 오래된 성찬식과 화려한 가톨릭 의식을 좋아했다. 또한 변함없이 다수를 차지하는 제국 내 가톨릭 세력의 틈바구니에서 브란덴부르크의 입지를 해치는 행보는 보이고 싶지 않아 했다. 1551년 무렵 화가 소(小) 루카스 크라나흐가 그린 초상화는 그의 양면성을 포착하고 있다. 그림 속 인물은 당당한 체격에 주먹을 꽉 쥐고 두툼한 법복 위로 보석을 장식한 채 배를 내민 모습이지만, 조심스러운 태도가 엿보인다. 각진 얼굴의 경계심 많은 두 눈은 정면을 바라보고 있지 않다.

제국이 정치적 격동을 겪던 때 브란덴부르크는 조정자와 진솔한 중개자 역할을 원했다. 선제후의 사절들은 프로테스탄트와 가톨릭 진영 사이의 타협을 중재하는 시도를 여러 차례 했지만 실패했다. 요아힘 2세는 매파 성향이 강한 프로테스탄트 군주들과는 거리를 두었고, 심지어 슈말칼덴 전쟁 기간에는 황제를 지원하기 위해 소규모 기마군을 파견하기까지 했다. 그러다가 아우크스부르크 종교화의에 따라 비교적 온건한 분위기가 조성된 1563년에 가서야 비로소 공개적인 신앙고백을 통해 신교에 대한 개인적인 애착을 공식화했다.

브란덴부르크 지역이 좀 더 짙게 루터파의 색깔을 드러내기 시작한 것은 요아힘 2세의 아들인 선제후 요한 게오르크의 통치기에 들어서였다. 이때 정통 루터파 신자들이 오데르 강변의 프랑크푸르트 대학교 교수직에 임명되었고, 1540년의 교회 규율도 루터의 교리에 더 적합한 방향으로 철저하게 개정되었으며, 두 차례의 영방 내 교회 시찰을 통해(1573~81년, 1594년), 지방과 지역 단위에서 루터교로 개종이 이루어지도록 했다. 하지만 제국의 정치적인 영역에서 요한 게오르크는 합스부르크 황실의 충성스러운 지지 세력으로 남았다. 젊은 시절에 공공연히 프로테스탄트 운동을 지원함으로써 가톨릭 진영에 적대적인 행동을 했던 요아힘 프리드리히 선제후(재위 1598~1608년)조차 왕위에 오르자 원만한 태도를 보이며 황실로부터 종교적인 양보를 이끌어내기 위해 여러 프로테스탄트 동맹과 거리를 두었다.[11]

브란덴부르크 선제후들이 계속해서 신중한 태도를 보였다고 해서 그들에게 야망이 없었다는 얘기는 아니다. 방어가 쉬운 국경도 없고 강제적인 수단으로 목표를 달성할 자원도 부족한 국가로서는 혼인을 정책 도구로 선호할 수밖에 없었다. 16세기에 있었던 호엔촐레른가의 혼인 동맹을 조사해보면, 온갖 방향으로 시도했다는 것을 확인할 수 있다. 1502년에 이어 1523년에도 덴마크 왕가와 혼인을 했는데 이것으로 재위 중인 선제후(요하임 1세)는 슐레스비히 및 홀슈타인 공작령 일부와 발트해의 항구를 획득하길(허사가 되었지만) 바랐다. 1530년에는 언젠가 브란덴부르크가 포메른 공국을 계승하고 발트해안의 땅을 차지하리라는 희망을 품고, 그의 딸을 포메른의 게오르크 1세 공작과 혼인시켰다. 폴란드 왕은 브란덴부르크의 계산에서 또 다른 중요한 역할을 할 존재였다. 폴란드 왕은 프로이센 공국, 발트해 공작령의 봉건 영주였다. 발트해 공작령은 1525년 세속화되기 전까지 튜턴(독일)기사단이 통치했고, 이후 브란덴부르크 선제후의 사촌인 호엔촐레른가의 알브레히트 공이 다스리고 있었다. 선제후 요아힘 2세가 1535년에 폴란드의 헤드비히(야드비가) 공주와 혼인한 것은 부분적으로 이 매혹적인 영지를 손에 넣기 위해서였다. 1564년 처남이 폴란드 왕위에 오르자, 요아힘은 두 아들을 프로이센 공국의 공동상속인으로 지정하는 데 성공했다. 4년 뒤 알브레히트 공이 죽고, 이런 지위가 루블린의 폴란드 의회에서 확인되면서 16세의 신임 공작 알브레히트 프리드리히가 아들이 없이 사망할 경우, 브란덴부르크가 프로이센 공국을 상속할 길이 활짝 열렸다. 우연찮게도 이 계산은 맞아떨어졌다. 알브레히트 프리드리히는 정신이상 증세가 있었지만 몸은 건강해서 50년을 더 살다가 1618년에 죽었는데, 슬하에 아들 없이 딸만 둘이었던 것이다.

그사이 호엔촐레른가는 쉴 새 없이 가능한 모든 수단을 동원하여 프로이센 공국에 대한 권리를 강화해나갔다. 아버지가 중단하면 아들이 대를 이어 노력을 기울였다. 1603년에 요아힘 프리드리히 선제후는 폴란드 왕을 설득해 프로이센 공국에 대한 통치권(재위 중인 공작의 정신질환 때문에 필요했던)을 넘겨 받았다. 그의 아들인 요한 지기스문트는 1594년에 알브레히트 프리드리히의 장녀인 안나 폰 프로이센과 결혼함으로써 프로이센 공국과의 관계를 더 공고히 했다. 공비가 자신의 딸은 '뛰어난 미인'이 아니라고 노골적으로 경고하는 것도 무시했다.[12] 다른 가문이 상속권에 손대는 것을 막기 위해서였을 것이다. 한편 아버지인 요아힘 프리드리히는 첫 번째 아내가 죽자 아들의 아내, 즉 며느리의 여동생과 결혼했다. 이제 아버지는 아들의 동서가 되었고 안나의 여동생은 안나의 시어머니가 되었다.

이리하여 프로이센 공국을 직접 상속받는 것은 분명해 보였다. 요한 지기스문트와 안나의 혼인은 서쪽과 관계된 새롭고 부유한 상속권

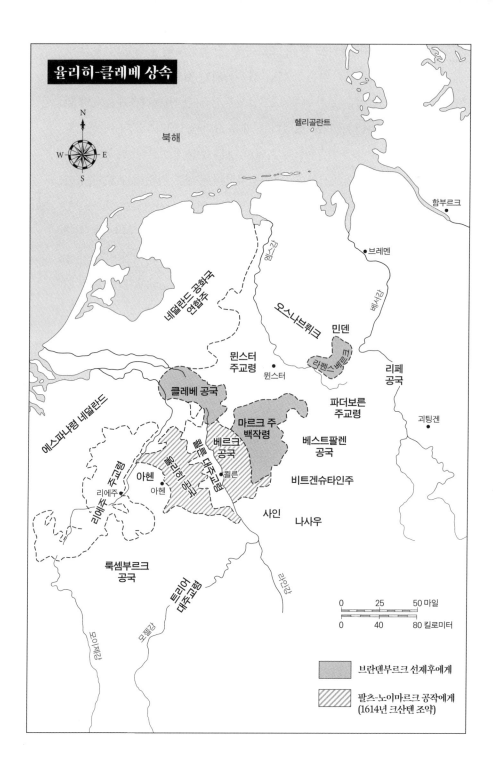

율리히-클레베 상속

북해

헬리곤란트

N
W · E
S

함부르크

브레멘

네덜란드 공화국 연합주

오스나브뤼크

민덴

리페 공국

괴팅겐

에스파냐령 네덜란드

뮌스터 주교령

뮌스터

클레베 공국

파더보른 주교령

마르크 주 백작령

베스트팔렌 공국

콜른 대주교령

베르크 공국

콜른

비트겐슈타인주

리에주 주교령

아헨

아헨

율리히 공국

사인

나사우

룩셈부르크 공국

트리어 대주교령

라인강

모이제강

모젤강

0   25   50 마일

0   40   80 킬로미터

■ 브란덴부르크 선제후에게

▨ 팔츠-노이마르크 공작에게
(1614년 크산텐 조약)

프로이센 공국

-··-··- 국경

리투아니아

발트해

메멜

타우로겐

쿠르니아 석호

니멘강

틸지트

라그니트

라비아우

잠란트

쾨니히스베르크

타피아우

인스터부르크

슈탈루푀넨

굼비넨

프레겔강

벨하우

비스툴라 석호

단치히

바르텐슈타인

에름란트

리크

마주렌

마리엔베르더

요하니스부르크

오르텔스부르크

오버란트

폴란드

비슬라강

폴란드 왕령
프로이센

0   25   50 마일

0   40   80 킬로미터

45

의 전망도 밝게 해주었다. 안나는 프로이센 공국의 딸이었을 뿐 아니라 또 다른 정신이상자인 독일 공작 요한 빌헬름 폰 율리히-클레베의 조카이기도 했기 때문이다. 요한 빌헬름의 영지는 라인 지방의 율리히, 클레베, 베르크 공작령 외에도 마르크 백작령과 라벤스베르크까지 뻗어 있었다. 안나의 어머니 마리아 엘레오노라는 요한 빌헬름의 큰누나였다. 안나 외가 쪽의 연고는, 딸에게도 가문의 재산과 직위를 물려주는 것을 허용한 율리히-클레베 가문의 약정이 없었더라면 대수롭지 않았을 것이다.[13] 이렇게 유별난 약정 덕분에 안나 폰 프로이센은 삼촌의 상속녀가 되어 남편인 요한 지기스문트 폰 브란덴부르크가 율리히-클레베 영지의 권리를 주장할 수 있는 기반을 닦아주었다. 세대를 넘어 무자비한 음모가 이어지던 근대 초기 유럽과 브란덴부르크 역사 형성기에 결혼 시장이 종잡을 수 없었음을 이보다 더 잘 보여주는 예는 없을 것이다.

부푼 기대

17세기로 바뀌던 시기에 브란덴부르크 선제후는 즐거우면서도 걱정스러운 갈림길에 섰다. 프로이센 공국도 그렇고, 여기저기 흩어진 율리히-클레베 세습 영지의 공작령과 백작령들도 마르크 브란덴부르크와 인접해 있지 않았기 때문이다. 신성로마제국의 서쪽 모퉁이에 위치한 율리히-클레베의 영지는 맞붙어 있는 에스파냐령 네덜란드 및 네덜란드 공화국과 긴밀한 관계에 있었다. 그곳은 독일어권 유럽에서 가장 도시화되고 산업화된 지역의 하나로 종파가 뒤섞인 땅덩어리였다. 루터파에 속하는 (대략 브란덴부르크와 크기가 비슷한) 프로이센 공국은 신성로마제국의 외곽으로 발트해안 동쪽에 있었고, 이곳을 둘러싼 땅은 바람 부는 해변과 하구, 곡식이 익어가는 들판, 잔잔한 호수, 늪, 울창한 숲으로 이루어진 폴란드-리투아니아 연방(Polish-Lithuanian Common-wealth)의 영지였다. 유럽의 근대 초기 역사에서 지리적으로 흩어진 지역이 단일 통치권의 지배를 받는 것은 이례적인 일이 아니었지만, 이 경우에는 거리가 멀어도 너무 멀었다. 베를린과 쾨니히스베르크 사이에 놓인 도로와 숲길은 길이가 700킬로미터가 넘었고 비가 오면 상당 구간이 사실상 통행이 불가능했다.

이렇다 보니 현지에서 브란덴부르크의 요구를 고분고분 받아들이지 않을 것은 자명했다. 폴란드 의회 내의 유력한 파벌은 브란덴부르크의 상속을 반대했다. 율리히-클레베의 세습 영지를 놓고 경쟁적으로 상속권을 주장하는 제후가 일곱 명 있었는데, 그중에 서류상 (브란덴부르크 다음으로) 가장 강력한 후보는 서부 독일에 있는 팔츠-노이부르크 공작이었다. 게다가 프로이센 공국이나 율리히-클레베 공국은 모두 국제적으로 긴장이 고조된 지역에 있었다. 율리히-클레베 공국은 에스파냐로부터 독립하기 위해 싸우는 네덜란드의 세력권 안에 있었는데, 이 다툼은 1560년 이후 간헐적으로 격렬하게 전개되었다. 또 프로이센 공국은 팽창주의적인 스웨덴과 폴란드-리투아니아 연방 사이의 긴장 지대에 있었다. 브란덴부르크 선제후의 군대는 봉건적인 징병 수단에 의존하는 낡은 제도로 유지되었는데 1600년 이후로 급격히 쇠퇴했다. 소수의 경호중대와 보잘것없는 요새 수비대를 제외하면 상비군도 없었다. 비록 브란덴부르크가 새로운 영토를 획득하는 데 성공한다 해도 그것을 유지하려면 상당한 자원을 동원해야만 했을 것이다.

하지만 어디서 이런 자원을 들여올 것인가? 새로운 영지를 획득하기 위해 재정적 기반을 확충하려는 시도는 예외 없이 영방 내의 격렬한 반대에 부딪칠 것이 분명했다. 숱한 유럽의 군주들처럼 브란덴부르크 선제후는 이른바 신분제의회(Stände)의 대표로 구성된 일단의 지역 엘리트들과 권력을 나눴다. 신분제의회는 선제후가 부과한 세금을 승인(혹은 불승인)하면서 (1549년부터) 징세를 관리했다. 그 대가로 광범위한 권한과 특권을 행사했다. 예컨대 선제후는 신분제의회의 사전 동의 없이 동맹을 맺는 것이 금지되었다.[14] 1540년에 반포되고 1653년까지 다양한 상황에서 되풀이된 한 선언에서, 선제후는 "우리 전체 의원들에게 사전에 고지하지 않거나 협의를 거치지 않은 채 지역의 번성 또는 쇠퇴를 좌우하는 중대사를 결정하거나 떠맡지 않겠다"는 약속까지 했다.[15] 두 손이 묶인 것이나 다름없었다. 선제후의 세습 영지에서 노른자는 지방 귀족들이 차지했다. 동시에 그들은 선제후의 가장 중요한 채권자이기도 했다. 하지만 그들의 시야는 너무 제한적이었기 때문에 그들로서는 전혀 알지 못하는 멀리 떨어진 영지를 획득하려고 애쓰는 선제후를 돕는 일엔 관심이 없었다. 그저 마르크의 안전을 해칠지도 모르는 일체의 행동에 반대만 할 뿐이었다.

선제후 요아힘 프리드리히는 문제의 핵심을 알고 있었다. 1604년 12월 13일, 그는 '추밀원'(Geheimer Rat)을 설치하겠다고 발표했다. 추밀원은, 특히 프로이센과 율리히에 대한 요구를 중심으로 '우리를 압박하는 중대한 문제'를 감독하는 임무를 띤 아홉 명의 고문관으로 구성된 조직이었다.[16] 합의제로 운영해 각종 안건이 다각도에서 조명되고 좀 더 광범위한 지지 속에 처리될 수 있도록 했다. 그런데 이 모임은 국가 관료 체제의 핵심으로 부상하지는 못했다. 애당초 계획된 정기회의 일정 같은 것은 없었고 기본적으로 자문 역할에 그친 조직이었다.[17] 하지만 추밀원에 주어진 책임의 폭과 다양성을 볼 때, 최고위급으로 의사 결정 과정이 집중될 조짐이 보였다.

혼인정책에서는 서쪽을 향하는 새로운 움직임이 있었다. 1605년 2월 선제후의 열 살짜리 손자 게오르크 빌헬름은 팔츠의 선제후 프리드리히 4세의 여덟 살 된 딸과 약혼했다. 방비가 탄탄하고 부유한 라인 강변의 영지인 팔츠는 독일에서 엄격한 개신교 형식으로 루터교보다 더 철저하게 가톨릭과 단절한 칼뱅주의의 중심지였다. 16세기 후반에 칼뱅파는 독일 서부와 남부에서 확실한 발판을 구축했다. 팔츠의 수도인 하이델베르크는 독일 칼뱅파 도시 및 공국의 다수가 포함된 군사적·정치적 관계망의 중심축이었으며, 외국의 칼뱅주의 세력, 특히 네덜란드 공화국까지 손을 뻗쳤다. 프리드리히 4세는 서부 독일에서 매우 강력한 군사 시설을 소유했기 때문에 브란덴부르크 선제후는 관계가 더 긴밀해지면 서부에서 브란덴부르크의 요구를 전략적으로 지원받는 데 도움이 되리라 기대했다. 실제로 1605년 4월에 브란덴부르크와 팔츠, 네덜란드 공화국 사이에 동맹이 맺어졌다. 이에 따라 네덜란드는 군사보조금을 받고 브란덴부르크 선제후를 위해 율리히를 점령하기 위한 병력 5천 명을 준비하는 데 동의했다.

이것이 시작이었다. 호전적인 칼뱅파와 손을 잡음으로써 호엔촐레른가는 루터파에게만 관용을 인정하고 칼뱅파는 제외한 1555년 아우크스부르크 종교화의의 합의 범위를 벗어났다. 이제 브란덴부르크는 합스부르크 황제의 가장 확실한 적들과 연합했다. 베를린의 의사 결정권자들은 의견이 갈렸다. 선제후와 그의 고문관 대다수는 신중하게 자제하는 정책을 선호했지만, 술고래인 선제후의 장남 요한 지기스문트(재위 1608~19년) 주변에서 영향력을 행사하는 일단의 인물들은 강경 노선을 택했다. 이들 중 한 명은 율리히 태생의 칼뱅파 교도로서 추밀원 고문관인 오트하인리히 빌란트 추 라이트이고, 또 한 명은 요한 지기스문트의 아내로서 율리히-클레베의 이해를 대변하는 안나 폰 프로이센이었다. 지지자들을 등에 업고 (어쩌면 그들의 부추김을 받아) 요한 지기스문트는 팔츠와 더 긴밀한 관계를 맺어야 한다는 생각을 밀어붙였다. 심지어 그는 미리 선수를 쳐 율리히-클레베로 진격, 점령함으로써 계승에 대한 논란을 잠재워야 한다는 주장도 서슴지 않았다.[18] 호엔촐레른 국가의 역사에서 정치 엘리트들이 외교정책의 선택을 놓고 극단적으로 의견이 갈린 것은 이것이 끝이 아니었다.

1609년 정신이상 증세가 있던 율리히-클레베의 노공이 마침내 사망하자, 그의 영지에 대한 브란덴부르크의 주장이 활기를 띠었다. 다만 시점이 지극히 불리했다. 합스부르크령 에스파냐와 네덜란드 공화국 사이의 국지적인 긴장은 여전했고 상속 영지는 전략적 군사 요충지인 네덜란드로 가는 길목에 있었다. 설상가상으로 제국 전역에 걸쳐 종교적 긴장이 극적으로 확대된 상태였다. 격화된 종교 분쟁의 여파로 서로 적대적인 두 개의 종교 동맹이 등장했다. 한쪽은 칼뱅파의 팔츠가 이끄는 1608년의 프로테스탄트 연합이었고, 다른 한쪽은 황제의 비호 아래 바이에른의 막시밀리안 공이 이끄는 1609년의 가톨릭 동맹이었다. 평화 시라면 브란덴부르크 선제후와 팔츠-노이부르크 공은 율리히-클레베를 둘러싼 분쟁을 해결하기 위해 의심할 여지없이 황제 편에 섰을 것이다. 하지만 당파적으로 이해가 갈린 1609년의 분위기에서는 황제가 중립을 지킨다고 신뢰할 수 없었다. 선제후는 황실의 중재를 회피하고 그의 경쟁자와 따로 합의를 하기로 결심했다. 즉 이들 두 군주가 일단 공동으로 분쟁 지역을 점령한 다음에 각국의 미결된 요구사항을 논의하자는 것이었다.

이들의 행동으로 위기가 고조되었다. 에스파냐령 네덜란드에서는 율리히의 방어를 감독하기 위해 황제의 군대가 파견되었다. 요한 지기스문트는 프로테스탄트 연합에 가담했고, 연합은 두 상속 후보자에 대한 즉각적인 지원을 선언하며 5천 명 규모의 군대를 소집했다. 프랑스의 앙리 4세는 이 사태에 관심을 갖고 프로테스탄트 편에서 중재하기로 결심했다. 전쟁 발발 직전까지 갔지만, 1610년 5월 프랑스 국왕이 암살되는 바람에 전쟁으로 번지지는 않았다. 네덜란드와 프랑스, 영국의 혼성부대와 프로테스탄트 연합군은 율리히로 진입해서 그곳의 가톨릭 수비대를 포위했다. 그사이에 새로운 국가들이 가톨릭 동맹에 합류하기 위해 집결했고, 상속후보자들에게 화가 난 황제가 율리히-클레베 영지 전체에 대한 권리를 작센 선제후에게 하사하면서 작센-황실 동맹군이 브란덴부르크를 곧 침입할 거라는 우려가 제기되었다. 다툼이 이어지다가 1614년에 율리히-클레베의 유산은 두 상속후보자에게 분할되었다. 최종 결정은 추후로 미룬 상태에서 팔츠-노이부르크 공은 율리히와 베르크를 받았고, 브란덴부르크는 클레베와 마르크, 라벤스베르크, 라벤슈타인을 확보했다(44쪽 참고).

이때의 영지 획득은 중요한 의미가 있었다. 클레베 공국은 라인강 양안에 걸친 채 네덜란드 공화국 영지로 파고들어간 형태였다. 중세 후반에 제방 건설을 통해 라인 범람원에 기름진 땅이 개간되면서 이 지역은 네덜란드의 곡창 지대로 변해 있었다. 마르크 백작령은 이보다 비옥하지도 않고 인구가 많지도 않았지만, 중요한 광맥이 있었고 야금 활동이 활발했다. 라벤스베르크 백작령은 크지는 않아도 라인 지방과 독일 북동부를 연결하는 전략적으로 중요한 수송로를 끼고 있었으며 수도인 빌레펠트 중심으로 아마포 산업이 번창했다. 단, 마스 강변에 자리잡은 자그마한 라벤슈타인 영지는 네덜란드 공화국 안에 갇힌 형태로 고립되어 있었다.

어느 시점엔가 선제후가 지나친 욕심을 부렸다는 것이 분명해졌다. 그는 빈약한 세입 때문에 상속권을 둘러싼 갈등에서 부수적인 역할 이상을 할 수 없었다.[19] 그의 영방은 그 어느 때보다 더 위험에 노출되었다. 그리고 상황을 더욱 복잡하게 만든 사건이 일어났다. 1613년 요한 지기스문트가 칼뱅주의로 개종한다고 발표함으로써 그의 가문은 1555년 종교화의를 이탈했다. 장기적으로 중대한 의미를 담은 이 조치에 대해서는 5장에서 논의할 것이다. 단기적으로 볼 때 선제후의 개종은 영방의 외교정책에 확실한 이익도 주지 못한 상태에서 루터파 주민들 사이에 분노만 유발했다. 1617년, 브란덴부르크 측에 서는 것에 대한 명분이 약해진 프로테스탄트 연합은 브란덴부르크의 권리 주장에 대한 지지를 철회했다.[20] 요한 지기스문트는 연합에서 탈퇴하는 것으로 대응했다. 그의 고문관 한 명이 지적한 대로, 그는 오로지 상속권 확보를 바라고 연합에 가담한 것이었다. 그의 영지는 "너무 멀리 떨어져 있어서 [프로테스탄트 연합은] 그에게 달리 쓸모가 없었다".[21] 브란덴부르크는 고립되었다.

1609년 이후 선제후의 개인적인 몰락이 가속화된 것은 어쩌면 이런 곤경을 날카롭게 인식했기 때문인지도 모른다. 그토록 왕세자로서의 활력과 진취적인 기상을 보여주었던 남자가 이제는 기력이 다한 것처럼 보였다. 정신없이 빠져든 음주는 통제할 수 없는 지경에 이르고 말았다. 다만 훗날 실러가 재구성한 이야기, 즉 그의 딸과 팔츠-노이부르크 공의 아들을 결혼시켜 혼인 동맹을 맺을 수 있는 기회를, 만취 상태에서 장래의 사위 뺨을 때리는 바람에 날려버렸다는 설은 근거가 미심쩍다고 봐야 할 것이다.[22] 하지만 이와 비슷하게 1610년대에 선제후가 술에 취해 난폭하거나 비이성적인 행동을 했다는 이야기는 믿을 수 있는 것으로 보인다. 요한 지기스문트는 비만에 행동이 굼뜨고 국사를 돌볼 능력을 보여주지 못할 때도 종종 있었다. 1616년에 한 번 발작을 한 뒤로는 말도 제대로 하지 못했다. 그러다가 1618년에 쾨니히스베르크의 프로이센 공이 사망하면서 멀리 떨어진 다른 영지에 대한 호엔촐레른가의 또 다른 요구가 현실로 대두되었을 때, 요한 지기스문트는—한 방문객의 묘사에 따르면—생사의 갈림길에 선 '산송장' 같은 모습이었다.[23]

호엔촐레른가 선제후들이 3대에 걸쳐 조심스럽게 애쓴 덕분에 브란덴부르크의 전망은 밝아졌다. 멀리 떨어진 동서의 보호령을 포함해 여기저기로 뻗어나간 영방의 초기 모습은 처음으로 윤곽이 뚜렷해져, 장차 프로이센으로 알려지게 될 미래의 모습을 갖추게 되었다. 하지만 맡은 일과 가용할 수 있는 자원 사이에는 여전히 커다란 간극이 있었다. 어떻게 브란덴부르크 가문은 그 많은 경쟁자와 맞서 권리를 방어할 것인가? 어떻게 새 영지 내에서 재정적·정치적 승낙을 받아낼 것인가? 이런 물음은 평화 시라고 해도 대답하기가 어려운 것이었다. 하지만 1618년이 되자, 여러 방면에서 타협을 이끌어내기 위한 노력에도 불구하고 신성로마제국은 종교와 왕조 간의 혹독한 전쟁의 시대로 들어서고 있었다.

2

참 화

Devastation

30년전쟁(1618~48년) 기간에 독일은 유럽판 대재앙의 무대가 되었다. 합스부르크가의 페르디난트 2세(재위 1619~37년) 황제와 신성로마제국 내 프로테스탄트 세력 간의 대치 상황은 덴마크와 스웨덴, 에스파냐, 네덜란드 공화국, 프랑스까지 휘말리며 확대되었다. 독일어권 국가들의 영토에서 유럽 차원의 갈등이 전개된 것이다. 에스파냐와 여기서 벗어나려는 네덜란드 공화국 간의 싸움, 발트해의 통제권을 둘러싼 북방 세력 간의 경쟁, 그리고 부르봉 왕조의 프랑스와 합스부르크가 사이의 해묵은 세력 경쟁 등 그 양상은 복잡하기 그지없었다.[1] 물론 다른 데서도 전투와 공성전, 군사적 점령이 있었지만 대부분의 전투는 독일 땅에서 벌어졌다. 육지로 둘러싸여 무방비 상태에 있던 브란덴부르크로서는 이 전쟁이 선제후 국가의 온갖 약점을 고스란히 드러낸 재앙이었다. 갈등의 결정적인 고비에서 브란덴부르크는 진퇴양난에 빠졌다. 나라의 운명은 전적으로 다른 나라의 손에 달린 꼴이 되었다. 선제후는 국경을 지킬 능력도 없었고, 백성을 지휘하고 지켜줄 수도 없었으며, 자신의 직위조차 유지할 수 없는 형편이었다. 마르크 지역으로 군대가 밀려오는 동안 법은 무용지물이었다. 지역 경제는 마비되었고, 일과 가정 생활은 되돌릴 수 없을 만큼 파괴되었다. 1세기 반이 지난 뒤에 프리드리히 대왕은 선제후의 땅이 "30년전쟁 동안 너무 황폐해져 이 글을 쓰는 지금도 느낄 수 있을 만큼 참혹한 흔적이 역력하다"라고 썼다.[2]

전선들 사이에서: 1618~40년

브란덴부르크는 맞닥뜨린 시련에 전혀 준비가 되지 않은 채로 이 위험한 시대로 접어들었다. 공격력이 워낙 미약해서 우군이나 적군으로부터 보상이나 양보를 이끌어낼 수단이 없었다. 남쪽 국경을 맞댄 라우지츠와 슐레지엔은 모두 합스부르크가 보헤미아 왕의 세습 영지였다(물론 라우지츠는 작센의 차지[借地]였지만). 이 두 영지의 서쪽으로는 똑같이 브란덴부르크와 국경을 이루는 작센 선제후국이 있었다. 전쟁 초기 작센의 정책은 황제와 긴밀한 공조를 이루었다. 브란덴부르크 북쪽은 무방비 상태의 국경이 발트해의 프로테스탄트 세력인 덴마크와 스웨덴의 군대를 향해 열려 있었다. 브란덴부르크와 바다 사이에는 나이 든 보구스와프 14세가 다스리는 허약한 포메른 공국뿐이었다. 서쪽에서나 멀리 떨어진 프로이센 공국에서나 브란덴부르크 선제후가 침략에 맞서 새로 얻은 영지를 방어할 수단은 없었다. 따라서 여러 면에서 신중을 기할 이유는 충분했고, 황제의 편에 서는 몸에 밴 관습도 여전히 살아 있었다.

소심하고 우유부단한 게오르크 빌헬름 선제후(재위 1619~40년)는 자기 시대에 벌어진 극한 상황에 대처할 능력이 없었고 자국의 빈약한 자원을 소모하거나 영지가 보복당하는 것이 두려운 나머지, 동맹과의 약속을 회피하며 전쟁 초기를 버텼다. 게오르크 빌헬름은 마음

56

속으로는 프로테스탄트파인 보헤미아의 신분제의회가 합스부르크가의 황제에게 모반하는 것을 지지하면서도, 처남인 팔츠 선제후가 대의를 위해 보헤미아로 진격해 들어갈 때 개입하지 않았다. 1620년대 중반에 덴마크와 스웨덴, 프랑스, 영국 등 각 궁정에서 반(反)합스부르크 합동 계획이 수립되었을 때도 브란덴부르크는 열강의 외교무대 귀퉁이에서 불안하게 지켜보기만 했다. 그사이에 황제에게 맞서 군사를 일으키도록 스웨덴을 설득하는 노력이 있었다. 스웨덴 국왕은 1620년에 게오르크 빌헬름의 누이와 결혼한 사이였다. 게오르크 빌헬름의 다른 누이는 1626년 트란실바니아의 영주와 결혼했다. 칼뱅파인 이 귀족은 쉼 없이 합스부르크가에 맞서 싸워 (오스만의 도움을 받았다) 황제가 만만치 않아 하는 적이 되어 있었다. 그러면서 동시에 브란덴부르크는 가톨릭파인 황제에게 굴복하며 충성서약을 했고, 영국과 덴마크와 맺은 1624~26년의 헤이그동맹(반황제)에서도 발을 뺐다.

이런 노력에도 불구하고, 브란덴부르크 공국은 두 진영의 압박과 침입을 막지 못했다. 틸리 장군이 이끄는 가톨릭 동맹군이 1623년에 슈타트론에서 프로테스탄트군에게 승리를 거둔 뒤, 마르크의 베스트팔렌 지역과 라벤스베르크는 동맹군의 숙영지가 되었다. 게오르크 빌헬름은 사방에서 쳐들어오는 침입군을 스스로 방어할 수 있을 때만 곤경에서 벗어날 수 있다는 것을 알았다. 하지만 무장중립이라는 효과적인 정책을 펼칠 재정이 부족했다. 루터파가 다수를 차지한 신분제의회는 칼뱅파에 충성하는 선제후를 의심하면서 재정 지원을 하려고 들지 않았다. 1618년부터 1620년까지 이들은 주로 가톨릭파의 황제에게 동조했고, 칼뱅파 선제후가 국제적으로 위험한 서약을 하면서 브란덴부르크를 위기에 빠트리지나 않을까 두려워했다. 그들이 생각하는 최선의 정책은 폭풍이 지나갈 때까지 기다리며 교전 당사국 어느 쪽으로부터도 적대적인 주목을 받지 않는 것이었다.

1626년 게오르크 빌헬름이 신분제의회로부터 자금을 빼내려고

2 게오르크 빌헬름의 초상(1619~40년).
당대의 초상화를 토대로 한
리하르트 브렌다무르의 목판화.

애쓰고 있을 때, 팔츠의 장군인 만스펠트 백작이 덴마크 동맹군과 함께 알트마르크와 프리그니츠를 침략해 대혼란이 발생했다. 교회는 모조리 파괴되고 약탈당했으며 나우엔 시는 처참하게 망가졌다. 주민들이 감춰둔 돈이나 재물을 강탈하려는 군대 때문에 마을은 잿더미가 되었다. 브란덴부르크의 한 고위 성직자가 항의하자, 덴마크의 사절인 미츨라프는 기막힐 정도로 거만하게 대꾸했다. "선제후가 좋든 싫든 [덴마크의] 왕께서는 계속 전진할 거요. 왕의 편이 아니면 누구나 적이오."[3] 하지만 덴마크 사람들이 마르크를 안방으로 삼지는 못했고, 이내 제국군에 쫓겨나고 말았다. 1626년 늦여름, 황제의 가톨릭 동맹군이 브라운슈바이크 공국에 있는 루터 암 바렌베르크 부근에서 승리를 거둔 뒤(8월 27일), 제국군이 알트마르크를 점령했고 덴마크군은 베를린 북쪽의 프리그니츠와 동북쪽의 우커마르크로 철수했다. 거의 같은 시기에 프로이센 공국에 상륙한 구스타부스 아돌푸스 스웨덴 국왕은 선제후의 요구를 완전히 무시한 채 이곳을 대(對) 폴란드 작전기지로 만들었다. 노이마르크 또한 황제를 받드는 카자크 용병들이 침입하고 약탈했다. 브란덴부르크가 부닥친 위기가 얼마나 심각했는지는 가까운 메클렌부르크 공의 운명이 확실하게 보여주었다. 덴마크를 지원한 데 대한 벌로 황제는 그의 공작 가문 지위를 박탈하고, 제국군의 사령관이자 군 사업가 발렌슈타인 백작에게 메클렌부르크를 전리품으로 내어주었다.

이제 합스부르크 진영에 더 긴밀하게 협력하기 위해 발 벗고 나설 시간이 무르익은 것처럼 보였다. 게오르크 빌헬름은 자포자기의 순간에 측근에게 속마음을 털어놓았다. "이런 사태가 지속된다면 나는 속이 타서 미치고 말 걸세. […] 황제 편에 서야겠어. 달리 도리가 없잖은가. 아들도 하나밖에 없는데 황제가 자리에 있는 한 나와 내 아들의 선제후 자리는 보장되겠지."[4] 1626년 5월 22일, 엄격한 중립정책을 선호하는 고문관들과 신분제 의원들로부터 항의가 빗발치는 와중에 선제후는 황제와의 협정에 서명했다. 이 협정에 따라 선제후의 영지 전역이 제국군에게 개방되었다. 제국군의 최고사령관 발렌슈타인 백작이 점령 지역 주민들로부터 군대의 식량과 숙소, 봉급을 습관처럼 징발해대는 통에 고난의 시절은 계속되었다.

브란덴부르크는 황제와 동맹을 맺었어도 안정을 찾지 못했다. 사실 제국군이 적들을 물리치고 1620년대에 권력의 절정에 이르렀을 때, 황제 페르디난트 2세는 게오르크 빌헬름을 완전히 무시하는 것처럼 보였다. 1629년의 칙령을 통해 황제는 필요하면 강제력을 써서라도 1552년에 가톨릭이 소유하고 있던 대주교관과 주교관, 고위성직자 구역, 수도원, 공공병원 및 기부금을 회수할 것이라고 발표했다. 이 칙령은 브란덴부르크에 심각한 타격을 주는 조치였다. 이곳에 있는 숱한 교회 시설들은 프로테스탄트의 관리를 받고 있었기 때문이다. 칙령은 제국 내의 종교적 평화에서 칼뱅주의는 제외된다는 1555년의 합의를 재확인했다. 공인된 신앙은 가톨릭교와 루터교뿐이며 "그 밖의 모든 교리와

종파를 금지하고 관용을 베풀지 않을 것"이라는 말이었다.[5]

1630년 독일의 전쟁에 스웨덴이 극적으로 개입한 것은 프로테스탄트 영방들에게는 힘이 되었지만 동시에 브란덴부르크가 받은 정치적 압박은 더 커졌다.[6] 게오르크 빌헬름의 누이 마리아 엘레오노라가 구스타부스 아돌푸스 스웨덴 국왕과 결혼한 것은 1620년의 일이었다. 전설적인 인물이라고 할 이 스웨덴 왕은 전쟁과 정복에 대한 욕망과 유럽에 프로테스탄트 신앙을 전파한다는 목표를 동시에 가지고 있었다. 독일의 갈등에 깊이 개입했을 때 독일 내에 동맹국이 없었던 구스타부스는 처남인 게오르크 빌헬름과 동맹을 맺기로 결심했다. 선제후는 내키지 않았다. 이런 태도는 얼마든지 이해할 수 있는 것이었다. 구스타부스는 그때까지 정복전쟁을 수행하느라 동부 발트해에서 15년의 세월을 보냈다. 일련의 러시아 원정을 통해 스웨덴은 핀란드에서 에스토니아까지 길게 뻗어 있는 영토를 차지했고, 1621년에는 프로이센 공국을 차지하고 리보니아(현재의 라트비아와 에스토니아)를 정복하면서 대폴란드전을 재개했다. 심지어 연로한 메클렌부르크 공을 위협해 노공이 사망하면 공국을 스웨덴에 넘기는 협정을 강요하기까지 했다. 브란덴부르크가 북방의 인접국들과 오랫동안 맺어온 상속권에 대한 조약을 노골적으로 무력화하는 조치였다. 이 모든 상황은 스웨덴이 말만 우군이지 위험하기는 적군과 다를 바 없음을 암시했다. 게오르크 빌헬름은 다시 중립 정책으로 회귀했다. 그는 작센과 함께 칙령의 이행에 반대하는 프로테스탄트 블록을 짜는 동시에 제국군과 프로테스탄트군 사이에 북방의 완충지대를 조성하기로 계획했다. 이는 1631년의 라이프치히 종교회의에서 결실을 본 정책이었다. 하지만 이 책략은 당장 브란덴부르크가 남북으로 직면한 위협을 제거하는 데는 효과가 없었다. 빈의 황실에서는 무서운 경고와 협박이 이어졌다. 이러는 사이에 스웨덴군과 제국군은 노이마르크에서 격돌했고, 스웨덴군은 제국군을 이 지역에서 몰아내고 요새화된 프랑크푸르트(오데르)와 란츠베르크, 퀴스트린을 점령했다.

승리에 고무된 스웨덴 왕은 브란덴부르크를 향해 철저한 동맹을 요구했다. 게오르크 빌헬름은 중립으로 남고 싶다며 반발했지만 쇠귀에 경 읽기였다. 구스타부스 아돌푸스는 브란덴부르크에서 보낸 사절에게 다음과 같이 설명했다.

중립에 대한 애기는 알고 싶지도 않고 더 듣고 싶지도 않소. [선제후께서는] 친구냐 적이냐를 선택해야 할 것이오. 짐이 국경에 닿으면 태도를 분명히 하도록 하시오. 이것은 신과 악마의 싸움이오. 만일 선제후께서 신의 편에 서고 싶다면 짐의 손을 잡아야 할 것이고, 반대로 악마의 편에 선다면 짐과 싸워야지 다른 길은 없소.[7]

게오르크 빌헬름이 얼버무리는 동안 스웨덴 왕은 군대를 이끌고 베를린으로 바짝 접근했다. 공포에 사로잡힌 선제후는 수도에서 동남쪽으로 몇 킬로미터 떨어지지 않은 쾨페니크로 왕가의 여인들을 보내 침략군들과 교섭을 하게 했다. 마침내 구스타부스가 군대 1천 명을 이끌고 선제후의 국빈 자격으로 시내로 입성해 협상을 계속하기로 합의를 보았다. 이후 스웨덴군은 며칠간 향응을 받는 동안, 포메른 땅을 브란덴부르크에 할양하는 문제나 왕의 딸과 선제후 아들의 혼인 가능성을 내비치면서 동맹을 압박했다. 게오르크 빌헬름은 스웨덴과 운명을 같이하기로 결심했다.

이렇게 정책을 전환한 이유는 부분적으로 스웨덴군의 협박 때문이었다. 이들은 협상이 지지부진할 때는 포위된 선제후가 협상에 전념할 수 있도록 베를린 성벽에서 궁성을 향해 대포를 배치하며 위협했다. 하지만 이보다 더 중요한 요인은 1631년 5월 20일, 틸리 장군이 지휘하는 제국군이 프로테스탄트에 속하는 마그데부르크 시를 함락한 것이었다. 마그데부르크가 함락되자 으레 따라붙듯 약탈이 이어졌고 독일 문학사에 악몽처럼 달라붙어 있는 주민 학살이 그치지 않았다. 훗날 프리드리히 2세는 이를 고전적인 수사적 표현으로 이렇게 묘사한다.

> 광기의 발작을 가로막을 것이 없을 때 눈이 뒤집힌 병사가 보여줄
> 수 있는 온갖 횡포, 맹목적인 분노가 끓어오를 때 야수 같은 남자
> 를 자극하는 갖가지 끔찍한 잔학 행위가 이 불행한 도시에서 자행
> 되었다. 거리를 떼로 몰려다니며 닥치는 대로 남녀노소를 가리지
> 않고 학살했다. 저항을 하든 하지 않든 [⋯] 보이는 거라곤 여전히
> 꿈틀거리거나 쌓여 있거나 벌거벗은 채 뻗어 있는 시체뿐이었다.
> 미친 것 같은 학살자의 외침에 뒤섞여 목이 잘려나가는 사람들의
> 비명이 들렸다.[8]

인구 약 2만의 도시로서 독일 프로테스탄트 본거지의 한 군데인 마그데부르크 시민이 전멸한 것은 당대 사람들에게 엄청난 충격이었다. 이곳에서 자행된 다양한 잔학 행위에 대한 생생한 묘사가 팸플릿이나 신문, 전단의 형태로 유럽 전역에 퍼져나갔다.[9] 프로테스탄트 주민들에 대한 이 무자비한 말살 행위보다 독일 프로테스탄트 지역에서 합스부르크 황제의 위신을 더 망가트린 사건은 없을 것이다. 삼촌인 크리스티안 빌헬름이 변경백(Markgraf[영어로는 margrave], 신성로마제국에서 국경의 영주를 부르는 호칭으로 국경 지역의 중요성 때문에 일반적인 백작보다 지위와 권력이 높았다 — 옮긴이)으로서 마그데부르크의 프로테스탄트 교회 감독으로 있었기 때문에 누구보다 브란덴부르크 선제후의 타격이 컸다. 1631년 6월 게오르크 빌헬름은 마지못해 스웨덴과의 협정에 서명했다. 이에 따르면, 그는 (베를린 바로 북쪽의) 슈판다우 및 (노이마르크에 있는) 퀴스트린 요새를 스웨덴군에게 개방하고 매월 3만 탈러의 전쟁분담금을 스웨덴에 지급하게 되었다.[10]

스웨덴과의 협정은 이전에 황제와 맺은 동맹처럼 일시적인 것으로 드러났다. 일단 1631~32년의 전황은 프로테스탄트군 쪽으로 기울기

는 했다. 스웨덴과 작센 연합군이 제국군을 대대적으로 격퇴하면서 적을 독일 남부와 서부로 밀어냈기 때문이다. 하지만 1632년 11월 6일, 뤼첸 전투에서 기병대의 혼전 중에 구스타부스 아돌푸스가 사망하자 공격의 추진력이 약해졌다. 1634년 말경, 뇌르틀링겐에서 연거푸 패배를 거듭하며 스웨덴군의 우세는 꺾였다. 전쟁으로 진이 빠진 페르디난트 2세 황제는 스웨덴과 독일의 프로테스탄트 제후들 사이를 이간시키기 위해 애쓰던 중에 기회를 포착하고 온건한 평화조건을 제시했다. 이 수는 효과를 발휘해 1631년 9월에 스웨덴과 군사동맹을 맺었던 루터파의 작센 선제후는 다시 황제 편에 붙었다. 브란덴부르크 선제후는 전례 없는 선택의 기로에 섰다. 이 프라하 강화조약의 초안 항목에는 사면 조항이 들어가고 이전의 복권칙령(1629)에 들어간 극단적인 요구는 철회됐지만, 여전히 칼뱅파에게 관용을 베푼다는 언급은 없었다. 스웨덴 측에서는 자신들과 조약을 맺자고 브란덴부르크를 압박하고 있었다. 제국 내의 적대 행위가 종식되는 대로 포메른 전체를 브란덴부르크에 양도한다는 약속을 포함하는 것이었다.

이런저런 핑계를 대며 고민하던 끝에 게오르크 빌헬름은 황제 편에 운명을 맡기기로 했다. 1635년 5월, 브란덴부르크는 작센과 바이에른 등 독일의 여러 영방과 함께 프라하 강화조약에 서명했다. 그 대가로 황제는 포메른 공국에 대한 브란덴부르크의 요구가 지켜지도록 노력하겠다고 약속했다. 마르크 방어를 지원하기 위해 제국군 파견대가 도착했고 게오르크 빌헬름은 (그의 빈약한 군사력에는 어울리지 않게) 제국군 내의 '대원수'(Generalissimus) 칭호를 받았다. 황제는 제국군의 전쟁 수행을 지원하기 위해 2만 5천 명의 군사 모집을 요구했다. 브란덴부르크로서는 불행하게도 합스부르크가의 황제와 손을 잡자마자 다시 북부 독일의 힘의 균형에 또 다른 변화가 생겼다. 1636년 10월 4일, 작센군이 비트슈토크에서 패배함으로써 스웨덴이 다시 한 번 '마르크의 주인'이 된 것이다.[11]

게오르크 빌헬름은 재위 기간의 마지막 4년간, 브란덴부르크에서 스웨덴군을 몰아내고, 1637년 3월 공의 죽음으로 주인을 잃은 포메른을 장악하는 일에 매진했다. 그는 스웨덴에 맞서 브란덴부르크군을 편성하려고 했지만 장비가 열악한 소규모 군대에 그쳤고, 선제후의 영토는 스웨덴군과 제국군 양쪽으로부터 약탈당했으며, 이런 만행은 제대로 훈련이 안 된 자국 군대에 의해서도 저질러졌다. 스웨덴군이 마르크로 침입해 들어오자, 선제후는 어쩔 수 없이 상대적으로 안전한 프로이센 공국으로 피신했으며(이것은 브란덴부르크의 호엔촐레른 역사에서 마지막은 아니다) 거기서 1640년에 죽었다.

정치

프리드리히 대왕은 훗날 게오르크 빌헬름 선제후를 '무능한 군주'로 묘사했고, 프로이센의 한 역사서는 이 선제후의 최대 단점은 '우유부단'이 아니라 '골치를 썩일 머리가 없다는 점'이라고 지나치게 야박한 평가를 했다. 그러면서 그런 선제후가 한 명만 더 나왔다면 브란덴부르크는 아마 오늘날 "향토 역사가 외에는 아무에게도 흥미를 끌지 못했을 것"이라고 덧붙였다. 이런 식의 평가는 이차문헌에 차고 넘친다. 게오르크 빌헬름은 영웅적인 풍모와는 거리가 멀었다. 본인도 이를 잘 알고 있었다. 청년 시절에 사냥을 나갔다가 사고로 허벅지에 깊은 상처를 입었는데, 이후 허벅지 염증은 고질병이 되었다. 이 때문에 활동에 제약이 있었고 가마를 자주 타고 다녀야 했다. 독일의 운명이 신체적으로 강건한 군지도자의 지휘를 필요로 하던 시기에, 무단으로 영지를 침범한 각국의 군대를 피하기 위해 가마를 타고 이리저리 도망 다니는 선제후의 모습은 신뢰를 주지 못했다. 그는 1626년 7월에 이렇게 기록했다. "내 강토가 이렇게 유린되고 내 자신이 무시당하고 조롱받아온 것이 너무 고통스럽다. 온 세상이 나를 겁 많은 약골로 볼 것이 틀림없다."[13]

하지만 이 시기에 보인 주저하고 흔들리는 태도는 통치자 개인의 성격 때문이라기보다 선택하기 어려웠던 상황과 더 깊은 관계가 있다. 그가 처한 진퇴양난은 단순화할 수 없는, 구조적인 현실이었다. 이것은 반드시 짚고 넘어갈 필요가 있다. 이 문제는 브란덴부르크(훗날의 프로이센) 역사에 담긴 연속성의 하나로 우리의 관심을 잡아끌 만큼 흥미롭기 때문이다. 베를린의 정책 결정권자들은 끊임없이 형세를 살펴야 하는 상황에 내몰렸기 때문에 갈림길에서 갈피를 못 잡고 동요하는 것은 어쩔 수 없었다. 그리고 어떤 선택을 내리더라도, 군주로서 망설였다든가 발뺌을 했다든가 결단을 못 내렸다는 비난을 받았을 것이다. 이것은 단순한 의미에서 어떤 '지리적'인 결과라기보다 유럽의 권력 정치라는 상상의 지도에 그려진 브란덴부르크의 입지에서 나온 결과였다. 우리가 17세기 초 유럽의 세력 판도에서 갈등 관계를 선으로 시각화(스웨덴-덴마크, 폴란드-리투아니아, 오스트리아-에스파냐, 프랑스)해본다면 사실상 무방비 상태의 동서 속령을 거느린 브란덴부르크가 이 선들이 교차하는 지점에 있다는 것이 분명히 드러날 것이다. 이후 폴란드에 이어 스웨덴이 몰락했지만, 러시아가 강대국의 지위로 부상하면서 다시 똑같은 문제를 일으켰다. 그리고 베를린에 들어서는 정부마다 동맹이냐 아니면 무장중립으로 독자적인 행동을 할 것이냐를 선택할 수밖에 없었다.

브란덴부르크의 군사적·외교적 고민이 깊어가면서 베를린에는 상반되는 외교적·정치적 목표를 내건 경쟁적 파벌이 등장했다. 브란덴부르크는 신성로마제국에 대한 전통적인 충성 맹세를 따르고 합스부르크 편에 서서 살 길을 도모해야 하는가? 이것은 아담 폰 슈바르첸베르크 백작이 지지하는 견해였다. 그는 마르크 백작령의 가톨릭파로서 율리히-베르크에 대한 브란덴부르크의 요구를 지지했던 인물이다. 슈바르첸베르크는 1620년대 중반부터 베를린의 합스부르크 당파 지도자였다. 이와 반대로 추밀원에서 가장 강력한 두 명의 고문관인 레빈 폰 크네제베크와 자무엘 폰 빈터펠트는 프로테스탄트 운동의 강력한 지지자였다. 두 진영은 브란덴부르크의 정책 통제권을 놓고 극심하게 대립했다. 1626년에 선제후가 어쩔 수 없이 합스부르크와 더 긴밀한 협력을 할 수밖에 없게 되자, 슈바르첸베르크는 신분 대표들의 항의에도 아랑곳하지 않고 빈터펠트를 반역죄로 재판받게 한 다음 국외로 추방했다. 1630년 가을에 스웨덴이 우세해지자 이번엔 칼뱅파인 지기스문트 폰 괴첸 수상이 이끄는 친스웨덴파가 득세했다. 슈바르첸베르크는 클레베로 밀려났다가 1634~35년에 주도권이 다시 제국으로 넘어온 뒤에야 베를린으로 돌아올 수 있었다.

궁정의 여인들도 외교정책에 뚜렷한 소신이 있었다. 선제후의 젊은 아내는 칼뱅파인 프리드리히 5세의 누이였는데, 팔츠의 자국 영토가 에스파냐와 가톨릭 동맹군에게 짓밟힌 경험이 있었다. 따라서 공비는 당연히 반황제파의 견해를 따랐다. 하이델베르크에서 추방될 때 동행한 그녀의 모친과 프리드리히 5세의 형제와 결혼한 선제후의 숙모도 같은 생각이었다. 루터파인 선제후의 모후, 안나 폰 프로이센은 거리낌 없이 합스부르크가에 반대했다. 아들인 게오르크 빌헬름 선제후의 반대에도 불구하고 1620년에 자신의 딸 마리아 엘레오노라와 루터파인 스웨덴 국왕의 혼인을 주선했다.[14] 그녀의 의도는 프로이센 공국에서 브란덴부르크의 입지를 떠받치는 것이었지만, 당시에 이런 행동은 지극히 도발적이었다. 스웨덴은 폴란드와 교전 중이었고, 폴란드의 국왕이 공식적으로는 여전히 프로이센 공국의 지배자였기 때문이다. 이런 일련의 행위가 암시하듯, 왕조의 정치는 군주의 배우자나 여성 인척에게 영향력 있는 발언권을 주는 방식으로 돌아갔다. 왕가의 여인들은 살면서 단순히 상속권만 확보한 것이 아니었다. 이들은 외국 궁정과 중대한 의미가 담긴 관계를 유지했으며 선제후의 정책에 반드시 구속받지도 않았다.

다른 한편으로 선제후의 비좁은 궁정 너머에는 지역의 권력자와 지방의 신분 대표들, 루터파 귀족 대표들이 있었다. 이들은 어떤 형태의 외교적 모험에도 몹시 회의적이었다. 특히 그것이 칼뱅파의 이해관계에 따른 것이라는 의심이 들 때는 더욱 심했다. 이미 1623년에 신분제의회의 한 대표는 '성미 급한 고문관들'을 지적하며 선제후에게 경고했다. 그리고 그들의 군사적 책임은 '비상시에 영토의 보전에 꼭 필요한 것'에 국한된다는 점을 환기시켰다. 심지어 프로테스탄트군과 황제군이 번갈아 침입하는 사태가 벌어진 뒤 군주의 긴급한 호소에도 요지부동이었다.[15] 그들은 자신들의 역할이 불분명한 모험을 미연에 방지하는 것이며, 중앙에서 내리는 선제후의 간섭에 맞서 지방의 특권을 지키는 것이라고 생각했다.[16]

이런 식의 수동적인 저항은 평시에도 다루기 힘들었다. 1618년 이후에는 전쟁 초기의 상황 때문에 선제후가 영방 내 공동 지방 조직에 더욱 의존할 수밖에 없어 문제가 더 꼬였다. 게오르크 빌헬름 휘하에는 군자금을 모으거나 곡물이나 기타 식량을 조달할 행정기구가 없었으며, 이 모든 것이 신분제의회에서 집행되었다. 지방의 징세기관은 신분제의회의 통제 아래 있었고 지역에 대한 정보나 권위가 상당했던 이들은 군대의 숙영이나 통과 문제를 조정하는 데에 없어서는 안 될 존재였다.[17] 신분제의회는 경우에 따라 독자적으로 침략군 사령관과 전쟁분담금 협상을 벌이기도 했다.[18]

하지만 전쟁이 길어지면서 지방 귀족들의 재정적 특권은 근거가 허약한 것처럼 보이기 시작했다.[19] 외국의 제후와 장군 들이 양심의 가책이라곤 없이 브란덴부르크의 각 지방에서 전쟁부담금을 강요하는 상황에서 왜 선제후는 자기 몫을 챙기면 안 된다는 것인가? 그러려면 고대의 신분 대표들이 누렸던 '자유'(libertas)를 제한해야 했다. 선제후는 이 임무를 가톨릭파로서 지방 귀족들과 연고가 없는 슈바르첸베르크에게 맡겼다. 슈바르첸베르크는 기존의 지방조직에 의존하지 않고 새로 세금을 부과했다. 그는 국비 지출을 감독하는 신분제 의원들의 특권을 박탈하고 추밀원의 기능을 정지시킨 다음, 그 권한을 신분제의회와 완전히 무관하게 선출된 전쟁평의회에 주었다. 요컨대 슈바르첸베르크는 마르크의 지방조직과 협력해온 전통과 과감하게 단절한 재정상의 독재기구를 설립한 것이다.[20] 게오르크 빌헬름 재위 마지막 2년 동안, 슈바르첸베르크는 사실상 반스웨덴 편에서 전쟁을 수행했다. 뿔뿔이 흩어진 브란덴부르크 각 연대의 잔여 병력을 불러 모아 스웨덴 부대를 상대로 필사적인 게릴라전을 이끌었다. 전쟁 피해로 곤궁해진 지역의 세금을 감면해달라는 요청은 인정사정 없이 거절했다. 침략자와 (가령 군대 숙소에 관하여) 협상하는 사람은 가차 없이 반역자로 간주했다.[21]

　슈바르첸베르크는 당대 사람들 사이에서 논란이 많은 인물이었다. 신분제의회는 처음에 친황제파로 기운 신중한 그의 외교정책을 지지했지만, 그들 조직의 자유를 해치는 행보를 보고 질색을 했다. 그의 기소와 음모로 인해 추밀원의 반대파들은 그를 혐오했다. 그의 가톨릭 신앙은 반대파의 분노를 부채질했다. 슈바르첸베르크의 권력이 절정에 올랐던 1638~39년에는 그의 통치가 "라틴 아메리카에나 있는 노예 상태"라고 비난하는 전단지가 베를린에 유포되기도 했다.[22] 하지만 그때를 돌아보면, 막강한 권한을 쥔 이 대신이 중요한 선례를 숱하게 남겼다는 것은 분명하다. 그의 군사 독재에서 살아남은 것은, 비상시에 국가는 신분에 따른 특권이나 공동의 재정 섭정을 행사하는 성가신 기구를 쓸어버려도 정당화된다는 생각이다. 이런 관점에서 볼 때 슈바르첸베르크의 집권기는 엉거주춤한 첫 '절대주의' 통치 시험기였다.

온통 잿더미

브란덴부르크 민중에게 전쟁은 무법천지와 불행, 빈곤, 상실, 불확실성, 강제이주와 죽음을 의미했다. 1618년 이후 친프로테스탄트 서약이라는 위험을 무릅쓰지 않기로 한 선제후의 결정은 처음에는 브란덴부르크의 걱정을 덜어주었다. 그러다가 덴마크의 북독일 침입과 더불어 1626년에 최초로 본격적인 침략이 시작되었다. 이후 15년 동안 덴마크, 스웨덴, 팔츠 그리고 황제군과 가톨릭 동맹군이 쉴 새 없이 브란덴부르크 지방을 계속 짓밟았다.

진격 중인 군대가 지나가는 마을에서는 항복하고 적군을 맞아들일 것인지, 성을 방어하다가 혹시 적군이 방어선을 돌파할 때의 결과를 견뎌낼 것인지, 아니면 마을을 완전히 버리고 달아날 것인지를 선택해야 했다. 예컨대 브란덴부르크 서쪽의 하펠란트 지구에 있는 플라우에에서는 1627년 4월 10일에 소규모 제국군의 공격에 맞서 방어에 성공했다. 하지만 이틀날 적군이 대규모로 다시 공격하자 주민들은 성을 버리고 달아났다. 제국군이 마을을 장악하자마자 플라우에는 다시 밀려오는 덴마크군의 공격을 받고 점령되었으며 곳곳에서 약탈이 일어났다. 브란덴부르크 시에서는 시장과 하펠강 우안에 있는 구시가(알트슈타트) 시의원들은 제국군에 성문을 열어주는 데 동의했지만, 좌안의 신시가(노이슈타트) 시의원들은 양 구역 사이에 있는 다리를 불태워서 제국군의 접근을 차단하고 침략군을 향해 발포했다. 격렬한 전투가 이어졌고, 제국군의 포격으로 신시가의 방어선이 뚫리자 물밀 듯이 들이닥친 적군이 가는 곳마다 약탈을 일삼았다.[23]

극심한 피해를 입은 지역은 대개 하펠란트나 프리그니츠처럼 지형상 강을 끼고 있는 주요 군사 통과 지점이라서 전쟁 내내 끊임없이 주인이 바뀌었다. 1627년에는 여름 내내 덴마크군이 하펠란트에 있는 제국의 성채들을 몰아붙였다. 뢰틀로와 레초, 젤벨랑, 그로스 베니츠 슈퇼른, 바서주페 같은 그 이름도 낯선 마을들을 깡그리 약탈하고 파괴했다.[24] 사령관들은 대개 휘하의 군대를 사유재산으로 간주했기 때문에 꼭 필요한 경우가 아니면 군대를 파견하는 것을 꺼렸다. 따라서 전면 충돌은 비교적 드물었으며 각 군대는 전쟁 기간 대부분을 행군이나 기동 훈련, 점령 같은 일로 보냈다. 이는 물론 군대를 아끼는 방식이었지만 해당 지역의 주민들에게는 엄청난 부담이었다.[25]

전쟁은 세금과 기타 의무적인 공과금의 급격한 인상을 가져왔다. 처음에는 브란덴부르크 정부가 선제후의 군대를 유지하기 위해 주민들에게 부과한 토지세와 인두세를 합친 정규 '분담금'만 있었다. 그러다가 외국 군대와 자국 군대가 거두어들이는 합법적이고 탈법적인 세금이 수없이 부과되었다. 때로는 점령군 사령관과 정부 관리 혹은 시장이나 시의회 사이에 합의된 형태로 걷을 때도 있었다.[26] 그 밖에 노골적인 강탈에 대한 일화는 대단히 많다. 가령 1629년 겨울에 브란덴부르크 신시가에 주둔하고 있던 부대의 장교들은 시민들에게 9개월치 주둔 비용을 선불로 내라고 요구했다. 시민들이 거부하자, 군인들은 보복으로 동네 민가를 막사로 사용했다. 그리고 "그들이 직접 마시거나 먹을 수 없는 것은 못 쓰게 부수었다. 맥주를 쏟아버리거나 맥주 통에 구멍을 냈고 창문이나 출입문, 화덕 같은 것을 닥치는 대로 부수고 보이는 대로 망가뜨렸다."[27] 베를린 바로 북쪽에 있는 슈트라우스베르크에서는 만스벨트 백작의 군대가 1인당 하루에 빵 2파운드, 고기 2파운드, 맥주 2리터를 공급하라고 주민들에게 요구했다. 군인들은 대개 그들의 할당량에 만족하지 않았고, 기준을 "비웃으며 가능한 한 성에 찰 때까지 먹고 마셨다". 그 결과 주민들의 영양 상태가 급격히 악화되었다. 사망률이 순식간에 올라갔고 가임 연령대 여성의 출산 능력은 뚝 떨어졌으며 때로는 식인 행위도 일어났다.[28] 살림살이를 그대로 방치한 채 도망치는 주민도 많았다.[29] 수많은 목격담에서 확인되듯, 비좁은 공간과 긴장된 분위기에서 군인들이 장기간 주둔하면 일회성 강도나 절도가 일어날 가능성은 매우 높았다.

이 모든 것은 브란덴부르크 곳곳의 주민들이 반복되는 점령과 약탈로 목숨을 부지하기가 어렵다는 것을 의미했다. 1634년에 발표된 보고를 보면, 이런 사태가 베를린 북쪽의 오버바르님 지구엔 어떤 의미였는지를 알 수 있다. 이곳은 1618년에 1만 3천 명이던 인구가 1631년에는 9천 명 미만으로 급격히 줄었다. 오버바르님 주민들은 1627~30년에 제국군 사령관들에게 18만 5천 탈러를 바쳤고, 1631~34년에는 스웨덴-브란덴부르크 연합군에게 기부금으로 2만 6천 탈러를, 같은 기간에 스웨덴군의 식비로 다시 5만 탈러를 추가로 바쳤다. 또 작센 기병연대의 식비로 3만 탈러, 브란덴부르크의 여러 사령관에게 5만 4천 탈러를 지급했다. 그 밖에 숱하게 벌어진 비공식 강탈과 몰수, 징발을 제외하더라도 갖가지 명목으로 걷어간 세금과 일회성 기부금이 있었다. 말 한 필 값이 20탈러, 곡물 1셰펠(Scheffel, 일정치 않으나 약 35리터 — 옮긴이)에 1탈러도 하지 않던 시절에 벌어진 일이었다. 당시 소작지의 3분의 1은 버려지거나 경작하지 않은 채 방치되었으며, 전쟁의 혼란 속에서 숙련된 제조 기술을 보유한 수많은 공장이 파괴되었고, 마을 주변에서 익어가는 곡식은 기병대의 말발굽에 끊임없이 짓밟혔다.[30]

(군인들이 민간인에게 벌인 극도로 난폭하고 잔인한 짓에 관한) 잔학 행위 이야기는 30년전쟁을 소재로 한 문학 작품에 너무도 심하게 묘사되었기 때문에 일부 역사가는 "모조리 파괴하는 분노의 신화" 혹은 "총체적인 파괴와 재난으로 꾸민 이야기"쯤으로 여기고 믿지 않으려고 하는 경향이 있었다.[31] 잔학 행위에 대한 이야기가 당대에 이 전쟁을 전하는 보고 형식에서 독특한 소재가 된 것은 의심할 여지가 없다. 대표적인 예가 필립 빈센트가 쓴 『독일의 통곡』(The Lamentations of Germany)이다. 여기서는 순박한 사람들이 고통받는 끔찍한 공포가 '아이들을 먹는 크로아티아인', '모자 리본을 만들기 위해 잘린 코와 귀' 등의 제목이 붙은 그림과 함께 나열되어 있다.[32] 잔혹한 이야기가 선정적이긴 해도, 적어도 간접적이나마 실제로 사람들이 겪은 생생한 경험에 근거하고 있다는 사실을 잊어서는 안 된다.[33]

하펠란트에서 나온 공식보고서는 두들겨 패고 집을 불사르고 강

3 30년전쟁 기간에 독일 지역의 여성들에 대한 잔학 행위,
필립 빈센트의 『독일의 통곡』에 실린 목판화(런던, 1638년).

간하고 무자비하게 재물을 파괴한 수많은 사례를 기록하고 있다. 브란덴부르크 동쪽으로 불과 2~3킬로미터밖에 떨어지지 않은 플라우에 변두리에 사는 사람들은 1639년 새해 첫날 제국군이 작센으로 행군하는 동안 벌인 만행을 다음과 같이 묘사하고 있다. "그들은 많은 노인을 고문하다 죽이고, 총을 쏘아 죽였다. 수많은 여인과 소녀를 강간한 다음 죽이고, 아이들의 목을 매달고, 때로는 불에 태워 죽였다. 또 발가벗겨서 극심한 추위에 얼어 죽게 만들었다."[34]

가장 끔찍한 회고 가운데 하나는, 세관원이자 포츠담 부근에 있는 벨리츠의 서기로 일하던 페터 틸레가 브란덴부르크에서 살아남은 뒤, 1637년에 제국군이 자신의 마을을 지나갈 때 벌인 만행을 묘사한 것이다. 마을에서 빵을 파는 위르겐 베버라는 사람에게 강제로 돈을 숨긴 곳을 알아내기 위해 군인들이 "실례되는 표현이지만, 나뭇조각을 그의 성기에 손가락 반 정도의 길이만큼 찔러 넣었다"는 내용이었다.[35] 틸레는 스웨덴 사람들이 고안했다며 '스웨텐식 고문'이라고 표현했지만, 모든 군인에게 널리 알려지고, 이후 대표적인 전쟁문학에 자리 잡은 이야기는 다음과 같다.

강도와 살인자 들은 나뭇조각을 들고 그것으로 가엾은 사람들의 목을 찔렀다. 그런 다음 그것을 휘젓고 물을 붓고 다시 모래를 넣었다. 심지어 인분을 넣기까지 했다. 그리고 인정사정없이 사람들을 고문하며 돈을 내놓으라고 했다. 이것은 다비트 외르텔이라는 벨리츠 시민이 당한 이야기로 이 사람은 이런 고문을 받고 곧 죽었다.[36]

또 크뤼거 묄러라는 남자는 제국군에게 잡혀서 손발이 묶인 채, 돈이 어디 있는지 말할 때까지 불 위에서 몸을 그슬렸다. 그런데 이 고문자들이 돈을 갖고 사라지자마자 또 다른 제국군 약탈자들이 시내로 쳐들어왔다. 이미 동료들이 남자를 불에 그슬리며 100탈러를 빼앗아갔다는 얘기를 듣자, 이들은 남자를 다시 불구덩이로 데려가 불길을 얼굴로 향하게 한 채, "피부가 도살한 거위 가죽처럼 되어 죽을 때까지" 남자를 불에 그슬렸다. 위르겐 묄러라는 가축상인도 이와 비슷하게 돈 때문에 고문을 받다가 "불에 그슬려 죽었다".[37]

1638년에 제국군과 작센군이 베를린 북서쪽에 있는 프리그니츠의 렌첸 마을을 지나갔다. 이들은 집집을 뒤지며 쓸 만한 목재와 설비를 뜯어낸 다음 불을 질렀다. 집주인이 불길에서 건져낸 것은 무엇이든 다시 강제로 빼앗았다. 제국군이 떠나자마자 스웨덴군이 쳐들어와 시내를 약탈했는데, "터키군도 그랬다는 말을 들어보지 못할 정도로 시민과 여자, 아이 들을" 무자비하게 다루었다. 1640년 1월에 렌첸 시 당국에서 발행한 공식보고서는 그 소름 끼치는 광경을 이렇게 묘사했다. "그들은 우리의 선량한 시민 한스 베트케를 장대에 묶고는 아침 7시부터 오후 4시까지 불에 그슬렸다. 한스는 고통스러운 비명을 지르며 죽어갔다." 또 스웨덴 군인들은 걷지 못하게 하려고 한 노인의 종아리를 칼로 베었으며 나이 지긋한 부인을 끓는 물에 튀겨 죽였다. 그리고 추운 날씨에 아이들을 발가벗긴 채 매달거나 사람들을 강제로 찬물에 들어가게 했다. 약 50명의 남녀노소가 이런 식으로 죽임을 당했다.[38]

선제후가 모집한 군인들도 침략군보다 별로 나을 것이 없었다. 더러운 차림에 굶주려 있었고 군기가 문란했다. 장교들은 부하들을 엄하게 처벌하며 잔인하게 다스렸다. 폰 로호 대령 휘하의 연대 병사들은 "사소한 이유로 맞거나 낙인 찍혔고, 집단 구타를 당했다". 때로 코와 귀가 잘리는 일도 있었다.[39] 각 군대가 지역 주민을 대하는 태도 역시 똑같이 무자비했는데, '빈번한 강탈과 약탈, 살인, 강도'에 대해 격렬한 반발을 불러일으킨 것은 놀랄 일이 아니다. 주민들의 불만이 너무도 빈발했기 때문에 슈바르첸베르크 백작이 1640년에 지휘관 특별회의를 열어 폭력적이고 무례한 행동으로 민간인을 괴롭히는 것을 꾸짖을 정도였다.[40] 하지만 훈계의 효과는 오래가지 않았다. 2년 후에 베를린 부근의 텔토 지구에서 올린 보고서를 보면, 브란덴부르크의 폰 골트아커 사령관이 지휘하는 부대는 일대를 약탈하면서 보이는 대로 곡식을 타작하고 지역 주민들을 적군보다 더 악랄하게 "비인간적인 태도로" 대했다.[41]

잔학 행위가 얼마나 자주 일어났는지 정확하게 입증하는 것은 불가능하다. 다만 개인의 주관적인 서술에서 지방 정부의 보고서와 청원서, 문학적 묘사에 이르기까지 당대의 각종 자료에 나타나는 공통점을 보면 잔학 행위가 광범위하게 일어났다는 것만은 확실하다. 이미 당대에 그런 사태를 심각하게 인식했다는 것도 의심의 여지가 없다.[42] 극악무도함은 이 전쟁의 의미를 규정한다. 이는 심각한 흔적을 남긴 전쟁에 대해 말해준다. 그것은 총체적인 질서의 정지였고, 통제되지도 억제되지도 않고 마구 퍼지는 폭력에 마주한 사람들이 얼마나 취약했는지에 관한 것이었다.

1618~48년에 브란덴부르크 사람들에게 가해진 모진 고난에 대한 가장 설득력 있는 증거는 단순한 인구 통계다. 티푸스와 페스트, 이질, 천연두 같은 질병이 민간인들 사이에서 무섭게 창궐했는데, 주민들의 신체 면역력은 고물가에 따른 영양결핍으로 수년간 허약해진 상태였다.[43] 마르크 브란덴부르크 전체로 볼 때 인구의 절반가량이 죽었다. 사망자 수는 지구별로 다양했다. 호수나 늪지 지형으로 인해 군대 점령이나 부대 통과를 피한 지역은 심각한 피해는 입지 않았다. 예를 들어 오데르브루흐로 알려진 오데르강의 습지범람원에서 1652년에 실시된 조사에 따르면, 전쟁 초기 군사 지역에 있던 농장 중에 버려진 곳은 15퍼센트밖에 안 되었다. 이와 대조적으로 사실상 15년 가까이 농사가 중단된 하펠란트에서는 버려진 농장이 52퍼센트에 달했다. 전쟁분담금과 군대 막사 지원으로 주민의 부담이 컸던 바르님 지구에서는 1652년까지 농장의 58.4퍼센트가 버려진 채로 남아 있었다. 브란덴부르크 북쪽 변두리의 우커마르크에 있는 뢰크니츠 지구에서는 이 수치가 무려 85퍼센트로 올라갔다. 베를린 서쪽의 알트마르크에서는 사망률이 서

쪽에서 동쪽으로 갈수록 높아졌다. 동쪽의 엘베강과 경계를 이룬 지역에서는 50~60퍼센트가 죽은 것으로 추산되는데, 이곳은 중요한 군사 이동 지역이었다. 중부로 가면 사망률은 25~30퍼센트로 떨어졌고, 서부에서는 다시 15~20퍼센트로 떨어졌다.

중요한 도시들은 심각한 타격을 입었다. 브란덴부르크와 프랑크푸르트(오데르)는 둘 다 핵심 통과 지역이었는데 인구의 3분의 2 이상을 잃었다. 베를린-쾰른의 위성도시인 포츠담과 슈판다우는 인구의 40퍼센트 이상이 죽었다. 또 다른 통과 지역인 프리그니츠에서는 1641년에 주요 영지를 운영하던 귀족 40개 가문 중에 10개 가문만 남아 있었다. 그리고 비텐베르게, 푸틀리츠, 마이엔부르크, 프라이엔슈타인 같은 몇몇 소도시에는 사람의 자취가 완전히 사라졌다.[44]

대중문화에 끼친 재앙의 충격에 대해서 우리는 단지 추측만 할 수 있을 뿐이다. 전후에 처참하게 황폐해진 지구에 재거주한 다수의 가구는 브란덴부르크 밖에서 이주해온 경우로, 대개 네덜란드와 동프리슬란트, 홀슈타인 등지에서 왔다. 일부 지역에서는 집단 기억의 가닥을 끊어버릴 만큼 충격이 컸다. 1618년부터 1648년까지 이어진 '대전'이 그 이전의 갈등에 대한 민족 공동의 기억을 말살했다는 것이 독일 전역에서 목격되었다. 일례로 중세와 고대, 선사 시대의 성벽과 토루(土壘)는 예전의 이름이 사라지고 '스웨덴 성채'(Schwedenschanzen)로 알려지게 되었다. 어떤 지역에서는 마을에 토대를 둔 관습법의 권위와 연속성에 필수라고 할 개인적인 기억의 사슬이 전쟁으로 끊어져버린 것처럼 보였다. 그 결과 "스웨덴 사람들이 쳐들어오기 전에"는 어떠했는지, 그 시절을 기억하는 사람이 아무도 없었다.[45] 어쩌면 이것이 마르크 브란덴부르크에서 민속적인 구전이 부족한 이유 가운데 하나일지도 모른다. 신화나 민속의 수집과 발행이 크게 유행한 1840년대에 그림형제에게 영감을 받은 사람들이 열광적으로 마르크의 민속을 수집하려고 했지만 결과는 빈약했다.[46]

모든 것을 말살한 30년전쟁의 광기는 현실과 무관하다는 의미에서가 아니라 그것이 집단 기억에 토대를 둔 세계관에 영향을 주었다는 의미에서 신화가 되었다. 토머스 홉스가 『리바이어던』에서 국가를 사회의 구원책으로서 합법적으로 독점 권력을 행사하는 체제로 찬양한 것은, 종교적인 내전의 (그 본거지라고 할 영국에서뿐 아니라 대륙에서까지) 광기 때문이었다. 그는 질서와 정의가 사회적 갈등에 매몰되는 것을 보느니, 생명과 재산을 보호해주는 대가로 군주 국가의 권위를 인정해주는 것이 확실히 더 낫다고 역설했다.

작센의 법학자로서 홉스의 영향을 받은 사람 중에서 가장 뛰어난 독일인이라고 할 수 있는 자무엘 푸펜도르프는 마찬가지로 국가의 필요성에 대한 근거를 폭력과 무질서로 둘러싸인 암흑 세계에서 찾았다. 푸펜도르프는 저서 『만국법 요론』(*Elementorum iurisprudentiae universalis libri duo*)에서 인간의 사회생활을 유지하는 데는 자연법만으로 충분치 않다고 주장했다. '통치권'이 확립되지 않았을 때 사람들은 오직 폭력으로 안녕을 추구할 거라며 "어디나 위해를 가하는 자와 위해에 반발하는 자 사이의 싸움으로 요란해질 것"이라고 말했다.[47] 따라서 국가의 가장 중요한 목표는 "서로에게 가할 수 있고 흔히 가하는 위해에 맞서 상호협동과 지원으로 사람들의 안전을 보장하는 것"이라고 썼다.[48] 30년전쟁의 트라우마는 이런 문장 속에서 메아리치고 있다.

권력의 집중을 통해 무질서를 제압해야 하는 필연성에서 국가의 정통성이 나온다는 주장은 근대 초기의 유럽에 광범위하게 받아들여졌지만, 브란덴부르크에서 유난히 큰 공감을 얻었다. 여기에 게오르크 빌헬름이 지방의 신분제의회에서 맞닥뜨린 반발에 대한 설득력 있는 철학적인 답변이 있었다. 푸펜도르프는 1672년에, 평화 시든 전시든 경비를 들이지 않고 국사를 수행하는 것은 불가능하기 때문에 군주는 "필요한 비용의 지출에 맞게 시민들에게 각자의 재산으로 기여할 것을 강요할" 권리가 있다고 썼다.[49]

푸펜도르프는 내전의 경험을 통해 국가 권위를 확대시키기 위한 강력한 이론적 근거를 도출했으며, 신분 대표들의 '자유'에 맞서 국가의 '필요성'(necessitas)을 강력히 주장했다. 말년에 베를린 궁정의 사료편찬 위원으로 들어간 푸펜도르프는 브란덴부르크 근대사 기록에 이런 신념을 짜 넣었다.[50] 그가 주장하는 논지의 핵심은 군주제 행정의 출현이었다. 다시 말해 "그가 생각하는 것의 무게 중심과 초점은 국가에 있었고 모든 의제는 중심으로 향하는 선처럼 국가로 수렴한다".[51] 16세기 후반에 나타나기 시작한 다듬어지지 않은 브란덴부르크 연대기와 달리, 푸펜도르프의 역사는 독창적이고 변화를 일으키는 국가의 힘에 초점을 맞춘 역사적 전환의 이론을 바탕에 깔고 있다. 이런 방법으로 그는 거대한 힘과 우아함의 서사를 만들어냈다.

3

독일의
특별한 빛

An Extraordinary Light
in Germany

복구

참담하고 절망적이었던 1640년에 비춰볼 때, 17세기 후반 브란덴부르크의 부활은 놀라울 따름이다. 1680년대에 접어들었을 때 브란덴부르크는 병력 2만에서 3만 명을 오가는 규모의 군대를 보유했다.[1] 소규모의 발트 함대도 생겼고 아프리카 서해안에 자그마한 식민지도 확보했다. 동부 포메른으로 건너가는 지협은 선제후의 영지를 발트해안과 연결시켜주었다. 브란덴부르크는 바이에른이나 작센과 동등한 힘을 갖춘 지역 세력이었으며 주요 평화협상에서 인기 있는 동맹국이자 주요 당사국이었다.

  이런 변화를 앞서서 추진한 인물은 '대선제후'로 알려진 프리드리히 빌헬름(재위 1640~88년)이었다. 프리드리히 빌헬름은 브란덴부르크 선제후 최초로 많은 초상화를 남겼는데, 대부분 자신이 의뢰한 것이었다. 이 그림들은 재위 기간이 48년에 이르는(가문의 누구보다 길었다) 한 남자가 변해온 모습을 기록하고 있다. 선제후 초기 시절의 초상화는 짙은 머리칼에 길쭉한 얼굴을 하고 위풍당당하게 서 있는 모습이다. 후기의

4 대장군 차림의 프리드리히 빌헬름 대선제후,
알베르트 판 데어 에크하우트 작으로 추정, 1660년 무렵.

초상화는 몸집이 불고 후덕해진 얼굴에 구불구불한 컬이 폭포처럼 떨어지는 긴 가발을 쓴 모습이다. 생전에 그려진 초상화와 공통점이 있다면 지적인 검은 눈의 날카로운 시선이 보는 이를 사로잡는다는 점이다.[2]

20세에 선친에 이어 선제후에 오른 프리드리히 빌헬름은 통치술을 배우거나 경험한 적이 없었다. 어린 시절 대부분을 멀리 떨어진 퀴스트린 성채에서 보냈기 때문이다. 음침한 숲으로 둘러싸인 그곳은 적군의 공격으로부터 안전했다. 그는 현대 외국어와 그림, 기하학, 축성술 같은 기능기술 과목을 공부하는 사이에 규칙적으로 사슴이나 멧돼지, 야생 조류를 사냥하러 나갔다. 부친이나 조부와 달리 7세부터 폴란드어로 교육을 받았는데, 프로이센 공국의 대영주인 폴란드 왕과 우호적인 관계를 맺기 위해서였다. 14세 때 군사적 위기가 깊어지고 마르크 전역에 전염병이 퍼지자, 그는 상대적으로 안전한 네덜란드 공화국으로 보내져 그곳에서 4년을 보냈다.

네덜란드 공화국에서 보낸 이 10대 시절이 왕자에게 미친 영향을 정확하게 확인하기는 어렵다. 그는 일기를 남기거나 회상록 따위를 쓰지 않았다. 양친과 주고받은 서신도 몹시 거리를 둔, 공식적인 어법으로 인사를 교환한 것뿐이다.[3] 다만 네덜란드에서 받은 교육으로 칼뱅주의 신앙에 대한 왕자의 신뢰감이 굳어졌다는 것은 확실하다. 프리드리히 빌헬름은 칼뱅파 양친에게서 태어난 최초의 브란덴부르크 선제후였으며 프리드리히 빌헬름이라는 이름 조합도 호엔촐레른가의 역사에서 새로운 것으로서, 정확하게 베를린(빌헬름은 아버지의 중간 이름이었다)과 칼뱅파 외삼촌인 프리드리히 5세의 팔츠 사이에 맺은 동맹을 상징하기 위해 지어진 것이었다. 그의 세대에 와서 호엔촐레른 가문은 1613년에 요한 지기스문트에 의해 시작된 새로운 방향 설정을 비로소 완전하게 실현할 수 있었다. 프리드리히 빌헬름은 1646년에 프레데리크 헨드리크 오라녜 공작의 19세 된 딸 루이서 헨리에터와 혼인함으로써 이 결속을 강화했다.

프리드리히 빌헬름이 네덜란드 공화국에 장기 체류한 경험은 여러 가지로 영향을 주었다. 이때 왕자는 라이덴 대학교의 유명한 법학, 역사학, 정치학 교수들에게 교육을 받았는데, 이 학교는 당시 유행하던 신스토아학파 국가론의 중심지로 명성을 떨쳤다. 왕자가 들은 강의는 법의 권능, 질서의 보증자로서 국가의 존귀함, 통치 조직에 대한 복종과 의무의 중대성을 강조했다. 신스토아학파는 군대를 국가의 권력과 규율에 종속시켜야 할 필요성에 특별한 관심이 있었다.[4] 하지만 프리드리히 빌헬름이 본인에게 가장 소중한 교훈을 얻은 곳은 교실 밖의 거리와 부두, 시장, 열병식이 열리는 광장이었다. 17세기 전반은 네덜란드 공화국의 힘과 부가 정점에 달한 전성기였다. 이 작은 칼뱅파 국가는 60여 년 동안 가톨릭 국가인 에스파냐의 군사력에 맞서 강력하게 독립을 주장해왔으며 국제 무역과 식민지 건설에서 가장 앞서가는 유럽의 본부 같은 위상을 확립해왔다. 그 과정에서 네덜란드는 재정이 튼튼한 정부를 발전시켰으며 단연 현대적인 특징이 눈에 띄는 군사 문화를 창출했다. 실전을 방불케 하는 규칙적이고 체계적인 기동훈련을 실시했고, 특화된 기능이 있고 훈련이 잘된 수준 높은 전문 장교를 양성했다. 프리드리히 빌헬름은 네덜란드의 군사적 위용을 가까이서 관찰할 충분한 기회가 있었다. 그는 1637년에 자신을 초대한 주인이자 인척이 된 나사우-오라니엔의 프레데리크 헨드리크 총독을 방문했다. 총독은 브레다의 네덜란드 군영에 주둔하고 있었는데, 12년 전에 에스파냐군에 빼앗겼다가 네덜란드군이 탈환한 요새가 있는 곳이었다.

빌헬름은 집권 기간 내내 브란덴부르크 세습 영지를 자신이 네덜란드에서 본 모습으로 개조하려고 노력했다. 1654년에 그의 군대에 도입한 훈련 제도도 오라니엔의 마우리츠 왕자의 훈련 교본을 바탕으로 한 것이었다.[5] 선제후로 재위하는 동안 "항해와 무역이 국민들에게 해상 수단과 육상의 공장을 통해 식량과 생활비를 벌어들이게 해주는 국가의 중추"[6]라고 확신했다. 그는 발트해로 이어지는 통로가 브란덴부르크를 활기넘치게 하고 상업화하겠다는 생각에 사로잡혔다. 그것이 암스테르담에서 목도한 부와 힘을 가져다줄 것이라고 본 것이다. 그는 1650~60년대에 상선을 가지고 있지도 않으면서 상선 무역에 특권을 보장하는 국제 상업조약과 협의를 하기도 했다. 그 뒤로 1670년대에는 베냐민 라윌레라는 네덜란드 상인의 도움을 받아 소규모 선단을 편성해 일단의 개인 나포선을 운영하고 식민 계획을 세우는 일에 관여하기도 했다. 1680년 라윌레는 오늘날의 가나 해안에 해당하는 곳에 프리드리히스부르크라는 자그마한 식민지 거점을 세움으로써, 서아프리카에서 금과 상아, 노예 무역에 대한 브란덴부르크의 지분을 확보했다.[7]

프리드리히 빌헬름이 선제후 지위를 재창출했다고 말할 수도 있다. 요한 지기스문트와 게오르크 빌헬름이 어쩌다가 한 번씩 정부 사업에 착수했던 것과는 반대로, 프리드리히 빌헬름은 "일개 서기보다 더 열심히" 일했다. 당대 사람들은 이런 면모를 뭔가 새롭고 주목할 만한 것이라고 인정했다. 대신들은 세부사항에 대한 그의 기억력과 절제력 그리고 나랏일을 다루는 회의장에 하루 종일 앉아 있는 인내력을 보고 놀랐다.[8] 깐깐한 감시자라고 할 리졸라 제국 대사조차 선제후의 성실성에 감동해 이렇게 말했다. "길고 지나치게 상세한 보고서를 즐기며 그의 대신들에게도 똑같은 것을 요구하는 선제후는 감탄할 정도다. 그는 모든 것을 읽어보며 모든 것을 분석하고 명령을 내린다. […] 그리고 하나라도 그냥 지나치는 것이 없다."[9] 프리드리히 빌헬름은 "나는 내 자신의 일이 아니라 백성을 위한 일이라는 것을 아는 제후로서 책임을 다할 것이다"[10]라고 선언했다. 이 말은 로마의 황제 하드리아누스가 한 것이지만, 선제후의 입으로 표현되었다는 것은 통치자의 역할을 새롭게 이해한다는 신호였다. 그것은 존경받는 직함이나 한 묶음의 권리 또는 수입원을 초월하는 것이자, 군주의 인격을 올바르게 사용해야 한다는 소명이었다. 정권 초기의 역사는 직무에 절대적이고도 무제한적으로 헌신한 모델로서의 선제후 이미지를 기초로 한 것이었다. 그는 호엔촐레른 역사 내에서 강력한 아이콘이 되었고 선제후로 즉위하는 후손들이 열심히 따르고 표본으로 삼을 기준이 되었다.

팽창

1640년 프리드리히 빌헬름이 즉위했을 때 브란덴부르크는 여전히 외국 군대의 점령하에 있었다. 1641년 7월에 스웨덴과 2년간 휴전하기로 합의했지만, 약탈과 방화를 비롯한 비행은 여전했다.[11] 선제후 휘하의 총독으로서 폐허가 된 마르크의 관리를 책임지고 있던 에른스트 변경백은 1641년 봄에 보낸 서신에 암담한 현실을 다음과 같이 적었다.

> 나라가 너무도 비참하고 궁핍해진 상태라 말로는 순진한 백성들이 당하는 느낌을 전달할 수가 없습니다. 흔히 말하듯, 마차가 진흙 구덩이에 너무 깊이 박혀 전능한 신의 도움이 없이는 빠져나올 수 없는 지경이라고 볼 수 있습니다.[12]

브란덴부르크에 만연한 무정부 상태를 감독하는 업무는 변경백에게 너무 심한 긴장감을 부른 나머지 그는 공황발작과 불면증, 편집망상에 시달렸다. 1642년 가을, 그는 자신의 궁전에 틀어박혀 지내며 혼잣말로 중얼거리거나 비명을 지르다가 바닥에 쓰러지고는 했다. 그러다가 9월 26일에 죽었는데, 사인은 '우울증'이었다.[13]

마침내 1643년 3월이 되어서야 프리드리히 빌헬름은 비교적 안전한 쾨니히스베르크에서 폐허가 된 베를린으로 돌아왔다. 베를린은 거의 알아볼 수 없을 정도로 황폐해져 있었다. 시민들은 영양실조에 걸리고 기력이 다 빠진 몰골이었으며, 건물들은 방화로 파괴되어 수리가 불가능한 상태였다.[14] 이전 선제후를 괴롭힌 곤경은 여전히 해결되지 않고 있었다. 브란덴부르크는 독립의 발판을 마련할 군사력이 없었다. 슈바르첸베르크가 창설한 소규모 군대는 이미 와해되는 중이었고 병력을 보충할 자금도 없었다. 추밀원 고문관으로 선제후의 전직 개인교수였던 요한 프리드리히 로이히트마르는 1644년의 한 보고서에서 브란덴부르크가 처한 난관을 요약했다. 폴란드는 여력이 생기는 대로 프로이센을 점령할 것으로 예상되며, 포메른은 스웨덴 점령하에 있고 그 상태가 지속될 것이며, 서쪽의 클레베는 네덜란드 공화국의 통제를 받고 있다는 것이었다. 브란덴부르크는 '절체절명의 순간'에 있다고 했다.[15]

선제후는 영토의 독립을 회복하고 국내에서 자신의 주장을 밀어붙이기 위해 유연하면서도 잘 훈련된 전투력이 필요했다. 그런 기구의 창설은 정권의 주요 관심사가 되었다. 이런 상황에서 브란덴부르크의 군대 규모는 조금 불안정하기는 해도 비약적으로 확대되어, 1641~42년에 3천 명이던 병력이 1643~46년에는 8천 명, 1655~60년의 제1차 북방전쟁 기간에는 2만 5천 명, 1670년대의 네덜란드 전쟁 기간에는 3만 8천 명으로 늘어났다. 그리고 대선제후의 재위 마지막 10년간에는 2만 명에서 3만 명 사이를 오갔다.[16] 브란덴부르크군은 프랑스, 네덜란드, 스웨덴 그리고 제국군의 모범 기준을 본떠 전술 훈련과 장비를 개선함으로써 유럽의 군대개혁에서 첨단을 달리게 되었다. 창과 창병은 차츰 밀려나고 보병들이 들고 다니던 성가신 화승총(match lock)은 더 가볍고 더 빠른 수발총(flint lock)으로 대체되었다. 대포의 구경도 표준화되었고 스웨덴이 개척한 방식에 따라 야포를 더 유연하고 능률적으로 활용하게 되었다. 그리고 장교를 모집하기 위해 사관학교를 설립해 표준화된 장교 양성 제도를 수립했다. 더 나은 고용 조건은 불구가 되거나 퇴역한 장교에 대한 규정을 포함해 지휘 체계의 안정을 가져왔다. 이런 변화는 차츰 부사관 이하 하급자들의 단결력과 사기를 드높였는데 이들은 1680년대에 엄정한 군기와 낮은 탈영률로 돋보였다.[17]

대선제후 집권 초기에 특별 출정을 위해 모집한 임시 보충병은 차차 상비군이라고 부를 수 있는 체제로 편입되었다. 1655년 4월에는 군대의 재정과 보급품 관리를 감독하는 병참국장(Generalkriegskommis-sar)이 임명되었는데, 이 보직은 그즈음 르 텔리에와 루부아의 주도로 프랑스에 도입되었던 군사 행정을 모델로 한 것이었다. 이런 개혁은 처음에는 일시적인 전시 조치로 입안되었다가 뒤에 가서야 지방 행정의 상설기구로 자리 잡았다. 1679년 이후, 병참총국은 포메른의 귀족인 요아힘 폰 그룸프코의 주도 아래 관할 범위를 호엔촐레른 영지 전역으로 확대하면서 전통적으로 지방 단위에서 군사비 납세와 훈련을 담당하던 신분 대표들의 기능을 점점 침해했다. 병참총국과 토지 사무국은 1688년 대선제후가 사망할 당시만 해도 비교적 규모가 작은 기관이었다. 하지만 이후의 선제후들 치하에서 브란덴부르크-프로이센이라는 국가의 중앙 권력을 강화하는 데 결정적인 역할을 하게 되었다. 전쟁 수행과 국가 중앙기관의 발달에서 오는 시너지 효과는 전혀 새로운 것이었다. 이런 효과는 전쟁 수행기구가 전통적인 지방 귀족의 토대와 분리될 때에야 비로소 가능한 것이었기 때문이다.

30년전쟁이 끝나고 이어진 10년 세월이 북유럽에서 격렬한 갈등의 시기였다는 점에서 그렇게 강력한 군사기구를 얻은 것은 중요한 의미가 있었다. 대선제후의 집권 기간에 브란덴부르크의 외교정책에 그늘을 드리운 외국 거물이 두 명 있었다. 첫째는 끊임없이 세력 확장에 집착한 스웨덴의 카를 10세로, 빛나는 업적을 이룬 전임자 구스타부스 아돌푸스의 기록을 능가하는 데 골몰한 것처럼 보였다. 1655~60년의 북방전쟁도 카를 10세가 폴란드를 침공함으로써 시작되었다. 그의 계획은 덴마크와 폴란드를 정복하고, 프로이센 공국을 점령한 뒤, 대군을 이끌고 남쪽으로 진격해 고대 고트족의 방식으로 로마를 차지하는 것이었다. 그러나 스웨덴은 발트해 연안의 지배권을 둘러싸고 5년간 계속된 전투에 발목이 잡혀 꼼짝 못하는 처지가 되었다.

1660년 카를 10세가 사망하고 스웨덴 세력이 퇴조한 뒤, 브란덴부르크의 정치 지평을 지배한 사람은 프랑스의 루이 14세였다. 1661년 마자랭 추기경이 죽은 뒤, 단독 집정을 시작한 루이는 전시 연합군 병력을 7만 명에서 32만 명으로 늘리고(1693년) 서유럽의 주도권을 차지하기 위한 일련의 군사 공격을 감행했다. 1667~68년에는 에스파냐령 네덜란드를 치기 위해 출정했고, 1672~78년에는 연합주(네덜란드 공화국)를, 1688년에는 팔츠를 치기 위한 원정을 단행했다.

이렇게 위험한 정세에서 점점 규모가 커진 대선제후의 군대는 필수 자산임이 입증되었다. 1656년 여름, 프리드리히 빌헬름의 8,500명 병력은 카를 10세의 군대와 연합해 바르샤바 전투(7월 28~30일)에서 폴란드-타타르 동맹군을 꺾었다.[18] 1658년에는 편을 바꿔, 폴란드와 오스트리아 동맹군으로 스웨덴과 싸웠다. 그가 1658~59의 대스웨덴 전투를 위해 편성된 브란덴부르크-폴란드-제국 연합군의 사령관에 임명된 것은 지역 정치에서 프리드리히 빌헬름의 비중이 커간다는 신호였다. 슐레스비히-홀슈타인, 유틀란트를 시작으로 나중엔 포메른에서 성공적인 공격들이 뒤따랐다.

재위 기간에 가장 극적이었던 군사 업적은 1675년에 페르벨린에서 프리드리히 빌헬름이 단독으로 스웨덴에 거둔 승리였다. 1674~75년 겨울, 선제후는 프랑스-네덜란드 전쟁 기간에 루이 14세를 견제하기 위해 결성된 연합군의 일부로 라인란트에서 오스트리아군과 함께 출정했다. 프랑스의 동맹국인 스웨덴은 프랑스 측의 원조를 기대하며 카를 구스타프 브란겔 장군이 지휘하는 1만 4천 명의 병력으로 브란덴부르크를 침공했다. 이것은 30년전쟁의 악몽을 떠올리게 한 작전이었다. 스웨덴군은 베를린 북동쪽에 있는 우커마르크의 주민들을 상대로 가는 곳마다 약탈을 일삼으며 만행을 벌였다. 프리드리히 빌헬름은 이 침략 소식을 듣고 숨김없이 분노를 드러냈다. 선제후는 2월 10일에 "나로서는 스웨덴에 보복하는 것 말고 다른 결정을 내릴 수 없다"라고 오토 폰 슈베린에게 말했다. 통풍으로 누워 있던 선제후는 격노한 가운데 연달아 급전을 띄우며 신하들을 재촉했다. "신분의 고하나 귀천을 가리지 말고 스웨덴군은 모조리 죽여라. 그들을 어디서 잡든 가리지 말고 목을 부러뜨려라. 절대 용서치 마라."[19]

5월 말, 프리드리히 빌헬름은 프랑켄에서 그를 기다리던 군대와 합류했다. 그의 군대는 한 주에 100킬로미터가 넘는 거리를 행군하며 6월 22일 마그데부르크에 도착했다. 하펠베르크 시에 주둔한 스웨덴 본영에서 90킬로미터밖에 떨어지지 않은 곳이었다. 여기서 브란덴부르크군의 지휘관들은 현지 정보원을 통해 스웨덴군이 요새화된 하펠베르크와 라테노, 브란덴부르크 시를 중심으로 하펠강 뒤에 진영을 꾸리고 있다는 것을 알아냈다. 스웨덴군은 브란덴부르크군이 언제 올지 몰랐기 때문에 선제후와 휘하의 게오르크 폰 데르플링거 사령관은 기습에서 이점이 있었다. 이들은 7천 명의 기병대만으로 스웨덴의 방어 거점인 라테노를 공격하기로 결정했다. 여기에 머스킷 총병 1천 명이 마차에 타고 진격 중인 기병대를 따라가도록 했다. 폭우가 쏟아지고 진창길로 변하는 바람에 진격하기는 힘들었지만 라테노에 있는 스웨덴군은 방심 상태였다. 6월 25일 이른 아침, 브란덴부르크군은 공격을 감행해 아군의 사상자를 최소화하면서 스웨덴군을 격파했다.

라테노에서 스웨덴군의 전열이 무너진 것은 대선제후 재위 중에 가장 유명한 교전인 페르벨린 전투의 서막을 알리는 사건이었다. 브란덴부르크 시에 주둔한 스웨덴군은 전열을 재정비하기 위해 시 외곽으로 후퇴했다. 거기서 북서쪽으로 치고 나가면서 하펠베르크에 있는 주력군과 합류할 의도였다. 하지만 이 계획은 그들이 예상한 것보다 더 힘들었다. 봄과 여름에 쏟아지는 폭우로 인해 그곳의 늪지대가 온통 위험한 물바다로 변해버렸기 때문이다. 비좁은 둑길 말고는 물에 흠뻑 젖은 초지나 모래로 이루어진 섬만 간혹 보일 뿐이었다. 선제후군의 선발대는 현지인의 안내를 받으며 그 일대의 주요 출구를 봉쇄한 다음, 스웨덴군을 린 강변의 소도시 페르벨린으로 밀어붙였다. 스웨덴군 사령관 브란겔 장군은 중앙에 보병 7천 명, 좌우익에 기병대를 배치하면서 1만 1천 명의 병력으로 방어 진영을 짰다.

스웨덴군 1만 1천 명에 맞서 선제후는 단 6천여 명의 병력만 집합시켰다(대부분의 보병을 포함해 아군의 주력 부대는 아직 도착하지 않았다). 스웨덴군은 브란덴부르크군보다 세 배는 더 많은 야포를 배치했다. 하지만 이런 수적 열세는 전술적 우위로 극복할 수 있었다. 브란겔은 그의 우익 부대가 내려다보이는 나지막한 모래 언덕을 점령하는 데 소홀했다. 이를 간파한 선제후는 즉시 야포 13문을 그쪽에 배치하고 스웨덴 진영을 향해 포격을 개시했다. 실책을 깨달은 브란겔은 우익 진영의 기병대를 향해 보병을 지원하면서 언덕을 점령하라고 명령했다. 이후 몇 시간 동안 전투는 스웨덴군이 브란덴부르크의 야포 진지를 포위하며 돌격하고 브란덴부르크 기병대가 반격하는 와중에 일진일퇴를 거듭했다. 이때 불투명한 전황을 상징하듯, 안개가 양 진영을 뒤덮었는데 하펠란트 늪지대에 흔히 나타나는 짙은 여름 안개였다. 양군은 아군끼리의 협동 작전이 어렵다는 것을 알았다. 먼저 전투를 포기하고 보병들을 그대로 둔 채 달아난 것은 스웨덴 기병대였다. 이 보병들(달비크 근위연대)은 브란덴부르크 기병대의 공격에 그대로 노출되고 말았다. 근위보병 1,200명 중에 20명은 탈출에 성공했고 70여 명은 포로가 되었으며 나머지는 모두 전사했다.[20] 이튿날엔 페르벨린 시를 소규모의 스웨덴 수비대로부터 탈환했다. 이때부터 마르크 브란덴부르크에서 스웨덴군의 대탈주가 시작되었다. 이들 중에 적잖은 수가 북쪽으로 달아나는 중에 농민들의 기습 공격을 받고 죽었는데, 전장에서 죽은 사람보다 더 많았다. 당대의 보고서는 포메른 국경에서 멀지 않은 비트슈토크 일대의 농민들이 장교를 포함해 스웨덴군 300명을 죽였다면서 다음과 같이 기록했다. "일부는 살려주는 대가로 2천 탈러를 지불하기도 했지만, 장교들은 복수심에 불타는 농부들에게 참수당했다."[21] 나이 든 세대에게 여전히 생생한 '스웨덴군의 만행'에 대한 기억이 여기서 작용했다. 전사하거나 포로 신세를 피한 스웨덴군 잔병이 선제후국의 영토를 떠난 것은 7월 2일이었다.

바르샤바와 페르벨린에서 쟁취한 승리는 선제후와 그의 측근들에게 매우 중요한 상징적 의미가 있었다. 유능한 군부 지도자를 칭송하는 시대에 브란덴부르크군의 승리는 그 창설자의 위신과 명성을 드높였다. 바르샤바에서 프리드리히 빌헬름은 전투가 치열할 때 적군의 포화에 끊임없이 노출되었다. 그는 이 사건의 전말을 기록해 헤이그에서 발표했다. 이 전투에 관한 그의 기록은 자무엘 푸펜도르프가 쓴 프리드리히 빌헬름 통치기에 관한 역사서에 유용한 사료가 되었다. 푸펜도르프의 책은 포괄적이고 정교한 저술로 브란덴부르크 역사 서술의 새로운 시작을 알리는 것이었다.[22] 이 모든 것은 고조된 역사적 자의식을 낳았고 브란덴부르크가 자체의 역사를 만들기(그리고 말하기) 시작했다는 깨달음으로 이어졌다. 후계자를 위해서 쓴 '왕실 회고록'에서 루이 14세는 왕은 '모든 시대에' 자신의 행동을 설명할 의무가 있다고 말한 적이 있다.[23] 대선제후는 동시대의 프랑스 왕이 한 것처럼 역사화한 자기 기념화 의식을 행하지는 않았지만, 그 역시 의식적으로 상상 속 후손의 시각을 통해 자신의 업적을 인식하기 시작했다.

1656년 바르샤바에서 브란덴부르크는 동맹 파트너로서의 기개를 보여주었다. 그리고 이로부터 19년 뒤에 선제후의 군대는 비록 수적으로 열세여서 빠른 속도로 진격할 수밖에 없는 상황이기는 했지만, 동맹국의 원조 없이 유럽에서 무서운 명성을 누리던 적군을 압도했다. 후덕해진 55세의 선제후는 이때도 전투의 한가운데에 있었다. 그는 스웨덴군의 전열을 습격하는 기병대에 합류하고 적군에게 포위되었다가 아군 기병 아홉 명의 도움으로 적진에서 벗어났다. 문헌에 '대선제후'(Große Kurfürst)라는 별칭이 처음 등장한 것은 페르벨린의 승리 이후다. 여기에 특별히 주목할 만한 의미는 없었다. 17세기 유럽에서 통치자의 위대함을 칭송하는 전단은 진부할 정도로 흔했기 때문이다. 하지만 근대 초기의 여러 다른 '대'(大)(팸플릿 제작자가 태양왕에게 아부하기 위해 홍보했지만 실패로 끝난 '루이 대왕'이나 오스트리아의 '레오폴트 대왕', 바이에른의 완고한 군주제 지지자들이나 사용하는 '막시밀리안 대왕'을 포함해)와 달리, 이 칭호는 지금껏 프리드리히 빌헬름을 수식하는 단어로 살아남았다. 프리드리히 빌헬름은 지금도 이 별칭으로 불리는 초기 근대 유럽의 군주 가운데 유일하게 '왕'이 아니었다.

페르벨린과 더불어 역사와 전설은 하나로 결합되었다. 이 전투는 집단적인 기억 속에 깊이 뿌리를 내렸다. 극작가 하인리히 폰 클라이스트는 이 전투를 희곡 『왕세자 홈부르크』(Der Prinz von Homburg)의 배경으로 삼았다. 이 작품은 역사적 기록을 기발한 상상력으로 변형한 것이다. 충동적인 지휘관이 후퇴 명령에도 불구하고 스웨덴을 향해 돌격하여 승리를 거두었으나 사형선고를 받는데, 끝에 가서 자신의 죄를 인정하고 선제후가 그를 사면해준다는 스토리다. 후대의 브란덴부르크와 프로이센 사람들에게 프리드리히 빌헬름의 전임자들은 먼 과거에 갇힌 어두컴컴한 옛날의 인물로 남아 있었다. 이와 반대로 '대선제후'는 건국의 아버지라는 삼차원적인 지위로, 국가의 역사를 상징하는 동시에 그 역사에 의미를 부여한 초월적인 인격으로 올라서게 되었다.

동맹

프리드리히 빌헬름은 1667년에 이렇게 썼다. "동맹은 분명히 좋지만 더 좋은 것은 확실하게 믿을 수 있는 자신의 힘이다. 통치자는 자신의 군대와 자원이 없을 때 존중받지 못한다. 다행히도 나는 이런 자원이 있어서 대우를 받았다."[24] 선제후가 자신의 뒤를 이을 아들에게 교훈을 주기 위해 작성한 이 성찰의 기록에는 깊은 진실이 담겨 있다. 제2차 북방전쟁이 끝날 무렵, 프리드리히 빌헬름은 무시할 수 없는 존재였다. 그는 실속 있는 원조를 해줄 수 있는 매력적인 동맹 파트너였다. 또 지역의 주요 평화조약에 주역으로 참여했는데, 이것은 그의 전임자들에게서는 찾아볼 수 없는 두드러진 특징이었다.

하지만 1640년 이후 브란덴부르크가 국력을 회복하고 확대하는 과정에서 군대는 여러 요인 중 하나였을 뿐이다. 지역 분쟁에서 결정적인 역할을 할 수 있는 군사력을 보유하기 전에도 프리드리히 빌헬름은 국제 무대에서 능란한 수완을 발휘함으로써 중요한 영토를 확보할 수 있었다. 이는 1648년의 베스트팔렌 조약에서 브란덴부르크가 강력한 입지를 구축할 수 있도록 지원해준 프랑스 덕분이었다. 반오스트리아 연합전선을 지원할 독일어권의 의존국을 찾고 있던 프랑스는 프리드리히 빌헬름이 (프랑스의 동맹국인) 스웨덴과 화해협정을 맺도록 도와주었다. 이 협정에 따라 브란덴부르크는 포메른의 동쪽 부분(오데르강은 제외하고)을 차지하게 되었다. 이어 프랑스와 스웨덴은 사실상 스웨덴이 여전히 차지하고 있는 포메른에 대해서는 주교 관할권에 속했던 할버슈타트와 민덴, 마그데부르크를 브란덴부르크에 주어 배상하도록 황제에게 압력을 넣었다. 이것은 틀림없이 프리드리히 빌헬름의 긴 재위 기간에 가장 의미가 큰 영토 획득이었을 것이다. 1648년 이후, 호엔촐레른가의 영토는 알트마르크의 서쪽 경계부터 포메른 해안선의 동쪽 끝까지 길게 형성되어 중앙의 심장 지대와 프로이센 공국 사이의 간격은 120킬로미터 이하로 줄어들었다. 이로써 역사에 등장한 이래 최초로 브란덴부르크는 이웃의 작센보다 땅덩어리가 더 커졌다. 합스부르크 왕가 다음으로 독일어권에서 두 번째로 큰 영지였다. 브란덴부르크는 이 모든 것을 군사력이 여전히 보잘것없던 시절에 총 한 방 쏘지 않고 차지했다.

이와 똑같은 성과로 1657년에 프로이센 공국에 대해 완전한 지배권을 확보한 것을 들 수 있다. 물론 1655~60년에 있은 북방전쟁 과정에서 선제후의 군대가 2만 5천 명으로 확대된 것은 사실이다. 처음에는 스웨덴 편에서, 다음에는 폴란드-제국 편에서 싸우면서 선제후는 위험에 노출된 동부의 공국 문제에 열강들이 개입해 그를 따돌리는 것을 막을 수 있었다. 1656년 바르샤바 전투에서 패배한 뒤, 카를 10세는 프로이센 공국을 스웨덴 영지라고 주장하며 점령하려던 계획을 포기하고 그 지역에 대한 브란덴부르크의 완전한 통치권을 인정했다. 하지만 스웨덴이 일단 덴마크로 밀려나자 이 약속은 하나 마나 한 것이 되었다. 프로이센 공국에 대해 스웨덴은 더 이상 권한이 없었기 때문이다. 문제는 이제 폴란드가 이 청원을 받아들이고 브란덴부르크의 완전한 통치권을 인정하는가 여부였다. 그런데 여기서도 선제후는 자신의 영향권 밖에 있는 국제 정세의 덕을 보았다. 폴란드 왕과 러시아 차르 사이에 일촉즉발의 위기가 조성되었는데, 이는 곧 폴란드-리투아니아 연방의 영토가 러시아의 공격에 노출되어 있다는 의미였다. 얀 2세 카지미에시 바사 폴란드 왕은 브란덴부르크를 스웨덴과 떼어 놓고 중립화해 군사적 위협을 제거하는 계획에 골몰했다.

　게다가 1657년 4월 페르디난트 3세 황제가 사망함으로써 다시 행운이 겹쳤다. 이것은 프리드리히 빌헬름이 프로이센 공국에 대한 양보를 얻어내기 위해 자신의 황제 선출권을 거래할 수 있다는 것을 의미했기 때문이다. 합스부르크가는 당연히 폴란드 왕을 압박해 프로이센 공국에 대한 선제후의 지배권 요구를 인정하도록 했다. 폴란드는 스웨덴이나 러시아의 공격이 재개되면 오스트리아의 원조에 의존해야 했기에 그 압박은 무시하지 못할 무게가 있었다. 1657년 9월 1일, 폴란드는 벨라우에서 비밀협정에 서명함으로써 프로이센 공국을 "이전의 어떤 의무 부담도 없이 절대적인 권한과 함께" 선제후에게 양도하는 데 동의했다. 그 대신 선제후는 스웨덴에 맞서 얀 카지미에시를 지원하기로 약속했다.[25] 아마 브란덴부르크에 행운을 안겨준 시대 상황의 얽히고설킨 구조와 지리적 조건을 이보다 더 선명하게 보여주는 것은 없을 것이다. 프리드리히 빌헬름이 자신의 지휘를 받는 충분한 군대를 보유함으로써 쓸모 있는 동맹이 되었다는 사실이 이런 결과를 이끈 중요한 잠재 요인이긴 했지만, 통치권 문제가 그에게 유리하게 타결된 것은 선제후 자신의 노력보다는 국제 체제 덕분이었다.

반대로 일방적으로 군사력에 의존하는 것은 (군사적인 측면에서 아주 성공적이라고 해도) 좀 더 광범위한 국제적인 역학 관계의 지원을 받지 못할 때는 별 쓸모가 없었다. 1658~59년에 프리드리히 빌헬름은 오스트리아-폴란드-브란덴부르크 합동원정군을 지휘하며 스웨덴을 상대로 큰 승리를 거두었다. 이때 한동안 군사 공격에서 지속적인 성공을 거두었는데, 처음에는 슐레스비히-홀슈타인과 유틀란트에서, 다음에는 포메른에서 거듭 승리했다. 1659년에 원정을 끝냈을 때 브란덴부르크군은 슈트랄준트와 슈테틴의 해안 도시를 제외하면 사실상 스웨덴이 차지한 포메른 전역을 통제했다. 하지만 이때의 군사적 성공은 선제후가 상속권을 놓고 분쟁이 심한 포메른 지역에서 영구적인 발판을 마련할 만큼 충분치 않았다. 프랑스는 스웨덴을 지원하기 위해 개입했고 올리바 조약(1660년 5월 3일)은 3년 전 벨라우의 합의사항을 대체로 재확인하는 내용이었다. 따라서 브란덴부르크는 프로이센의 지배권에 대하여 국제사회로부터 좀 더 폭넓은 지지를 받았다는 것을 빼면, 선제후가 반스웨덴 동맹에 가담해서 얻은 것은 하나도 없었다. 여기서도 군소 국가의 문제를 처리하는 데는 군사력보다 국제적인 시스템이 우선한다는 교훈을 얻을 수 있다.

정확하게 이와 똑같은 일이 1675년 페르벨린에서 스웨덴에 승리를 거두고 난 뒤에 발생했다. 사력을 다한 4년간의 원정에서 선제후는 오데르강 서부의 서포메른으로부터 스웨덴군을 마지막 한 명까지 몰아내는 데 성공했다. 하지만 이마저도 선제후 자신의 주장을 관철하는 데는 충분치 않았다. 루이 14세가 브란덴부르크 마음대로 하도록 스웨덴 지지를 철회할 생각이 없었기 때문이다. 네덜란드 전쟁이 끝났을 때, 세력이 커지고 있던 프랑스는 포메른 점령 지역이 온전히 스웨덴령으로 회복되어야 한다고 주장했다. 빈에서는 이에 동의했다. 합스부르크가의 황제는 "새 반달족 출신의 왕이 발트해에서 강자로 부상하는 모습"을 보고 싶지 않았기 때문이다.[26] 1679년 6월, 선제후는 엄청난 분노가 치밀었지만 그토록 힘들게 싸우며 토대를 다진 권리를 마침내 단념하고 사신에게 전권을 위임하며 프랑스와 생제르맹 조약을 맺도록 했다.

긴 싸움 끝에 기를 꺾인 이런 결과는, 큰손들이 중요한 결론을 내리는 세계에서 브란덴부르크가 아직 주역이 못 된다는 사실을 다시 한번 일깨워주었다. 프리드리히 빌헬름은 폴란드와 스웨덴의 지역 갈등에서 변화무쌍한 세력 균형을 이용하는 데 일정한 성공을 거둘 수 있었지만, 열강의 이해관계가 더 직접적으로 충돌하는 싸움에서는 힘이 미치지 못했다.

시스템을 효율적으로 활용한다는 것은 적절한 시점에 적절한 편에 서는 것을 의미했다. 이는 다시 말해서 기존의 약속이 부담스럽거나 시의적절하지 못할 때는 동맹을 바꿀 준비가 되었다는 사실을 암시하기도 했다. 1660년대 후반과 1670년대 전반을 통틀어 선제후는 프랑스와 오스트리아 사이를 왔다 갔다 했다. 1670년 1월, 3년간 지속된 협상과 합의는 프랑스와의 10년 조약에서 절정을 이루었다. 하지만 1672년 여름, 프랑스가 네덜란드 공화국을 공격하는 와중에 클레베를 침략하고 약탈하자 선제후는 빈의 레오폴트 황제 쪽으로 돌아섰다. 그리고 1672년 6월 하순에 맺은 조약에 따라 합동원정군을 편성해 프랑스의 공격에 맞서 신성로마제국의 서쪽 국경을 방비하기로 했다. 그런데 1673년 여름이 되자 선제후는 다시 프랑스와 동맹 협상을 했다. 같은 해 가을엔 이미 레오폴트 황제와 네덜란드, 에스파냐의 삼각동맹을 중심으로 하는 새로운 반프랑스 연합으로 마음이 쏠렸다. 이와 똑같은 갑작스러운 변심은 프리드리히 빌헬름의 재위 마지막 몇 년 동안에도 있었다. 프랑스와 연속해서 동맹을 맺으면서도(1679년 10월, 1682년 1월,

1684년 1월), 1683년에는 터키군에게 포위된 빈을 구하기 위해 브란덴부르크 분견대를 보냈다. 더욱이 1685년 8월에 프리드리히 빌헬름은 네덜란드 공화국과 주로 반프랑스적인 내용을 담은 조약을 맺기까지 했다(동시에 프랑스에게 충성을 다짐하며 보조금을 계속 지급하도록 압력을 넣었다).

오스트리아의 군사 전략가인 몬테쿠콜리 백작은 "조금만 불편해도 해체되는 것이 동맹의 속성"이라는 현명한 판단을 했지만,[27] 아무리 동맹을 단기적 처방으로 간주하는 시대라고 해도 선제후의 '병적인 변덕'(Wechselfieber)은 유난스러웠다. 하지만 이상해 보이는 일에도 다 이유가 있는 법이다. 프리드리히 빌헬름은 커가는 자신의 군대를 유지하기 위해 외국의 군사 보조금이 필요했다. 빈번한 동맹 교체는 파트너에게 동맹을 유지하려면 전력을 다할 것을 강요했으며 이 과정에서 몸값을 올렸다. 따라서 잦은 동맹 교체는 브란덴부르크의 복잡한 안보 상황을 반영하는 것이기도 했다. 서쪽 영토의 보전은 프랑스 및 연합주와의 우호관계에 달려 있었다. 프로이센 공국의 보전은 폴란드와 좋은 관계를 유지하느냐가 관건이었다. 브란덴부르크에 속하는 발트해 연안 전 지역의 안전은 스웨덴을 꼼짝하지 못하게 통제하느냐, 통제하지 못하느냐에 달려 있었다. 선제후의 위상을 유지하고 제국 내에서 그의 상속권을 주장하는 것은 황제와 선린관계를 (적어도 기능적으로) 맺느냐 맺지 못하느냐에 달린 문제였다. 이 모든 가닥은 여러 지점에서 교차하며 예측할 수도 없고 빠르게 바뀌는 결과를 생성하는 신경망을 형성했다.

이런 문제는 대선제후 재위 기간에 유독 심각했지만 그의 사후에도 사라지지는 않았다. 프로이센의 제후들과 정치가들은 동맹국과의 상충되는 서약 사이에서 끊임없이 고통스러운 선택에 직면했다. 이는 권좌 측근에 있는 정책 결정권자 모두를 괴롭히는 난관이었다. 예컨대 1655년에서 1656년으로 넘어가던 겨울, 선제후가 북방전쟁 개전 초기에 어느 편을 들지 고민하고 있을 때, 대신과 고문관 들 사이에 '스웨덴파'와 '폴란드파'가 형성되었는데 이는 선제후 가문 사람들도 마찬가지였다. 여기서 초래된 불확실성과 망설임의 기류를 느낀 선제후의 한 핵심 고문관은 선제후와 그의 조언자들이 "하고 싶지 않던 일을 하고, 하지 않을 거라고 여긴 일을 한다"[28]고 진단했다. 이 말은 게오르크 빌헬름뿐 아니라 이후 다양한 브란덴부르크의 통치자에게 가해진 비난이기도 했다. 그리하여 정책 입안의 토대가 분열되어 주기적으로 경쟁적 파벌이 형성되는 모습은 프로이센 정치의 구조적 상수로 남게 된다.

끊임없이 동맹 파트너를 바꾸는 전략에 관해서 선제후는 포메른의 칼뱅파 추밀원 고문인 파울 폰 푹스의 조언을 따랐는데, 내용인즉슨 변함없이 어느 한 파트너에게 확실한 약속을 하지 말고 항상 '일관성 없는 정책'을 취하라는 것이었다.[29] 바로 여기서 이전 정권과의 중요한 차이가 드러난다. 물론 게오르크 빌헬름도 황실과 스웨덴 사이를 오락가락했지만, 그것은 어쩔 수 없었을 때뿐이었다. 이와 반대로 '일관성 없는 정책'은 의도적으로 갈피를 안 잡는 정책을 암시한다. 여기에는 황제에 대한 선제후의 충성심이 흐릿하다는 의미가 담겨 있다. 1670년대에 프랑스의 위협에 맞서 브란덴부르크-합스부르크의 공동대책을 찾기 위한 잇따른 노력은 두 강대국의 지정학적 이해관계가 근본적으로 다르다는 사실을 노출시켰다(이 문제는 19세기에 들어서기까지 오스트리아-프로이센의 관계에 귀찮게 따라다닌 것이기도 하다). 그리고 오스트리아의 합스부르크 황실은 선제후의 야심이 좌절될 때 즐거워하는 본심을 적어도 한 번 이상 드러냈다. 프리드리히 빌헬름은 이런 모욕을 보고 분노가 끓어올랐다. 1679년 8월에 서포메른을 스웨덴에 귀속시키는 안을 황실이 지지했을 때, 그는 추밀원의 요직에 있는 오토 폰 슈베린에게 말했다. "자, 황제와 제국이 우리를 어떻게 취급하는지 경도 알 거요. 저들이 먼저 우리를 적 앞에 무방비 상태로 방치하고 우리의 관심을 지지하지 않는 마당에 우리가 저들의 관심사를 생각해줄 필요가 없소."[30]

하지만 선제후는 빈과의 연결고리를 끊어버리는 데 주저할 수밖에 없었다. 그는 1657년의 황제 선출과 다양한 준비 과정에서 합스부르크의 후보 레오폴트 1세를 지원하면서 제국에 대한 충성스러운 군주로 남았다.[31] 17세기의 브란덴부르크 국기에 보이는 호엔촐레른의 독수리 문장에는 항상 당당한 제국 최고 세습 관리의 황금 왕홀 장식이 들어간 방패가 있었는데, 이것은 제국 내에서 선제후의 의전상 지위가 특별하다는 표시였다. 프리드리히 빌헬름은 미래의 국가 복지를 위해 신성로마제국을 없어서는 안 될 상대로 보았다. 물론 제국의 이해관계가 합스부르크가 황제의 관심사와 일치하는 것만은 아니었다. 선제후는 때로 황제의 이해관계에 맞서 제국의 제도를 수호할 필요가 있다는 사실을 꿰뚫어보았다. 하지만 황제는 브란덴부르크의 창공에 뜬 항성이었다. 그러므로 선제후가 자신의 후계자에게 주는 '아버지의 가르침'에서 "네가 황제와 제국에 대해 품어야 할 존경심을 늘 명심하라"[32]고 경고한 것은 어쩔 수 없는 일이었다. 이렇게 황제에 대한 반역적인 분노와 제국이라는 오랜 제도에 대한 뿌리 깊은 존경심(적어도 존경심을 쉽게 거두지 못하는 태도)의 기묘한 조합은 18세기 후반까지 지속된 프로이센 외교정책의 또 다른 특징이었다.

통치권

1663년 10월 18일, 다채로운 차림을 한 신분 대표단이 브란덴부르크 선제후에게 충성 맹세를 하기 위해 쾨니히스베르크 성 앞에 모였다. 행사는 엄숙했다. 높은 연단에 오른 선제후는 주름 잡힌 주홍빛 옷을 입고 있었다. 그의 옆에서는 공국 행정부의 고위 관리 네 명이 각기 선제후의 지위를 나타내는 표식인 공국의 왕관과 칼, 왕홀, 육군 원수의 지휘봉을 들고 있었다. 의식이 끝나자 군주의 덕을 과시하는 전통적인 행사를 위해 성문이 열렸다. 수많은 시민이 행사장으로 몰려들자 시종들은 기념 금화와 은화를 군중에게 뿌렸다. 포도주(서로 다른 두 개의 꼭지에서 나오는 적포도주와 백포도주)가 호엔촐레른가의 독수리 형상을 닮은 샘에서 펑펑 쏟아졌다. 궁정 연회장에서는 신분 대표단이 20개의 대형 테이블에 앉아 환대를 받았다.[33]

이날 행사는 위대한 고대의 전통에 따라 연출된 것이었다. 충성 맹세는 12세기 이래 서유럽에서 통치권을 화려하게 장식하는 것과 같았다. 이것은 선제후와의 합헌적인 군신 관계를 "현실화하고 갱신하고 영구화하는" 법적인 행위였다.[34] 전통 방식에 따라 신분 대표단은 계속 선제후 앞에 무릎을 꿇고서 왼손을 가슴에 얹고 오른손은 엄지와 나머지 손가락 두 개를 펼친 상태에서 머리에 올린 채 "인간이 상상할 수 있는 그 어떤 경우에도" 새 군주와의 군신 관계를 끊지 않을 것임을 맹세했다. 엄지는 성부, 검지는 성자, 중지는 성령을 상징했으며 접은 나머지 손가락 두 개는 각각 인간들 틈에 숨은 고귀한 영혼과 영혼보다 하위에 있는 육신을 가리켰다.[35] 이런 식으로 정치적인 종속을 의미하는 특수한 행위가 신에 대한 인간의 영구적인 순종이라는 의미와 융합되었다.

영속성과 전통을 주문하는 이런 기원은 프로이센 공국에서 호엔촐레른의 통치권이 미약했음을 가려주는 것이었다. 쾨니히스베르크에서 충성 맹세를 하던 1663년 당시, 프로이센 공국에서 선제후의 합법적인 통치권이 확립된 지는 얼마 되지 않았을 때였다. 그의 통치권이 공식적으로 확인된 것은 불과 3년 전의 올리바 조약에서였으며 그때부터 주민들 사이에서 극심한 논란이 빚어졌다. 쾨니히스베르크 시에서는 선제후 통치의 권위를 세우려는 노력에 저항하는 대중 운동이 나타났다. 시의 주요 정치인이 체포되고 선제후가 도심 쪽으로 대포를 배치하고 나서야 비로소 질서가 회복되었다. 이어 1663년 10월 18일, 궁정의 엄숙한 분위기에서 합의가 이루어졌다. 하지만 10년이 지나지 않아 선제후의 권위가 다시 한번 공공연한 반발에 부닥쳐 시내에 군대를 투입하게 되었다. 30년전쟁 이후 수십 년간의 세월은 프로이센 공국뿐 아니라 클레베와 심지어 브란덴부르크 자체에서도 선제후의 권위와 지역 특권 계급의 수호자들 사이의 대립으로 점철되었다.

군주와 신분 대표들 사이의 갈등은 결코 피할 수 없는 것이 아니었다. 통치자와 귀족의 관계는 본질적으로 상호의존적이었다. 귀족은 각 지역의 행정을 담당하고 세금을 거두었다. 이들은 군주에게 돈을 빌려주기도 했는데, 예를 들면 1631년에 게오르크 빌헬름은 두 군데의 소유지를 담보로 브란덴부르크의 귀족 요한 폰 아르님에게 5만 탈러를 빌렸다.[36] 제후의 영지를 담보로 통치자금을 빌린 것이다. 전시에 귀족은 말과 무장 병력을 군주에게 보내 영토를 방어하는 것이 관례였다. 하지만 17세기에는 양측의 관계가 점점 냉랭해졌다. 군주와 신분제 의원들의 갈등은 예외라기보다 일상이 되어버렸다.[37]

이것은 결국 관점의 문제였다. 프리드리히 빌헬름은 신분제 의원들이 대표하는 신분과 지역에 의거해 그들 자신을 전체의 일부로 보아야 하며, 따라서 그들의 위치가 군주의 모든 영토를 유지하고 방어할 뿐만 아니라 군주의 합법적인 영토 권한을 관철하도록 협력하는 범위를 벗어나지 않는다고 끊임없이 주장해야만 했다.[38] 하지만 이런 시각은 각자의 영토를 서로 독립된 구획으로 보는 신분제 의원들의 생각과는 달랐다. 그들은 선제후와 수직적으로 묶여 있을 뿐 서로가 수평적으로 결합된다고 여기지는 않았다. 마르크 브란덴부르크의 신분제 의원들이 볼 때 클레베와 프로이센 공국은 브란덴부르크의 자원에 대한 권한이 없는 '외국의 지방'이었다.[39] 같은 이치로 포메른을 위해 벌이는 프리드리히 빌헬름의 전쟁은 단순히 군주 간의 사사로운 '반목'이었기 때문에 이를 위해 그가 (그들이 볼 때) 힘들게 일하는 신하들의 재산을 몰수할 권한은 없었다.

신분제 의원들은 선제후가 그들의 "각종 특권과 자유, 약정, 세금에 대한 후한 면제, 혼인약정, 영토 계약, 오랜 전통, 법, 정의" 같은 것들을 지속시키고 엄수해줄 것을 기대했다.[40] 그들은 복잡하게 뒤섞이고 중첩된 통치권의 정신세계에 살고 있었다. 클레베의 신분제의회는 1660년까지 헤이그에서 외교적인 대표권을 유지했고 네덜란드 공화국과 제국의회, 때에 따라서는 빈의 황실에까지 손을 내밀며 베를린으로부터의 부당한 간섭에 맞설 수 있게 지원을 요청했다.[41] 그들은 선제후의 요구에 어떻게 대응(또 반발)하는 것이 최선인지를 놓고 빈번히 마르크, 율리히, 베르크의 신분제의회와 협의했다.[42] 프로이센 공국의 신분제의회는 그들의 오랜 특권을 유지할 심산으로 폴란드와 가깝게 지내려는 경향이 있었다. 선제후국의 한 고위 관리가 짜증스럽게 표현한 대로, 프로이센 신분제의회 지도자들은 "폴란드의 진정한 이웃"으로 "그들의 나라를 지키는 데는 무관심한"[43] 자들이었다.

점점 커지는 선제후의 야심 때문에 그가 신분제의회와 충돌하는 데는 오랜 시간이 걸리지 않았다. 영토 관리에서 가장 권력이 막강한 요직에 주로 칼뱅파 출신의 외국인을 채용한 것은 주로 루터파인 귀족들에게는 모욕이었다. 그것은 모든 지방의 오랜 전통으로서 소중하게 지켜온 '시민권'(Indigenat)에 대한 위반이었다. 이에 따르면 '원주민'만이 행정을 담당하게 되어 있었다. 또 하나의 민감한 문제는 상비군이었다. 단순히 비용 문제 때문만이 아니었다. 오랫동안 신분제의회의 통제를 받던 지방의용군 제도를 버리는 것이기 때문에 상비군에 반대했다. 이것은 특히 의용군제도가 예로부터 간직해온 공국의 특권에 대한 상징이라고 할 프로이센 공국에서 중요한 문제였다. 1655년 선제후 행정부가 의용군을 폐지하고 베를린 직할의 상비군으로 대체하자는 제안을 했을 때, 신분제의회는 전통적인 수단으로 효과적인 방어가 충분치 않다면 선제후가 '참회의 기도일'을 정하고 '신의 품 안에서 방편'을 찾아야 할 것이라고 주장하면서 격렬하게 반발했다.[44] 여기서는 영국에서 상비군의 확충에 노골적으로 반대한 '지방 휘그'(Country Whigs)와 흥미로운 유사점이 엿보인다. 당시 시골의 휘그파는 지방 귀족이 통제하는 지역의용군의 보유를 옹호하면서 한 지방의 외교정책은 다른 방

식이 아니라 그 지방의 무장력으로 결정해야 한다고 주장했다.[45] 영국
에서는 프로이센 공국과 마찬가지로, 농촌 엘리트의 '시골 이데올로기'
가 지방 색채가 강한 애국심을 지배했는데, 이것은 '자유'의 수호 의지
이자 국가권력의 확대에 대한 반발이었다.[46] 프로이센의 많은 귀족이
1675년 영국의 군대 반대 팸플릿에서 표현된 견해를 알았다면 적극 찬
성했을 것이다. 거기에는 "귀족과 상비군의 힘은 한쪽이 내려가면 다른
쪽이 그만큼 올라가는 두 개의 양동이와 똑같다"라고 쓰여 있었다.[47]

가장 논란이 된 것은 징세 문제였다. 신분제의회는 세금을 의원
들의 사전 동의 없이 합법적으로 걷을 수 없다고 주장했다. 하지만
1643년 이후 브란덴부르크가 점점 지방의 권력 정치에 깊이 개입했다
는 것은 행정부의 재정 욕구가 전통적인 재무 구조로는 충족될 수 없
다는 의미였다.[48] 1655~88년에 대선제후의 군사비 지출은 총 5,400만
탈러에 가까웠다. 이 중 일부는 다양한 동맹 협정에 따른 외국의 보조
금으로 충당되었다. 일부는 선제후 자신의 토지를 이용하기도 하고 우
편 업무나 화폐 주조, 관세 같은 기타 군주로서의 소득으로 메웠다. 하
지만 이런 재원은 다 합쳐야 1천 만 탈러를 넘지 않았다. 나머지는 선제
후의 영지에 사는 주민들로부터 세금 형태로 걷어야만 했다.[49]

클레베와 프로이센 공국 그리고 호엔촐레른가 세습 재산의 심장
지대라고 할 브란덴부르크에서조차 신분제의회는 군대를 위해 새 소
득원을 확보하려는 선제후의 노력에 저항했다. 1649년 선제후가 자신
의 모든 영지는 이제 "한 머리에서 나온 수족"(membra unius capitis)이
므로 "선제후 영지의 일부로서" 포메른을 지원해야 한다고 간절하게 설
득했음에도 불구하고 브란덴부르크 신분제의회는 포메른의 스웨덴군
을 공격하기 위한 원정 재원의 승인을 거부했다.[50] 도시의 부유한 귀족
들이 여전히 선제후를 외국의 침입자로 간주하는 클레베에서는 신분
제의회가 마르크와 율리히, 베르크와의 전통적인 동맹 관계를 회복시
켰다. 여론 주도층에서는 당시 영국의 격동적인 상황과 비교까지 해가

며 영국 의회가 찰스 국왕을 대하듯 상대하겠다고 선제후를 위협했다 (내전 중에 의회로부터 '대역죄'로 기소되어 의회가 세운 법정에서 사형을 언도받고 1649년 1월에 처형된 영국의 찰스 1세를 말한다―옮긴이). "군사적 행정 조치도 불사하겠다"라는 프리드리히 빌헬름의 협박은 거의 효과가 없었다. 신분제의회는 여전히 공국을 점령하던 네덜란드 수비대의 지원을 받고 있었기 때문이다.[51] 프로이센 공국에서도 선제후는 격렬한 저항에 직면했다. 여기서는 전통적으로 신분제의회가 대사를 좌지우지했는데, 이들은 정기적으로 총회를 열며 중앙 및 지방 정부, 의용군, 영토 재정의 고삐를 단단히 조이고 있었다. 폴란드 왕에게 전통적인 프로이센의 권리를 호소한다는 것은 그들이 쉽사리 겁을 먹고 협조하지 않을 것이라는 의미였다.[52]

징세를 둘러싼 대치 상황은 1655~60년에 있었던 북방전쟁의 발발로 중대한 국면을 맞았다. 우선 강압과 무력을 사용해 저항을 진압했다. 그리고 연간 징수액을 일방적으로 올리고 군사적 '행정 조치'를 통해 세금을 받아냈다. 특히 연간 분담금을 전쟁 기간에 선제후의 영지 어느 곳보다 대폭 인상한 클레베에서 철저하게 걷었다. 신분제 의원 중에 주요 행동파들은 협박을 받거나 체포되었다.[53] 저항은 무시되었다. 세금을 둘러싼 싸움에서 선제후는 지방 엘리트의 권한을 침해하는 데 일조한 폭넓은 법적 변화에서 이득을 입었다. 1654년 각자 나름대로 신분제의회와 이런저런 갈등을 빚고 있던 독일 선제후들로부터 압력을 받은 황제는, 신성로마제국 내에서 군주를 섬기는 신하는 "그들의 군주에게 […] 요새화된 장소와 수비대를 점령하고 유지하는 데 필요한 지원을 성실하게 해줄 의무가 있다"라고 공포했다. 이 기록을 '절대주의의 대헌장(마그나 카르타)'라고 묘사하면 과장일지 몰라도, 1654년의 이 칙령은 중요한 출발점이었다. 이것은 신분제의회의 입장에서 볼 때 신성로마제국 전역에서 그들의 권리 주장에 불리한 정치 지형이 도래했다는 신호였다.[54]

신분제의회의 권한을 둘러싼 갈등은 프로이센 공국에서 가장 극심했다. 여기서도 북방전쟁의 발발은 대치 국면의 촉매제로 작용했다. 1655년 4월, 선제후는 프로이센 의회를 소집했지만 스웨덴의 위협이 노골적으로 드러난 8월이 되어도 신분제의회는 7만 탈러 이상의 지출 승인을 거절했다. 당시 인구가 더 적고 더 궁핍했던 브란덴부르크에서 연간 군사비 부담금으로 36만 탈러를 지급한 것을 감안하면 적은 액수인데도 그랬다.[55] 1655년 겨울, 프리드리히 빌헬름이 군대를 거느리고 쾨니히스베르크에 도착하자 상황은 급변했다. 곧 강제 납부가 규칙이 되었고 연간 군사비 부담금은 1655~59년에 평균 60만 탈러로 가파르게 올라갔다. 일련의 행정 개혁이 단행되어 선제후는 신분제의회의 방해를 피할 수 있게 되었다. 가장 중요한 것은 광범위한 재정 및 징발 권한을 가진 병참국을 설치하고 보구스와프 라지비우 제후를 선제후를 대리하는 총독에 임명한 것이었다. 총독의 임무는 전통적으로 신분제의회 편에 서서 막강한 권한을 가지고 독립적으로 프로이센을 다스린 최고의원단(Oberräte)을 감독하는 것이었다.

폴란드가 프로이센에 대한 권리를 포기한다는 벨라우 협정(1657년)과 올리바 조약(1660년)에 의해 완전한 통치의 길이 열리자, 선제후는 프로이센 신분제의회와 영구적으로 화해를 하기로 결심했다. 하지만 신분제의회는 지방의 헌법기구에 대한 변동은 선제후와 프로이센 공국 신분제의회, 폴란드 왕 3자간 협상으로만 결정될 수 있는 사항이라고 주장하며 조약의 타당성에 이의를 제기했다.[56] 1661년 5월 쾨니히스베르크에 모여 1년을 끌던 신분제의회는 광범위한 요구사항을 발표했다. 거기에는 폴란드 왕에 대한 영구 상소권, 소수의 해안경비대를 제외한 선제후 군대의 철수, 공직에서 비(非)프로이센인 배제, 정기적인 의회 개회, 신분제의회와 선제후 간의 분쟁 발생 시 폴란드 왕의 자동 중재 등 여러 요구가 담겨 있었다. 하지만 이런 문제에서 합의를 보는 것은 지극히 어렵다는 것이 드러났다. 게다가 쾨니히스베르크 시민들 사이에

5 쾨니히스베르크 시 전경(1690년 무렵).

감도는 분위기는 갈수록 불안정하고 비타협적이었다. 선제후의 협상 책임자인 오토 폰 슈베린은 1661년 10월, 공국의 수도에서 감도는 난기류를 차단하고 협상 분위기를 보호하기 위해 의회를 좀 더 조용한 남쪽의 바르텐슈타인으로 옮기도록 명령했다. 그러다가 1662년 3월, 바르샤바로 파견된 사절이 폴란드의 구체적인 원조를 받아내는 데 실패하고 나서야 비로소 귀족 대표단은 양보를 하기 시작했다.

그동안 쾨니히스베르크의 분위기는 유럽의 다른 지역과 비슷하게 더욱 과격하게 변했다. 매일 항의 집회가 열렸다. 도시 신분 조직의 특권을 주장하는 대표적인 행동파 중 한 사람이었던 상인 히에로니무스 로트는 쾨니히스베르크 구시가지 3구역 중 하나인 크나이프호프 의회 의장이었다. 오토 폰 슈베린은 1661년 5월 26일, 로트를 설득해서 좀 더 온건한 노선을 받아들이게 하려는 마음에서 그를 쾨니히스베르크 성으로 초대해 개인적인 회동을 했다. 하지만 이 만남은 완전히 수포로 돌아갔다. 슈베린의 보고에 따르면, 로트는 선동적이고 적대적인 반응을 보이면서 무엇보다 "모든 군주는 아무리 신앙심이 깊다 해도 심중에 폭군이 도사리고 있다"라고 말했다고 한다. 이 구절은 훗날 이 시의회 의원의 기소장에 인용되기도 했다. 로트는 그저 자신은 공손하고 이치에 맞게 예부터 내려온 쾨니히스베르크의 권리를 수호한 것이고, 오히려 슈베린이 화를 내고 팔을 치켜들어 자신을 위협했다고 주장했다.[57]

지속적으로 괴롭힘을 당했음에도 불구하고 로트는 자신을 체포하거나 행동을 제한하는 것에 반대하는 시의회의 비호 아래 선제후 행정부에 맞서는 선동을 계속했다. 그는 바르샤바로 가서 폴란드 왕을 만났는데 아마 신분제의회에 대한 폴란드의 지원 가능성을 타진하려고 했던 것으로 보인다. 1661년 10월 마지막 주에 인내심을 잃은 선제후는 2천 명의 군대를 이끌고 쾨니히스베르크에 입성했다. 로트는 체포되어 재판에 회부되고 선제후 산하 조사위원회로부터 즉시 유죄선고를 받았다. 그런 다음 멀리 작센 선제후국 내의 호엔촐레른 영지인 코트부스의 파이츠 요새에 감금되었다. 투옥 기간 초기에는 특별히 힘들 것이 없었다. 로트에게는 6품 요리의 점심식사가 제공되었고, 감방의 설비는 안락했으며, 요새의 안쪽 성벽을 따라 산책하는 것이 허용되었다.

하지만 1668년에 그가 쾨니히스베르크에 있는 의붓아들과 비밀히 연락하는 것이 발각되어 새로운 제약이 가해졌다. 편지에서 로트는 "오만한 칼뱅파 교도들"이 이제 선제후를 위해 자신의 도시를 다스린다며 저주를 퍼부었다. 중간에서 그의 편지를 전해준 사람은 요새수비대에 복무하는 쾨니히스베르크 출생의 병사였는데 그도 처벌받았다. 프리드리히 빌헬름은 처음에는 만일 로트가 자신의 '죄'를 인정하고 진심으로 뉘우치며 자비를 청한다면 그를 석방할 것이라고 선포했다. 하지만 로트는 악의가 아니라 '조국'에 대한 의무에서 한 행동이라고 항변하며 고집을 꺾지 않았다. 선제후는 로트의 편지 스캔들을 겪은 뒤 이 불온한 시의원을 절대 석방해서는 안 되겠다고 결심했다. 몇 년이 지나 70세가 된 로트는 프리드리히 빌헬름에게 방면을 청하는 글을 쓰며 자신은 선제후에게 "충성스럽게 복종하는 신하"가 되겠다고 다짐했다.[58] 하지만 용서는 없었고 이 시의원은 17년간의 감금생활 끝에 1678년 여름 요새에서 죽었다.

히에로니무스 로트의 수감으로 프로이센 신분제의회와 잠정적으로 화해하는 길이 열렸다. 1670년대 초반에 세금 때문에 계속 충돌이 일어나자 강제 납부 집행을 위해 군대가 투입되었다. 1672년 1월에는 프로이센 공국에서 정치범을 사형하는 일까지 일어났다. 선제후 재위 기간에 유일한 사형 집행이었다.[59] 마침내 프로이센 사람들은 선제후의 통치와 그에 따른 재무 행정을 받아들이게 되었다. 1680년대에 이르자, 폴란드 왕들의 온건한 대영주 체제 아래 누렸던 "잊지 못할 기쁨과 자유, 태평한 세월"에 대한 향수만 남긴 채 프로이센 신분제의회의 정치적 지배는 종말을 고했다.[60]

궁정과 시골

선제후 행정부는 점점 지방 엘리트 집단으로부터 독립성을 확대해나갔다. 브란덴부르크 약 3분의 1과 프로이센 공국의 절반가량을 차지한 이후, 선제후는 단순히 군주의 토지 관리 방법을 개선함으로써 소득 기반을 크게 확대할 수 있었다. 이 재산의 관리 방식은 제2차 북방전쟁 기간에 새 토지관리국(Amtskammer)의 감독하에 합리화되었다. 더 중요한 진전은 재화와 서비스에 대한 간접세인 소비세에서 이루어졌다. 소비세는 1660년대 후반에 브란덴부르크의 도시들에 도입되었다가 포메른과 마그데부르크, 할버슈타트, 프로이센 공국으로 확대되었다. 징세 방법을 놓고 지역 분쟁이 발생한 후 소비세는 중앙의 지시를 받는 세무위원회(Steuerräte)의 통제를 받았다. 이 위원회는 곧 다른 행정 기능을 흡수하기 시작했다. 소비세 도입은 중요한 전술적 자산으로서 신분 사회 내의 서로 다른 기반을 적대적으로 분리시켰기 때문에 신분제의회는 중앙 권력에 비해 세력이 약화되었다. 소비세는 오로지 도시에만 적용되었기 때문에 시골 기업들에게는 도시의 경쟁사들에 대한 비교 우위의 입지를 다지게 했다. 그 결과 선제후는 막강한 권세를 지닌 지방 귀족과 불화하지 않고도 각 지역의 상업적인 부를 빼낼 수 있었다.

또 프리드리히 빌헬름은 행정부 요직에 칼뱅파를 임명함으로써 자신의 권위를 보강했다. 이것은 단순히 종교적인 선호의 문제가 아니라 의도적으로 루터파 일색인 신분제의회의 요구에 맞서는 정책이었다. 프리드리히 빌헬름 휘하의 고위 관리 중에 일부는 외국의 칼뱅파 제후들이었다. 장기근속 중인 요한 모리츠 판 나사우-지겐 클레베 총독이 이 범주에 속했고, 네덜란드군에 복무했다가 대선제후 집권 전반기에 가장 영향력이 큰 대신이 된 베스트팔렌 소공국의 화려한 통치자(이후 후작이 된) 게오르크 프리드리히 폰 발데크 백작도 마찬가지였다. 또한 사람은 1672년에 원정군 사령관이었고 때로 브란덴부르크의 총독을 맡기도 했던 요한 게오르크 폰 안할트 2세였다. 폴란드-리투아니아의 제후인 보구스와프 라지비우는 제2차 북방전쟁 기간에 프로이센 공국의 총독에 임명되었는데, 이는 칼뱅파가 제국의 고관이 된 또 다른 예였다. 1658년 이후 베를린 궁정의 수석대신이었던 브란덴부르크의 오토 폰 슈베린은 칼뱅주의로 개종한 포메른 귀족이었으며 선제후를 위해 귀족의 토지를 매입해서 군주의 재산에 합병하는 일을 했다. 대선제후 재위 기간에 임명된 고위 관리의 약 3분의 2는 칼뱅주의 신도였다.[61]

외국의 관리를 활용하는 방법은 또 하나의 중요한 발전을 의미했다. 브란덴부르크에서 1660년 이후 임명된 주요 대신 중에 사실상 선제후국의 토착민은 거의 없었다. 민간 및 군대 행정의 상층부에 유능한 평민(주로 법률가)을 임명함으로써 정부기관과 지방 엘리트 사이의 틈은 더 벌어졌다. 17세기 말에 브란덴부르크 출신의 융커, 즉 토호 세력은 기반을 다지기 시작한 호엔촐레른의 관료 사회에서 보기 드물었다. 이것은 30년전쟁의 참담한 여파로부터 회복이 더딘 지방 엘리트 계층의 재정 상태가 악화되면서 가속화된 현상이었다. 1640년 프리드리히 빌헬름 선제후의 즉위로부터 100년이 지나 그의 증손인 프리드리히 대왕이 즉위하기까지 100년 동안에 궁정과 외교, 군사 부문의 고위직에 임명된 모든 관료 중에 브란덴부르크 귀족 지주 출신은 10퍼센트에 지나지 않았다.[62] 이 관료들이 물러나고 나타난 것은 지방 귀족보다 군주와 그의 행정부에 더 밀착된 새로운 관료층이었다.

이런 흐름은 어느 한쪽이 상대에게 무조건 항복을 요구하는 형태의 싸움이 아니었다. 중앙 권력은 지방 엘리트를 직접 지배하는 길을 추구하는 대신 전통적인 권력 구조를 유지하면서 특별한 장치를 통해 그들을 통제하려고 했다.[63] 선제후는 신분제의회를 폐지하거나 전적으로 자신의 권력에 복종시키는 방법은 염두에 두지 않았다. 그의 행정부의 목표는 언제나 제한적이고 실용적이었다. 최고위직 관리들은 종종 정부를 설득해 신분제의회를 유연하고 관대하게 다루도록 유도했다.[64]

클레베 총독인 모리츠 폰 나사우-지겐은 타협에 능한 인물로 많은 시간을 제후와 지방 엘리트의 업무를 중재하는 데 보냈다.[65] 프로이센 공국에서 프리드리히 빌헬름의 수석대리인인 라지비우 공과 오토 폰 슈베린은 모두 온건파로 신분제의회의 관심사에 적잖은 공감을 했다. 추밀원의 의사록을 자세히 살펴보면 엄청나게 제기된 개인적 불만과 특정 신분제 의원들의 요청을 선제후가 즉석에서 승인해주었다는 것을 알 수 있다.[66]

신분제 의원들, 아니면 적어도 조직화된 귀족들은 그들의 관심사를 선제후의 요구와 조정하는 길을 찾아냈다. 그들은 자신의 이익에 보탬이 될 때는 신분 조직의 동료들에게 등을 돌리며 전술적으로 행동했다. 상비군에 반대하는 목소리는 지휘관으로 복무하면 매력적이고 명예로운 지위가 주어지며 일정한 소득이 생긴다는 것을 알면서 사그라졌다.[67] 원칙적으로 그들은 고문관들과 협의하며 외교정책을 다듬는 선제후의 권한에 맞서지 않았다. 그들이 마음에 품은 생각은 중앙의 권력기관과 지방 귀족 사이에 상호보완적인 관계를 형성하는 것이었다. 클레베 의회가 1684년에 한 비망록에서 설명한 대로, 선제후는 각 지방에서 무슨 일이 일어나고 있는지 알 수가 없기 때문에 관리들에게 의존할 것으로 보았다. 하지만 이 관리들도 인간이기 때문에 약점과 유혹에 노출되기 쉬웠다. 따라서 신분제의회의 역할은 지방 정부의 잘못을 교정하고 균형을 잡아주는 것이라고 이들은 생각했다.[68] 쌍방이 1640년대에 대립을 일삼은 이래 보인 커다란 진전이었다.

지방 엘리트를 복종시키는 데는 물리적인 힘과 강제력이 한몫했다. 그러나 질질 끄는 협상이나 중재, 상호 이해관계의 수렴은 겉으로 두드러지지는 않아도 훨씬 중요한 문제였다.[69] 브란덴부르크 정부는 유연한 투 트랙 접근을 추구했다. 선제후가 핵심적인 사항에 대해 양보하도록 때로 강하게 밀어붙이는 한편, 휘하의 관리들은 중간에서 합의를 이끌어내는 작업을 했다. 각 소도시들 또한 이런 실용적인 접근 방식으로 혜택을 보았다. 1665년 선제후에 대한 충성을 공식적으로 선언하는 대가로 마르크 백작령에 있는 베스트팔렌의 소도시 조스트는 고대의 '헌법'을 유지하는 것이 허용되었다. 이것은 귀족 조직에서 선출한 관리에 의한 독특한 자치제와 재판권을 통합한 제도였다.[70]

세기말의 이런 상황을 지방 소도시의 이점이라는 측면에서 판단할 때, 귀족계급이 상당 부분의 자율적인 사법권과 사회경제적 권한을 유지하고 지방의 지배 세력으로 남은 것은 대단한 것이라고 할 수 있다. 그들은 해당 지역의 복지에 영향을 주는 문제를 심의하기 위해 그들 마음대로 의회를 소집할 권한을 확보했다. 또 지방에서 세금의 징수와 할당을 통제했다. 더욱 중요한 것은 군단위(Kreisstände)의 의원들이 군수(Landrat)를 선출할 권한을 가지고 있었다는 것이다. 이런 권한은 결정적인 역할을 하는 인물들이 정부에 남아 (18세기 후반까지) 군주를 상대할 뿐 아니라 신분제 의원들의 이익을 대변하며 중재자 역할을 하는 길을 보장해주었다.[71]

하지만 호엔촐레른 영토의 정치권력 구조에 초점을 맞추면, 중앙정부와 지방 신분제의회가 되돌릴 수 없는 관계로 변한 것은 분명하다. 지방 귀족을 대표하는 신분제의회 총회는 점점 드물어졌고 알트마르크와 미텔마르크의 귀족 총회는 1683년에 마지막으로 열렸다. 이후 신분제의회의 업무 및 정부와의 협상은 '소위원회'(engere Ausschüsse)로 알려진 소규모의 영구대표단을 통해 이루어졌다. 신분 대표로서의 귀족 집단은 지역 문제에 초점을 맞추고 영토에 대한 정치적 야심을 포기하면서 국가 단위의 큰 문제에서는 손을 뗐다. 궁정과 시골은 점점 멀어졌다.

유산

17세기 말엽에 브란덴부르크-프로이센은 오스트리아를 제외하고 독일어권에서 가장 큰 공국이었다. 여기저기 흩어진 영지는 라인란트에서부터 발트해 동부에 이르기까지 삐뚤빼뚤한 징검다리 선처럼 길게 뻗어 있었다. 16세기에 혼인과 상속계약을 통해 약속받은 것 중 상당 부분이 이제 현실이 된 것이다. 5월 7일, 선제후가 죽기 이틀 전에 눈물을 글썽이며 침대 맡에 모인 일행에게 말한 대로, 그의 집권 기간은 비록 힘들고 "전쟁과 근심으로 점철된" 것이기는 했지만, 신의 은총으로 오랫동안 행복을 누린 시간이기도 했다. 선제후는 이렇게 말했다. "짐이 즉위했을 때, 나라를 뒤덮고 있던 무질서를 누구나 알 것이다. 하늘의 보살핌으로 짐은 그것을 극복했고 그로 말미암아 이웃 국가의 군주들로부터는 존경을 받고 적들에게는 공포를 안겨주었다."[72] 그의 유명한 증손인 프리드리히 대왕은 훗날, "프로이센 융성의 역사는 대선제후의 즉위와 더불어 시작되었다"라고 선언했다. 대선제후가 위대한 국가의 '탄탄한 기초'를 쌓았기 때문이라는 것이다. 이런 식의 논증은 19세기 프로이센 학파의 서사에서 다시 울려퍼진다.

그의 재위 기간에 이룩한 군사적·외교-정치적 위업이 엄밀히 말해 브란덴부르크의 새로운 출발점을 규정한 것은 분명하다. 1660년부터 프리드리히 빌헬름은 신성로마제국의 영역 밖에 있는 영토라고 할 프로이센 공국을 지배한 통치자였다. 그는 조상의 정치적 위상을 바꿔놓았다. 그는 더 이상 제국의 단순한 통치자가 아니라 유럽의 군주였다. 그가 루이 14세의 궁정으로부터 전통적으로 통치 군주에게만 주어진 공식적인 칭호 '내 형제'(Mon Frère)라는 말을 들으려고 했던 것은 이런 새로운 지위에 집착했다는 증거다.[73] 그의 후계자인 프리드리히 3세 선제후(프로이센 국왕 즉위 이후에는 프리드리히 1세로 불린다 — 옮긴이)의 집권 기간에 프로이센 공국의 통치권은 호엔촐레른가가 왕의 칭호를 획득하는 데 이용되었다. 적절한 시기가 되어, 유서 깊고 위엄이 깃든 브란덴부르크라는 명칭조차 '프로이센 왕국'이라는 말에 빛이 바래게 되었고, 이 이름은 18세기 들어 점점 호엔촐레른가의 영지 전역에서 불리게 되었다.

선제후 자신은 본인의 재위 기간에 생긴 변화의 의미를 주목하며 방심하지 않았다. 1667년 그는 자신의 후계자에게 주는 '아버지의 가르침'을 작성했다. 이 기록은 전통적인 선왕의 유훈 형식으로서 경건하고 신을 두려워하는 삶을 권하는 훈계로 시작하는데, 곧 호엔촐레른 가문의 역사에 전례가 없는 정치 영역으로까지 확대되었다. 이어 과거와 현재를 놓고 극명하게 대비하는 대목이 나온다. 자신이 프로이센 공국에 대한 통치권을 획득함으로써, 선조들을 억눌렀던 폴란드 왕과의 주종관계라는 '견딜 수 없는 조건'을 끝장냈다는 점을 강조한 것이다. "이 모든 것을 글로 설명할 수는 없다. 각종 기록과 보고서가 그 사실을 증언해줄 것이다."[74] 또 장래의 선제후에게, 현재 고민하는 문제에 관한 역사적 시각을 발전시키라는 당부도 나온다. 베스트팔렌 조약을 꼼꼼히 들여다보면, 프랑스와 선린관계를 유지하는 것이 얼마나 중요한지, 또 어떻게 이런 관계를 "선제후로서 네가 신성로마제국과 황제에게 가져야 할 존경심과" 균형을 취해야 할지가 드러난다는 것이다. 그리고 베스트팔렌 조약에서 이루어진 새 질서를 지키되 그것을 뒤집으려고 하는 열강에는 맞서서 그것을 수호하는 것이 중요하다고 강력하게 주장하는 대목이 나온다.[75] 요컨대 이 훈계는 역사적인 지속과 변화하는 힘 사이에 발생하는 긴장을 자각하고 베스트팔렌 조약 자체의 역사적 위치를 대단히 민감하게 포착한 기록이었다.

자신이 이룬 것이 취약하다는 이 날카로운 인식은 역사적 우연에 대한 선제후의 경계심과 밀접한 관련이 있었다. 그것은 공든 탑이 언제라도 무너질 수 있다는 우려에서 나온 생각이었다. 스웨덴인이 브란덴부르크로부터 발트해의 통제권을 빼앗기 위해 '간계로 혹은 무력으로' 틈틈이 기회를 엿보고 있으며, 폴란드인은 프로이센인과 함께 기회가 생기면 놓치지 않고 프로이센 공국을 '이전 상태'로 되돌리려고 할 거라고 경고했다.[76] 이어서 후계자들의 임무는 브란덴부르크 가문의 영토를 계속 확대하는 것이 아니라 이미 합법적으로 가문의 손에 들어온 것을 지켜내는 것이라고 말한다.

> 가능하면 제국 내의 모든 선제후와 군주, 신분제의회와 상호 신뢰
> 및 우정 속에 지내며 그들과 소통해야 한다는 점을 언제나 명심하
> 라. 그리고 그들이 나쁜 감정을 품을 빌미를 주지 말고 선린관계를
> 유지하라. 하늘의 은총으로 우리 가문에 넓은 영토가 생겼으니 그
> 땅을 보존하는 데만 노력을 기울이고 더 많은 영토를 차지하려고
> 시기심과 원한에 흔들리지 않도록 주의하라. 자칫하다가 이미 가지
> 고 있는 것마저 위태롭게 하지 않도록 조심하라.[77]

주목할 만한 것은 이 기록에 초조함이 묻어난다는 점이다. 이 기록은
브란덴부르크-프로이센의 외교정책에서 변치 않는 주제 한 가지를 분
명히 보여준다. 즉, 베를린의 세계관의 기조는 항상 취약성에 대한 민감
함이었다는 것. 프로이센 외교정책의 특징이 되는 초조한 행동주의는
30년전쟁의 트라우마에서 비롯된 것이다. 이는 '아버지의 가르침' 속 애
절한 문구에서 다음과 같이 울려퍼지고 있다. "이것만은 분명하다. 불
길이 아직 국경 멀리에 있다는 안일한 생각으로 네가 가만히 앉아 있
을 때 네 영토는 비극의 무대가 될 것이다."[78] 1671년 프리드리히 빌헬름
이 수석대신 오토 폰 슈베린에게 한 말에서도 초조한 행동주의가 드러
난다. "짐은 예전에 중립을 경험했소. 가장 우호적인 조건에서조차 중
립은 형편없는 대접을 받았소. 그래서 짐은 죽을 때까지 다시는 중립을
택하지 않겠다고 맹세했소."[79] 프로이센이 취약하다는 의식에서 결코
벗어날 수 없었다는 것. 그것이 브란덴부르크-프로이센의 역사가 당면
한 핵심 문제 중 하나였다.

4

왕 권

Majesty

대관식

1701년 1월 18일, 브란덴부르크의 선제후 프리드리히 3세는 쾨니히스베르크 시에서 '프로이센 국왕'으로 즉위했다. 이날의 화려한 장면은 호엔촐레른 가문의 역사에서 전례가 없는 것이었다. 당대의 한 보고에 따르면, 선제후 가문 사람들과 그들의 하인이 짐과 함께 1,800대의 마차를 타고 베를린에서 동부에 있는 대관식 장소까지 이동하는 데 교대할 말이 3만 필이나 투입되었다고 한다. 이들이 지나는 마을은 각종 장식으로 치장되었고, 주요 도로에는 횃불이 줄지어 서 있거나 주름을 잡아 멋을 낸 고급 천들이 내걸렸다. 대관식은 1월 15일, 쾨니히스베르크에서 새로운 왕실의 문장이 들어간 파란 벨벳 제복을 입은 의전관들이 시내를 돌아다니며 프로이센 공국은 이제 주권을 가진 왕국이라는 선언을 하면서 시작되었다.

대관식은 1월 18일 아침, 특별히 이날을 위해 왕좌가 마련된 선제후의 알현실에서 시작했다. 반짝이는 다이아몬드 단추가 박힌 진홍색과 황금색이 섞인 상의에 북방족제비의 하얀 털로 안감을 댄 자주색 망토를 두르고서, 가문의 남자들과 조신, 지방 고위 관리 등 소수의 무리가 수행하는 가운데 선제후는 손에 왕홀을 들고 머리엔 왕관을 쓰고 참석자들의 예를 받았다. 이어 그는 아내가 있는 방으로 들어가 온 가문 사람이 지켜보는 가운데 아내에게 왕비의 관을 씌워주었다. 신분제 의원들이 충성 맹세를 한 다음, 국왕 내외는 기름을 붓는 성별식(聖別式)을 위해 나란히 성안의 교회로 이동했다. 여기서 국왕 내외는 입장할 때 주교 두 명의 하례를 받았다. 한 사람은 루터파였고 또 한 사람은 개혁파(칼뱅파)였는데, 양 종파로 이루어진 브란덴부르크-프로이센 국가의 특징을 존중해 특별히 임명된 사람들이었다. 찬송가 몇 곡과 설교가 끝난 뒤, 왕실의 북과 트럼펫이 팡파르를 울리며 예배의 중요한 순서를 알렸다. 왕이 왕좌에서 일어나 제단 앞에 무릎을 꿇자 칼뱅파 주교인 우르시누스는 오른손 손가락 두 개를 기름에 적신 다음 왕의 이마와 양 손목(맥박이 잡히는)에 기름을 발랐다. 이어 똑같은 의식이 왕비에게도 행해졌다. 음악이 분위기를 고조시키는 가운데, 예배에 참석한 성직자들은 왕좌 앞에 모여 예를 올렸다. 다시 찬송가와 기도가 이어졌고, 궁정의 고위 관리들이 자리에서 일어나 신성모독자와 살인자, 채무자, 반역자를 제외한 모든 범죄자의 일반사면을 알렸다.[1]

당시 사용된 지출을 국부의 비율로 보면, 1701년의 대관식에 브란덴부르크-프로이센 역사상 단일 행사로는 가장 막대한 비용이 들었음이 확실하다. 국력을 과시하기 위해 왕실의 행사에 흥청망청 돈을 썼던 그 시대의 기준으로 보더라도 프로이센의 대관식은 보기 드물 정도로 화려했다. 정부는 이 비용을 충당하기 위해 왕실보호세를 걷었지만, 다 합쳐봤자 50만 탈러밖에 되지 않았다. 이 중 5분의 3이 왕비관을 장만하는 데 들었고, 나머지 금액으로는 표면 전체에 다이아몬드를 박고도 모자라 값비싼 보석으로 장식한 왕관 값을 치르기엔 터무니없이 부족했다. 지출내역서가 남아 있지 않으니 이날의 총액을 정확하게 계산하기는 어렵다. 하지만 즉위식과 부대 행사 전체를 치르는 데 약 600만 탈러가 들어갔을 것으로 추산된다. 이는 호엔촐레른가 1년 예산의 두 배에 해당하는 금액이었다.

이 대관식은 다른 의미에서 보더라도 유일무이한 것이었다. 모든 것이 특별한 역사적 순간을 기념할 목적으로 주문 제작되었다. 새 왕실 훈장과 세속의 의식, 성내 교회의 예배 절차뿐만 아니라 주빈들이 입을 의상의 스타일과 색깔 등 세부적인 사항에 이르기까지 총연출자는 프리드리히 1세 자신이었다. 왕실 의전에 대한 자문을 해줄 일단의 전문가도 있었다. 그중에 가장 두드러진 인물은 궁정시인으로서 1690년부터 집권 기간이 끝날 때까지 프리드리히의 궁정에서 의전 진행자로 근무했고 영국과 프랑스, 독일, 이탈리아, 스칸디나비아 국가의 왕실 전통에 폭넓은 지식을 갖춘 요한 폰 베서였다. 하지만 핵심적인 결정은 언제나 선제후 자신이 내렸다.

이렇게 탄생한 대관식은, 외부의 시선을 대단히 의식하며 유럽의 역사적인 대관식에서 일부를 본뜨고, 일부는 당시의 최근 유행을, 나머지는 오랜 옛날 방식을 빌려와 뒤섞은 독특한 것이었다. 프리드리히는 미학적인 효과만을 노려 행사를 설계하지는 않았다. 왕이라는 자신의 지위를 규정하는 특징이라고 보고 그것을 널리 알리려는 의도도 있었다. 위쪽이 열린 둥근 테의 형태가 아니라 위가 막힌 돔형의 금속 구조로 된 왕관은 그 자신이 세속적이면서 영적인 양면의 통치권을 행사하는 군주임을 보여주려는 것으로서 전체를 포용하는 힘을 상징했다. 더구나 유럽의 일반적인 현실과는 반대로 별도의 의식을 치르며 본인 스스로 왕관을 쓰고, 이어서 자신이 임명한 성직자를 통해 기름부음을 받았다는 사실은 왕위의 자율적인 특징을 강조하는 것이자 (신을 제외한) 세속적·영적 권력으로부터의 독립성을 부각하는 것이었다. 왕실 '의전학' 분야에서 당대의 유명한 전문가인 요한 크리스티안 뤼니히는 다음과 같이 묘사하며 이 절차에 담긴 의미를 설명했다.

6 프로이센 국왕 프리드리히 1세(선제후 1688~1701년; 왕 1701~13년),
대관식 후 테오도르 게리케가 그린 그림.

신분제의회로부터 왕국과 통치권을 인수하는 왕들은 보통 기름부음을 받고 나서야 자주색 망토와 왕관, 왕홀을 갖춰 왕좌로 올라간다. [···] 하지만 신분제의회나 다른 대표단의 도움 없이 왕국을 인수한 폐하[프리드리히 1세]는 어떤 형태의 양도 의식도 거칠 필요가 없었다. 그저 고대의 왕들이 자신이 세운 나라를 대하듯 왕관을 인수했다.[2]

당시 브란덴부르크와 프로이센 공국의 역사를 감안할 때, 이런 상징적 태도에는 중대한 의미가 담겨 있었다. 대선제후가 프로이센의 신분제의회, 특히 쾨니히스베르크 시의회와 싸웠던 사실은 여전히 마음을 어지럽히는 기억이었다. 좀 더 상세히 말하자면, 프로이센 신분제의회는 대관식과 관련해 의견을 제시할 기회도 없었고 임박한 축하행사에 대해서도 1700년 12월에 가서야 소식을 들은 것이 분명하다. 이에 못지않게 중요한 사실은 새 왕국이 폴란드 혹은 신성로마제국의 어떤 요구에도 구속받지 않을 만큼 독립성을 확보했다는 것이다. 영국의 사절 조지 스테프니가 1698년에 영국 외상인 제임스 버넌에게 보낸 다음의 보고서는 잘 알려진 것이다.

자신이 추구하는 가치, [···] 절대적 통치권을 가지고 선제후는 프로이센 공국을 지배하고 있습니다. 그런 면에서 그는 신성로마제국 내의 다른 선제후나 제후의 권력을 능가하고 있습니다. 다른 제후들은 그렇게 독립적이지 못하고 황제를 통해 부여받은 권위만 있을 뿐이죠. 그런 이유로 이 선제후는 다른 제후들이 공통적으로 가지고 있는 것보다 더 특출한 호칭을 통해 자신이 구별되는 것처럼 행동합니다.[3]

'프로이센 왕'이라는 이례적인(유럽 궁정에서 흥미를 불러일으킨) 칭호를 택한 이유 중 하나는 이것이 여전히 폴란드 연방 내에 존재하는 '왕령' 프로이센이라는 표현과 관련된 폴란드의 어떤 요구로부터도 새 왕위를 자유롭게 해주기 때문이다. 빈 황실과의 협상에서 특히 신경을 쓴 것은 단어 사용이었다. 합의서는 황제가 새로운 왕위를 '만들어낸 것'(creieren)이 아니라 단지 '승인한 것'(agnoszieren)이라는 점을 분명히 했다. 베를린과 빈의 최종 합의에서 많은 논란을 빚은 구절은 입에 발린 말로서 황제가 기독교계의 선임 왕으로서 특별한 지위를 가진다는 것이었다. 그러나 프로이센 왕위는 전적으로 독립된 자리이며 황제의 승인은 호의의 표시는 될지언정 의무사항은 아니라는 점도 못 박았다.

1701년에 베를린은 이전에 종종 그랬듯이 국제 정세의 덕을 톡톡히 보았다. 황제는 브란덴부르크의 지지가 절실하지만 않았다면, 아마 선제후의 국왕 즉위에 협조하지 않았을 것이다. 합스부르크 왕조와 부르봉 왕조의 역사적인 싸움은, 루이 14세의 손자를 공석 중인 에스파냐 왕위에 앉히려는 프랑스의 계획에 맞서 유럽 열강이 동맹을 맺었을 때 새로운 유혈 단계로 접어들고 있었다. 격전이 벌어질 것을 예상한 황제는 프리드리히의 지원을 받으려면 자신이 양보해야 한다는 점을 알고 있었다. 양 진영으로부터 지원 요청을 받은 선제후는 선택의 기로에서 망설이다가 결국 1700년 11월 16일, '왕위 조약'을 대가로 황제 편에 서기로 결심했다. 이 합의에 따라 프리드리히는 분견대 8천 명을 황제에게 보내고 그 밖에도 합스부르크가를 여러 모로 지원하기로 약속했다. 빈의 궁정은 새로운 왕위의 제정을 인정할 뿐만 아니라 신성로마제국 내에서 그리고 유럽 열강 사이에서 그 자리가 널리 받아들여지도록 노력한다는 데 동의했다.

왕의 칭호를 확립한 뒤 궁정 시설이 엄청나게 확대되었고 많은 공들인 의전이 뒤를 따랐다. 이 중 많은 것들에 역사적 차원까지 고려한 의미가 부여되었다. 대관식 기념일, 왕과 왕비의 탄신일, 검은 독수리훈장 수여식, 대선제후 동상 제막식 등을 기념하는 화려한 축하행사가 그랬다. 이런 측면에서 프리드리히의 재위 기간은 그의 선조들이 직위에 대해 가졌던 시각적 특징을 드러냈을 뿐 아니라 16세기 후반 이후 서유럽의 궁정에 스며든 높은 역사 의식을 제도화했다고 볼 수 있다.[4] 1688년 프리드리히는 자무엘 푸펜도르프를 궁정 사료편찬위원에 임명했다. 대선제후의 재위 기간에 대한 푸펜도르프의 주목할 만한 역사서는 정부 문서를 체계적으로 활용한 최초의 사례였다.

다른 궁정들이 에스파냐 왕위 계승 전쟁의 여러 전투와 포위 공격에 정신이 팔려 있는 동안, 베를린 일상은 격분한 영국인 관찰자의 말대로 "끝없는 오락과 춤, 여흥거리"의 연속이었다.[5] 사치스러운 궁정이라는 갑작스러운 변화는 베를린에 주재하는 외국인 사절들에게 생활비 상승을 의미했다. 1703년 여름에 작성된 한 보고서에서 영국의 특명공사(훗날 대사) 라비 경은 "영국에서는 꽤 고급인 본관의 마차도 여기서는 하찮은 것"이라고 썼다. 이 시기에 보낸 영국 공문서는 갑자기 유럽에서 최고로 화려한 궁정의 하나가 된 곳에서 체면을 유지하는 데 터무니없는 비용이 든다고 불평하는 내용으로 가득 찼다. 집에서도 가구와 하인, 마차, 말을 더 엄격하고 값비싼 기준에 맞춰야 한다는 것이었다. "대사 노릇해서 남는 것이 하나도 없습니다." 라비는 급여를 넉넉하게 올려달라고 수없이 비밀 탄원서를 보내며 쏠쏠하게 되뇌었다.[6]

아마도 사치스러운 의전에 대한 새로운 기호는 1705년 2월 사망한 국왕의 두 번째 아내인 하노버의 조피 샤를로테 애도 기간에 가장 극적으로 표현되었을 것이다. 왕비는 하노버의 친척을 방문한 기간에 죽음을 맞았다. 궁정의 한 고위 관리는 브란덴부르크군 두 개 대대를 하노버로 이끌고 가서 시신을 베를린으로 인수해 오라는 명령을 받았다. 베를린으로 온 다음 시신은 6개월 동안 왕비의 침대에서 공개되었다. 엄격한 의전을 거치며 국왕의 재위 기간 중 "가장 깊은 애도"가 바쳐졌다. 궁정을 찾는 사람은 누구나 긴 검은 망토를 걸쳐야 했고, 모든 집과 각종 마차(외교 사절의 것을 포함해)에는 '깊은 애도'의 표시를 하도록 했다.

궁정에는 내 평생 겪은 것 중 가장 깊은 애도의 분위기가 깔렸다. 여인들은 검은 옷과 두건으로 온몸을 가려 얼굴이 보이지 않았다. 남자들은 검고 긴 망토를 걸쳤으며 방마다 커튼이 쳐진 가운데 촛불을 4개만 켰기 때문에 시종이 길게 끌리는 망토 자락을 들고 있는 모습만 아니라면 왕과 다른 사람을 구분할 수 없을 정도였다.[7]

당당하고 화려한 궁정의 의전뿐만 아니라 문화적인 측면에서도 왕조 역사상 전례가 없을 정도로 아낌없는 비용을 지출했다. 이미 대선제후 집권 기간의 후반 수십 년 동안 수도에 대표적인 건축물이 속속 들어섰지만, 이것들은 후계자의 재위 기간에 시작된 건축 프로젝트 앞에서 존재가 무색해졌다. 샤를로텐부르크 성에는 스웨덴 출신의 건축가 요한 프리드리히 에오잔더의 감독하에 널따란 정원이 딸린 거대한 궁전이 들어섰다. 시내 곳곳에는 대표적인 조각상이 세워졌는데, 그중에서 가장 유명한 것은 안드레아스 슐뤼터가 설계한 대선제후의 위풍당당한 기마동상이다. 전쟁의 상처가 곳곳에 배어 있던 베를린의 모습은 넓은 포장도로와 우아한 주거 도시의 멋진 건물들에 가려 사라지기 시작했다.

　　1700년 7월 왕위 칭호를 얻으려는 노력이 성공적인 결실을 거두었을 때, 프리드리히는 훗날 프로이센 왕립 과학아카데미로 개명된 왕립 과학협회를 설립함으로써 왕조의 위상을 높여놓았다.[8] 철학자 라이프니츠가 과학원 설립(공식적으로는 통치자의 생일인 7월 11일에 세워진)을 축하하기 위해 디자인한 기념 메달에는 한쪽 면에 선제후의 초상을, 반대 면에 독수리자리를 향해 날개를 퍼덕이는 브란덴부르크 독수리의 모습을 새기고 "독수리는 자신의 별자리를 향한다"(Cognata ad sidera tendit)라는 문장을 넣었다.[9]

　　온갖 거창한 의식이 따르는 프로이센 국왕이라는 칭호가 그것을 얻고 유지하는 데 필요한 비용과 노력을 들일 가치가 있는 것일까? 이 물음에 대한 가장 유명한 답은 냉혹할 정도로 부정적이다. 프리드리히의 손자인 프리드리히 2세가 볼 때 이 모든 것이 선제후의 방종을 드러내는 허영에 지나지 않았다. 이 손자는 초대 프로이센 국왕에 대해 매우 악의적인 진단을 하며 다음과 같이 말했다.

> 그는 편협하고 기형적인 인물인 데다 표현은 거만했으며 인상이 비천했다. 그의 정신은 모든 사물을 비추는 거울 같았다. […] 그는 허영심을 진정한 위대함으로 착각했다. 그는 실속 있는 유용성보다 외형에 치중했다. […] 그는 의전과 낭비벽에 대한 자신의 약점을 정당화하기 위해 피상적인 구실이 필요했기 때문에 오로지 왕관에만 욕심을 부렸다. […] 대체로 작은 것에 큰 의미를 둔 반면, 정작 큰 의미가 있는 것에는 관심이 적었다. 그리고 그의 불행은 아버지와 자신보다 뛰어난 아들 사이에서 역사적 위상을 찾으려고 한 것이다.[10]

프리드리히의 궁정 시설이 장기적으로 지속할 수 없는 비용을 초래한 것은 분명하고 초대 국왕이 요란한 잔치와 공 들여 연출한 의전을 몹시 즐긴 것도 사실이다. 하지만 이것을 개인적인 결점으로 부각시키는 것은 어떤 점에서 잘못이라고 할 수 있다. 프리드리히 1세가 이 시기에 제왕의 지위로 도약할 길을 모색한 유럽의 유일한 통치자는 아니었다. 토스카나 대공은 1691년에 '전하'(Royal Highness)로 불릴 권리를 획득했고 이후 수년이 지나 사보이 공과 로렌 공도 같은 권리를 획득했다. 베를린의 시각으로 볼 때 더 중요한 것은, 1690년대에 경쟁 관계에 있는 독일어권의 수많은 왕조에서 왕의 칭호를 얻으려고 갖은 애를 쓰고 있었다는 점이다. 작센 선제후는 1697년에 폴란드 왕으로 선출되기 위해 가톨릭으로 개종했고, 비슷한 시기에 하노버 선제후 가문이 영국의 왕위를 계승하기 위한 협상이 시작되었다. 바이에른과 팔츠 비텔스바흐에서도 마찬가지로 왕의 칭호를 따기 위한 계획(끝내 수포로 돌아간)에 가담했는데, 바이에른은 지위 격상을 통해, 팔츠의 경우에는 '아르메니아 왕위'에 대한 권한을 확보한다는 계획이었다. 바꿔 말해 1701년의 대관식은 개인의 변덕이 아니라 주로 왕위 칭호가 없는 신성로마제국 내 영방국가와, 이탈리아 여러 국가에서 17세기 말에 유행한 왕국화 흐름의 일부였다. 왕의 칭호가 중요한 까닭은 그것이 국제사회에서 특별한 지위를 수반했기 때문이다. 당대의 평화조약에서 왕위가 있는 국가에 우선권이 있었기 때문에, 그것은 잠재적으로 매우 큰 실용적 의미가 담긴 문제였다.

정치적·문화적 기관으로서 근대 초기의 유럽 궁정에 대한 관심이 최근에 부쩍 높아진 덕에 궁정 의전의 기능에 대한 인식도 높아졌다. 궁정의 연회는 소통과 정당화에 중대한 역할을 했다. 철학자 크리스티안 볼프가 1721년에 관찰한 대로, 자신의 이성보다 감성에 의존하는 '보통 사람'은 "왕의 위엄이 무엇인지" 파악할 능력이 전혀 없었다. 하지만 "눈을 사로잡고 다른 감각을 뒤흔드는 것"에 직면하게 함으로써 군주의 힘을 느끼게 하는 것은 가능했다. 적지 않은 궁정이 의전에 신경 쓰는 것은 이런 의미에서 "결코 지나치거나 비난할 만한 것"이 아니라고 볼프는 결론지었다.[11] 이뿐만 아니라 가족과 외교적·문화적 연결고리를 통해 각 궁정 사회는 서로 긴밀하게 연결되어 있었다. 궁정 사회는 각각의 영토 내에서 엘리트 사회와 정치적 생활을 위한 관심의 초점이었을 뿐만 아니라 국제적인 궁정 네트워크의 중심점이기도 했다. 예를 들어 대관식 기념일의 거창한 의식은 왕가의 수많은 친척이나 계절마다 궁정을 방문하는 외교 사절은 말할 것도 없고 수많은 외국인 방문객이 주시하는 행사였다.

유럽의 궁정 시스템 안에서 일어나는 이런 행사에 국제적으로 동조하는 분위기는 공식적·비공식적 보고서가 발표됨으로써 확산되었다. 이런 보고서에 들어 있는 상석이라든가 의상, 의전, 화려한 구경거리 등 상세한 내용에 큰 관심이 쏠렸다. 꼼꼼하게 양식화된 애도 의식에도 똑같이 관심이 쏠렸다. 조피 샤를로테의 사망에 뒤따른 의전 절차는 유족이 사적인 슬픔을 표현하는 것이 주된 목적이 아니었다. 망자가 존재했던 궁정의 무게와 의미에 대한 신호를 내보내는 것이 의도였다. 이런 신호는 해당 국가의 국민을 향하는 것일 뿐만 아니라 다양한 수준의 애도에 참여함으로써 행사에 대한 의사 표시를 할 것으로 기대되는 다른 궁정을 향한 것이기도 했다. 이런 기대감은 너무도 절대적인 것이기 때문에, 프리드리히 1세는 베르사유 궁정에서 조피 샤를로테의 죽음에 조의를 표하지 않기로 한 것에 대해 격분했다. 어쩌면 프랑스의 이런 반응은 에스파냐 왕위 계승 전쟁에서 베를린이 친오스트리아 정책을 편 것에 대하여 불쾌감을 전달하는 수단이었는지도 모른다.[12] 궁정 생활을 돋보이게 하는 다른 의전과 마찬가지로 애도 행사 역시 정치적 소통 시스템의 일부였다. 이런 맥락에서 볼 때, 궁정은 국제적인 '궁정 사회' 앞에서 군주의 서열을 증명하는 데 목적을 둔 기구였다.[13]

아마 1701년의 대관식에서 가장 주목할 만한 것은, 이 행사가 성스러운 프로이센 대관식이라는 전통을 만드는 초석이 되지 못했다는 사실일 것이다. 프리드리히의 바로 뒤를 이은 프리드리히 빌헬름은 어릴 때부터 세련된 품위나 모친이 장려한 유희에 대한 반감을 키웠고, 성인이 되어서도 부친의 정권을 규정하는 특징이라고 할 일종의 의전 전시를 달가워하지 않았다. 즉위한 뒤에는 어떤 형태의 대관식도 생략했을 뿐만 아니라 선친이 만들어놓은 궁정 시설을 실질적으로 없앴다. 그에 이어 프리드리히 2세는 왕조의 허례허식을 싫어한 부친의 기질을 물려받았으며 의전 관습을 회복시키지도 않았다. 그 결과 브란덴부르크-프로이센은 대관식이 없는 왕국이 되었다. 즉위 의식은 그 옛날처럼 쾨니히스베르크의 프로이센 신분제의회와 호엔촐레른가의 베를린 신분제의회에서 행하는 충성 맹세 형태로 남게 되었다.

그럼에도 불구하고 되돌아보면, 왕이라는 칭호를 취득한 것이 브란덴부르크 정치사에서 새 시대를 열었다는 것은 분명하다. 첫째, 대관식에 수반된 의식이 왕조의 집단 기억 속에 잠복해 있었다는 것에 주목할 필요가 있다. 예컨대 프리드리히 1세가 대관식 전야에 왕국 내에서 가장 공이 큰 친구와 부하 들에게 보상하기 위해 제정한 검은 독수리 훈장은 차츰 궁정의 기능으로부터 멀어졌다가, 프리드리히 빌헬름 4세가 문서고에서 발굴해 처음의 서훈의식을 재도입한 1840년대에 다시 인기를 끌었다. 빌헬름 1세 국왕은 1861년에 즉위할 때 (당시 많은 사람이 시대에 뒤졌다고 본) 충성 맹세를 폐지했고, 대신 쾨니히스베르크의 자기 대관 관습을 되살렸다.[14] 빌헬름 1세는 1871년 베르사유궁 거울의 방에서 독일제국을 선포하는 날짜를 프로이센 왕국의 첫 대관식 기념일인 1월 18일로 잡기도 했다. 왕실 생활에서 대관식에 대한 문화적 공감대는 1713년 이후 갑작스럽게 폐지되었다기보다는 더 오래 지속되었다.

또한 1701년의 대관식은 군주와 그의 배우자의 관계에 미묘한 변화를 알리는 신호였다. 17세기의 브란덴부르크 선제후의 아내와 모친 중 몇몇은 궁정에서 강력한 독립적 지위를 누렸다. 가장 뛰어난 인물은 요한 지기스문트의 아내인 안나 폰 프로이센이었다. 안나는 활달하고 의지가 굳은 여인으로서 남편이 때로 술에 취해 화를 낼 때면 그의 머리를 향해 접시나 유리잔을 집어던졌다. 남편이 칼뱅주의로 개종한 뒤에는 불안정한 신앙 노선에 따른 브란덴부르크의 정치에서 중요한 역할을 했다. 또 자신의 외교 네트워크를 유지하면서 사실상 별도의 외교 정책을 펼쳤다. 이런 활동은 남편이 사망하고 아들인 게오르크 빌헬름이 1619년에 즉위한 뒤에도 계속되었다. 1620년 여름, 스웨덴 국왕과 따로 그와 자신의 딸 마리아 엘레오노라의 혼인 문제를 논할 때에도 안나는 국가 통치자인 아들의 의견은 별로 묻지 않았다. 1631년 브란덴부르크에 최대의 전쟁 위기가 닥쳤을 때, 브란덴부르크와 스웨덴 사이의 복잡 미묘한 외교 관계를 정리한 사람도 게오르크 빌헬름이 아니라 팔츠 출신의 아내인 엘리자베트 샤를로테와 장모인 루이제 율리아네였다.[15] 바꿔 말하면, 궁정 여인들은 친정 가문의 네트워크를 통해 정보를 접하며 남편 가문의 의도와는 완전히 구분되는 이익을 계속 추구했다. 이와 똑같은 특징을 조피 샤를로테에게도 볼 수 있다. 똑똑한 하노버 공주 출신인 샤를로테는 1684년에 프리드리히 3세(1세)와 혼인했지만, 친정 어머니가 있는 하노버 궁정에 장기 체류했으며(1705년에 사망했을 때도 이곳에 있었다), 하노버 정책의 옹호자로 남았다.[16] 샤를로테는 하노버의 이익을 해친다고 생각해서 대관식 프로젝트에도 반대했다(대관식이 너무 지루해서 행사가 진행되는 동안 '기분 전환'을 위해 코담배를 흡입했다는 이야기가 있다).[17]

이런 배경과는 반대로, 대관식이 선제후와 그의 배우자 관계를 새로운 틀에 가둔 것은 확실하다. 최초로 본인 스스로 왕관을 쓰고 아내에게 왕비의 관을 씌워주며 아내를 왕비로 만든 사람은 선제후였다. 물론 이것은 현실적인 결과를 동반하지 않은 단순한 상징적 행위였고 18세기에 이런 의식은 재연되지 않았다. 그럼에도 불구하고 이 의식은 아내의 왕조 정체성이 왕조의 우두머리인 남편의 정체성에 부분적으로 통합되는 과정의 시작을 알리는 신호였다. 호엔촐레른가가 왕비를 배출한 다른 독일어권 프로테스탄트 왕조들보다 뚜렷한 우위를 차지하면서 나타난 왕조의 남성화 현상은 브란덴부르크-프로이센의 '퍼스트레이디'가 자유롭게 활동할 행동 반경을 제한했다. 18세기에 집권한 후계자들이 개인적인 자질과 정치적 통찰력이 없진 않았지만, 이들은 이전 세기의 강력한 특징이었던 정치에서의 자율적인 영향력을 발전시키지 못했다.

대선제후가 확보했던 신성로마제국으로부터 독립된 주권은 가장 극적인 방식으로 엄숙히 거행되어왔다. 1640년 이후 브란덴부르크가 군사적인 무용과 과감한 리더십 덕분에 얻은 특별한 위상은 이제 국제적인 우선 순위의 공식적인 서열에 반영되었다.[18] 이를 인지한 빈 궁정은 브란덴부르크 선제후의 지위 격상을 도운 역할을 후회하게 되었다. 새로운 왕의 칭호는 심리적 통합효과를 불러일으켰다. 발트해 연안은 공식적으로 더 이상 브란덴부르크 심장 지대의 외부에 있는 영지가 아니라 처음에는 브란덴부르크-프로이센으로, 이후에는 단순히 프로이센으로 불리게 될 왕-선제후 합성 국가의 구성 요소가 되었다. 프로이센 왕국이라는 말은 호엔촐레른가의 모든 지방에 대한 공식 명칭으로 일원화되었다. 대관식 프로젝트에 반대하던 사람들이 지적한 대로 브란덴부르크의 통치권이 이미 왕권과 전혀 다름없는 권력을 소유했기 때문에 새로운 칭호로 치장할 필요가 없었다는 말도 일리는 있다. 다만 이런 견해를 받아들이면, 만사는 궁극적으로 부여되는 이름에 의해 바뀐다는 사실을 간과하는 결과가 될 것이다.

문화혁명

프로이센의 초대 국왕과 2대 국왕만큼 대조적인 개성을 지닌 두 사람을 상상하기란 어려울 것이다. 프리드리히는 세련되고 다정하며 예의 바른 데다 온화하면서 사교적인 인물이었다. 그는 프랑스어와 폴란드어를 포함해 다수의 외국어를 구사했고 자신의 궁정에 예술과 학문의 풍토를 조성하기 위해 많은 노력을 기울였다. 베를린 주재 대사로 여러 해 머물렀던 스트래포드 백작(베를린 주재 대사일 때의 호칭은 '라비 경'이었다)의 평가에 따르면, 프리드리히 왕은 "마음씨가 착하고, 상냥하며 […] 고상하고 자비로웠다".[19] 반대로 프리드리히 빌헬름 1세는 잔인하리만치 무뚝뚝했고 엄청나게 의심이 많았으며, 극심한 우울증으로 분노를 심하게 표출했고 공격적이었다. 몹시 총명한 두뇌를 지녔음에도 불구하고 그는 모국어인 독일어 읽기와 쓰기를 익히는 데 애를 먹었다(그는 독서 장애에 시달렸을 가능성이 있다). 그는 즉시 (그에게는 주로 군사적인 것을 의미한) 실용적 효용성이 나타나지 않는 문화나 지식 분야에 대해서는 어떤 종류건 상당히 회의적이었다. 때로 드러나는 귀에 거슬리는 그의 모욕적인 어조는 입수된 정부 문서의 여백에 써 넣은 메모를 통해 전해진다.

> 1731년 11월 10일: 이바티호프, 코펜하겐 주재 브란덴부르크 요원, 수당 인상 요청 [프리드리히 빌헬름: "못된 놈이 보너스를 달라는군. 고생을 더 해야 해."]

> 1733년 1월 27일: 폰 홀첸도르프의 덴마크 파견을 건의하는 편지 [프리드리히 빌헬름: "홀첸도르프는 교수대로 갈 놈이야, 그런 악당을 감히 추천하다니. 충분히 교수대로 갈 만 해. 가서 그 자에게 그렇게 말해."]

> 1735년 11월 5일: 쿨바인의 보고서 [프리드리히 빌헬름: "쿨바인은 멍청이야. 내 엉덩이에 입이나 맞추라고 그래."]

> 1735년 11월 19일: 쿨바인에게 보내는 명령 [프리드리히 빌헬름: "이 쓰레기야, 내 집안일에 간섭하지 마. 그렇잖으면 슈판다우에서 네 놈을 잡아갈 마차가 기다릴 테니까."][20]

1713년 2월, 즉위하고 며칠 지나지 않아 프리드리히 빌헬름은 선친이 닦아놓은 궁정 조직의 개혁을 단행했다. 1701년의 대관식은 되풀이되지 않았다. 왕실의 재정보고서를 자세히 조사한 새 국왕은 과감하게 재정을 긴축하는 계획에 착수했다. 궁정에 근무하는 고용인의 3분의 2(초콜릿 제조장인과 카스트라토 두 명, 첼리스트와 작곡가, 파이프오르간 제작자 등 포함)를 사전통고 없이 해고했다. 나머지는 봉급이 최대 75퍼센트까지 삭감되는 현실을 받아들여야만 했다. 선왕의 재위 기간 중에 궁정에 쌓였던 상당량의 보석과 금접시, 은접시, 고급 와인, 가구, 4륜마차 등은 매각 처분했다. 왕실동물원의 사자는 폴란드 왕에게 선물로 주었다. 프리드리히의 재위 기간에 고용된 조각가는 대부분 개정된 고용 조건을 알고는 베를린을 떠났다. 1713년 2월 28일에 작성된 영국 특사 윌리엄 브레튼의 보고서에는, 왕이 "연금을 삭감하고 왕실 비용을 대대적으로 감축하는 일에 너무 바빠 고위 관리들을 비탄에 빠트렸다"는 말이 나온다. 미망인이 된 태후의 비용이 특히 크게 깎이는 바람에 "불쌍한 시녀들은 친지를 찾아 쓸쓸하게 고향으로 떠났다".[21]

1690년 이후 프리드리히 3세(1세)의 의전관으로 근무해온 요한 폰 베서에게 새 왕의 즉위 이후 몇 주간은 끔찍한 세월이었다. 베서는 대관식에 대한 상세한 공식 설명서의 저자로서 왕실의 의전 문화를 정비했다. 평생 일궈온 업적이 눈앞에서 무너지는 것을 본 그는 송별식도 없이 급여 목록에서 이름이 삭제되었다. 다른 자리를 배려해달라고 요청하는 그의 편지는 전달된 즉시 불살라졌다. 베를린을 빠져나간 베서는 여전히 사치스럽던 드레스덴의 작센 궁정에서 마침내 고문관 및 의전관의 일자리를 찾았다.

프리드리히 치하에서 토대를 다진 궁정은 빠르게 그 색깔을 잃었다. 대신 그 자리에 더 야위고 더 값싸고 더 거칠고 더 남성 사회다운 모습이 들어섰다. 1716년 여름에 새 영국 특사 찰스 위트워스는 "작고한 프로이센 국왕은 너무 섬세할 정도로 의전에 빈틈이 없었지만, 현재의 전하는 반대로 그런 흔적을 거의 남기지 않았다"라고 보고했다.[22] 군주의 사회생활 중심에는 '타박스콜레기움'(Tabakskollegium) 혹은 '담배 내각'이라는 집단이 있었는데, 이것은 8~12명의 고문관, 고위 관리, 군 장교, 그리고 각처에서 몰려온 모험가, 외교 사절, 문인 등으로 이루어진 모임으로 저녁이면 왕과 함께 모여서 독주를 마시고 파이프 담배를 피우며 일반적인 대화를 했다. 전반적인 분위기는 비공식적이었고 종종 품위가 없거나 위계 질서가 없을 때도 있었다. 타박스콜레기움의 규칙 중 하나는 왕이 입장해도 일어나지 않는다는 것이었다. 토론 주제는 성경 구절과 신문기사, 정치적인 가십, 사냥 이야기에서 여자의 몸에서 풍기는 천연향처럼 더 외설적인 것에 이르기까지 아주 다양했다. 참석자들은 각기 자신의 생각을 말했고 때로는 심한 논쟁이 벌어지기도 했다. 경우에 따라서는 국왕 자신이 논쟁을 유발하는 것처럼 보일 때도 있었다. 예를 들어 1728년 가을에 헬름슈테트 대학교의 객원교수인 프리드리히 아우구스트 하케만과 베를린의 인기 작가 다비트 파스만 사이에 벌어진 신학 논쟁은 다른 참석자들에겐 큰 재미를 안겨준 진흙탕 싸움으로 번졌다. 당시 베를린에 주재하던 특사의 보고에 따르면, 하케만은 흥분한 나머지 파스만을 거짓말쟁이라고 불렀다.

> 파스만은 이에 거세게 반발하며 잽싸게 손바닥을 놀린 나머지, [하케만이] 거의 왕 앞으로 쓰러질 뻔했다. 이때 그[하케만]는 폐하에게 지존의 면전에서 상대를 공격하는 불경죄를 범했으니 처벌해야 하지 않겠냐고 물었다.

이 소동을 재미있게 본 프리드리히 빌헬름은 나쁜 짓을 했으면 그만한 공격은 받을 만하다고 말했다.[23]

1713년 이후 군주의 환경을 지배한 색깔과 가치를 상징하는 것으로 야코프 파울 폰 군틀링의 운명을 빼놓을 수 없을 것이다. 뉘른베르크 부근에서 태어나 알트도르프와 할레, 헬름슈테트 등의 대학교에서 교육을 받은 군틀링은 프리드리히 1세 치하의 도시에서 지적 활동이 장려되는 흐름에 맞춰 베를린으로 들어온 수많은 학자 중의 한 사람이었다. 군틀링은 귀족 자제들을 위해 베를린에 새로 설립된 학교에서 교수 활동을 하는 것 외에 '고등문장원'(Oberheroldsamt)의 사료편찬관이라는 궁정명예직을 얻었다. 1706년에 설립된 문장원은 공직을 지망하는 귀족들의 혈통을 증명해주고 신원 확인서를 발급해주는 기관이었다. 그런데 1713년, 프리드리히 빌헬름이 즉위하고 몇 주 만에 이 두 기관이 모두 폐쇄되면서 불행이 시작되었다. 군틀링은 국왕의 생각에 적

7 야코프 폰 군틀링을 풍자하는 초상화(군틀링을 야유하는 다비트 파스만의
『배운 바보』(*Der Gelehrte Narr*)에 실린 작가 미상의 판화, 베를린, 1729년).

응하고 경제정책의 자문역을 맡아 몇 년간 자유직으로 일하면서 새로운 체제에서 한 자리를 찾을 수 있었다. 이 일을 하면서 그는 귀족의 경제적 특권에 반대하는 사람으로 알려졌다. 이에 대한 보상으로 (상무고문관이나 과학 아카데미 원장을 포함해) 여러 가지 명예직을 얻었으며 타박스콜레기움의 단골이 되었다. 실제로 군틀링은 1731년에 죽을 때까지 왕실 예산에 의존하는 보잘것없는 조신(朝臣)으로 남았다.

하지만 교육자나 조신으로서의 근무 기록도, 아카데미 원장이나 꾸준히 쌓아온 학술 저작의 업적도 프리드리히 빌헬름의 궁정에서 군틀링이 조롱거리로 추락하는 것을 막아주지는 못했다. 1714년 2월, 왕은 그에게 평소처럼 독주를 마시면서 참석자들에게 유령의 존재 여부에 대해 강의를 하라고 명했다. 한바탕 소동이 끝난 뒤, 척탄병 두 명이 술에 취한 상무고문관을 그의 방으로 데려다주었다. 그때 방구석에서 하얀 보자기를 뒤집어쓴 형상이 튀어나오는 것을 보고 놀란 그가 비명을 질렀다. 이런 식으로 그를 놀리는 것은 일과가 되다시피 했다. 한번은 새끼 곰 여러 마리를 기르는 방에 군틀링을 가둬놓고 위에서 불꽃놀이 화약을 쏘아댄 적도 있다. 또 유행이 지난 선왕 스타일의 높이 솟은 가발을 비롯해 엉성한 프랑스식 패션의 이국풍 의상을 입도록 강요받았는가 하면, 강제로 설사약을 먹고 독방에 갇히기도 했으며, 자주 그를 괴롭히던 사람들과 권총으로 결투를 하라는 강요도 받았다. 총알이 들어 있지 않다는 것을 군틀링만 모르게 하고서 놀리는 장난이었다. 군틀링이 총을 들거나 발사하는 것을 거부하면, 상대는 불붙은 화약가루를 그의 얼굴에 대고 쏘면서 그가 쓴 가발에 불을 붙였고 참석자들은 모두 재미있다며 즐거워했다. 군틀링은 빚이 있어서 베를린을 떠나지 못했다. 그리고 그의 주인인 왕이 매일 그가 굴욕당하는 광경에 기뻐하기 때문에 어쩔 수 없었다. 그의 명예와 명성은 왕실의 오락을 위해 희생되었다. 이런 압박을 견디다 못한 군틀링은 술에 빠져들었고 만성 알코올 중독자가 되었다. 그의 약점은 그를 놀려대던 자들이 볼 때 궁정의 어릿광대 역할에 적격이었다. 이 와중에도 군틀링은 토스카나 역사나 독일제국법, 브란덴부르크 선제후국의 지형 같은 주제로 왕성한 저술을 계속했다.

군틀링은 심지어 자신의 침실에 둔 광택을 낸 포도주 통처럼 생긴 관까지 참아야 했다. 거기엔 그를 조롱하는 시가 새겨져 있었다.

> 여기에 이상한 몸통이 누워 있네
> 반은 돼지, 반은 사람의 형상이라, 놀랍도다
> 젊어서는 영리했으나 늙어서는 아둔해진
> 아침엔 기지 넘치다가도 저녁엔 곤드레만드레
> 바커스가 노래하는 소리가 들리네
> 이이는 내 아이 군틀링이라네.
> [⋯]
> 독자여, 대답해보라, 당신은 아는가
> 그는 사람일까, 돼지일까?[24]

1731년 4월 11일 군틀링이 포츠담에서 사망한 뒤, 촛불을 켜놓은 방에 안치된 그의 시신은 그 포도주 통에 세워진 모습으로 공개되었다. 허벅지까지 내려온 가발에 무늬가 들어간 짧은 바지, 빨간 줄이 쳐진 까만 양말을 걸친 모습은 프리드리히 1세 궁정에서 꽃을 피운 바로크 문화를 암시하는 것이 분명했다. 이 섬뜩한 광경을 본 사람 중에는 라이프치히 박람회에 가던 외판원들도 있었다. 군틀링과 이 포도주 통은 곧 교외에 있는 마을 교회 제단 지하에 묻혔다. 장례식의 추도사는 (때로 군틀링을 괴롭히던) 작가인 파스만이 맡았다. 지역의 루터파와 칼뱅파 성직자들은 양심상 장례식에 참석하기를 거부했다.

군틀링의 고난은 거칠기 짝이 없는 새 왕조에서 부각된 남성적 우정의 이면을 보여주는 것이다. 대관식 의전 문제에서 살짝 드러난 남성

8 타박스콜레기움. 게오르크 리지프스키 작으로 추정, 1737년경.

화 현상은 이제 궁정의 사회생활을 통째로 바꿔놓았다. 프리드리히 1세의 궁정에서 중요한 역할을 맡았던 여인들은 프리드리히 빌헬름 1세 치하에서 공공생활의 가장자리로 밀려났다. 1723년에 수개월간 베를린에 체류한 작센의 한 방문객은 궁정 행사 때 열린 연회를 기억했는데, "유대인의 풍습처럼" 남녀의 자리가 서로 분리되었으며 궁정의 만찬에 여인의 모습이 전혀 보이지 않을 때가 많아 깜짝 놀랐다고 한다.[25]

　1713년에 있었던 정권 교체를 자세히 들여다보면, 이것을 문화혁명으로 묘사하고 싶은 유혹이 생긴다. 행정과 재정 분야에서 연속성이 있었던 것은 확실하지만, 표현과 문화 면에서는 가치와 양식의 포괄적인 전도가 있었다고 말할 수 있다. 프로이센 왕국 초기의 두 국왕 사이에는 양극단의 특징이 드러났고, 이들의 후계자들은 각각 그중 하나로 자신의 위치를 정하게 되었다. 스펙트럼의 한쪽 끝에서는 A형의 호엔촐레른 군주를 볼 수 있다. 이 유형은 포용력이 있고 사치스러우며 외형을 중시하고 국사를 멀리하면서 이미지에 초점을 맞추는 특징이 있다. 다른 한쪽 끝에 있는 B형은 이와는 정반대로 엄격하고 검소한 일벌레다.[26] 프리드리히 1세에 의해 시작된 왕실의 '바로크 양식'은 우리가 본 대로 왕조의 집단 기억 속에서 일정한 반향이 지속되었다. 기호와 유행의 시대적 변화를 거치면서도 아낌없는 지출은 주기적으로 되살아났다. 가령 프리드리히 빌헬름 2세 치하에서는 왕실 비용이 다시 폭발적으로 증가해 연간 약 200만 탈러, 전체 국가예산의 8분의 1 수준에 달했다(그의 전임자인 프리드리히 대왕 때는 22만 탈러에 불과했다).[27] 상대적인 긴축 기간 이후 19세기 후반 수십 년은 마지막 황제 빌헬름 2세를 둘러싸고 궁정 문화가 다시 꽃핀 것을 볼 수 있다. 하지만 프리드리히 빌헬름 1세의 B형 친족도 왕조의 역사에서 끈질기게 살아 남았다. 눈에 거슬리는 프리드리히 빌헬름 1세의 메모는 유명한 그의 아들 프리드리히 2세에 의해 (더 위트 넘치는 형태로) 모방되었으며, 그 뒤의 후손인 빌헬름 2세 황제도 (위트는 적고 더 긴 형태로) 그것을 모방했다. 값비싼 민간 복장보다 군복을 즐겨 입던 프리드리히 빌헬름 1세의 습관은 프리드리히 2세가 따라 했고, 제1차 세계대전이 끝나면서 프로이센이 멸망할 때까지 호엔촐레른 왕조를 표현하는 강력한 특징으로 남았다. B형의 역사적 힘은 훗날 독일에서 프로이센의 융성과 결합되었을 뿐 아니라 신생 프로이센 대중의 가치와 기호 속에 친화력의 형태로 남았다. 프로이센 대중에게는 국가 봉사에 전념하는 검소하고 올바른 군주라는 이미지야말로 프로이센 왕의 전형이었다.

행정

프리드리히 빌헬름 대선제후와 그의 손자 프리드리히 빌헬름 1세의 정권은 상호보완적인 관계로 종종 묘사된다. 대선제후의 업적이 힘의 외적 확장에 치중되었다면, 프리드리히 빌헬름 1세는 반대로 프로이센 행정 국가의 기틀을 다진 건국의 아버지라는 역할에 경의를 표하는 의미로 프로이센에서 가장 '내향적인 왕'으로 불렸다. 두 사람의 상반된 면모는 물론 과장된 것일 수도 있다. 실제 행정 분야에서는 문화혁명이라고 할 만한 획기적인 단절은 없었다. 아마 1650년부터 1750년까지 100년에 걸쳐 이루어진 행정 통합 과정이라고 말하는 것이 좀 더 정확할 것이다. 이 과정은 처음에 징세와 군사 행정 분야에서 가장 두드러졌다. 아무렇게나 거두어들이던 선제후의 수입을 중앙으로 단일화하기 시작한 사람은 대선제후였다. 주로 소속 영지와 관세, (영주 소유의) 광산, 전매권 등에서 나오는 수입이었다. 이 방향으로 첫걸음을 뗀 것은 1650년대에 브란덴부르크의 왕실 소득을 관리하기 위해 선제후의 행정기구를 설치하면서부터였다. 하지만 본격적으로 세입을 관리하기 시작한 것은 1683년으로, 이때부터 정력적인 동프로이센의 귀족 도도 폰 크니프하우젠이 지휘하는 중앙세무서가 호엔촐레른 영지 전체에서 나오는 선제후의 수입을 총괄하게 되었다. 크니프하우젠의 통합 작업은 대선제후의 사망 이후에도 계속되어 1689년에는 그의 감독하에 탄탄한 기반을 갖춘 브란덴부르크-프로이센 중앙세무서가 설립되었다. 이런 혁신의 결과로 1689~90년에는 브란덴부르크-프로이센의 역사에서 처음으로 완벽하게 수지의 균형을 맞추는 대차대조표를 작성할 수 있었다.[28] 1696년에는 제후의 영지를 종합적으로 관리하는 통합 중앙행정기구가 설립되어 중앙집권화를 향한 중요한 걸음을 더 내딛었다.[29]

집중화 과정은 군대 유지와 전쟁 수행을 담당하는 분야에서도 나란히 진행되었다. 병참총국은 군대를 조직하고 재정 및 병참 지원을 위해 1655년 4월에 설치되었다. 일련의 유능한 관리자의 지휘를 받으며 이 조직은 선제후 행정부의 핵심기관 중 하나로 발전했고 군사비 지출에 충당되는 모든 수입(군세와 소비세, 그 밖의 외국의 보조금)을 통제했다. 그러면서 차츰 지역의 관리들을 그 휘하로 끌어들임으로써 신분제의 회의 징세권을 침해했다. 1680년대 들어서 병참총국은 국내 제조업 경제의 건전성을 책임지기로 자처하면서 브란덴부르크가 모직물을 자급자족할 수 있도록 만들기 위한 사업을 했다. 그리고 무역 길드와 새 사업 간에 벌어진 지역 갈등을 중재하기 시작했다. 이렇게 재정과 경제, 군사적 행정의 합병이 프로이센 특유의 정책은 결코 아니었다. 그것은 루이 14세 치하의 강력한 재무총감(contrôleur-général)인 장-바티스트 콜베르의 수법을 모방한 것이었다.

1713년에 프리드리히 빌헬름 1세가 즉위하면서 개혁의 과정은 새로운 추진력을 얻었다. 사회적 존재로서 그가 가진 모든 역기능에도 불구하고, 프리드리히 빌헬름 1세는 행정에 대한 건축학적 비전을 품은 인물로 제도 구축에 재능이 있었다. 이런 열정의 뿌리는 그의 선친이 실시한 포괄적인 군주 훈련으로 거슬러 올라갈 수 있다. 프리드리히 빌헬름 1세는 겨우 아홉 살에 베를린 남동쪽 부스터하우젠에 있는 자신의 토지를 관리하게 되었다. 그는 이 임무를 비범한 끈기와 성실을 바쳐 완수했고, 일상적인 토지 관리에 대한 책임감과 친숙해졌다. 당시에는 토지가 여전히 브란덴부르크-프로이센 경제의 기본 운영 단위였다. 그는 13세 때인 1701년 추밀원 회의에 참석했고, 곧이어 다른 행정 영역에도 발을 들여놓았다.

따라서 프리드리히 빌헬름 1세는 1709~10년 동프로이센에 전염병과 기근이 번져 왕조가 위기에 내몰렸을 때, 이미 내무 행정에 정통해 있었다고 볼 수 있다. 1700~21년의 제2차 북방전쟁 기간에 작센과 스웨덴, 러시아 군대가 이동하면서 유입된 것으로 보이는 전염병은 동프로이센 전체 인구의 3분의 1이 넘는 25만 명의 목숨을 앗아갔다. 폴란드 국경에서 멀지 않은 왕국 남쪽의 소도시 요하니스부르크의 연대기를 보면, 1709년에는 전염병이 시내에는 번지지 않았지만, 1710년에 다시 창궐했을 때는 기세가 더 맹렬해서 "설교사 두 명과 학교 교사 두 명 그리고 시의원 대다수가 목숨을 잃었다. 시내는 사람의 자취가 끊어지고 시장광장에는 잡초만 무성한 채 살아남은 사람은 14명밖에 안 되었다"라는 기록이 나온다.[30] 전염병의 충격은 기근으로 인해 더 심각한 결과로 이어졌다. 살아남은 사람도 면역력이 약해져 다수가 사망했다. 농장 수천 곳과 수백 개 마을이 버려졌다. 최악의 피해를 입은 지역 중 많은 곳에서 사회적·경제적 삶이 완전히 멈추었다. 국왕이 주요 지주인 동프로이센의 동부 지역에서 사망률이 가장 높았기 때문에 왕실 수입의 기반도 무너졌다. 중앙 정부도 지방 행정조직도 재난이 발생했을 때 효과적인 대응을 할 수 없었다. 그리고 주요 장관 중 많은 사람이 위기의 심각성을 왕에게 숨기는 데 급급했다.

동프로이센의 재난으로 장관과 고위 관리의 비능률과 부패가 두드러졌다. 이들 중 다수가 왕과 개인적인 친분이 있었다. 궁정에서는 (프리드리히 빌헬름 왕세자를 포함해) 파벌이 조성되어 수석장관인 콜베 폰 바르텐베르크 일파를 쫓아내려고 했다. 공식적인 조사 끝에 대규모의 공금 횡령과 유용이 적발되자 바르텐베르크는 물러나지 않을 수 없었다. 그의 측근인 비트겐슈타인은 슈판다우 요새에 투옥되었다가 벌금 7만 탈러를 물고 추방되었다. 이 이야기는 프리드리히 빌헬름의 성격 형성에 중요한 역할을 했다. 그는 이때 처음으로 정치에 적극 개입했다. 이 사태는 부왕 정권의 전환점이기도 했다. 왕은 이때부터 권력을 차츰 아들에게 맡기기 시작했다. 가장 중요한 것은, 동프로이센에서의 대실패로 인해 왕세자는 제도 개혁에 열정적으로 매달리게 되었고, 부패와 사치, 비능률을 노골적으로 증오하게 되었다는 것이다.[31]

즉위하고 몇 년 지나지 않아 프리드리히 빌헬름 1세는 브란덴부르크–프로이센의 행정 풍토를 바꿔놓았다. 대선제후 치하에서 시작되었던 조직적인 중앙집권화가 재도입되고 강화되었다. 또 브란덴부르크–프로이센 전역에서 걷히는 비과세 수입의 관리도 중앙으로 일원화되었다. 1713년 3월 27일, 왕실 영지를 관리하는 국유지관리총국(Ober-Domänen-Direktorium)과 왕실재산관리국(Hofkammer)이 통합되어 재무관리총국(Generalfinanzdirektorium)이 되었다. 이제 국토 재정의 통제권이 두 기관의 손으로 들어왔다. 왕실 영지의 임대소득을 관리하는 재무관리총국과, 각종 소비세와 지방민들이 납부하는 군세를 거두어들이는 국가관리위원회(Generalkommissariat)였다. 하지만 이런 흐름은 새로운 긴장을 유발했다. 다양한 분야에서 책임이 겹치는 두 기관이 곧 극심한 경쟁 관계에 빠져들었기 때문이다. 재무관리총국과 그 하위기관인 지방사무소는 국가관리위원회의 강제 징수가 임차인들의 소작료 납부를 방해한다고 주기적으로 불만을 터트렸다. 반대로 재무관리총국이 임차인들에게 양조장이나 제조업 같은 소규모 지방 사업을 권장하면서 임대 소득을 올리려고 했을 때 국가관리위원회는 이런 사업이 도시 납세자들의 경쟁력을 떨어뜨린다고 반발했다. 1723년 숙고를 거듭한 끝에 프리드리히 빌헬름은 경쟁적인 두 기관을 전권을 행사하는 단일 기관으로 합병하는 것이 유일한 해결책이라는 결론을 내렸다. 그리하여 '전국 재무·전쟁·토지 관리총국'(General-Ober-Finanz-Kriegs-und-

Domänen-Direktorium)이라는 기관이 탄생하게 되었는데, 이름이 너무 거추장스러워서 간단히 '관리총국'으로 불렸다. 2주 만에 이 통합기관은 두 기관이 담당했던 모든 지방 및 지역 사무를 통괄하게 되었다.[32]

프리드리히 빌헬름은 관리총국 최상층부에 '합의제'(kollegial)로 알려진 의사결정기구를 두었다. 해결해야 할 안건이 있을 때마다 모든 장관을 연관 부처의 회의 테이블에 모이도록 했다. 한쪽 줄에는 장관들이 앉았고, 맞은편에는 해당 부처의 추밀원 고문관들이 앉았다. 좌석 끝에는 국왕을 위한 빈 의자가 하나 있었는데 왕이 회의에 참석하는 경우는 거의 없었기 때문에 그저 형식적인 관례였다. 합의제 운영 방식은 몇 가지 이점이 있었다. 의사결정 과정을 개방함으로써 이전 정권에서 실세였던 장관들이 개별적으로 세력을 확대하는 것을 (이론상으로는) 막아주었다. 또 지방이나 개인의 이해관계 그리고 편견이 상호 견제되도록 했고, 의사결정자들의 연관 정보 이용을 극대화했다. 무엇보다 관리들이 전체적인 시야를 확보하도록 자극했다. 프리드리히 빌헬름은 과거 재무관리총국의 직원들에게 서슴지 말고 국가관리위원회 동료들로부터 배우고 또 그 반대의 경우도 설득함으로써 시야를 넓히도록 했다. 그는 심지어 그 전에 경쟁 조직이었던 양 기관의 관리들 사이에 지식의 이동이 효율적으로 이루어졌는지 검사하기 위해 시험을 치를 것이라고 위협하기까지 했다. 궁극적인 목적은 여러 갈래로 분리된 전문 지식에서 유기적이고 전 영역을 아우르는 전문 지식을 단련하는 것이었다.[33]

관리총국은 여러 가지 면에서 현대의 중앙 부처 관료조직과는 여전히 큰 차이가 있었다. 사업은 기본적으로 영역별로 조직되지 않았다. 당시 유럽 행정기관 대부분이 그랬듯, 각 지방의 수장이 특정 분야를 맡아 책임지는 식으로 뒤섞여 있는 체제였다. 예컨대 관리총국의 제2과는 쿠르마르크와 마그데부르크를 담당하면서 동시에 부대의 보급과 주둔을 책임졌다. 제3과는 클레베와 마르크, 기타 타국 내의 영지를 관리하면서 소금 전매권과 우편 업무를 책임졌다. 더욱이 새 조직 안에서 경쟁이 있을 수밖에 없는 분야를 가르는 경계가 불분명했기 때문에 관할권을 놓고 심각한 내부 갈등이 1730년대까지 지속되었다. 처음에 관리총국을 탄생하게 했던 기관들 사이의 경쟁 관계는 해결되기보다 이런 식으로 내면화되었다. 이런 관계는 각 지역과 지방, 중앙 정부 사이에 형성된 새로운 구조적인 긴장과 교차되었다.[34]

다른 한편으로 관리총국의 고용 조건과 일반적인 풍조는 오늘날의 시각으로 볼 때 친숙한 느낌을 준다. 장관들은 여름에는 아침 7시에, 겨울에는 8시에 모이기로 되어 있었다. 이들은 일과를 다 처리할 때까지 자기 자리에 앉아 있었다. 토요일에는 한 주의 장부를 점검하기 위해 출근해야 했다. 어느 특정한 날 가외로 몇 시간 근무를 더 할 때는, 정부 비용으로 따뜻한 식사가 제공되었다. 다만 두 차례로 나누어 나왔기 때문에 동료들이 식사하는 동안 나머지 절반은 일을 계속했다. 이것이 현대 관료 사회에 일반화된 관리감독과 규칙, 일과의 세계가 시작하는 모습이었다. 대선제후나 프리드리히 1세 치하의 대신 직위와 비교할 때 관리총국의 업무 풍토에서는 부정한 돈을 착복할 기회가 적었다. 조직의 모든 직급을 층층이 가로지르는 은밀한 감독과 보고 체계 덕에(적어도 이론상으로는) 부정 행위는 즉시 왕에게 통지되도록 되어 있었다. 중대한 범죄는 해고에서 벌금, 배상에 이르는 처벌을 받았고 현장에서 본보기로 처형하기까지 했다. 악명을 떨친 사건은 동프로이센 전쟁 및 국유지위원회의 폰 슐루프후트 사건이었는데, 이 사람은 횡령죄로 쾨니히스베르크 의회의 주 회의실 앞에서 교수형을 당했다.

1709~10년의 재난 뒤에 프리드리히 빌헬름은 특히 동프로이센의 상황을 우려했다. 그의 부왕의 행정부는 정착 외국인 및 호엔촐레른 지배하의 다른 지방에서 들어온 이주민들과 함께 비어 있는 농장 일부를 이미 차지하고 있었다. 1715년에 프리드리히 빌헬름은 지방의 유력 귀족

가문 중 한 명인 카를 하인리히 트루흐제스 폰 발트부르크를 임명해 지방 행정의 개혁을 관리하도록 했다. 발트부르크는 무엇보다 기존 세제의 틀에서 발생하는 부당 행위에 초점을 맞추었는데, 이 제도는 영세농에게 불리하게 작용하는 경향이 있었다. 지방의 전통적인 제도하에서 모든 지주는 소유지의 모든 '후페'(Hufe: 당시 농지 면적의 기본단위[1후페= 약 10헥타르]. 영국에서는 '하이드'(hide)를 사용했다 — 옮긴이) 마다 고정세율로 납세를 했다. 하지만 징세를 담당하는 행정기관은 대개 귀족 지주의 영향권에 있었기 때문에 당국은 귀족 지주가 납세 대상이 되는 소유지의 가치를 낮게 신고해도 못 본 체했다. 반대로 영세농의 신고는 단 1후페도 놓치지 않고 무척이나 꼼꼼하게 조사했다. 그 밖에 토질에 따른 수확량을 고려하지 않는 데서 발생하는 비위도 있었다. 그 결과 일반적으로 기름진 땅을 소유하기 힘든 영세농은 대지주보다 비율상 더 많은 부담을 지곤 했다. 프리드리히 빌헬름이 볼 때 문제는 불평등하다는 사실 자체보다(불평등은 모든 사회질서에 내재한다고 볼 수 있는 것이므로) 이렇게 별난 제도를 시행하는 데서 오는 세수 결손이었다. 그의 우려에는 이 시대에 가장 유명한 독일 및 오스트리아의 경제이론가들과 공유하는 생각이 깔려 있었다. 지나친 과세가 생산성을 떨어뜨리게 된다는 것과, 백성의 '보호와 관리'가 통치자의 급선무라는 것이었다.[35] 특히 소작농에 대한 왕의 관심은 그 전 세대의 (루이 14세의 재무장관 장-바티스트 콜베르의 활동으로 구현된) 중상주의 이론과 실천에서 방향을 전환하는 것이었다. 중상주의는 농업 생산자를 희생시키더라도 상거래와 제조업을 키우는 데 초점을 맞추는 경향이 있었다.

동프로이센의 개혁 사업은 토지 보유에 대한 상세한 조사로 시작됐다. 먼저 신고하지 않은 과세 대상 토지 약 3만 5천 후페를 적발해 냈다. 거의 6천 제곱킬로미터에 이르는 규모였다. 수확량의 차이를 정확하게 계산하려고 지방관청은 모든 보유 토지를 전반적으로 토질에 따라 분류했다. 일단 이렇게 분류한 기준에 따라 전체 지방에 걸쳐 새로운 농지세를 부과했다. 왕실 토지에서 더 투명하고 표준화된 새로운 농장 임대 계약이 이루어지자 발트부르크의 동프로이센 개혁 정책은 농업 생산성과 왕실 수입에서 극적인 도약을 이룩했다.[36]

일반농지세 도입이 채 마무리되지 않은 상황에서 프리드리히 빌헬름은 '영지 배분'(Allodifikation der Lehen)으로 알려진 길고 힘든 과정에 착수한다. 이 용어는 봉건 시대의 잔재인 여러 법적 요식을 철폐하는 것을 말한다. 봉건 시대에 귀족들은 군주의 '봉신'으로서 땅을 '차지'하고 있었는데, 이 재산의 매각과 양도는 이전 소유주의 상속자나 후손이 제기하는 주장을 존중해주어야 한다는 이유로 끊임없이 방해를 받았다. 이후로 귀족의 재산 매각은 되돌릴 수 없는 최종적인 행위가 되었고 이것은 투자와 농업 혁신에 새로운 자극제로 작용했다. 그들의 땅을 '배분'으로 재분류해주는 대신(즉, 독립된 소유지로서 어떤 봉건적 의무에서도 벗어난) 귀족들에게 주기적인 납세를 하도록 했다. 이 조치는 봉토법의 유산과 관습이 지방마다 달라서 아주 복잡했다. 또 전통적인 면세 지위에 대한 귀족들의 집착이 대부분 쓸모없고 이론적인 봉건적 의무에 대한 불만보다 훨씬 더 컸기 때문에 아주 인기가 없었다. 귀족들은 '영지 배분'을 (나름대로 타당한 이유가 없지 않은데도) 그들의 오랜 재정상의 특권을 해치려는 교활한 구실로 보았다. 많은 지방에서 새로운 세제가 도입되기까지 협상에 여러 해가 걸렸다. 클레베와 마르크에서는 합의를 보지 못해 '강제 집행'으로 세금을 받아내야 했다. 편입된 지 얼마 되지 않아 여전히 독립적인 경향이 있는 마그데부르크 공국에서도 반대가 심했다. 1718년과 1725년에 이 지방의 귀족 대표들은 빈의 궁정으로부터 지지 판결을 받아내는 데 성공했다.[37]

재정상의 이런 선제적 정책은 그 밖의 숱한 세수 확대 조치에 측면 지원을 받았다. 1675년 스웨덴군을 허우적대게 했던 하펠란트 늪지대는 강력한 배수 설비로 10년 뒤 1만 5천 헥타르의 기름진 경작지와 목초지로 되살아났다. 오데르강, 바르테강, 네체강의 삼각주 일대를 간

척하는 사업은 대형 프로젝트였기 때문에 다음 정권에 들어서서 프리드리히 빌헬름의 후계자가 오데르 간척위원회를 설치하고 오데르 범람원의 500제곱킬로미터에 이르는 늪지대의 매립을 관리하고 나서야 마무리되었다. 이 시대에는 주민 수가 번영의 주요 지표였기 때문에 프리드리히 빌헬름은 특정 지역의 생산성을 높이고 제조업을 자극하기 위해 정착 사업을 추진했다. 이에 따라 가령 잘츠부르크 출신의 프로테스탄트 이주민들이 동프로이센의 극동에 있는 농장에 정착했고, 위그노파의 직물 제조업자들이 호엔촐레른 소속의 마그데부르크 공국에서 시장을 지배하던 작센 수입품에 도전할 채비를 한다는 희망으로 할레시에 정착했다.[38] 1720년대와 1730년대에는 제조업 분야에서 더 단일한 노동시장을 조성하기 위해 지역에 뿌리내린 길드의 권한과 특권 상당 부분을 폐지하는 일련의 규정이 반포되었다.[39]

정부가 유난히 공을 들인 정책 중 하나는 곡물 경제였다. 곡물은 모든 생산품 중에 가장 기초가 되는 상품으로서 상거래의 노른자에 해당했으며 대부분의 사람이 일상생활에서 사고 먹는 품목 중에서 큰 부분을 차지했다. 국왕의 곡물 정책은 두 가지 목표에 기반했다. 첫째는 브란덴부르크-프로이센의 곡물 재배 농민과 상인들을 외국의 수입품으로부터 보호하는 것이었다. 이때 가장 큰 골칫거리는 폴란드 땅에서 생산된 곡물이었는데, 뛰어난 품질에 값도 비싸지 않았기 때문이다.[40] 목표를 달성하기 위한 수단은 높은 관세와 밀수 방지책이었다. 불법 곡물의 유입을 저지하려는 당국의 노력이 얼마나 결실을 거두었는지를 말하기는 어렵다. 밀수와 관련해 수많은 기록이 있는데, 그중에는 폴란드 농민으로 구성된 소규모 상인들이 마르크 주민으로 가장하고 곡물 몇 통을 들여오다 적발된 일화부터 본격적인 규모로서 1740년에 메클렌부르크의 밀수단이 마차 13대분의 곡물을 우커마르크로 밀반입하려던 사건도 있다.[41]

둘째, 흉년이 들어 곡물 가격이 도시 제조업이나 상업 경제의 존립을 무너뜨릴 정도로 폭등하는 것을 막기 위해 프리드리히 빌헬름은 대선제후 때 상비군에게 식량을 공급하려고 사용한 각지의 곡물 창고를 확충했다. 그때의 창고들은 프리드리히 1세의 재위 기간에도 유지되기는 했지만, 1709~10년에 재난이 드러내 보였듯 관리가 형편없었고 민간 경제의 수요를 충당하기에는 그 수가 너무 적었다. 1720년대 초반부터 프리드리히 빌헬름은 군대의 수요를 충당할 뿐만 아니라 국내 곡물 시장을 안정시키는 데 중요한 역할을 할 대형 창고(총 21개) 체제를 갖추기 시작했다. 지방위원회와 관리국에는 가격이 낮을 때는 창고를 채우고 공급이 부족할 때는 파는 수법으로 가능한 한 안정적인 곡물 가격을 유지하라는 지침을 내려보냈다. 1734~37년과 1739년에 진가가 입증되었다. 새로운 제도는 저가의 정부 곡물을 방출함으로써 수년간 이어진 흉년의 여파에 따른 사회경제적 충격을 완화했다. 국왕이 마지막으로 내린 명령 중 하나는 1740년 5월 31일 자신이 사망하던 날에 관리총국에 보낸 지시로, 겨울이 닥치기 전에 베를린과 베젤, 슈테틴, 민덴의 곡물 창고를 다시 채워놓으라는 내용이었다.[42]

물론 프리드리히 빌헬름의 경제적 성과에는 한계가 있었고 그가 보지 못한 부분도 있었다. 그는 당시에 만연한 중상주의적 규제와 통제를 선호하는 경향을 보였다. 다만 좀 더 무역에 치중한 정책을 펼친 대선제후와는 뚜렷하게 대조되었다. 대선제후는 아프리카 서해안의 그로스 프리드리히스부르크를 식민지로 획득했는데, 이곳이 식민지 무역의 확대를 위한 길을 열어줄 것이라는 희망 때문이었다. 프리드리히 1세는 감상적인 이유로 이 병든 식민지를 계속 붙잡고 있었지만, 프리드리히 빌헬름은 자신은 '항상 이 터무니없는 거래를 망상으로 간주했다'고 말하면서 1721년에 이곳을 네덜란드에 매각했다.[43] 국내에서도 이와 비슷하게 무역과 기반시설의 중요성을 무시하는 풍조가 있었다. 프리드리히 빌헬름은 자신의 영토 안에서 결코 시장 통합의 문제에 진지하게 매달린 적이 없었다. 물론 그의 재위 기간에 오데르강과 엘베강을 잇는 운하가 건설되었고, 좀 더 단일한 곡물 측정 시스템이 도입되었으며, 각 지역의 반발을 무릅쓰고 국내 통행세가 인하되기는 했다. 하지만 호엔촐레른의 영토 전역에서 상품 유통을 가로막는 방해 요인은 계속 남아 있었다. 심지어 브란덴부르크 안에서도 지방 경계선을 넘을 때마다 통행료가 계속 부과되었다. 동서 외곽 영토를 통합하려는 노력은 거의 이루어지지 않았고 경제적으로는 이곳을 낯선 외부의 공국처럼 취급했다. 1740년에 왕이 서거했을 때, 브란덴부르크-프로이센은 통합된 단일 국내 시장과는 여전히 거리가 멀었다.[44]

프리드리히 빌헬름 치하에서 점점 자리를 잡아가던 왕권과 전통적인 권력자들 간의 대립은 행정 영역에도 번졌다. 전임자들과는 반대로 프리드리히 빌헬름은 즉위하던 무렵에 지방 귀족들에게 베푸는 전통적인 '혜택'에 서명하기를 거부했다. 의회에서의 극적인 격론(그의 재위 기간에 대부분의 지역에서 훨씬 보기 드물어진)도 없었다. 전통적인 귀족의 특권은 단계적이고 지속적인 조치로 줄어들었다. 앞에서 본 대로 지방 귀족들에게 주어진 종래의 면세 혜택도 박탈했다. 이전에 지역의 이익을 대변하던 기관들은 차츰 중앙행정부의 휘하로 들어왔다. 귀족에게 주어지던 유람이나 유학을 위한 여행의 자유도 중지되어 브란덴부르크-프로이센의 지방 엘리트는 서서히 신성로마제국의 국제적인 네트워크에서 떨어져 나갔다.

이것은 중앙집권화 과정의 단순한 부산물이 아니었다. 왕은 귀족의 입지를 약화하려는 의지를 아주 명확히 했으며 자신을 조부인 대선제후가 시작한 역사적 과업의 계승자로 분명히 인식했다. 한 번은 동프로이센을 언급하는 와중에 그가 말했다. "귀족에 관해 말하자면, 그들은 전에 엄청난 특권을 가지고 있었는데, 프리드리히 빌헬름 선제후께서 재위 기간 내내 타파하셨다. 이제 짐은 1715년에 일반농지세를 통해 그들을 완전히 복종시켰다."[45] 자신의 목표를 성취하기 위해 그가 세운 중앙행정부는 의도적으로 (대체로 각 공로에 따라 작위를 받은) 평민으로 채웠다. 그리하여 귀족의 이익을 위해 연대하는 문제는 결코 발생하지 않게 되었다.[46] 하지만 아주 이상하게도, 프리드리히 빌헬름 1세는 (트루흐제스 폰 발트부르크처럼) 언제나 유능한 귀족을 발굴하는 데 성공을 거두었다. 이들은 자신들이 귀족 동료를 희생시키는 경우에도 기꺼이 군주를 도와 정책을 실행하려고 했다. 그런 협력 배후에 도사린 동기가 늘 명확했던 것은 아니다. 일부 귀족은 단순히 군주가 제시하는 행정적인 비전에 끌렸을 수도 있고, 또 일부는 지방 귀족의 풍토에 품은 불만이 계기가 된 것으로 보인다. 혹은 봉급이 필요해서 행정부에 합류한 경우도 있었다. 지방 귀족이 같은 생각으로 뭉치는 경우는 거의 없었다. 파벌과 가문 간의 경쟁이 다반사였고 지역의 이권 다툼으로 좀 더 보편적인 관심사는 뒤로 밀렸다. 이런 실정을 익히 알던 프리드리히 빌헬름은 단정적인 판단을 유보했다. 그는 1722년의 '가르침'에서 후계자가 될 아들에게 이렇게 말했다. "너는 모든 지방의 귀족에게 친절과 호의를 베풀어야 한다. 그리고 악한 귀족보다 선한 귀족에게 우선권을 주고 충성스러운 귀족에게 보상을 해주어야 한다."[47]

군대

각하는 이미 "새 전하께서 군대를 5만 명으로 늘리기로" 결심하셨다는 것을 알고 계실 겁니다. [···] 전쟁과 관련한 서류가[즉, 군사 예산안이] 올라갔을 때, 전하께서는 옆에 이렇게 적으셨습니다. "짐은 군대를 5만 명으로 늘릴 것이오. 이에 대해 아무도 불안해하면 안 되오. 군대야말로 유일한 짐의 위안이니 말이오."[48]

프리드리히 빌헬름이 즉위했을 때 프로이센군의 병력은 4만 명이었다.

9 프리드리히 빌헬름 1세 국왕의 근위대 소속
척탄병 제임스 커크랜드의 초상,
요한 크리스토프 메르크 작, 1714년경.

그리고 그가 사망한 1740년에는 8만 명으로 규모가 확대되어 있었다.
그 결과 브란덴부르크-프로이센은 당대에 인구나 경제 규모에 비해 지
나치게 많다는 인상을 주는 군대를 과시했다. 그에 소요되는 엄청난 비
용에 대해서, 왕은 잘 훈련되고 독립적인 재무 구조를 갖춘 군사력만이
국제적인 분쟁에서 자신에게 자율성을(자신의 부친과 조부에게는 없었
던) 보장해준다는 말로 정당화했다.

하지만 군대는 그 자체가 목적이라는 생각이 있었을 수도 있다. 프
리드리히 빌헬름이 재위 기간 내내 외교정책의 목표를 달성하기 위해
실제로 군대를 배치하는 것을 내키지 않아 한 사실을 보면 이런 판단
에 힘이 실린다. 프리드리히 빌헬름은 군대의 절대복종에 몹시 마음이
끌렸다. 그 자신이 1720년대 중반부터 규칙적으로 프로이센의 중위나
대위 복장을 입고 다녔다. 마음속으로는 제복을 입은 남자들이 계속
대형을 바꿔가며 열병식 광장에서 행진하는 모습보다 더 보기 좋은 것

은 없다는 생각이 들었다(실제로 그는 몇몇 왕실 유원지를 이런 용도로 개조해서 가능하면 실내에서 군사훈련을 보려고 했다). 그의 드문 쓸모없는 허영 중 하나가 ('키다리 부대'[lange Kerls]로 알려진) 유난히 키가 큰 병사로 구성된 연대를 포츠담에 창설한 것이었다. 거액을 탕진해가면서 유럽 전역에서 비정상적으로 키가 큰 남자들을 모집했는데, 그중 일부는 너무 커서 군복무에 부적합할 만큼 부분적으로 장애가 있는 경우도 있었다. 왕은 이 부대를 기념하기 위해 병사들의 전신 초상화를 유화로 그리도록 했다. 투박한 실제 모습으로 완성된 그림에는 쟁기날 같은 검은 가죽장화를 신고 두 손은 큼직한 접시만 한 남자들이 껑충하게 서 있는 것이 보인다. 군대는 물론 정책상의 기관이지만, 이 군주가 품고 있던 세계관의 인간적이고 제도적인 표현이기도 했다. 개인의 관심과 정체성이 집단의 그것에 복종하는 질서 있고 위계적이며 남성적인 이 체제는 왕의 권위에 도전하지 않았다. 직급의 다양성은 장식적이기보다 기능적인 역할을 하는 것으로서 이상적인 사회를 향한 그의 구상을 실현하는 데 더 적합했다.

군대개혁에 대한 프리드리히 빌헬름의 관심은 즉위하기 전부터 강렬했다. 그것은 1707년 전시 참모회의에서 19세의 왕세자가 제안한 일련의 지침에서 엿볼 수 있다. 그는 보병이 휴대한 총기의 구경이 똑같아야 모든 상황에 표준화된 사격을 할 수 있을 것이라고 주장했다. 또 모든 부대는 동일하게 설계된 총검을 사용해야 하며 각 연대의 병사들은 연대장의 결정에 따라 동일한 유형의 단도를 차야 한다고 했다. 탄약통 주머니도 동일하게 설계된 것을 휴대하고 손잡이도 똑같아야 한다고 했다.[49] 군 지휘관으로서 그가 초기에 단행한 개혁 중에 중요한 것은 자신의 연대에 새롭고 좀 더 정밀한 열병 훈련체제를 도입했다는 것이다. 이를 통해 그는 험난한 지형에서 대규모 부대의 기동력을 강화하고 지속적이면서도 최대한 효과적으로 화력을 집중할 수 있도록 했다. 프리드리히 빌헬름이 에스파냐 왕위 계승 전쟁 기간에 말플라케트 전투에서 프로이센 군대의 실제 능력을 확인한 1709년 이후, 새로운 훈련 방식은 점점 브란덴부르크-프로이센군 전체로 확대되었다.[50]

집권 초기에 왕의 주요 관심사는 단순히 동원 가능한 병력 수를 늘리는 것이었다. 처음에 이런 목표는 대개 강제 징집을 통해 이루어졌다. 병사 모집의 책임은 민간 당국에서 각 지역의 연대장으로 이관되었다. 사실상 아무 제약을 받지 않는 모병관들은 공포의 대상이 되었다. 그들은 시골이나 소도시에서 키가 큰 농부나 신체가 튼튼한 기능 장인을 찾아다녔다. 강제 징집은 종종 유혈사태를 불렀다. 심한 경우에는 징병 대상자들이 그들을 잡으러 다니는 모병관의 손에 죽는 일도 있었다. 각 지역마다 불평이 쏟아졌다.[51] 실제로 강제 징집 초기에는 상황이 너무 긴박하게 돌아가는 바람에 공포 분위기가 급속히 퍼졌다. 1713년 3월 18일, 영국 특사인 윌리엄 브레튼은 왕이 새로 즉위한 지 3주도 지나지 않아 이렇게 기록했다. "[폐하는] 마치 긴박한 위기에 처한 것처럼 [군대의] 모병을 몹시 서두른다. 농민들이 강제 징집을 당하고 장인의 아들들이 작업장에서 끌려가는 일이 너무도 빈번하게 일어난다. 이대로 가다가는 머지않아 시장이 사라지고 많은 사람이 이곳을 빠져나갈 것이다."[52]

강제 징집으로 무차별 폭력이 자행되는 것을 본 왕은 방침을 바꾸고 자신의 영토 안에서 이런 정책을 끝냈다.[53] 대신 '칸톤 제도'(Kanton-system)로 알려진 주도면밀한 징병제를 만들었다. 이에 따라 1714년 5월에 내린 명령을 통해 복무 연령에 해당하는 모든 남자는 왕의 군대에 들어갈 의무가 있으며, 이 의무를 회피하기 위해 외국으로 달아나는 자는 탈영범으로 처벌한다고 선언했다. 또 각 연대마다 특별 지구(칸톤)에 다시 명령을 내려 그곳에 거주하는 모든 미혼 남자는 연대의 병적에 등록하도록 했다. 그리하여 각 연대의 지원 입대자 수를 그 지역의 신병으로 채워넣을 수 있었다. 끝으로 휴가 제도를 발전시켜서 병적에 등록된 사람은 기본 훈련을 마친 다음에 각자의 지역으로 돌아가도록 허용했다. 이들은 제대 연령까지 예비병으로 계속 남아 해마다 2~3개월씩 재훈련을 받았다. 하지만 그 밖의 기간에는 (전시를 제외하고) 자신의 직업에 복귀할 수 있었다. 징병제가 경제에 미치는 충격을 완화하기 위해 특정 계층에는 복무를 면제해주었다. 국가의 이익에 기여한다고 간주되는 자작농과 기술공, 상공업의 여러 분야에서 일하는 노동자 그리고 공무원 등이 이에 해당되었다.[54]

이런 혁신적인 조치가 누적되면서 완전히 새로운 체계를 갖추었고, 그 결과 브란덴부르크-프로이센 국왕은 민간 경제에 심각한 피해를 입히지 않고도 크고 잘 훈련된 군대를 보유하게 되었다. 대부분의 유럽 군대가 여전히 외국인 모병과 용병에 의존하던 시절에 브란덴부르크-프로이센은 군대의 3분의 2를 자국 백성으로 채울 수 있었다. 이는 영토의 크기와 인구수에서 각각 10번째와 13번째밖에 안 되는데도 유럽에서 네 번째 규모로 큰 군대를 동원할 능력을 국가에 부여하는 시스템이었다. 이후에 나타난 프리드리히 대왕의 위업도 그의 부친이 만들어놓은 군사기구가 없었다면 상상할 수 없을 거라고 해도 지나친 말이 아니다.

칸톤 제도가 대폭 향상된 대외 공격력을 국가에 부여했다면, 그것은 광범위한 사회문화적 결과도 수반했다. 재정비된 브란덴부르크-프로이센의 군대만큼 귀족 계층을 체제 안에 종속시킨 조직은 없었다. 집권 초기에 프리드리히 빌헬름은 지방 귀족들이 외국 군대에 복무하는 것을 금지시켰을 뿐만 아니라 사전에 허가를 받지 않고서는 출국도 못하게 했다. 그리고 모든 귀족 가문에서 12~18세에 해당하는 아들의 명단을 작성하도록 했다. 이 명단을 통해 그 얼마 전에 베를린에 설립된 (군틀링이 교수로 근무했던 대학교 건물 안에 있는) 사관학교에서 훈련받을 아이들을 선발했다. 왕은 일부 귀족 가문의 극렬한 반발과 이런저런 구실에도 불구하고 이 엘리트 징병 정책을 밀고 나갔다. 심하게 반발하는 집안의 젊은 귀족들이 체포되어 베를린으로 압송되는 경우도 있었다. 1738년 프리드리히 빌헬름은 아직 군복무를 하지 않은 모든 젊은 귀족을 해마다 조사하도록 했다. 이듬해에 그는 지방 행정관들에게 각 지구별로 귀족 자제를 조사하고 "잘생기고 건강하며 사지가 곧은" 사람들을 선발해서 해마다 베를린 생도훈련대로 파견하라고 지시했다.[55] 1720년대 중반에는 호엔촐레른 영토 안의 귀족 중에서 장교 양성단에 적어도 아들 한 명이라도 보내지 않은 집안은 하나도 없었다.[56]

다만 이런 과정을 단순히 귀족들에게 일방적으로 강요한 것으로만 봐서는 안 된다. 이 정책이 성공을 거둔 것은 뭔가 소중한 것을 제공했기 때문이다. 봉급을 받음으로써 많은 귀족 가문이 누릴 수 있는 것보다 더 높은 생활수준이 보장되었고, 왕이나 왕실과 끈끈한 유대를 맺을 수 있는 데다가 귀족의 역사적 이미지에 명예로운 소명이 덧붙여진 지위가 주어졌다. 그럼에도 불구하고 칸톤 제도의 구축이 왕과 귀족의 관계를 단절시켰다는 것을 부인할 수는 없다. 아무튼 귀족의 재산에 묶여 있던 잠재적인 노동력은 국가와 더 가까워졌고, 귀족은 차츰 국가에 봉사하는 계층으로 변하기 시작했다. 마그데부르크 공국에 있는 아첸도르프의 목사이자 때로 브란덴부르크-프로이센군에서 군목을 맡기도 했던 자무엘 베네딕트 카르슈테트는 칸톤 제도가 "프리드리히 빌헬름 왕이 완벽한 통치권을 확보했다는 마지막 증거"[57]라고 했는데, 이는 맞는 말이다.

당시에는 대체로 칸톤 제도를 실시한 정권이 군대의 계급 구조와 귀족 농장의 계급 구조를 깔끔하게 하나로 통합해서 아주 강력한 통치기구가 된 사회·군사적 체제를 창출했다고 보았다. 이런 견해에 따르면, 연대는 일종의 무장한 토지로서 귀족 지도자가 연대장이라면 그 휘하의 농민이 소속 부대를 구성했다. 이 결과 지방의 사회적 지배 구조와 규율에 군사적 가치가 침투하면서 브란덴부르크-프로이센의 광범위한 군국화가 이루어졌다.[58]

현실은 좀 더 복잡했다. 사실 귀족 지주가 지역의 지휘관을 맡은 경우는 아주 드물었다. 예외적인 현상일 뿐 흔하지는 않았다. 군복무는 농민들 사이에서도 인기가 없었다. 젊은이들이 기본 훈련을 받기 위해 불려가는 과정에서 노동력의 손실이 발생했기 때문이다.[59] 프리그니츠(베를린 북동부)에서 작성한 기록을 보면, 군복무를 피하기 위해 브란덴부르크 경계를 넘어 인접한 메클렌부르크로 들어가는 일이 다반사였다. 군대를 피하기 위해 젊은이들은 필사적으로 노력했고(사생아를 낳은 여인과 혼인을 해서 그 아이의 아버지 노릇을 하는 것도 마다하지 않겠다는 경우도 있었다), 때로는 이 과정에서 귀족 지주들의 후원을 받기도 했다. 더욱이 군인들은 적극적이든 소극적이든 마을의 농장공동체에 종속되거나 복종하려고 하지 않았으며, 분열의 요인이 되기도 했다. 또 군인 신분을 이용해 마을 당국의 사법권에서 벗어나려는 경향도 있었다.[60]

지역 사회와 군대 사이에는 긴장이 감돌았다. 연대 장교들의 잔인한 행위에 대한 불만이 끊이지 않았다. 때로는 '모병'을 위해 온 장교들이 면제 권한을 무시했고 예외 규정에도 불구하고 수확기에 예비병들을 소집했다. 지역의 지휘관에게 혼인 허가를 받으려는 농민들에게 뇌물조로 돈을 강탈하기도 했다(일부 지역에서는 뇌물 풍조가 너무 심해서 사생아 출산율이 눈에 띄게 올라갔다).[61] 귀족 지주들도 불만이 많았다. 노동력의 바탕이 되는 농민들의 문제에 부당하게 간섭하는 것에 당연히 화를 낸 것이다. 물론 실제로 소집된 사람은 징병 적령기의 남자들(전체에서 약 7분의 1)뿐이었지만, 시골 지역에서는 거의 모든 남자가 연대의 징집 명단에 올랐다. 이런 점에서 칸톤 제도는 (실상과는 달랐지만) 국민징병제의 원칙을 기반으로 했다. 군 면제를 받으려면 일단 등록을 해야 했다. 모든 예비병은 교회에 갈 때도 군복을 입어야 해서 언제나 군대가 곁에 있다는 인상을 풍겼다. 병적에 오른 남자들이 훈련을 받으려고 마을이나 시장 광장에 자발적으로 모이는 일도 자주 있었다. 군인 신분을 통해 남자들이 느끼는 자부심은 빈곤 가정의 아들들이 주로 면제를 받았다는 사실 때문에 더 높아졌다. 그 결과 막상 부유한 농가의 아들은 그렇지 않은 데 비해 땅이 없는 시골 노동자의 아들이 군복무를 하는 경향이 생기기도 했다. 이렇게 해서 군인과 예비병들은 차츰 마을 내에서 눈에 띄는 사회 집단을 구성하게 되었는데, 이는 군복과 (짐짓 꾸민) 어떤 군인다운 거동이 자긍심에 결정적인 역할을 했을 뿐만 아니라 각 연령대에서 키가 큰 남자를 징집하는 경향이 있었기 때문이다. 169센티미터 이하의 남자들은 때로 짐꾼이나 수화물 취급자로 소집되기도 했지만, 키가 작은 사람은 대부분 병역을 면제받았다.[62]

칸톤 제도가 연대에서 복무하는 군인들의 사기와 단결심을 높여주었을까? 누구 못지않게 프로이센군을 알고 세 차례의 소모적인 전쟁을 치르는 동안 현장에서 칸톤 제도가 시행되는 것을 지켜본 프리드리히 대왕은 그렇다고 생각했다. 1775년 여름에 완성한 『내 시대의 역사』(Geschichte meiner Zeit)에서 그는 각 중대에 복무하는 프로이센 태생의 시민병들이 '같은 지역 출신'이라고 말하며 덧붙였다. "실제로 다수가 서로 알거나 친척 관계에 있다. [⋯] 이런 칸톤의 연고가 경쟁력과 용맹성을 높여준다. 함께 싸우는 친척과 친구는 전투에서 서로를 저버리지 않는다."[63]

아버지 대 아들

30년전쟁 이후 호엔촐레른 왕조의 내부 역사를 조사하다 보면, 서로 모순되는 두 가지 특징이 눈길을 끈다. 첫째는 각 세대로 이어지는 정치적인 의지에 놀라운 일관성이 있다는 것이다. 가령 1640년부터 1797년까지 영토를 획득하지 못한 정권은 단 하나도 없다. 대선제후와 프리드리히 1세, 프리드리히 빌헬름 1세, 프리드리히 대왕의 정치적 유언이 보여주듯이, 이들 군주는 스스로를 세대를 넘어 이어지는 역사적 프로젝트의 일부로 여겼고 새로 등극한 군주는 제각기 선왕들이 충족하지 못한 목표를 자신의 목표로 받아들였다. 이렇게 일관된 의도는 브란덴부르크가 확대되는 과정과 멀리 거슬러 올라가는 왕조의 역사에서 엿볼 수 있다. 이 왕조의 능력은 시기가 무르익었을 때마다 숙원 사업을 떠올리고 재가동하는 것이었다.

하지만 이렇게 단절이 없어 보이는 세대 간의 연속성은 되풀이해서 나타난 부자 사이의 갈등과 모순되는 것이었다. 이 문제는 1630년대 게오르크 빌헬름 선제후 정권 말기에 세자인 프리드리히 빌헬름(훗날의 대선제후)이 네덜란드 공화국에서 귀환하지 않겠다고 했을 때 불거졌다. 부친이 자신과 오스트리아 공주를 억지로 결혼시키려는 것을 꺼렸기 때문이다. 심지어 그는 게오르크 빌헬름의 대신 중에서 막강한 권력을 가진 슈바르첸베르크 백작이 자신을 죽일 음모를 꾸민다고까지 생각했다. 세자는 마침내 1638년에 쾨니히스베르크에 있는 아버지에게 돌아왔지만, 손상된 부자 관계는 결코 회복되지 못했으며 게오르크 빌헬름은 아들을 완전히 이방인 취급하며 국사에 참여시키려고 하지 않았다. 대선제후는 후계자를 위한 정치적 유언에서, 자신의 정부가 "선친이 자신을 쌀쌀맞게 밀어내지만 않았다면, 초기에 그토록 힘들지는 않았을 것"이라고 썼다.[64]

경험에서 지혜를 얻는다고 하지만, 대선제후 정권 말기에 비슷한 긴장이 재발되는 상황을 막을 만큼 충분치는 못했다. 대선제후는 세자 프리드리히에게 특별한 인상을 받은 적이 결코 없었다. 그는 당초 세자의 형인 카를 엠마누엘에게 애정을 쏟았는데 이 아들은 1674~75년의 프랑스 원정에서 이질로 죽고 말았다. 카를 엠마누엘이 유능하고 카리스마가 풍기는 외모에 군인 생활에 타고난 자질을 갖춘 데 반해, 프리드리히는 쉽게 흥분했고 예민한 데다 어릴 때의 부상으로 장애가 있었다. 1681년 선제후는 프리드리히가 결혼을 한 24세의 성인인데도 외국 사절 앞에서 "내 아들은 아무짝에도 쓸모가 없다"고 말했다.[65] 두 사람의 관계는 선제후의 두 번째 부인인 도로테아 폰 홀슈타인의 차가운 성격, 프리드리히와의 상호불신으로 더 복잡하게 꼬였다. 프리드리히는 친모가 애지중지하던 아들이었지만, 모친이 사망한 뒤에 계모는 당연히 선제후와의 사이에서 낳은 일곱 명의 친자녀에게 전처소생보다 더 깊은 애정을 쏟았다. 대선제후가 유서를 통해 세자의 동생들에게 영토를 분할해 주는 데 동의한 것도 도로테아의 강요 때문이었다. 프리드리히에게는 숨긴 이 결정은 그가 즉위한 뒤에 철회되었다. 가족 간에 긴장이 점점 고조되는 바람에 대선제후의 마지막 10년은 괴로웠다. 최악은 프리드리히의 남동생이 성홍열을 앓고 예상치 못한 죽음을 맞이한 1687년에 찾아왔다. 이 사건으로 단순한 의심이 본격적인 피해망상으로 이어졌다. 프리드리히는 계모가 자신이 낳은 장남한테 선제후 자리를 물려주기 위해 음모를 꾸몄고 그 일환으로 동생이 독살당했으며 그다음 희생자가 자신이 될 거라 믿었다. 이 무렵 그는 잦은 위통으로 고생했는데, 혹시 먹었을지 모를 독약이 퍼지는 것을 막기 위해 수상적은 가루약과 물약을 과다 복용했기 때문으로 보인다. 갖가지 소문과 그 반대 소문으로 궁정이 들끓을 때 프리드리히는 처가가 있는 하노버로 도피했다. 그리고 "동생이 독살된 것으로 명백히 드러났기 때문에 베를린은 안전하지 못하다"고 말하면서 돌아가기를 거부했다. 격노한 대선제후는 세자의 계승 자격을 박탈하겠다고 발표했다. 그러다가 레오폴트 황제와 영국의 윌리엄 3세가 중재하고 나서야 비로소 부자는 화해할 수 있었다. 부친이 죽기 불과 수개월 전의 일이었다.[66] 이런 상태에서 세자가 국사를 돌보는 것이 완전히 불가능했음은 말할 필요도 없었다.

훗날 왕으로서는 프리드리히 1세가 된 프리드리히 3세는 전임자들의 실수를 되풀이하지 않겠다고 단단히 결심했다. 그리고 자신의 후계자에게 국가 통치에 대하여 전반적인 훈련을 할 기회를 주고 독립된 분야에서 역량을 갈고닦도록 엄청난 노력을 기울였다. 아들에게 10대 시절부터 정사의 모든 분야에 철저히 참여하라고 지시했다. 어린 프리드리히 빌헬름은 개인 교수들을 당황하게 할 만큼 제어하기 힘든 아이였지만(세자의 스승으로 오랫동안 고생한 장 필리프 르뵈르는 "프리드리히 빌헬름의 선생을 하느니 차라리 갤리선을 젓는 노예가 되겠다"고 말했다), 부친을 대할 때는 언제나 세심하게 존경하는 태도를 보였다. 이러던 차에 1709~10년에 세자가 부왕이 총애하는 장관들의 어리석은 언행과 실수에 노골적으로 반감을 드러내 부자관계를 위기에 빠뜨렸다. 하지만 끝까지 상냥함을 잃지 않은 프리드리히는 아들을 감싸고 정부에 참여시켜 돌이킬 수 없는 단절을 피했다. 그의 재위 마지막 2~3년간은 부자의 공동 통치 시기라고 말할 수 있다. 그렇다고 해서 이런 타협적인 접근 방식이, 즉위한 다음에 아버지가 열심히 만들어놓은 바로크적 정치 문화의 흔적을 하나도 빠짐없이 지워버리겠다는 프리드리히 빌헬름의 결심을 약화시키지는 못했다. 프리드리히 빌헬름의 집권기에 이루어진 행정상의 대규모 사업은 (동프로이센의 재건에서부터 부패 청산과 창고 확충에 이르기까지) 상당수가 선친의 통치 방식에 담긴 단점을 인식하고 나온 반응으로 이해하면 된다.

프리드리히 빌헬름과 그의 10대 아들, 즉 훗날의 프리드리히 대왕 사이에 소용돌이친 냉전 앞에 이전의 모든 갈등은 무색해진다. 부자 사이의 힘겨루기가 그 정도로 감정에 치우치고 심리적인 갈등의 골이 깊은 적은 없었다. 이 갈등의 뿌리는 부분적으로 프리드리히 빌헬름의 몹시 권위주의적인 기질이 원인이라고 볼 수 있다. 자신은 상황에 따라 어쩔 수 없이 반대파에 합류하는 경우에도 아버지에게 한 치도 소홀함 없이 존경을 표했기 때문에, 자신의 자리를 물려받을 아들의 반항은 어떤 것이든 도저히 이해할 수 없었다. 게다가 그 자신의 개인적인 존재와 정권의 행정적인 업적을 구분할 능력이 없었기 때문에, 자신에게 경의를 표하지 않는 태도를 자신의 역사적 업적을 부정하고 국가 자체를 위태롭게 만든다고 보았다. 후계자가 자신의 신념과 생각, 호불호를 공유하지 않는다면, 간단히 말해 후계자가 자신과 똑같아지지 않는다면, 힘들게 일궈놓은 성과가 무너지지 않을 재간이 없다고 본 것이다.[67] 이 엄

162

격한 설계를 충족시키지 못하리라는 것은 아들 프리드리히가 어릴 때부터 확실해 보였다. 아들의 행동거지에는 활기가 없었고 두발은 단정치 못했으며 늘 늦잠을 잤다. 또 혼자 놀거나 모친이나 누이의 방에서 소설을 읽는 모습을 자주 들키기도 했다. 프리드리히 빌헬름이 어릴 때부터 솔직하다 못해 잔인할 정도로 정직했던 데 반해, 아들 프리드리히는 비뚤어진 성격에 빈정대는 버릇이 있었고 아버지의 적대적인 시선으로부터 자신의 본모습을 숨기는 법을 일찌감치 터득한 것 같았다. 왕은 프리드리히가 12세이던 1724년에 "이 작은 머리로 무슨 생각을 하는지 알고 싶다"라고 말할 정도였다. "이 아이가 나와 다른 생각을 하는 건 분명해."[68]

이 궁금증에 대한 프리드리히 빌헬름의 해법은 왕세자를 더 압박해, 마지막까지 일정이 빡빡하게 잡힌 일상의 책무(열병식, 시찰여행, 각의 참석)를 녹초가 될 때까지 맡기는 것이었다. 프리드리히가 14세 때 쓴 편지에서, 제국 대사인 프리드리히 폰 제켄도르프 백작은 "어린 나이에도 불구하고 왕세자는 어른스럽고 이미 숱한 원정에 참전한 사람처럼 의지가 굳은 모습이다"라고 말했다.[69] 하지만 제켄도르프가 보기에도 프리드리히 빌헬름의 억압적인 방법은 의도한 효과를 내지 못했다. 오히려 그런 방식은 프리드리히의 반발심을 더 크게 키울 뿐이었다. 그는 일종의 교활한 예의로 아버지에게 반발하는 데 익숙해졌다. 1725년 여름, 왕이 마그데부르크 연대의 관병식에서 아들에게 늦게 온 이유를 물었다. 늦잠을 잔 프리드리히는 옷을 입은 다음 기도할 시간이 필요했다고 대답했다. 왕은 왕자에게 옷을 입으면서 아침 기도를 할 수 있지 않느냐고 반문했다. 이에 아들은 다음과 같이 대답했다. "폐하께서는 누가 옆에 있으면 제대로 기도를 할 수 없기 때문에 따로 기도할 시간이 필요하다는 점을 헤아려주실 것입니다. 그리고 이런 문제는 사람보다 신의 뜻에 순종해야 한다는 것이도요."[70]

1728년 16세 때 왕자는 이중생활을 하고 있었다. 그는 대외적으로 부왕이 이끄는 엄격한 정권에 따르며 자신의 의무를 다했다. 사적인 자리가 아닐 때는 언제나 차갑고 완고하며 속을 알 수 없는 태도를 취했다. 하지만 은밀한 공간에서는 플루트를 연주하고 시를 지었다. 이 와중에 왕자의 빚이 늘어갔다. 그는 위그노파 교사인 뒤앙의 훌륭한 사무실을 활용해 프랑스 작품 위주로 도서관을 꾸몄다. 세속적이고 계몽적이며 철학적인 문학 취향을 반영하는 이 작품들은 아버지의 세계와는 대척점에 있었다. 아들이 자신으로부터 멀어져간다는 것을 눈치챈 프리드리히 빌헬름은 갈수록 극단적으로 변했다. 툭하면 남들이 보는 앞에서 왕자를 때리고 모욕을 주었다. 한 번은 특별히 모질게 때린 뒤에, 왕자를 향해 나라면 아버지에게 그런 취급을 당한 마당에 차라리 총으로 자살했을 거라고 소리쳤다고 한다.[71]

1720년대 후반, 깊어가던 부자 사이의 반감은 정치적 차원으로 확대되었다. 1725~27년에 프리드리히 빌헬름과 하노버 출신의 왕비 조피 도로테아는 영국 왕실과 중혼을 맺는 가능성을 놓고 협상을 벌였다. 즉 프리드리히와 그의 누이인 빌헬미네를 영국의 공주 아말리아 및 웨일즈 왕세자와 각각 혼인시키는 계획이었다. 그런데 이 혼인 동맹이 합스부르크가의 이익을 위협하는 서부 블록을 형성할 것을 두려워한 제국 궁정은 이 중혼 계획을 철회하도록 베를린을 압박했다. 베를린에서는 황제파가 결성되어 제국 대사 제켄도르프와 왕의 신임을 받는 장관인 프리드리히 빌헬름 폰 그룸프코 장군을 중심으로 뭉쳤다. 이들은 빈으로부터 엄청난 뇌물을 받아온 것으로 보인다.

이 파벌의 음모에 반발한 사람은 조피 도로테아 왕비였다. 이 중혼이 자신의 자녀들뿐만 아니라 친정인 하노버 왕조 그리고 영국의 이익을 추구할 기회를 제공한다고 보았기 때문이다. 거의 절망에 빠졌다가 이 프로젝트를 추진하며 보여준 왕비의 열정에는 여인의 정치 활동을 엄격하게 차단한 궁정에서 쌓인 좌절의 시간이 묻어 있었다.

영국과 오스트리아, 프로이센 그리고 하노버의 외교에 의한 음모의 망이 복잡하게 꼬였을 때, 베를린 궁정은 양극단의 파벌로 분열되었다. 빈과 파열음을 내지 않을까 두려워한 왕은 아들의 혼인을 후원하려던 계획을 취소하고 자신의 왕비에게 맞서며 그룸프코와 제켄도르프 편을 들었다. 반면에 왕세자는 모후의 계획에 더 깊이 끌리면서 영국과의 혼인 동맹을 적극적으로 후원했다. 예상대로 계획을 관철시킨 쪽은 왕이었고 중혼 계획은 취소되었다. 바로 여기서 1630년대 게오르크 빌헬름 선제후의 말기와 닮은 점이 드러난다. 당시 세자(훗날의 대선제후)가 부친과 권신(슈바르첸베르크 백작)이 자신을 오스트리아 공주와 혼인시키려는 것을 꺼려 베를린으로 돌아오기를 거부한 상황과 비슷했다.

'영국 왕실과의 혼인'을 둘러싼 싸움은 1730년 8월, 브란덴부르크-프로이센에서 프리드리히가 도주하는 계기가 되었다. 이 사건은 왕조 역사상 가장 극적이고 잊지 못할 일화 중 하나라고 할 수 있다. 이때 왕세자는 한 번도 보지 못한 아말리아 공주와의 혼인이 불발된 데 따른 정치적인 모욕이나 개인적인 실망 때문에 도주한 것이 아니었다. 그보다는 그때까지 쌓인 부왕에 대한 불만과 분노가 1729~30년의 힘겨루기와 음모를 통해 비등점에 이르렀다고 할 수 있다. 프리드리히는 1730년 봄과 초여름에 걸쳐 도주를 계획했다. 그의 주요 조력자는 26세의 장교로서 왕실 중기병 연대의 한스 헤르만 폰 카테였다. 카테는 영리하고 교양이 있는 남자로 그림과 음악을 좋아했고 프리드리히와 절친한 벗이 되었다. 당시의 회상록에 따르면, 두 사람이 마치 '애인 사이'처럼 지냈다고 한다.[72] 프리드리히가 궁정을 빠져나갈 준비를 하도록 실제로 도움을 준 사람은 카테였다. 싸움 자체는 이길 가망이 없는 것이었다. 프리드리히와 카테는 부주의하게 일을 처리하는 바람에 이내 의심을 받았다. 왕은 왕자의 교사와 시종 들에게 경계를 늦추지 않고 밤낮으로 왕자를 지키도록 했다. 카테는 왕자와 함께 도피하기 위해 연대에서 모병을 위한 출장을 나갈 계획을 세웠는데 마지막 단계에서 허가가 취소되었다. 아마 그가 연루된 것을 왕이 알았기 때문이었을 것이다. 그럼에도 불구하고 부왕의 남독일 여행을 수행하던 프리드리히는 계획을 밀어붙이기로 했다. 이것은 극도로 궁지에 몰렸다는 것을 보여주는 무모한 결정이었다. 8월 4일에서 5일로 넘어가던 밤, 자정이 막 지난 시각에 그는 슈타인스푸르트의 마을 부근에 있는 야영지를 빠져나갔다. 그가 어디론가 가는 모습을 본 시종이 경보를 울리는 바람에 그는 금세 잡혔다. 왕은 이튿날 아침 이 소식을 들었다.

프리드리히 빌헬름은 아들을 마차에 태워 퀴스트린 요새로 압송하라고 명령했다. 오래전 대선제후가 30년전쟁이라는 극도로 모진 세월 동안 어린 시절을 보낸 성채였다. 이곳의 지하 감옥에 갇힌 왕자에게 강제로 갈색 수의가 입혀졌다. 감시병은 왕자를 지키고 어떤 물음에도 대답해서는 안 되며 성경 읽기를 위해 허용되는 희미한 등도 매일 저녁 7시면 끄라는 지시를 받았다.[73] 이어진 조사에서 왕자는 감사관이자 심문 절차를 지휘하는 크리스티안 오토 밀리우스로부터 시시콜콜한 심문을 받았는데 질문이 180개가 넘었다. 예를 들어 다음과 같은 질문이 있었다.

179: 자신의 행동에 어떤 처벌이 합당하다고 보는가?
180: 스스로 불명예를 감수하고 도주를 획책한 사람은 어떤 처벌을 받아야 한다고 생각하는가?
183: 아직도 본인이 왕이 될 자격이 있다고 보는가?
184: 목숨을 살려주기를 바라는가, 바라지 않는가?
185: 목숨을 보존한다면 사실상 명예를 상실하는 것이고 왕위 계승의 자격을 박탈당하는 것인데, 목숨을 건지기 위해 신성로마제국 전체가 공인하는 방식으로 계승권을 포기하고 왕좌의 자리에서 내려가겠는가?[74]

장황하고 강박적이며 비통한 이 질문들의 어조와 은연중에 언급되는 죽음이란 처벌이 왕의 심리 상태와 감정을 분명하게 드러낸다. 통제에 집착하는 사람에게 그렇게 직접적인 반항은 무척이나 끔찍했을 것이다. 문항들은, 아들을 처형하는 것이 왕의 유일한 선택이라는 데 의심할 여지가 없음을 보여줬다. 문항 184에 대해 프리드리히는 왕의 뜻과 자비에 따르겠다고만 대답했다. 185에 대해서는, 자신의 목숨이 그렇게 소중하지 않지만 전하는 그 정도로 가혹하게 자신을 취급하지는 않을 것이 분명하다고 답했다.[75] 자신의 미래가 지극히 불투명한 이 시점에 느낄 수밖에 없는 공포에도 불구하고 능숙하게 답한 그의 놀라운 자제력은 주목할 만하다.

프리드리히의 운명이 미해결 상태로 있는 사이에, 왕은 왕자의 친구와 조력자 들에게 분노를 터뜨렸다. 왕자와 가까운 군인 중에서 슈파엔 중위와 잉거슬레벤 중위 두 명이 감옥에 갔혔다. 포츠담 시민의 16세 된 딸로 프리드리히와 잠시 사춘기의 풋사랑에 빠졌던 도리스 리터는 포츠담 거리에서 교수형 집행인에게 채찍을 맞고 슈판다우의 빈민수용소에 감금되었다가 1733년이 되어서야 석방되었다. 왕의 분노에 정면으로 맞닥트린 사람은 한스 헤르만 폰 카테였다. 그의 운명은 전설의 영역으로 들어가 브란덴부르크의 역사적 기억 속에서 독특한 위치를 차지하게 되었다. 공모자들을 재판에 부치기 위해 소집된 특별군사법정은 카테에 대한 적절한 선고에 쉽게 합의하지 못하다가 마침내 다수 의견으로 종신형을 내렸다. 프리드리히 빌헬름은 이 결정을 뒤집고 사형선고를 요구했다. 그러면서 1730년 11월 1일 자로 내린 명령에서 그 이유를 설명했다. 그가 볼 때, 카테는 왕실정예연대에서 탈주할 계획을 세우고 왕위 계승자에게 반역 행위를 하도록 도왔기 때문에 최악의 '불경죄'를 범했다는 것이었다. 따라서 가장 혹독한 처형 방법으로서 뻘겋게 달군 부집게로 사지를 찢고 매다는 처형을 받아 마땅하다고 했다. 하지만 그의 가족을 생각해서 단순한 참수형으로 감형한다는 것이었다. 그리하여 11월 6일, 왕자의 감방 창문에서 보이는 퀴스트린 요새에서 참수하도록 했다.

카테는 왕이 결국에는 자비를 베풀 거라 믿었던 것으로 보인다. 그는 프리드리히 빌헬름에게 자신의 범행을 인정하고 남은 생애를 왕실에 충성하겠다고 다짐하면서 자비를 구하는 편지를 썼다. 하지만 편지에 대한 반응은 없었다. 11월 3일, 폰 샤크 소령이 지휘하는 경비대가 30킬로미터 떨어진 퀴스트린으로 죄인을 압송하기 위해 도착했다. 죄인을 압송하려고 할 때, 폰 샤크는 카테가 "너무 고생을 시켜 용서를 빌고 싶다"고 하면서 (역시 왕의 군대에 복무하는) 아버지에게 편지를 쓰고 싶다고 말한 생각이 났다. 허락을 받자 카테는 혼자 남아 편지를 쓰기 시작했다. 하지만 얼마 후 샤크가 방으로 들어가 보니 죄수는 방 안을 서성거리면서 "눈물이 앞을 가려 도저히 편지를 쓸 수 없다"고 한탄했다. 소령이 부드러운 말로 위로를 하자 카테는 다음과 같이 시작하는 편지를 썼다.

이 편지를 받고 아버지 가슴에 밀려올 엄청난 슬픔을 생각하니 눈물이 흐릅니다. 이 세상에서 제가 잘되기만을 바라셨는데 이제 노령의 평안도 영원히 사라지겠군요. [···] 그토록 애쓰신 데 대하여 보답도 못한 채, 이 한창 나이에 생을 마치다니 말입니다.[76]

카테는 퀴스트린 요새에서 처형되기 전, 목사와 동료 장교들이 참석한 밤에 찬송가를 부르고 기도를 했다. 태연한 태도도 3시 무렵에 무너졌다. 한 증인은 "피와 살이 고통스러운 싸움을 하는 안색"이었다고 보고했다. 하지만 한두 시간 잠을 자고 깨어난 그는 다시 원기를 찾고 활발한 기색을 드러냈다. 11월 6일 아침 7시에 그는 경비대의 인도를 받으며 방에서 나와 야트막한 모래언덕에 있는 처형장으로 갔다. 처형장으로 끌려가는 카테를 보살필 책임을 맡은 경비대 목사의 말에 따르면, 감방 창문으로 지켜보던 왕자와 사형수 사이에 짤막한 인사가 마지막으로 있었다고 한다.

여기저기 둘러보던 그는 마침내 소중한 [친구] 왕세자 전하가 창문에 있는 것을 보았다. 그는 왕세자에게 정중하고 다정하게 프랑스말로 작별을 고했지만, 조금도 슬픈 표정은 짓지 않았다. [큰 소리로 낭독되는 판결문을 듣자 상의와 가발, 넥타이를 벗은 그는] 모래언덕에 무릎을 꿇고 외쳤다. "예수께서 내 영혼을 받아주시리라!" 그리고 이런 식으로 자신의 영혼을 다시 하느님 아버지의 손에 맡길 때, 구속받은 머리는 사형집행인 코블렌츠의 정확한 칼날에 의해 몸에서 분리되었다. […] 그러자 피와 살, 육신의 생명에서 나오는 떨림은 더 이상 보이지 않았다.[77]

카테를 처형하면서 프리드리히 빌헬름은 자신의 아들에게 내릴 유난히 가혹한 처벌을 찾아냈다. 카테의 운명이 경각에 달렸을 때, 프리드리히는 왕관을 포기하도록 허락해달라고 하면서 사형수 대신 자신의 목숨을 단념하게 해달라고 간청했다. 왕자는 감방 창문에서 사형 집행을 지켜보라는 판결을 받았다. 그를 지키는 경비병들은 왕자의 얼굴을 창살에 고정시키고 모든 장면을 하나도 놓치지 않고 똑똑히 보도록 하라는 명령을 받았다. 카테의 시신은 잘려나간 머리와 함께 오후 2시가 될 때까지 현장에 그대로 남아 있었다.[78]

카테의 죽음은 프리드리히의 운명에 전환점이 되었다. 부왕의 분노는 가라앉기 시작했고 그는 아들을 복권시키기로 마음을 돌렸다. 그 후 달이 가고 해가 가면서 프리드리히에게 내려졌던 제한들은 차츰 풀렸고, 마침내 그는 요새를 떠나도 된다는 허락을 받고 퀴스트린 시내로 거처를 옮겼다. 그리고 여기서 시의 전쟁 및 토지관리국 회의에 참석했다. 말하자면 관리총국의 지방분소에 해당하는 곳이었다. 프리드리히로서는 이제 부왕 정권과 외관상으로 화해가 시작되었다고 볼 수 있다. 그는 진심으로 참회하는 자의 차분한 행동을 보였고 아무 불만 없이 퀴스트린 수비대가 주둔하는 도시의 따분한 생활을 견뎠으며 성실

10 프리드리히 왕세자가 감방 창문을 통해
카테에게 마지막 인사를 하고 있다.
다니엘 호도비에츠키의 판화.

하게 행정 업무를 보면서 이 과정에서 유용한 지식을 쌓았다. 가장 중요
한 것은, 부왕이 제안한 대로 브라운슈바이크-베버른의 엘리자베트 크
리스티네 공주와의 혼인을 받아들였다는 것이다. 크리스티네는 합스부
르크의 황후와 사촌 사이였다. 그녀를 신부로 선택했다는 것은 영국과
의 혼인 동맹을 선호하던 파벌에 대한 제국파의 값진 승리를 나타내는
것이었다.

　　프리드리히의 삶에서 이 일화는 왕자의 성격을 바꿀 정도의 충격
이었을까? 그는 퀴스트린에서 카테의 목이 잘리기 전에 경비병의 품에
기절했고 며칠 동안 극도의 공포와 정신적인 번민에 휩싸였다. 아마 어
느 정도는 자신도 곧 처형될 거라고 믿었기 때문일 것이다. 1730년에 일
어난 일련의 사건이 새롭고 인위적인 페르소나를 만들어냈을까? 모질
고 가혹하며 속을 알 수 없는 진면목이 돌돌 말린 앵무조개 안에 감추
어져 있었을까? 아니면 이 사건 때문에 이미 청소년기에 잘 발달된 자
기 은폐와 위장의 기질이 더 단단히 굳어졌을까? 이 물음은 끝내 답을

찾을 수가 없다.

확실해 보이는 것은, 그 위기가 외교정책에 대한 왕자의 구상이 다듬어지는 데 중요한 암시를 한다는 것이다. 오스트리아 사람들은 영국과의 혼인이 실패하도록 조종하는 음모뿐만 아니라 프리드리히의 도피에 따른 위기를 관리하는 데도 깊숙이 개입했다. 이것은 제국과 브란덴부르크-프로이센의 정치가 프리드리히 빌헬름 1세의 재위 기간에 얼마나 긴밀하게 맞물려 있는지를 보여주는 암시로서, 길이 잘못 든 왕자를 징계하고 복권시키기 위한 문서의 초안을 왕에게 제출한 사람도 제국 특사인 제켄도르프 백작이었다. 프리드리히가 강제로 혼인해야 할 여자도 사실상 오스트리아의 신부였다. 1732년 프리드리히는 프리드리히 빌헬름 폰 그룸프코 장관에게 "그 여자와 강제로 혼인한다 해도 아내로 인정하지 않을 것이다"라고 경고했다.[79] 프리드리히는 1740년 즉위한 뒤에 이 결심을 그대로 간직한 채 브라운슈바이크-베버른 엘리자베트 크리스티네를 투명인간 취급하며 공적 생활 변두리로 밀어냈다.

이처럼 브란덴부르크-프로이센 궁정에 대한 제국의 보호감독은 프리드리히에겐 정치적인 동시에 개인적인 현실이었다. 1730년의 위기와 그 여파로 오스트리아 사람에 대한 왕자의 불신은 더 커졌고, 서방에 있는 빈의 숙적이라고 할 프랑스에 대한 문화적·정치적 애착은 더 깊어졌다. 실제로 부자지간에 완전한 화해가 이루어지게 된 배경은 1730년대에 대오스트리아 정책(이에 대해서는 후에 다시 언급할 것이다)에서 프리드리히 빌헬름의 좌절감이 점점 깊어졌기 때문이다.[80]

국가로서의 한계

프로이센 역사가인 오토 힌체는 고전이 된 자신의 프로이센 왕조 연대기에서 프리드리히 빌헬름 1세 정권이 '절대주의의 완성'이라는 특징을 보여준다고 말했다.[81] 이 말은 각 지방과 도시 엘리트의 권한을 중립화하고 호엔촐레른가의 세습 재산에 속하는 곳곳의 영토를 베를린이 지배하는 단일 국가의 중앙집권 구조로 통합하는 데 성공한 사람이 프리드리히 빌헬름이라는 의미였다. 앞에서 본 대로, 이런 견해는 나름대로 타당한 근거를 가진다. 프리드리히 빌헬름은 권력을 중앙행정부로 집중시키기 위해 애썼다. 그는 군복무를 수단으로 귀족을 예속시키고 세금 부담을 균등하게 했으며 귀족이 소유한 토지를 매입하고 베를린에 책임을 지는 지방 행정 당국을 신설하는 것을 목표로 삼았다. 그는 또 행정부의 역량을 강화해 예측 불가능한 곡물 시장에 개입했다.

그러나 이런 발전에 지나친 의미를 부여해서는 안 된다. 국가 그 자체로는 여전히 작았기 때문이다. 중앙 정부의 규모는 (지방에 있는 왕실 관리들을 포함해) 전체적으로 100~200명을 넘지 않았다.[82] 정부의 하부 조직은 아직 출현할 기미도 없었다. 정부와 곳곳에 산재한 지역 사회 사이의 소통은 여전히 속도가 느렸고 예측할 수 없었다. 공문서는 목사나 교회 관리인, 여인숙 주인, 혹은 우연히 지나가는 학생들을 통해 목적지에 전달되었다. 1760년에 민덴 공국에서 행한 조사를 보면, 공문이나 기타 중요 문서가 몇 킬로미터 떨어지지 않은 인접 지역에 전달되는 데 열흘이나 걸렸다는 것을 알 수 있다.

정부통신문은 우선 주점으로 전달되고 거기서 개봉되어 회람된 다음 누군가 술잔을 든 상태에서 낭독하는 일이 흔했다. 그 결과 목적지에 도착할 때는, 문서가 "기름기와 버터, 담배 댓진으로 지저분해져서 선뜻 만지고 싶지 않은" 상태가 되기 일쑤였다.[83] 우편 업무를 비롯해 단련되고 규율이 잡힌 지역의 관리들이 호엔촐레른가의 각 구역을 통과하는 시대는 아직 요원했다.

베를린에서 칙령을 반포하는 것과 그것을 각 지역에서 시행하는 것은 다른 일이었다. 단적인 예가 1717년의 학교칙령이다. 이 법령이 유명한 것은 호엔촐레른 영토에서 보편적인 초등교육이 시작된 것으로 여기기 때문이다. 이 칙령은 마그데부르크나 할버슈타트에서는 발표되지 않았다. 이들 지역에서는 정부가 기존의 학교 규정을 유지하기로 했기 때문이다. 또 발표된 지역에서도 칙령이 완전한 효과를 보지 못했다. 그러다가 1736년의 '개정된 칙령'에서 프리드리히 빌헬름 1세는 "우리의 유익한 (먼저의) 칙령이 준수되지 않았다"고 불만을 표했다. 그리고 각 지역의 연관 기록을 철저하게 조사한 결과 1717년과 1736년의 칙령이 호엔촐레른가의 영토 곳곳에서 전혀 알려지지 않았다는 것이 드러났다.[84]

브란덴부르크-프로이센의 '절대주의'는 군주의 의지가 사회조직의 각 계층에서 이행되도록 순조롭게 작동하는 기계가 되지는 못했다. 각 지방 및 도시 엘리트에 의해 지배되는 지역 당국의 권력기구도 쉽게 사라지지 않았다. 예컨대 동프로이센에 대한 한 연구는 각 지역의 귀족이 그들의 권한을 잠식하려는 중앙 정부에 맞서 '게릴라전'을 수행했다는 것을 보여준다.[85] 쾨니히스베르크의 지방 '정부'는 계속해서 독립적인 지역 당국으로 행세했고 여전히 지방 귀족의 통제를 받았다. 국왕이 '지방 고관' 같은 지역의 핵심 요직을 임명하는 데 중요한 역할을 하기까지는 느리게 진행된 점진적인 과정이 필요했다. (지방 엘리트의 영향력이 통합되는 경향을 보인 두 가지 관습인) 정실 인사와 매관매직은 일상적인 일이었다.[86] 1713~23년의 동프로이센 지방 관리 임명에 대한 연구를 보면, 채용 과정에 왕이 개입한 경우는 약 5분의 1에 지나지 않았다. 비록 다음 10년간은 그 비율이 3분의 1 가까이 올라갔다고는 해도 나머지는 여전히 지방 정부가 직접 채용했다.[87]

동프로이센에서 엘리트가 발휘하는 영향력의 비공식적인 구조가 너무 만연하고 눈에 띄지도 않았기 때문에, 한 학자는 "신분제의회 정부의 잠재적 형태"의 영속성에 대한 연구를 하기도 했다.[88] 실제로 18세기 중엽 수십 년간, 일부 지역의 핵심 요직을 둘러싸고 지방 엘리트의 권한이 강화되었다는 증거가 많다. 물론 브란덴부르크 귀족은 프리드리히 빌헬름 1세의 집권 기간에 대체로 중앙 정부의 적극적인 역할에서 배제되었을 가능성이 있다. 하지만 장기적인 측면에서는 지방 정부에 대한 그들의 통제력을 통합함으로써 실질적으로는 그 이상의 보상을 받았다. 예컨대 그들은 군수 혹은 관구지도관을 선출하는 권한을 유지했다. 이런 지방 관리는 중앙 당국과 조세 범위를 협상하고 세금 부담을 지역적으로 할당하는 일을 감독하기 때문에 매우 중요한 자리였다. 프리드리히 빌헬름 1세가 지구별 귀족의회에서 선출한 후보를 종종 거부한 데 비해, 프리드리히 2세는 좋아하는 후보 명단을 작성할 귀족의 권한을 인정하고, 이 명단에서 왕 자신이 선호하는 인물을 선발했다.[89] 베를린 관리들이 현직 관리를 선출하거나 이들의 행동을 조종하는 일에 개입하려고 애쓰는 일은 갈수록 줄어들었다.[90] 이리하여 정부는 신뢰를 바탕으로 한 지역 조정자들의 협조와 지구별 엘리트의 지원을 확보하기 위해 통제 재량권을 인정했다.

협상을 통한 이런 권력 분점 과정에서 생긴 지방 당국의 권한 집중이 오래간 것은 엄밀히 말해 드러나지 않는 비공식적인 특징 때문이었다. 지방 신분 대표의 권한과 연대가 지속된 것은, 나폴레옹 시대의 격동기에 왜 지방 귀족이 정부 주도 정책에 강력하게 도전하고 반발할 수 있었는지 설명하는 데 도움이 된다. 그들이 꽤 오랫동안 잠잠히 있었음에도 말이다. 호엔촐레른가의 영토에서 신흥 핵심 관료가 도시와 지방의 권력 구조를 바꿔놓거나 무력화한 것은 아니다. 오히려 그들은 재정과 군사적인 부문에서 국가의 특권이 위태로울 때면, 지방기관과 부딪치거나 길을 들이면서 일종의 동거를 했으며, 그 밖의 경우에는 관여하지 않았다. 이것은 때로 브란덴부르크-프로이센의 '절대주의 부상'이라고 불리는 현상이 왜 전통적인 귀족의 합병을 수반했는지, 진기하고도 겉으로 역설적인 사실을 설명하는 데 도움이 된다.[91] 대선제후의 시대처럼 18세기에 절대주의는 중앙 권력과 변방세력이 경쟁하는 제로섬 게임이 아니라 서로 다른 권력 구조가 점진적이고 상호보완적인 형태로 집중되는 과정이었다.

5

프로테스탄트

Protestants

1613년 성탄절에 선제후 요한 지기스문트는 베를린 대성당에서 칼뱅파 의식에 따른 성찬식에 참석했다. 흔히 루터교에서 제단을 장식할 때 쓰는 초와 십자가는 치워져 있었다. 성찬식에 무릎을 꿇는 의식도 없고 성찬 전병도 없이, 그저 길쭉한 빵 조각을 잘라서 참석자들에게 나누어줄 뿐이었다. 이 행사는 선제후의 사적인 여행에서 가장 공적인 절차였다. 루터교에 대한 그의 불신은 칼뱅파 신앙이 부친의 궁정에 퍼지고 있던 10대 시절로 거슬러 올라간다. 17세기 초에 독일 칼뱅파의 본산이라고 할 수 있는 팔츠 선제후국의 수도 하이델베르크를 방문한 1606년에 그가 칼뱅파 신앙을 받아들인 것으로 추정된다.

요한 지기스문트의 개종은 호엔촐레른 가문을 새로운 궤도에 올려놓았다. 17세기 초 제국 정치 구도에서 왕조와 호전적인 칼뱅파의 이익은 더 단단히 결합하게 되었다. 중앙 정부에서 영향력을 발휘하기 시작한 칼뱅파 관리들의 위상도 높아졌다. 그렇다고 정치적 계산이 결정적이라고 여길 이유는 없다. 개종은 이익보다 위험이 더 컸기 때문이다.

이제 선제후는 아우크스부르크 종교화의에서 관용의 대상이 되지 못한 종파에 속하게 되었다. 1648년의 베스트팔렌 조약이 성립될 때까지, 칼뱅파의 권리는 신성로마제국의 종교적 세력권 내에서 구속력 있는 조약으로 명문화되지 못했다. 군주의 개종은 왕가와 백성 사이의 종교적 간극의 골을 더 깊게 만들었다. 16세기 후반의 브란덴부르크에 존재한 영토 '정체성'에 대한 감각은 루터파 교회와 긴밀하게 결합되어 있었다. 루터교 목사는 마르크 전역에 널리 퍼져 있었기 때문이다. 초기 브란덴부르크 연대기가 루터파 교구 목사들의 작품인 것은 우연이 아니다. 미텔마르크에 있는 슈트라우스베르크의 목사인 안드레아스 엥겔은 1598년에 나온 저서『마르크 브란덴부르크 연대기』(*Annales Marchiae Brandenburgicae*) 첫머리에서 조국에 대한 애국심을 찬양하고 당연시했다.[1] 그러나 1613년 이후 왕조는 막 생겨난 영토에 기반한 애국심의 수혜자가 되지 못했다. 16세기 중반 수십 년 동안에 몹시 완만하고 부드러우며 평화로운 종교개혁을 통해 아주 용의주도하게 백성을 보살피는 데 성공한 통치 가문이 이제 민중 다수의 종교적 신념과 단번에 단절된 것이다. 이런 사태는 종교적 긴장이 혁명에 불을 붙이고 왕권을 뒤집어엎을 수 있었던 유럽의 역사적 순간에 벌어졌다.

칼뱅파 군주-루터파 백성

선제후와 그의 고문관들이 개종이 몰고 올 난관을 예측하지 못했다는 것은 정말 의아한 일이다. 요한 지기스문트는 자신의 개종이 브란덴부르크에 광범위한(또 대체로 자발적인) '제2의 종교개혁'에 대한 신호탄이 될 것이라고 믿었다. 1614년 2월, 선제후의 칼뱅파 관리와 고문관들은 브란덴부르크를 칼뱅파 영토로 바꾸기 위한 단계적인 계획의 초안을 작성했다. 대학을 칼뱅파 일색으로 채워서 목사와 관리를 칼뱅파로 만드는 구심점 역할을 하게 할 생각이었다. 성찬식을 비롯한 여러 종교적 관례도 단계적으로 개혁해 루터교 방식에서 벗어나려고 했다. 그리고 칼뱅파 교회협의회가 개혁적인 조치를 감독하고 이에 협조한다고 약속했다.[2] 같은 달에 반포된 칙령은 마르크 브란덴부르크의 성직자는 이후 "어떤 왜곡이나 스스로 꾸며낸 가식 없이, 게으르고 교묘하게 술수를 부리는 뻔뻔한 신학자들의 교리공식을 배제한 […] 순수하고 더럽혀지지 않은" 신의 말씀을 설교해야 한다는 명령을 내렸다. 이에 따라 신뢰할 수 있는 텍스트 목록에는 브란덴부르크 루터교의 두 가지 기본 교리문서라고 할 아우크스부르크 신앙고백(Confessio Augustana, 루터교회의 기본 신앙을 구성하는 28개 조항 — 옮긴이)과 일치신조(Konkordien-formel, 루터교의 신앙고백문 — 옮긴이)가 빠졌다. 칙령은 이 명령에 따를 수 없다고 생각하는 목사에게는 나라를 떠날 자유를 준다고 선언했다. 선제후와 그의 고문관들은 당연히 칼뱅파 교리 특유의 우월성과 명료성을 설득력 있고 알아듣기 쉽게 표현하면 백성 대다수에게 얼마든지 추천할 수 있을 것으로 생각했다.

하지만 이것은 엄청난 실수였다. 칼뱅파가 브란덴부르크의 전통적인 루터파 교회 정착지에 간섭하자 사회 각계각층에서 저항했다. 종파상의 단일 소요로서 가장 심각한 사태는 1615년 4월에 쾰른(슈프레 강 건너에 있는 베를린의 자매 도시)의 주거지에서 발생했다. 선제후는 프로이센 공국의 차후 인도 협상을 참관하기 위해 우연히 쾨니히스베르크에 머물렀는데, 쾰른과 베를린은 그의 칼뱅파 형제인 요한 게오르크 폰 예거른도르프 변경백의 지배하에 있었다. 변경백은 베를린 대성당을 화려하게 장식하고 있던 '우상' 이미지와 성찬 도구를 제거하라고 명령해서 혼란을 유발했다. 1615년 3월 30일, 제단과 성수통, 대형 나무 십자가 그리고 루카스 크라나흐(소)가 밑그림을 그린 예수 수난 연작을 비롯한 숱한 예술품이 대성당에서 철거되었다. 설상가상으로 궁정 설교사인 칼뱅파의 마르틴 퓌셀은 며칠 후 대성당에서 종려주일 설교를 하면서, "교황의 더러운 우상숭배로부터 자신의 예배당을 정결케 해주신" 신께 감사드린다는 말을 했다.

이 설교를 하고 몇 시간 지나지 않아(설교를 한 것은 아침 9시였다), 인근에 있는 성 베드로 교회의 루터파 교구 감독은 강단에서 맹렬한 반격을 퍼부었다. 그는 "칼뱅파가 우리의 예배당을 매음굴이라고 부르고 있어요. 그들은 교회에서 그림을 제거하다 못해 이제는 우리에게서 주 예수 그리스도까지 떼어내려 합니다"라며 비난했다. 이 같은 웅변의 선동적인 효과는 대단해서 100명이 넘는 시민이 이날 저녁에 모여 "칼뱅파 사제와 모든 칼뱅파 패거리를 교살하겠다"라고 맹세할 정도였다. 이튿날인 월요일, 시내에서는 본격적인 폭동이 일어났다. 총격이 발생했고 700명이 넘는 군중이 도심을 미친 듯이 휩쓸고 다니면서 유명한 칼뱅파 목사 두 명의 집을 약탈했다. 이 중에는 퓌셸의 집도 포함되었는데 그는 속옷 바람으로 황급히 이웃집 지붕을 넘어 도망쳤다.[3] 선제후의 동생도 성난 군중과 대치한 상태에서 간신히 중상을 면했다. 이와 유사한 대치 상태가 연속해서 (비록 아슬아슬한 장면은 덜 했지만) 마르크 맞은편의 다른 마을에서도 일어났다. 상황이 너무도 긴박하고 심각했기 때문에 베를린에 있는 다수의 칼뱅파 의원은 이 지역을 빠져나갈 생각을 했다. 그해 말에 (슐레지엔에 있는) 예거른도르프의 소유지로 물러나 은거할 계획이었던 요한 게오르크 변경백은 애처로운 표정으로 형인 선제후에게 근위병을 늘리라고 충고했다.

요한 지기스문트는 거리의 소요뿐만 아니라 단합된 신분제의회의 저항에도 직면했다. 루터파 지방 귀족이 지배하는 신분제의회는 부채가 많은 선제후로부터 징세관리권을 빼앗아가며 이득을 취했다. 1615년 1월, 그들은 선제후에게 추가 기금의 승인 여부는 그가 어떤 종교적 보장책을 제시하는지에 달렸다고 통지했다. 요지는, 루터교 교회의 위상을 확실하게 보증할 것, 성직자 임면권을 지방 엘리트의 손에 맡긴 교회의 권리를 존중할 것, 루터교 주민이 볼 때 출신이 의심스러운 교사나 성직자라면 선제후가 원하더라도 임명권을 행사할 수 없다는 약속 등이었다. 요한 지기스문트는 협박에 굴복하느니 차라리 마지막 한 방울까지 피를 흘릴 것이며 그 따위 공갈에 굴복하지 않겠다고 호통을 치며 격분했다. 하지만 그는 결국 물러서지 않을 수 없었다. 1615년 2월 5일에 반포한 칙령에서 그는 루터의 교리와 루터교 전통의 교리문서에 애착을 가진 백성은 그런 신앙을 가질 자격이 있고 어떤 식으로든 그들에게 압박이나 강요를 해서는 안 된다는 점을 인정했다. 칙령은 다음과 같이 이어졌다. "짐은 선제후로서 절대 양심의 자유를 박탈하지 않을 것이며 설사 짐이 임명권을 행사하는 곳일지라도 그 어떤 목사라도 의심하거나 푸대접하지 않을 것이다."[4] 중대한 패배였다. 늦어도 이때쯤에 선제후는 '제2의 종교개혁'이 분명히 지연되리라는 것을, 어쩌면 무기한 연기될 수도 있음을 깨달았을 것이다.

이 싸움에 정확하게 무엇이 걸려 있었을까? 여기서 권력 정치 차원의 문제가 불거진 것은 분명하다. 1613년 이전에도 선제후가 '외국의' 칼뱅파 관리를 등용하는 것을 두고 논란이 많았는데, 이는 비단 종교적인 배경뿐만 아니라 고위 관리로 토착 엘리트를 임명해야 한다는 '현지 출생의 권한'(ius indigenatu)에 위반되었기 때문이다. 또 앞에서 보았듯이, 칼뱅파의 외교정책에서 발생하는 비용을 받아들이기 꺼리는 경향이 만연했다. 시민들은 칼뱅파 관리나 성직자를 도시 공간으로 쳐들어온 침입자로 간주하면서 몹시 분개했다. 도시 공간의 핵심 문화유적이 도시 정체성의 근간을 이루고 있었기 때문이다. 그렇다고 칼뱅파와 루터파의 싸움을, 유리한 고지를 차지하기 위해 비난과 불만을 쏟아내는 '이해관계에 따른 정치'로 축소하는 것은 잘못일 것이다.[5] 서로 대치한 양측에 엄청난 감정의 앙금이 쌓여 있었기 때문이다. 칼뱅주의의 가장 헌신적인 형태 한복판에는 루터파 교리에 남아 있는 교황 중심주의에 대한 깊은 혐오가 깔려 있었다.

부분적으로 이것은 미학적인 문제이기도 했다. 촛불, 조각이나 그림의 형태로 표현된 이미지, 그리고 불빛에 반사되는 루터교의 화려하고 사치스러운 실내 장식에 대해 칼뱅파는 자연광으로 채워진 순수한 교회의 하얀 공간으로 맞섰다. 가톨릭이 루터교 '안에서' 여전히 잠재력을 발휘하고 있다는 믿을 만한 우려도 있었다. 특별히 루터파의 성찬식에 관심이 쏠렸다. 선제후 요한 지기스문트는 성찬식에서 그리스도의 실재 임재에 대한 루터의 교리를 "거짓되고 분열적이며 고도로 논란의 여지가 많은 가르침"이라고 매도하며 반대했다. 1613년에 베를린에서 출판되어 많은 논란을 부른 논문의 저자인 칼뱅주의 신학자 지몬 피스토리스는, 루터가 "무지몽매한 교황 정치를 참조함으로써 빵이 그리스도의 몸으로 변한다는 성체설(transubstantiation, 성찬식 때 빵과 포도주의 외형은 변하지 않지만 그 실체가 그리스도의 살과 피로 변한다는 교리로 성변화, 화체설이라고도 한다 — 옮긴이)이라는 오류와 거짓된 의견을 물려받았"으며, 그 결과 루터의 신앙은 "교황권의 기둥과 받침대"가 되었다고 말했다.[6] 바꿔 말하면, 종교개혁은 미완성 상태라는 것이었다. 그러면서 가톨릭의 어두운 과거와 완전히 단절하지 않는다면, 재가톨릭화의 위험이 닥칠 것이라고 경고했다. 칼뱅파는 은연중에 시간의 흐름 자체가 위기라고 느꼈다. 그즈음에 이룩한 종파상의 과업이 통합되거나 확대되지 않을 때 그것은 뒤집혀지고 역사에서 사라질 것이라고 보았다.

　반면에 루터파는 그들의 신앙에 담긴 시각적이고 의례적인 특징과 축제 같은 의식, 소도구 등에 대한 강한 애착을 통해 동기부여를 받았다. 여기에는 뚜렷한 역사적 아이러니가 있다. 브란덴부르크 경계 안에서 종교개혁의 전파 속도를 늦추고 완화한 것은 16세기 호엔촐레른가의 브란덴부르크 선제후에게 돌아갈 업적이었다. 그 결과 이 지역의 루터파 종교개혁은 신성로마제국 내에서 지극히 보수적인 편이었다. 브란덴부르크 루터교는 선제후의 행정을 통해 16세기 후반 수십 년 동안 점점 더 교리상의 정통성과 전통의식에 집착하게 되었다. 16세기 말에 만연한 칼뱅파에 대한 공포와 간헐적으로 터져 나온 반칼뱅파 논쟁은, 루터파가 교리상의 실체를 규정한 1530년의 아우크스부르크 신앙고백과 1577년의 일치신조 같은 지역 교회의 기본 교리문서에 충실하도록 하는 데 일조했다. 따라서 칼뱅파의 방식에 유난히 저항하는 루터파 유형을 만들어내는 데 이바지한 것은 바로 왕조였다고 말할 수도 있다.

이렇게 강력한 반발로 선제후와 그의 칼뱅파 고문관들은 제2의 브란덴부르크 종교개혁이라는 희망을 포기할 수밖에 없었다. 그들은 대신 종교적 에너지가 정치 엘리트의 영향권을 벗어나지 못한 '궁정 종교개혁'(Hofreformation)에 만족했다.[7] 하지만 궁정 사회 내부에서도 칼뱅주의가 거침없는 주도권을 행사하지는 못했다. 요한 지기스문트의 아내로서 혈통상 프로이센 공국과 율리히의 계승권을 좌우할 정도로 가공할 힘을 지닌 안나 폰 프로이센은 여전히 철두철미한 루터파로서 새 질서에 반대했다. 루터교 예배가 궁중 교회에서 그녀를 위해 열린다는 사실은 대중의 저항 운동을 격려하는 구심점 역할을 했다. 안나 공비는 루터교 정통파의 본산이자 베를린의 불경한 칼뱅파에 맞서는 루터파 신앙의 원천인 이웃 작센과도 밀접하게 접촉하고 있었다. 1619년에 요한 지기스문트가 세상을 떠나자 안나는 작센의 유명한 루터파 논쟁가인 발타자르 마이스너를 베를린으로 초대해 영적인 위안을 얻으려 했다. 궁중 교회에서 대중에게 설교를 하게 된 마이스너는 이 기회를 이용해 칼뱅파에 대한 루터파의 분노를 부추겼다. 이에 베를린의 분위기가 너무 험악하게 돌아가자 브란덴부르크 총독은 안나에게 공식 항의를 하며 마이스너를 추방해야 한다고 주장했다. 그래도 마이스너는 끄떡하지 않고 (그 자신의 표현을 빌리자면) "칼뱅파 메뚜기들을 날려 버리기 위한" 노력을 멈추지 않았다. 노림수가 있는 상징적 제스처로서 안나는 남편의 시신을 루터파의 의식에 따라 한 손에 십자가를 든 상태로 눕혔다. 제후가 칼뱅파를 거부했고 임종 시에 루터교로 재개종했다는 소문을 사실로 믿게 만들려는 세심한 조치였다.[8] 선제후 가문은

1625년에 안나가 사망한 다음에야 어느 정도 종파 간의 조화를 이룰 수 있었다. 1620년에 베를린에서 태어난 프리드리히 빌헬름(훗날의 대선제후)은 완전한 칼뱅파 핵가족의 경계 안에서 성장한 최초의 호엔촐레른 군주가 되었다.

루터파와 칼뱅파 사이에 벌어진 감정의 골이 어느 정도 메워지기까지는 오랜 시간이 걸렸다. 긴장의 파고는 신앙고백을 둘러싼 종파적 논쟁의 물결에 따라 오르내렸다. 1614~17년에 요한 지기스문트의 개종을 둘러싼 논란으로 200종에 가까운 책과 팸플릿이 출판되어 베를린 일대에 퍼졌고, 칼뱅파를 비난하는 루터파 소책자의 유포는 17세기 내내 문제가 되었다.[9] 이에 따라 왕조의 예배의식은 양 종파의 기대를 수용하는 방향으로 주의 깊게 설계되어야 했다. 공적인 의식과 상징성이라는 틀에서 브란덴부르크-프로이센은 양대 종파의 국가로 진화해나갔다. 이 문제에 대한 신임 선제후의 입장은 어정쩡했다. 자신은 분야를 막론하고 어떤 방법으로든 양심을 압박할 의도가 없다고 반복해서 루터교 백성을 안심시키는 한편,[10] 각자의 입장에 대해 더 완벽하고 진실한 이해를 하게 되면(그가 실제로 생각한 것은 '루터파가 칼뱅파의 입장을 좀 더 충분히 이해할 수만 있다면'이라는 의미였다) 양 진영이 서로의 차이를 무시할 것이라는 희망을 가졌던 듯하다.

프리드리히 빌헬름은 양 종파의 회의가 "우호적이고 평화로운 토론"을 촉진할 것이라는 희망을 품었다. 하지만 루터파는 회의적이었다. 그들은 이런 종류의 토론을 믿음이 없는 통합주의로 들어가는 문을 여는 행위로 간주했다. 쾨니히스베르크의 루터파 목사는 1642년 4월의 공동 서신에서 무뚝뚝한 어조로 "진실된 교리와 왜곡 및 불신앙이 결합하느니 차라리 영적 전쟁과 갈등이 낫다"고 말했다.[11] 1663년 베를린의 선제후궁에서 실제로 루터파와 칼뱅파 신학자들 사이에 회의가 열렸지만, 양쪽의 차이만 더 첨예하게 드러낸 채 다시 상호 비방의 길로 들어선 것은 충분히 예견된 상황이었다. 재위 기간 내내, 특히 1660년대 초반부터 선제후 행정부는 신학 논쟁을 금지함으로써 평화를 유지하는 길을 모색했다. 1664년 9월에는 '관용령'(Toleranzedikt)을 반포해 칼뱅파와 루터파 성직자들끼리 서로 비난을 자제하라는 영을 내렸다. 설교를 담당하는 사람은 누구나 사전에 배포된 응답지에 서명하고 제출함으로써 명령을 따르겠다는 의사를 밝혀야 했다. 서명을 거부한 베를린의 두 목사는 즉시 해고당했다. 반면, 이 명령에 따른 한 목사의 경우에는 교구민들의 감정이 악화되어 이 일이 있고 얼마 지나지 않아서부터 그가 죽을 때까지 설교를 들으러 오는 사람이 없었다. 서명을 거부해서 정직을 당한 사람들 중에는 루터파의 위대한 찬송가 작가인 파울 게르하르트도 있었다.[12] 가장 눈에 띄는 사건으로는 베를린에 있는 성 니콜라이 교회의 루터파 목사 다비트 기가스가 체포되고 투옥된 것을 꼽을 수 있다. 처음에 기가스는 정부 질문지에 서명을 해서 보냈다. 그런데 자신의 교구 신자들이 폭동을 일으키며 반발하자 복종한다는 서약을 취소했다. 그리고 1667년 새해 첫날, 몹시 선동적인 설교로 종교적 압박이 '반란과 불행한 전쟁'을 유발할 거라고 경고했다. 기가스는 체포되어 슈판다우 요새로 압송되었다.[13]

종파 분규가 호엔촐레른 영토에서 생생한 이슈로 남았다면, 그것은 부분적으로 중앙 정부와 지방의 권력자들 사이에 벌어진 정치 투쟁과 이 문제가 뒤얽혔기 때문이다. 군주는 뿌리내린 지방의 특권과 대치한 이 싸움에서 자신들의 권리를 지키기에 급급하고 중앙 정부의 낯선 신앙고백 문화에 적대적인 루터파 엘리트 계층과 정면으로 맞섰다. 이런 조건에서 제도적으로 지방 교회 후원 네트워크의 지지를 받은 루터교는 지방 자율과 중앙 정부에 대한 저항의 이데올로기가 되었다. 한편 선제후는 호엔촐레른 영토에서 소수파인 칼뱅파의 입지를 다지는 노력을 결코 포기하지 않았다. 프랑스와 팔츠 선제후령, 스위스의 각 주에서 호엔촐레른 영지로 들어온 1만 8천여 명의 프로테스탄트 이민자 중 절대 다수는 개혁신앙(칼뱅주의) 신봉자였다. 이들의 존재는 선제후 종교의 영향력이 궁정의 비좁은 테두리를 넘어 전파되는 데 도움을 주었지만 동시에 루터파 엘리트의 저항과 불만을 야기했다. 우리가 '절대주의 시대'와 연관시키는 중앙과 지방의 갈등은 이렇게 해서 브란덴부르크-프로이센에서 특이한 종파적 색깔을 띠게 되었다.

왕조와 거기 속한 칼뱅파 관리들은 소수파였기 때문에 선제후국의 정치권력은 어쩔 수 없이 종교 문제에서 관용 정책을 펼칠 수밖에 없었다. 관용은 정부의 정책적 관행에서 '객관적'으로 구축되는 양상을 띠었으며,[14] 동시에 가능한 한 지방 당국에도 통치 원칙으로 부과되었다. 예컨대 프로이센 공국의 신분제의회가 자신의 통치권을 수용하고 5년이 지난 1668년에 프리드리히 빌헬름은 쾨니히스베르크의 세 개 도시에 강제로 칼뱅파 신도가 재산을 취득하고 시민권을 얻는 것을 허용하도록 하는 데 성공했다.[15] 이것은 물론 아주 좁은 의미에서의 관용이었다. 그것은 원칙이라기보다 역사적인 우연과 실용 정치의 문제였다. 오늘날의 의미에서 소수자의 권리 개념과는 아무 관계도 없기 때문에 그 관용이 반드시 다른 소수파로 옮겨 갈 수 있는 것도 아니었다. 가령 프리드리히 빌헬름은 브란덴부르크와 동포메른의 핵심 구역에서 가톨릭에 대한 관용을 베푸는 것에는 반대했다. 하지만 가톨릭이 역사적 조약의 보호를 받는 프로이센 공국과 라인란트의 호엔촐레른 영지에서는 가톨릭을 받아들였다. 프리드리히 빌헬름이 프랑스에서 박해를 피해 들어오는 위그노(칼뱅파) 난민들에게 문호를 개방한 유명한 포츠담 칙령(1685년)은 관용적이었다. 하지만 바로 그 칙령에는 브란덴부르크의 가톨릭교도가 프랑스 대사나 제국 대사의 관저에서 열리는 미사에 참례하는 것을 금지하는 조항도 들어갔다. 1641년 브란덴부르크 총독인 에르네스트 변경백이 전쟁의 부담을 줄이는 수단으로 (1571년에 선제후가 추방한) 유대인의 입국을 다시 허용하는 것이 좋겠다고 건의하자, 프리드리히 빌헬름은 좋은 일은 그대로 놔두는 것이 최선이라면서 조상들이 "우리 선제후령에서 유대인을 일소한 데는 분명하고 중요한 이

유가" 틀림없이 있었을 것이라고 대답했다.[16]

하지만 그의 영토에 그려진 특이한 종파 지도가 관용에 대해 좀 더 원칙적인 약속을 하는 쪽으로 선제후를 몰고 갔다는 것을 보여주는 조짐들이 있다. 그는 1667년의 정치적 유서에서 후계자에게 종교와 상관없이 백성에게 똑같이 애정을 베풀라고 명했다. 또 인접한 가톨릭의 폴란드로부터 박해를 피해 들어오는 불순응주의 프로테스탄트 분파의 프로이센 공국 입국을 허용하면서 그들이 개인적인 신앙 생활을 할 수 있도록 종교적인 관용을 베풀었다. 수년 후에는 유대인의 이주에 대해서까지 고무적인 태도를 보였다. 클레베와 마르크 영토에는 소규모 유대인 마을이 있었지만, 유대인이 브란덴부르크나 프로이센으로 이주하는 것은 그때까지 금지되어 있었다. 1671년에 레오폴트 황제가 합스부르크 영토 대부분의 지역에서 유대인을 추방했을 때, 프리드리히 빌헬름은 가장 부유한 50개 가문에 브란덴부르크의 주거지를 제공했다. 그 이후 수년 동안 선제후는 신분제의회의 극심한 불평이나 다른 지역의 이해관계에 맞서가며 유대인을 지원했다.

이런 정책은 물론 경제적인 계산에서 나온 것이지만, 그것을 정당화하는 태도는 선제후에게 종교적 편견이 없다는 뚜렷한 증거라고 할 수 있다. 하펠란트 구역을 대표해서 나온 일단의 의원들이 유대인을 추방하라고 요구하자, 그는 "알다시피 무역을 하면서 속임수를 쓰는 것은 유대인뿐만 아니라 기독교도들도 마찬가지요. 그것도 더 버젓이 말이오"라고 말했다.[17] 1669년에 기독교 폭도들이 할버슈타트의 유대교회당을 파괴하자, 그는 지역의 신분제 의원들을 책망하며 관리들에게 재건 비용을 대라고 명령했다.[18] 왜 선제후가 이렇게 전형적이지 않은 견해를 가지게 됐는지 정확하게 알 수는 없지만, 그런 생각은 어쩌면 네덜란드 공화국에서 자라던 어린 시절까지 거슬러 올라가는 것인지도 모른다. 그곳은 번성하고 존경받는 유대인 사회의 본고장이라고 할 수 있었기 때문이다. 1686년에 서기에게 초안을 잡도록 한 편지를 보면 그 역시 속

마음으로는 기억에 생생한 30년전쟁을 떠올리며 관용이 불가피하다고 생각했을 수도 있다는 암시가 있다. 이 편지에서 그는 "종교계의 차이는 반드시 엄청난 증오를 낳는다"라고 쓰고, 이렇게 덧붙였다. "그러나 더 오래되고 더 신성한 것이 자연법이다. 서로 돕고 관용하고 돕는 것이 자연법의 의무다."[19]

제3의 길: 브란덴부르크-프로이센의 경건주의

1691년 3월 21일, 드레스덴의 작센 궁정에서 루터교 수석설교사로 있던 필리프 야코프 슈페너는 베를린 교회의 고위 성직에 취임했다. 이것은 조금도 과장하지 않고 말해 도발적인 임명이었다. 슈페너는 논란을 일으킨 종교개혁 관련 운동에서 널리 알려진 지도자였다. 그는 1675년에 『경건한 소망』(Pia Desideria)이라는 소책자를 출판하자마자 악명을 떨쳤는데, 이 책은 당시 루터파의 종교 생활에 담긴 여러 가지 결함을 비난했다. 그는 정통파 교회가 교리의 정확성을 옹호하는 데 너무 열중한 나머지 목회자에 대한 보통 기독교인들의 요구는 등한시한다고 주장했다. 루터교 교구의 종교적 삶은 무기력하고 생기를 잃었다는 것이다. 경건하고 이해하기 쉬운 독일어로 슈페너는 다양한 구제 방법을 제안했다. 경건한 토론 모임을 만들어 기독교 공동체의 영적 생활에 새 활력을 불어넣자는 것도 그중 하나였다. 슈페너는 이것을 '경건한 자들의 모임'(collegia pietatis)이라고 불렀다. 이런 소모임이 영적으로 강하게 결속하면 이름뿐인 신자들이 삶 속에서 하느님의 섭리를 분명히 깨닫는 기독교인으로 다시 태어나리란 것이 그가 말하는 골자였다. 이런 제안은 엄청난 호소력을 발휘했다. 경건주의 단체가 루터교 국가의 전체 교구에서 나타나기 시작했다. 루터교에서는 이것이 임명장을 받은 성직자의 영적 권위를 떨어뜨리는 파괴적인 운동이라고 보고 경보를 울렸다.

1690년대에 들어서자 (반대파로부터 '경건주의자'[Pietist]라고 불린) 슈페너식 개혁가들은 루터교 대학교의 정통파 교수들에게 공격을 받았다. 슈페너 추종자로서 라이프치히 대학교 신학과 대학원생인 아우구스트 헤르만 프랑케는 1689년에 엄청난 소동을 일으켰다. 신학과 학생 지도 차원에서 경건주의 모임 결성을 독려하고 루터교 전통의 교육 과정을 비난하며 일부 학생에게 그들의 교과서와 강의노트를 불사르라고 선동했기 때문이다.[20] 대학 당국은 이내 가공할 위력을 지닌 학생 운동에 직면했다. 그러자 1690년 3월에 작센 정부가 개입해서 '비밀집회'(Konventikel, 당시 비공식 종교모임에 광범위하게 사용된 용어)를 금지했고 '경건파'(이 갈등 과정에서 널리 쓰이게 된 표현) 학생들을 성직자 사무실에 출입하지 못하게 하는 규정을 만들었다. 프랑케 자신은 대학에서 쫓겨나 에르푸르트에 있는 하급 성직자 자리를 얻었다. 눈에 띄는 경건파 모임이 출현할 때면 언제나 루터파와 (때로는 폭력을 수반하는) 극심한 갈등이 일었다.[21]

경건주의가 논란을 몰고 다닌 까닭은, 그것이 독일 루터교 내의 비판적인 대항 문화를 대표했기 때문이다. 공식적인 교회 구조의 일상적인 형태보다 더 강렬하고 헌신적이며 실용적인 신앙 생활을 요구함으로써 교회의 권위에 도전하는 것은 17세기 유럽의 수많은 종교운동의 특징 중 하나였다. 경건주의는 루터의 '만인 제사장설'(Priestertum aller Gläubigen, 가톨릭에 대한 개신교의 핵심 교리로 모든 인간은 사제[제사장]의 중재 없이 그리스도[대제사장]를 통해 직접 신과 접촉하고 기도할 수 있다는 루터의 주장—옮긴이)을 최대한 실천하려고 했다. 경건주의자들은 신앙의 체험에 대한 소망을 가슴에 품었다. 또 그들은 극단적인 심령 상태를 묘사하는 정제된 어휘를 개발했는데, 이런 상태는 하느님과의 화해를 통한 구속으로 진정 마음에서 우러나는 믿음의 변화를 겪으며 나타난다고 했다. 어쩌면 그만큼 격렬한 감정에 내몰렸기 때문인지도 모른다. 경건주의는 역동적이면서도 불안정했다. 일단 경건주의 운동의 요소가 기존의 루터파 교회와 거리를 두기 시작하자 분열을 막기가 쉽지 않다는 것이 드러났다. 많은 곳에서 새로 결성된 비밀집회는 궁극적으로 기존 교회와 완전히 단절한 과격파의 영향권으로 들어가면서 통제 불능 상태가 되었다.[22] 슈페너 자신은 분리주의의 도구로 활용하기 위해 비밀집회를 열려고 한 적이 결코 없었다.[23] 그는 독실한 루터교 신자로서 기존 교회의 제도적인 구조를 존중했다. 또 종교집회는 교회의 감독을 받아야 하고 만일 교회 당국의 승인을 받지 못할 때는 즉시 해산해야 한다고 주장했다.[24]

한편 경건주의 운동은 자체의 추진력이 생겼다. 슈페너가 1686년부터 궁정 수석설교사로 있었던 드레스덴에서는 정통 루터파와 갈등이 날로 격화되면서 (개혁파들이 작센 궁정의 도덕적 해이를 요란하게 비난하면서 악화된) 고용주인 선제후 요한 게오르크와의 관계를 더 망쳐놓았다. 1691년 3월, 성도덕이 엄격하지 않았던 선제후는 더 이상 참지 못하고 추밀원을 향해 "더 이상 보고 싶지도 않고 듣고 싶지도 않으니 망설이지 말고 슈페너를 물러나게 하라"고 요구했다.[25] 이듬해 비텐베르크 대학교의 루터교 신학부는 공식적으로 슈페너의 저술에서 284개나 되는 '교리상의 과오'를 확인하면서 그를 이단으로 내몰았다.[26]

도움의 손길은 가까운 곳에 있었다. 슈페너가 드레스덴에서 환영받지 못하던 바로 그때, 브란덴부르크의 프리드리히 3세가 그에게 베를린의 고위 성직자 자리를 제안한 것이다. 프리드리히는 사면초가에 놓인 숱한 경건주의 활동가들을 불러들여 브란덴부르크-프로이센의 성직이나 교직에 초빙하는 것도 허락했다. 라이프치히를 떠났다가 1년 만에 에르푸르트의 부목사직을 포기하도록 강요받은 아우구스트 헤르만 프랑케가 그들 중 한 명이었다. 1692년에 프랑케는 할레의 위성도시인 글라우하의 수습 목사에 임명되었다가 다시 신설 할레 대학교의 동양어 교수가 되었다. 정통파에 맞서 프랑케를 두둔하다가 에르푸르트에서 신임을 잃었던 신학자 요아힘 유스투스 브라이트하웁트는 1691년에 이 대학 최초로 신학교수가 되었다. 라이프치히의 신학 논쟁에 가담했던 또 한 사람인 파울 안톤도 교수로 취임했다. 동시에 슈페너는 베를린에서 새로운 세대 경건주의 지도자들을 모아 가르치면서 주 2회 모임을 가졌다.[27] 의도적으로 국가에서 장려한 이 운동은 대부분의 다른 지역에서 실시한 정책과는 차이를 보였고, 경건주의 운동의 역사와 브란덴부르크-프로이센 정치문화사 양면에서 새로운 출발을 알리는 중요한 변곡점이었다.

브란덴부르크가 경건주의에 협력한 이유는 칼뱅파 가문에서 겪는 종파상의 독특한 난관 때문이었다. 루터파의 격렬한 비판을 억누르기 위한 거듭된 노력은 완전히 실패로 돌아갔고 두 종파가 자발적으로 통합할 가능성은 여전히 요원했다. 따라서 종파 간의 다툼에 대한 슈페너의 거리낌 없는 비난은 선제후와 그의 가족에게는 달콤한 선율처럼 들렸다. 『경건한 소망』에 소개된 여섯 가지 제안 중 네 번째는 "신학 논쟁을 줄여야 한다는 것"이었다. 슈페너는 각 개인의 마음속에 깃든 진실은 다툼보다 '하느님의 신성한 사랑'이므로 자신과 믿음이 다른 사람과 교류할 때는 논쟁의 정신이 아니라 신앙인의 정신을 따라야 한다고 주장했다.[28] 슈페너가 신학자이자 성직자로서 쓴 교리상의 문제는 신앙과 계율에 대한 실용적이고 경험적인 차원에 대한 압도적인 관심에 묻혀버렸다. 그는 이웃을 지켜보고 교화하고 '개종'시키면서 적극적으로 그들의 복지를 이끄는 '영적인 성직'의 삶을 실천하라고 신자들에게 촉구했다.[29] "처음에는 서로를 위해, 다음에는 온 인류를 위해 기독교인의 마음속에 강렬한 사랑을 일깨워준다면 […] 우리는 실제로 우리가 바라는 모든 것을 얻을 것"이라는 말이었다.[30]

슈페너는 언제나 기존의 프로테스탄트 교회와 성찬식이나 교리에서 전통을 존중했다. 그리고 절대 통합운동을 지지한 적이 없었다.[31] 그럼에도 불구하고 그는 자신의 저술에서 (경건주의 운동의 개인적이고 체험 지향적인 문화를 보듯) 프로테스탄트 신앙에서 칼뱅파와 루터파의 경

191

계를 초월하는 종파적으로 불편부당한 기독교 정신의 윤곽을 그려 보였다고 볼 수 있다. 교리와 성례의 중요성을 경시하고 진정한 사도교회는 분리될 수 없다는 것을 강조함으로써, 경건주의는 프로테스탄트 두 개 종파에 대한 최고 감독권을 요구한 프로이센 군주제의 주장에 대한 '내적 토대'를 굳건히 해주었다.[32]

선제후가 경건주의 운동에 근거를 마련해주기 위한 장소로 할레를 선택한 데는 그럴 만한 이유가 있었다. 할레는 마그데부르크 공국의 대도시 중 하나였다. 브란덴부르크는 1649년 강화조약의 일환으로 마그데부르크에 대한 상속권을 취득했지만, 이 지역은 1680년에 가서야 비로소 주인이 바뀌었다. 마그데부르크는 루터교 정통파의 보루였으며 루터파 신분제의회가 명목상의 통치자인 마그데부르크 대주교로부터 아무런 제재도 받지 않고 다스리는 곳이었다. 1680년까지 칼뱅파는 공국 내 토지 소유가 금지되었고 시민권도 가질 수 없었다. 이런 상황에서 정권교체는 베를린 정부와 지방의 신분제의회 사이의 긴장을 불러일으켰다. 그러다가 루터파의 바람과는 달리 칼뱅파 수상이 공국을 다스리기 위해 취임했다.

이런 맥락에서 볼 때, 지역의 경건주의 운동에 대한 국가적 지원의 중요성이 분명해졌다. 경건파는 급진 루터파 지역을 문화적으로 통합하기 위한 사업에서 조력자의 임무를 띤 일종의 제5열(fifth column, 스페인 내전에서 유래한 말로, 국가나 도시 등 공동체 내부에서 형성되어 사보타주, 역정보 등의 활동을 벌이는 세력을 일컫는다 — 옮긴이) 기능을 해야 했다. 1690년대 내내 선제후 정부는 시 당국과 길드 조합원, 지역 지주 등 지역 루터파의 공격과 방해 활동으로부터 경건파를 보호하기 위해 개입했다.[33] 이 지역에서 정부 문화정책의 핵심은 호엔촐레른 영토의 대표적인 대학으로서 1691년에 할레 대학교를 설립한 것이다. 주요 행정직 및 교수직에 경건파와 유명한 세속의 사상가들이 들어감으로써 할레 대학교는 이 지역의 호전적인 루터주의를 원만한 색깔로 바꿔놓았다. 미래의 성직자와 교회 관리를 훈련하는 기관으로, 당시까지 브란덴부르크의 많은 루터파 성직자를 배출한 호전적인 이웃 작센의 반칼뱅파 신학부에 대해 적절한 대안이 되었다.

경건주의자들은 사회복지 사업에도 관여했다. 슈페너는 오래전부터 빈곤과 그에 수반되는 악덕, 가령 게으름과 구걸, 범죄 같은 행위는 가난한 사람에게 강제로든 자발적이든 일을 시키는 적절한 개혁을 통해 기독교 사회에서 제거할 수 있고 또 제거해야 마땅하다고 믿었다.[34] 종파에 대한 그의 회유적인 관점에서, 그는 자신이 브란덴부르크 국가의 염원과 정책에 부합한다고 생각했다. 선제후의 요청에 따라 슈페너는 베를린에서 거지 떼를 진압하고 추방할 것이며 일시적 혹은 지속적 보호가 요구되는 사람들에 대한 자선정책을 중앙으로 일원화할 것을 건의하는 의견서를 제출했다. 필요한 기금은 교회의 자선 헌금과 의연금, 국가보조금으로 충당한다는 계획이었다. 그 결과 구걸은 일체 금지되었고, 상설 빈민위원회와 병자, 노약자, 고아를 위한 프리드리히 병원이 베를린에 세워졌다(1702년).[35]

할레에서도 경건주의자들은 빈곤과 싸웠다. 카리스마 넘치는 아우구스트 헤르만 프랑케 주변에는 자원봉사를 하는 기독교 신자들이 넘쳐났다. 1695년에 프랑케는 경건파의 기부금으로 운영하는 빈민학교를 열었다. 공공의 관심이 컸기 때문에 그는 곧 학교에 '고아원' 기능까지 추가해 숙소와 생계를 책임지고 무료 기초교육까지 담당시켰다. 이곳의 일과는 실용적이고 유익한 과제로 짜였고 '고아들'(이들 중에는 실제로 빈민의 자녀가 많았다)은 규칙적으로 장인의 작업장을 찾아가 익히고 배워 장래 직업에 대한 착실한 준비를 갖춰갔다. 초기에 프랑케는 아이들이 만든 제품을 판매해서 재정을 충당하는 실험을 했다. 이 계획은 실행 불가능하다고 여겨져 폐기되었지만 수공예 숙련 과정은 중요한 고아 교육 프로그램으로 남았다.[36] 브란덴부르크-프로이센에서, 나아가 다른 지역에까지 동시대 사람들의 관심과 감탄을 불러일으킨 것은 여기서 보듯 노동과 자선을 통한 교육과 사회화의 강력한 결합이었다.

신설 학교로 생긴 자금으로 프랑케는 오늘날까지 할레 중심가의 프랑케 광장에 우뚝 솟아 있는 당당하고 우아한 석조건물을 세웠다. 수업료를 내는 학교가 속속 들어서면서 사회적으로나 직업적으로 특수한 계층의 아이들에게는 장학금과 '무료 급식'을 제공할 수 있었다. 경제적 충격의 여파로 불우한 환경에 놓인 학생들을 보호하기 위한 세도였다.[37] 1695년에 설립된 페다고기움(Pädagogium)은 부모가 비싼 교육비와 양육비를 감당할 수 있는(다수는 귀족 신분) 아이들을 주로 받았다. 이곳의 졸업생 중 한 명이 프리드리히 왕세자의 친구로서 세자를 브란덴부르크에서 도주시키려 한 죄로 참수형을 당한 한스 헤르만 카테다. 2년 뒤에 세워진 '라틴어 학교'는 '학문의 기초'(fundamentis studiorum)를 가르쳤다. 교육 과정은 라틴어와 그리스어, 히브리어, 역사, 지리, 기하학, 음악, 식물학이었으며, 전 과목을 전문 교수진이 가르쳤다. 이는 당대의 교육 과정과는 완전히 다른 것이었다. 이 학교의 졸업생 가운데서 기라성 같은 인물들이 배출되는데, 베를린의 출판업자 프리드리히 니콜라이가 그중 한 명이다.

할레의 경건주의자들은 홍보의 중요성을 알았다. 프랑케는 관용에의 호소가 매끄럽게 어우러진 복음 설교 등의 인쇄물을 엄청나게 많이 들여 놓았다. 가장 널리 알려지고 영향을 많이 준 홍보물은 할레의 경건주의 사업 소식을 전하는『여전히 살아서 세상을 주관하시는 자비로운 하느님의 발자취: 불신앙을 부끄러워하고 신앙을 튼튼히 하기 위하여』였다. 1701년에 출판되어 수없이 많은 개정판과 재판본이 나왔다.[38] 고상한 수사와 흔들림 없는 자신감으로 무장한 이런 출판물은 유럽 전역에서 경건주의에 공감하는 사람들의 네트워크를 따라 퍼져나갔다. 여기에는 할레의 경건주의 기관들이 품은 엄청난 야망도 한몫했다. 할레의 경건주의 출판물은 할레 재단의 선행과 확장세를 쏟아지는 의연금 소식이나 서신에서 발췌한 소재와 함께 실었다. 이 소식지는 할레 재단을 지원하는 사람들에게 직접적인 소속감을 일깨웠다. 이런 활동은 여러 가지 측면에서 오늘날의 기금 모금운동의 선구적인 모습을 보여준다. 또 어느 정도는 지역에 매이지 않은 소속감을 불러일으켰다. 루터파의 네트워크는 특수 지역 중심으로 빽빽하게 짜여 있었다. 루터파 조직은 특정한 환경에 긴밀히 엮여 있다는 감각에 힘입어 활기를 띠었지만, 경건파는 대조적으로 구심점이 따로 없는 현장요원과 조력자, 친구들의 편지 네트워크를 형성해 중부 유럽 너머 러시아와 대서양 너머 북아메리카까지 끝없이 확장될 수 있었다. 북아메리카에서 할레 경건주의자들은 신대륙 프로테스탄트 운동이 진화하는 데 중요한 기여를 했다.[39]

프랑케의 의도는 할레의 종합시설 전체를 궁극적으로 자율적이고 자체 재정 조달이 가능한 구조로 만드는 것이었다. 그곳은 사회의 포괄적인 변화를 이끌어낼 성실한 노동력을 수용하는 소우주의 상징으로서 일종의 '신의 도시'(Gottesstadt)여야 했다.[40] 실질적인 자급능력을 갖추기 위해 프랑케는 고아원이 상업적인 경영을 하도록 유도했다. 재정상 가장 중요한 것은 출판사와 약국이었다. 1699년에 고아원은 라이프치히 가을박람회에서 (자체 출판사에서 발행한) 서적을 판매하기 시작했다. 1702년에는 라이프치히와 프랑크푸르트(마인) 지원에 이어 베를린의 고아원 지원이 문을 열었다. 할레 대학교 신학부 교수진과 긴밀하게 협조하면서 고아원 출판사에는 종교적으로 관심을 끄는 작품과 수준 높은 세속 논문을 포함해 시장성이 좋은 원고가 끊임없이 들어왔다. 1717년의 출판 목록을 보면 70명의 저자가 쓴 200종의 서적이 나와 있다. 1717~23년에 고아원은 프랑케의 설교를 포함해 자체 출판물을 3만 5천 권이나 팔았다.

출판보다 훨씬 많은 이익을 낸 것은 의약품 통신거래(1702년부터)였는데, 이 사업을 위해 고아원에서는 중부에서 동부 유럽에 걸쳐 있는 중개인을 고용하는 정교한 제도를 활용했다. 이 사업이 성장하면

11 할레의 고아원 종합단지. 상단은 프로이센의
독수리와 천사들이 들고 있는 설립자 아우구스트 헤르만 프랑케의 초상.

서 비로소 경건파의 광범위한 네트워크에 담긴 상업적 가치가 분명해졌다. 1720년대에는 연간이익이 약 1만 5천 탈러에 이르러 '의약 탐험'(Medikamentenexpedition)은 고아원 기금을 위해 가장 확실한 단일 소득원이 될 수 있었다. 그 밖의 수입은 할레 종합시설 내에서 운영하는 양조업과 신문업, 상업 활동에서 들어왔다. 1710년이 되자 시 중심부에서 떨어진 남부의 빈 땅에 걸쳐 있는 처음의 고아원 건물은 독립적 기능을 갖춘 거대한 상업 및 의약 시설의 중심이 되었다.

이 정도의 대대적인 성공은 베를린 정부와 지방 관리들의 일치된 지원이 없었다면 생각할 수 없었을 것이다.[41] 프랑케는 경건주의 운동이 권력자들의 후원에 의존하고 있다는 것을 분명히 알았다. 그는 슈페너만큼이나 주도면밀하게 궁정이나 정부와 접촉을 늘려나갔다. 이 일은 라이프치히 대학교의 학생들에게 카리스마와 진심을 통해 감동을 주는 것 못지않게 그가 심혈을 기울여야 할 과제였다. 1711년에 프랑케를 만난 뒤에 프리드리히 1세는 고아원을 새 프로이센 국왕의 직할 기관으로 지정하는 특혜를 내렸다. 그 밖의 특혜가 이어지면서 공식적인 지원을 다양하게 확보하게 되었다.

왕세자 시절 프랑케에게 단련받은 프리드리히 빌헬름 1세가 즉위하자 지원은 한층 더 긴밀해졌다. 새 군주는 안절부절 못하며 충동적이고 불안정해져 심각한 우울증과 정신적 고통에 휩싸이곤 했다. 20세의 나이에 큰아들이 죽고 나서, 그는 '개종'을 경험하고 신앙을 지극히 개인적인 차원으로 받아들였다. 바로 여기서 신앙의 실존적 취약성과 '개종' 이전에 자신을 괴롭혔던 무의미에 대한 절망과 공포를 피하고 싶은 욕구에 의해 활력을 얻은 프랑케와 유사점이 있었다. 두 사람의 공통점은 내적 갈등을 외부의 '끊임없는 일과 한없는 헌신'을 향해 발산한다는 점이었다. 이런 성격은 할레 경건주의의 비범한 개척 에너지와 '군인왕'이 되려는 지칠 줄 모르는 열의로 나타났다.[42]

왕정과 경건주의 운동 사이의 협력 관계는 공고해졌다.[43] 할레식 교육의 토대를 다지는 사업은 지속되었다. 프리드리히 빌헬름 1세는 할레에서 교육받은 경건주의자들을 고용해 포츠담에 새로 지은 군 고아원과 베를린에 신설한 사관학교의 운영을 맡겼다. 왕이 1717년에 의무교육에 관한 법률을 반포했을 때, 2천 개의 학교가(실제로 다 세워지지는 않았지만) 할레식으로 설계되었다.[44] 1720년대 후반에는 브란덴부르크-프로이센의 공직에 임명되려면 경건파가 지배하는 할레 대학교에서 최소 2학기(1729년 이후에는 4학기)를 필수로 이수해야 했다.[45] 쾨니히스베르크 대학교에 경건주의자를 임명한 것은 동프로이센에도 동일한 기반을 갖추도록 해주었다. 할레와 마찬가지로 여기서도 경건주의 후원 네트워크가 뜻이 같은 학생들에게 힘이 되어 각 교구와 교회에서 일자리를 찾을 수 있도록 해주었다.[46] 1730년 이후에는 공무원이나 성직자뿐 아니라 대다수의 프로이센 장교단도 경건주의자들이 운영하는 할레식 학교에서 교육받았다.[47]

군종(軍宗)은 프로이센 군대 내에서 경건주의의 가치를 보급하는 가장 중요한 직책이었다.[48] 1718년 프리드리히 빌헬름 선제후는 군목 행정을 정통파가 통제하는 민간 교회의 행정과 분리하고 할레 대학교 졸업생인 람페르투스 게디케를 책임자로 임명했다. 게디케는 군종을 임명하고 감독하는 권한까지 얻었으며 할레 후보자들을 위해 그 권한을 효과적으로 활용했다. 가령 1714~36년에 프로이센 공국에서 임명된 군목 중에 절반 이상이 할레 대학교 신학부 출신이었다.[49] 사관생도나 군복무가 예정된 전쟁고아, 현역 군인의 자녀에 대한 교육도 차츰 경건주의자가 좌우하게 되었다.

이렇게 인상적인 흐름의 효과는 어디까지 미쳤을까? 훈련과 사목의 구조에 미친 경건파의 영향을, 프리드리히 빌헬름 1세 치하의 군대 조직과 행정에서 일어난 다른 변화(더 나은 훈련이나 모병에 관한 칸톤 제도 도입 등)의 여파와 따로 떼어놓고 보는 것은 쉽지 않다. 프로이센군의 야전 현장에서 모든 경건파 군목이 성공을 거둔 것은 아니다. 어떤 군목은 춤과 머리 분을 바르는 것에 반대하는 설교를 해서 장교들에게 괴롭힘을 당했으며, 또 어떤 군목은 자신이 속한 연대로부터 조롱과 학대를 받으며 눈물을 쏟기도 했다. 군목은 칸톤 제도를 통해 입대하지 않았으며 때로는 타지방 출신이라는 이유로 자신을 '외국인' 취급하는 병사들에게 존경받기 힘들다고 생각하기도 했다.[50] 그럼에도 불구하고 경건주의 운동이 전파한 이상과 행동 방식이 프로이센군의 단결심을 형성하는 데 도움을 주었다는 것은 의심할 여지가 없다. 1740~42년과 1744~45년, 1756~63년에 일어난 슐레지엔 전쟁 기간에 프로이센 일반병사들의 탈영 비율이 상대적으로 낮았던 것은 경건파 군목과 교관이 병사들에게 주입한 드높은 규율과 사기를 반영한다고 봐도 좋을 것이다.[51]

경건주의 운동이 영향력 있는 지지자를 다수 확보한 장교단 사이에서는 엄격한 도덕성과 직업에 대한 소명감을 가진 경건주의자들이 허세를 부리고 방탕한 노름꾼 같은 장교의 낡은 이미지를 일소하고, '프로이센군'의 특징으로 알려지게 된 절도와 자제력, 진지한 책임감에 바탕을 둔 장교의 행동 규범을 확립하는 데 일조했을 가능성이 높다.[52] 소명에 대한 세속적이면서도 신성한 개념과 더불어, 대중의 요구에 초점을 맞추고 금욕을 강조하는 프랑케의 경건주의는 프로이센 공무원 특유의 정체성과 단결심을 낳은 '직업 윤리'의 출현에 기여했다고 볼 수 있다.[53]

프랑케와 그의 후계자들이 도입한 학교 교육의 혁신은 프로이센의 교육 현장에 변화를 불러일으켰다. 할레 경건주의자들과 군주 사이에 형성된 긴밀한 유대는 '국가 행위의 개별 목표'로서의 학교 교육이 출현하는 데 기여했다.[54] 직업 훈련과 표준화된 교사 자격 취득 절차를 도입하고 보편 교육을 위한 기본 교과서를 채택한 주체는 경건주의자들이었다. 고아원 학교 역시 학생 심리에 대한 철저한 관찰, 자기규율 강조, 정확한 시간관념(프랑케는 각 학급에 모래시계를 비치했다)을 강조하는 새로운 학습 환경을 만들어냈다. 일과는 과목 순서에 따라 공동 학습 시간과 자유 시간으로 세밀하게 구분했다. 이 점에서 할레의 학교 체제는 일과 여가 시간이 양극화되는 근대 산업사회의 특징을 미리 내다보았다고 할 수 있다. 교실은 외부와 차단된 상태로 우리가 근대의 학교 교육과 동일시하는 목표 지향적인 공간이 되었다. 이런 노선에 따른 프로이센 학교 교육의 혁신은 1740년 프리드리히 빌헬름 1세 사망 당시 미완의 상태였고, 경건주의 운동은 강력한 후원자를 잃게 되었다. 하지만 할레의 교육 모형은 계속 영향을 미쳤다. 할레의 프랑케 사범대학에서 공부한 전직 페다고기움 교사이자 교육 이론가인 요한 헤커는 1740년대와 1750년대에 방치된 채 잠재적인 범죄자가 될 가능성이 있는 수많은 군인 자손을 대상으로 베를린에 일련의 '빈민학교'(Armenschul)를 세웠다. 그리고 적절한 훈련을 받은 의욕적인 교사를 확보하기 위해 프랑케 모형에 따라 사범대학을 설립했다. 그는 프로이센의 각 도시에 그런 교육기관을 설립한 여러 할레 대학교 졸업생 중한 명이었다. 그는 또 베를린에 '레알슐레'(Realschule)를 설립했다. 레알슐레는 라틴어를 기본으로 인문학을 가르치는 전통적인 중등학교의 대안으로, 중산층 및 하위 중산층 자녀에게 다양한 분야의 직업교육을 실시하는 최초의 학교였다. 헤커는 교육 과정의 효율성을 극대화하기 위하여 비슷한 능력을 가진 학생을 집단으로 가르치는 교수법을 보급했다. 이것은 결정적이고 지속적인 효과를 가진 혁신이었다.

교육과 공직의 표준화에 기여했을 뿐 아니라 경건주의자들은 리투아니아인과 마주렌인(폴란드어를 사용하는 프로테스탄트) 등 소수민족의 교육에도 관심을 돌렸다. 1717년 경건파인 하인리히 리지우스가 동프로이센 '학교 및 교회의 감독관'이 되었을 때, 그는 동프로이센 교구의 비독일어권 지역 사회에서 일을 가르치고 선교를 할 성직자 훈련 프로그램을 제안했다. 그 결과, 처음에는 다소 의견이 맞지 않았지만 결국 쾨니히스베르크 대학교에 리투아니아어와 폴란드어 세미나가 개설되었다.[55] 교육 목표는 리투아니아 교구와 마주렌 교구에서 일할 경건주의 성직 지망자를 훈련시키는 것이었다. 경건주의자들도 지방에 거주하는 소수집단의 언어를 본격적으로 연구하도록 도왔다. 쾨니히스베르크에서는 1747년(루이히 출판사)과 1800년(밀케 출판사)에 본격적인 리투아니아어 사전이 출간되었는데, 둘 다 프로이센 당국으로부터 후원을 받았다.[56]

경건주의자들은 1731~32년에 잘츠부르크 대주교 교구에서 프로이센으로 피난 온 루터파 신자 2만여 명에 대한 차별을 철폐하는 운동도 지원했다. 프리드리히 빌헬름 1세는 이들 중 대다수를 주민이 사라진 프로이센의 리투아니아 지역으로 보내 농사를 지으며 살도록 했다(206쪽 이하 참조). 경건주의자들은 잘츠부르크 사람들의 이주에 동행하면서, 기금 모금 운동과 재정 후원을 조직하는 한편, 새로 도착한 사람들에게 고아원에서 인쇄한 신앙 교재를 배포하고 동부의 거주지에 목사를 보냈다.[57]

그 밖의 전도 활동은 (종종 간과된) 유대인을 대상으로 한 것인데, 경건주의는 이를 사명으로 생각했다. 1728년부터 할레시에는 경건주의 신학자 요한 하인리히 칼렌베르크가 운영하는 유대연구원이 있었다. 이곳은 유럽에서 독일어를 사용하는 유대인에 대한 선교를 목적으로 하는 (이런 형태로는 최초의) 교육기관이었다. 할레에서 유럽 최초의 이디시(Yiddish) 세미나에 참석해 언어 훈련을 이수한 선교사들은 브란덴부르크-프로이센 각처를 여행하며 떠돌이 유대인을 붙들고 긴 얘기를 했다. 그들은 예수 그리스도가 그들의 메시아라고 설득했지만 큰 성과는 없었다. 고아원 종합시설과 밀접하게 맞물린 이 연구원은 필리프 야코프 슈페너가 자신의 글에서 예언한 유대인의 대대적인 개종에 대한 종말론적 희망이 버팀목이었다. 하지만 실제로 연구원의 선교 노력은 주로 '유대인 거지'(Betteljuden)로 알려진 가난한 행상을 개종시키고 직업적인 재교육을 시키는 데 초점을 맞췄다. 이런 걸인의 수는 18세기 전반 독일에서 증가 추세에 있었다.[58] 이렇듯 유대인 전도는 사회적 자각과 복음 열망의 뒤섞인 경건주의의 특징을 잘 드러냈다. 다른 활동과 마찬가지로 선교에서도 경건주의자들이 공식적인 인정을 받은 까닭은 브란덴부르크-프로이센 국가 행정이 당면한 과제인 종교적·사회적·문화적 통합에 기여했기 때문이다. 이 과정에서 그들은 어느 역사가의 표현대로 '야생적인 요소'(die wilden Elemente)의 '순치'에 일조했다.[59]

1720년대와 1730년대에 경건주의는 두터운 신망을 얻었다. 이런 경우에 흔히 보듯이, 활동 과정에 변화가 있었다. 처음에 경건주의는 기반이 탄탄한 루터교의 틈바구니에서 발판이 불안정한 운동으로 시작했다. 1690년대와 18세기로 접어들 무렵 새 신자를 모을 때 경건주의는 열의가 지나치다는 평판 때문에 계속 부담을 느꼈다.[60] 하지만 1730년대에 접어들자 경건주의 운동의 온건파는 쉽게 넘볼 수 없는 탄탄한 기반을 굳혔다. 그것은 슈페너가 깔아놓은 토대와 프랑케 및 할레 협력자들이 과잉 분출된 영적 에너지를 일련의 제도적 프로젝트와 연결시킨 지칠 줄 모르는 노력 덕분이었다. 일부 공공연한 분리파를 포함해 극단적인 경건주의의 변종은 다른 독일어권 국가에서 계속 번창했지만, 프로이센 분파는 성가신 과격파와 결별하고 그 나름대로 정통파가 되었다. 자신감이 넘치는 2세대 경건주의자들은 핵심 요직을 차지한 자신들의 지위를 이용해 과거에 루터교 정통파가 그랬듯이 반대파를 침묵시키거나 쫓아냈다. 그러면서 경건주의 운동은 그 자체로 후원 네트워크가 되었다.[61]

장기적으로는 이런 지배적인 위치가 유지될 수 없었다. 1730년대 중반, 1세대 할레 신학자들 중에서 프랑케(1727년), 파울 안톤(1730년), 요하임 유스투스 브라이트하우프트(1732년) 등 가장 영향력 있고 유능한 사람들이 사망했다. 후속 세대는 이들에 필적하는 자질을 갖추지 못했고 대중에게 명망이 있는 신학자를 배출하지도 못했다. 게다가 루터파 의식에 남아 있는 '가톨릭' 요소를 일소하기 위해 프리드리히 빌헬름 1세가 시작한 운동을 둘러싸고 1730년대에 내부 논쟁을 벌이면서 경건주의 운동의 세력 자체가 약화되었다. 일부 경건주의 지도자들은 프리드리히 1세의 운동을 지원했지만, 나머지는 대부분 루터교의 전통을 계속 존중하며 교회의식에 대한 왕의 간섭에 반대했다. 이 와중에 그들은 루터교 정통파 지도부와 한편이 되었다. 수십 년 동안의 반목으로 생긴 상처를 치유하기 위해 무던히도 애를 썼다는 반증이었다.[62]

경건주의 운동을 그토록 유명하게 만들어준 국가에 대한 충성이 이제는 운동을 와해시키는 위험 요인이 된 셈이다. 종파의 차이에 대한 전통적인 경건주의의 관용은 운동 자체에서 나온 종파 통합에 대한 초기 계몽주의의 열기에 의해 밀려나는 조짐이 보였다. 또 다른 문제도 있었다. 공무원이나 성직자 자리에 경건주의자를 선호하는 정책은 자신의 경력에서 잇속을 챙기기 위해 경건주의자를 흉내 내는 후보자들의 욕심을 부추겼다. 좀 더 진실하고 간절한 믿음을 위해 개종했다는 이야기를 지어내거나 심지어 경건주의 운동에 더 열광하는 신자로 보이기 위해 진지한 표정과 행동을 가장하는 사람이 많았다(어떤 자료에는 '눈알을 굴리는' 경건주의자라는 말이 나온다). 이런 현상은 (경건주의 운동이 성공을 거둔 결과로) '경건주의자'라는 말이 지속적으로 종교적 사기라는 의미에 오염되는 계기가 되었다.[63]

1740년 이후, 경건주의는 대학교의 신학부와 브란덴부르크-프로이센의 성직자 네트워크에서 빠르게 쇠퇴했다. 이것은 부분적으로 왕실의 지원이 끊긴 데도 원인이 있었다. 프리드리히 대왕은 체질적으로, 선왕의 보호를 받은 그리고 베를린이 프로테스탄트 계몽주의의 유명한 중심지가 된 이후 끊임없이 교회 행정직에 계몽주의 후보를 심으려는 '개신교 예수회파'에 대한 반감이 있었다.[64] 한때 경건주의 운동의 보루였던 할레 대학교는 이제 대표적인 합리주의의 중심지가 되었고 다음 세기까지 이런 경향은 이어졌다. 할레의 고아원 종합시설을 드나드는 사람의 숫자도 차츰 줄었으며 경건주의 활동을 기꺼이 지원하던 기부자 모임도 자연스럽게 축소되었다. 이 모든 현상은 할레에서 유대인에 대한 경건주의 사명이 쇠퇴하는 것으로 입증되었다. 1790년에 발표된 유대인에 관한 연례보고서는 다음과 같은 개관으로 시작한다. "우리 연구원의 과거와 현재를 비교하면, 그것은 마치 몸과 그림자 같다."[65]

경건주의 운동은 프로이센의 사회와 제도에 얼마나 영향을 주었을까? 경건주의자는 절제와 근신을 중시하고 사치와 낭비를 경멸했다. 궁정이나 군대 및 민간 교육기관에서 경건주의자는 체계적으로 겸양과 내핍, 수양의 미덕을 칭송했다. 이런 식으로 그들은 1713년 이후, 프리드리히 빌헬름 1세가 불러들인 문화적 변화의 충격을 확산시켰다. 이와중에 부풀린 가발과 화려하게 장식한 의상은 지나간 시대의 하찮은 유물로 치부되었다. 경건주의자들이 포진한 사관학교를 통해, 18세기 중엽 수십 년간 아들을 사관학교에 보낸 지방 귀족들 사이에 경건파의 태도와 행동 방식이 퍼져나갔다. 어쩌면 이것이 프로이센 융커 계급의 특징으로 간주된 허례허식이 환영받지 못한 이유를 말해주는지도 모른다. 만일 융커의 전설적인 겸손이 개별적으로 많은 경우에 순전히 가장이고 겉치레라면, 그것은 단순히 경건주의 운동에 의해 보급된 페르소나의 위력을 입증하는 것으로 봐야 할 것이다.

경건주의는 프로이센 계몽주의의 토대를 준비하는 데도 도움을 주었다.[66] 경건주의 운동의 낙천주의와 미래지향적인 특징은 계몽주의적인 진보적 사고를 낳았다. 이 운동은 인격 형성의 수단으로 교육에 헌신함으로써 "인간의 존재를 포괄적으로 가르친 계몽주의의 본질적인 특징"에 영향을 주었다.[67] 할레 대학교에서 일어난 자연과학의 발달은 많은 차이에도 불구하고 경건주의와 계몽주의가 얼마나 서로 밀접하게 맞물렸는지를 보여준다. 둘 사이에 작용하는 '힘의 장'이 과학탐구를 이끈다는 가설이 세워지기까지 했다.[68] 경건주의는 종파적인 차이를 대할 때 교리보다 윤리를 강조하고 관용을 중시한다. 동시에 합리적으로 접근 가능한 진리의 최고 영역으로서 칸트의 도덕률 개념과, 종교적 직관보다 도덕적 직관을 우선하는 그의 성향에서 증명되듯이, 이

후 18세기의 풍조를 예고한 측면이 있다.[69]

계몽주의와 낭만파 철학에서 가장 영향력이 있던 프로이센의 대표적 인물 중에는 경건주의 환경에서 성장한 사람들이 있었다. 낭만주의 운동과 연관된 내적 성찰의 풍조는 경건주의의 '영적 전기'에서 선구적 자취를 발견할 수 있다. 광범위하게 읽힌 프랑케의 개종 이야기는 그런 전기의 원형이었다. 18세기 중후반에는 이것을 세속적으로 계승한 '자서전'이 영향력이 있는 문학 장르로 출현했다.[70] 낭만주의 철학자인 요한 게오르크 하만은 근대 경건주의의 본거지라고 할 쾨니히스베르크의 크나이프호프 학교에서 교육을 받았고, 이후에는 쾨니히스베르크 대학교를 다니며 경건주의에서 영감을 얻은 철학교수 마르틴 크누첸의 영향을 받았다. 하만의 글에서는 내성적이고 금욕적인 경건주의적 사고의 질적 특징을 엿볼 수 있다. 하만은 집중적인 성서 읽기와 반성을 위한 자기 관찰로 다져진 일종의 개종을 체험하기도 했다.[71] 베를린 대학교에서 철학과 정치적 사고 발달에 깊은 영향을 준 헤겔의 글에서는 뷔르템베르크 경건주의의 영향도 감지된다. 자기 실현의 과정으로서 헤겔의 신학 개념은 경건주의적 특징이 두드러진 기독교의 역사 신학에 의해 보강되었다.[72]

그렇다면 경건주의는 브란덴부르크-프로이센 국가와는 무슨 관계가 있을까? 할레에 있는 프랑케의 고아원 건물 전면을 장식하는 프리즈에는 날개를 활짝 펼친 두 마리의 검은 프로이센 독수리 형상이 서 있는데 이는 경건주의 운동과 국가권력의 밀접한 관계를 암시하는 분명한 예라고 할 수 있다. 경건주의자들이 브란덴부르크-프로이센 왕조의 통합을 위해 적극적으로 기여한 것은 동시대의 뷔르템베르크 경건주의 운동이나 체제 전복적인 영국의 청교도주의와는 극명한 대조를 이룬다.[73] 브란덴부르크-프로이센 루터교 내부의 제5열로서 경건주의는 칼뱅파의 신앙고백 규정이나 역대 선제후가 내릴 수 있었던 어떤 검열 조치보다 훨씬 더 효율적인 이념적 도구였다. 하지만 경건주의자들은 단순히 통치자를 보좌하는 것 이상의 역할을 했다. 그들은 폭넓은 토대를 둔 프로테스탄트의 자발적 운동에서 얻은 에너지를 새롭게 위상이 올라간 브란덴부르크-프로이센 왕조의 공공사업에 공급했다. 무엇보다 그들은 국가의 목표가 양심적인 시민의 목표가 될 수도 있고 국가에 대한 봉사는 단순히 의무나 사리사욕에 의해서가 아니라 포괄적인 윤리적 책임감에 의해서도 동기부여가 될 수 있다는 생각을 홍보했다. 그러면서 통치자와 백성의 관계를 넘어서는 연대공동체가 출현했다. 경건주의는 브란덴부르크-프로이센 왕조의 프로젝트를 후원하는 광범위한 활동가 단체의 출현을 이끌어냈다.

신앙과 정책

브란덴부르크-프로이센의 대외 관계를 '프로테스탄트 외교정책'이라고 부르는 것이 맞는 말일까? 권력 정치와 국제 관계를 연구하는 역사가들은 종종 그런 주장에 회의적인 반응을 보여왔다. 그들은 '종교전쟁'의 시대에도 영토 안보라는 지상 명령이 종파 연대의 요구를 압도했다고 지적한다. 가톨릭 국가인 프랑스는 가톨릭 국가인 오스트리아에 맞서 프로테스탄트 연합군을 지원했다. 루터파인 작센은 루터파 국가인 스웨덴에 맞서 가톨릭 국가인 오스트리아의 편을 들었다. 종파에 대한 충성이 다른 모든 사정을 극복할 만큼 강했던 적은 아주 드물었다. 프리드리히 5세 치하의 팔츠 선제후국이 1618~20년에 프로테스탄트의 이익을 위해 모든 것을 무릅썼던 적은 아주 드물었고, 있어도 지극히 예외적인 경우였다.

그렇다고 해서 외교정책이 전적으로 세속적인 이해관계의 토대에서 수립되었다거나 종파 문제는 하찮은 요인이라고 결론짓는 것도 잘못일 것이다. 우선 종파는 왕조의 혼인 동맹을 구축하는 데 중요한 역할을 했다. 혼인 동맹에는 특히 새로운 영토 요구가 종종 달려 있었기 때문에 다시 대외정책에 중요한 결과를 낳았다. 더욱이 많은 프로테스탄트 통치자가 자신을 프로테스탄트 국가 공동체의 일원으로 인식한 것은 분명하다. 누구보다 대선제후가 그랬다. 그는 1667년의 유훈을 통해 '가능한 한 언제 어디서든 다른 프로테스탄트 국가와 제휴하여 한시도 경계를 늦추지 말고 황제에 맞서며 프로테스탄트의 자유를 지켜라'라고 충고했다.[74] 종파적 요인은 행정부 내의 정책 논쟁에서 유난히 두드러진 특징을 이루었다. 1648년 추밀원 고문관 제바스티안 슈트리페는 프랑스와의 동맹에 반대하면서, 마자랭 추기경이 개혁 신앙에 적대적이라서 프랑스의 가톨릭 정책을 밀어붙일 가능성이 있다고 지적했다.[75] 1660년에 프랑스 칼뱅파에 대한 압박이 심해지자, 선제후는 루이 14세에게 자신의 관심을 표명하는 서한을 보냈다.[76] 1670년대 들어 프리드리히 빌헬름은 북유럽의 칼뱅파 본거지인 네덜란드 공화국이 예속되는 것을 막기 위해 반프랑스 연합으로 정책을 전환했다. 1680년대 초반에는 지정학적인 환경과 원조 약속 때문에 프랑스 편으로 돌아섰지만, 1686년에 다시 브란덴부르크-제국 동맹으로 전환한 것은 부분적으로 프랑스 칼뱅파인 위그노에 대한 잔인한 박해로 상황이 불안정해졌기 때문이다.[77]

무력 분쟁의 위험을 피하면서 종파적 연대를 보여주는 한 가지 방법은 타국에서 박해받는 같은 종파 사람들에게 피난처를 제공하거나 그 밖의 형태로 원조를 해주는 것이었다. 이런 형태의 체면 정치로 가장 유명한 예는 선제후가 박해받는 프랑스 칼뱅파 신자들을 불러들이고 브란덴부르크-프로이센의 땅에 정착시킨 1685년의 포츠담 칙령이다. 그것은 낭트칙령(1598년)으로 위그노에게 주어진 권리를 억압하는 프랑스 왕에 대한 프리드리히 빌헬름의 반응이었다. 그리하여 총 2만여 명에 이르는 프랑스 칼뱅파 난민이 선제후의 땅에 정착했다. 이들은 개혁파 중에서 빈곤층인 경우가 많았다. 부유층은 보통 경제적으로 더 매력적인 영국이나 네덜란드를 망명지로 선택했기 때문이다. 이들은 이주할 때 (네덜란드나 영국과는 대조적으로) 저렴한 주거지와 면세, 대출이자 할인 등 국가가 보조하는 지원을 받았다. 30년전쟁에서 대량 살육된 여파로 아직 인구가 회복되지 못한 브란덴부르크는 숙련되고 근면한 이주민이 반드시 필요했기 때문에 이런 정책은 이익이 되는 동시에 아주 효과적이었다. 이로써 루이 14세를 몹시 화나게 했지만[78](물론 이 역시 목적의 일부였다), 독일 전 지역의 프로테스탄트에게서는 찬사를 들었다. 여기에는 어울리지 않는 흥미로운 측면이 있다. 박해를 피해 프랑스를 떠난 20만여 명의 위그노 중에 프로이센에 도착한 사람은 겨우 10분의 1밖에 되지 않았지만, 선제후는 어느 통치자보다 자신의 명성을 쌓을 순간을 포착하는 재주가 뛰어났다. 고상하고 일반화하는 도덕적 성격을 띤 포츠담 칙령은 (오해의 소지가 없는 것은 아니지만) 이때부터 프로이센의 관용이라는 전통을 알리는 위대한 기념비의 하나로 찬양을 받았다.

'종교 자유의 정치'는 포츠담에서 너무도 성공적으로 시작되었기 때문에 그것은 호엔촐레른의 국정 운영에서 일종의 붙박이 같은 것이 되었다. 1704년 4월의 선언에서 프리드리히 1세는 같은 의미로 오라녜 공국에서 박해받는 프랑스 칼뱅파를 도와주기로 결심했음을 널리 알렸다. 오라녜 공국은 프랑스 남부에 고립된 프로테스탄트 지역으로 호엔촐레른가가 강력한 상속권을 요구하는 곳이었다.[79]

하느님의 은총과 하느님의 교회의 선함에 대한 우리의 열정은 우리의 눈을 비극으로 돌리게 했다. 신앙의 박해를 받는 불쌍한 우리 형제들을 보며 몇 해 전에 우리는 분노를 터뜨렸고 신의 섭리에 따라 큰돈을 들여 그들을 우리 나라로 자비롭게 받아들였다. 이제 우리는 훨씬 더 큰 책임을 지고 우리 자신의 백성을 향해 똑같은 자비를 베풀 때다. 그들은 우리의 오라녜 공국과 [⋯] 가지고 있는 재산

을 포기할 수밖에 없는 처지가 되었으니 당연히 우리의 보호를 받는 피난처를 찾으려고 할 것이다.[80]

여기서는 고상한 수사와 차가운 이기심의 조합을 볼 수 있다. 선언문에 담긴 자선사업은 분쟁 지역에 대한 요구와 짝을 이룬다. 더욱이 난민 수용 임무를 맡은 고문단에게 보내는 훈령에 왕은 난민들이 계속 게으른 생활을 하도록 방치해서는 안 되며, "그들이 정착함으로써 왕이 이익을 보도록"[81] 가능하면 신속하게 적당한 직업 생활을 시작하도록 해야 한다고 재촉했다.

만일 종파 연대의 논리가 유럽 무대에서 이따금 유용한 외교적 도구를 제공할 수 있었다면, 이런 기능은 신성로마제국 안에서 훨씬 더 큰 잠재력이 있었다고 볼 수 있다. 제국의회의 이원적 구조 때문에 종파 분쟁의 결과가 훨씬 확대되었기 때문이다. 베스트팔렌 조약의 항목 중에는 종파 문제가 의회의 안건으로 상정되면, 신·구교 각각을 대표하는 상설기구인 '프로테스탄트 단체'(corpus evangelicorum)와 '가톨릭 단체'(corpus catholicorum)의 별도 분과에서 토론해야 한다는 규정이 있었다. '부분화'라고 알려진 이런 논의 구조의 목표는 잠재적으로 미묘한 종파 문제를 논의할 때 양쪽 모두 달갑잖은 상대파의 간섭을 피할 수 있도록 해주자는 데 있었다. 하지만 실제로 노린 효과는 영토 문제를 초월한 공론의 장을 마련해서 종파적 불만을 털어놓도록 하는 것이었다. 특히 지배적인 구조의 가톨릭보다 단체를 동원할 필요성이 큰 프로테스탄트에게 기회를 주자는 것이었다.

프리드리히 빌헬름 1세가 잘츠부르크 프로테스탄트 소수파의 운명을 둘러싼 갈등에 남보란 듯이 개입한 것은 그런 논의 구조가 얼마나 유용하게 쓰일 수 있는지를 보여주었다. 1731년 잘츠부르크에 속하는 핀츠가우와 퐁가우 지구에 프로테스탄트로 자처하는 사람들이 2만 명 가까이 산다는 사실이 알려지자, 가톨릭 당국이 동요하면서 잘츠부르크 시와 배후의 알프스 지방을 가르는 깊은 문화적 간극이 드러났다. 농부들을 이단으로부터 떼어놓으려는 선교 원정이 실패로 돌아갔을 때, 안톤 폰 피르미안 대주교는 그들을 강제 추방하기로 결심했다. 부유한 대주교 행정 당국과 문맹에 가깝지만 용감한 프로테스탄트 산골 농민 사이의 갈등은 제국의회 내 프로테스탄트 단체의 상상력에 날개를 달아준 격이 되어 농부들의 주장을 다루는 팸플릿과 전단이 등장했다. 잘츠부르크 가톨릭 당국은 맹렬한 반격을 가했다. 양측은 사건과 관련된 문서 중에서 유리한 것을 골라 발표했고 잘츠부르크 사건은 독일 프로테스탄트 지역에서 '이목을 끄는 재판'(cause célèbre)이 되었다.

이 갈등에 담긴 잠재력의 의미를 먼저 알아본 사람 중 한 명이 프로이센 국왕인 프리드리히 빌헬름 1세였다. 그는 프로이센 공국 동쪽 변방에 있는 프로이센령 리투아니아의 미개발 지역을 위해 농부들이 무척이나 필요한 실정이었다. 1709~10년에 번진 기근과 페스트의 후유증에서 좀체 회복할 기미가 보이지 않는 곳이었다. 동시에 그는 브란덴부르크-프로이센을 프로테스탄트 권리를 보증하는 세계적인 국가로 세우고 싶었다. 이것은 신성로마제국 소속 회원국 내의 그리고 회원국 간의 종파 분쟁에서 중립적인 고충처리원을 자임하는 합스부르크가의 황제에게 은연중에 도전하는 역할이었다. 이 목표를 위해 프리드리히 빌헬름은 잘츠부르크 프로테스탄트가 자신의 영토 안에 정착하도록 한 것이다.

선제후의 계획은 처음에는 성공할 것 같지 않았다. 대주교가 농부들을 보낼 생각이 없었기 때문이다. 그는 알프스 지역이 동요할 때 군대를 보내 진압할 의도였다. 실제로 그는 바이에른과 황제에게 이미 이 임무를 위해 군대를 파견해달라고 호소했다. 하지만 제국의 헌법 체계가 다시 한번 선제후를 도왔다. 황제 카를 6세는 자신의 사후에 합스부르크의 황위를 딸 마리아 테레지아에게 물려주려는 국사조칙(Pragmatische Sanktion, 카를 6세가 자신의 합스부르크 왕국과 영토 전부를 분할하지

12 프로이센 국왕 프리드리히 빌헬름 1세가 잘츠부르크 대주교구에서 빠져나오는
프로테스탄트 망명자들을 만나고 있다. 당대의 팸플릿에 실린 삽화.

않고 고스란히 물려주려는 의도로 공포한 법령 — 옮긴이)에 대한 제국의회의 지지를 확보하고 싶었다. 그러기 위해서는 베를린 선제후의 표가 필요했다. 여기서 상호이익이 되는 거래가 나왔다. 프리드리히 빌헬름이 국사조칙을 지지하는 대가로 황제는 잘츠부르크 대주교를 압박해 프로테스탄트 백성이 동프로이센 공국으로 집단 이주하는 것을 허용하도록 한다는 것이었다.

1732년 4~7월에 잘츠부르크 주민으로 구성된 26개 집단(각 집단별로 약 800명)이 숲이 우거진 알프스의 산악 지방에서 프랑켄과 작센을 지나 프로이센령 리투아니아의 평지를 향해 가는 긴 여행길에 올랐다. 이민 자체가 대사건이었다. 프로테스탄트 마을을 통과하며 북쪽을 향해 흔들림 없이 터벅터벅 걷는 잘츠부르크인들의 긴 행렬과 눈에 띄는 알프스의 산골 복장은 보는 사람을 흥분시키기에 충분한 효과가 있었다. 농부와 마을 주민 들은 음식을 가져오기도 하고 아이들에게 옷이나 선물을 주었다. 창문에서 동전을 던져주는 사람들도 있었다. 이집트에서 빠져나가던 이스라엘 어린아이들을 연상하는 사람이 많았다. 엄청난 종파 선전물이 나돌았다. 쏟아져 나온 책과 유인물은 강제 추방을 묘사하고 외지로 이주해 나가는 사람들의 굳센 믿음을 칭찬했으며, 핍박받는 사람들에게 약속의 땅이 된 프로이센의 신앙심 깊은 왕을 찬양했다. 1732년과 1733년에만 (정기간행물은 빼고) 300종이 넘는 도서가 독일어권의 67개 도시에서 출간되었다. 18세기와 19세기 내내 이 이민을 둘러싼 전설이 설교와 팸플릿, 소설, 연극에서 끝없이 재생되었다.

그런 의미에서 이 이민은 호엔촐레른 왕조와 브란덴부르크-프로이센 국가로서는 엄청난 가치를 지닌 홍보 쿠데타였다. 그것은 더욱이 잘츠부르크 주민이 (위그노와 오라녜 공국의 피난민처럼) 칼뱅파가 아니라 루터파였다는 점에서 중요한 출발선을 그었다. 종파를 초월한 프로테스탄트의 인가(브란덴부르크-프로이센에서 실현되는 데 경건파가 기여했던)에 대한 요구가 이제 제국 전역에서 울려퍼졌다.

6

땅에 있는
권력

Powers
in the Land

도시

브란덴부르크 구시가지에 있는 뮐렌토어슈트라세 바로 뒤에는 성 고트하르트 교회의 그늘진 뜰이 있다. 브란덴부르크 선제후령에 있는 많은 중세 교회가 그렇듯 성 고트하르트도 진홍색 벽돌 건물이다. 높이 솟구친 실내의 궁륭형 아치를 떠받치는 부벽은 황토색 기와 지붕 밑에 가려져 보이지 않으며 거대한 지붕 밑의 처마는 난공불락의 느낌을 줄 만큼 위압적이다. 서쪽 문에 있는 바로크 양식의 탑은 그 자리에 있었던 로마네스크 양식의 교회 잔해에 부자연스럽게 붙어 있었다. 한여름이면 나무가 교회 뜰에 그늘을 드리운다. 이곳은 변두리의 한가로운 느낌을 주지만 과거에는 시의 중심 구역이었다. 여기서부터 중세의 독일인 거주지가 굽이치는 하펠강 남쪽으로 세 개 거리를 따라 뻗어나갔다.

성 고트하르트 교회 경내로 들어오는 사람은 실내의 높이와 넓이를 보고 놀라게 된다. 내부 벽에는 정교하게 새겨진 기념비들이 줄지어 있는데 2미터 높이의 석판을 공들여 장식하고 비문을 새겨넣은 것들이었다. 그중 하나는 유명한 의류 제조업 가문의 후손으로서 16세기에 브

215

란덴부르크 시장을 지낸 토마스 마티아스의 삶과 죽음을 기록하고 있
다. 마티아스는 요아힘 2세 선제후 치하에서 고위 정무직에 올랐지만
후임 선제후인 요한 게오르게가 선대에 축적된 부채의 책임을 물으면
서 몰락했고 결국 1576년에 페스트로 사망했다. 기념석판의 부조는 이
집트의 포로 생활에서 탈출해 홍해의 맞은편 해안에 당도한 이스라엘
아이들을 묘사하고 있다. 왼쪽에는 화려한 도회지풍의 옷차림을 한 남
녀 군중이 아이들과 가재도구를 꼭 움켜쥐고 놀란 눈으로 뒤를 돌아보
고 있고 이들 뒤에서는 무장한 병사들이 소용돌이치는 회색빛 바닷물
에 빠져 허우적거리는 모습이 보인다. 1583년이라고 새겨진 또다른 기
념비문은 아름다운 부조가 주위를 감싸고 있었다. 2층으로 된 신고전
주의 파사드 기둥 사이에서 예수 그리스도가 수난을 당하는 장면을
묘사한 조각이었다. 윗부분에는 벌거벗은 예수가 머리 위의 문틀에 양
손이 묶인 채 매달려서 곤봉과 채찍을 든 남자 세 명에게 맞고 있다. 놀
랍도록 역동적이고 자연주의적인 이 조각은 역시 브란덴부르크 시장
을 역임한 요아힘 다름슈토르프와 그의 아내를 기념하는 묘비명인데
두 사람의 이름과 생몰년도는 비명 바닥의 계단식 프리즈에 새겨져 있
다. 도시 과두 체제의 고위 신분으로 화려한 복장을 한 다름슈토르프
와 아내의 초상은 조각 좌우 바닥에 있는 원형의 위치에서 밖을 내다

보고 있는 모습인데, 마치 두 사람 사이에 있는 군중 너머로 서로의 눈길을 끌려고 하는 것처럼 보인다.

정교하게 조각된 비유적 부조로 나사로와 부자를 묘사한 커다란 묘비명은 역시 시장을 지낸 트레바(Trebaw) 가문 2세대를 기념하고 있다. 기억의 징검다리 역할을 하는 이 기념물은 18세기까지 잘 보존되었다. 2미터 높이로 풍요롭게 장식된 제단 오른쪽의 석판은 "고도 브란덴부르크의 유명한 시의원으로서 상인이자 무역업자"인 크리슈토프 슈트랄레를 찬양하고 있다. 이 사람은 1738년에 81세의 나이로 죽었다. 예술적 기교와는 별개로 이런 기념물의 매력은 인물들이 발산하는 시민적 정체성의 강렬함 때문이다. 이것들은 단순히 개인의 기념물이 아니라 과두 체제의 자부심과 신분의 정체성에 대한 표현이다. 많은 석판이 같은 가문의 몇 세대를 기념하고 있고 자녀나 혼인 관계에 대한 상세한 정보를 전달하고 있다. 성 고트하르트 교회에서 가장 인상 깊은 기념물은 강단 자체라고 할 수 있다. 사암으로 된 비범한 종합조각품이라고 할 강단에는 신·구약성서에 나오는 장면이 성상 안치소로 올라가는 나선형 계단을 따라 묘사되어 있다. 전체적인 구조를 지배하는 것은 하얀 돌로 큼직하고 화려하게 묘사된 수염 난 인물인데 펼쳐진 책으로 고개를 숙인 모습이다. 1623년에 게오르크 치머만이 완성한 이 놀라운 앙상블은 브란덴부르크 의류조합의 후원을 받았다. 강단 옆의 기둥에는 고정된 기념석판이 보인다. 유명한 의류상의 초상 10개(모두 17세기 전반 시민계급의 검소한 검은 의상에 하얀 칼라를 한 위엄을 갖춘 모습이다)와 더불어 의류장인 100명의 이름과 회사 상표가 있다. 이보다 더 강렬하고 위엄이 깃든 시민계급(bourgeoisie)의 자부심에 대한 광고는 상상하기 힘들 것이다.

이것은 결코 성 고트하르트 교회만의 유별난 현상이 아니었다. 브란덴부르크 내 다른 도시에 있는 교회에도 다소 격조는 떨어지지만 똑같은 배열의, 17~18세기 도시 시민계급을 기리는 기념물이 있다. 예를 들어 시의 역사적 중심부라고 할 하펠강 한가운데 섬에 자리 잡은 하펠베르크의 성 라우렌치우스 교회에도 기념물이 있다. 여기서도 봉헌의 대상은 유명한 시장 가문뿐만 아니라 주로 상인이나 목재상, 맥주양조업자 등 장인들이다. '존경받는 상인이자 무역업자'인 요아힘 프리드리히 파인(1744년 사망)에 대한 기념비는 단순한 구성으로 특별한 감동을 준다.

> 이 묘비 아래
> 나 파인이 쉬고 있다, 아무 고통도 없이
> 그리고 소중한 영혼들과 함께 기다린다,
> 하느님이 나타나 구원해주기를.

브란덴부르크와 하펠베르크는 모두 주교좌 도시였기에 도시 교회는 도시 교구가 자신들을 표현하는 장으로서 중요했다. 길드와 도시 관리들이 교구를 주도하는 중세 시 핵심부로서 도시 교회와, 참사회가 전통적으로 제국 귀족들로 구성되는 주교좌 성당 사이에는 암묵적인 이분법이 존재한다. 이런 구분은 하펠베르크의 지형적 특징에서 분명하게 드러난다. 여기서는 요새화된 성을 닮은 위풍당당한 구조의 주교좌 성당이 북쪽 강안의 언덕에서 상점과 노점, 골목길이 늘어선 구시가지의 조그만 섬을 내려다보고 있다. 19세기에 들어서까지 양쪽 집회의 사회적 성격은 이런 모습에 걸맞게 양극화되었다. 성 라우렌치우스는 (지역 수비대에 주둔하는 사병들과 더불어) 시민들의 교회로 남은 반면, 귀족들은 사회적으로나 지리적으로나 높은 위치에 있는 대성당의 단골이 되었다.

  하펠베르크와 브란덴부르크의 교회 석판은 프로이센 영토의 역사에 대한 일반적인 설명에서 종종 간과되는 세계를 떠올리게 한다. 소도시의 세계로서 기능장과 귀족 가문의 네트워크가 지배하는 사회적 환경이 그것이다. 그 정체성은 자율성과 특혜로 굳어버린 감각에서 나

14 하펠베르크 주교좌 성당.

오며 정치적으로나 문화적으로 주변의 시골 지역과 대비된다. 만일 도시가 브란덴부르크-프로이센의 역사에서 전통적으로 변방을 차지하고 있었다면, 이는 부분적으로 독일어권 유럽의 이쪽 지역에서 도시가 그리 발달하지 못했기 때문이다. 1700년대에 인구 1만 명 이상인 30대 독일어권 도시 중에 브란덴부르크-프로이센에는 베를린과 쾨니히스베르크밖에 없었다. 아무튼 도시, 그리고 더 중요하게는 도시에서 숙성된 자치 행정의 정신과 시민 책임, 정치적 자율성이 호엔촐레른 절대주의의 피해자라는 생각이 많다. 실제로 어느 역사가는 중앙집권적인 군주국가가 브란덴부르크 시민계급을 '해체'했다고 언급하고 있다.[1] 그 결과 복종은 잘하지만 시민적 용기와 미덕에는 약한 정치문화가 생겼다. 여기서 다시 '특수노선'(Sonderweg, 독일이 근대화되는 과정이 인근 국가와 달리 특수한 과정을 밟았다는 의미로, 시대에 따라 긍정, 부정의 양면적인 평가를 받은 개념―옮긴이)은 몹시 부정적인 힘으로 느껴진다.

　17세기와 18세기가 도시의 쇠퇴기라는 생각에는 분명히 타당한 근거가 있다. 특히 도시의 정치적 자율성의 쇠퇴를 말하는 것이라면 더욱 그렇다. 쾨니히스베르크는 아마 공격적인 왕권 앞에서 오랜 정치경제적 독립을 유지하기 위해 싸우다가 실패한 도시의 가장 극적인 예에 해당할 것이다. 대선제후가 즉위한 1640년에 쾨니히스베르크는 의회에 지방 귀족과 동등한 조합 대표가 있는 발트해의 부유한 무역 도시였다. 1688년 무렵 쾨니히스베르크는 정치적 자율성과 조합의 의회 내 영향력, 부의 상당 부분을 잃었다. 시 당국과 베를린 행정부 사이의 싸움은 유난히 극심했다. 쾨니히스베르크는 물론 특별한 경우였지만, 프로이센 영토 내의 다른 도시들도 대체로 비슷한 과정을 밟았다.

몰락하거나 정치적 특권을 상실하는 흐름은 많은 도시에서 1660년대에 단계적으로 도입된 재화와 서비스에 대한 세금, 즉 신설된 소비세의 도입과 더불어 찾아왔다. 소비세는 재화와 서비스 현장에서 (즉 매장에서) 걷혔기 때문에 도시의 신분제 의원들과 재정적인 협상을 할 필요가 없어졌다. 이렇게 해서 지방의회와 고위 지방 대표(신분제의회와 왕권 사이에서 협상을 해오던) 양자가 함께 운영하던 도시는 사라졌다. 이런 점진적인 정치 참여의 박탈은 세금 징수를 통해 가속화되었다. 먼저 베를린에서 1667년, 다른 도시에서는 그 이후에 시행된 과세는 왕실에서 임명한 세무 감독관이 주관했으며, 이들은 곧 권한의 범위를 확대하기 시작했다.[2] 프리드리히 3세(1세)의 재위 기간에는 중앙집권화의 속도가 늦추어졌지만, 1714년의 '시의회 규정'(Rathäusliches Reglement)을 통해 도시의 예산 관리 권한을 왕실로 이관하고 시장의 권한을 축소한 프리드리히 빌헬름 1세 치하에서는 다시 빨라졌다. 프리드리히 2세 치하에서는 다른 법들이 반포되어 시 행정관에게 남아 있는 모든 치안 유지 권한마저 왕실 관리에게 넘어갔다. 또 도시 재산을 매각하는 과정 일체를 국가로부터 허가를 받아야 했다.[3] 서쪽 지방에서도 도시의 자치권은 프리드리히 빌헬름 1세와 프리드리히 2세 치하에서 대부분 폐지되었다. 마르크의 베스트팔렌 백작령에 있는 조스트 혹은

동프리슬란트의 엠덴 같은 도시의 특이한 헌법과 특권도 폐지되었다.[4]

17세기 후반과 18세기 전반은 대부분의 도시에서 경제적 침체기 혹은 쇠퇴기였다. 브란덴부르크와 동포메른의 많은 지역의 척박한 토질과 취약한 지방 무역 구조는 도시로 출발하기에 좋은 조건이 아니었다. 소비세가 도시에 미친 충격을 평가하기는 어렵다. 일부 도시는 처음에 재정 부담을 그들에게 유리하게 재조정하는 방법이라고 보았기 때문에 소비세에 적극적으로 반응했다(도시는 그 이전에 시골보다 고율의 기부금을 냈다). 경우에 따라서는 시 당국이 도시의 납세자들로부터 정부에 간청을 해서라도 소비세를 도입하라는 압력을 받기까지 했다. 소비세가 도시 경제를 자극하는 효과가 있음을 암시하는 몇몇 단편적인 증거가 있다. 예컨대 베를린에서는 소비세 도입 초기에 몇 년간 건설 붐이 일어나 전쟁 기간에 입은 끔찍한 피해를 복구하기 시작했다. 이는 소득세가 도시 내의 세금 부담을 토지 및 재산 소유에서 온갖 종류의 상행위로 재분배하는 흐름에서 비롯한 결과였다.

소비세가 가진 최악의 결점은 오직 도시만 납부한다는 사실이었다. 시골에서는 여전히 과거의 기부금을 내고 있었다. 이것은 계획에 없던 일이었다. 대선제후는 처음에 도시나 시골이나 똑같이 소비세를 징수할 의도였지만, 지방 귀족의 압력을 받는 바람에 도시에만 한정하자는 말에 넘어갔다. 도시 제조업자들은 시골 생산자들과 경쟁해야만 했다. 시골 생산자들의 상품은 도시에서 팔지 않는 한 면세 혜택을 받았다. 많은 귀족 지주가 이런 상황을 이용했다. 주요 지역 시장으로 운송되는 상품을 확보함으로써 자신들 지역에서 도시의 경쟁업자보다 싸게 팔 수 있었다. 무역에 의존하는 지역에서는 문제가 더 심각했다. 소비세를 피해 경계를 넘어 상품을 유통시키려는 제조업자와 상인 때문에 지역 경쟁력이 약해졌기 때문이다. 이런 불만은 클레베에서 종종 들렸다. 이곳에서는 소비세가 라인강 무역의 물량과 수익을 떨어뜨렸다고 느꼈으며, 겔더른에서는 소비세가 마스강의 무역을 위축시킨다고 보았다.[5]

규모가 커지던 (특히 수비대의 규모) 프로이센군이 브란덴부르크-프로이센의 도시에 미치는 영향은 양면적이었다. 우선 군인과 그의 아내 및 자녀는 수비대 주둔 도시에서 소비자인 동시에 보충 노동력이라는 두 가지 기능을 했다. 군복무는 상근이 아니었기 때문에 수비대에 속한 병사는 민간인을 위한 일을 해서 빈약한 군대 임금을 보충했다. 베를린 북부의 우커마르크에 있는 프렌츨라우 혹은 라인 지방의 클레베 공국에 있는 베젤처럼 수비대가 주둔하는 도시에서는 비번일 때 집주인의 작업장이나 공장에서 일하며 숙박하는 군인이 많았다. 이런 식으로 그들은 군대에서 받는 기본 임금의 여러 배를 벌었다. 기혼자의 경우, 아내가 시내의 직물 공장에서 일자리를 구할 수도 있었다. 이처럼 군인의 존재는 값싼 비조합 노동력에 의존하는 직물 제조업 부문이 터를 닦는 데 기여했다. 또 군복무는 지역 사회에서 가장 취약한 계층에게 작지만 무시할 수 없는 소득을 제공함으로써 도시의 사회 구조를 안정시키는 데 일조했다.[6] 부유한 시민은 군인에게 숙소를 제공하려고 하지 않아 상대적으로 가난한 집에 그 기회가 돌아갔기 때문에 숙박 시스템은 소규모의 재분배 효과를 낳았다.

물론 부작용도 있었다. 고도로 유연한 숙박 시스템이 수비대 주둔 도시에서 놀라우리만치 잘 작동한다고 해도 집주인과 숙소를 얻어 사는 군인 사이에 갈등이 빚어지면서 숱한 사건이 발생했다. 또한 시내에 거주하는 상당수의 남자들이 군사법정 관할이었기에 관할권을 둘러싼 분쟁도 잦았다. 군 사령관은 때로 민간에서 보급물자를 징발하거나 지역주민들에게 수비대 근무를 강요하고 싶은 유혹에 넘어갔다. 비번 군인들이 제공하는 저임금 노동은 군 병력을 고용하지 않는 작업장의 견습공보다 인건비가 쌌기 때문에 도시 내 기업체 종사자들 사이에서 갈등을 부추겼다.[7] 추가 일거리를 얻기 힘든 불황기에는 수비대 군인의 부양 가족이 길거리에서 구걸하는 모습을 볼 수도 있었다.[8] 도시를 둘러싼 요새를 구석구석 아는 병사들이 소비세 적용 지역을 넘나드는 밀매에 연루되기도 했다.[9] 어떤 학자는 "군대 때문에 시민 사회의 군대화 현상이 발생하고 수비대 주둔 도시의 규율이 제멋대로 흐트러지면서 시민과 행정관료 사이에 복지부동하는 분위기가 조장된다"[10]고 말했다.

그러나 이런 주장을 너무 밀고 나가서는 안 된다. 수비대 주둔 도시에 군인은 흔했고, 선술집에서 귀족이 드나드는 살롱에 이르기까지 사회 각계각층에서 중요한 구성 요소였다. 그렇다고 해서 이들이 시민 사회에 군대의 가치관이나 군인다운 태도를 주입했다는 증거는 거의 없다. 프로이센에 확립된 징병제도에는 시민계급의 젊은이들이 의무 복무를 면제받을 수 있는 방법이 많았다. 학위를 따든가 상업이나 경영 분야에서 경력을 쌓으려는 상위 중산층 가정의 아들도 있고, 다양한 특혜가 주어지는 무역 분야에서 부친에게 훈련을 받는 기능장 가문의 아들들도 면제를 받았다. 호엔촐레른 전역에서 군 면제 혜택을 받는 남자는 약 170만 명으로 추산되었다.[11]

여하튼 18세기 평화 시의 브란덴부르크-프로이센 군대는 체계적인 사회화와 교화를 통해 신병들의 사고 방식과 태도를 변화시킬 수 있는 기관이 아니었다. 18세기 도시의 군대는 구멍이 숭숭 뚫린 느슨한 조직체였다. 기본 훈련을 받는 기간은 1년 미만이었고(훈련 기간은 지역에 따라 천차만별이었다), 훈련 기간에도 병사들은 그들 주변의 사회에서 격리됨으로써 '탈민간화'되는 일이 없었다. 결혼을 하면, 그들은 아내와 부양 가족을 데리고 막사에서 살았다. 즉, 군대는 이후의 모습에서 보이는 남성 전용공간이 아직 아니었다(실제로 결혼은 프로이센 군복무와 외국인 신병을 탄탄하게 묶어주는 방편이었다).[12] 미혼인 군인은 시민들과 함께 지내는 숙소를 예사로 찾았다. 기본 훈련이 끝난 뒤에도 복무를 계속하고 싶어 하는 병사들의 경우, 근무 시간이 짧았기 때문에 다양한 형태의 임시 노동으로 소득을 보충할 수 있었다. 일부는 다른 돈벌이를 하러 나간 사람 대신에 보초를 서서 용돈을 모으기도 했다. 수많은 하숙생이 대학 도시의 사회 계층을 뒤섞고 지역 경제에 뚜렷하게 기

15 구걸하는 병사의 아내.
다니엘 호도비에츠키의 판화, 1764년.

여하듯, 군인과 민간인 사이에 공생관계가 발달했음이 분명하다.[13] 그
렇다고 해도 대학생이 대학 도시를 '대학화'하지 않듯이, 군인들은 수비
대 주둔 도시를 '군대화'하지 않았다. 물론 (시민과 학생 사이가 그렇듯이)
시 의회와 군 당국 사이에 분쟁이 있었지만, 대부분 지역 사령관이 월
권 행위를 하면 민간 당국은 항의를 하는 수준이었다.

국가의 하급 관리가 도시 행정에 개입한다고 해서 지역의 독창성
을 억압하게 되었다고 믿을 이유는 없다. 각 도시의 행정직에 임명된 왕
실 관리는 도시 엘리트의 영향력을 빼앗으려고 달려드는 중앙정책의
오만한 대리인이 아니었다. 오히려 그들 중에는 '현지의 풍습을 따르거
나', 도시의 엘리트와 어울리거나 나아가 혼맥을 형성함으로써 지역 군
사령관 혹은 중앙 정부기관과 마찰을 빚는 도시 당국의 편을 드는 사
람이 많았다. 많은 시 정부에서 (지역의 후원 네트워크가 활기차게 돌아간
다는 확실한 증표인) 부패와 정실인사는 계속되었다. 여러 도시 업무에
관심이 지대했던 과두 체제가 국가의 개입으로 변하지 않았다는 뜻이
다. 과두 체제는 나름대로 주도면밀하게 새로 부임한 중앙 관리를 길들
였고 그들이 지역의 이익에 봉사하도록 매수할 때가 많았다.[14]

그 밖에 1800년 훨씬 전부터 도시의 시민계급 내에서는 역동적이

고 혁신적인 요인이 있었다. 18세기 마지막 30여 년간, 도시 기반의 상공업 구조에서 일어난 변화는 (전통적으로 군림하던 길드 조합원보다) 주로 상인과 기업가, 제조업자로 이루어진 신흥 엘리트를 만들어냈다.[15] 엘리트 계층은 여러 가지 방법으로 (자원봉사든 명예직이든) 지역의 도시 행정에 개입했다. 그들은 시청의 '관리부서'(Magistratskollegien)와 길드 및 신분 자문위원회, 학교와 교회, 지역 자선단체 등의 행정위원회 등에 자리 잡았다.

　이런 경향은 특히 중소 도시에서 두드러졌다. 여기서는 지역 행정이 전적으로 자원봉사를 하는 명사의 도움에 달려 있었기 때문이다. 예를 들어 양모 제조업자인 크리스티안 뵈트허는 할버슈타트 지방에 있는 오스터비크의 참사회의원이었다. 프렌츨라우(우커마르크)의 상인인 요한 그란체는 시 법원의 판사보였다. 또 부르크 시와 아셔슬레벤 시의 시장은 모두 지역의 상인들이었다.[16] 이런 사례는 프로이센 전역으로 보자면 100건이라도 열거할 수 있다. 바꿔 말하면, 프로이센 도시의 통치는 오로지 녹봉을 받는 국가공무원의 손에 달렸다기보다 시민계급의 진취적이고 혁신적인 요소로서 만만찮은 자원을 가진 지역의 자발적인 노력에 좌우되었다는 것이다. 프로이센 영토에 있는 도시에서 '쇠퇴한' 것은 (실제로는 서유럽의 상당 부분에서) 옛날부터 내려오는 장인 조합의 풍습 및 예법에 의해 유지되는 전통적인 신분체제의 특권과 지역의 자율성이었다. 그리고 이 자리를 대체한 것은 사업의 팽창과 시 업무의 비공식적 리더십을 수용함으로써 그들의 야망을 표현한 새롭고 역동적인 엘리트 계층이었다.

　18세기의 마지막 3분의 1 기간에 중소 도시에 근거를 둔 자발적인 단체는 시민계급 내에서 자라나는 문화적·시민적 활력의 또 다른 징후였다. 가령 할버슈타트에는 1778년 이후 매우 활동적인 문학회가 생겼는데, 이것은 교양 시민을 위한 집회 장소 기능을 했으며 여기서 나오는 적지 않은 출판물에는 지역의 자존심과 프로이센 애국심이 버무려져

있었다. 베스트팔렌의 조스트에서 한 지방 판사는 애국지사 및 향토
사 애호가 협회를 설립했는데, (지역 잡지 『베스트팔렌 잡지』[*Westphälische
Magazin*]에 실린 홍보에 따르면) 협회의 목표는 최초로 기록을 조사하여
포괄적인 도시 역사를 정리하는 것이었다. 대학 도시인 프랑크푸르트
(오데르)에서는 1740년에 어문학의 장려에 관심을 둔 독일어협회가 창
립되었다. 이후 이 모임은 학회 및 프리메이슨 지부와 통합된다.[17] 도시
뿐 아니라 수많은 시골의 읍 단위에서도 교육은 새로운 사회적 지위의
중요한 증표가 되고 있었다. 특히 세기 중엽부터 (변호사, 학교 교사, 목사,
판사, 의사 등으로 이루어진) 교양 시민계급(Bildungsbürgertum)은 도시 안
에서 그리고 각 도시 간에 자체의 사회적 네트워크를 형성하면서 전통
적인 기능 본위의 엘리트 계층과 분리되기 시작했다.[18]

반복적인 칙령에도 불구하고 국가가 대개 참담한 실패를 맛본 영
역이라고 할 지방 학교의 교육 개선은 개별 도시의 명망 높은 시민들이
이루어냈다. 1770년부터 나타난 새로운 또는 개선된 학교를 바라는 흐
름은 아주 작은 도시에서조차 더 우수하고 폭넓은 교육시설에 대한 요
구가 높아지고 있다는 것을 증명한다.[19] 베를린 북서쪽의 길고 좁은 호
수 모퉁이에 위치한 노이루핀에서는 1770년대에 일단의 개화된 목사
와 시청 관리, 학교 교사들이 도시의 주요 교육 개혁과 경제적 지위 개
선을 법제화하는 것을 목표로 삼은 협회를 설립했다.[20] 이들의 노력과
시 행정관 및 유지들의 기부 덕분에 노이루핀의 교사인 필리프 율리우
스 리버퀸은 개혁적이고 반권위주의적인 교육 프로그램을 개발했고,
이것은 독일 전 지역의 교육 개혁가들에게 모범이 되었다. 리버퀸은 그
가 쓴 교육철학 개요에서 다음과 같이 말했다. "교사는 학생들이 타고
난 능력과 장점을 마음껏 펼쳐서 그것이 발휘되도록 노력한다. 이것이
합리적 교육의 기본법이기 때문이다."[21] 이 말은 계몽주의뿐만 아니라
시민계급의 사회적 자부심의 정신을 고취시키는 간명한 표현이었다.

지주 귀족

토지의 소유와 관리는 브란덴부르크-프로이센 귀족의 집단 경험을 규정하는 것이었다. 귀족의 손에 들어간 토지의 비율은 지역별로 차이가 컸지만, 유럽 기준으로 본다면 분명히 높았다. 브란덴부르크와 포메른의 평균은 (1800년 무렵의 수치에 따르면) 각각 60퍼센트와 62퍼센트였고, (왕실이 주요 지주인) 동프로이센의 비율은 40퍼센트였다. 이와는 대조적으로 프랑스 귀족은 프랑스 경작지의 약 20퍼센트를 소유했고, 유럽 러시아의 귀족은 겨우 14퍼센트를 소유한 데 지나지 않았다. 반면에 귀족이 전체 토지의 약 55퍼센트를 지배한 18세기 후반의 영국과 비교하면 브란덴부르크-프로이센은 별로 이상해 보이지 않는다.[22]

독일 엘베강 동쪽 지역의 지주 귀족은 지금까지 한데 뭉뚱그려 '융커'(Junker)라고 불렸다. '젊은 주인'(junger Herr)에서 유래한 이 말은, 본디 중세 때 독일 세력이 동쪽으로 팽창하는 과정에서 슬라브족을 정복하여 빼앗은 땅에 정착하고 그 땅을 방어하는 것을 도운 독일 귀족(흔히 둘째 아들이나 작은아들)을 일컬었다. 군복무 대가로 이들은 토지와 종신 면세 혜택을 받았다. 이 과정에서 두드러진 부의 불평등이 발생했다. 동프로이센에는 폴란드를 상대로 벌인 13년전쟁(1453~1466년) 기간에 독일기사단(Deutscher Orden)에 고용되어 싸운 용병 사령관 가문의 실권을 쥔 후손 중에 소수파가 있었다. 대부분의 귀족 가문이 정착 지주의 후손인 브란덴부르크에서 융커가 소유한 땅의 평균 크기는 유럽 기준에서 볼 때 보잘것없었다.

중세에는 슬라브족의 공격에 취약한 지역에 가능한 한 많은 귀족 전사가 정착하는 것이 식민통치권자의 이익에 부합했으므로, 귀족에게 분배되는 토지는 작거나 서로 붙어 있을 때가 많았다. 그래서 마을 하나를 몇몇 가문이 나누어서 차지하는 경우도 있었다. 통계상, 귀족의 절반 정도 되는 다수 집단은 하나 이상의 영지와 마을을 소유한 가문들이었다.[23] 그러나 이 집단 내에서도 큰 차이가 있었다. 예컨대 프리그니츠의 슈타베노에 10만 아르의 경작지를 영지로 소유한 크비초(후에는 클라이스트) 가문과 2만 아르 미만으로 지내야 했던 같은 지역 대부분의 융커 가문은 차이가 컸다. 그 같은 환경에서는 재산이 적은 가문이 지역 및 지방의 정치에서 소수의 부유층에 지도적인 지위를 양보하는 것이 자연스러웠다. 또 엘리트 가문 간에 혼인을 하는 경우가 흔했다. 왕실과 협상할 때 핵심 중재자는 바로 이 '특등' 지주 가문에서 선발되는 경향이 있었다.

17세기 호엔촐레른의 영토에서 지방색을 띠는 정치 구조는 정치적 정체성을 공유하는 베를린 중심의 문화에는 방해 요소였다. 융커는 (특히 브란덴부르크에서는) 대선제후 집권 말기 수십 년 동안 국가의 고위 공직에서 대체로 배제되었고, 18세기에 가서나 서서히 진입했다. 그들의 정치적 야망은 무엇보다 각 지구 및 지방 차원에서 신분제의회가 통제하는 자리에 초점이 맞추어졌고, 이에 따라 그들의 시야도 협소해지는 경향이 있었다. 이런 상황은 다수의 가문이 자식을 외지에서 교육시킬 형편이 안 되었기 때문에 더 악화되었다. 곳곳의 호엔촐레른 영토에서 빚어지는 지역적 특수성은 친족 및 혼인 관계의 틀 속에 반영되었다. 포메른과 동프로이센에서는 스웨덴 및 폴란드와 긴밀한 친족 관계가 형성된 데 비해서 브란덴부르크의 가문은 인접한 작센 및 마그데부르크에 있는 가문과 혼인하는 일이 흔했다.

18세기의 호엔촐레른가 군주들은 결코 '프로이센' 귀족이라는 말을 한 적이 없다. 언제나 나름대로 독특한 특징을 지닌 지방 엘리트들이라는 복수형으로 말했다. 1722년에 자신이 내린 '가르침'에서 프리드리히 빌헬름 1세는 포메른 귀족이 "금처럼 충성스럽다"라고 선언했다. 물론 그들이 간혹 불만을 터뜨릴지는 모르지만 결코 군주에게 대항하지 않는다는 것이었다. 그리고 노이마르크와 우커마르크, 미텔마르크의 귀족도 마찬가지라고 했다. 반대로 알트마르크의 귀족은 "순종하지 않는 나쁜 사람들"인데, "군주를 대할 때 무례하다"는 것이었다. 마그데부르크와 할버슈타트의 귀족도 큰 차이가 없기 때문에 이곳이나 인근 지방의 공직에서는 이들을 쓰지 말아야 한다고 덧붙였다. 그리고 클레베와 마르크와 링겐 등 서쪽 지방의 귀족은 "멍청하고 고집불통"이라고 했다.[24]

이로부터 반세기 가까이 지난 1768년에 프리드리히 대왕은 정치적 유언을 통해 비슷한 어조로 프로이센 왕국 내의 지방 귀족에 대한 언급을 하면서 동프로이센 사람은 활발하고 세련되었지만 여전히 분리주의 전통에 집착하기 때문에 국가에 대한 그들의 충성심은 믿기 어렵다고 말했다. 반면에 포메른 출신 장교는 완고하지만 솔직하고 능력이 우수하다고 평했다. 얼마 전에 점령되어 호엔촐레른 영토에 편입된 오버슐레지엔 사람은 게으르고 교육도 받지 못했으며 여전히 과거 합스부르크 주인을 잊지 못한다고 했다.[25]

좀 더 동질성이 강한 프로이센 엘리트는 아주 서서히 점진적으로 출현했다. 이 과정에서 혼인을 통한 결속이 일정한 역할을 했다. 실제로 모든 브란덴부르크 가문은 17세기 말까지 그 지역 내의 엘리트 집안하고만 혼인을 했으며, 그런 풍조는 1750년대와 1760년대에 이르러 친족 구조가 점점 뒤얽히는 조짐을 보이면서 변했다. 브란덴부르크와 포메른, 동프로이센에서 이루어진 혼인 중에 절반 정도는 호엔촐레른의 다른 영지에 기반을 둔 혈통과 맺어졌다. 균질화를 이끈 가장 중요한 제도적 장치는 프로이센군이었다. 18세기 장교단의 급속한 팽창으로 말미암아 정부는 지방 엘리트 중에서 열심히 장교를 모집할 수밖에 없었다. 18세기 초에는 정부보조금을 받는 새 사관학교가 베를린과 콜베르크, 마그데부르크에 설립되었다. 프리드리히 빌헬름 1세는 즉위한 직후, 이 학교들을 베를린의 중앙 프로이센 왕립 사관학교(die zentrale Königlich Preußische Kadettenanstalt)로 통합했다.

귀족들에게 아들을 사관학교에 보내라는 압력이 있었던 것은 분명하지만, 적극적으로 사관학교 제도에서 발생하는 기회를 잡으려는 사람도 많았다. 특히 이 제도는 부유한 귀족이 모이는 사립 사관학교에 아들을 보낼 형편이 안되는 수많은 가문에게 매력이 있었다. 대위 이상의 계급으로 승진하면 소규모 경작지에서 나오는 것보다 더 많은 소득을 올릴 기회가 생겼다.[26] 신세대 직업 장교의 단적인 예는 알트마르크의 에른스트 폰 바르제비시였다. 그는 아버지가 아들을 대학에 보내 국가 관리가 될 교육을 시킬 능력이 없었기 때문에 1750년에 베를린 사관학교에 들어갔다. 회상록에서 바르제비시는 사관후보생들이(그가 입학했을 때는 350명이 있었다) 글쓰기와 프랑스어, 논리학, 역사, 지리, 공학 기술, 무용, 펜싱, 군사 제도술을 배웠다고 회고했다.[27]

군사훈련, 특히 적극적인 군복무라는 경험의 공유는 비록 끔찍한 비용을 치르며 얻는 것이기는 해도 의심할 바 없이 강력한 '단결심'(esprit de corps)을 키워주었다. 특히 일부 가정은 전장에서 희생되는 젊은이들의 특수 공급원이 되었다. 가령 포메른의 귀족인 베델 가문은 1740~63년에 집안의 청년 72명을 잃었으며 클라이스트 가문은 53명의 젊은 목숨을 같은 전투에 바쳤다. 브란덴부르크의 벨링 가문에서는 23명의 집안 청년 중에 20명이 7년전쟁에서 전사했다. 귀족 신분과 장교 계급의 결합은 프리드리히 대왕 집권 기간에 비귀족의 승진을 방해하는 현실로 더 탄탄해졌다. 비록 귀족 후보의 자원이 부족해서 국왕은 7년전쟁 기간에 평민을 군 고위직에 임명할 수밖에 없었지만, 이들 중 다수는 뒤에 가서 쫓겨나거나 좌천되었다. 1806년 장교단의 규모는 7천 명이었는데, 비귀족 출신은 695명에 불과했고 그마저도 인기가 없는 포병대나 기술병과 쪽으로 몰려 있었다.[28]

그러나 갈수록 왕과 귀족의 이해관계가 일치하는 이런 흐름도 사회경제적 변화로부터 귀족을 보호해주지는 못했다. 18세기 후반에 지방 귀족은 위기 상황으로 빠져들었다. 1740년대와 1750~60년대의 전쟁과 경제 혼란은 창고 시스템으로 곡물을 조절하는 정부의 능력을 약화시켰고, 지주 가문의 자연스러운 팽창에 따른 인구 과잉은 지주계급의 부담을 가중시켰다. 또 융커의 토지 담보 부채는 극적으로 증가했으며 대개 도산을 하거나 강제 매각 처분되었는데 현금을 받고 평민에게 넘어갈 때도 적지 않았다. 땅 주인이 갈수록 빈번하게 바뀌자 전통적인 농촌의 사회 구조에 자리 잡힌 결속력이 의문시되었다.[29]

이것은 왕이 가볍게 볼 문제가 아니었다. 게다가 프리드리히 2세는 선왕보다 사회적으로 더 보수적이었다. (프리드리히가 볼 때) 귀족은 군에서 장교로 복무할 능력을 갖춘 유일한 신분 집단이었다. 그런 이유로 귀족 재산의 안정과 유지는 프리드리히 군사 국가의 생존에 결정적인 요소였다. 따라서 프리드리히 빌헬름 1세가 의도적으로 귀족의 사회적 우위를 약화시켰다면, 프리드리히는 보수적인 정책을 택했다. 중요한 목표는 귀족의 토지가 비귀족의 손으로 넘어가는 것을 막는 일이었다. 여기서 관대한 세금 감면이 나왔고 재정적인 고충을 겪는 가정에는 특별히 현금을 선물로 주었으며 지주가 부동산 담보로 과도한 대출을 받는 것을 막으려고 (대개 쓸모없는) 애를 썼다.[30] 이런 조치가 실패하자, 프리드리히의 본능적인 반응은 토지 매각에 대한 국가 통제의 고삐를 조이는 것이었는데 이 역시 역효과만 불렀다. 소유권 이전에 대한 통제 조치로 재산 처분의 자유를 적극적으로 제한하기도 했다. 이때 정부는 상충되는 우선순위를 조절해야 했다. 한편으로 귀족계급의 위엄과 경제적 안정을 회복하고 보존하고 싶어 했지만, 다른 한편으로는 지주계급의 기본적인 자유를 제한하는 방법으로 그 목표를 달성하려고 했다.

간섭을 줄이고 논란을 피하는 방법으로 귀족의 이익을 뒷받침하려는 노력은 결국 오로지 기반을 닦은 융커 가문만 이용하는 국영 농업신용조합(이른바 '란트샤프텐'[Landschaften])의 설립으로 이어졌다. 이곳에서는 재정이 궁핍하거나 부채가 있는 지주 가정에 금리 보조로 융자를 해주었다. 그리고 각 지방마다(1777년에는 쿠르마르크와 노이마르크에, 1780년에는 마그데부르크와 할버슈타트에, 1781년에는 포메른에) 별도의 신

231

용조합이 설립되었다. 무척 흥미로운 것은 귀족의 토지 소유를 강화하기 위해 이런 기관을 활용하자는 아이디어가 평민에게서 나온 것으로 보인다는 점이다. 물론 많은 지방에서 귀족 집단의 재정적인 자구책에 대한 오랜 전통이었지만, 이 아이디어는 1767년 2월 23일에 베를린의 부유한 상인인 뷔링이 왕을 알현하면서 올린 것이다.

신용장의 가치가 빠르게 올랐다는 점에서 신용조합은 처음에 매우 성공적이었다. 신용장은 이내 금융 투기의 중요한 수단이 되었다. 신용조합의 융자금은 확실히 궁핍한 지주의 생산력을 높이는 데 도움을 주었다. 하지만 융자금을 '토지 개선'에 사용토록 하는 법적 요건은 지나치게 느슨했기 때문에 정부의 신용보조금은 귀족의 토지 소유를 강화하는 것과는 별 관련이 없는 목적에 쓰였다. 아무튼 신용조합은 농촌 전역에서 대두된 부채 문제를 해결하기에는 역부족이었다. 란트샤프텐에서 싼 융자금을 받지 못하는 지주들은 다른 대출기관을 찾았기 때문이다. 1807년에 전체 신용조합에서 발행한 대출금이 총 5,400만 탈러인 데 비해, 추가로 시민 채권자들에게 토지를 담보로 빌린 부채는 3억 700만 탈러였다.[31]

이런 흐름에서 알 수 있듯이, 융커와 왕실과의 관계는 다시 원점으로 돌아왔다. 16세기에 선제후들이 빚을 지지 않도록 도운 계층은 융커였다. 18세기 마지막 3분의 1 기간에 상호의존의 방향이 뒤바뀌었다. 일부 역사가는 왕과 융커 사이에 '권력의 타협'(Herrschaftskompromiss)이 이루어졌다고 말하며, 사회적으로 다른 계층을 희생시킴으로써 국가와 전통적인 엘리트의 지배를 견고하게 하는 것이 이 타협의 효과라고 설명한다. 이런 발상은 두 가지 점에서 문제가 있다. 첫째, 어떤 면에서는 양 '세력'이 항구적으로 국가권력을 공유하는 일종의 협정에 동의했다는 것을 암시한다는 것이다. 하지만 사실은 그 반대였다. 왕(그 밑의 장관까지)과 다양한 지방 귀족 사이의 관계는 끝없는 마찰과 대결, 재협상으로 점철되었다. '권력의 타협'이라는 주제에 담긴 두 번째 문제는 그것이 국가와 전통적 엘리트 사이에 있을 수 있는 안정적 협력관계를 과대평가한다는 것이다. 사실 왕과 휘하의 장관들은 아무리 애를 써도 프로이센 농촌 사회의 모습을 바꾸는 사회경제적 변화를 완전히 막을 수 없었다.

지주와 소작인

땅을 경작하는 것은 18세기 독일어권 유럽에 사는 주민 대부분의 운명이었다. 경작지는 전체 토지 면적의 3분의 1쯤 되었고 주민의 5분의 4는 농사를 지어 먹고살았다.[32] 따라서 토지의 소유와 이용을 둘러싼 권력관계는 영양과 부의 원천이라는 점에서뿐 아니라 좀 더 거시적으로 국가와 사회의 정치문화를 위해서도 무척 중요했다. 브란덴부르크-프로이센의 농촌 사회에 대한 귀족 집단의 권력은 부분적으로는 오로지 대부분의 토지를 차지하고 있는 현실에서 나왔다. 그 권력에 중요한 법적·정치적인 의미도 있었다. 15세기 중엽부터 융커는 최고의 경작지를 영주가 차지하도록 자신들의 토지 소유 구조를 바꾸는 데 성공했을 뿐 아니라 경제적 이점 외에 그들의 땅을 경작하는 농민들 위에 군림할 수 있게 해주는 정치권력까지 거머쥘 수 있었다. 예를 들어 융커는 소작인들이 사전허가를 받지 않고서는 농장에서 떠나지 못하게 하거나 농사를 포기하고 다른 도시나 땅으로 거처를 옮겼을 때 (필요하면 강제로라도) 다시 데려올 수 있는 권한을 얻었다. 그들은 또 농사짓는 '백성'에게 노동을 시킬 수 있는 권리를 요구했고 차츰 그 권리를 확보했다.

왜 이런 변화가 일어났는지, 특히 그것이 어떻게 당시 서유럽의 지배적인 발전 방향에 반하는 상황에서 발생했는지, 지금도 아주 분명하게 그 이유를 알기는 어렵다. 당시 서유럽에서는 예전에 예속되어 있던 농민들이 법적으로 해방되는 중이었고 의무적인 노동도 소작료 납부로 전환되는 추세였다. 어쩌면 엘베강 동쪽 땅은, 독일에 귀속된 역사가 비교적 짧은 지역이었고 농민에게 주어진 전통적인 권한이 비교적 약했기 때문인지도 모른다. 중세 후반의 긴 농업 침체기에 나타난 인구 감소와 광범위하게 번진 경작지 이탈은 틀림없이 수익을 극대화하고 현금 비용을 절감하도록 귀족 지주를 압박했을 것이다. 도시 경제가 위축된 상황에서 농민들이 저항할 가능성은 무척 낮았다. 도망진 농부를 다시 데려올 수 있는 지주의 권한에 가장 강력한 이의를 제기한 곳은 도시였기 때문이다. 또 다른 중요한 요인으로는 정부 당국의 권력 약화를 들 수 있다. 지방 귀족에게 많은 빚을 지고 그들에 대한 의존도가 높았던 15~16세기의 브란덴부르크 선제후들은 각 지방의 귀족이 법적·정치적 권력을 강화하는 데 저항할 힘도 없었고 그럴 성향도 아니었다.

원인이 무엇이든, 그 결과로 지주 지위의 새로운 형태가 출현했다. 그것은 소작인 자신이 주인의 재산이 아니라는 점에서 '농노'(Leibeigen-schaft) 시스템은 아니었지만, 어느 정도는 주인의 권위에 복종해야 했다. 귀족의 토지는 법적·정치적 의미가 통합된 공간이 되었다. 지주는 소작인의 고용주였을 뿐 아니라 그 땅의 주인이기도 했기 때문이다. 따라서 지주는 영주 재판소(Gutsgericht)라는 장치를 통해 소작인에 대한 사법권을 쥐고 있었다. 이 기구는 경범죄에 대한 소액의 벌금부터 채찍질과 감금을 포함한 체형에 이르기까지 처벌을 내릴 수 있는 권한을 행사했다.

역사가들은 오랫동안 프로이센 농업 시스템의 권위주의적 특징에만 몰두해왔다. 이주민 출신의 독일 학자 한스 로젠베르크는 지방을 완벽하게 지배하는 축소된 독재 정권이라는 묘사를 하며 다음과 같이 말했다.

시간이 흐르면서 융커는 가혹한 영주로서 세습노예의 주인이자 왕성한 사업가, 주도면밀한 토지 관리인, 아마추어 무역업자뿐만 아니라 지역 교회의 후원자, 경찰서장, 검사, 판사가 되었다. […] 이 같은 지역의 독재자 중에 다수는 '존경을 표하지 않는' 그리고 '순종하지 않는' 농노의 등에 채찍질을 하고 얼굴을 가격하는가 하면 뼈를 부러트리기까지 했다.[33]

이처럼 귀족의 독재가 지속된 결과 프로이센 국민은 대부분 '극빈자'가 되었고, 그런 폭정에 '속수무책'이었다. 특히 소작인들은 "법적·사회적 지위 강등과 정치적 거세, 도덕적 타격, 자결권의 기반 붕괴"로 고통을 겪었다. 뿐만 아니라 또 다른 연구에 따르면, 이들은 "너무 짓밟힌 나머지 반란을 일으킬 수 없는" 상태가 되고 말았다.[34] 이 같은 시각은 독일의 특수노선에 대한 글에서 광범위한 공감을 얻고 있는데, 이런 문헌들은 존경과 복종을 강요하는 관습에 의해 융커가 지배하는 농업 시스템이 프로이센의 (그리고 독일 전체의) 정치 풍토에 지속적으로 해로운 영향을 끼친 것으로 추정한다. 융커 독재에 대한 흑색 전설(black legend)이 역사 기록에 유난히 끈끈하게 달라붙어 있는 것은, 부분적으로 그런 잔인한 이야기가 광범위하게 퍼진 반융커 정서의 문화적 전통과 일치하기 때문이다.[35]

최근에는 다소 다른 서술이 등장했다. 엘베강 동쪽 지역의 농민들이 모두 귀족 지주에게 예속된 백성은 아니었다는 것이다. 그중 상당수는 자유농(freie Pachtbauer)이었고 피고용인도 아니었다는 말이다. 특히 18세기 말, 동프로이센의 자유농(자유의지로 식민지에 정착한 사람들의 후손)이 경작하는 농장은 전 지방의 농장 6만 1천 개 중에 1만 3천 개나 되었다고 한다. 많은 지역에서 이주민이 왕실이나 귀족 토지에 정착함으로써 자유농의 수는 증가했다.[36] 브란덴부르크 중심부의 전통적인 영주들조차 임금을 받고 노역을 하거나 낙농가축 같은 특수 자원을 사업 형태로 관리하는 전문 하청업자를 다수 받아들였다. 바꿔 말해, 융커의 토지 관리라 함은 무임금 노동에, 혁신의 동기라고는 찾아볼 수 없이 허술하게 운영되는 곡물 단일 재배가 아니었다. 그것은 상당한 운영비와 많은 투자가 들어간 복합적인 사업이었다. 다양한 종류의 임금 노동은 영지 자체의 차원에서나 소유한 토지의 생산성을 극대화하기 위해 빈번히 노동력을 사는 유복한 마을 주민 측면에서 장원 경제를 유지하는 데 결정적인 역할을 했다.

그럼에도 불구하고 강제 노역 체제가 광범위하게 퍼져 있었던 것은 분명하다. 18세기 브란덴부르크에서 강제 노역은 일반적으로 일주에 2~4일로 제한되었다. 노이마르크에서는 조금 더 가혹해서 소작인들은 겨울에는 1주일에 4일, 여름과 가을에는 1주일에 6일이나 노역에 동원되었다.[37] 노역은 영주 개인에 따라 들쑥날쑥했다. 프리그니츠의 슈타베노 농장을 예로 들면, 카르슈테트 마을 주민들은 "월요일, 수요일, 금요일 아침 6시에 영지에 마차를 끌고 오거나, 말이 필요 없을 때는 다른 사람을 데리고 걸어와야 하며, 들에서 소 치는 사람과 함께 들어와도 된다는 말을 들을 때까지 머무르라"는 요구를 받았다. 이와는 대조적으로, 작은 어촌인 메제코의 소작인들은 같은 땅에서 "요청을 받을 때마다 노역을 할" 의무가 있었다.[38]

하지만 이런 부담은 많은 소작농이 보유한 강력한 세습 재산권으로 어느 정도는 상쇄되었다. 재산권에 비춰볼 때 노역을 단순히 봉건적인 압제라기보다 소작료로 보는 것이 타당할 것 같다. 대부분의 농민이 끔찍한 노역 대신 지대를 돈으로 내는 것을 선호하기는 했지만, 강제 노역이 그들이 계획한 생활을 하지 못할 정도로 큰 부담을 준 것으로는 보이지 않는다. 또 독일의 다른 지역에서 와서 정착한 농민이 세습 토지 소유권에 대한 대가로 소작인 신분을 받아들이지 못할 만큼 가혹하지도 않았다. 프리그니츠 슈타베노의 토지에 대한 연구를 보면, 브란덴부르크의 평균 수준에 해당하는 마을 농민은 '극빈자'라는 오명을 듣기는커녕 실제로는 남유럽이나 서유럽의 소작농보다 유복했던 것으로 보인다. 아무튼 영지 노역의 부담은 항구적인 조건이 아니라 재조정될 수 있었고 실제로 재조정되기도 했다. 예컨대 30년전쟁의 여파로 숱한 농장이 황무지로 변한 피폐한 시기에 이런 재조정이 있었다. 절망적인 노동력 결핍에 직면한 많은 영지의 지주 귀족은 노역을 줄여달라는 농부들의 요구에 양보했다. 실제로 많은 지주는 농장에 정착하기 위해 몰려드는 이주민보다 동네 농민의 노동력을 높게 쳐줌으로써 강제 노역을 줄여주었다.[39]

더욱이 정부 당국은 지주의 횡포로부터 농민을 보호하기 위해 분쟁에 개입했다. 융커 지주의 세습 재산을 다루는 법정은 1648년 이후 통치자들이 잇달아 반포한 법률과 칙령에 따라 차츰 영토법의 규범을 따랐다. 16세기와 17세기 초에는 세습 재산을 다루는 사건에서 법률가 상담이 드물었지만, 30년전쟁 이후의 지주들은 법적으로 자격을 갖춘 법정 행정관을 고용하는 경향이 있었다. 1717년에 프리드리히 빌헬름 1세는 모든 법정에 새로 출판된 형사법전(Criminal-Ordnung)을 비치하고 모든 형사소송에서 그 지침에 따르라고 명령하면서 어길 시에는 중징계를 내린다고 경고했다. 또 세습 재산을 다루는 법정은 분기마다 재판보고서를 올리도록 했다. 이런 추세는 프리드리히 2세 시대까지 지속되었다.

1747~48년부터 세습 재산을 다루는 모든 법정은 의무적으로 정부에서 공인한 대졸 법률가를 판사로 채용하도록 했다. 그것으로 입법은 민간영역을 벗어나 다시 국가의 영역으로 돌아왔다. 그 결과 상이한 세습 재산의 관할 구역에서도 차츰 소송 절차와 실무가 표준화되었다.[40] 이런 추세는 브란덴부르크 최고재판소이자 상소법원인 베를린 고등법원(Berliner Kammergericht)의 활동으로 더 굳어졌다. 브란덴부르크 전역에서 마을 주민과 지주의 갈등을 판결하는 고등법원이 장기적으로 어떤 역할을 했는지에 대해서는 아직 포괄적인 분석이 이루어지지 않았다. 하지만 개별적으로 주목을 받은 사건 중에 기꺼이 마을 주민의 불만을 들어주거나 지나치게 열성적인 융커를 제지하는 법정의 태

도를 보여주는 사례는 많다.[41] 게다가 법무장관 자무엘 폰 코크체이가 착수한 개혁으로 더 신속하고 비용이 덜 드는 상소 절차가 도입된 프리드리히 2세 치하에서는 법정에 접근하기가 쉬워졌다.

지주와 소작인 사이에 벌어진 분쟁의 역사는 일치된 행동을 할 수 있는 능력, 관습적인 자격과 위엄에 대한 확고한 태도를 가지고 있었음을 보여준다. 땅이 있든 없든 농업 노동자라면 마찬가지였다. 이런 예는 30년전쟁의 여파에서 벗어나 인구가 다시 늘어나고 소작인과 지주 사이에서 교섭 능력의 균형추가 다시 지주 쪽으로 쏠리기 시작한 17세기 말에 점점 흔해진 강제 노역에 대한 분쟁에서 볼 수 있다. 강제 노역에 대한 요구가 늘어날 때, 농민들은 노동 의무에 대한 관습적인 한계를 또렷하게 기억하고 있었으며 '불법적인' 노역을 아주 단호하게 허용치 않으려고 했다.

가령 1656년에는 프리그니츠의 농민들이 세금 납부나 강제 노역을 거부한다는 보고가 있었다. 주동자들은 마을마다 전단을 뿌리고 다니면서 항거에 동참하기를 거부하면 누구나 3탈러의 벌금을 물게 될 것이라고 위협했다.[42] 베를린 북동쪽 우커마르크의 뢰크니츠 지구의 토지에서 강제 노역을 둘러싼 분쟁이 일어난 1683년에는 12개 농민 단체가 지주에 맞서 노역 파업에 합류했고, 행정관의 "몹시 무책임한 처사"[43]에 불만을 표하는 과장된 청원을 공동으로 작성해 선제후에게 보내기까지 했다. 또 행정관은 이런 불만을 반박하는 편지에서 그의 영지에 소속된 농민들이 노역을 거부하고 툭하면 영지를 벗어났으며 겨울에는 10시 30분이나 되어서야 일터에 나오고 지칠 대로 지친 말과 아주 작은 마차를 끌고 영주의 농장에 나타난다고 정부 당국에 보고했다. 영주의 집사들이 일을 시작하라고 강요하자 농민들은 그들을 때리거나 죽인다고 협박하면서 그들의 목에 낫을 들이댔다. 분쟁은 미해결 상태로 남았기 때문에 농민들의 항의는 이후 몇 년간 계속되었는데 여러 정황상 마을 목사가 저항 운동을 지원해준 것으로 보인다. 각 단체

별로 서로 다른 거래를 함으로써 저항 운동을 분열시키려는 당국의 시도는 실패로 돌아갔다. 군대를 파견하고 일부 주동자들에게 체벌을 부과하는데도 불구하고 농민들이 마을 주민들로부터 더 많은 것을 쥐어짜내려는 영주의 시도를 방해하면서 '저항 운동'은 10년이 넘도록 시끄럽게 지속되었다. 존경하고 복종하던 습관 때문에 의지가 박약하고 무기력한 농노의 자취는 여기서 찾아보기 어렵다. 1697년 수확기에 같은 토지에서 행정관이 채찍을 휘두르며 일꾼 한 명에게 서두르라고 재촉하자 부근에 있던 다른 노동자가 낫으로 행정관을 위협하며 경고했다. "나리, 물러나시오. 그래봤자 좋을 것 하나 없고 원성만 살 겁니다. 우리가 순순히 맞지는 않을 거요."[44]

이런 얘기가 특별한 경우는 아니었다. 베를린 북동쪽 프리그니츠 지역의 저항 운동은 1700년에 늘어난 강제 노역 때문에 촉발되었다. 농민들은 인상적으로 조직을 결성해나갔다. 지역 귀족의 고소장은 "순진한 농민들"이 소작료와 노역을 피하기 위해 "힘을 합쳤기 때문에 무거운 처벌이 불가피하며 [프리그니츠의] 온 마을에서 집집마다 돌아다니며 정식으로 모금을 했다"고 진술하고 있다. 고소장에 서명한 귀족들의 호소에 대하여 정부는 단순히 주동자들을 잡아들이고 벌을 주는 대신, 농민들의 탄원서를 베를린 고등법원으로 보내 정상을 참작토록 했다. 그러는 사이에 각각의 불만사항을 나열하며 탄원서를 작성한 마을은 130곳이나 되었다. 이 탄원서는 이미 사라진 불법 노역을 재도입하려는 융커 지주에게 초점을 맞추고 있었다. 가령 지주는 다른 책임을 면해주지도 않으면서 영지의 생산물을 베를린으로 운송하는 일을 시키려고 했다. 새 측량 단위를 도입해서 곡가를 기습적으로 인상한다든가 일부 소작인을 새로 지은 영주의 감옥에 가둔 것에 대한 불만도 있었다.[45]

이런 저항 운동에서 주목되는 것은(주요 갈등은 거의 같은 시기에 미텔마르크와 우커마르크 지역에서 있었다[46]) 수많은 농민 시위에서 드러난 일치된 행동을 할 수 있는 능력과 더 수준 높은 정의에 대한 확신이다. 이런 종류의 사건은 저항의 형식에 대한 일종의 잠재적 집단 기억을 따르게 되어 있다. 참여자들은 누가 말해주지 않아도 어떻게 행동할지를 '알았다'. 이런 격변 상황을 상세하게 조사한 몇몇 연구는, 농민들이 그들이 처한 협소한 사회 환경 바깥에 있는 인력으로부터 도움과 안내를 쉽게 받았음을 보여준다. 뢰크니츠 지구의 시위에서는 지역 목사가 마을 사람들의 불만사항을 고위 당국과 상소 법원이 이해할 수 있는 언어로 작성하는 것을 도왔다. 프리그니츠 폭동에서는 교양 있는 토지 관리자가 개인적으로 위험을 무릅쓰면서 탄원서를 작성하고 반란에 가담한 자들을 위해 편지를 써주었다.[47]

농민 저항이 즉시 목표를 달성하지 못하고 다시 노역을 강요받은 경우에도 은밀하게 지주를 납득시킬 방법은 있었다. 가장 쉬운 방법은 최소한의 능력과 노력만을 쏟으면서 강제 노동으로 가동되는 시스템에 태업으로 대응하는 것이었다. 1670년 1월에 보낸 편지에서 지역 행정관 프리드리히 오토 폰 데어 그뢰벤은 선제후에게 체힐린 지구 바비츠 농민들의 겨울 노역이 엉망이라고 불만을 제기했다. 그들은 종종 노역에 아이들을 대신 내보내기도 하고 아침 10시나 11시쯤 일하러 나왔다가 2시만 되면 다시 돌아가는 바람에 일주일 노동(3일)을 다 합쳐도 전일 노동 하루 분량에 못 미친다는 것이었다.[48] 집안에서 1717년에 슈타베노 영지를 구매한 적이 있는 클라이스트 시장은 1728년에 "일부 농민들이 끌고 오는 말과 마차가 너무 수준 미달이어서 일을 마칠 수 없고 일을 너무 비양심적으로 하는데다가 툭하면 지시를 거역하기 때문에 되는 일이 없는 등, 영지 노역에서 온통 무질서가 판을 친다"면서 소작인들을 고소했다. 법정에서 이런 실정을 소작인들에게 공지했지만 법정에 출석한 사람이 많지 않아 별 효과는 없었다.[49] 관련 증거를 보면 이런 문제는 엘베강 동쪽 지역에 광범위하게 퍼져 있었다는 것을 알 수 있다. 임대계약에 대한 법적 인식이 부족한 영지에서, 공공연한 시위는

만연한 불복종의 기운 속에서 불거져 나온 개별 저항일 뿐이었다.[50]

경제 엘리트라고 할 지주에 대한 이런 저항이 얼마나 영향을 주었는지 정확하게 평가하기는 어렵다. 어쨌든 일방적인 노역 연장에 대해 저항하고 기준 미달의 노동이나 태업을 통해 장기적인 생산 효율성을 떨어트리려는 농민들의 태도가 지주를 압박한 것은 확실하다. 1752년에 폰 아르님 가문의 한 사람이 우커마르크의 뵈켄베르크에 있는 부동산 일부를 상속받았을 때, 그는 밭이 온통 가시덤불투성이고 "농민들이 거의 돌보지 않아 불모지가 된" 것을 알게 되었다. 폰 아르님은 자신의 돈으로 집을 짓고 그곳에 자신을 위해 일해줄 임금 노동자 가정이 정착하도록 했다.[51] 농민의 저항이 강제 노역의 가치를 떨어뜨려 임금 노동이 활성화되도록 자극하고 완전한 임금 기반 시스템으로 바뀌도록 촉진함으로써, 엘베강 동쪽 토지의 '봉건적' 구조를 점차 탈피하도록 만든 한 가지 분명한 예라고 할 수 있다.

성, 권위, 대지주 사회

'프로이센 융커'의 이미지에서 아주 분명하면서도 별로 주목받지 못한 특징은 강한 남성적 모습이다. 18세기 후반과 19세기 전반에 프로이센 영토에서 출현한 귀족 집단의 이데올로기로 굳어진 구체적인 요소 중 하나는 '자애로운 가장'(Hausvater)의 권위 아래 '통합된 집안'(ganzes Haus)이라는 개념이다. 가장의 권위와 책임은 핵가족 테두리를 넘어 소작인과 소규모 자작농, 집안의 하인들과 영지에 사는 주민들에게까지 그 범위가 확대되었다. 17세기와 18세기에 인기를 끈 논픽션 작품들은 이상적인 영지의 개념에 전념했다. 질서 정연하고 경제적으로 자립했으며 상호의존과 의무의 고리로 뭉쳐 가부장적 리더십을 따르는 풍경이 바로 그것이었다.[52]

이런 이상적인 유형은 제법 시차를 두고 테오도르 폰타네의 소설 『슈테힐린』(Der Stechlin)에서 다시 등장한다. 옛 귀족을 향한 인상적인 엘레지라고 할 이 작품에서 이상화된 사회적 엘리트의 자비로운 미덕을 만날 수 있다. 자신의 시대가 끝나가고 있음을 아는 퉁명스럽지만 매력적인 시골의 지주 둡슬라프 폰 슈테힐린은 그 미덕이 무어인지 매우 구체적으로 보여준다. 나이 지긋한 슈테힐린에게는 여전히 가장의 원형이 남아 있고 집안의 남녀 등장인물은 모두 그 앞에서 빛을 잃는다. 주변 환경과 인물들 속에서 가장의 모습만을 부각시킨 것은, 어쩌면 그 계급 전체가 겪는 곤경과 계급의 입장을 더 사실적으로 보여주기 위해서인지도 모른다(폰타네는 소설을 시작하기 전에 젊은 슈테힐린의 아내를 죽게 함으로써 이런 서사를 가능케 만든다). 폰타네는 앞서 17세기의 '가장 문학'(Hausväterliteratur)이 끌어낸 가부장 세계에 비춰봐도 낯설어 보이는 새로운 방법으로 장원의 세계를 남성화했다. 폰타네가 융커 계급의 향수를 불러일으키는 힘이 너무도 강렬해, 19세기 후반과 20세기 전반의 프로이센 문학계에 일종의 가상 메모리가 되었다. 역사가 바이트 발렌틴이 프로이센 융커 계급을 묘사하며 열거한 특징, 즉 "조용하고 침착한 남자, 오만하고 호감을 주면서도 멋지고 동시에 불쾌감을 견딜 수 없게 하는 남자, 자신의 부류와 다른 것은 무엇이든 거절하고 너무 고상해서 자랑을 하지 못하는 남자, 자신이 사는 성을 '하우스'라고 부르고 자신의 공원을 '가르텐'이라고 부르는 사람"[53], 바로 이것이 폰타네의 세계였다.

융커를 단호하게 남성적인 유형으로 생각하는 경향은 융커 계급의 군복무 이미지와 결합되는 바람에 더 강력해져, 오늘날까지 융커 계급 하면 떠오르는 가상의 이미지에 흔적으로 남았다. 1890년대와 1900년대 풍자 신문에 만연하던 풍자화는 무엇보다 제복을 입은 장교에 초점을 맞췄다. 뮌헨에서 발행된 『짐플리치시무스』(Simplicissimus)의 지면에 '융커'는 허영심이 강한 건달로서, 괴상하게 꼭 끼는 군복을 입

16 '융커'.
풍자 잡지 『짐플리치시무스』에 나온
펠트너의 풍자화.

고 물려받은 재산을 도박장에서 탕진하며 무정한 오입쟁이이자 '찰스
디킨스'를 경마의 이름으로, '이마트리쿨라치온'(Immatrikulation: 대학 입
학 자격)을 유대교의 휴일로 생각할 정도로 무식한 인물이다. 1937년에
개봉된 장 르누아르 감독의 영화 「위대한 환상」(La Grande Illusion)에 나
오는 에리히 폰 슈트로하임에 의해 불멸의 모습으로 각인된 신체 특징
은 지금까지 현대 유럽의 표준 스타일 중 하나로 인식된다. 가는 허리에
대쪽같이 꼿꼿한 몸매, 짧게 자른 머리, 팽팽한 근육, 표정 없는 얼굴과
반짝이는 단안경(극적인 효과를 위해 부분적으로 빠트리기도 한다)을 쓴
모습이다.[54]

　이 짤막한 여담은 그런 해석을 잘못된 것이라고 매도하려는 의도
가 아니다(분명히 찬양이든 비방이든, '융커 계급'이 시민들에게 의미하는 중
요한 측면을 포착하고 있을 뿐 아니라 어느 정도는 융커에 의해 내면화된 점이
기도 하다). 중요한 점은 이런 해석이 여성들을 중심에서 밀어낸다는 데
있다. 여성들은 상업적 장원 제도의 고전주의 시대에 프로이센 지방의
삶을 견딜 수 있게 해준 사교 공간과 소통 네트워크를 유지했을 뿐만

아니라 재정 및 인력 관리에 기여함으로써 장원의 기능을 가동시켰다. 다시 슈타베노의 클라이스트 영지로 눈을 돌리면, 1738년에서 58년까지 20년간 영지 전체를 마리아 엘리자베트 폰 클라이스트가 관리했음을 알 수 있다. 그녀는 1738년에 사망한 안드레아스 요아힘 폰 클라이스트 대령의 미망인으로 영주 재판소와 베를린 고등법원에 소송해 아주 열심히 미상환된 채무를 추적했다. 또 장원에서 세습 재산의 정의가 지켜지도록 감독했고, 적잖은 액수의 돈을 5퍼센트의 이자를 받고 이웃에게 대출해주거나, 다양한 지역 주민(약제사나 어부, 자신의 마부, 여인숙 주인 등)으로부터 소액의 저축예금을 맡아 관리해주었다. 뿐만 아니라 전시 채권에 투자하고 지역 내 귀족 사회의 신용기관에 이자를 받고 예치금을 맡겼으며, 전반적으로 가문의 영지를 사업처럼 감독하고 관리했다.[55]

또 하나 이목을 끄는 사례는 헬레네 샤를로테 폰 레스트비츠다. 그녀는 1788년에 베를린에서 동쪽으로 70킬로미터 떨어진 오데르 범람원 모퉁이의 알트-프리틀란트 영지를 상속받았는데, 영지를 얻으면서 '폰 프리틀란트'라는 이름까지 받았다. 아마 지역 연고나 그곳 사람들과의 일체성을 강조하기 위해서였을 것이다. 그러다가 1790년대 초에 폰 프리틀란트 부인의 영지와 인접한 알트-크빌리츠 읍 사이에 있는, 키처 호수에 대한 사용권을 놓고 분쟁이 발생했다. 알트-크빌리츠 주민들은 말꼴이 바닥나고 겨울 저장용 가축 사료가 필요한 늦가을에 호수 가장자리의 골풀과 잔디를 벨 권리가 자신들에게 있다고 주장했다. 더불어 알트-크빌리츠 쪽에 흩어져 있는 호안의 작은 모래밭에서 대마와 아마를 염색할 권리도 요구했다. 반면, 폰 프리틀란트 부인은 호수 전체에 딸린 골풀을 벨 권리가 자신의 영지에 있다고 주장했고 이윽고 분쟁은 커졌다. 부인은 예로부터 구전으로 전해져 오는 대로 자신의 소유권을 인정받기 위해 휘하의 소작인들에게 키처 호수의 사용권에 대한 설문조사를 실시했다. 1793년 1월, 알트-크빌리츠 영지에 대한 거듭된 갈등이 만족스러운 결말을 보지 못하자 부인은 베를린 고등법원에 소송을 제기한다. 그녀는 소작인들과 관리자들을 곤봉으로 무장시켜 골풀을 베러 오는 크빌리츠 주민들을 체포하거나 부정하게 베어낸 풀을 몰수하도록 했다. 부인의 소작인들은 몹시 기뻐하면서 열심히 이 임무에 매달렸다. 마침내 베를린 고등법원의 심의가 끝났다. 고등법원은 양쪽 모두가 체면을 세울 수 있도록 그들 사이에 있는 호수를 나누어 쓰라는 타협안을 제시했다. 하지만 이 결정이 성에 차지 않은 폰 프리틀란트 부인은 즉시 이 판결에 불복하고 상소했다. 이번에는, 이웃 주민들이 풀을 베어 볼썽사나워진다는 불만에서 나아가 어민들이 대마 염색을 하는 바람에 주변 환경을 해친다는 쪽으로 쟁점을 바꿨다. 그러고는 호숫가에 프리틀란트 영지의 보초병들을 배치했다. 하지만 보초병들은 수적으로 우세한 크빌리츠 시민군에게 족족 발각되어 체포당했다. 이에, 프리틀란트 영지 소속의 사냥꾼이 아마를 염색하는 무리를 총으로 위협하면서 쫓아내자 크빌리처 주민들도 질세라 슈마라는 프리틀란트 어부의 작은 배를 끌고 가버린다. 상소재판이 진행되는 2년 동안, 폰 프리틀란트 부인은 계속해서 소작인들을 지휘하며 호수와 호수에 딸린 자원의 사용을 놓고 싸웠다.

이 사건에서 인상적인 점은, 영주와 소작인의 놀라운 연대와 생태적인 논쟁까지 동원되었다는 사실뿐만이 아니다. 정력적이고 호전적인 지역 거물 폰 프리틀란트 부인의 출중한 모습이 무엇보다 인상적이다. 부인은 18세기 후반에 브란덴부르크에서 유행한 '토지를 개량하는 지주' 유형이었다. 솔선해서 영지 주민들에게 가축을 (방목하도록) 무료로 빌려주었고 새로운 식물을 들여와 헐벗은 삼림에 묘목을 공급했다. 이때 심은 부인의 그림 같은 떡갈나무, 보리수, 너도밤나무의 숲은 오늘날까지도 이 일대에서 가장 매력적인 풍경으로 손꼽힌다. 부인은 또 영지 내 학교 교육을 개선하고 주민들을 교육시켜 행정관이나 낙농가 같은 직업을 갖게 했다.[56]

245

이런 여성 가장이 토지 소유 계층의 연감에 얼마나 자주 등장하는지, 이런 시골 여성의 활동을 위한 여건이 시간이 흐르면서 얼마나 변했는지를 입증하기는 어렵다. 하지만 키처 호수의 갈등을 둘러싼 자료에서 당시 사람들이 폰 프리틀란트 부인을 이례적이고 비정상적인 사람으로 인식했다는 흔적은 한 점도 없다. 더욱이 여러 문헌에 퍼져 있는 다른 사례를 보면, 여성들이 영지의 소유자이자 지배자로서 열성적으로 현장에 참여했음을 알 수 있다.[57] 이런 예는 적어도 뜨개질이나 바느질을 하고 채마밭을 돌보는 등 온갖 여성의 일에 관한 18세기의 규범적인 문학에 만연했던 '여성 융커'의 이미지, 그 이미지가 모든 가정에 해당되지 않으며 또 그런 모습을 바람직하다고 권고하는 규범적인 권력이 우리 생각보다 약했을지도 모른다는 것을 암시한다.[58] '앙시앙레짐'(구체제)의 시골 귀족 가정에서 남녀 역할의 양극화 정도가 훗날 19세기와 20세기 시민계급의 가정에서 나타나는 것보다 약했다고 말할 근거는 충분하다. 18세기의 여성 토지 소유자가 자율적으로 농장을 관리하는 능력은 여성의 강력한 재산권에 의해 뒷받침되었다. 이런 여성의 권리는 이후 19세기가 펼쳐지며 법적으로 강등된다.[59]

귀족 가정에 대한 이와 같은 관점은 얼마간 소작인이나 마을 주민, 하인 등 소작농이나 자유농을 막론하고 융커의 영지에 사는 사람들의 사회적 환경으로 확대할 수 있다. 물론 여기서도 남녀 사이에 뿌리 깊은 구조적 불평등이 있었던 것은 의심할 여지가 없지만, 여성들의 지위는 생각보다 탄탄했다. 가령 여성은 가정을 (대개 돈 관리와 저축을 포함해서) 공동 관리했다. 혼인할 때 상당한 지참금을 갖고 온 여성은 가정 자산의 공동 소유주였을 것이다. 여성은 또 반(半)독립적인 마을 기업가의 특징을 지녔다. 특히 주점 여주인의 역할에 그런 특징이 두드러진다. 대장장이를 비롯해 마을 유지가 영주로부터 주점을 임차해 자신의 아내에게 관리를 맡기는 일은 이례적이지 않았으며, 이런 경우 아내는 일정한 지위와 사회적 명성을 얻었다. 여성은 빈번하게 농사일에 참여했으며, 특히 남성 노동력이 부족할 때 활약했다. 성의 구분은 남성이 지배하는 길드 때문에 여성이 업계에 진출하기 어려운 도시보다 농촌 사회에서 덜 엄격했다.[60] 남편의 가문으로 시집간다고 해서 여성과 친정의 유대가 단절되는 것도 아니었다. 아내는 남편 가문과 분쟁에 휘말릴 때 종종 친정 혈족들로부터 지원을 받았다. 농촌 여성들이 (남편의 성보다) 친정 아버지의 성을 유지한 데서 이 같은 끈끈한 유대가 상징적으로 드러난다.[61]

성(gender)은 농촌 사회를 구성하는 권력 관계의 결정적인 요소로서 숱한 다른 사회 계층적 요소들과 상호작용했다. 지참금을 갖고 온 자작농의 아내는 상대적으로 탄탄한 지위를 누리며, 설사 남편이 사망하거나 은퇴한 이후에도 가계에서 나오는 소득에 대해 분배를 요구하는 사람에게 맞서 자신의 살림을 보호했다. 반면, 이미 소작에서 손을 뗀 농부와 결혼을 해서 형편이 좋지 않던 여성은 훨씬 고달픈 지위에 놓였다. 남편이 죽은 뒤에도 아내는 재정을 뒷받침할 방법이 없었기 때문이다. 남편 사후에 아내의 피보호자로서의 권리 요구는 너무 민감한 문제여서, 때로 여성이 새로운 가정으로 시집갈 때 서명하는 농장 사용권 규정에서 특별 항목으로 다루어졌다. 그 밖의 경우에 이런 권한은 관리를 해오던 사람이 소유권을 상속자에게 넘기는 은퇴 단계에서 조정되었다. 호의적인 환경이라면 나이 들어 미망인이 된 여성은 지역의 관습에 따라 적정한 보호 수단에 의존할 수 있었다. 그렇지 못한 상황에 놓인 미망인이라면, 영주 재판소를 통해 권리를 행사할 길을 모색해야 했을 것이다.[62]

사생아를 둘러싸고 발생하는 분쟁에 대한 연구는 성의 역할이 어떻게 진행되었는지, 농촌 사회 안에서 성이 어떻게 규정되었는지에 대한 실마리를 던져준다. 알트마르크 같은 프로이센의 일부 지역은 사생아 출산율이 놀랄 정도로 높았다. 슐렌베르크 가문의 영지에 있는 슈타펜 교구의 한 표본 통계는 1708~1800년에 교구에서 91건의 혼인이 이루어지고 28건의 사생아 출산이 있었다는 것을 보여준다.[63] 이런 사건에서 법정 당국은 주로 부권을 확정하고 아이 어머니가 남자로부터 지원받을 권리를 규정하는 데 관심을 두었다. 법정 기록은 남성과 여성의 섹슈얼리티에 대해 매우 다른 입장을 보여준다. 여성이 성적인 상호접촉에서 수동적이고 방어적으로 간주되는 데 반해, 남성은 성교에 대한 강렬한 본능에 이끌린다고 여겼다. 사생아 출산을 조사할 때, 쟁점은 대체로 왜 여성이 성행위를 원하는 남성의 요구에 응했는가를 규명하는 것이었다. 만일 남자가 결혼을 약속하며 여자를 설득했다는 것을 입증할 수 있다면, 양육비에 대한 여자의 요구에 힘이 실렸다. 거꾸로 여자가 상대를 가리지 않고 성행위를 해왔다고 밝혀진다면 여자는 궁지에 몰렸다. 이와 대조적으로 남자는 성적 이력이 문제되지 않았다. 이렇듯 사생아 출산에 대한 조사는 남성에게 유리했다. 그럼에도 재판 절차는 생각보다 차별이 덜했다. 임신하게 된 정확한 상황을 될 수 있는 한 확실하게 규명하기 위해 끈질긴 조사가 이루어졌으며, 비록 남자가 혼인을 강요당하는 일은 드물었지만 부자관계가 확실하게 밝혀지면 일반적으로 양육비를 분담하도록 판결이 났다.[64]

아무튼 성은 재판 결과에 영향을 미치는 몇 가지 변수 중 하나에 지나지 않았다. 상위층 농민 가정의 여성은 가난한 여성보다 형편이 훨씬 나았다. 그들은 마을 유지로부터 지원을 받을 가능성이 컸다. 이런 배경은 법정 판결에 결정적인 영향을 미쳤다. 비난을 받는 남자는 해당 여성과 결혼할 가능성이 컸다.[65] 가난한 여성은 이중으로 불리했지만, 그럼에도 미혼모로 그럭저럭 헤쳐 나갈 길은 있었다. 예를 들어 다른 농가에 가서 물레질이나 바느질 같은 가사노동을 해주면서 먹고살 수 있었다. 그러다가 어느 시점에 가서는 결혼할 수도 있었을 것이다. 사생아를 낳았다는 낙인도 아이 아버지가 밝혀지고 그가 책임을 인정하면 (설사 결혼을 하지 않더라도) 대개 지워졌다. 혼자 힘으로 아이를 키우는 가난한 여성은, 건강하다는 전제에서 비슷한 계층에 속한 가사에 얽매인

기혼 여성보다 더 좋은 수입을 올릴 수 있음을 암시하는 증거도 있다.[66]

　이런 종류의 재판 절차에서 드러나는 아주 흥미로운 지점 중 하나는 엘베강 동쪽 영지의 마을에서 보이는 자율관리 체제다. 소작인이나 그 밖의 마을 주민은 고립무원의 처지에서 이상한 영주 재판의 횡포에 위축된 백성이 아니었다. 영주 재판소는 대부분의 기간에 마을 자체의 사회적·도덕적 기준을 집행하는 기관이었다. 특히 적절한 지원 수단에 대한 대책 없이 늙거나 허약한 사람들을 방치할 위험이 있는 가정 분쟁 사건에서 분명한 역할을 했다. 이럴 때 대체로 영주 재판소는 가장 열악한 환경에 놓인 취약계층을 위해 마을 자체의 도덕 경제(moral economy, 도덕적 가치와 행위들을 통하여 유지되는 경제 체제 — 옮긴이)를 강화하는 쪽으로 기능했다.[67] 성적 비행을 포함해 대부분의 사건에서 소송 절차는 마을 자체의 예비조사로 시작했다. 시비를 가려야 할 사건을 법정에 알리는 것은 마을이었다. 마을은 친자확인소송이 마무리된 뒤에 부양비가 제대로 지급되는지까지 감독했다. 이처럼 영주 재판소는 전적으로 그렇지 않더라도 부분적으로 마을의 자치 구조와 공생관계였다.[68]

근면한 프로이센

프리드리히 2세가 1752년의 정치적 유서에서 언급한 '프로이센의 힘'은 국내의 부가 아니라 독특한 '산업 분야의 근면'(gewerblichen Fleiß)에 토대를 둔 것이었다.[69] 대선제후의 집권 이후, 국내 산업 발전은 호엔촐레른 정부의 핵심 목표 중 하나였다. 이후의 선제후와 국왕들은 토착 노동력을 확대하기 위해 이민을 받아들이고 토착 기업의 기초를 다지고 육성함으로써 이 목표를 달성하려고 했다. 일부 기존 기업은 수입 금지와 관세로 보호받았다. 불확실한 생산 품목이 전략적으로 중요하다고 판단되거나 엄청난 이익을 포기해야 할 것으로 예상되는 경우, 정부 스스로 전매권을 행사하며 관리자를 임명하고 자본을 투입하고 품질 관리를 하며 영업이익을 거두어들였다. 중상주의 원칙에 따라, 원자재를 가지고 다른 데서 가공하기 위해 해당 지역을 떠나는 일이 없도록 노력을 기울이기도 했다. 프리드리히가 국왕으로서 먼저 내린 결정 하나는, 새로운 행정기관으로서 관리총국의 제5부를 창설하는 것이었다. '상업과 제조업'의 감독을 임무로 하는 기관이었다. 초대 감독에게 내리는 지시에서 왕은 그 부서의 목표가 기존의 공장을 개선하고 새 제조업을 도입하며 가능한 한 많은 외국인을 유치해서 제조업 분야에 자리를 잡게 하는 것이라고 자신의 계획을 밝혔다.

함부르크와 프랑크푸르트(마인), 레겐스부르크, 암스테르담, 제네바에 프로이센 이주민 센터가 문을 열었다. 인접한 작센에서는 프로이센의 양모 제조공장에 노동력을 공급하기 위해 방적공을 모집했다. 비록 나중에 많은 사람이 고국으로 돌아가기는 했지만, 리옹과 제네바로부터 숙련공들이 프로이센 실크 공장에서 일하기 위해 왔다. 신성로마제국의 독일 지역에서 온 이주민들은 칼과 가위를 만드는 공장을 찾았다. 프랑스에서 온 (이전 세대의 프로테스탄트 외에 이제는 가톨릭까지 포함된) 이주민들은 프로이센 모자와 가죽 제조업을 육성하는 데 도움을 주었다.

프리드리히의 '경제정책'은 국가에 특별한 의미가 있다고 판단되는 특수 분야에 일회성 개입을 하는 형태를 취했다. 특히 프로이센 실크 산업에 관심을 쏟았다. 이론적으로 실크가 그 원료를 프로이센 영토 내에서 생산할 수 있는(한겨울에 어린 뽕나무가 동사하는 것을 막는 방법을 찾았다는 전제하에) 제품이라는 이유 때문이기도 했고, 외국산 실크로 만든 사치품 구입이 국가 재정을 낭비하는 주요 원인이라고 보았기 때문이다. 또 실크가 우아한 멋과 문명의 진보, 기술적인 노하우와 관련된 고귀한 상품이라는 이유도 있었다.[70]

생산을 촉진하기 위해 도입한 조치는 장려책과 통제 수단이 독특하게 뒤섞여 있었다. 수비대 주둔 도시에서는 성벽 안에 뽕나무를 심으라는 명령을 받았다. 1742년에 반포된 칙령은 뽕나무 농장을 가꾸는 사람에게 필요한 땅을 공급하겠다고 선포했다. 1천 주 이상의 농장을 관리하거나 자신의 자금으로 그 이상의 농장을 경영하는 사람에게는 수익이 발생할 때까지 정원사의 임금을 국가가 보조하겠다는 말도 있었다. 나무가 충분히 성장하면, 농장주는 정부로부터 이탈리아 누에알을 무료로 받을 자격을 받았다. 나아가 정부는 이런 농장에서 생산한 실크는 어떤 종류든 책임지고 구매했다. 실크 생산 분야는 초기에 특별 수출보조금과 관세 보호, 면세 혜택으로 보호받았다. 1756년부터는 엘베강 동쪽 지역의 프로이센 일대에 실크 수입이 전면 금지되었다. 실크 생산에 투입된 정부 자본은 약 160만 탈러로 추정되는데, 대부분은 실크 제조만을 전문으로 담당하는 정부 특별부처가 분배했다. 이렇듯 선호하는 산업에 대한 과감한 육성책은 의심할 바 없이 전반적인 생산 능력을 증가시켰다. 그러나 소비 또한 증가했기 때문에 정부가 집중적으로 개입하는 방식이 제조업 분야의 생산성을 촉진하는 최선의 방법인가를 놓고서 당시 사람들 사이에서도 논란이 분분했다.[71]

잠사업 분야에서, 국가는 주요 투자자이자 으뜸가는 사업가였다. 이외에도 전략적이면서 동시에 재정적으로 중요한 여러 산업 영역에서의 국가 주도가 엿보인다. 예컨대 슈테틴에 있는 왕립 조선소가 그랬고, 사업가들이 국가 관료의 감독을 받으며 경영하는 담배, 목재, 커피, 소금 등 전매사업도 마찬가지였다. 또 슈플리트게르버 운트 다움 같은 기업을 상대로 한 다수의 민관 협력사업도 있었다. 슈플리트게르버는 전쟁 관련 사업을 전문으로 하는 베를린의 기업으로서 외국 군수품의 구매와 전매 사업도 했는데, 민간 기업이 경영하지만 정기적으로 정부 주문을 받음으로써 경쟁으로부터 보호를 받았다. 국영 기업의 활동으로 꽤 유명한 예는 오버슐레지엔 지방의 철광석 산업의 합병이다. 1753년에 슐레지엔의 말라파네 제철소는 독일 최초로 현대적인 용광로를 가동했다. 정부는 또 특별한 정착 계획과 (새로 이주해 오는 직조공을 위한 무료 직기 같은) 다양한 유인책을 통해 신규 노동자와 기술자를 끌어들이면서 슐레지엔 아마 산업의 확장을 도왔다.[72] 이런 사업들은 모두 보호관세와 수입 금지 제도를 통해 보호받았다.

이 정도 수준의 개입(오랜 시간이 걸리는 특정 분야의 세부 관리)은 국가뿐 아니라 통치자가 직접 나서야 했다. 그 예를 프리드리히의 집권 말기에 할레, 슈트라스푸르트, 그로스 잘체 등지의 제염업에서 다양한 문제가 돌출됐을 때 정부가 처리한 방식에서 볼 수 있다. 이 도시들의 제염업자들은 전통적인 작센 선제후국의 시장을 잃은 뒤 거듭해서 국왕에게 청원을 하며 원조를 요구했다. 1783년 프리드리히는 담당 장관인 프리드리히 안톤 폰 하이니츠에게 "초석이든 무엇이든, 염갱에서 다른 제품을 가공할 수 있는지, 그래서 이 사람들이 이 제품을 팔아 어느 정도까지 자급자족할 수 있는지" 알아내라는 임무를 주었다.[73] 하이니츠는 천연소금 덩어리를 제조해서 이것을 슐레지엔 행정구역에 방목가축을 위한 소금 덩어리(Salzsteine)로 파는 아이디어를 생각해냈다. 그는 그로스 잘체 지역의 '제염업자 조합'(Pfannerschaft)을 설득하여 필요한 실험을 하도록 하고 왕실보조금 2천 탈러를 주며 비용을 보전토록 했다. 첫 번째 실험은 천연소금을 추출해야 할 가마가 불을 때는 동안 무너지는 바람에 실패했다. 장관은 충분한 보조금을 지급하며 고성능의 가마를 세우도록 했다. 하이니츠는 또 1786년 여름에 왕이 총애하는 슐레지엔의 장관 칼 게오르크 하인리히 폰 호임 백작에게 자신의 제품 중에서 8천 파운드를 구입해달라고 청했다. 호임은 처음에는 응했지만 이듬해에는 거절했다. 그로스 잘체에서 만든 소금의 질이 나쁜 데다가 값이 너무 비쌌기 때문이다. 여기서 우리는 즉흥적으로 혁신을 일으키려는 태도가 결국에는 (시장이 주도하는 흐름과는 반대로) 정부 중심의 해결법에 역효과를 가져온다는 사실을 알 수 있다.[74]

17 공장을 시찰하는 프리드리히 대왕. 아돌프 멘첼의 판화, 1856년.

지나치게 간섭하고 통제하려고 나선 프리드리히 2세는 유행하던 당대의 경제 사상에는 어두웠다. (특히 프랑스와 영국에서) 경제는 자율적인 자체의 규칙으로 움직이는 것으로 개념화되고 있었다. 민간 사업과 생산에 관한 규제 철폐를 성장의 핵심 요인으로 보는 당시의 추세도 몰랐다. 사업가들이 정부의 제한 조치에 길이 막히기 시작하자 (특히 7년전쟁 이후에) 논란이 분분해지기 시작했다. 1760년대에는 브란덴부르크-프로이센의 도시에 있는 독립적인 상인과 제조업자 들이 정부의 제한적이고 차별적인 관행에 저항했다. 이들은 국왕의 관료기구에서 뭔가 지원받을 방법을 궁리했다. 1766년 9월, 제5부의 추밀금융고문관인 에르하르트 우르지누스는 정부의 정책을 비판하는 의견서를 올렸다. 그는 벨벳 및 실크 산업을 겨냥했는데, 특히 지나친 보조금을 받는 두 부문에서 생산된 원료가 품질은 떨어지는데 외국 수입품보다 훨씬 가격이 비싸다고 지적했다. 또 일련의 국영 전매사업이 오히려 무역 발전을 저해하는 환경을 만든다고 거듭 주장했다.[75] 우르지누스의 이런 솔직한 보고는 아무런 보상을 받지 못했다. 그는 재계의 실력자로부터 뇌물을 받은 것이 적발되어 슈판다우 요새에 1년간 투옥된다.

기록상 더 영향력이 있는 비판은 오노레 가브리엘 리케티 드 미라보 백작에게서 나왔다. 미라보 백작은 프로이센 왕국의 농업과 경제 및 군사 조직을 주제로 광범위한 논란을 불러일으킨 여덟 권짜리 논문집을 펴냈다. 그는 중농주의 자유무역 경제학을 열렬히 지지했는데, 국내의 생산력을 유지하기 위해 프로이센 정부가 채택한 정교한 경제 통제 시스템에서 추천할 만한 방법을 찾지 못했다. 그는 산업 성장을 장려하는 '올바르고 유용한 방법'은 많지만, 이 방법에 프로이센 왕국의 기준인 전매사업과 수입제한, 국가보조금은 포함되지 않는다고 했다.[76] 미라보는 프로이센 왕이 농업과 상업 부문에서 자연스럽게 축적되는 자본을 토대로 제조업이 '저절로 자리를 잡도록' 내버려두는 대신 잘못된 투자 설계에 따라 자원을 낭비했다면서 다음과 같이 주장했다.

프로이센 왕은 최근에 프리드리히스발데의 시계 공장을 세우는 데 6천 에퀴를 내주었다. 이런 소규모 사업에는 그 정도의 하사금을 내려보낼 가치가 없었다. 계속 돈을 쏟아붓지 않으면 이 공장이 자립하지 못하리라는 것은 보지 않아도 뻔하다. 온갖 쓸모없는 장신구 중에 시간이 맞지 않는 시계보다 쓸모없는 것은 없다.[77]

미라보는 반세기 가까이 지속된 프리드리히 통치 기간의 유산은 경제 침체라는 냉혹한 풍경이라고 결론지었다. 그 기간에 생산은 고질적으로 수요를 초과했고 기업 정신은 규제와 독점에 의해 숨이 막혔다는 것이다.[78]

이 말은 지나치게 부정적인 평가로서 그 궁극적인 목표는 격론을 유발하는 데 있었다(미라보의 실제 표적은 프랑스의 '앙시앵 레짐'으로서 그는 1789년 6월에 구체제를 무너뜨리는 데 일조했다). 프리드리히의 실험을 옹호하는 입장이라면 이 시기에 시작된 국가 프로젝트 다수가 장기적으로는 성장의 발판을 다졌다는 점을 꼽을 수 있다. 예를 들어, 슐레지엔의 제철산업은 프리드리히의 사후에도 슐레지엔 상급광산관리국(Oberbergamt)의 폰 레덴 백작의 지도하에 지속적으로 번창했다. 1780년에서 1800년까지 이곳의 노동인력과 생산량은 500퍼센트나 증가했다. 19세기 중엽에 슐레지엔에는 유럽 대륙에서 가장 효율적인 야금산업 단지가 있었다. 국가 주도하에 장기적인 성장과 발전에 성공한 사례였다.[79] 베를린 남부 미텔마르크의 루켄발데 지구에 세워진, 국고 지원을 받는 양모산업도 이와 같은 평가를 받을 수 있다. 국가가 첫 단계부터 자유 경쟁에 적합한 풍토를 만들지는 못했지만 지역에 없는 사업 분야의 엘리트 역할을 성공적으로 대체한 것이다. 상인이라면 부유하든 모험적이든 상관없이 루켄발데처럼 이렇다 할 기업이라곤 전혀 없는 동네에서 장인으로 남을 생각을 하지 않는다. 국가의 장려책에 힘입은 사업가가 지역의 자원과 노하우를 적절하게 집중시켜 상황이 안정되자 차차 결실을 맺기 시작했다. 바꿔 말해, 국가 주도의 발전과 창업 정신은 서로 배타적인 관계가 아니었다. 그 둘은 꾸준히 영향을 주고받으며 단계적으로 성장했다. 19세기의 사회경제 역사가인 구스타프 슈몰러가 표현하듯, 보호주의와 국가 주도 성장이라는 제도는 "그것이 뿌린 씨앗이 [19세기] 산업자유주의의 햇살 아래 꽃피울 수 있도록 쓰러져야 했다".[80]

아무튼 18세기 중반의 브란덴부르크-프로이센은 국가가 유일한 개혁의 주체이자 사업가였던 경제적 불모지는 아니었다. 대규모 공장의 관리자로서 왕실 행정의 중요성을 과장해서는 안 된다.[81] 프로이센 중심지의 경제 성장 센터라고 할 베를린-포츠담 대도시권의 전체 50개 '공장'(Fabriquen) 중에 국가 혹은 공기업에 속한 것은 오로지 하나밖에 없었다. 물론 이곳의 공장 중에 일부는 프리드리히 빌헬름 1세가 군대 보급을 위해 세운 창고와 자기나 금제품, 은제품 공장 같은 최대 규모의 재벌이 포함된 것이 사실이다. 하지만 이런 기업 중 다수는 국가의 직접적인 통제를 받지 않고 부유한 기업인들에게 임대한 것이다. 또 서부 지역에서는 국가의 역할이 두드러지지 않았다. 이곳에서는 독립적인 기능을 하는 야금술의 대표 중심지(마르크 백작령)와 실크 공장(크레펠트와 그 주변), 방직공장(빌레펠트 시 주변)이 있었다. 이들 지역에서 경제 생활을 지배하는 힘은 자신감이 넘치는 상업 및 제조업 종사 시민계급에게서 나왔다. 이들의 부는 국가와의 계약이 아니라 무역, 특히 네덜란드와의 무역에서 나왔다. 이런 점에서 서부 지역은 경제 발전에 국가의 영향력은 한계가 있다는 "현장 학습의 본보기"나 다름없었다.[82]

프로이센의 거대 복합기업이 있는 중부 지방에서조차 국영 부문의 성장은 민간 기업의 성장에 비할 바가 못 되었다. 특히 7년전쟁 이후, 민간 자본으로 운영되는 중간 규모(종업원 수 50~99명)의 제조업이 급속하게 성장한 것은 국영기업 상품의 비중이 떨어진다는 산 증거였다. 유난히 인상적인 것은, 양모나 실크 부문과 달리 정부 보조를 거의 받지 않는 면화 부문의 성장이었다. 비록 베를린-포츠담과 마그데부르크가 함부르크와 라이프치히 혹은 프랑크푸르트(마인)와 비교해 초지역적인 의미를 지닌, 두 군데뿐인 생산 기지이기는 했지만, 프로이센 왕국의 중부 지방에는 소규모 생산 센터가 많았다. 심지어 주 소득원이 농업인 아주 작은 도시에서도 수공업 제조 활동의 실질적인 지역 센터가 있었다. 예컨대 베를린 서부의 알트마르크에 있는 슈텐달에서는 109명이나 되는 직물 부문의 기능장이 활약하고 있었다. 이와 비슷한 숱한 소도시에서는 18세기 후반에 개인 활동을 하던 인력들이 점차 곳곳의 공장에 합류하면서 적잖은 구조 변화가 일어났다. 작은 수공업 도시라고 해도 훗날에 찾아올 산업 발달의 토대를 놓을 수 있는, 중요한 '발전의 섬'이 될 수 있었다.[83]

국영 부문 밖에서 가속화된 성장을 관장한 것은 다양한 사업 엘리트였다. 정부의 경제 당국과 이들의 관계는 중상주의 모델이 허용하는 것 이상으로 복잡했다. 1763년 이후 수십 년간 제조업자, 은행가, 도매업자, 하청업자 등 새로운 경제 엘리트는 빠르게 기반을 닦았다. 비록 이들은 구시가지의 과두 체제와 여전히 깊은 유대를 맺고 있었지만, 이들의 경제 활동은 차츰 전통적인 기업의 사회 질서 구조를 해체했다. 이들은 국영기업의 식탁에서 떨어진 빵부스러기를 줍는 것에 큰 욕심을 내는 겁 많은 '백성'이 아니라 그들의 개인적·집단적 이익에 강한 동기를 부여 받은 독립적인 기업인이었다. 또 틈나는 대로 정부의 정책에 영향을 끼치려고 했다. 때로는 (정부의 무역 제한 조치에 맞서 집단적인 저항을 한 1760년대의 침체기처럼) 공공연히 저항하기도 했고 개인 접촉을 통하는 경우는 더 많았다. 이런 시도는 청원에서 직접 국왕을 상대하기까지 다양한 차원에서 일어났다. 중앙이나 지방의 고위 관료에게 편지를 보내기도 하고 '세무 감독관'이나 '공장 감사관'처럼 지방에 파견된 대리인과 접촉하기도 했다. 제5부의 추밀금융고문관 우르지누스의 부패 혐의에 대한 조사에서는 (베겔리, 랑게, 슈미츠, 쉬체, 반 아스텐,

에프라임, 시클러 등) 베를린의 명망 높은 상인이나 제조업자들과 사적·공적 접촉을 한 많은 증거가 드러났다. 이렇듯 관리가 사업가와 접촉하는 일은 아주 흔했다. 가령 이런 증거는 제5부의 책임자로서 추밀금융고문관인 요한 루돌프 페시의 편지에서 볼 수 있다. 프랑크푸르트(오데르)에서는 심지어 지방 관리와 사업가들이 정기적으로 회의를 열면서 무역을 촉진하기 위한 정부 조처를 놓고 토론을 벌이기도 했다. 예컨대 1779년에는 (드 티트르, 외미케, 에르멜러, 지부르크, 불프, 위터보크, 지몬 등) 면화사업가들이 동원한 무장시위대가 그즈음의 정부 조치에 항의하며 제5부까지 행진하는 일이 있었다.[84]

프리드리히는 상인을 경멸하는 유명한 막말도 했지만 막상 정부는 이 부문의 영향에 훨씬 개방적이었다. 왕에게 개인적으로 자문을 해주는 측근 중에 적어도 유명한 사업가와 제조업자가 12명은 되었다. 예를 들어 직물사업가 요한 에른스트 고츠코프스키와 마그데부르크의 상인 크리스토프 고슬러는 때로 국가정책의 문제와 관련한 공식보고서를 올려달라는 부탁을 받았다. 크레펠트의 실력자로서 1755년에 왕에 대한 충성으로 '왕실 상업고문관'(königlicher Kommerzienrat)이란 칭호를 얻은 실크 제조업자 요한 운트 프리드리히 폰 라이엔도 마찬가지였다.

만일 군주 자신과 중앙부처 관리들이 기업계의 영향에 개방적이었다면 똑같은 원리가 지방 도시에 파견된 국가의 대리인들에게는 훨씬 더 크게 적용된다고 할 수 있다. 많은 세무 감독관이 스스로를 정부의 의지를 집행하는 대리인이기보다는 지방에서 중앙 정부로 정보와 영향력을 전달하는 통로로 여겼다. 그들은 지방 사업가의 편의를 봐주는 관계에 익숙했다. 예컨대 1768년에 잘레 강변에 있는 칼베의 세무 감독관 카니츠는 지역의 양모 제조업자들이 라이프치히 견본시(Leipziger Messe)에서 상품을 팔 수 있도록 작센과의 무역 제한 조치를 풀어달라고 요구했다. 일부 지방 관리들이 작성한 이 (통명스럽고) 솔직한 보고서는 지역의 여건을 정확히 파악한 관리들이 자신들의 정보를 이용해 결정적인 개선책을 내놓아 중앙 정부의 그릇된 생각을 바로 잡을 수 있다고 판단했음을 암시한다.[85]

7

지배권을 위한
투쟁

Struggle
for Mastery

1740년 12월 16일, 프로이센의 프리드리히 2세는 브란덴부르크 병력 2만 7천 명을 이끌고 방비가 허술한 합스부르크의 슐레지엔 국경을 넘었다. 겨울철 원정이라는 악조건에도 불구하고 프로이센군은 적진을 휩쓸었고 오스트리아군의 저항은 미미했다. 6주밖에 지나지 않은 1월 말이 되자, 수도인 브레슬라우를 비롯해 슐레지엔의 전 영토는 사실상 프리드리히의 수중에 떨어졌다. 이 침공 작전은 프리드리히의 생애에서 단일한 정치적 사건으로는 가장 중요한 것이었다. 외교 및 군사 부문의 고위 고문관들이 반대했음에도 불구하고 국왕 단독으로 내린 결정이었다.[1] 슐레지엔의 획득은 신성로마제국 내의 정치적 균형에 항구적인 변화를 불러왔고 프로이센을 강대국 간의 줄타기라는 위험한 미지의 세계로 몰아넣었다. 프리드리히는 이 침공이 국제적인 여론에 미칠 충격파를 잘 알고 있었지만, 손쉬웠던 이 겨울 원정을 시작으로 앞으로 전개될 유럽의 변화는 거의 예측하지 못했다.

유일한 프리드리히

혼자 힘으로 슐레지엔 전쟁을 시작하고 (빛나는 업적을 세운 조상 대선 제후만큼이나 긴 세월이라고 할) 46년간 호엔촐레른 영토를 관리한 이 남자를 자세히 살펴볼 필요가 있다. 유능하고 활기가 넘치는 이 군주의 페르소나는 당대 사람들을 매혹했고 일찌감치 역사가들의 마음을 사로잡았다. 프리드리히가 무척이나 떠들썩하면서도(사후에 출판된 그의 작품이 30권에 이른다) 자신을 좀체 드러내지 않는 사람이라는 점에서 이 왕이 어떤 인물인지 감을 잡기란 간단치 않다. 그의 글과 말은 '정신'(esprit)에 대한 경의를 표한 전형적인 18세기의 특징을 반영했고, 문체는 격언체로서 가볍고 경제적이었으며, 어조는 늘 초연하고 박식한 데다 흥겹고 반어적이거나 조롱하는 투였다. 하지만 풍자적인 문구의 공들인 농담과 역사적 회상록과 정치적 비망록의 차갑고 이성적인 산문 배후에 있는 인간 자체는 파악하기 어려운 모습으로 남아 있다.

그의 지적 능력이 탁월했다는 점은 의심할 여지가 없다. 한평생 프리드리히는 수많은 책을 탐독했다. 페넬롱, 데카르트, 몰리에르, 벨, 부알로, 보쉬에, 코르네유, 라신, 볼테르, 로크, 볼프, 라이프니츠, 키케로, 카이사르, 루키아노스, 호라티우스, 그레세, 장-바티스트 루소, 몽테스키외, 타키투스, 리비우스, 플루타크, 살루스티우스, 루크레티우스, 코르넬리우스 네포스 외에도 수백 명이 넘는 저자의 책을 읽었다. 그는 언제나 새 책을 읽었지만, 자신에게 아주 중요한 글은 규칙적으로 재독했다. 단 독일문학만큼은 그에게 문화적 약점이라고 할 수 있었다. 18세기의 문학적 조롱의 가장 우스꽝스런 표현 중 하나일 텐데, 68세의 성마른 노인 프리드리히는 독일어를 "천재적인 작가라고 해도 그것으로는 뛰어난 미학적 효과에 이르는 것이 '물리적으로 불가능한' 반야만인의 통용어"라고 매도했다. 또 독일 작가들은 "산만한 문체를 즐기고 삽입구를 중복시키며 종종 페이지가 끝날 때까지 문장 전체의 의미를 전달

하는 동사를 찾을 수 없다"고 썼다.[2]

　책을 늘 곁에 두고 책으로부터 자극을 받고 싶은 프리드리히의 욕구는 너무도 본능적이어서 그는 원정 기간용으로 만든 이동식 '야전도서관'(Feldbibliothek)까지 갖추고 있었다. 글쓰기(언제나 프랑스어로)도 중요했는데, 그것은 단순히 자신의 생각을 타인에게 전하는 소통의 수단일 뿐만 아니라 심리적 피난처였다. 그의 글에는 철학자의 비판적인 거리를 유지하면서 행동하는 남자의 대담성과 발랄함을 결합하려는 열망이 담겨 있다. 이 두 가지 인간 유형은 '철인왕'(roi philosophe)이라는 치기 어린 자기 묘사 속에서 결합되었다. 철인과 왕 두 가지 역할 중 어느 것 하나만으로는 자신을 온전히 설명할 수 없다는 뜻이었다. 다시 말해, 그는 왕들 중에서는 철학자로 통했고 철학자들 중에서는 왕으로 통했다. 군사적 행운이 최악의 상태였을 때, 전장에서 보낸 그의 편지는 걱정 없는 순수 스토아학파의 운명론을 가장했다. 거꾸로 실용적이고 이론적인 문제에 관한 에세이에서는 실제 권력을 휘두르는 자의 자신감과 권위의 숨결이 느껴진다.

　플루트를 좋아하는 취미는 이 악기가 그 어떤 것보다 프랑스의 문화적 명성을 상기시킨다는 점에서 정말 그다운 것이었다. 프리드리히가 연주했던 가로로 부는 플루트는 프랑스의 악기 제작자들이 발명한 지 얼마 되지 않은 것으로, 원통형 구멍이 여섯 개인 구형 플루트를 미묘하게 음색을 조절할 수 있는 원뿔형 구멍으로 개량한 악기였다. 18세기 초에 유명한 플루트 연주자들은 모두 프랑스인이었다. 프랑스 작곡가들(필리도르, 드 라 바레, 도르넬, 몽테클레르)은 플루트 레퍼토리까지 지배했다. 따라서 이 악기는 프리드리히와 그의 동시대 독일인 다수가 프랑스 하면 떠올렸던 문화적 우월성의 분위기를 고스란히 전달해주었다. 왕은 플루트 연주를 할 때 아주 진지했다. 그의 개인교수였던 플루트 연주의 대가이자 작곡가 크반츠는 연봉 2천 탈러를 받았는데, 이것은 당시 왕실 최고위 관리의 연봉과 대등한 액수였다. 이와 대조적으

18 7년전쟁을 앞둔 프리드리히 대왕,
요한 고트리프 글루메.

로 역사적 비중이 이루 말할 수 없이 큰 작곡가 카를 필리프 엠마누엘 바흐가 프리드리히를 위해 건반악기를 연주하며 받은 연봉은 푼돈에 지나지 않았다.[3] 강박적일 만큼 완벽주의적인 태도로 끊임없이 플루트를 연습하고 연주했다. 원정기간에도 저녁이면 그가 연주하는 아름다운 선율이 프로이센군 야영지 곳곳에서 들릴 정도였다. 훌륭하다고 하기에는 힘들고 만족스럽고 우아한 수준의 작품을 쓰는 정도였지만, 재능이 뛰어난 작곡가이기도 했다.

　프리드리히의 정치적 글과 그의 실제 통치행위는 놀라우리만치 직접적인 관계가 있다. 그의 사고 한복판에는 국력의 유지와 신장이라는 주제가 자리 잡고 있었다. 오해하기 쉬운 제목에도 불구하고 프리드리히의 유명한 초기 에세이 『반마키아벨리론』(Antimachiavel)은 선제 공격과 '이권전쟁'(Interessenkrieg)의 허용 가능성에 대해 아주 명백한 입장을 밝히고 있다. 권리가 분쟁에 휩싸이면, 왕자로서 자신의 주장은 당연한 것이며 백성의 이익을 보호하기 위해 힘에 의존할 수밖에 없다는 말이었다.[4] 여기서 1740년의 슐레지엔 점령과 1756년의 작센 침공에 관한 비교적 명확한 청사진은 거의 찾아볼 수 없다. 후계자에게 직접 가르침을 주기 위해 쓴 두 차례(1752년과 1768년)의 정치적 유언에서 그는 훨씬 더 솔직했다. 두 번째 유언은 작센과 폴란드령 프로이센(동프로이센과 브란덴부르크 및 동포메른을 가르는 영토)을 흡수하고 그 국경을 '마무리해서' 왕국의 동단을 방어가 가능한 곳으로 만드는 것이 프로이센을 위해 얼마나 '유용한지'에 대해서 놀라우리만치 냉정하게 말했다. 거기서는 단지 국가 팽창에 대한 고삐 풀린 환상만 있을 뿐 종교 때문에 억압받는 사람들의 해방이나 천부적인 권리를 옹호하지는 않았다.[5] 어느 역사가가 그를 비난하며 사용한 '외교정책의 허무주의'(außenpolitischer Nihilismus)란 표현에 가장 근접한 것이 바로 이 유언이다.[6]

프리드리히는 만만찮은 실력을 갖춘 매우 독창적인 역사가이기도 했다. 전체적으로 볼 때 『브란덴부르크가의 역사』(Denkwürdigkeiten zur Geschichte des Hauses Brandenburg, 1748년 2월 완성)와 『내 시대의 역사』(Geschichte meiner Zeit, 1746년 초고 완성), 『7년전쟁사』(Geschichte des Siebenjährigen Krieges, 1764년 완성) 그리고 후베르투스부르크 조약과 제1차 폴란드 분할(1775년에 끝남) 사이의 10년간 발생한 사건에 대한 그의 회고록은 피상적으로 판단하는 경향이 있기는 해도 프로이센 영토에서 전개된 변화에 대하여 최초로 포괄적인 접근을 한 역사적 성찰이었다.[7] 프리드리히의 역사적 기록과 회고록은 너무도 매력적이고 설득력이 강해서 그의 정권(그리고 그의 선임자들)에 대한 후대의 인식이 바로 여기서 형성되었다. 대선제후와 프리드리히 빌헬름 1세의 정치적 유언에서 감지되는 역사 변화에 대한 날카로운 인식은 프리드리히 2세의 내면에서 자의식의 수준으로 올라갔다. 이것은 아마 프리드리히가 세계에는 신의 섭리가 부재하기에 시간을 초월한 진리와 예언의 질서 속에 자신과 자신의 작품을 자리매김하기 불가능하다고 여겼기 때문일 것이다. 그의 아버지 프리드리히 빌헬름 1세가 1722년 2월의 정치적 유언에서 아들과 이후 후계자들이 '예수 그리스도를 통한 신의 도움'으로 '세상 끝까지' 번창하기를 바라는 경건한 소망으로 끝을 맺은 데 비해, 프리드리히의 1752년 유언 첫 구절은 모든 역사적 업적의 우발적이고 무상한 성격을 지적하며 다음과 같이 말하고 있다. "나는 죽음의 순간이 사람들과 그들의 온갖 계획을 파괴한다는 것을, 그리고 우주만물은 변화의 법칙을 따르게 마련이라는 것을 안다."[8]

한평생 프리드리히는 자기 시대의 종교적 전통을 유난히 무시했다. 그는 지극히 반종교적이었다. 1768년의 정치적 유언에서 그는 기독교를 "기묘하고 이상한 일과 모순, 부조리로 가득 찬 낡은 형이상학적 소설"이라면서, "동양인의 과열된 상상력 속에서 대량생산되어 우리 유럽으로 전파된 것인데, 일부 광신자들은 그것을 신봉하고 일부 음모자들은 그것을 확신하는 체하며 일부 바보들은 실제로 그것을 믿는다"고 말했다.[9] 그는 성도덕 문제에는 유난히 관대했다. 볼테르의 회상록에는 암탕나귀와 성교를 해서 사형선고를 받은 남자의 이야기가 나온다. 그런데 이 판결을 프리드리히가 직접 무효화하며 뒤집었는데, "내 영토에서는 양심과 페니스의 자유 두 가지를 누릴 수 있다"는 것이 이유였다고 한다.[10] 사실이든 아니든(이런 문제에서 볼테르를 늘 믿을 수 있는 것은 아니다), 이 이야기는 프리드리히의 주변에 만연했던 자유분방주의(libertinism)의 진면목을 전해준다. 쥘르 오프레 드 라 메트리는 때로 프리드리히의 궁정에서 스타 노릇을 한 인물이다. 그는 유물론적 논문 『인간기계론』(L'Homme Machine)을 썼는데, 사람을 단순히 양 끝에 괄약근이 달린 소화관으로 보는 견해를 상술했다. 메트리는 또 베를린 체류 기간에 상스러운 주제의 에세이 『오르가슴의 기술』(l'Art de iouir)과 『키는 작지만 물건은 큰 남자』(Le Petit Homme a grande queue)를 썼다. 프리드리히의 또 다른 프랑스 빈객인 바퀼라르 다르노는 『성교의 기술』(l'Art de foutre)이라는 연구서를 썼다. 프리드리히 자신은 운문으로 오르가슴의 쾌락을 탐험하는 글을 쓴 것으로 알려져 있다.

　프리드리히는 동성애자였을까? 당대에 런던에서 가명으로 출판된 『비밀 회상록』(*mémoire secrète*)은 프로이센 국왕이 미소년을 상대로 남색을 하는 궁정모임을 주재하며 낮에 일정한 간격을 두고 조신들이나 마구간지기, 지나가는 소년들과 섹스를 즐겼다고 주장했다. 배은망덕한 볼테르(그 스스로 노골적인 성적 표현을 써가면서 프리드리히에 대한 사랑을 고백한 적이 있다)는 훗날 자신의 회고록에서 왕은 오전 접견이 끝나면, 15분간 선발된 시종이나 '어린 사관생도'와 쾌락의 시간을 보내는 습관이 있었다고 주장했다. 그러면서 프리드리히는 선왕에게 학대받은 충격에서 회복되지 못했고 "주도적인 역할을 할 능력이 없는" 처지였기 때문에 "성관계까지 가지는 못했다"라고 헐뜯었다.[11] 이에 독일의 회고록 집필자들은 젊은 프리드리히의 혈기왕성한 이성애 능력을 강조하며 충성스러운 반격을 가했다. 어느 것이 더 진실에 가까운 견해인지는 단정하기 어렵다. 당시 볼테르는 왕과 관계가 소원해진 뒤에 파리 독자층의 음탕한 취향을 염두에 두고 글을 쓰고 있었다. 초기의 '여인들'에 관한 이야기는 모두 궁정 주변에 떠도는 소문이나 풍문, 가십에서 나온 것이다. 프리드리히는 선왕의 궁정에서 막강한 영향력을 지녔던 그룹프코 대신에게 자신은 여성과의 섹스에 별 매력을 못 느껴서 결혼은 상상할 수 없다고 분명히 털어놓은 적이 있다.[12] 어쨌든 왕의 성적 역사를 재구성하는 것은 불가능하고 또 필요하지도 않다. 그는 즉위한 이후, 어쩌면 그 이전에도 그 누구와도 성적 행위나 섹스 자체를 삼갔을 수도 있다.[13] 하지만 섹스를 하지 않았다면 그는 분명히 그 말을 했을 것이다. 그리고 궁정 내부에서 그의 측근들 간에 일어난 대화에는 동성애와 관련된 농담이 엿보인다. 왕의 저녁 특식 시간에 오락을 위해 낭송을 한 프리드리히의 풍자시 「팔라디온」(Le Palladion, 1749년)은 '왼쪽에서 하는 섹스'에 대한 쾌감을 읊기도 했고 왕이 총애하는 포츠담 시민 다르제가 색을 밝히는 예수회파 사람들에게 항문성교를 당하는

음탕한 장면을 묘사하기도 했다.[14]

이것은 남성 전용 공간에서만 들을 수 있는 소재이며, 실제로 프리드리히 최측근 사교계의 일관된 특징 중 하나는 매우 자극적이고 남성적인 분위기였다는 점이다. 프리드리히의 궁정은 탐탁지 않게 생각했던 선왕 통치기의 타박스콜레기움을 정교하게 다듬은 형태였다. 1713년 이후의 궁정 생활을 변화시킨 남성화의 흐름은 뒤집혀진 것이 아니라 어떤 점에서는 사실상 보강된 것이었다. 여인들이 궁정 사교 공간에 흡수된 것은 오로지 프리드리히가 왕세자였던 라인스베르크 시절뿐이다. 이런 구도에서 이성애적 결혼이 성사될 여지가 많지 않다는 것은 분명했다. 프리드리히와 그의 아내 엘리자베트 크리스티네 폰 브라운슈바이크-베버른의 혼인이 완벽한 결합으로 이어졌는지 여부는 불확실하다. 분명한 것은 즉위한 이후 프리드리히는 그녀를 중간 지대에 방치하면서 왕비와의 사회적 관계를 단절했다는 것이다. 그곳에서 엘리자베트는 공식적인 권한을 유지하고 국왕의 배우자로 행세하며 간소하나마 (아주 빠듯한 예산으로) 자신만의 거처를 갖고 있었지만 왕과의 접촉을 시도할 만한 환경은 못 되었다.

누가 봐도 이상한 방식이었다. 프리드리히는 분명한 선택을 하지 않았다. 왕비와 이혼하지도 않았고 쫓아내지도 않았으며 다른 여자를 맞이하지도 않았다. 대신 그는 아내를 일종의 가사 상태로 몰아넣었다. 이런 공간에서 왕비는 "전형적인 로봇"[15] 이상의 역할을 할 수 없었다. 1745년부터 엘리자베트는 상수시 궁의 '기피 인물'이 되었다. 다른 여인들은 (대개 일요일 점심식사에) 왕의 우아한 여름별장으로 초대되었지만, 왕비는 아니었다. 1741년부터 1762년까지 22년간, 프리드리히는 왕비의 생일축하연에 딱 두 번밖에 참석하지 않았다. 물론 엘리자베트는 계속해서 베를린 궁정의 나머지 영역에서 주인 노릇을 했지만, 생활 반경은 차츰 교외의 쇤하우젠 궁으로 좁혀졌다. 엘리자베트가 31세가 된 1747년에 쓴 편지에는 "아무것도 할 것이 없는 이 세상에서 하느님이

나를 기꺼이 데려가실 때를 조용히 기다리는 […]"이라는 표현이 보인다.[16] 프리드리히와 왕비의 왕래는 대부분 냉랭한 격식을 갖춘 상태에서 이루어졌으며, 어쩌다가 기회가 생겨도 그는 놀라울 정도로 아무 감정 없이 그녀를 대했다. 이런 관계를 가장 잘 드러내는 것은 수년간 헤어져 있다가 전쟁을 치르고 돌아온 1763년에 아내에게 "왕비께서 살이 찌셨소"라고 했다는 도저히 잊을 수 없는 인사말이었다.[17]

　이 모든 것이 '프리드리히의 실제 모습'을 알아내려고 하는 노력에 보탬이 되는가는 쓸데없는 질문이다. 프리드리히의 페르소나는 그 자체로 미덕이라고 할 진정성을 거부하는 형태로 형성되었기 때문이다. "정직한 사람이 되어라, 솔직해야 해"라는 잔인한 아버지의 명령에 10대의 프리드리히는 사실상 불가지론의 아웃사이더 입장에서, 본심을 속이는 뒤틀린 마음가짐으로 교활하게 공손한 반응을 보였다. 1734년에 예전의 개인교수인 위그노파 뒤앙 드 장당에게 보내는 편지에서는, 주변을 비추도록 만들어졌지만 "대담하게 그런 자연의 이치에 따르려고 하지 않는" 거울에 자신을 비유했다.[18] 그의 글에서 핵심을 이루는 것은 한 명의 신하로서, 한 명의 개인으로서 자신을 눈에 띄지 않게 하려는 경향이었다. 이런 경향은 전쟁통에 보낸 편지 속의 가장된 금욕주의에서, 측근들과도 거리를 두려고 하면서 사용한 신랄한 빈정 댐과 모방에서, 그리고 정치적인 원칙을 논할 때 국왕의 인격을 국가의 추상적인 구조와 하나로 융합하려고 하는 경향에서 엿볼 수 있다. 결코 끝날 줄 모르는 일에 대한 프리드리히의 엄청난 욕구조차 게으름에서 나온 내향성으로부터의 도피로 해석될 법했다. 부왕의 잔인한 정권에 맞서 프리드리히가 쳐놓은 보호망은 결코 제거되지 않았다. 프리드리히는 인간의 비열함을 애통해하고 자신의 삶에서 행복하기를 포기한 자칭 인간혐오자로 남았다. 그러는 사이에도 그는 계속 놀라운 정력으로 문화적 자산의 기반을 단단히 굳혔다. 그는 이가 빠지고 악기 주둥이가 부서질 때까지 플루트를 연습하고 연주했다. 그는 (프랑스어로)

로마 고전을 읽고 또 읽었으며 프랑스어 산문 쓰기를 연마했다. 동시에 나온 지 얼마 안 된 철학 작품을 탐독했고, 죽거나 여자 때문에 자신을 떠나간 친구들의 빈자리를 채우려고 새로운 대화 상대를 물색했다.

세 차례의 슐레지엔 전쟁

왜 프리드리히는 슐레지엔을 침공했고, 왜 1740년이었는가? 이 물음에 '그가 할 수 있었기 때문'이라고 한다면 진부한 대답일 것이다. 국제적인 상황은 지극히 우호적이었다. 1740년 10월, 러시아에서는 여제 안나이바노브나가 사망하자 궁정의 정치 기능이 마비되면서 갓난쟁이 후계자 이반 6세의 섭정 자리를 놓고 궁정의 파벌은 권력 다툼에 빠져들었다. 영국은 비록 오스트리아의 동맹이긴 했지만, 1739년 이래 에스파냐와 전쟁을 벌이고 있었기 때문에 간섭할 것 같지 않았다. 또한 프리드리히는 프랑스가 전반적으로 협력할 것이라고 계산했다(이는 올바른 판단이었다). 전쟁을 수행할 수 있는 자원도 충분했다. 선왕이 물려준 8만 명의 군대는 고강도의 훈련을 마쳤고 보급과 장비 상태도 좋았다. 단 실전 테스트만 거치지 않았을 뿐이다. 프리드리히는 금화로 800만 탈러나 되는 넉넉한 군자금을 상속받았는데, 이것은 갈색 자루에 담긴 채베를린 왕궁 지하실에 쌓여 있었다. 이와 대조적으로 폴란드 왕위 계승 전쟁(1733~38년)과 터키 전쟁(1737~39년)에서 연속적으로 참담한 패배를 당하며 고통을 겪고 있는 합스부르크 왕조는 국력이 고갈된 상태였다.

새로 합스부르크의 왕위에 오른 마리아 테레지아는 여자였는데, 이것이 문제였다. 합스부르크가 내부의 상속 관련 법은 여성의 왕위 계승을 인정하지 않았기 때문이다. 딸만 셋을 둔 황제 카를 6세는 이런 난관을 예견하고 '국사조칙'에 국내외의 승인을 얻기 위해 많은 노력과 돈을 쏟아부었다. 국사조칙은 황실의 상속 규정을 변칙 적용할 수 있게 해주는 기술적인 장치였다. 그가 세상을 떠날 무렵 주요 당사국은 (프로이센을 포함해) 대부분 국사조칙을 수용하겠다는 신호를 보냈다. 하지만 이 약속이 실제로 지켜질지는 불확실했다. 특히 작센과 바이에른, 두 독일 왕실은 장남을 각각 1719년과 1722년에 황제의 조카딸과 결혼시켰기 때문에 믿을 수 없었다. 실제로 뒤에 가서 두 왕실은 이 혼약으로, 합스부르크가의 남자 상속자가 없으면 자신들에게 황실 세습지에 대해 지분이 있다고 주장했다. 1720년대 초반에 작센과 바이에른은 여러 조약에 서명을 했는데, 상속 지분에 대한 모호한 조항을 보강하는 내용이었다. 심지어 바이에른의 선제후는 16세기에 오스트리아와 바이에른이 혼인조약을 맺었다는 문서를 위조하기까지 했다. 직계 남자 상속자가 없을 때, 오스트리아 세습지의 대부분을 바이에른이 차지하기로 되어 있다는 내용이었다. 황제가 사망할 경우 문제가 불거질 것이라는 수상쩍은 조짐은 1740년 이전부터도 있었다.

프로이센은 국사조칙을 비준한 독일 영방 중 하나였다. 부분적으로는 1731~32년에 잘츠부르크의 프로테스탄트를 프로이센 왕국의 동쪽 국경 지역으로 이주시키는 협상을 신속하게 처리하기 위해서였다. 하지만 프로이센과 오스트리아의 관계는 한동안 악화되어왔다. 합스부르크가는 1701년에 프로이센의 왕국 승격을 지원한 것을 오랫동안 후회해왔으며 요제프 1세가 황위에 오른 1705년 무렵부터는 호엔촐레른 왕조가 독일에서 더 이상의 기반을 굳히는 것을 막기 위해 봉쇄정책을 펴오고 있었다. 프로이센과 오스트리아는 에스파냐 왕위 계승 전쟁 기간에는 대체로 같은 편에서 싸웠지만 베를린 주재 영국 사절들의 보고에 따르면, 호칭의 승인에서부터 동맹군 배치나 보조금 지급의 지연에 이르기까지 서로 툭하면 긴장과 분노를 드러냈다.[19] 비록 프리드리히 빌헬름 1세(1713년 즉위)가 황제의 지배권에 대항할 생각 없이 제국에 대한 충심을 갖고 있었다고는 해도, 제국 내 프로테스탄트의 권리를 놓고 호엔촐레른 영토 안의 신분제 대표들이 빈의 제국궁정재판소(Reichs-hofrat)에 가서 터트리는 불만을 황제가 기꺼이 들어주는 것을 놓고는 주기적으로 마찰을 빚었다. 그것은 마치 프로이센 왕은 제국 내의 하찮은 군주인 것처럼, 프리드리히 빌헬름 자신의 표현으로 '체르프스트 변방의 왕자'(Prinz von Zipfel-Zerbst)인 것처럼 보였기 때문이다.

여전히 해결이 안 된 문제였던, 라인 지방의 베르크 공국에 대한 브란덴부르크의 요구를 황제가 지원해주지 않은 것이 프리드리히 빌헬름 1세로서는 인내의 한계였다. 프리드리히 빌헬름의 외교정책은 거의 전적으로 베르크에 대한 지배권을 확보하는 것에 초점이 맞춰져 있다. 그리고 황제는 국사조칙을 베를린이 승인해주면 주고받기 식으로 그 지역의 권리를 주장하는 다른 나라들에 맞서 브란덴부르크를 지원해주기로 약속했다. 하지만 1738년에 오스트리아는 이 약속을 저버리고 경쟁국의 요구를 들어준다. 이때 쓰라린 충격을 받은 프리드리히 빌헬름은 그 심정을 아들에게 똑똑하게 일러주며 "나에게 앙갚음하려는 사람이 있다!"라고 말했다고 한다.[20] 오스트리아의 '배신'을 둘러싸고 이들 부자가 공유한 분노는 정권 말기에 수년간 갈라진 두 사람의 관계를 다시 봉합하는 데 큰 역할을 했다. 프랑스가 베르크 공국에 대한 브란덴부르크의 '소유권'을 승인하게 된 1739년 4월의 비밀 조약은 아들 정권에 가서 반오스트리아-친프랑스 노선의 특징을 보여주는 전조가 되었다. 1740년 5월 28일, 죽어가는 늙은 왕으로서 아들에게 주는 '마지막 당부'로 프리드리히 빌헬름은 왕세자에게 경고했다. 오스트리아 황실을 믿어서는 안 되며 그들은 항상 브란덴부르크-프로이센의 위상을 깎아내리려고 할 것이라는 말이었다. 그리고 이렇게 덧붙였다. "빈은 이 불변의 원칙을 결코 포기하지 않을 것이다."[21]

왜 하필 슐레지엔이었는가? 이 지역 곳곳에서 해결을 보지 못한 호엔촐레른가의 영토 요구가 있었다. 이것은 이전에 합스부르크가가 할당해준 예거른도르프의 호엔촐레른 영지(1621년)로 거슬러 올라가는 문제였고, 호엔촐레른가가 상속권을 주장한 땅으로서 슐레지엔 피아스텐 공국의 영토인 리그니츠, 브리크, 볼라우(1675년)도 있었다. 프리드리히는 시대에 뒤떨어진 그런 요구에만 매달리지 않았다. 역사가들은 일반적으로 이런 그의 태도를 추적하며 슐레지엔에 대한 요구를 뒷받침하기 위해 작성된 법적 문서를 슐레지엔 침공에 대한 단순한 구실로 해석했다. (사실상 근대 초기의 유럽 왕조가 전반적으로 그랬듯이) 호엔촐레른 왕조가 충족되지 못한 상속 요구를 잊은 적이 없다는 것을 감안할 때, 이런 평가를 한마디로 일축해야 할지는 불분명하다.[22] 하지만 슐레지엔을 선택한 더 절박한 이유는, 단순히 이곳이 브란덴부르크와 국경을 맞댄 합스부르크가의 유일한 지방이었기 때문이다. 또 방비가 아주 허술하다는 이유도 있었다. 1740년 당시 이 지방에 주둔한 오스트리아 부대는 병력이 8천 명밖에 되지 않았다. 이곳은 엄지손가락처럼 생긴 긴 지형으로 합스부르크의 보헤미아 경계에서 노이마르크의 남방한계선까지 북서로 뻗어 있었다. 오데르강은 오버슐레지엔의 산악 지방으로 흐름이 이어지다가 북서쪽으로 우회하며 브란덴부르크를 관통하고 포메른의 슈테틴에서 발트해로 흘러들어간다. 슐레지엔은 오스트리아의 어느 세습 영지보다 더 많은 세수를 빈에 안겨주었다. 이곳은 근대 초기 독일어권 유럽에서 가장 산업화가 밀집된 지역의 하나로서 아마포 공장을 중심으로 직물산업이 상당히 번창했기 때문에 이곳을 합병한다면 프로이센 영토에서는 그때까지 뒤처졌던 생산력을 올려주는 요인이 될 수 있었다.

하지만 경제적인 요인이 프리드리히의 계산에서 큰 비중을 차지했다는 것을 드러내는 증거는 별로 없다. 생산성이라는 측면에서 영토의 가치를 평가하는 관습은 아직 형성되지 않았다. 더 중요한 것은 전략적 사고였다. 가장 중요한 이유는 프로이센 국왕이 먼저 나서지 않을 경우, 아마 똑같이 오스트리아에 요구할 것이 있는 작센이 그 지방 혹은 그중 일부를 차지하려고 하지 않을까 하는 우려였을 것이다. 영국과

275

하노버가 그렇듯이 작센과 폴란드도 당시 동군연합(personal union)으로서 작센의 선제후 프리드리히 아우구스트 2세는 동시에 폴란드에서는 아우구스투스 3세 국왕이기도 했다. 작센 왕조의 영토는 슐레지엔 양쪽과 접해 있어 작센은 어떻게든 그 간격을 좁히려는 시도를 할 가능성이 높아 보였다. 카를 6세가 사망하면 작센이 마리아 테레지아의 즉위를 지원하는 대가로 작센과 폴란드 사이에 있는 슐레지엔 회랑 지대의 할양을 충분히 요구할 수 있는 일이었다. 이 프로젝트가 실현되었다면 작센 왕조는 아마 브란덴부르크의 남쪽과 동쪽을 완벽하게 둘러싸는 광활한 영토를 장악하게 되었을 것이다. 그러면 프로이센은 장기적으로 예측할 수 없는 결과를 떠안으며 빛을 보지 못했을 것이다.

슐레지엔을 공격할 무렵 프리드리히의 태도는 무모함에 가까운 자발성을 보여준다. 그는 맹렬한 속도로 행동했다. 그는 카를 6세의 갑작스러운 사망 소식을 접하고 며칠 만에(어쩌면 단 하루 만에) 침공 결정을 내린 것으로 보인다.[23] 당대 사람이 한 말에 따르면 그에게 젊은이 특유의 사내다움과 명성에 대한 목마름이 있었다. 그는 슐레지엔 출정을 앞둔 베를린 연대 장교들에게 "나가서 영광을 맞이하라!"라고 외쳤다. 그의 "영광을 맞이하라!"라는 언급과 "여러 신문에서 자신의 이름을 보려는" 욕구는 편지에서 빈번히 등장한다.[24] 뿐만 아니라 1730년 여름에 왕세자로서 도주를 시도해 촉발된 위기에 합스부르크가가 개입한 이래 그들에게 품어왔던 개인적인 적개심도 있었다. 프리드리히는 제국 내에서 브란덴부르크-프로이센의 종속적인 위치가 갖는 의미를 뼛속 깊이 경험해왔으며 비록 그가 시련을 마음속에 감추어 외관상으로 침착해 보이기는 해도, 끓어오르는 분노는 (오스트리아의 승인하에 이루어진) 엘리자베트 크리스티네 폰 브라운슈바이크-베버른과의 혼인을 처음에 거부하고 이후로도 끝내 화해하지 않은 그의 태도에서 느낄 수 있다. 감정적 동기를 강조하면 프리드리히의 이후 역사 기록에서 드러나는 특징과 충돌할지도 모른다. 기록들에서 그는 자신을 냉혹한 '국가 이성'(raison d'état)의 초이성적 집행자로 표현했기 때문이다. 하지만 그것은 역사 변화의 배후에 작용하는 원동력에 대한 더 기본적인 그의 믿음과 완전히 일치한다. 프리드리히는 『브란덴부르크가의 역사』에서 이렇게 썼다. "인간사라는 것은 남자의 열정에 이끌리게 마련이다. 본디 유치한 이유들이 결국엔 대격변으로 이어질 수도 있다."[25]

배후 동기의 상대적인 무게가 어디에 있든, 슐레지엔 침공은 프리드리히를 새로 취득한 지방의 통치를 둘러싸고 벌어지는 길고 험난한 싸움으로 몰아넣었다. 오스트리아는 1741년 봄에 반격했지만, 오스트리아의 군사적 동력은 4월 10일 브레슬라우 남동쪽의 몰비츠에서 프로이센에 패배함으로써 무너졌다. 이것으로 오스트리아 왕위 계승 전쟁이라고 알려진, 영토 분할을 둘러싼 전면전의 서막이 오른다. 5월 말, 프랑스와 에스파냐는 님펜부르크 조약을 통해 황제 선출에 후보로 나선 바이에른의 선제후 카를 알브레히트를 지원하고 합스부르크의 세습 영지 대부분에 대한 그의 미심쩍은 요구도 도와주기로 약속했다(대신 프랑스와 에스파냐는 그 보상으로 벨기에와 롬바르디아를 받기로 했다). 끝에 가서 님펜부르크 동맹에는 프랑스와 에스파냐, 바이에른뿐 아니라 작센과 사보이아–피에몬테, 프로이센도 포함되었다. 이 동맹군에 의한 계획이 실현되면 마리아 테레지아에게 남는 것은 오직 헝가리와 오스트리아 본국밖에 없게 될 형편이었다. 상대를 죽이기 위해 모여든 하이에나 떼처럼 서유럽 각국은 저마다 상대를 조심스럽게 지켜보고 있었다.

물론 1741년에 님펜부르크 동맹이 실현된 것이 프리드리히의 이익에 보탬이 되기는 했지만, 그에 대한 약속을 지키는 것은 내키지 않는 일이었다. 그는 오스트리아가 분할되는 것을 보고 싶지 않았고, 오스트리아를 희생시킨 대가로 작센이나 바이에른이 세력을 키우는 것은 더더욱 보고 싶지 않았다. 봄 원정 이후, 그의 군자금은 빠르게 바닥이 났다. 그는 목표를 공유하고 싶지 않은 동맹이라는 모험에 계속 끌려 다닐 생각이 없었다. 1742년 여름, 프리드리히는 동맹국들을 포기하고 오스트리아와 단독 강화를 맺었다. 브레슬라우 조약과 베를린에서 맺은 추가 협정의 틀에서 브란덴부르크-프로이센은 슐레지엔의 공식적인 소유권을 승인받는 대가로 더 이상의 원정을 중단하는 데 동의했다.

이후 24개월 동안 프리드리히는 전투에서 발을 빼고 추이를 지켜보며 여러 측면에서 군사력을 보강했다. 1744년 8월, 전황이 오스트리아에게 유리하게 전개되면서 슐레지엔에 대한 오스트리아의 반격 기회가 가시화되었을 때, 그는 다시 전투를 재개하고 호엔프리데베르크(1745년 6월)와 조르(1745년 9월)에서 두 차례의 인상적인 승리를 거두었다. 1745년 12월에 케셀도르프에서 프로이센이 승리를 거둔 뒤, 프리드리히는 다시 님펜부르크 동맹군을 궁지에 방치한 채 오스트리아와 두 번째 단독 강화를 맺었다. 드레스덴 화의를 통해 그는 다시 슐레지엔 소유권을 추인받는 대가로 전쟁에서 발을 떼는 데 동의했다. 두 차례의 슐레지엔 전쟁(1740~42년, 1744~45년)에서 승리를 거두고 나서 프로이센은 이후의 오스트리아 왕위 계승 전쟁 내내 비전투국으로 남았다. 1748년 10월에 체결된 아헨 조약(Aachener Frieden)으로 전쟁은 공식적으로 끝났고 슐레지엔에 대한 프로이센의 소유권은 영국과 프랑스의 서명으로 국제적인 보장을 받았다.

프리드리히는 놀라운 성공을 거두었다. 처음으로 독일에서 열등한 일개 공국이 신성로마제국 내에서 합스부르크의 지배권에 도전하는 데 성공을 거두었고 스스로를 빈과 대등한 위치로 올려놓은 것이다. 이때 결정적인 역할을 한 것은 프리드리히의 부왕이 창설한 군대였다. 처음 두 차례의 슐레지엔 전쟁에서 프로이센이 승리한 것은 무엇보다 프리드리히 빌헬름의 보병이 보여준 규율과 전투력에 기인했다. 예컨대 슐레지엔 남부 몰비츠에서 벌어진 전투(1741년 4월 10일)에서 프로이센군은 오스트리아 기병대가 프로이센군의 우익 기병대를 공격한 뒤에 전장의 통제력을 상실했다. 이때 프로이센 기병대원들이 너무 겁에 질리고 혼란에 빠졌기 때문에 프리드리히는 노련한 사령관 쿠르트 크리스토프 폰 슈베린 장군의 제안에 따라 후퇴했다. 이 사건을 놓고 적군은 종종 과장해서 떠벌였다. 하지만 그사이, 프로이센군 좌우익 사이에 집결해 있던 보병은 왕이 전장을 떠난 사실을 모른 채 일사불란하게, 오스트리아 관측병의 표현에 따르면 '움직이는 벽처럼' 진격했다. 그리고 고도로 단련된 기술을 활용해 오스트리아 기병대를 향해 화력을 집중하면서 보이는 대로 날려버렸다. 저녁이 되자 프로이센군은 많은 사상자에도 불구하고 전장을 장악한 것이 분명해졌다.

이것은 단호한 리더십에 따른 승리가 아니라 프리드리히 빌헬름 1세가 만든 무기의 위력을 보여주는 사건이었다. 보헤미아-모라비아 국경에서 벌어진 코투지츠 전투(1742년 5월 17일)도 이와 유사한 특징을 보여주었다. 여기서 프로이센 기병대는 개전 초기에 오스트리아 기병대에게 패했다. 종사(縱射)로 집중적인 사격을 하며 오스트리아 전열을 무너뜨린 것은 경사진 지형에서 흐트러짐이 없으면서도 유연하게 포진한 보병이었다. 전투 전날 밤에 수립된 프리드리히의 작전 계획은 그를 훗날 유명하게 만든 전략적 재능을 보여주기엔 부족했다. 하지만 제2차 슐레지엔 전쟁 기간에 치른 전투 중에 가장 결정적이었다고 할 호엔프리트베르크에서 프리드리히는 좀 더 확실하게 상황을 통제했으며 변화무쌍한 야전 환경에 계획을 맞추는 인상적인 능력을 보여주었다. 여기서도 적군에게 결정적인 타격을 안긴 것은 보병이었다. 그들은 착검한 총을 둘러멘 채 어깨를 나란히 하고 3열 횡대를 이루며 오스트리아군과 작센군을 향해 전진했다. 1분 90보의 규정 속도로 나아가다가 적과 가까워지면 70보로 줄이며 전혀 흔들림 없이 멈추지 않고 나아갔다.[26]

프리드리히는 1740년 12월에 적개심을 드러내며 자발적으로 그리고 정당한 이유 없이 공격을 감행했다. 훗날 두 차례 세계대전의 렌즈를 통해 이 사건을 들여다보는 20세기의 사가들은, 때로 프리드리히의 침공을 전례가 없는 범죄적 공격으로 간주했다.[27] 하지만 이런 식으로 다른 영토를 공격하던 당대의 권력 정치라는 맥락에서 보면 전혀 이상할 것이 없었다. 벨기에와 서부 독일 땅을 공격한 프랑스의 오랜 역사나 1704년의 에스파냐 왕위 계승 전쟁 기간에 영국-네덜란드 기습 부대가 지브롤터 반도를 점령한 것, 혹은 좀 더 베를린 쪽으로 와서 작센과 바이에른의 뻔뻔한 계획을 보더라도 예외적인 일이 아니었다. 프리드리히의 전쟁 계획 중 인상적인 특징 한 가지는, 구체적으로 제한된 목표(이 경우에는 슐레지엔 획득)에 계속 집중하는 그의 능력과 동맹군의 유혹 혹은 도박의 판돈을 높여 행운을 거는 유혹에 넘어가지 않는 재능이 돋보인다는 것이다. 이런 자질은 왜 프로이센이 유럽의 어느 열강보다 프리드리히의 재위 기간에 전쟁에 소비한 세월이 짧았는지 설명하는 데 도움이 된다.[28]

프리드리히의 슐레지엔 모험에 대하여 당대 사람들이 경악한 것은, 한편으로 신속한 작전 성공이었고 다른 한편으로 양 교전국의 서로 어울리지 않는 조합 때문이었다. 프로이센은 당시의 유럽 정치체제에서 3류 국가였고 신성로마제국을 지배하는 오스트리아는 열강 연합의 창설회원국이었다. 프로이센의 성취는 당시 바이에른 및 작센의 운명과 극명하게 대조적이어서 더 놀라워 보였다. 바이에른 사람들이 연이은 패전으로 고통을 겪는 와중에 카를 알브레히트 선제후는 국외로 도피할 수밖에 없었다. 작센도 나을 것이 없었다. 님펜부르크 동맹과 협력해서 얻을 것이 하나도 없다는 것을 깨달은 작센은 1743년에 진영을 바꿔 오스트리아 편에서 싸웠지만 호엔프리트베르크에서 프로이센에 패배하고 말았다. 전혀 인상적이지 못한 작센 덕분에 프로이센의 성공은 그만큼 더 뚜렷하게 부각되었다. 1740년만 해도 프로이센은 신성로마제국의 테두리 안에서 우열을 겨루는 독일 영방국가 집단 중 하나에 지나지 않았고, 그중에서 부유한 축에 속하지도 못했다. 그런데 1748년이 되자 프로이센은 가까운 경쟁국들을 압도하면서 앞으로 치고 나갔다.

그럼에도 프리드리히가 자신의 전리품을 계속 차지할 수 있을지는 지극히 불확실했다. 슐레지엔을 차지한 것이 오히려 새롭고 잠재적으로는 아주 위험한 상황으로 이어졌기 때문이다. 오스트리아인들은 왕조에서 가장 부유한 지방을 상실한 상황을 결코 받아들이려 하지 않았고, 1748년의 아헨 조약에 서명하는 것도 거부했다. 이 조약이 도난당한 지방에 대한 프로이센의 소유를 공식적으로 인정했기 때문이다. 프리드리히의 수중에서 다시 슐레지엔을 빼앗고 프로이센을 독일 지역의 2등 국가로 떨어트릴 만큼 강력한 반프로이센 동맹의 창설이 이제 합스부르크 정책의 주목표가 되었다. 러시아는 믿을 만해 보였다. 프로이센의 예기치 못한 성공에 놀란 엘리자베타 여제와 대재상 알렉세이 페트로비치 베스투제프-류민은 브란덴부르크-프로이센을 동발트해의 영향력을 둘러싼 경쟁국이자 러시아의 서진정책에 잠재적인 방해물로 보게 되었다. 1746년에 러시아는 빈과 동맹을 맺었다. 그 비밀조항의 하나는 양국이 호엔촐레른 왕조를 분할한다는 것이었다.[29]

슐레지엔에 대한 합스부르크의 집착은 너무도 강해서 오스트리아의 외교정책을 근본적으로 재설정하게 만들었다. 1749년 봄, 마리아 테레지아는 슐레지엔 사태의 의미를 파악하기 위한 '추밀외교위원회'(Geheime Konferenz) 회의를 소집했다. 회의에는 37세의 젊고 총명한 장관인 벤첼 안톤 폰 카우니츠 백작이 참석했다. 카우니츠는 정책을 근본적으로 재고해야 한다고 주장했다. 오스트리아 왕조의 전통적인 우방은 영국, 전통적인 적은 프랑스였다. 하지만 카우니츠는 영국과의 동맹 역사를 한 발 떨어져서 보면 그것이 합스부르크 왕조에는 실제로 거의 쓸모가 없다는 것이 드러난다고 주장했다. 1년 전만 해도 영국은 돌이킬 수 없는 손실을 감수하라고 오스트리아를 압박했고 슐레지엔에 대한 프로이센의 소유권을 보장하도록 재촉함으로써 아헨 조약의 협상에서 비열한 역할을 했다는 것이다. 문제의 근원은 영국의 제해권에서 나오는 지정학적 이익과 오스트리아의 대륙 지배권에서 나오는 이익이 객관적으로 너무 성질이 달라 동맹을 유지하기가 어렵다는 사실에 기인한다고 카우니츠는 주장했다. 따라서 빈은 믿을 수 없는 영국과의 동맹을 포기하고 프랑스와 선린관계를 맺어야 한다는 것이었다.

오스트리아의 입장이 급격하게 변화되었다는 것이 전통적인 동맹구조가 바뀌었기 때문만은 아니다. 왕조의 권위와 전통이 아닌, 국가의 '자연스러운 이해관계'에 바탕을 둔 관점 때문이기도 했다. 즉, 지정학적 위치와 영토를 당장 보호해야 할 필요에 따른 것이었다.[30] 카우니츠는 1749년의 추밀외교위원회에서 이런 입장을 견지한 유일한 참석자였다. 그보다 나이가 많은 다른 모든 참석자는 그의 극단적인 결론에 주춤했다. 하지만 마리아 테레지아는 그의 견해를 선택했고, 이어 그를 프랑스와의 동맹 작업을 위해 베르사유 주재 왕실대사로 공식 파견했다. 1753년에 그는 합스부르크의 외교정책을 책임지는 수상에 임명되었다. 슐레지엔에서 받은 충격이 그동안 합스부르크의 외교정책이 자리 잡아온 동맹의 틀을 벗어나게 만든 것이다.

이어진 7년전쟁(1756~63년)은 이런 오스트리아와 러시아의 계산이 영국과 프랑스 사이에 확대되던 국제적 갈등과 뒤얽혔기 때문에 발생한 것이다. 1755년에는 멀리 떨어진 오하이오강 계곡의 저지대 습지 평야에서 영국군과 프랑스군 사이에 전초전이 있었다. 런던과 파리가 다시 개전에 돌입했을 때, 영국 왕 조지 2세는 프랑스의 동맹국인 프로이센이 조지 왕의 독일 본국이라고 할 하노버를 침공하는 것을 막으려고 했다. 1670년대 초에 포메른에 사는 브란덴부르크인들을 위협하기 위해 프랑스군이 스웨덴군을 활용했듯이, 영국은 이제 러시아군에 재정 지원을 하며 동프로이센 국경을 따라 육군과 해군을 배치하도록 했다. 세부사항은 상트페테르부르크 협정에 들어갔고 1755년 9월에 (미처 비준을 받지는 못했지만) 이에 대한 합의가 이루어졌다.

프리드리히 2세는 동부전선에서 이런 위협을 받고 깜짝 놀랐다. 그는 동프로이센에 대한 러시아의 계략을 잘 알고 있었으며 항상 러시아의 국력을 과대평가하는 경향이 있었다. 동쪽 전선의 압박을 완화하는 데 필사적이었던 그는 1756년 1월 16일, 웨스트민스터 협정을 통해 이상하게도 영국과 무기한의 합의에 도달했다. 영국은 러시아에 지급하는 군사보조금을 철회하는 데 동의했고, 양국은 프랑스가 하노버를 공격할 경우, 독일에서 공동방어 작전을 펼치기로 결정했다. 이것은 프리드리히 쪽에서 볼 때 성급하고 분별없는 결정이었다. 그는 프랑스의 전통적인 적국과 별 생각 없이 맺은 이 협정이 베르사유 궁의 분노를 유발하고 급기야 합스부르크와의 전쟁에 프랑스를 끌어들이리라는 것을 예상했어야 함에도 불구하고 프랑스 동맹국들의 의견을 듣는 번거로움을 피했다. 1756년 1월의 프리드리히의 공포에 따른 반사작용은 오로지 한 사람의 기분과 견해에 좌우되는 정책 결정 시스템의 취약성을 노출했다.

프로이센의 입지는 이제 위험하리만치 빠른 속도로 악화되었다. 웨스트민스터 협정 소식은 프랑스 궁정의 분노에 불을 붙였고, 루이 14세는 오스트리아가 제안한 방위동맹(1756년 5월 1일의 제1차 베르사유 조약)을 받아들이는 것으로 대응했다. 이 조약에 따르면, 양국은 각각 상대국이 공격을 받을 때 2만 4천 명의 병력을 파견할 의무가 있었다. 영국이 보조금 지급을 철회한 것도 러시아의 엘리자베타를 화나게 만들어 러시아도 1756년 4월에 반프로이센 동맹에 합류하는 데 동의했다. 이후 한두 달 동안 전쟁의 원동력 역할을 한 것은 러시아였다. 마리아 테레지아가 전쟁 준비를 비교적 두드러지지 않은 조치에 국한한 반면에, 러시아는 그들의 군사력을 은폐하기 위한 노력을 하지 않았다. 이제 프리드리히는 자신이 세 개 강대국의 적군에 포위되었고, 1757년 봄이면 합동공격이 시작될 것이라고 생각했다. 그가 마리아 테레지아에게 자신을 상대로 군대를 모으지 않겠다는 것과 공격을 시작할 의도가 없다는 것을 확실하게 보장하라고 요구했을 때, 그녀의 대답은 불길할 정도로 불확실했다. 그러자 프리드리히는 적이 먼저 공격하기를 기다리느니 차라리 선제 공격을 하기로 결심했다. 그리하여 1756년 8월

29일, 프로이센군은 작센 선제후국을 침공했다.

이때 프로이센의 선제 공격은 전혀 예상치 못한 것이었고 그만큼 충격이 컸다. 이는 왕 혼자서 내린 결단이었다. 이 침공은 어느 정도는 작센의 정책에 대한 오해에서 비롯된 측면이 있다. 프리드리히는 작센이 그에 대항해서 연합군에 합류하리라고 믿었고(오판) 그의 장교들은 그 증거 서류를 확보하려고(헛수고) 작센의 공문서를 뒤졌다. 하지만 그의 행동은 동시에 보다 광범위한 전략 목표에 부합하는 것이기도 했다. 그가 즉위한 직후 간행된 저서 『반마키아벨리론』에서 프리드리히는 윤리적으로 허용되는 세 가지 유형의 전쟁을 기술했다. 방어전쟁, 정당한 권리를 찾으려는 전쟁, '예방전쟁'이 그것인데, 예방전쟁에서는 군주가 적군이 군사행동을 준비하는 것을 간파하고 자신의 방식으로 먼저 적대 행위를 하는 이점을 포기하지 않기 위해 선제 공격을 시작하는 것을 의미했다.[31] 작센 침공은 바로 이 세 번째 범주에 들어가는 것이었다. 이 방법은 적들이 군사력을 완벽하게 끌어모으기 전에 프리드리히가 전쟁을 시작하도록 해주었다. 그리고 전략적으로 민감한 (베를린에서 80킬로미터밖에 떨어지지 않은) 지역을 통제할 수 있게 해주었다. 그러지 않았다면 분명히 적군이 공세를 위한 전진기지로 사용했을 것이다. 또 작센은 상당한 경제적 가치가 있었다. 이곳은 전쟁 중에 무자비하게 약탈당했지만, 프로이센 군비 지출의 3분의 1을 제공했다. 프리드리히의 계산에서 재정과 자원이 어느 정도의 비중을 차지하는지 정확히 알길은 없지만 말이다.

작센 침공은 순수한 전략적 측면에서는 의미를 부여할 수 있을지 모르지만, 정치적 효과로 볼 때는 엄청난 재앙이었다. 반프로이센 동맹은 독선적인 분노의 추진력을 얻었다. 러시아는 이미 동맹국을 공세적인 분위기로 몰아넣었지만 프랑스는 아니었다. 아마 프랑스는 프리드리히가 기다렸다가 오스트리아나 러시아로부터 정당한 이유 없이 공격을 받았다면 중립을 유지했을지도 모른다. 하지만 그 대신 프랑스와 오스트리아는 공격적인 내용을 담은 제2차 베르사유 조약(1757년 5월 1일)을 체결했다. 이 조약을 통해 프랑스는 오스트리아가 슐레지엔을 되찾을 때까지 해마다 12만 9천 명의 병력과 1,200만 리브르를 지원해 주기로 약속했다(프랑스는 그 대가로 오스트리아령 네덜란드의 통제권을 갖기로 했다). 러시아군은 다시 8만 병력으로 공격하는 동맹군에 합류했다(그들은 폴란드령 쿠를란트를 러시아에 합병하고 그에 대한 보상으로 러시아의 통제를 받는 폴란드에 동프로이센을 넘겨주는 계획을 세웠다). 신성로마제국의 각 지역에서는 제국군 4만 명을 투입했다. 스웨덴까지도 포메른의 일부 또는 전부를 다시 가로챌 희망으로 여기에 가담했다.

　바꿔 말하면 이것은, 단순히 슐레지엔의 운명을 결정하기 위한 전쟁이 아니었다. 분할전쟁이었고 프로이센의 미래를 결정하기 위한 전쟁이었다. 연합군이 그들의 목표를 달성했다면 프로이센 왕국은 아마 더 이상 존재하지 못했을 것이다. 제국 대표단의 여러 구성원이 요구하는 슐레지엔과 포메른, 동프로이센을 비롯해 그 밖의 영토를 빼앗겼다면 누더기 국가(Flickenstaat) 호엔촐레른은 본래의 조건으로, 즉 육지로 둘러싸인 북독일의 일개 선제후령으로 돌아갔을 것이다. 바로 이것이 오스트리아 핵심 정책결정자들의 계획과 일치하는 모습이었다. 이들의 목표는 카우니츠가 간단명료하게 말하듯이, "브란덴부르크가 원래대로 보잘것없는 2등 국가로 돌아가는 것"이었다.[32]

　프리드리히가 그토록 압도적으로 우세한 적대 세력을 극복한 것은 당대 사람들에게 불가사의하게 보였고 오늘날의 우리가 보기에도 놀라울 따름이다. 그것을 어떻게 설명할 수 있을까? 프로이센군이 지리적으로 유리한 고지를 이용한 것은 분명하다. 작센을 통제한 프리드리히는 조밀한 지형에서(물론 동프로이센과 베스트팔렌 공국은 제외하고) 작전을 전개할 수 있었다. 그는 또 북보헤미아의 주데텐산맥에 의지해 슐레지엔의 남쪽 경계에 은신할 수 있었다. 그의 서부 주둔군은 영국이 지원하는 하노버 감시군의 엄호를 받았다. 이 정도면 한동안 이쪽 방면의 프랑스군을 저지하는 데는 충분했다. 1758~61년의 4년간 프로이센은 영국 정부로부터 해마다 67만 파운드(대략 335만 탈러)라는 막대한 군자금 원조를 받았다. 이것은 프로이센 전쟁 비용의 약 5분의 1에 해당하는 액수였다. (일찍이 동프로이센이나 베스트팔렌 지역을 방어하지 않기로 결정한) 프리드리히가 내부 방어선의 이점을 누리는 반면에 (오스트리아를 제외하고) 적군은 본국에서 아주 멀리 떨어진 장소에서 작전을 펼치는 고충이 있었다. 작전의 중심부로부터 벗어나 변두리 사방으로 흩어진 상태에서, 연합군은 협동작전을 펼치며 효과적으로 이동하는 것이 어려웠다.

사실상 모든 연합군 전투가 그렇듯이, 그들에게는 동기부여와 신뢰의 문제도 있었다. 프로이센이라는 '괴물'을 쓰러트리는 것에 목표를 둔 마리아 테레지아의 집착은 좀 더 제한적인 목표를 가진 대부분의 다른 동맹국과 공유할 수 없는 것이었다. 프랑스의 관심은 기본적으로 대서양상의 갈등에 초점이 맞춰졌기 때문에 그들은 로스바흐에서 프리드리히가 압도적인 승리를 거둔 뒤(1757년 11월 5일) 프로이센과 싸우는 것에 급속히 흥미를 잃었다. 재협상 끝에 1759년 3월에 체결된 제3차 베르사유 조약의 틀 안에서 프랑스는 동맹군에게 약속한 군대 및 재정 지원을 중단했다. 스웨덴이나 제국군으로 대표되는 여러 독일 지역은 손쉬운 취득물에 관심이 있을 뿐 진을 빼는 소모전을 버틸 생각이 별로 없었다. 동맹세력 안에서 가장 강력한 축은 오스트리아-러시아 연합군이었지만 여기도 문제는 있었다. 양국 어느 쪽도 이 전쟁에서 동맹 상대가 과도한 이익을 얻는 것을 원치 않았으며, 결정적인 상황에서 이런 불신은 오스트리아가 러시아의 승리를 굳히는 데 군사력을 사용하기를 망설이는 태도로 이어졌다.

그렇다고 해서 프로이센의 궁극적인 승리가 어떤 의미에서든 처음부터 빤한 결론이라고 생각해서는 안 된다. 제3차 슐레지엔 전쟁이 7년이나 이어진 것은 정확하게 이 문제가 군사적으로 해결하기 어렵다는 것을 입증하는 것이었기 때문이다. 프로이센이 연속해서 승전을 거둔 것은 아니다. 게다가 승리조차 그들에겐 그저 다음 날 싸우기 위해 살아남은 고달픔을 의미했다. 프로이센이 거둔 승리 중에 다수는 많은 사상자를 대가로 치르며 간신히 얻은 것이었고, 전황을 결정적으로 프로이센 쪽으로 기울이기에는 불충분했다. 가령 로보지츠 전투(1756년 10월 1일)에서 프로이센군은 심각한 병력 손실을 대가로 전장의 전술적 통제권을 확보하기는 했지만, 오스트리아군의 주력 부대는 건재했다. 슐레지엔에서 오스트리아군에 맞서 싸운 리그니츠 전투(1760년 8월 15일)에서도 똑같은 상황이 발생했다. 이 전투에서 프리드리히는 적군의 위치를 정확하게 파악하고 서로 떨어진 오스트리아 두 개 부대 중 하나를 타격하기 위해 신속하게 이동해서 적군이 효과적으로 대응하기 전에 무기력하게 만들었다. 이런 선제 공격은 성공적이었지만 그 일대의 오스트리아군 전체로 볼 때는 별 타격을 주지 못했다.

야전사령관으로서 프리드리히의 지략과 독창성이 크게 돋보인 전투는 아주 많았다. 단일 전투에서 거둔 가장 인상적인 승리는 로스바흐 전투(1757년 11월 5일)에서 있었다. 이 전투에서 프로이센의 2만 병력은 프랑스-제국 연합군 병력의 절반밖에 되지 않았다. 연합군이 프로이센 진영 주위를 빙빙 돌면서 좌익을 향해 측면 공격을 시도할 때, 프리드리히는 놀라운 속도로 부대를 재배치한 다음, 기병대를 급파해 연합군 선두에 있는 기병연대를 쓸어버리게 했다. 동시에 그의 보병은 위치를 이동해 치명적인 대각선 교차 진형을 짜고 이 위치에서 프랑스-제국 연합군을 향해 엄청난 총탄을 퍼부으면서 공격했다. 프로이센군의 사상자는 500명에 불과한 데 비해 적군의 경우 1만 명에 달했다.

프리드리히가 사용한 전투기술의 핵심적인 특징 중 하나는 정면 공격보다 비스듬히 측면을 이용하는 사선 공격대형을 선호하는 것이었다. 프리드리히는 나란히 대치한 전선에서 접근하기보다 가능하면 공격선을 비틀어가며 (흔히 기병대의 지원을 받아) 한쪽 끝에서 적과 부딪치기 전에 반대쪽 부대가 적진을 뚫고 들어가는 방식을 택했다. 이 아이디어는 정면에서 공격하기보다 적군의 대열을 따라 움직이다가 측면에서 기습하는 것이었다. 특별히 숙달되고 안정된 보병대가 필요한 이 기동작전은 무엇보다 지형이 평탄치 않은 장소에 적합했다. 숱한 전투에서 보병을 복잡하게 배치하고 측면에서 기습하는 프로이센의 공격은 가공할 위력을 발휘했다. 예를 들어 프로이센군과 오스트리아군이 수적으로 대등했던 프라하 전투(1757년 5월 6일)에서, 프리드리히는 프로이센군을 오스트리아군 우익을 향해 돌아가게 했다. 오스트리아군이 프로이센군의 선두와 마주치기 위해 급히 진형을 재배치할 때, 프로이센 야전사령관은 오스트리아군의 처음 대열과 재배치한 대열 사이에 있는 '이음새'를 파고 들어가 오스트리아군을 완전히 흩트려놓았다. 사선 돌진 방식의 고전적인 예는 로이텐 전투(1757년 12월 5일)에서 있었다. 여기서 오스트리아군은 병력 수에서 프로이센군에 비해 두 배 가까이 우세했다. 이 전투에서 프로이센군은 성동격서 작전을 이용해 정면을 치는 체하면서 보병 주력 부대는 남쪽으로 우회해서 오스트리아군의 좌익을 본진에서 분리시켰다. 이 특출한 군사 전략에서 프로이센 보병의 '이동 벽'은 포병의 측면 지원을 받았다. 프로이센 대포가 공격선을 따라 이동하며 발포했다.

하지만 이와 똑같은 전술도 충분한 병력의 지원을 받지 못하거나 야전 상황을 오인하는 실수를 범하면 실패했다. 가령 콜린(1757년 6월 18일)에서 프리드리히는 평소대로 오스트리아군의 우익 쪽으로 우회해서 측면 공격을 시도했지만, 오스트리아군은 이것을 예측하고 그가 접근하는 방향으로 진형을 연장했다. 이 때문에 프리드리히는 수적으로 우세할 뿐만 아니라 위쪽에서 철통같은 방어망을 형성한 적군을 향해 올라가며 정면 공격을 한 나머지 막대한 손실을 감수할 수밖에 없었다. 이 전투의 승리는 프로이센군의 1만 4천 명에 비해 8천 명의 사상자를 낸 오스트리아군의 차지였다.[33]

19 쿠너스도르프 전투, 1759년 8월 12일. 당대의 판화.

러시아와 싸운 초른도르프 전투(1758년 8월 25일)에서 프리드리히
는 러시아군의 배치를 완전히 오판한 나머지, 북쪽으로 우회해서 러시
아군의 측면을 공격하려 했으나 실제로는 적군이 정면으로 대치하고
있다는 사실을 깨달았다. 전투는 잔혹했고 프로이센군 1만 3천 명, 러
시아군 1만 8천 명 등 엄청난 사상자가 발생했다. 초른도르프 전투를
프로이센의 승리로 간주할지, 아니면 패배나 단순히 처참한 교착 상태
로 여길지는 여전히 분명치 않다. 프리드리히가 그 다음에 러시아와 맞
붙은 주요 전투도 비슷한 양상을 보였다. 쿠너스도르프 전투(1759년
8월 12일)는 프로이센군의 포병과 보병이 러시아군의 우익에 정확한 사
격을 가해 전도유망하게 시작되었지만, 러시아군이 구간별로 프로이센
군의 선두 부대에 맞서 탄탄한 전선을 구축하고 프로이센 보병을 비좁
은 저지대의 구덩이로 몰아넣으면서 사격을 가하자 이내 재앙으로 변
했다. 여기서도 프리드리히는 다시 전투의 전개 양상을 잘못 판단했다.
울퉁불퉁한 지형으로 기병대의 정찰이 쉽지 않았는데, 그는 자신이 잘
못 판단할 수 있다는 점을 제대로 고려하지 않은 것으로 보인다. 그 대
가는 등골이 오싹할 정도로 엄청났다. 프로이센군의 사상자 1만 9천 명
중에 6천 명이 전투 현장에서 전사한 것이다.

　　군사 지도자로서 프리드리히는 오판을 모르는 존재가 아니었다.
7년전쟁 기간에 그가 치른 16회의 전투 중에서 승리를 거둔 것은 (증거
가 불충분한 것도 그에게 유리하게 해석하고 초른도르프 전투도 승리한 것으
로 계산한다고 해도) 8회에 지나지 않았다.[34] 그래도 대부분 그가 적군보
다 우세했다는 점은 높이 평가해야 할 것이다. 그의 군대가 단독으로
싸운 것도 유리한 측면이 있었다. 동맹군과 작전협의를 할 필요가 없었
기 때문이다. 러시아나 프랑스, 오스트리아에 비해 프로이센군의 작전
결정 과정은 기막힐 정도로 단순했다. 야전 최고사령관이 군주인 동시
에 외무장관(사실상)이었기 때문이다. 합스부르크 군주의 반응 속도를
늦추었던 일종의 치밀한 논의는 거칠 필요가 없었다. 이런 이점은 왕 개

인의 끈질긴 기질과 재주, 대담무쌍한 성격 그리고 어디서(왕 자신을 포함해) 실수가 발생하는지 간파하려는 자세를 통해 더 힘을 받았다. 전체적으로 제3차 슐레지엔 전쟁의 과정을 찬찬히 살펴보면, 프리드리히가 적군을 자주 전술적 수세로 내모는 것이나 전투가 일어날 조건을 그가 결정하는 일이 자주 있었다는 것이 놀랍기만 하다. 이제는 널리 인정하다시피, 이는 엄격한 훈련을 받은 프로이센군의 탁월한 전투력에 기인한 것이기도 하다. 이런 능력을 바탕으로 푸른 제복의 벽은 마치 보이지 않는 중심축이 움직이듯 자유자재로 이동했고 프로이센군은 당시 대부분의 유럽 군대에 비해 두 배나 빠른 속도로 진형을 재배치했다.[35] 이런 강점에 위기의 시기에 냉정한 자세를 유지하는 프리드리히의 능력이 추가되었다. 호흐키르히 전투(1758년)에서 대대적인 패배를 당한 뒤에 맞이한 혼돈 상황보다 이런 강점이 명백하게 발휘된 경우는 없을 것이다. 이 전투에서 자신을 태운 말이 총탄을 맞고 피로 흠뻑 젖었는데도 불구하고 왕은 총알이 빗발치는 사지에서 안전한 방어 위치로 부대가 철수하도록 침착하게 명령하고 오스트리아군이 그들의 이점을 파악하지 못하도록 그 과정을 감독했다.

패배를 당해도 끝없이 일어서며 그때마다 적에게 다시 강력한 타격을 안겨주는 프리드리히의 능력은 그 자체로는 승전까지 이어지지 못한다고 해도 연합군의 협력 체제를 무너뜨려 프로이센군이 궁지를 벗어날 만큼은 충분히 효과가 있었다. 급기야 엘리자베타 여제의 사망 소식이 알려지자 러시아가 연합군에서 이탈하는 것은 시간 문제였다. 1762년 엘리자베타의 죽음으로 표트르 대공이 즉위했다. 프리드리히의 열렬한 찬미자인 표트르는 즉시 그와 협상을 시작하고 동맹을 맺었다. 표트르는 황제 자리를 오래 지키지 못했다. 그는 아내인 예카테리나 2세에 의해 황제 자리에서 밀려난 직후, 아내의 정부 중 한 명에 의해 살해되었다. 예카테리나는 동맹 제안을 거절하고 오스트리아-러시아의 맹약을 연장하지 않았다. 열강의 지원 없이는 포메른에서 목표를 달

20 프리드리히 대왕의 초상, 요한 하인리히 크리스토프 프랑케 작(복제).

성할 희망이 없던 스웨덴도 곧 동맹에서 이탈했다. 인도와 캐나다에서 연속적으로 참담한 패배를 당한 프랑스도 더 이상 전쟁을 지속하는 데 흥미를 잃었다. 전쟁의 목적이 이제는 너무도 부적절해 보였기 때문이다. 프랑스가 영국과 체결한 파리 조약(1763년 2월 10일)도 오스트리아를 등졌다. 게다가 오스트리아는 재정이 바닥났다. 혹독한 전투를 치르며 막대한 인명과 재산을 바친 7년전쟁 이후, 후베르투스부르크 조약(1763년 2월 15일)에서 마리아 테레지아는 '전쟁 이전의 상태'로 돌아간다는 것을 인정했다. 그 대신 프리드리히는 다음 황제 선출 시에 그녀의 아들, 즉 장래의 요제프 2세에게 표를 주겠다고 약속했다.

18세기 중엽의 유럽 전쟁을 돌아볼 때면, 우리는 그것을 직사각형 위에서 화살이 비 오듯 쏟아지는 그림 혹은 전쟁 작전 테이블의 녹색 천에 빽빽하게 줄지어 선 형형색색의 병사 모형으로 시각화하는 경향이 있다. 또 '움직이는 벽'이나 '사선 행군 대형', 적군의 좌우익에 대한 '측면 공격'에 초점을 맞추다 보면, 치열한 전투가 시작되자마자 대부분의 전장에 널리 퍼져나가는 공포심과 혼란상을 잊기 쉽다. 정면 혹은 측면에서 공격에 노출된 부대가 포화 속으로 들어간다는 것은 총탄이나 대포의 산탄, 포탄 등 발사체가 밀집 대형을 이루고 서 있는 사람들 사이를 가르고 터지는 가운데 대형과 규율을 유지한다는 것을 의미했다. 개인의 돌진과 용기를 보여줄 수 있는 기회는 제한되었으며, 그보다 중요한 것은 달아나거나 숨고 싶은 본능을 억제하고 다스릴 수 있는가의 문제였다. 장교들은 특별히 노출된 위치에 서서 부하들이나 다른 장교들 앞에서 침착한 태도를 보여주어야 했다. 이것은 단순히 개인적인 허세의 문제가 아니라 군대 내에서 신흥 귀족계급이 지닌 집단 윤리에 관한 문제였다.

알트마르크에 사는 평범한 융커 지주의 아들인 에른스트 폰 바르제비시는 베를린 사관학교에서 교육을 받은 뒤, 7년전쟁 기간에 다양한 전투에서 프로이센 장교로 복무했다. 원정 기간의 일기에 기초한 그의 회고록은 때로 전투 중인 장교들 사이에서 사무라이의 숙명론과 학생들의 동료애가 뒤섞여 있었음을 보여준다. 바르제비시는 오스트리아군의 공격을 받는 프로이센군의 한쪽 날개에서 우연히 왕의 근처에 있었다. 총탄이 우박처럼 쏟아졌다. 대부분은 서 있는 병사들의 가슴과 얼굴을 겨냥한 것들이었다. 왕의 바로 옆에 있던 폰 하우크비츠 소령의 팔에 총알이 관통했고 그 직후 또 하나의 총알이 왕이 탄 말의 목에 박혔다. 바르제비시가 서 있던 위치에서 멀지 않은 곳에서 (왕이 총애하는) 폰 카이트 원수가 포탄 파편을 맞고 말에서 떨어지며 즉사했다. 그 다음에 희생된 사령관은 바르제비시가 속한 부대의 여단장인 빌헬름 폰 브라운슈바이크였는데 총탄 한 방을 맞고 바닥에 쓰러져 죽었다. 순백색의 종마인 그의 말은 겁에 질려 주인이 없는 상태로 대열 사이에서 30분 가까이 무섭게 이리저리 날뛰었다. 바르제비시와 주변에 있던 젊은 귀족들은 마음을 진정시키기 위해 가벼운 농담을 주고받았다.

교전이 시작되었을 때, 나는 총알 하나가 이마 바로 앞부분의 모자 끝을 관통하는 영광을 누렸지. 얼마 지나지 않아 두 번째 총알이 모자 왼쪽의 큰 테를 뚫고 지나갔지 뭔가. 그 바람에 모자가 밑으로 떨어졌고 말일세. 나는 바로 뒤에 서 있던 폰 헤르츠베르크 형제들에게 말했어. "여보게들, 제국군이 탐내는 이 모자를 내가 다시 써야 되겠나?" 그러자 "그래, 써야 해"라고 그들이 말했지. "모자가 자네의 훈장이잖아." 그때 헤르츠베르크 형제 중 맏이가 코담뱃갑을 손에 들고 말하는 거야. "여보게들, 한줌만 용기를 내봐!" 나는 그에게 다가가 한줌 집으며 말했다네. "맞아, 우리에겐 용기가 필요해." 폰 운루가 나를 따라 했고 헤르츠베르크 형제 중 막내가 끝으로 한줌을 집었지. 헤르츠베르크의 맏이가 자기 몫을 상자에서 꺼내 들고 코에 대려고 할 때, 총알 한 방이 날아와 그의 정수리를 관통했어. 바로 옆에 서 있던 나는 그를 쳐다보았지. 그는 "주 예수여!"

하고 외치더니 빙그르르 한 바퀴 돌고는 쓰러져 죽었어.[36]

프리드리히의 국가 안에서 융커 귀족계급이 특수한 위치를 차지한 것은 바로 이런 젊은이들(프로이센 부대의 한 부대에 있던 헤르츠베르크 삼형제를 보라!)의 집단적인 희생을 통해서였다.

1인칭 목격담의 대다수는 주로 귀족 출신의 장교들이 남긴 것이지만, 이것이 전장에서 처참하게 사라져간 평민들의 희생을 가려서는 안 될 것이다. 로보지츠 전투에서는 사망한 장교 한 명당 80명 이상의 비율로 사병이 죽었다. 알트마르크의 오스터부르크 부근의 에르크스레벤 출신인 기병대원 니콜라우스 빈은 가족에게 보내는 편지에서 자신의 고향 출신 중에 12명이 전사했다는 얘기를 전했다. 그중에 안드레아스 가를립과 니콜라우스 가를립은 형제거나 사촌이 틀림없을 거라면서 안심을 시키듯 "사망자 명단에 오르지 않은 사람은 전원 아주 건강해요"라고 덧붙였다.[37] 전투가 끝나고 5일이 지난 10월 6일, 휠젠 연대의 사병인 프란츠 라이스는 전장에 도착할 때의 상황을 편지에서 설명했다. 그와 전우들이 줄이 흐트러진 채 위로 올라갈 때 오스트리아군의 집중적인 포화가 쏟아졌다면서 다음과 같이 묘사했다.

전투는 아침 6시에 시작해 벼락 치듯 포탄이 날아다니고 총탄이 빗발치는 가운데 오후 4시까지 질질 끌었소. 전투가 벌어지는 동안 나는 언제 목숨을 잃을지 몰라 전전긍긍했다오. 첫 포격이 있을 때 포탄 하나가 크룸프홀츠의 머리를 관통했고 머리 반쪽이 날아갔지 뭐요. 그는 내 바로 옆에 있었는데, 뇌와 두개골이 내 얼굴로 튀었지. 또 어깨에 메고 있던 내 총이 산산조각 나며 날아갔는데 천만 다행히도 나는 부상을 입지 않았소. 여보, 그 밖에 무슨 일이 있었는지 도저히 기억이 나지를 않는다오. 양쪽으로 총알이 쌩쌩 날아다니고 사람 말소리는 한마디도 들리지 않았다는 것밖에는. 보이고 들리는 거라곤 온통 날아다니는 포탄과 수천 발의 총탄 소리뿐이라오. 그러다가 오후로 접어들면서 적군은 달아났고 승리는 우리 차지가 되었다오. 전투를 치렀던 곳으로 나가 보니 온통 시체뿐이었지. 그것도 한 사람씩 쓰러진 것이 아니라 서너 명씩 쌓이고 포개진 모습이었소. 머리가 날아간 사람, 양다리를 잘린 사람, 두 팔을 잃은 사람, 너무도 참혹한 광경이었다오. 그리고 보고 싶은 아이들아, 생각해보렴. 앞으로 어떻게 될지 전혀 모르는 상태에서 잔뜩 겁을 먹고 도살장으로 끌려가는 심정이 어땠는지를.[38]

끔찍한 전투가 끝나자 전장은 혼돈 상태로 빠져들었다. 전장에 남은 부상병들에게는 죽음보다 끔찍한 운명이 기다렸다. 초른도르프와 쿠너스도르프의 전투가 있던 날 밤, 전장에서는 러시아군 소속의 카자크 경보병들에게 살해되는 프로이센 부상병들의 비명소리가 울려퍼졌다. 용케 잔인한 만행을 피했다고 해도 부상병이 살아남기 위해서는 굳은 의지가 있어야 했고, 운까지 따라주어야 했다. 프로이센군은 당시 기준으로 볼 때 비교적 크고 잘 조직된 야전병원을 운영했지만, 교전 이후의 혼란 상황에서 제때 치료받을 가능성은 극히 희박했다. 치료의 질적 수준은 군의관에 따라 천차만별이었고 감염된 상처를 치료하는 시설은 초보적인 단계였다.

　총알이 목 부위를 관통한 다음 양 어깨뼈 사이에 박힌 로이텐 전투 이후, 에른스트 폰 바르제비시는 운 좋게 오스트리아군 포로를 한 명 만났는데, 리옹 대학교에서 의학을 공부한 벨기에인이었다. 그런데 안타깝게도 이 벨기에 의사에게는 수술도구가 없었다. 그를 사로잡은 프로이센군이 전리품으로 그것들을 강탈해 갔기 때문이다. 그래도 벨기에 의사는 제화공이나 쓰는 '아주 열악하고 무딘 칼'을 사용해 바르제비시의 살을 '10여 차례' 벤 다음 등에 박힌 총알을 끄집어낼 수 있었다. 하지만 바르제비시의 전우인 간스 추 푸트리츠 남작은 운이 나빴다.

대포 산탄을 맞고 그의 발은 산산조각이 났는데, 전장의 찬 공기 속에 누운 채 이틀 밤 하루 낮 동안 방치된 사이에 감염 부위가 크게 번졌다. 포로로 잡힌 이 의사는 그를 살펴보고 무릎 아래 다리를 절단하는 것만이 유일한 희망이라고 말했다. 하지만 푸트리츠는 너무 혼란스러워서 혹은 너무 겁이 나서 수술을 승낙할 수 없었다. 결국 감염이 점점 번져나가 며칠 후에 죽었다. 죽기 직전에 푸트리츠는 바르제비시에게 자신은 외아들이라며 부모에게 반드시 자신이 묻힌 곳을 전해달라고 부탁했다. 바르제비시는 편지에 이렇게 적었다. "이 죽음이 특히 가슴 아픈 건 이 젊은이가 이제 열일곱 살밖에 안 되었기 때문이오. 상처를 통해 시시각각 죽음이 다가오는 것을 지켜보다 눈을 감았지."[39]

그 이전 세기에 있었던 30년전쟁과 달리 7년전쟁은 비교적 훈련이 잘된 군대가 비교적 정교한 병참을 통해 본국으로부터 장비 지원과 보급을 잘 받고 싸운 '내각전쟁'(Kabinettskrieg, 1648년 베스트팔렌 조약에서 1789년 프랑스혁명까지 유럽 군주들 사이에 벌어진 제한적인 목적을 지닌 전쟁을 말한다 — 옮긴이)이었다. 1630년대와 1640년대에 독일 땅에 사는 백성에게 끔찍한 충격을 안겨주었던, 전반적으로 무정부 상태와 폭력이 난무했던 특징이 이 전쟁에는 없었다. 그렇다고 해서, 점령 지역 혹은 전투 지구에 사는 민간인이 자의적인 징발과 약탈, 잔혹한 일을 당하지 않았다는 의미는 아니다. 예컨대 포메른을 침공한 뒤에 스웨덴군은 북브란덴부르크에 인접한 우커마르크에 총 20만 탈러의 기부금을 요구했다. 해마다 이 지역에서 왕이 걷어가는 군세의 두 배나 되는 액수였다.[40] 호엔촐레른에 속하는 베스트팔렌 지역은 전쟁 기간에 대개 프랑스와 오스트리아 점령하에 있었다. 여기서 군 당국은 복잡한 제도를 이용해 기부금을 걷어갔고 종종 지역 유지를 인질로 잡아가는 수법으로 강탈해 가기도 했다.[41] 로스바흐 전투에서 패배한 프랑스 병사들은 튀링겐과 헤센을 통과할 때 수없는 잔혹 행위를 저질렀다. "이런 이야기를 하자면 끝이 없다"라고 한 프랑스 장군이 전하며 덧붙였다. "200킬로미터가 넘는 구간에 온통 우리 병사들뿐이었다. 그들은 약탈과 강탈, 살인, 강간 등 생각할 수 있는 온갖 만행을 저질렀다."[42]

특히 문제는 당시 대부분의 군에서 활용한 '경보병'(light troops)이었다. 정규군과 별개로 자원 방식으로 모집되고 반(半)자율적으로 운영된 이 부대는 정상적인 병참 보급을 받지 않았으며 오로지 강탈과 전리품 습득을 통해 자체로 보급 활동을 했다. 이런 부대로서 가장 유명한 예로는 러시아 카자크 부대와 이국적인 차림을 한 오스트리아의 '판두르'(Pandur)가 있었고 프랑스군도 그런 부대를 운용했다. 러시아군이 동프로이센을 점령한 초기 단계에 카자크족과 칼무크족으로 구성된 경보병 1만 2천 명은 칼을 휘두르고 불을 지르며 이 지방 일대를 날뛰고 다녔다. 당대의 목격자 말에 따르면, 그들은 "비무장 민간인들을 살육하고 난도질했으며 나무에 매달거나 코 또는 귀를 잘랐다. 또 진저리치도록 끔찍한 방법으로 토막 나는 사람들도 있었다."[43] 프랑스의 경보병인 샤쇠르 드 콩플랑 용기병 연대(dragons-Chasseurs de Conflans)는 1761년에 동프리슬란트(독일 북서부에 있는 조그만 영토로 1744년에 프로이센에 점령됨)로 쳐들어가 한 주 동안 강간과 살인, 그 밖의 잔혹 행위를 저지르며 민간인들에게 온갖 테러를 가했다. 지역 전통의 집단 저항을 계획한 농민들은 당대의 일부 사람들에게 1525년의 '농민전쟁'을 연상시키는 봉기로 대응했다. 그러다가 부근에 프랑스군 정규 부대가 배치된 다음에야 이 지역의 평화를 회복할 수 있었다.[44]

이 정도로 격렬한 대치는 평소 보기 힘든 예외적인 현상이기는 했지만, 전쟁의 화를 입은 지역에서는 어디나 대규모 사망이 눈에 띄게 늘었다. 주요 원인은 병원마다 군인이 넘쳐나면서 퍼진, 이른바 '병영 전염병'(Lagerepidemien) 때문이었다. 클레베와 마르크에서는 전쟁 기간의 사망자가 인구의 15퍼센트에 이를 정도였다. 클레베의 라인 강둑에 위치한 에머리히 시는 1758년에만 주민의 10퍼센트가 죽었는데 주로 독일 북서부에서 도망쳐 온 프랑스 병사들이 옮긴 병 때문이었다. 인구의 손실이 프로이센 땅 전역에서 놀랄 만큼 많았다. 슐레지엔에서 4만 5천 명, 포메른에서 7만 명, 노이마르크와 쿠마르크를 합쳐 11만 4천 명, 동프로이센에서 9만 명이 죽었다. 전체적으로 프로이센 인구의 10퍼센트에 해당하는 약 40만 명이 7년전쟁에서 목숨을 잃은 것으로 보인다.

후베르투스부르크의 유산

오스트리아와 프랑스가 오랜 반감을 청산하고 제휴를 하게 된 1756년의 외교적 방향 전환은 전통적인 왕조 간 협력의 틀에서는 너무도 조화가 안 되어 '외교 혁명'으로 불리게 되었다.[45] 그렇다 해도 우리가 보았듯이 이해에 일어난 사건은 대부분 1740년 12월에 시작된 변화의 과정에서 나온 결과였다. 프로이센의 슐레지엔 침공은 사실상의 혁명이나 다름없었다. 이런 강력한 자극이 없었다면 오스트리아인들은 숙적 프랑스를 포용하기 위해 영국과의 동맹을 포기하지는 않았을 것이다. 이때부터 근대 유럽사에 길게 늘어진 도화선처럼 일련의 충격과 체제의 재편성 과정이 펼쳐졌다.

프랑스에서는 오스트리아와의 동맹, 특히 로스바흐에서의 참담한 패배가 국내의 여론을 극도로 악화시키면서 부르봉 정권의 능력에 대한 회의가 팽배해졌고, 이런 분위기는 1780년대 혁명의 위기가 발생할 때까지 이어졌다. 프랑스의 외상 드 베미 추기경은 1758년 봄, 그런 사태를 다음과 같이 바라보았다. "그 어느 때보다 우리 나라는 전쟁에 대해 분개하고 있다. 우리의 적인 프로이센 왕은 요란할 정도로 칭송을 받고 있다. […] 대신 오스트리아 궁정은 증오의 대상이 되었다. 사람들이 국가의 흡혈귀로 보기 때문이다."[46] 당대 프랑스인들의 비판적인 눈으로 볼 때, 1756년과 1757년에 오스트리아와 맺은 조약은 '루이 15세의 치욕'이었고 '원칙적으로 흉측하고 실질적으로는 프랑스에 재앙'을 가져다주었다. 콩트 데 세귀르는 이 전쟁의 패배를, "프랑스의 국민적 자존심에 상처를 주는 동시에 그것을 일깨워주기도 했다"고 회고했다. 프로이센과 오스트리아, 러시아가 협력하여 프랑스의 전통적인 피보호국 중 하나를 약탈해 간 1772년의 제1차 폴란드 분할은 새로운 동맹 체제가 오스트리아의 이익과 프랑스의 손해로 향한다는 것을 보여줌으로써 그런 우려를 키웠다.[47] 설상가상으로 프랑스 왕조는 1771년에 장래의 루이 16세와 합스부르크의 공주 마리 앙투아네트를 혼인시킴으로써 오스트리아와의 동맹 체제를 굳히는 선택을 했다. 마리 앙투아네트는 이후 왕조 말기에 부르봉 절대주의의 화신이 되었다.[48] 요컨대 프랑스 왕정이 붕괴하는 과정에서 위기가 절정에 이르게 한 요소를 추적해 보면 적어도 한 가지는 프리드리히의 슐레지엔 침공으로 거슬러 올라간다.

7년전쟁의 종말은 러시아에도 새로운 시대를 열었다. 러시아는 엘리자베타가 공을 들였던 영토를 획득하지는 못했지만, 당시의 갈등 국면에서 위상이 대폭 올라갔다. 러시아가 유럽의 주요 갈등 상황에서 한결같은 역할을 한 것은 이때가 처음이었다. 유럽 열강 사이에서 러시아의 위상은 러시아가 오스트리아 및 프로이센과 협력해 폴란드-리투아니아 연방의 변두리 영토를 동시에 합병한 1772년과, 러시아가 프로이센과 오스트리아 사이에 체결된 테셴 조약에 서명함으로써 보증인 역할을 한 1779년에 확인되었다. 표트르 대제의 즉위와 더불어 시작된, 유럽 권력 콘서트의 정회원 자격을 향한 긴 여정은 이때 마무리되었다.[49]

팽창정책과 힘, 난공불락의 인상이 적절히 조합된 러시아의 위상은 한때 스웨덴과 터키가 보여준 위협을 무색하게 만들었다. 이때부터 러시아는 독일 내의 권력투쟁이 발생할 때(1812~13년, 1848~50년, 1866년, 1870~71년, 1914~17년, 1939~45년, 1945~89년, 1990년)마다 중요한 역할을 했으며 러시아의 간섭은 독일 내 권력 정치의 결과를 결정하거나 결정하는 데 영향을 미쳤다. 이때부터 프로이센의 역사와 러시아의 역사는 서로 뒤얽히게 되었다. 프리드리히는 통찰력은 없었지만 러시아의 등장을 감지했고 그것을 되돌릴 수 없다는 것을 직관적으로 알았다. 초른도르프와 쿠너스도르프의 학살 이후, 그는 러시아의 힘을 생각할 때마다 공포의 전율을 느꼈다. 1769년에 동생인 하인리히 왕자에게 예카테리나 2세의 제국이 지닌 "무서운 힘이 온 유럽을 떨게 만들 것"이라고 말한 적도 있다.[50]

우리가 본 것처럼 프로이센과 오래 끈 싸움은 오스트리아에서 대외정책을 근본적으로 재검토하는 계기가 되었다. 1748~56년의 체제 재편성 과정을 배후에서 주도했던 카우니츠는 1792년까지 직을 유지하기는 했지만, 1790년에 요제프 2세가 사망한 뒤에는 권위를 상실했다. 프로이센의 도전은 합스부르크의 내부 체제에도 중대한 영향을 미쳤다. 1749~56년에 시작된, 제1차 테레지아 개혁으로 알려진 숱한 선제적 조치들은 프로이센에 대한 효과적인 반격을 가능케 해줄 합스부르크 행정의 고삐를 단단히 조이는 데만 초점을 맞춘 것이었다. 중앙 행정은 가장 중요한 행정기관을 중앙집권화하고 단순화하는 목표를 위해 실질적으로 개조되었다. 또 새로운 과세 제도가 도입되었는데, 이는 슐레지엔에 들어선 프로이센의 신생 정부를 오스트리아인들이 가까이 보고서 간접적으로 영감을 받은 것이다. 이런 변화를 설계한 사람은 프로이센군이 침공할 때 자신의 본거지인 슐레지엔에서 달아나 가톨릭으로 개종한 프리드리히 빌헬름 폰 하우크비츠 백작이었다. 마리아 테레지아의 장남이자 황제 후계자인 요제프 2세만큼 프리드리히 2세의 모범을 따르기로 단단히 결심을 한 사람도 없을 것이다. 합스부르크 왕조가 권력 경쟁이 극심한 유럽의 환경에서 살아남으려면 좀 더 단일국가에 가까워져야 한다는 확신을 갖게 된 것도 요제프가 프리드리히의 업적을 심사숙고한 결과였다. 1780년대에 이런 수준에 도달하려는 그의 노력은 합스부르크 왕조를 내부 붕괴의 늪으로 몰고 갔다.[51]

프로이센도 슐레지엔을 놓고 싸운 세 차례의 전쟁으로 몸살을 앓

왔다. 프로이센 영토는 곳곳에서 유린되었고 국토 재건은 프리드리히 정권 마지막 20년간 국내 투자에서 가장 큰 몫을 차지했다. 황폐해진 지역에 주민을 유입시키고 습지를 간척해 새 개간지와 목초지를 만드는 사업이 최우선 과제였다. 예를 들어 경작이 가능한 드넓은 폴란드어권의 마주렌(마주리아)에서는 곳곳의 새로 조성된 정착지에서 살기 위해 (리프냐크[1779년], 차이켄[1781년], 포바우친[1782년], 베솔로벤[1783년], 이토켄[1785년], 쇼트마크[1786년]) 이주민들이 뷔르템베르크와 팔츠 선제후령, 헤센-나사우에서 흘러 들어왔다. 이런 정착은 그때까지 왕국 내에서 가장 고립되고 개발이 안 된 지역의 하나였던 남부 마주렌의 습지를 배수하기 위해 광활한 운하망이 건설되면서 가속화되었다. 넘쳐나는 물은 오물레프 및 발트푸쉬 강으로 끌어들였고 과거 거대한 습지로서 통행이 불가능했던 곳에 새로운 마을이 들어섰다.[52]

프리드리히가 국가의 사회적 의무, 특히 목숨과 신체를 아끼지 않고 그의 군대에 복무했던 사람들에 대한 책무를 보여주기 시작한 것은 무엇보다 1763년의 여파에서였다. 프리드리히는 1768년에 "전체 국민을 위해 자신의 신체와 건강, 체력 나아가 목숨까지 바친 병사는 자신이 모든 것을 걸며 지켜주려고 한 바로 그 사람들에게 혜택을 요구할 권리가 있다"라고 말했다. 베를린에는 장애인이 된 상이군인 600명을 수용할 보호시설이 세워졌고 전시구제자금을 위한 기금을 조성해 농촌 고향으로 돌아가 가난에 시달리는 귀환병사에게 보조금을 지급했다. 궁핍한 환경에 내몰린 군인들을 위해 소비세와 관세, 담배 전매사업과 관련한 저임금 노동 및 간소한 정부 고용직이 마련되었다.[53] 아마 아주 일반적인 의미에서 사회보장이라는 목표를 위해 국가기관을 기꺼이 활용하기로 한 왕을 가장 극적으로 드러내는 것은 식량 부족, 높은 물가와 기근에 대응하기 위해 곡물소비세와 창고 시스템을 적극적으로 이용한 일일 것이다. 가령 1766년에 프리드리히는 프로이센으로 들어오는 값싼 수입품의 유통을 원활하게 하려고 곡물소비세를 일시 중단했다. 그러다가 3년 후에 소비세를 재도입하기는 했지만, 오직 밀만 대상으로 했기 때문에 빵에 대한 세 부담은 오로지 흰 빵을 구입하는 부유한 소비자에게만 해당되었다. 프로이센의 전후 곡물정책은 행정부가 창고 비축분에서 방출량을 대량으로 조절함으로써 유럽 전역에 번진 기근을 막으려고 한 1771년과 1772년에 고비를 맞췄다. 이에, 창고 시스템의 본래 목적인 군대 사용보다 민간을 위해 먼저 사용하는 것이 허용되었다. 이런 대규모 보조금정책은 오늘날의 사회복지정책과 동일한 성격이라고 말할 수 있을 것이다.[54]

전쟁은 또한 행정 통합 속도를 늦췄다. 집권 초기에 프리드리히는 새로운 행정기관을 설립해서 통합을 강력하게 추진했다. 가령 전국적으로 산업정책을 담당하는 제5부라든가 모든 프로이센 국민과 연관된 기구로서 군사 문제를 책임지는 제6부가 그런 기관이었다.[55] 하지만 통합의 추진력은 1763년 이후에는 유지되지 못했다. 전쟁 경험을 통해 변두리에 확보한 영토는 결코 방어할 수 없을 것이라고 프리드리히가 배운 것이 주된 이유였다. 평화 시에 경제 분야에 우선권을 주기 위해 그가 이런 지정학적인 전략을 고려했다는 것이 이채롭다. 그런 까닭에 동프로이센은 결코 곡물 창고 시스템에 통합되지 않았으며 7년전쟁 이후에는 동프로이센에서 중심 지역으로 운송되는 곡물이 값싼 폴란드산 수입품에 길을 내주기 위해 차츰 줄어들었다.[56] 서부 지방을 중앙 재무 구조로 통합하려는 노력 역시 통합소비세 프로젝트를 포기하고 난 뒤 지방 행정부에 대한 베를린의 지배력이 느슨해진 1766년부터 시들해졌다.[57] 이런 지연 효과를 강조할 필요가 있는 까닭은 전쟁이 프로이센 영토에서 국가 건설을 추진한 원동력이라고 간주하는 일이 종종 있기 때문이다.

프리드리히는 슐레지엔을 획득함으로써 왕국의 국제적인 지위를 대폭 격상시켰지만, 이 때문에 그가 자신감을 얻고 강대국으로 자부했다고 추정하는 것은 잘못이다. 실제로는 정반대였다. 프리드리히는 자신이 얻은 것의 취약한 구조를 잘 알고 있었다. 1768년의 정치적 유언에서 그는 유럽 대륙의 '체제'가 다른 모든 국가를 압도하는 '4대 강국'으로만 구성되어 있다고 보았다. 그가 보기에 프로이센은 그 속에 포함되지 않았다.[58] 1776년에 중병이 든 이후, 왕은 자신이 그토록 탄탄한 기반을 쌓으려고 애를 썼지만 자신이 죽은 뒤에 나라가 붕괴되지나 않을까 하는 생각으로 노심초사했다.[59] 프리드리히는 프로이센의 국제적인 명성과 국내의 빈약한 자원이 근본적으로 조화되지 않는 조합이라는 것을 인정했다.[60] 그러니 그가 볼 때 현 상태에 안주할 수가 없었다. 프로이센에는 권력 정치 지형에서의 취약점을 상쇄하기 위해 시급한 조치가 필요했다. 그런 측면에서 1763년 이후 수년간 국내의 재건을 강화하는 정책들이 등장했다. 외교 분야에서 프리드리히의 최우선 정책은 예카테리나 대제가 추진하는 러시아 팽창정책의 위협을 완화하는 것이어야 했다. 군주는 언제나 자신을 타격하기에 가장 적합한 세력과 제휴해야 한다는 자신의 원칙에 따라, 프리드리히는 러시아와 불가침조약을 맺는 일에 최선을 다했다. 이런 외교적 노력은 1764년의 프로이센-러시아 동맹에서 절정에 이르렀고, 이로써 러시아의 위협과 오스트리아의 보복에 대한 위험이 단숨에 해소되었다.[61]

지속 여부가 상대의 호의에 달려 있는 동맹은 크게 믿을 것이 못 되는 까닭에(예컨대 1764년의 조약은 러시아의 외상 니키타 파닌이 실각한 1781년에 무너졌다) 프리드리히가 궁극적으로 믿을 것은 침략 억제 효과를 지닌 자신의 군대밖에 없었다. 프로이센은 후베르투스부르크 조약 이후에도 중무장 상태를 유지했다. 1786년을 기준으로 볼 때 프로이센은 인구수로는 유럽에서 13번째, 국토 면적으로는 10번째 규모의 국가였지만 군대 규모는 당당히 3위를 차지했다. 인구 580만 명인 프로이센이 19만 5천 명의 병력을 보유했다. 국민 29명당 군인 한 명꼴이었다. 전체 인구의 백분율로 표현하자면, 3.38퍼센트가 군인이었다. 이는 냉전 시기에 군사 부문의 비중이 높았던 소비에트 블록에 비견되는 비율이다

(가령 1980년에 독일민주주의공화국[DDR, 동독]이 3.9퍼센트였다). 7년전쟁 기간에 프리드리히 2세의 부관이었던 게오르크 하인리히 베렌호르스트는 이런 군대 규모를 잊을 수 없는 말로 표현했다. "프로이센 왕국은 군대를 보유한 국가가 아니라 국가를 보유하고 그곳에 주둔한 군대다."[62]

하지만 백분율의 수치에는 다소 오해의 소지가 있다. 그중에서 8만 1천 명의 군인만이 프로이센 태생이었기 때문이다. 전체 국민에 대한 백분율로 계산하면, 이것은 1.4퍼센트로서 20세기 후반의 서유럽 국가의 수준에 비견되는 수치다(가령 1980년의 독일 연방공화국[BRD, 서독]은 1.3퍼센트였다). 이처럼 프로이센은 고도로 군사 조직화된 국가(즉, 군대가 자원의 가장 큰 몫을 소모하는 나라)였지만, 반드시 고도로 군사 조직화된 사회였다고 볼 수는 없다. 보편적인 징병제가 없었고, 평화 시의 훈련은 오늘날의 기준에 비해 여전히 짧았고 형식적이었다. 군대의 사회적 구조에는 여전히 구멍이 많았다. 군대를 한데 모아서 다년간 훈련을 시킬 수 있는 병영으로 분리하는 것은 여전히 요원했다.

그러면 독일 민족의 신성로마제국은 어찌 되었는가? 7년전쟁의 과정을 지켜보면서 덴마크 외무장관 요한 하르트비히 폰 베른슈토프 백작은 대대적인 이 분쟁의 쟁점을 단순히 여기저기 흩어진 지방의 소유권이 아니라 신성로마제국의 우두머리가 하나인가 둘인가의 문제라고 기록했다.[63] 우리는 브란덴부르크와 오스트리아의 관계가 늘 간헐적인 긴장으로 불안정한 상태였음을 보았다. 갈등의 싹은 브란덴부르크가 제국의 정치 구조 안에서 어느 정도의 자율을 행사하기 시작했을 때 자란 것이다. 그렇다고 해도 선제후에서 선제후로 이어지는 긴 역사에서, 황제의 걸출한 지위, 나아가 합스부르크가의 지도적 위치가 의심을 받은 적은 없었다. 그러다가 1740년의 침공으로 모든 것이 바뀌었다. 슐레지엔의 합병으로 프로이센은 돈과 농산물, 백성만을 얻은 것이 아니라 브란덴부르크 중심지에서 곧장 합스부르크의 보헤미아와 모라비아, 세습 영지 등 오스트리아 변두리로 이어지는 광활한 회랑 지대의 영토

305

까지 얻었다. 그것은 합스부르크 왕조의 심장을 겨눈 칼날과 같았다(이것은 1866년의 프로이센-오스트리아 전쟁에서 결정적으로 입증되었다. 당시 프로이센의 네 개 집단군 중에 두 개 군이 슐레지엔의 각 집결지에서 보헤미아로 쳐들어가 쾨니히그레츠에 주둔한 오스트리아군을 섬멸했다). 프리드리히는 "오스트리아는 슐레지엔을 상실한 고통을 결코 잊지 못할 것이다"라고 1752년의 정치적 유언에 기록하며 덧붙였다. "그들은 독일 내의 권위를 이제 우리와 공유해야 한다는 사실을 절대 잊지 못할 것이다."[64]

처음으로 제국의 정치적 삶은 권력 양극단의 균형에 순응하기 시작했다. 오스트리아-프로이센 '이중 축'의 시대가 시작된 것이다. 이때부터 프로이센의 외교정책은 무엇보다 우선적으로 새로운 서열을 유지하고 힘의 불균형을 그들에게 유리한 방향으로 시정하려는 빈의 노력을 저지하는 데 초점을 맞췄다. 이 같은 권력 정치를 둘러싼 다툼에서 가장 유명한 사례는 1778년에 바이에른 왕위 계승을 둘러싸고 촉발된 갈등이었다. 1777년 12월, 바이에른의 막시밀리안 3세 요제프가 직계 상속자가 없는 상태에서 사망하자 그의 후계자인 카를 테오도르는 그에게 돌아올 바이에른의 상속권을 오스트리아령 네덜란드(벨기에)와 바꾸기로 빈과 합의했다. 그리고 1778년 1월 중순에 오스트리아군으로 구성된 소규모 분견대가 바이에른에 입성했다. 프로이센의 첫 반응은 오스트리아가 바이에른을 얻는 대신 (프랑켄 지방의 안스바흐 및 바이로이트 공국에 대한 상속권의 형태로) 영토를 보상하라는 요구였다. 하지만 카우니츠는 이에 개의치 않았고 군사 개입을 하겠다는 베를린의 위협을 무시했다.

1778년 여름, 프리드리히는 행동을 취하기로 결심하고 66세의 노령에 프로이센군 총사령관의 자격으로 보헤미아를 침공했다. 이어 마찬가지로 바이에른의 상속자인 카를 아우구스트 폰 츠바이브뤼켄 공의 이익을 보호한다는 구실을 내세웠다. 북부 보헤미아에서 프리드리히는 잘 조직된 대규모 오스트리아군 때문에 더 이상 진격할 수 없다는 것을 알았다. 이후 수개월 동안 전술적인 이동만 반복되고 실제 전투는 벌어지지 않는 가운데 계절은 차츰 춥고 습한 기후로 바뀌었다. 마침내 프리드리히는 부대를 주데텐산맥에서 월동시킬 수밖에 없었다. 강추위 속에서 오스트리아군과 프로이센군 정찰대는 얼어붙은 감자조각을 놓고 승강이를 벌였다. 비록 '감자전쟁'이 본격적인 교전으로 이어지지는 않았지만, 마리아 테레지아는 양보로 비춰지는데도 불구하고 이런 상황을 빨리 끝내고 싶었다. 러시아와 프랑스의 중재로 협상을 벌인 테셴 조약(1779년 5월 13일)에 의거해, 마리아 테레지아는 바이에른에 대한 모든 권리를 포기할 뿐만 아니라 프로이센이 궁극적으로 안스바흐와 바이로이트 공국에 대한 상속권을 차지하는 것에 동의했다. 오스트리아가 혼자서 프리드리히에 맞서는 것을 얼마나 원치 않았는지 보여주는 사건이었다. 동시에 슐레지엔 전쟁에서 입은 충격이 오래간다는 증거이자 프로이센군이 차지한 위상을 인정해주는 표시이기도 했다. 똑같이 중요한 것은 다른 독일국가들의 반응이었다. 이들 중 다수는 프리드리히를 합스부르크가가 자행한 강압적인 권력 게임에 맞서 싸우는 제국 통합의 수호자로 바라보면서 프로이센 편을 들었다. 1785년 요제프가 오스트리아령 네덜란드를 바이에른과 바꾸려는 두 번째 시도를 하자, 프리드리히는 다시 한번 황제의 계획에 맞서는 제국 수호자로 등장했다. 이해 여름, 그는 작센과 하노버, 소수의 군소 영방 대표들과 제휴하고 '영주동맹'(Fürstenbund)을 맺었다. 이들의 목표는 황제의 계획에 맞서 제국을 수호한다는 것이었다. 1년 반 뒤 영주동맹의 회원은 18명으로 늘어났는데, 여기에는 마인츠의 가톨릭 추기경, 신성로마제국의 부수상과 전통적인 빈의 왕당파도 포함되었다.[65]

고양이에게 생선가게를 맡긴 꼴이었다. 바로 이것이 프리드리히가 배운, 상대를 능수능란하게 다루는 방식이었다. 제국 내의 복잡한 종파 구조를 이용한 것보다 그의 작전이 명백히 드러난 경우는 없다. 제국 내에서 가톨릭과 프로테스탄트 진영 사이의 균형은 18세기 중후반의 당면 문제로 남았다. 대선제후와 프리드리히 3세(1세), 프리드리히 빌헬름 1세의 재위 기간에 프로이센은 점차 제국 내의 프로테스탄트 운동의 옹호자로 등장해왔다. 비록 종파 다툼에 대한 개인적인 관심은 미미하다고 해도 프리드리히 2세는 이런 전통을 기민하게 뒤따랐다. 예를 들어 그는 지배적인 가문들이 가톨릭으로 개종(1648년부터 1769년까지 그런 개종은 31건이 있었다)한 영토에서 프로테스탄트 신분 대표를 지원하는 데 개입했다. 헤센-카셀(1749년), 뷔르템베르크(1752년), 바덴-바덴(1765년) 그리고 바덴-두르라흐(1765년)에서 프리드리히는 가톨릭 개종 군주에 맞서 프로테스탄트 신분제의회의 권리를 보호하는 계약의 연대 보증인이 되었다. 이 경우에 그는 베스트팔렌 조약에 기술된 권리의 옹호자이자 집행자로서 제국의회 산하 프로테스탄트 간부회의를 전폭적으로 지원했다.

프로이센 같은 프로테스탄트 강대국이 독일어권 영토 안에서 전체 프로테스탄트의 권리 보호자로 자처하는 것보다 신성로마제국의 구조를 자국에 더 유리하게 활용하는 방법이 있을까? 그것은 제국에 대한 프로테스탄트의 관점을 옹호하는 태도였다. 즉 제국은 전체적으로 기독교국가의 형태가 아니라 권력을 공유하는 두 종파의 타협으로서 연대와 자립을 실천해야 한다는 것이었다. 동시에 이론상 신앙 관용에 충실한 제국 내 모든 백성의 권리를 보장해야 할 합스부르크 황제의 지위를 약화했다. 이제 빈의 가톨릭 황제는 베를린의 반황제파 프로테스탄트와 대치한 형국이었다.[66]

7년전쟁은 제국 내의 종파 양극화에 중대한 고비였다. 프랑스와 동맹을 맺고 자신의 프로테스탄트 백성들을 계속 냉대함으로써 마리아 테레지아는 프리드리히에게 구실만 부풀려주었다. 이때 뜻하지 않게 프로이센을 도와준 그녀의 남편 프란츠 1세 슈테판 황제는 가톨릭 군주들을 거듭 설득해가며 '프로테스탄트 동맹'(ligue protestante)에 대하여 일치된 행동을 하도록 만들었고, 나아가 제국이 서로 적대적인 종파로 양분되는 데 박차를 가하는 결과가 되었다. 양 진영은 모두 종파 성향이 담긴 홍보 인쇄물을 크게 활용했다. 프로이센의 전시 선전물은 갈등 국면에서 가톨릭국가인 프랑스와 동맹을 맺은 합스부르크 황실이 신성로마제국에 새로운 종교전쟁을 부추긴다고 주장하면서 종파적 요소를 강조했다. 이런 위협 앞에서 프로이센만이 1648년에 확립된 합헌적인 질서를 유지하기 위한 유일한 희망이라고 자처하며 그들의 진정한 관심은 '독일'(Deutschland) 자체의 이익과 일치한다고 주장했다. 이처럼 프로이센의 선전물은 좀 더 큰 틀에서 '프로테스탄트의 이익'을 대변하는 프로이센의 주장을 내세우며 호엔촐레른의 종파정책에 담긴 전통적 강점을 이용했다. 아마 조금 생소한 것은 이런 이익공동체를 '간단히' 독일인의 조국의 이익과 동일시하는 경향이었을 것이다. 이런 주장은 몇 가지 측면에서 프로이센 및 프로테스탄트를 지배한 생각으로서, 다가올 19세기의 이중 체제 싸움에서 표면화될 '소(小)독일'(Kleindeutschland)이라는 아이디어를 예견한 논쟁이기도 했다.[67] 이런 노력이 결실을 맺었다. 한 프랑스 특사가 7년전쟁 말미에 관찰한 바에 따르면, 후베르투스부르크 조약으로 프로이센이 그 어느 때보다 강력한 지위에 오른 것은 대체로 의회 내의 반제국파 프로테스탄트의 수장 역할을 하는 데 성공했기 때문이다.[68]

애국자들

1757년 12월 11일, 카를 빌헬름 라믈러는 그 얼마 전에 로스바흐 전투에서 거둔 프로이센의 승리를 축하하기 위해 베를린 대성당에서 열린 감사예배에 참석했다. 집으로 돌아온 그는 급히 요한 빌헬름 글라임에게 보내는 편지 한 통을 썼다.

친애하는 벗에게, […] 방금 비할 데 없이 탁월한 [궁정 목사] 자크의 승전 설교를 듣고 오는 길이오. 거의 모두가 그저 감격에 겨워, 그저 고마워서 눈물을 흘렸지. […] 승전 설교를 듣고 싶다면, 그 내용을 보내줄 수도 있소. 프라하 전투의 승전에 대한 설교와 오늘 설교가 자크 목사가 한 것 중에는 단연 으뜸이라오. 우리의 젊은이들은 승리를 위한 사격을 멈추지 않았고, 이 글을 쓰는 지금도 사격을 하고 있을 것이오. 또 상인들은 두 차례의 승전을 기념하기 위해 다양한 실크 리본을 제작했고 우리는 그것을 조끼나 모자, 깃에 달고 다니고 있다오.[69]

7년전쟁을 치르는 동안 프로이센 땅에서 애국심이 고조된 것은 몹시 두드러진 특징 중 하나였다. 전쟁이 애국적인 충성심을 키워줄 수 있다는 추정은 당시에는 자연스러운 것이 아니었고, 프로이센의 경우에도 꼭 들어맞았던 것은 아니다. 이전의 끔찍한 30년전쟁의 갈등은 오히려 역효과를 불러왔다. 1630년대에 선제후의 백성은 대부분 선제후나 그가 다스리는 누더기 영토와 자신을 동일시하지 않았다. 실제로 베를린의 칼뱅파 선제후보다 브란덴부르크의 적인 루터파 스웨덴인들에게 더 강렬한 유대감을 느끼는 이들이 많았다. 1630년대 후반의 브란덴부르크군은 미움을 받았고 점령지의 적군 못지않게 공포의 대상이었다. 1675년에 대선제후가 페르벨린에서 스웨덴군에게 주목할 만한 승리를 거둔 뒤에도 일반 대중이 브란덴부르크의 노선을 열광적으로 지지하는 조짐은 별로 없었고, 국가의 우두머리가 벌이는 싸움에 동화되는 낌새도 없었다. 페르벨린 전투에 참여함으로써 역사적인 순간을 경험했다는 도취감은 대부분 궁정 중심의 소수 엘리트로 제한되었다. 에스파냐 왕위 계승 전쟁(1701~14년)에 프로이센이 기여한 것에 대해서도 대중은 큰 관심을 보이지 않았다. 이때의 원정은 프로이센 부대가 본국에서 멀리 떨어진 곳에서 복잡한 연합작전을 펼치며 불확실한 정치적 목표를 위해 싸웠기 때문이다.

이와 대조적으로 7년전쟁에서 프로이센군이 승리하거나 패배한 것은 군주의 목표와 군주를 향한 광범위한 연대의식을 불러일으켰다. 전쟁 기간 대부분 프로이센군에서 장교로 복무하고 후에 참전 경험을 쓰기도 한 요한 빌헬름 아르헨홀츠는 암담한 분쟁의 세월 중에 프로이센 사람들에게 활기를 불어넣은 감격의 물결을 되돌아보았다. 그는 프로이센 국민이 "왕의 패배를 그들 자신의 패배로 보았고 위대한 공적을 올린 왕의 명성에 기뻐했다"라고 썼다. 포메른 신분제의회는 자진해서 왕이 수행하는 전쟁에 참전할 병사 5천 명을 뽑기 위해 모였다. 이에 뒤질세라 브란덴부르크와 마그데부르크, 할버슈타트에서도 다투어 병사 모집이 있었다. 아르헨홀츠는 "이 전쟁은 이때껏 독일 땅에서 보지 못한 조국애를 낳았다"라고 결론지었다.[70]

각 교회는 국민이 군주의 전쟁 공훈에 감격하도록 선동하고 프리드리히를 신의 섭리를 이행하는 도구로 보도록 자극하면서 결정적인 역할을 했다. 1757년 프라하 전투에서 승리한 뒤 (사실 별로 중요하지 않은) 궁정 목사 자크는 베를린 대성당 강단에서 우렁찬 목소리로 설교를 했다.

> 전하께서는 승리를 쟁취하고 생명을 얻었습니다! 주님을 찬양합시다! [···] 아무리 승리를 거두고 정복을 한다 해도, 우리가 주님을 잃는다면 무슨 소용이 있겠습니까? 우리를 보호하시는 주님의 섭리는 다시 한번 전하의 방패가 되시고 주님의 천사는 빗발처럼 쏟아지는 죽음의 화살을 막으며 전하를 구해주셨습니다.[71]

승전을 축하하는 또 다른 설교는 신께서 직접 다른 모든 땅 중에 특별히 프로이센을 택하셨고 프로이센 사람을 "주님의 특별한 백성"으로 택하셨기 때문에 "우리는 택함을 받은 백성으로 빛 가운데 주님에 나갈 수 있다"라고 말했다.[72] 이런 설교의 효과는 교회에 모인 청중을 넘어 멀리까지 퍼져나갔다. 특히 자크의 설교는 다양한 인쇄물로 만들어져 프로이센의 중심지 곳곳의 사적 모임에서 광범위하게 읽혔다.[73]

이렇듯 대중을 동원하려는 설교단의 노력은 프로이센의 문학적인 애국자들의 적극적인 지지로 더 강력해졌다. 여기서 극명하게 대비되는 요소가 보인다. 가령 1742년, 브레슬라우 조약을 통해 프로이센이 슐레지엔의 땅 대부분을 차지했을 때는 프로이센을 찬양하는 출판물은 소수였다. 라틴어로 작성되어 값비싼 2절판 혹은 4절판으로 발행되었기 때문에 제대로 교육을 받은 한정된 청중을 위해 의도된 것이 분명했다. 하지만 1750년대에는 선전물 필경사들과 독자적인 애국자들이 독일어로 된 값싼 8절판 글을 대량생산하고 있었다.[74] 영향력이 매우 컸던 예를 하나 들자면, 프로이센의 군사적 운이 최저점을 찍었을 때 나온 「조국을 위한 죽음」(Vom Tode für das Vaterland)이란 팸플릿이다. 이것은 1761년에 프랑크푸르트(오데르) 대학교의 철학교수인 토마스 압트가 쓴 글이다. 생동감이 넘치고 읽기 쉬운 이 에세이에서 압트는 애국심의 고전적인 가치는 전통적으로 고대의 공화정과 연관된 것이지만, 사실 애국심은 군주가 국가의 추상적인 권력을 상징하는 동시에 백성의 충성심과 희생의 초점이 되는 군주국가에 더 적합하다고 주장했다. '토대가 잘 닦인' 군주국가에서 조국에 대한 백성의 애정은 군주 개인을 향한 사랑으로 한층 강렬해진다고 압트는 말했다. 이 사랑이 너무도 뜨거워 전투할 때 공포감을 없애주고 죽음을 신성하게 만든다면서 다음과 같이 주장했다.

[생사를 떠나서 용감한 병사들에 둘러싸인 왕을 볼 때면] 나는 조국을 위해 싸우다 죽는 것이 고귀하다는 생각에 압도당한다. 이제 내가 손을 내밀 때의 새로운 아름다움이 더욱 선명하게 다가온다. 그것은 나를 기쁘게 만들고 나는 서둘러 그것을 손에 넣으며 다시 나약

해지는 나의 마음을 떨쳐버린다. 내 귀에 들리는 것은 친족이 아니라 조국의 부름뿐, 무시무시한 무기의 소음도 안 들리고 나를 보낸 조국이 고마울 따름이다. 나는 무방비 상태의 왕을 벽으로 둘러싼 대열에 합류한다. 내가 쓰러진다 해도 나를 대신할 사람에게 기회를 줄 수 있다면 만족할 것이다. 내가 따르는 원칙은, 필요하다면 부분은 전체의 보존을 위해 희생해야 한다는 것이다.[75]

전투에서의 죽음은 시인이자 극작가, 우울증 환자로 프로이센군에서 장교로 복무한 에발트 크리스티안 폰 클라이스트의 중요한 주제이기도 했다. 1757년에 그는 폰 블루멘탈 소령의 묘비명을 위한 시 한 편을 썼다. 클라이스트의 친구였던 이 소령은 오버라우지츠에 있는 오스트리츠 부근에서 오스트리아 부대와 치른 전초전 중에 전사했다. 죽은 소령을 위한 그의 시에는 회상 속에 어떤 통렬함이 담겨 있다. 마치 쿠너스도르프 전투에서 입은 부상 때문에 18개월 뒤에 죽음을 맞는 클라이스트 자신의 죽음을 예고하듯.

조국을 위한 죽음은 가치가 있네,
영원한 존경을 받을!
나는 얼마나 기꺼이 맞이할 것인가,
이 고귀한 죽음을!
내 운명이 나를 부를 때.[76]

클라이스트는 그 뒤에 전장에서 희생된 초기 애국시인의 원형으로 자리 잡았다. 그의 시와 죽음은 하나가 되어 그의 예술작품 일부가 되었다. 시는 자발적이고 의식적인 행동으로 바뀜으로써 죽음에 독특한 의미를 부여한다. 죽음은 그의 글쓰기와 삶에 대한 이야기 주변에 반짝이는 희생이라는 후광을 짜넣고 있었다.

아주 목소리가 큰 애국적인 시사평론가 중에 할버슈타트의 시인이자 극작가인 요한 빌헬름 루트비히 글라임이라는 사람이 있었다. 글라임은 옛 친구 클라이스트가 전장에서 보내주는 소식에 영향을 받아 프로이센군을 열정적으로 종군했다. 전쟁이 발발하기 전에 글라임은 사랑과 포도주, 사교의 쾌락에 대한 주제로 밀교적이며 고전적인 영감의 시를 쓰는 작가로 아주 유명했다. 그러나 1756년 이후, 그는 군대를 예찬하는 시인이자 전장의 프로이센군을 위한 치어리더로 변했다. 1758년에 출간된 그의 「1756년과 1757년의 원정에서 척탄병이 부른 프로이센 군가」(Preußischen Kriegslieder in den Feldzügen 1756 und 1757 von einem Grenadier)는 극작가 고트홀트 에프라임 레싱의 우호적인 서문이 실린 작품으로서 진군가의 형식과 어조를 채택함으로써 직접적이고 감정적인 효과를 일으키는 혁신적인 시도를 보여주었다. 글라임은 전장의 움직임과 혼란상을 그려냈다. 시적 자아라고 할 프로이센 척탄병의 눈으로 전장을 둘러보는 이 방식은 독자에게 대단히 중요한 관점을 제공했다. 척탄병은 지휘관을 바라보다가 깃발을 보고, 다시 왕에게 시선을 돌린 다음, 이번에는 동료 병사들을 바라보다가, 이어 적을 쳐다본다. 마치 휴대용 카메라로 찍듯 혼란스러운 현장 상황이 연속적인 장면처럼 소개된다. 이런 기법은 오늘날 우리의 눈에는 진부해 보이지만, 당대 사람들에게는 신선하고 눈길을 끄는 것이었다. 그것은 프로이센 독자층을 전장의 한복판으로 끌어들이는 새로운 방식이었다.

이런 종류의 애국적 문학작품이 만들어낸 충격은 생각 이상으로 폭넓게 전파되었다. 압트의 「조국을 위한 죽음」은 초판부터 빠르게 팔려나가며 강력한 파급 효과를 일으켰던 것으로 보인다. 1761~63년에 자원병으로 복무한 요한 게오르크 셰프너는 훗날 자신과 친구들이 압트의 책을 주머니에 넣고 프로이센군 지원소로 걸어가던 때를 회고했다.[77] 전쟁이 끝나고 10년이 지나 간행된 한 소설에서, 베를린의 정치평론가 프리드리히 니콜라이는 목사(주인공)의 아내를 묘사했는데, 압트의 수사법에 매료된 이 아내는 남편을 향해 강단에서 애국적 자기희생에 대한 복음을 설교하라고 요구한다.[78] 글라임의 「척탄병이 부른 프로이센 군가」는 단행본으로 매진된 후 선집으로 증쇄되었다.

처음으로 특정 전투의 전황에 대한 대중의 폭넓은 관심이 생겨났다. 비단 대학을 졸업한 지식인층뿐만 아니라 수공업자 및 기능인 계층에서도 그랬다. 베를린의 제빵 장인 요한 프리드리히 하이데가 대표적인 예다. 그의 일기를 보면 곳곳에 호밀을 비롯한 곡물의 가격(제빵사에게는 생존의 문제였다)과 함께 주요 전투에서 프로이센군의 활동과 부대배치에 대한 상세한 묘사가 자주 등장한다. 하이데가 멀리 떨어진 곳에서 발생하는 사건에까지 관심을 갖고 기록했다는 것은 애국적인 책임감이 확산되었을 뿐만 아니라 군사 지식이 빠르게 대중화되었다는 증거였다. 많은 프로이센 국민이 그랬듯 하이데 역시 아들이 군에 갔다는 개인적인 사정도 있었을 것이다. 프로이센 수비대와 이들이 주둔하는 도시의 공생관계 그리고 마을에 깊이 뿌리내린 칸톤 제도는 프로이센의 병역 의무에 대하여 마음 깊이 우러나는 참여 의식이 이전보다 더 광범위하고 깊게 퍼졌음을 확인준다.[79]

서쪽 지방에서도 프로이센 혹은 적어도 프로이센의 통치 왕조에 대한 정서적인 애착이 드러나곤 했다. 클레베와 마르크를 예로 들면, 1758년에 프로이센 왕위 계승자로서 프리드리히의 동생인 아우구스트 빌헬름이 죽었을 때 도발적인 자세로 검은 옷을 입고 다니며 오스트리아 점령 당국을 자극하는 사람이 많았다. 1761년에는 왕의 성명축일을 기념하여 '애국 파티'(patriotische Soiree)를 연다는 신문 보도가 있었지만, 오스트리아 당국은 그것이 어디서 열리는지 전혀 알아내지 못했다. 왕조를 향해 표출된 이런 연대 의식은 관리나 교수, 개신교 성직자 등 엘리트 계층에 한정되기는 했지만 애국적인 이미지와 메시지는 더 대중적인 매체를 통해 전파되기도 했다. 대표적인 예는 전쟁 중에 이젤론(클레베) 시장에서 팔기 위해 만들었던 유명한 담배통이었다. 프로이센군과 동맹군의 승전을 묘사하는 그림이나 호엔촐레른 왕과 휘하 장군들의 멋진 초상화로 장식하고 에나멜을 칠한 이 용기는 호엔촐레른 영토뿐 아니라 북서독일 경계를 넘어 네덜란드 프로테스탄트 지역에서까지 큰 인기를 끌었다. 실크 생산지인 크레펠트의 공장들은 비단으로 만든 '왕의 만수무강을 기원하는 장식 띠'(Vivatbänder)를 대량생산했다.[80] 애국심은 돈벌이가 잘되는 품목이었다.

프로이센의 애국심은 복잡하고 다양한 가치를 지닌 현상으로서 조국에 대한 직설적인 사랑보다 훨씬 많은 것을 내포했다. 한편으로는 극단적인 감정 상태를 존중하는 당대의 풍조를 반영했는데, 이때가 감정이입의 정서적 반응을 뛰어난 특징으로 간주하던 감성의 시대라는 사실을 알 필요가 있다. 애국적인 물결에는 조국에 대한 사랑이 새로운 종류의 정치공동체를 형성할 수도 있다는 생각과 결부되어 있었다. 토마스 압트가 자신의 글에서 조국을 위한 죽음을 주장했을 때 애국심은 서로 다른 사회적 지위의 경계를 극복할 수 있는 힘이었다. "이런 관점에서 볼 때 농부와 시민, 군인, 귀족 간의 차이는 사라진다. 모든 시민이 군인이고 모든 군인이 시민이며 모든 귀족이 시민이고 군인이기 때문이다."[81] 이런 의미에서 애국심은 19세기 진보주의자의 정치적 이상이 되는 '보편적인 시민의 사회'(universal society of burghers)에 대한 열망을 표현했다. 애국자가 존중하는 유대감은 강요나 의무가 아니라 전적으로 자발적인 충성심에서 만들어지는 것이라는 생각에 엄청 열광하는 분위기도 있었다. 니콜라이의 소설에 등장하는 목사의 아내는 압트의 글을 읽으며, "군주국의 백성이라 할지라도 단순한 기계가 아니라 한 인격체로서 자신만의 특별한 가치가 있으며, 한 민족의 조국에 대한 사랑은 위대하고 새로운 사고방식을 부여한다"[82]라는 생각에 기쁨을 맛보았다.

바꿔 말해, 애국심이 공감을 얻은 까닭은 당대 사람들이 매달리는 여러 가지 문제에 대한 호소력을 지녔기 때문이다. 그렇다고 모든 요소가 긍정적이거나 해방의 의미를 지닌 것은 아니었다. 난관에 빠진 프로이센 정치에 대한 고조된 충성심의 이면에는 적에 대한 신랄한 조롱이나 증오심마저 있었다. 특히 러시아인(누구보다 카자크족)은 대부분의 애국적인 이야기에서 야만적이고 가혹하며 잔인하고 야비하고 피에 굶주린 모습으로 등장했다. 이런 양식화 현상은 어느 정도는 카자크 경보병의 실제 행동에서 나온 것이지만, 동시에 이후 2세기 넘게 프로이센 및 독일 문화에서 공감을 얻은 '아시아적'이고 '야만적인' 러시아라는 낡은 고정관념에 뿌리박힌 것이기도 했다. 프랑스인은 큰소리치다 일이 꼬이면 꽁무니를 빼는 겁쟁이와 허풍선이로 조롱받았다. 오스트리아의 동맹으로서 교전하는 독일 지역조차 욕을 먹었다. 로스바흐 전투 이후에 지은 글라임의 승리 찬가에는 독일 분견대를 비아냥거리는 긴 구절이 들어가 있다. 거기에는 (특히 그중에서도) 손가락에 화상을 입고 전장에서 울부짖는 팔츠의 한 기병, 도주하다 넘어지고 코피가 흐르자 전투 중에 부상을 당한 것으로 착각하는 트리어 출신의 병사, '함정에 빠진 고양이처럼' 비명을 지르는 프랑켄 사람, 여자 모자를 쓰고 포로 신세를 면하려는 브룩살 출신의 병사, 프로이센군을 보자 너무 공포에 질려 죽는 파더보른 사람 등 수많은 군상을 묘사한 대목이 나온다.[83]

아마 1750년대의 애국 물결에서 가장 두드러진 특징은 프리드리히 2세에 대한 애착일 것이다. 압트가 볼 때 애국자의 사랑을 불러일으킨 것은 무엇보다 (그가 대표하는 정치 질서나 조국의 특징보다) 군주 개인의 평범한 모습이었다.[84] 전쟁 기간 내내 프로이센의 왕으로서 '프리드리히 대왕' 혹은 당대에 널리 불린 다른 별명으로 '유일한 프리드리히'의 업적을 찬양하는 수많은 시와 판화, 전기, 팸플릿, 책이 있었다. 프로이센군의 승리는 왕의 승리로 널리 경축되었다. (충분히 그럴 만했다.) 왕의 생일에는 (과거에는 별로 열의 없이 치러지던) 예포를 쏘고 다양한 장신구를 착용하며 요란한 볼거리를 곁들인 축하행사가 열렸다. 여러 가지로 분장을 한 왕은 우뚝 솟은, 거의 초자연적인 모습으로 연출되었다.

다음 시에서 보듯 초른도르프의 살육 이후 쓰인 글라임의 「전쟁의 신에게 바치는 척탄병의 송가」(Ode Der Grenadier an die Kriegsmuse)처럼 환상적인 영화 같은 분위기였다.

강처럼 흐르는 검은 살인자의 피
산처럼 쌓인 시체를 조심스럽게 밟고
나는 사방을 둘러보았네.
더 이상 죽일 것이 없어 고개를 빳빳이 들고
구름 같은 전장의 검은 연기 사이로
그를 응시했네.
기름부음을 받은 자, 신의 사자, 신의 호위무사를.
두 눈과 마음속으로…

프리드리히를 '기름부음을 받은 자'(der Gesalbte)로 묘사한 대목이 눈에 띈다. 프리드리히 1세는 대관식의 일부 의식으로 기름부음을 받는 절차를 거쳤지만, 이후로 대관식은 더 이상 열리지 않았기 때문에 그의 후계자들에게서는 볼 수 없던 의식이었다. 여기서 초대 국왕에 의해 시작된 군주제의 고귀한 개념에 대한 소리 없는 메아리를 느낄 수 있다.[85] 프리드리히는 흔히 글 속에서 부름을 받는 돈호법(Apostrophe)의 대상이 될 때가 많았다. 더욱이 '두'(du, 그대)라는 친숙한 2인칭은 기도와 예배의 언어를 연상시키며 군주 개인과 이상적인 친밀감을 암시하는 어법이었다. 7년전쟁에서 귀환하는 프리드리히를 위해 지은 시에서 유명한 시인 안나 루이자 카르슈는 개인적인 기도를 하는 열정으로 찬사를 조합했는데, 44행 중에 25회나 친근한 인사 형식이 들어갔다.[86] 다른 맥락에서는 왕이 가련하고 자기희생적이며 땀에 절고 먼지를 뒤집어쓴 모습으로 전사자들 때문에 눈물을 흘리는 가운데 휴식과 보호가 필요한 남자로 보일 수도 있다. 왕에 대한 백성의 사랑이 그의 권력에 대한 두려움 때문이 아니라 압도적으로 강한 적 앞에서 그를 보호해주고 싶은 욕구에서 나온다는 것이 압트의 글에서 제기된 핵심 주제 중 하나였다.

이것은 동시에 신랄한 아이러니이기도 하다. 왕이 비록 전반적으로 여론에 민감하고 대중에게 (특히 외국의 권력자나 사절 앞에서) 감동을 줄 필요가 있음을 알면서도 그렇게 지나친 찬사를 몹시 싫어한 것으로 보이기 때문이다. 가령 그는 7년전쟁을 끝내고 수도로 귀환할 때 베를린 시에서 준비한 어떤 축하행사에도 참석하기를 거부했다. 1763년 3월 30일, 고위 대표단이 프랑크푸르트 문에 모였다. 말을 타고 명예 경호원으로 나선 시민들과 제복을 입고 횃불을 든 사람들이 왕실마차가 입성해서 환궁하는 길을 호송하기 위해 대기했다. 이 환영 인파에 깜짝 놀란 프리드리히는 어두워질 때까지 도착을 늦춘 다음 사람들을 피해 수행원도 없이 다른 길로 돌아서 환궁했다.[87]

이 이야기는 남은 재위 기간의 특징이라고 할 수줄어하는 분위기를 보여준다. 프리드리히는 1740년대 후반부터 많은 세월을 베를린 궁정에서 멀리 떨어져 보냈으며, 1763년 이후에는 거의 수도를 벗어나 주거 도시인 포츠담에 은거하며 겨울이면 포츠담 시내 궁전에서, 여름이면 상수시 별장에서 보냈다.[88] 왕은 대신 신궁(Neue Palais, 7년전쟁 이후 많은 비용을 들여 지었지만, 오직 공식적인 용도로만 사용했다) 같은 대표적인 건축물로 국가의 위엄을 보여주는 데 만족했고 자신에 대한 아부에는 냉담했다.[89] 프리드리히는 예컨대 즉위 이후에 공식적인 초상화를 그리기 위해 모델로 앉아 있는 것도 거부했다. 유명한 판화가인 다니엘 호도비에츠키가 7년전쟁에서 승전하고 귀환하는 왕을 보여주는 작품을 정성 들여 제작했지만, 프리드리히는 지나치게 과장했다면서 받아들이지 않았다.

프리드리히 금화(Friedrichsd'or)나 승리의 월계관을 쓴 왕이 들어간 메달을 제외하면,[90] 프리드리히 자신이 직접 퍼트린 그의 모습은

1764년에 화가 요한 하인리히 크리스토프 프랑케가 그린 초상화가 유일하다(292쪽 참조). 이 그림에서 왕은 움푹 들어간 입술에 아래로 처진 얼굴, 등이 굽은 모습을 한 노인으로 보인다. 마치 눈치채지 못한 순간을 포착한 듯 왕은 격식을 차리지 않은 자세로 그를 상징하는 삼각모를 들고 뒤의 돌 기단을 지나며 정면을 응시하고 있다. 프랑케의 초상화가 의뢰에 따른 것인지 아닌지는 알려지지 않았지만, 아무튼 실생활을 보고 그린 것은 아니다. 이 그림이 무척 마음에 든 프리드리히는 복제품을 만들어 총애하는 신하들에게 호감의 표시로 보냈다. 그림의 어떤 점이 그의 마음에 들었는지는 알 수 없다. 겸손한 태도와 간단한 스케치 솜씨가 마음에 들었을 수도 있다. 어쩌면 프랑케가 묘사한 지친 노인의 표정이 자신이 보는 자화상을 믿음직하게 반영했다고 생각했을지도 모른다.[91]

프리드리히 개인에게 관심이 집중된 것은 프로이센의 애국 물결 중에 가장 오래 지속된 유산임이 입증되었다. 왕이 사망한 1786년 이후, 프리드리히 숭배 풍조는 곱절로 되살아났다. 조각을 입힌 찻잔과 담배통, 리본, 장식 띠, 달력에서 장식용 사슬과 신문, 도서에 이르기까지 죽은 왕을 기념하는 상징물이 범람했다.[92] 프리드리히를 기념하는 새로운 출판 물결이 일어났다. 그중에서 가장 유명하고 성공적인 것은 베를린 계몽주의에서 가장 중요한 출판업자 프리드리히 니콜라이가 편집 발행한 두 권짜리 개론이었다. 니콜라이는 1780년대 후반에 살았던 대다수 프로이센 국민 중 한 사람으로 이들에게 프리드리히는 오래전부터 왕위에 있었던 것처럼 보였다. 니콜라이 자신의 시각으로 볼 때, 왕의 삶과 업적에 대한 그의 기억은 "내 젊음과 남자로서의 절정기에 겪은 행복한 시절"에 대한 추억과 서로 뒤얽혀 있었다. 그는 7년전쟁 기간에 그의 동시대 국민들이 경험한 '형언할 수 없는 감격'과 1763년 이후 전쟁으로 폐허가 된 프로이센을 재건하는 데 왕이 쏟아부은 비범한 노력에 대한 '목격자'였다. 따라서 (니콜라이가 완성하는 데 4년이 걸린) 일

21 프리드리히 대왕이 1750년에
   대선제후의 석관을 열며 말하고 있다.
   "여러분, 이 어른은
   위대한 업적을 이루셨소!"
   프리드리히 대왕 치하에서,
   프로이센 왕조는 유산을 고취했다.
   다니엘 호도비에츠키의
   1789년 판화 작품.

화집은 개인적 정체성의 열정을 애국적 기억이라는 공적 사업과 연결시키는 프로젝트였다. 니콜라이는 왕을 찬찬히 살펴보는 것은 "조국의 진정한 성격을 연구하는 것"이라고 선언했다.[93]

니콜라이의 작품은 (아마 가장 권위 있는 것이었을지는 모르지만) 많은 일화집 가운데 하나일 뿐이었다. 일화는 왕을 추모하고 신격화하는 데 가장 중요한 매체였다. 무작위로 뒤섞인 이 기억의 조각 속에서, 왕은 말에서 떨어지기도 하고 당황해하는 상대에게 너그러운 재담으로 반응하기도 하며 누군가의 이름을 잊어버리거나 신경을 곤두세우고 난관을 돌파하는 모습으로 등장하기도 한다.[94] 그는 때로 영웅으로 나오기도 하지만, 일화의 대부분은 그의 육체적인 모습, 죽음을 피할 수 없는 존재, 비범한 개성을 평범하게 치장한 이미지를 강조한다. 우리와 마주친 이런 왕에게 경의를 표할 마음이 생기는 까닭은 바로 그가 왕실의 분위기를 거부한 왕이기 때문이다.

간결하고 기억하기 쉬운 형태의 일화는 오늘날의 유머처럼 문학뿐만 아니라 구전으로도 빠르게 전파되었다. 그런 이야기는 오늘날의 연예잡지처럼 숭배하는 인물에게 따뜻한 시선을 보내는 사람들의 구미에 맞았다. 왕의 인간적인 모습이 담긴 일화는 정치적으로 순수해 보였다. 외관상 꾸밈이 없는 것 같은 모습은 소비를 위해 제공되는 이미지의 인위적인 성격을 숨겼다. 일화는 그림의 형태를 취할 수도 있었다. 시각적으로 가장 정교한 이미지를 공급한 사람은 베를린의 판화가인 다니엘 호도비에츠키였다. 그는 일화집을 위해 그림을 공급했지만 이미지만 따로 유통되기도 했다. 이런 그림은 수수한 모습과 유일무이한 왕으로서의 지위 사이에서 역동적인 긴장을 창조해내고 왕의 생활 속에서 방심한 순간을 포착해 마음을 사로잡는 묘사를 했다. 구전되는 일화와 마찬가지로 호도비에츠키의 이미지는 전체적으로 간결해 쉽게 기억할 수 있었고, 집중적인 묘사 덕에 마음속에 쉽게 떠올릴 수 있었다. 아돌프 멘첼이 그린 19세기 중엽의 주목할 만한 역사화 연작은 바이마르 공화국과 제3제국 시절 제작된 영화가 묘사한 것처럼 근대 프로이센 사람들을 위한 왕의 이미지에 고착되었다. 다시 말해 전통적인 일화가 지닌 만화경 같은 질적 특성이 있었다.

전부 다 애국 물결에 휩쓸렸던 것은 아니다. 7년전쟁 기간에 서부 지방의 가톨릭 지역에서는 프로테스탄트 지역에서보다 프로이센 노선에 대한 지지 열기가 훨씬 약했다.[95] 프로이센의 애국심은 18세기 후반의 영국에서처럼 무엇보다 (동프로이센을 포함해) 프로테스탄트 핵심 지역의 현상이라고 보는 편이 타당하다.[96] 여기서 우리는 프로이센의 교양 계층이 스스로 정치적 공동체의 구성원으로 '발견'하는 과정이 있었다는 말을 할 수 있다. 프로이센 정신은 안정적인 집단정체성 형성의 전제 조건이라고 할 '임계질량'(critical mass)을 얻은 것이다.[97] 18세기 후반 수십 년간 '브란덴부르크-프로이센'이라는 합성어는 거의 들리지 않았다. 프리드리히는 단순히 프로이센 '안에 있는' 왕이 아니라 (1772년 이후로) 프로이센'의' 왕이었다.[98] 당대 사람들은 (비록 프로이센이라는 명칭이 1807년에 들어와서야 비로소 호엔촐레른 영토를 집단적으로 지칭하는 공식 용어로 채택되기는 했지만) '프로이센 땅' 혹은 단순히 '프로이센'이라고 말했다.

따라서 우리는 18세기 후반 프로이센에 집단적인 충성심이 확산되었다고 말할 수 있다. 그것은 바닥에 형성된 침전물이 표면으로 가시화된 것이었다. 바닥층에 가라앉아 있던 것은 근대 초기의 종파 연대, 의무감과 동시에 평등주의적이고 경건주의적인 노동윤리, 전투와 침공의 충격에 대한 기억 같은 것이었다. 하지만 아직 프로이센의 열렬한 애국심이라는 말을 하기에는 좀 부족한 면이 있었다. 영국과 프랑스, 미국의 애국자들이 (적어도 이론상으로는) 그들의 국가 혹은 국민을 위해 죽는 데 비해, 프로이센의 애국 담론은 무엇보다 프리드리히 대왕 개인에 초점을 맞췄다. 토마스 압트가 조국을 위한 죽음이라고 말했을 때 그가 실제로 의미한 것은 왕을 위한 죽음이라는 인상을 피하기 어렵다. 18세기 후반, 영국의 문학이나 인쇄물에서 등장하듯 다양한 모습으로 굳어진 국민적 정체성의 고정관념이 프로이센에는 없었다. 프로이센의 애국심은 강렬했지만 초점의 폭은 좁았다. '유일한 프리드리히'의 죽음과 더불어 프로이센의 애국심에는 결코 떨어져 나가지 않을 추억과 노스탤지어의 맛이 생겼다.

프로이센령 폴란드

18세기 마지막 3분의 1 동안 프랑스보다 더 컸던 폴란드-리투아니아 연방이 유럽의 정치 지도에서 사라졌다. 1772년에 있었던 제1차 폴란드 분할에서 프로이센, 오스트리아, 러시아는 이 연방국의 서부, 남부, 동부 가장자리에 있는 광활한 폴란드 영토를 토막 내고 합병하는 데 합의했다. 1793년 1월의 상트페테르부르크 조약에 따른 제2차 폴란드 분할을 통해 프로이센과 러시아는 계속 영토를 강탈해 폴란드를 북부

갈리시아에서 좁은 발트해 연안까지 길게 뻗은 채 괴상하게 쪼그라든 엉덩이 모양으로 만들어버렸다. 그로부터 2년 후에 일어난 제3차 분할에서 세 개 강대국은 한때 강력했던 연방에 남아 있는 것마저 뜯어먹기로 합의했다.

크고 오래된 국가 체제를 해체하는 이런 전례 없는 말살의 원인은 부분적으로 내부에서 무너져가는 연방국 자체에 있었다. 폴란드 왕정은 선출을 기반으로 했다. 즉, 자국 사람을 왕좌에 앉히기 위해 국제적으로 경쟁하는 외부 세력에 국가 체제가 노출되어 있었다. 폴란드 헌법의 구조적인 약점 때문에 체제가 마비되었고 국가를 개혁하고 튼튼히 하려는 노력이 방해를 받았다. 특히 문제는 '리베룸 베토'(liberum veto)였다. 이에 따르면, 폴란드 의회(Sejm)의 각 구성원들은 다수의 뜻을 방해할 수도 있었고, 왕을 지지하거나 반대하는 (자신들만의 의회를 소집할 수 있는 귀족들의 무장 연합인) '연맹'을 형성할 권리가 있었다. 이런 형태의 '합법화된 내전'에 호소하는 수법은 특히 18세기에 흔한 일이었으며 주요 연맹이 결성된 1704년과 1715년, 1733년, 1767년, 1768년, 1792년에는 연방 자체의 의회보다 실제로 더 빈번하게 발생했다.[99]

폴란드의 내부 혼란은 인접국의 개입으로 악화되었는데 특히 러시아와 프로이센이 심했다. 상트페테르부르크의 정책 입안자들은 폴란드를 러시아의 보호령으로 간주하거나 중부 유럽으로 러시아의 영향력을 펼칠 수 있는 서부 전초기지 정도로 보았다. 프로이센은 동프로이센과 브란덴부르크 사이에 있는 폴란드령에 대해 오래전부터 설계해온 것이 있었다. 러시아도 프로이센도 이 연방국이 한때 그랬듯이 다시 유럽 문제에 영향을 끼칠 만큼 자체 개혁을 허용할 마음이 조금도 없었다. 1764년에 프로이센과 러시아는 작센의 베틴 가문 후보를 폴란드 선거에서 배제하고 러시아가 선호하는 후보인 스타니슬라브 아우구스트 포니아토프스키를 바르샤바의 왕위에 앉히기로 합의했다. 하지만 정작 포니아토프스키가 폴란드의 개혁가이자 애국자로 정체가 드러나자

이에 놀란 프로이센과 러시아는 그의 계획을 방해하기 위해 개입했다. 단일한 폴란드 관세구역을 세우려는 포니아토프스키의 노력은 프로이센의 보복에 부딪쳤다. 그동안에 러시아는 그들의 후원자 네트워크를 확충하고 개혁 반대파를 지원하면서 무력 개입을 했다. 1767년에 연방국은 서로 대치한 두 개 군사 진영으로 갈라졌다.

프리드리히 2세가 1768년 9월에 제1차 폴란드 분할을 제안한 것은 폴란드의 이런 무정부 상태가 격화되는 것에 대비한 것이었다. 상당한 크기의 폴란드 땅을 차지하는 것은 프리드리히의 오랜 꿈 중 하나였으며(그는 1752년의 정치적 유언에서 이 문제로 감회에 젖은 적이 있다. 여기서 그가 폴란드를 "잎사귀를 하나씩 따 먹을 때가 된 아티초크"라고 묘사한 것은 유명하다), 그는 말년에 주기적으로 이곳을 찾았다.[100] 무엇보다 그가 관심을 쏟은 곳은 왕령 프로이센으로 알려진 지역으로서 1454년 이래로 폴란드 왕의 지배를 받아오던 땅이었다. 왕령 프로이센은 고대 프로이센 공국의 서쪽 절반에 해당하는 곳으로 브란덴부르크의 선제후와 왕 들이 1701년 이후 스스로 채택한 명칭이었다. 18세기 초까지 거슬러 올라가는 복잡한 임차제도 덕분에 왕령 프로이센의 일부는 이미 프로이센의 행정 관할구역에 있었다.[101] 하지만 프리드리히를 분할의 유일한 혹은 주요 설계자로 부르는 것은 과장이다.[102] 북헝가리 안에 폴란드 지역이 섬처럼 모여 있는 스피슈를 먼저 침공해 점령하고 이어 1769~70년에 노비타르크와 노비송치 등 인접지역을 차지함으로써 폴란드라는 파이를 먼저 깨문 세력은 오스트리아인들이었다. 갈수록 폴란드 문제에 개입함으로써 연방국의 자율과 평화를 가장 심하게 훼손한 세력은 러시아였다. 이것은 차례로 러시아 세력의 서쪽 확장에 대한 본격적인 관심을 불러일으켰고, 폴란드의 무질서가 결국 지역의 세 개 강대국을 대대적인 분쟁으로 몰고 가지나 않을까 하는 공포로 이어졌다.[103]

1771년에 혼란 상태가 폴란드 왕국 전역으로 번지자, 러시아와 프로이센은 원칙적으로 분할에 합의했다. 오스트리아는 이듬해에 합류했다. 1772년 5월에 나온 분할협정은 우스꽝스러울 정도로 냉소적인 전문을 붙여가며 이 같은 냉혹한 약탈을 정당화했다.

> 가장 신성한 3국체제의 이름으로! 수년간 폴란드 왕국을 뒤흔들어 온 반목 및 내전에 따른 불안과 나날이 세력을 키워가는 무정부 상태는 […] 국가가 완전히 해체될 수도 있다는 우려의 근거가 된다.[104]

프로이센에 떨어진 몫은 연방 영토의 5퍼센트로 가장 적었다(러시아는 12.7퍼센트, 오스트리아는 11.8퍼센트였다). 왕령 프로이센 외에 프로이센은 서부 프로이센 남쪽 국경에 인접한 긴 강 골짜기인 네체 지구와 동쪽의 에름란트 주교구 등 두 군데의 인접 영토를 합병했다. 이 지역군은 여전히 호엔촐레른 왕국의 핵심 지방과 동프로이센을 가르는 영토에 위치했다. 이곳을 차지한 것은 전략적으로 의미가 컸다. 이곳은 정권을 위해 경제적 중요성이 큰 지역이었다. 이곳을 지배하는 사람이 단치히와 토른(두 곳 모두 폴란드에 남아 있던)에서 발트해로 들어가는 폴란드 무역로에 대한 영향력을 행사할 수 있었기 때문이다.

슐레지엔 침공의 법적 정당성은 근거가 너무 빈약했다. 왕령 프로이센의 경우에도 프로이센의 국가안보 문제를 제외하고는 어떤 확실한 근거도 없었다. 프로이센은 합병 지역의 상속권이 브란덴부르크에 있었는데, 그것을 옛날에 튜턴기사단과 폴란드 연방이 강탈해 갔던 것이며, 단지 오랫동안 잃어버린 세습 재산을 다시 요구하는 것이라는 등 여러 가지로 별난 주장을 제기했다.[105] 이런 요구는 다양한 공문서에서 엄숙하게 되풀이되었지만, 프로이센 행정부 내의 그 누구도 그것을 진지하게 받아들인다고 보기는 어려웠다. 왕령 프로이센에 대한 요구를 제기할 때 프리드리히가 민족적인 이유를 내세우지 않았다는 것이 (내부의 서신에서도) 주목할 만하다. 당시를 되돌아볼 때 합병 지역에 실질적으로 눈에 띌 만큼 두드러진 독일인(즉 독일어를 사용하는 프로테스탄트) 정착지가 포함되었다는 것을 감안하면 이것은 놀라운 일일 수도 있다. 독일어를 사용하는 프로테스탄트는 왕령 프로이센과 네체 지구를 합쳐 도시 인구의 약 4분의 3을 차지했으며, 전체 인구로 볼 때는 약 54퍼센트였다. 19세기 후반과 20세기에 독일의 민족주의 역사가들은 왕령 프로이센의 이 같은 독일-민족적 통계를 정당한 합병의 근거로 인용했다.[106] 하지만 이것은 몹시 시대착오적인 생각이다. 브란덴부르크-프로이센이 독일의 지배하에 독일 민족을 통합하는 '민족적' 사명을 가지고 있다는 생각은 프랑스어 사용자인 프리드리히 대왕에게는 지극히 낯선 것이었으며, 그가 당대의 독일 문화를 경멸하고 민족(Nation) 대신 국가(Staat)를 먼저 생각했다는 것은 익히 알려진 일이다.

약탈자의 독선을 강화하는 데 훨씬 더 중요한 것은, 그들의 지배가 그때까지 해당 지역에 알려졌던 것보다 더 공정하고 더 성공적이며 효과적인 행정을 펼칠 것이라는 일반적인 추정(계몽주의에서 유래하는)이었다. 폴란드의 통치에 대해 프로이센이 바라보는 관점은 지극히 부정적이었다. 속담처럼 사용되는 '폴란드 경제'(polnische Wirtschaft, 지금도 일부 지역에서 사용)라는 표현은 혼란스럽거나 무질서한 상태를 묘사하는 데 쓰였다. 폴란드 귀족 슐라흐타(szlachta)는 토지 관리인의 임무라는 측면에서 낭비가 심하고 게으르며 부주의하다는 관점이 널리 퍼져 있었다. 폴란드 도시는 낡고 초라하다는 비난을 들었고 폴란드 농민은 '슐라흐타'의 전제적인 횡포 아래 노예처럼 고초를 겪는 세월을 견뎌야 했다고 했다. 따라서 프로이센의 지배는 사적인 농노의 폐지와 '폴란드 노예'의 해방을 의미한다는 것이었다.[107] 이런 주장은 말할 것도 없이 모두가 편향적이고 이기적인 자기합리화였다. 게으른 관리인의 기록이 소유권을 약화시킬 것이며 강탈과 합병 행위가 '발전'이라는 계몽주의적 접근을 통해 정당화될 것이라는 생각은 이미 베를린과 프랑스의 제국주의적 정치문화에서 일상화된 것으로서 프로이센이 새로운 폴란드 땅을 다스리는 데 크게 기여했다.

발트해

리가

다우가

메멜

쾨니히스베르크

빌니우스

단치히

동포메른

브롬베르크

토룬

동프로이센

폴란드 왕국

비스와강

부크강

포즈난(포젠)

바르샤바

브레스트-리토프스크

브레슬라우

오데르강

슐레지엔

리비우

합스부르크 군주국

삼보제츠

슈피츠, 노비타르크(노이마르크),
노비송치(노이잔데츠)는
오스트리아에 점령됨(1768-69)

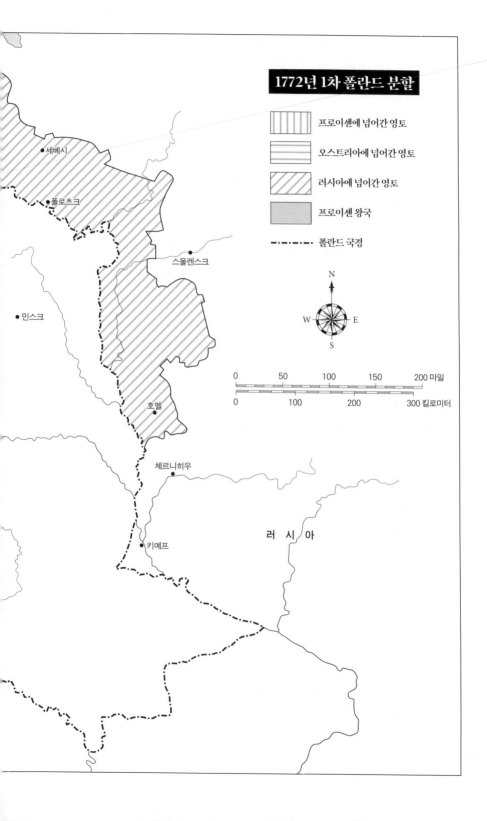

1772년 1차 폴란드 분할

프로이센에 넘어간 영토

오스트리아에 넘어간 영토

러시아에 넘어간 영토

프로이센 왕국

폴란드 국경

세베시

폴로츠크

스몰렌스크

민스크

호멜

체르니히우

키예프

러 시 아

N

W   E

S

0   50   100   150   200 마일

0   100   200   300 킬로미터

프리드리히는 이 새로운 영토에 '서프로이센'이라는 명칭을 붙이고 마지막 재위 기간 14년 동안, 자신이 통치하는 왕국의 어느 지역보다 이곳의 국내 문제에 더 집중적인 간섭을 했다. 그가 전통적인 지역 통치기관을 폐지하고 주로 베를린과 동프로이센의 관료층 중심으로 낯선 관리 집단을 파견하면서 비교적 중앙집권적인 접근 방식을 채택한 것은, 토착 폴란드 행정에 대한 그의 멸시감을 반영하는 것이었다. 합병 이후 서프로이센의 직책에 임명된 전체 지구별 행정관 중에서 그 지역 출신은 한 사람밖에 없었다. 나머지는 모두 '동프로이센' 출신이었다. 여기서 30년 전의 슐레지엔 취급 방식과 극명한 대조가 드러났다.

슐레지엔에서도 대대적인 행정상의 구조개혁이 있었지만, 어디든 가능하면 지역 엘리트 차원에서 연속성을 유지하려는 노력이 있었다. 특히 사법개혁에서는 거의 전적으로 슐레지엔 토박이 직원을 썼다.[108] 슐레지엔 주지사실도 프로이센의 준연방 체제 내에서 특별한 지위를 보장받았다. 총독과 비슷한 역할로서 광범위한 권한을 행사하며 왕에게만 보고하는 주지사는 지방의 특수한 조건에 민감한 방식으로 이해관계를 둘러싼 핵심적인 갈등을 해결하는 위치에 있었다. 이와는 대조적으로 최소한의 자치 행정조차 확보하지 못한 서프로이센에는 권위의 중심이 없었다. 1772년 이후 서프로이센의 최고위직 관리는 요한 프리드리히 돔하르트 주지사였다. 하지만 그에게는 재정에 대한 통제권이 없었고 사법이나 군사 분야도 베를린에서 직접 관할했다.[109]

가톨릭교회는 특별 관리 대상이었다. 제1차 분할을 위한 예비협상 기간에 프리드리히는 왕령 프로이센의 동쪽 변두리에 있는 에름란트 주교구처럼 가톨릭 일색인 지역에 대한 프로이센의 합병이 임박했다는 소식이 대중의 분노를 유발하지나 않을까 하며 걱정했다. 30년 전의 슐레지엔에서처럼 1771년 이후 프로이센은 합병 지역에서 가톨릭이 제도적으로 연속성을 유지하는 것처럼 보이기 위해 엄청 고심했다. 그런 의미에서 주교 재산의 몰수 같은 조치는 없었다. 대신 성직자의 재산은 동서프로이센에 있는 행정부의 통제를 받았다. 이렇게 해서 그것은 공식적으로 교회 재산으로 남았다. 하지만 중과세와 다른 비용으로 인해, 실제로 성직자의 금고로 들어가는 것은 교회 총수입의 38퍼센트밖에 되지 않았다.[110] 서프로이센의 성직자는 훨씬 더 형편이 안 좋았다. 국가에서는 성직자 토지 소득의 5분의 1만 교회로 보낸 것으로 보인다. 그러므로 은밀한 세속화 과정이 진행되었다고 말할 수도 있을 것이다. 여기서 다시 1740년 이후 슐레지엔 성직자에게 더 관대한 대우를 했던 것과 대비된다.

대체로 서프로이센의 폴란드 귀족은 프로이센 합병에 대해 별다른 저항을 하지 않았다. 네체 지구 같은 일부 지역에서는 지역의 지주 가문이 새 군주에 대한 충성 맹세를 거부했지만, 실제로 노골적인 반대는 없었다.[111] 하지만 이 정도로는 폴란드 귀족이 수많은 국내 공문서에서 그들을 경멸했던 프리드리히의 사랑을 받기에 충분치 않았다. 그들은 프로테스탄트(독일인) 귀족보다 고율의 기부금을 납부해야 했다. 또 그들이 지방의회를 여는 것은 금지되었다. 그들에게는 지방 신용조합을 결성하는 것도 허용되지 않았다.[112] 다른 영토에서 왕이 귀족 소유의 땅을 통합 정리하기 위해 채택한 정책도 새로 합병된 지방에서는 뒤집혔다. 프리드리히는 적극적으로 폴란드 귀족들에게 땅을 매각하도록 권하고 지방 행정관들에게는 귀족혈통 여부와 무관하게 프로테스탄트 매입자를 물색하도록 설득했다. 그 결과 서프로이센에서 귀족의 토지가 시민 계급의 수중에 들어온 비율은 호엔촐레른 영토 전체 평균의 두 배 가까이 올라갔다.[113] 프리드리히는 이런 조치의 근거로 폴란드의 거물들이 서프로이센의 토지에서 소득을 올리고 그것을 바르샤바에서 소비함으로써 국부를 빨아들인다는 이유를 댔다. 1777년 6월, 그는 폴란드 국경 양쪽에 재산을 소유한 지주는 서프로이센 경내에서 살든지, 서프로이센의 토지를 포기하든지 양자택일하라는 최후통첩을 발표했다.

이런 정책의 효과를 정확하게 규명하기는 어렵다. 프리드리히의 명령이 그저 위협에 불과한 경우도 종종 있었다. 예를 들어 1777년의 최후통첩이 실행된 적은 거의 없었던 것으로 보인다. 아무튼 왕의 반귀족정책은 주로 차프스키 가문, 포토츠키 가문, 스코르초프스키 가문, 프레벤도프 가문, 다프스키 가문 등 여전히 바르샤바 궁정 및 사교계와 밀착해 있는 진정한 거물급 귀족의 소수 엘리트를 겨냥한 것이었다. 프리드리히는 폴란드 하위 귀족에게는 훨씬 덜 적대적이었으며 실제로 그들을 존속시키는 조치를 취했다.[114]

서프로이센은 집중적인 행정 개입의 대상이 되었다. 도시 발전, 특히 브롬베르크와 쿨름의 발전을 위한 자금은 따로 챙겨두었다. 습지는 배수를 했고 삼림은 벌채를 해서 새로운 경작지와 목초지를 위한 공간을 확보했다. 오데르강에서 비스와강으로 선박 운송을 하도록 네체강과 브라에강을 잇는 운하가 새로 건설되었다. 프리드리히는 예를 들어 과수 심기, 학교 세우기, 감자 심기, 제방 쌓기, 농민들에게 값싼 종자 보급하기 등을 명령하며 수많은 세부적인 일에 매달렸다.[115] 대부분 합병 지역의 주민으로 이루어진 농민들에게 새 정권이 미치는 영향은 들쭉날쭉 다양했다. 과거의 '폴란드 노예 상태'에서 그들을 해방시켜준다는 말이 널리 선전하는 구호였다. 폴란드의 왕령 프로이센에 사는 농부들은 이미 광범위한 이동의 자유를 누리고 있었기 때문이다. 다른 한편으로 영토 내 행정과 독립된 사법기관을 설치해서 농민들이 지주의 변덕에 맞서 법적인 보호를 받도록 해주었다.[116] 브란덴부르크-프로이센 국가의 엄격한 재정제도가 도입되면서 세금은 더 투명해지고 공평해졌다고는 해도 슐레지엔에서 그랬듯이 누구에게나 자연스럽게 인상되었다. 1779년대 중반에 이르러 새 합병지역은 브란덴부르크-프로이센 국가 수입에 10퍼센트를 기여하게 되었다. 완전히 규모와 인구에 비례하는 액수였다. 따라서 이 지역에서 이루어진 주요 자본 투자는 거의 외부 수입에 의존하지 않고도 충당할 수 있었다.

정확한 통계가 없기에 합병이 지역 경제에 미친 영향을 평가하기란 어렵다. 도시의 인구 증가는 아주 더뎠다. 이것은 중과세가 지역 투자에 들어갈 자금을 빼간다는 것을 암시하는 것일 수도 있다. 적잖은 군자금을 유지하려는 노력은 상당한 지역의 부가 지속적으로 순환되지 못하도록 만들었다. 폴란드 국경에 관세를 도입함으로써 심각한 혼란이 발생한 것은 불가피했다. 새 관세로 인해 전통적으로 도시의 생계 토대였던 남북 무역로가 차단되었기 때문이다. 다른 한편으로 토지 부문은 부동산시장이 개방되고 영국이 수입 곡물을 엄청나게 선호하면서 밀어닥친 호황의 혜택을 보았다. 이런 흐름은 토지 부동산의 급속한 가격 인상으로 나타났다.

왕실 행정이 새로 편입된 국민의 신용과 충성을 얻는 데 성공했는지는 지역마다 편차가 심했다. 주민의 다수를 구성하는 독일 민족의 프로테스탄트는 초기에 일부 저항의 목소리를 내기는 했지만, 빠르게 새로운 체제에 동화되었다. 반면에 가톨릭 내의 감정은 프리드리히가 가톨릭 신도에게 익숙한 방식으로 신앙의 자유를 존중하겠다고 약속했음에도 불구하고 호의적이지 않았다. 폴란드 귀족 사이에 전반적으로 새로운 주인을 불신하는 감정이 팽배한 것은 그럴 만한 이유가 있었다. 이런 상황을 목격한 네체 지구의 한 사람은 1793년에 다음과 같이 기록했다. "프로이센 사람이 군주가 된 이후, 폴란드 귀족은 더 이상 과거의 신분이 아니다. 비참한 신세를 면치 못할 것이고 독일인에 대한 불신은 오래 지속될 것이다."[117] 하지만 많은 것이 지방의 사회 구조 안에서 정확하게 어떤 지위를 차지하는가에 달려 있었다. 예컨대 쿨룸에 새로 설립된 사관학교는 폴란드의 하위 귀족 가문에 인기가 높았다. 19세기에 들어서면, 로젠베르크-그루슈친스키, 호이케-트루슈친스키 등 본래의 폴란드 이름 앞에 독일식 이름을 붙인 이중 이름이 자주 등장한다.[118] 이 지방 북쪽의 척박한 모래흙에서 농사를 짓는 카슈비아 농부와 지주 사이에서는 심지어 프리드리히 대왕에 대한 숭배 풍조에 동참하는 간접적인 증거(폴란드어로 된 일화집의 형태로)마저 있다.

　아마 새 정권의 약속과 선전을 가장 곧이곧대로 믿은 사람들은 프로이센에서 파견된 관리들 자신이었을 것이다. 서프로이센의 행정과 관련된 문서에서는 지역의 제도적·경제적 생활을 '프로이센의 토대'에 맞출 필요가 있다는 언급이 반복해서 등장한다.[119] '프로이센'이라는 말은 이른바 폴란드의 악덕이라는 '노예 상태와 무질서, 무기력'의 반의어로 나온다. 프로이센 정신(Preußentum)이 어떤 추상적인 미덕을 상징한다는 생각은 신성로마제국의 경계 밖에 사는 국민의 마음속에 꽤나 선명한 형태가 되었다. 인도 및 다른 지역에서 식민지 정부가 겪은 경험은 의례화된 영국식 법령을 만들게 했으며, 이는 도덕적·문화적 우월성을 드러내는 담론으로 작용했다. 이와 마찬가지로, 토착화된 폴란드의 전통에 대한 지나치게 부정적인 인식이 계몽주의의 낙관적인 개량주의와 뒤섞이면서 '프로이센 방식'의 뚜렷한 장점에 대한 믿음이 깊어졌다.

왕과 국가

프리드리히 2세는 후계자들에게 어떤 종류의 국가를 물려주었을까? 프리드리히의 정치적인 글에서 '국가'는 핵심 주제 중 하나였다. 그의 아버지인 프리드리히 빌헬름 1세는 우리가 5장에서 본 대로, 자신의 '통치권'을 공고히 할 필요성이라는 측면에서 자신의 정책을 정당화하는 경향이 있었다. 이와 대조적으로 프리드리히는 자기 자신과는 완전히 분리된 추상적 구조로서 국가의 최고우선권을 고집했다. 그는 1752년의 정치적 유언에서 "짐은 모든 분야에서 국가의 번영을 위해 일하는 것을 의무로 받아들였다"라고 썼다.[120] 1776년에는 동생 하인리히에게 "짐은 인생을 국가에 바쳤다"라고 말하기도 했다. 국가는 주관적인 의미에서 불멸성을 대신하는 형태를 띠었다. 왕이 죽으면 그의 의식이 사라지고 미래에 대한 그의 희망도 무의미하게 변하는 데 비해 국가는 지속된다는 것이었다. 또 프리드리히는 이렇게 말했다. "짐은 오직 국가만 생각한다. 하늘이 무너진다고 해도, 짐이 죽는 순간 만사는 짐과 완전히 무관한 문제가 된다는 것을 잘 알기 때문이다."[121] 그의 논리를 따른다면, 국가의 최고우선권은 통치자 지위의 상대화, 나아가 격하를 암시하는 것이었다. 이런 관점이 1752년의 정치적 유언에서보다 더 분명하게 표현된 곳은 없다. 여기서 프리드리히는 다음과 같은 견해를 드러냈다. "통치자는 국가의 첫 번째 종복이다. 그가 대우를 잘 받아야 자신이 맡은 직무의 존엄성을 유지할 수 있다. 하지만 그 대신에 통치자는 국가의 번영을 위해 효율적으로 일하라는 요구를 받는다."[122]

이런 생각은 새로운 것이 아니었다. 통치자를 국가의 '첫 번째 종복'(premier domestique)으로 보는 생각은 페늘롱과 보쉬에, 벨의 글에서도 보인다.[123] 대선제후의 전기 작가이자 독일에서 가장 영향력 있는 홉스 전문가였던 자무엘 푸펜도르프는 국가의 집단적인 이익의 보증인이라는 기능적인 측면에서 통치자를 규정했다. 이와 똑같은 주장은 한때 할레 대학교의 철학교수로서 작품을 통해 왕세자 시절의 프리드리히에게 감명을 주기도 했던 크리스티안 볼프의 저술에서도 등장한다. 볼프는 건강과 교육, 노동자 보호, 안전을 폭넓게 책임지는 추상적인 법치 관료국가(Rechts-und Verwaltungsstaat)의 지배를 찬양했다.[124] 하지만 프로이센의 어떤 군주도 프리드리히만큼 이런 개념을 통치자의 핵심적인 책무로 받아들인 적이 없었다. 이것은 그가 프리드리히 개인에 대한 숭배를 싫어하고 왕실의 군주임을 드러내는 인습적인 치장을 포기한 것으로 설명(아니면 적어도 합리화)된다. 그가 앞섶에 에스파냐 코담배의 긴 얼룩이 묻은 파란색의 낡은 장교복을 고집스럽게 입은 것은 그 자신이 대표하는 정치적·사회적 위계질서에서 군주가 스스로 밑으로 들어간다는 것을 보여주었다.

프리드리히가 이토록 국가의 목표를 완벽하게 구체화했기 때문에 고위 관리들은 군주를 섬기는 것과 국가를 섬기는 것을 동일한 것으로 보게 되었다. 글로가우(슐레지엔)의 새로운 집무실에서 행한 연설에서, 주지사인 루트비히 빌헬름 폰 뮌호 백작은 프로이센 행정의 최고 목표는 "아무런 저의 없이 왕과 국가의 최고 이익에 봉사하는 것"이 되어야 한다고 선언했다. "단 하루도, 가능하면 단 한 시간도 왕에게 어떤 기여도 없이 지나가서는 안 된다"는 것이었다.[125] 이처럼 왕은 단순한 고용주 이상이었다. 왕은 그의 가치와 생활 방식을 고위직 관리들이 내면화해야 할 모델이었다. 이것이 개별 관리에게 무슨 의미를 지녔는지는 관리총국의 광산 및 주물공장 지부장인 프리드리히 안톤 폰 하이니츠의 일기를 통해 알 수 있다. 하이니츠는 프로이센 사람이 아니라 작센 사람으로서 1776년에 52세의 나이로 프리드리히의 정부에 들어갔다. 1782년 6월 2일 일기에서 하이니츠는 공공의 복지를 위해 하는 고된 일은 신성한 신앙 행위로 보아야 한다고 쓰면서 이렇게 덧붙였다. "단적인 예로 왕을 들 수 있다. 누가 왕을 따를 수 있겠는가? 왕은 근면하고 휴식보다 의무를 우선시하며 자신이 할 일을 먼저 생각한다. […] 그와 같이 소박하고 일관되며 자신의 시간을 그토록 능숙하게 쪼개는 군주는 어디에도 없다."[126]

프리드리히는 또 건축을 통해 국가의 추상적인 권위를 세웠다. 베를린 중심가의 운터 덴 린덴 거리 입구에서 포룸 프리데리치아눔(현재의 베벨광장)과 접해 있는 공공건물의 총체적 조화만큼 이런 생각이 감동적으로 실현된 곳은 없을 것이다. 프리드리히가 왕으로서 처음 행사한 공무 중 하나는 궁정건축가 게오르크 벤체슬라우스 폰 크노벨스도르프에게 광장 동쪽에 오페라하우스를 지으라고 내린 명령이었다. 이 명령으로 완공된 오페라하우스는 2천 명의 관객을 수용할 수 있는 유럽 최대의 극장 중 하나가 되었다. 남쪽으로 오페라하우스와 나란히 서 있는 성 헤트비히 대성당은 왕의 가톨릭 신하들을 기념하기 위해 세운 곳으로, 루터교 도시 한복판에서 종파 간 관용을 보여주는 기념비적인 건물이라고 할 수 있다. 관용의 메시지를 전달하기 위해서, 교회의 현관 주랑은 고대 로마 판테온의 혼합양식을 따랐다. 1770년대에는 광장 서쪽에 널찍한 왕립 도서관이 새로 들어섰다.

이런 프로젝트에 군주의 전통적인 자기 표현의 요소가 들어간 것은 분명하다. 하지만 광장은 국가의 문화적 목표에 대한 고도의 의식적인 표현이기도 했다.[127] 새 건물의 설계 및 높이 그리고 전체로서 광장의 설계는 다각도로 계산되었다. 이 문제는 때로 베를린의 신문과 사교계에서 열띤 논란을 벌이는 주제였다. 오페라하우스와 도서관은 완공 이후 일반 대중에게 개방되었다.[128] 아마 전체적인 건물의 배치 중에 가장 눈에 띄는 것은 왕궁이 없다는 점일 것이다. 프리드리히도 처음에는 하나 정도 포함시키려는 의도가 있었지만, 제2차 슐레지엔 전쟁 이후 그에 대한 흥미를 잃어버렸다. 따라서 오페라하우스는 알프스 이북에서 왕궁과 접하지 않은 최초의 건물이었다. 왕립 도서관 역시 이 시대에는 매우 이례적일 정도로 독립된 구조였다. 바꿔 말해, 이 광장은 레지덴츠(궁전) 없는 레지덴츠 광장이었다. 그러므로 이런 종류로 된 유럽의 모든 광장과 실제로 차이가 난다는 것을 관광객들은 놓치지 않았다.[129] 왕 개인이 그렇듯이, 건축에서도 프로이센 국가의 표현은 프로이센 왕조의 표현과 분리되었다.

통치자가 끊임없이 독재적으로 간섭해야 하는 필요성으로부터 국가가 벗어나기 위해서는 일관된 법적 구조를 정비할 필요가 있었다. 이 경우에도 프리드리히는 법정 시스템을 재조직하고 당대의 대표적인 법률가들에게 프로이센 영토에 적용할 보편적인 법전을 구상하는 작업을 맡기면서 자신이 설파한 것을 실행에 옮겼다. 그가 사망할 당시에 완성되지는 못했지만, '프로이센 국가 보통법'(Allgemeine Landrecht für die Preußischen Staaten[흔히 줄여서 ALR이라고 한다], 1794년)은 이후 프로이센 왕국에서 일종의 헌법 기능을 했다.[130] 전후 프로이센의 재건사업을 할 때, 프리드리히는 공공이익을 위해 일하는 성실한 종복이었다. 이후 국가는 보편적 복지를 위해 자신의 "특권과 이점을 강제로 희생당한" 사람들에게 '보상할' 의무가 있다는 보통법의 원칙에 따라 전쟁 중에 파괴된 마을이 재건축되었다.[131] 게다가 앞에서 보았듯이, 프리드리히는 전쟁고아와 상이군인에 대한 국가의 의무가 있다는 것을 인정했고, 그의 재위 기간에 이들을 위한 제도적 보호가 확대되었다.

국가 우선주의라는 원칙은 프리드리히가 국제 관계에서 취하는 태도도 결정지었다. 우선 국제적인 조약이나 그에 상당하는 의무에 대해 너무 무신경한 반응을 보였다. 그것들이 국가의 이익에 더 이상 부합하지 않을 때는, 아무 때나 무시했기 때문이다. 오스트리아와 별도의 강화조약을 맺고 동맹국들을 궁지로 내몬 채 1742년과 1745년에 님펜부르크 동맹을 포기했을 때도 프리드리히는 이런 생각을 실행에 옮긴 것이었다. 그 원칙은 슐레지엔 침공에서도 엿볼 수 있다. 이것은 국제적으로 신성로마제국과 관련된 법적 질서를 명백히 위반한 사건이었다. 하지만 부왕과 달리 신성로마제국을 경멸한 프리드리히는 그런 것에 개의치 않았다. 그는 1752년의 정치적 유언에서 제국의 통치 방식을 '시대에 뒤지고 괴상한' 것으로 간주했다.[132] 프리드리히의 관점으로 볼 때(푸펜도르프와 제국에 비판적이었던 18세기 다수 독일인의 의견으로 볼 때도), 사법 구조가 중복되고 통치권이 일원화되지 못한 신성로마제국은 국가원칙을 정면으로 거스르는 체제였다. 게다가 1718년과 1725년에 마그데부르크 지방의회 귀족들이 새로 도입된 프로이센 세금에 맞서 빈의 제국법정에 상소했던 쓰라린 기억이 여전히 생생하게 남아 있었다. 프리드리히가 왕국의 입헌적 자율성을 공고히 하게 된 중요한 조치 중 하나는 합스부르크 황제가 프로이센 영토에 대한 제국의 사법관할권을 포기한 1746년의 협정이었다. 그리하여 프리드리히는 이미 선왕 정부에서 봉직한 총명한 법률가 자무엘 폰 코크체이에게 '오로지 [프로이센] 영토 내의 이성과 법적 관례'를 기반으로 일반적인 법전을 구상하라고 지시할 수 있었다. 이것은 구제국체제의 종말이 시작된 신호라는 점에서 중요한 의미가 있었다. 프로이센과 오스트리아의 싸움은 이런 점에서 국내 및 영토 밖의 모든 권위에 앞서는 국가의 최고우선권에 기초한 '국가원칙'(Staatsprinzip)과 분산된 권위와 혼합된 통치권으로 이루어진 '제국원칙'(Reichsprinzip) 간의 갈등을 표현하는 것이었다. 후자는 중세 이래 신성로마제국의 특징이었다.

하지만 추상적인 권위에 대한 프리드리히의 방침이 진실한 것이라고 해도 이론과 실제 사이에는 눈에 띄는 불일치가 있었다. 비록 프리드리히가 반포된 법과 규칙의 절차에 담긴 불가침성을 원칙적으로 인정했다고 해도, 필요하다고 간주할 때는 사법당국을 무시할 준비가 되어 있었기 때문이다. 이렇게 일방적으로 개입한 것 중에 가장 유명한 예가 1779~80년에 일어난 '물방앗간 주인 아르놀트 사건'이었다. 크리스티안 아르놀트라는 물방앗간 주인이 지주인 슈메타우 백작에게 임대료 납부를 거부하는 일이 있었는데, 이유는 해당 지구 행정관인 폰 게르스도르프 남작이 잉어 연못을 파며 물방앗간에서 쓸 물길을 차단해 자신의 생계수단이 막혔기 때문이라는 것이었다. 지방법원으로부터 퇴거 선고를 받은 아르놀트 부부는 왕에게 직접 호소하는 방법을 찾았다. 이어 아르놀트에 대한 재판을 중지하라는 취지로 짜증을 내는 왕명이 내려졌는데도 불구하고, 퀴스트린 법무당국은 원심이 옳다고 판단했다. 이것을 지방 독재자들이 사건을 조작한 것으로 판단하고 화가 난 프리드리히는 이 재판을 베를린 고등법원으로 이관하라고 명령했다. 이어 고등법원도 아르놀트에 대한 원심을 추인하자, 프리드리히는 담당판사 세 명을 1년간 성채에 억류하도록 명령했다. 행정관의 잉어 연못은 메워졌고, 아르놀트의 물방앗간으로 들어가는 물길은 복구되었으며, 그가 지출한 모든 비용과 손실도 보전해주도록 했다. 고위 법관들은 이 사건에 분개했고 여론도 마찬가지였다. 전국에 배포된 신문과 관보에 실린 왕명을 통해 프리드리히는 자신의 의도는 "신분 고하와 빈부를 막론하고 누구나 신속한 정의"를 보장받도록 하는 것이었다고

말했다. 법적 절차의 심각한 위반이 더 높은 윤리적 원칙의 측면에서 정당화된 것이다.[133]

프리드리히의 국가관은 영토의 의미에서 자신의 선친이 생각했던 것보다 덜 포괄적이었다. 그는 밖에 있는 영토를 통합하는 것에 관심이 훨씬 적었다. 브란덴부르크 중심지에 적용된 중상주의 경제 규정 중 많은 것은 서부 지방까지 확대되지 않았기 때문에 이곳의 상품은 외국 상품처럼 과세 대상이 되었다. 창고 시스템을 통해 동프로이센을 왕국 전체의 곡물 체계로 통합하기 위한 정부의 노력은 그의 재위 기간에 느슨해졌다. 칸톤 제도도 서부 지방 전체로 확대되지 않았다. 1768년에 그는 베젤 시의 세 개 연대 주둔지에 칸톤(징병구)이 없는 이유는 "이 지방 주민이 군복무에 적합하지 않기 때문이며, 이곳 주민들은 행동이 굼뜨고 느린 데다가 클레베 남자의 경우 고향에서 먼 곳으로 이동하면 스위스인처럼 향수에 시달릴 것이기 때문"이라고 적었다.[134] 프리드리히 1세가 1707년에 동군연합으로 취득한 스위스의 프랑스어 사용지이자 소공국인 뇌샤텔을 통합하려는 시도도 거의 이루어지지 않았다. 프로이센 출신의 총독은 프리드리히 대왕의 긴 통치 기간에 부임하지 않았기 때문에 여기서 베를린의 영향은 거의 느낄 수 없었다.[135]

프리드리히가 가장 우선시한 곳은 왕국의 한복판에 있는 중부 지방이었다. 1768년의 정치적 유언에서 언급된 부분을 보면, 그는 브란덴부르크와 마그데부르크, 할버슈타트 그리고 슐레지엔만이 '국가의 실질적 몸통을 구성한다'라고 선언했다. 이것은 부분적으로 군사적 논리의 문제였다. 중앙의 영토가 타지방과 뚜렷이 구분되는 것은, "전체 유럽이 이곳의 통치권에 반기를 들고 뭉치지 않는 한 우리 스스로 방어할 수 있다"는 사실 때문이었다.[136] 그와 달리 동프로이센과 서쪽의 소속 영지는 적대 행위가 시작되자마자 포기해야 한다고 말했다. 어쩌면 선왕이 시작한, 중대한 동프로이센 재건 프로그램을 프리드리히가 중단한 이유도 이것으로 설명할 수 있을 것이다.[137] 7년전쟁 기간에 외국 군대에 점령되었을 때, 그곳 백성들이 보여준 행위도 그를 주저하게 만들었던 것 같다. 그는 특히 동프로이센의 신분제의회가 1758년에 그의 숙적이라고 할 러시아의 엘리자베타 여제에게 충성 맹세를 한 사실에 분개했다. 자신의 왕국에서 지치지 않는 수석감독관 역할을 하던 프리드리히지만 1763년 이후 단 한 번도 동프로이센을 방문하지 않았다. 그는 그저 동프로이센 주지사를 향해 포츠담에 있는 자신에게 보고하거나 서프로이센에서 열리는 연례 기동훈련 기간에 사령부로 나오라는 명령만 했다.[138] 이는 프리드리히 빌헬름 1세와 그의 조부인 대선제후가 무척 챙겼던 이 지방의 중요성이 대폭 격하되었다는 사실을 반영한다.

국가에 대한 프리드리히의 언급을 있는 그대로 받아들인다면, 그것은 때로 군주의 기능이 부분적으로 개인과 무관하게 투명한 법과 규칙에 따라 작동하는 집단적인 행정조직에 흡수되어왔음을 암시하는 것처럼 보인다. 하지만 프리드리히의 재위 기간에 프로이센의 통치는 지극히 개인적인 특징이 강했기 때문에 현실은 완전히 달랐다. 사실 어떤 점에서 보면, 정치적 과정은 그의 아버지인 프리드리히 1세 치하에서보다 왕 개인에게 훨씬 더 집중되었다. 그의 아버지는 때로 강력한 각료회의의 추천으로 군주가 단서를 얻도록 각 부처 합의제 방식을 창안했다. 하지만 이 제도는 프리드리히가 즉위한 뒤로 폐지되었다. 측근에 있는 비서관들에게 더 의존하게 되면서 장관들과 개인적으로 접촉하는 일도 1763년 이후 더 드물어졌다.

이처럼 정치적 과정은 점점 더 왕에 대한 접근을 통제하고 왕의 서한을 관리하며 왕에게 상황 변화를 보고하고 정책을 조언하는 소수의 비서관 중심으로 바뀌었다. 비서관이 군주와 함께 시찰여행을 하는 데 비해, 장관은 보통 베를린에 남았다. 대신들은 흔히 카를 아브라함 폰 체틀리츠(교육담당 대신)처럼 고위 귀족인 데 비해, 비서관은 대개 시민 계급 출신이었다. 단적인 예로 눈에 띄지는 않아도 막강한 영향력을 행사했던 아우구스트 프리드리히 아이헬을 들 수 있는데, 프로이센군 하사관 아들이었던 아이헬은 보통 새벽 4시에 일을 시작했다. 프리드리히 빌헬름 1세 치하에서는 책임과 영향력이 행정 체계 안에서 개인의 기능과 결합되었다면, 프리드리히 치하에서는 대조적으로 통치자와의 거리가 권력과 영향력에 결정적인 요인이었다.

역설적으로 권력과 책임이 이렇게 왕에게 집중되는 현상은 프리드리히 빌헬름 1세가 도입한 집중적인 개혁의 동력을 뒤집어놓았다. 프리드리히가 각 지방의 행정관들과 직접 소통함으로써 다양한 지방의 행정을 감독하는 관리총국의 권위를 훼손했다. 프리드리히는 중앙행정부에 알리지도 않고 지방 행정관들에게 명령을 내릴 때가 많았다. 따라서 중앙의 권한이 줄어들고 영토 면에서 국가 구조의 근육이 이완되는 일이 벌어졌다.[139]

프리드리히는 이처럼 고도로 개인화된 체제의 효력을 의심할 이유가 없었다. 1752년의 정치적 유언에서 그는 "이런 나라에서는 군주가 자신의 일을 직접 처리할" 필요가 있다고 지적했다. "군주가 현명하다면 단순히 국익이 되는 일을 추진하는 데 비해, 대신은 늘 그 자신의 이익과 관계되는 부수적인 동기를 따를 것"이라는 이유에서였다.[140] 바꿔 말해, 국가의 이익과 군주의 이익은 완전히 일치하며 이것은 다른 어떤 사람에게도 적용할 수 없는 이치라는 말이었다. 이런 논리의 맹점은 "군주가 현명하다면"이라는 조건절에 들어 있다. 프리드리히 체제는 정력적이고 선견지명이 있는 프리드리히가 자신의 처리를 기다리는 문제들을, 용기와 결단력은 물론이고 신속하고 폭넓은 지적 능력을 발휘하며 책임지는 동안에는 잘 굴러갔다. 하지만 만일 왕이 천재 정치가가 아니라면 어떻게 될 것인가? 왕이 난관을 극복하는 것을 어렵다고 본다면 어쩔 것인가? 만일 왕이 머뭇거리고 위험을 꺼린다면 어쩔 것인가? 요컨대, 만일 왕이 평범한 인간이라면 어쩔 것이냐는 말이다. 이렇게 평범한 군주가 운전석에 앉아 있다면, 어떻게 이런 체제가 난관 속에서 기능을 발휘할 것인가? 우리는 프리드리히가 마지막으로 특출난 재능을 가진 프로이센 지도자였다는 사실을 기억해야만 한다. 호엔촐레른 왕조의 역사에서 흔히 볼 수 있는 통치자가 아니었다는 말이다. 권력 한복판에서 중심을 잡고 기강을 세운 강력한 인물이 아니었다면, 프리드리히 체제는 대신과 비서관이 중복되는 권한을 놓고 경쟁을 벌인 데서 보듯 서로 물어뜯는 파벌로 갈라질 위험이 있었다.

8

감히
알려고 하라!

**Dare
to Know!**

대화

프로이센 계몽주의는 대화와 깊은 관계가 있었다. 그것은 자유롭고 자율적인 주제를 놓고 벌이는 비판적이고 공손하며 제한이 없는 대화 같았다. 대화가 중요한 것은 예리하고 정제된 판단을 허용해주기 때문이다. 계몽주의의 본질에 관한 유명한 글에서 쾨니히스베르크의 철학자 임마누엘 칸트는 다음과 같이 자신의 생각을 밝혔다.

> 계몽이란 인간이 스스로 책임져야 할 미성숙 상태로부터 벗어나는 것을 말한다. 미성숙 상태는 타인의 인도 없이는 자신의 이성을 사용하지 못하는 무능력을 의미한다. 이런 미성숙은 그 원인이 지적 능력이 부족한 데 있지 않고 의지와 용기의 결핍 때문이라면, 본인 스스로 책임을 져야 한다. […] 그러므로 용감하게 생각하라! 용기를 내서 그대 자신의 이성을 사용하라! 이것이 계몽주의의 좌우명이다.[1]

따로따로 떼어서 읽으면 이 구절은 마치 계몽주의를, 세계를 파악하기 위한 개인의 의식 투쟁으로 포장된 고독한 사업처럼 보이게 만든다. 하지만 같은 글의 뒷부분에서 칸트는 이성을 통한 이 같은 자기 해방의 과정에 멈출 수 없는 사회적 역동성이 있다고 본다.

> 대중은 스스로 계몽되는 것이 가능하다. 대중에게 자유가 허용된다면, 그것은 사실상 반드시 일어난다. 기성의 권위가 자신들의 이름으로 권리를 행사하려 함에도 말이다. 그 속에는 언제나 스스로 생각할 수 있는 소수의 개인이 있을 것이기 때문이다. 미성숙의 멍에를 벗어던지자마자 대중 사이에 자기 가치에 대한 합리적인 이해의 정신을 그리고 모든 사람이 스스로 생각할 의무를 전파하는 소수가 있다.[2]

이렇게 비판적이고 자신만만하며 독립적인 정신의 사회를 뚫고 들어가는 과정에서 대화는 필수불가결한 역할을 했다. 대화는 18세기 후반, 프로이센 영토(넓게는 독일어권 영방국가들)에 널리 퍼진 연맹과 협회에서 엄청 활기를 띠었다. 1741년 쾨니히스베르크에 설립된 협회를 포함해 초국가적인 프로젝트라고 할 '독일협회'(Deutsche Gesellschaft)의 규약은 회원들이 결실이 풍부한 대화를 나눌 수 있는 공식적인 조건을 명백히 규정했다. 낭독회와 강의에 이어 토론이 벌어지는 동안 회원들은 독단적이거나 분별이 없는 논평을 피하도록 되어 있었다. 대신 낭독의 형식과 방법, 내용을 가지고 구조적인 비평을 해야 했다. 이들은 칸트의 표현을 따르자면, '이성의 신중한 언어'를 사용해야 했다. 논제 이탈과 방해는 엄격하게 금지되었다. 모든 회원은 궁극적으로 발언할 권리를 보장받았지만, 차례를 기다린 다음에 가능하면 간결하게 말해야 했다. 풍자적이거나 조롱조의 소견과 도발적인 말장난은 용납되지 않았다.[3]

이와 똑같이 예의에 집착하는 태도는, 18세기 말 독일에만 250~300개 지부에 1만 5천~1만 8천 명의 회원으로 성장한 프리메이슨 운동에서도 엿볼 수 있다. 프리메이슨에서도 무절제한 언행과 경솔하거나 야비한 논평, 형제단원들 사이에 분열을 일으키는 주제(종교 문제 같은)에 대한 토론을 회피하라는 훈령이 있었다.[4] 오늘날의 관점에서 본다면 이 모든 것이 답답할 정도로 고지식하게 들릴지 모르지만, 그런 규칙과 기준의 목적은 꽤나 진지했다. 토론에서는 개인 문제가 중요한 것이 아니므로 회원들이 모일 때 개인적인 관계나 지방색을 띠는 정치 문제를 배제한다는 원칙을 확실히 하기 위해서였다. 정중한 공개토론은 여전히 익혀야 할 과제였다. 이런 규약이 새로운 소통 기술의 틀을 결정했다.

예절은 자유로운 토론을 위협할 수도 있는 지위의 비대칭을 해소하는 데 도움을 주었기 때문에 중요했다. 프리메이슨 조직은 이 운동을 연구한 역사가가 주장한 대로 '독일 신흥 중산층 조직'이 아니었다.[5] 이 운동은 귀족과 교양계층, 부유한 평민 등의 구성원이 거의 대등하게 포함된 형태로 잡다한 엘리트 지지자들을 끌어들였다. 물론 일부 독일 지부는 처음에 한쪽 계층만을 위해 문을 열었지만, 얼마 지나지 않아 신분의 차이를 극복하고 하나의 지부로 합병되었다. 이렇게 다양하게 뒤섞인 단체에서 처음부터 신분 차이에 따른 토론의 왜곡을 막으려면 투명하고 평등한 규칙이 필수적이었다.

프로이센 계몽주의에 힘을 실어준 대화는 지면상에서도 벌어졌다. 이 시대 정기간행물의 두드러진 특징 중 하나는 산만한 대화가 들어갔다는 것이다. 예를 들어 독일 후기 계몽주의에서 가장 유명한 언론이라고 할 『월간 베를린』(*Berlinische Monatsschrift*)에 실린 다수의 기사는 독자가 발행인에게 보내는 편지였다. 뿐만 아니라 독자에게는 새로운 출판물에 대한 논평이 나갔고 흔히 저자의 상세한 답변을 제시하기도 했다. 때로 이 잡지는 특정 주제에 대한 의견을 묻기도 했다. 가령

"계몽주의란 무엇인가?"란 주제와 관련된 유명한 토론이 있었는데, 이 것은 『월간 베를린』 1783년 12월 호에 신학자 요한 프리드리히 췔르너가 기고한 글의 제목이었다.[6] 상근 기자도 없었고 매호에 실리는 기사도 대개 잡지사에서 직접 의뢰하는 법이 없었다. 편집인인 게디케와 비스터가 창간호 머리말에서 분명하게 밝힌 대로, 이들은 관심을 갖고 자발적인 기부로 잡지사를 '후원해주는' 독자회원들에게 의존했다.[7] 『월간 베를린』은 무엇보다 각급 도시의 연맹이나 협회와 비슷하게 운영되는 출판 논단이었다. 이 잡지는 문화 소비자들이라는 본질적으로 수동적인 독자층을 염두에 둔 것이 아니었다. 독자에게 그들 자신의 문제와 시대의 중요한 물음에 대하여 생각할 기회를 주는 것이 이 잡지의 목표였다.

『월간 베를린』이나 그와 비슷한 잡지는 북독일 전역에 이른바 독서회(Lesegesellchaft)가 확산되면서 큰 반향을 일으켰다.[8] 이런 모임의 목적은 공동출자를 해서 구독권을 구입하거나 아직 공공도서관이 없던 시절에 모임 내에 책을 사들이는 것이었다. 일부는 전용 공간도 없는 비공식적인 모임이어서 부유한 회원의 집에서 모였다. 그 밖에 특정한 잡지의 보급을 전문으로 하는 독서모임이 있었다. 일부 도시에서는 서적상이 새 출판물을 구입가 전액을 지불하지 않아도 일시적으로 접할 수 있도록 도서관 서비스로 제공했다. 이런 종류의 협회는 18세기 후반에 놀라운 속도로 증가했다. 1780년에 독일 전국에 이런 모임이 50개 정도 있었는데, 그 수는 10년 후에 약 200개로 늘어났다. 이런 모임은 차츰 토론이나 논쟁에 알맞은 그들만의 전용 공간을 임대하거나 매입해서 만나게 되었다. 모임에 참여하는 회원들은 동등한 조건이었고 예의 바르고 상호존중하는 태도를 가져야 하는 것이 규칙이었다. 실내게임이나 도박은 금지되었다. 전체적으로 독일의 독서회원은 1만 5천 ~2만 명이었다.

서점은 계몽주의 사교활동이 펼쳐지는 또 하나의 중요한 현장이었다. 1764년에 문을 연 쾨니히스베르크의 요한 야코프 칸터 서점의 중앙 홀은 시내의 '지식 거래소' 기능을 하는 크고 매력이 넘치는 멋진 공간이었다. 그곳은 교수, 학생 등 남녀노소가 도서목록을 한 장 한 장 넘기고, 신문을 읽고 책을 구매하거나 주문하거나 빌리는 '문학 카페'(café littéraire)였다(칸트의 경우 1804년 사망 당시에 소장한 책이 450권밖에 되지 않은 것으로 보아 시내의 다른 지식인과 마찬가지로 많은 책을 칸터 서점에서 빌렸을 것으로 보인다). 여기서도 단골들은 서로 존중하고 공손한 태도를 유지해야 했다. 칸터는 책만 판 것이 아니라 간결한(1771년에 이미 488쪽이나 된) 출판 목록과 격주간으로 발행하는 신문, 다양한 정치 팸플릿을 발간했다. 정치 팸플릿 중에는 쾨니히스베르크의 젊은 철학자 요한 게오르크 하만이 프리드리히 대왕을 통렬하게 공격하는 에세이도 있었다.[9]

독서회뿐만 아니라 프리메이슨 지부와 여러 애국협회도 모임의 네트워크를 유지했다. 또 문학 및 철학 협회와 자연과학이나 의학 혹은 언어학 등 각 분야의 학자 단체도 있었다. 그 밖에 베를린 사관학교 교수 카를 빌헬름 라믈러 주변에 모인 작가와 열정적인 시인 무리처럼 좀 더 비공식적인 단체도 있었다. 라믈러와 가까운 동료 중에는 출판업자 프리드리히 니콜라이, 극작가 고트홀트 에프라임 레싱, 애국시인 요한 빌헬름 루트비히 글라임, 성서학자 모제스 멘델스존, 법률가 요한 게오르크 슐처, 그 밖에 베를린 계몽주의의 숱한 저명인사가 있었다. 라믈러 역시 베를린의 숱한 프리메이슨 지부 중 적어도 한 곳에 소속되었고 몇몇 연맹의 회원이었고, 비록 삼류라고 해도 시인이었다. 동시대인들이 보는 그의 소중한 자산은 무엇보다 타고난 친화력과 활기가 넘치면서도 정중한 사교성이었다. 1798년에 그가 사망했을 때, 한 부고 기사는 죽을 때까지 미혼으로 남은 라믈러를 다음과 같이 회고했다. "오직 사랑하는 예술과 친구들을 위해 살면서 그 사랑을 조금도 뽐내지 않았다. 그는 각계각층에 많은 친구를 두었는데 그중에는 특히 학자와 사업가가 많았다."[10]

비슷한 다른 인물로는 애국적인 활동가인 요한 빌헬름 루트비히 글라임이 있었다. 역시 미혼으로 산 글라임은 문학적 취미를 즐겼고 할버슈타트의 교회 관리직을 재정적인 토대로 활용해 젊은 작가와 시인이 모이는 시내의 열정적인 모임을 후원했다. 라믈러와 마찬가지로 글라임도 당대 프로이센 문단의 명사들과 광범위한 교류를 했다. 프로이센 계몽주의를 이끈 사교적인 대화는 규칙이나 구독만으로는 유지될 수 없었다. 그것은 평생 폭넓은 교우관계를 이타적으로 관리한 라믈러나 글라임 같은 인물의 열정과 따뜻한 수용력이 있었기 때문에 가능했다. 작가와 시인, 편집자, 연맹과 협회 및 각종 지부의 회원들, 독자, 구독자 등은 문학과 과학, 정치 등 당대의 중요한 문제에 관심을 갖고 프로이센 땅에 활기차고 다양한 공론장(public sphere)을 만들어내는 데 도움을 준 '시민사회의 활동가들'이었다.[11]

이런 신흥 공론장을 나태하고 수동적이며 정치에 무관심한 시민 집단이나 반대파 혹은 반란을 모의하는 세력으로 생각하면 잘못이다. 프로이센 계몽주의를 유지한 사회적 네트워크의 가장 두드러진 특징 중 하나는 그것이 국가와 가까웠거나 사실상 부분적으로 국가와 동일했다는 점이다. 이것은 부분적으로 프로이센 계몽주의를 키워낸 지적 전통의 문제였다. 프리드리히 3세(1세) 재위 기간에 프로이센 대학교에서 확립되고 프리드리히 빌헬름 1세 치하에서 계속 뿌리를 내린 중상주의나 국가에서 행정적으로 지원하는 '과학'과의 연결고리는 대단히 천천히 단절되었다. 게다가 프로이센 인텔리겐치아의 사회적 지위도 이런 전통에 한몫했다. 당대의 프랑스 문단에서는 독립적인 활동을 하던 사람 혹은 프리랜서 작가가 중요한 역할을 한 데 비해, 프로이센 계몽주의를 지배하던 집단은 공무원 집단이었다. 『월간 베를린』에 관한 연구에 따르면 이 잡지가 간행된 13년 동안(1783~96년), 모든 기고자의 15퍼센트는 귀족이었고, 교수 및 교사가 27퍼센트, 고위 공무원이 20퍼센트, 성직자가 17퍼센트, 육군 장교가 3.3퍼센트였다. 바꿔 말해, 기고자의 과반수가 국가에 고용된 신분이었다.[12]

국가와 시민사회의 구성 요소 간의 유사점을 극명하게 보여주는 예는 베를린 수요회(Berliner Mittwochsgesellschaft)였다. 이 '계몽주의 동호회'는 1783년부터 1797년까지(사실상 『월간 베를린』의 발행 시기와 일치하는) 정기적으로 모였다. 12명으로 출발해 나중에 24명까지 참여한 이 모임의 회원들 중에는 국무대신인 요한 프리드리히 슈트루엔제 백작 같은 고위 공무원과 사법관인 카를 고틀리프 슈바레츠와 에른스트 클라인 등이 있었다. 그 밖의 회원으로는 『월간 베를린』의 발행인이자 수요회의 간사인 요한 비스터, 출판업자로서 때로 애국 활동을 한 프리드리히 니콜라이가 있었다. 니콜라이의 오랜 친구로서 오늘날 유대인 학자이자 철학자로 유명한 모제스 멘델스존은 명예회원이었다. 모임은 회원 중 한 사람의 집에서 열렸다. 토론은 때로 일반적인 관심사로서 과학적인 화제에 초점을 맞추기도 했지만, 대부분의 모임은 당대의 정치적 이슈에 관심을 쏟았다. 종종 뜨거운 논쟁이 벌어지기도 했지만, 모두 예의 바른 토론 형식을 유지하려는 노력을 기울였다. 가령 상호존중과 상호주의, 공평성, 엄격한 사실에 입각한 해석을 선호하고 독자적인 의견과 공허한 일반화를 피하려고 애썼다. 모임의 준비는 정부의 행정이나 재정 혹은 입법사항에 대한 보고서를 사전에 회람하면서 시작되었다. 이런 순서는 논쟁의 토대가 되었다. 각자의 의견은 문서로 제출할 수도 있었기 때문에 수요회에서 쟁점이 된 문제는 때로 『월간 베를린』에 실리기도 했다.

근본적으로 대화의 성격을 지닌 계몽주의 문단의 문화를 이보다 더 선명하게 조명한다는 것은 상상하기 어렵다. 수요회를 공론장의 기관이라고 말하기는 어려울 것이다. 그 모임이 매우 엄격한 비밀주의로 가려져 있었기 때문이다. 몇몇 회원이 현역 대신이라는 사실을 감안하면 필요한 조치이기도 했다. 어쨌든 이 모임은 프리드리히 2세 통치의 말년에 시민사회와 국가의 비공식 네트워크 사이에서 가시화되고 있던 시너지 효과를 보여준다.

진보적인 학자나 작가, 사상가들로서는 국가를 계몽주의 프로젝트의 파트너로 보기가 쉬웠다. 통치자 자신이 계몽주의 가치관의 유명한 옹호자였기 때문이다. '계몽주의 시대'와 '프리드리히 시대'가 동의어라는 임마누엘 칸트의 발언은 환심을 사기 위한 말이 아니었다.[13] 18세기 유럽의 전체 군주 가운데 프리드리히는 계몽주의의 가치와 사고방식을 가장 열심히 구현했다. 그는 왕세자 시절인 1738년에 프리메이슨 지부에 가입했다. 또 앞에서 본 대로, 그는 종교적인 문제에 회의적이었고 종교적인 관용을 옹호했다. 1740년 6월, 프랑크푸르트(오데르) 시에서 가톨릭 신자에게 시민권을 허용해야 하는지 질문을 받았을 때, 그는 "모든 종교는 그 신도가 정직하기만 하다면 선악이 따로 없으며 설사 터키 사람이나 이교도라고 할지라도 이 나라에 와서 살고 싶어 한다면 그들에게 모스크나 교회를 지어줄 것이다"라고 대답했다.[14] 프리드리히는 프랑스 계몽주의의 대표적인 인물들을 주변에 불러들였다. 특히 계몽주의 무대에서 첫손가락에 꼽히는 문호인 볼테르는 프리드리히와 간간이 쉬어가며 긴 대화를 나누었으며, 프로이센 국왕과 그의 밀접한 관계는 유럽 전역에서 유명했다. 프리드리히 자신의 글쓰기는 당대 프랑스 대가들의 번뜩이면서도 냉정하고 편견이 없는 논조를 모방하는 가운데 완성되었다.

　　프리드리히는 군주로서 그런 사상과 신념을 실천에 옮기는 행동을 일찍이 보여주었다. 왕위에 오르자마자 그는 잡지 『베를린 통신』 (*Die Berlinischen Nachrichten*)을 더 이상 검열에 시달리지 않게 할 것과 1720년대에 경건주의자들에 의해 할레 대학교에서 쫓겨난 합리주의 철학자 크리스티안 볼프를 즉시 복직시킬 것을 명령했다.[15] 훨씬 더 인상적인 것은 그 시대 프로이센의 대표적인 법률가인 자무엘 폰 코크체이의 충고를 거스르며 프로이센 땅의 사법 절차에서 고문을 중단시키도록 한 결정이었다. 고문은 여전히 피의자로부터 자백을 받아내기 위해 유럽의 사법체계에서 널리 행해지고 있었다. 1745년 당시, 독일계몽주의의 표준 백과사전 중 하나인 『체들러 세계백과』(Zedler's Universallexikon)에서는 고문을 수사 기술의 일환으로 옹호했으며 1768년에 출간된 오스트리아의 대법전인 『테레지아 법전』(Theresiana)에서도 고문 관행이 존속될 정도였다.[16]

하지만 1740년 6월 3일, 선왕이 세상을 떠난 지 3일밖에 안 지났을 때 프리드리히는 매우 제한된 범죄, 왕이나 나라에 대한 대역죄 혹은 공범의 신원을 확인하기 위해 강력한 심문이 필요한 집단살인 재판을 제외하고는 더 이상 고문을 행하지 말도록 명령했다. 이어 1754년에 추가로 내린 명령을 통해 프리드리히는 이 금지조항을 전면적으로 확대했다. 고문이 '잔인한' 것일 뿐 아니라 피의자는 추가 고문이 무서워서 허위로 자백할 위험이 늘 있기 때문에 진실을 파악하는 수단으로 믿을 수 없다는 이유에서였다.[17] 이런 급진적인 조치로 많은 판사와 법무 관리들은 이제 다루기 힘든 범죄자들로부터 자백을 받아낼 수단이 없다며 불만을 토로했다. '구체제'의 모든 법체계하에서 자백은 증거의 제왕으로 간주되었기 때문이다. 이제 증거 확보를 바탕으로 한 새로운 증거주의 원칙에 따라 증거는 많아도 자백은 없는 사건을 해결해야 했다.

프리드리히는 또 사형에 처해야 할 중죄의 발생 건수를 줄였으며 환형(轘刑; Rädern) 제도에 작지만 중대한 변화를 주었다. 수레바퀴가 달린 처형대에 묶어놓고 사형수의 몸을 으스러트리는 이 잔인한 처형법은 근대 초기에 행해지던 공개 처형의 특색을 보여주는 것으로, 내세를 향한 출발을 준비하는 의미에서 악인을 응징하는 데 초점을 맞춘 종교적 의식과 비슷한 수법이었다. 프리드리히는 앞으로 이런 식의 처형을 할 때는 군중이 보지 않는 곳에서 죄수를 교살한 다음에 환형을 집행하라고 명령했다. 그의 의도는 대중에게 사형의 충격 효과는 주되 사형수에게는 불필요한 고통을 주지 말라는 것이었다.[18] 고문의 경우에서처럼 여기서도 실사구시의 합리적인 판단과 잔인한 행위에 대한 계몽주의적 혐오가 함께했다(범죄자에게 가해진 고문에서 종교적 측면을 제거하면, 잔인성 말고는 남는 것이 없기 때문이다). 이런 업적을 가볍게 보아서는 안 될 것이다. 1766년 프랑스에서 한 청년이 길가의 신전에서 불경죄나 신성모독을 범했다면, 오른팔을 잘라내고 혀를 뽑아낸 뒤에 화형대에 세워 불태워 죽이는 일이 가능했다.[19]

프리드리히는 급진적인 철학자로서 스피노자의 범신론을 신봉하는 요한 크리스티안 에델만을 위해 베를린에 은신처를 제공하기까지 했다. 에델만은 여러 논문을 썼는데, 그중에는 무엇보다 모든 우상숭배로부터 깨끗이 벗어난 이신론(理神論)만이 인류를 구하고 하나로 통합할 수 있다거나 결혼 제도나 혼례성사는 필요 없으며, 성적 자유는 정당한 것이고, 그리스도는 보통 인간과 다를 바 없다는 등의 극단적인 주장도 있었다. 에델만은 적대적인 루터파와 칼뱅파 세력에 의해 종교적으로 매우 관대한 독일 영방의 몇몇 국가에서도 추방되었다. 1747년에 에델만이 잠시 베를린을 방문했을 때, 지역의 칼뱅파 및 루터파 성직자들이 그를 위험하고 불쾌한 독립 종파라고 공격하는 일이 있었다. 그는 심지어 군주 절대주의에 철저히 반대하는 자신의 입장과 왕의 즉위를 찬양하는 볼테르의 축사에 대하여 경멸적인 비평을 한 일로 프리드리히로부터 적대감을 불러일으키기까지 했다(게다가 그의 작품이 독일 땅 전역에서 맹렬한 비난을 받을 때였다). 그런데도 그는 작품 출판을 중단하는 조건으로 베를린에 거주해도 좋다는 허락을 받았다. 1750년 5월, 에델만이 (기독교 광신자들의 보복을 피하기 위해 가명을 쓰며) 베를린에서 시간을 보내고 있을 때, 프랑크푸르트(마인) 시에서는 제국 도서관리위원회의 감독하에 그의 작품이 본격적으로 분서 처분되고 있었다. 시의 회 의원과 시 정부 당국자 전원이 참석한 상태에서 70명의 경비원이 사방의 군중을 밀어내는 가운데, 에델만의 작품 1천 권이 활활 타오르는 자작나무 불기둥으로 던져졌다. 분위기나 정책상으로 베를린과 이처럼 극명한 대조를 이루는 사건은 없었을 것이다. 프리드리히는 에델만의 종교적 회의론이나 그의 이신론 혹은 도덕적 방종에 대해 이의를 제기하지 않았다. 프로이센의 수도가 이미 바보로 넘쳐나는데 한 명 추가한들 무슨 문제가 있으랴 하는 특유의 냉소적인 시각이었다.[20]

이처럼 프리드리히는 (프랑스의 루이 14세와 달리) 프로이센 땅의 계몽주의 프로젝트에서 그럴듯한 파트너였다. 실제로 문단이나 정계 내의 수많은 엘리트가 볼 때, 계몽주의에 대한 군주의 정당한 '개인적' 요구는 시민사회와 국가의 관계에 독특한 의미를 부여했다. 우리는 7장에서 7년전쟁 기간에 프로이센의 정치적 담론이 왕의 개인적인 명성으로 뒤덮이는 것을 보았다. 당시 애국적인 정치평론가들은 국왕에 대한 사랑이 단순하게 국민을 조국의 공적 생활에 적극적으로 참여하게 만들 수 있다고 주장했다. 1784년의 기념비적인 글에서 임마누엘 칸트는 권력과 계몽주의가 똑같은 한 명의 군주 손에 들어갈 때, 정치적 자유와 시민의 자유의 관계는 완전히 변한다고 주장했다. 그것은 계몽 군주가 있는 곳에서는 군주의 권력이 시민사회에 위협이 되기보다 자산이 되기 때문이라는 것이었다. 칸트는 그 결과가 역설적이라고 말했다. 진정으로 계몽된 통치자 밑에서는 정치적 자유의 적당한 제약이 오히려 '대중이 온갖 능력을 활짝 펼칠 수 있는 공간을 만들' 가능성이 있다는 것이었다. 프리드리히도 인용한 칸트의 유명한 경구, "무엇이든 너희가 원하는 만큼 따져보라, 단 복종하라!"(Räsonniert soviel ihr wollt, und worüber ihr wollt; nur gehorcht!)는 독재자의 구호로 쓰라고 나온 말이 아니다. 오히려 이 말은 계몽군주의 내면에서 일어날 자기변화의 가능성을 간추린 표현이다. 이런 국가체제에서 여론과 대중의 비판(한마디로 시민사회와 국가 사이의 대화)은 국가 자체의 가치 및 목적이 궁극적으로 대중의 가치 및 목적과 조화롭게 융합됨으로써 복종의 의무는 국민에게 부담이 되지 않는다는 것이다.

357

일단 '자유로운 사고'에 대한 경향이나 약속이 싹이 나고 뿌리를 내리면, 이것은 차츰 대중의 사고방식에 영향을 미치고 (끊임없이 대중의 '자유로운 행동'이 힘을 받으면서) 궁극적으로는 '정부'의 원칙에도 영향을 미친다.[21]

정부기관과 소통하기 전에 계몽주의 사상가들의 사상이 시민사회의 토대를 먼저 구축한다는 이런 고결한 정치적 견해가 현실과 전적으로 동떨어져 있지는 않았다. 프로이센 정부는 일반적으로 우리가 생각하는 것보다 훨씬 더 자문기관으로서의 성격이 강했다. 실제로 주요 입법 발의는 모두 지역의 관심사를 놓고 다방면으로 벌인 협상과 토론의 결과물이었다. 때로 이는 신분제의회를 통해 처리되기도 했다. 귀족 소유 부동산 매각처럼 협의가 길어지는 경우가 그 예다. 때로는 지역민들과 폭넓게 협의하던 도시나 지구의 관료를 통하기도 했고, 법률가나 사업가 같은 전문가 네트워크가 비공식적으로 동원되기도 했다. 이들이 특별히 '계몽된' 것은 아니었다. 때로 과소평가되기도 하지만, 여론과 정보의 수집은 정부에 필수적이었다. 18세기 후반에 변화된 것은 계몽된 활동가의 네트워크가 출현했다는 것이다. 이들은 공익의 옹호자임을 자처하는 동시에 스스로 통치권의 동반자이자 비판자라고 주장했다.[22] 이것은 정부가 폭넓게 받아들이는 주장이었다. 1784년 프리드리히 2세는 철저한 법률 개혁에 착수해서 프로이센 영토를 위한 새롭고 포괄적인 법전을 만들기로 하면서 새 법전의 초안을 여론의 판단에 맡기는 길을 선택했다. 여론은 처음에는 극소수의 대표적인 법률가들과 헌법학자들, 그리고 다양한 '실용 철학자들'을 의미했지만 에세이 공모 제도를 통해 범위가 대폭 넓어졌다. 이것은 정부가 애국적이고 공익적인 구세대의 자발적인 협회에서 빌려온 수법이었다.[23] 이런 주목할 만한 조치는 지식 경쟁이라는 미덕에 대한 놀라운 자신감을 드러냈고 훗날 고위 관리가 말한 대로, 이제 여론은 정부의 일거수일투족을 판단하는 '강

력한 법정'이라는 것을 왕이 묵시적으로 인정했음을 보여주었다.[24]

프로이센에서는 (의견을 공적으로 표현하는 일반화된 법적 권리라는 의미에서) 언론의 자유는 없었을지 모르지만 검열은 심하지 않아서 문서로나 구두로 활발하고 떠들썩한 정치적 논쟁이 가능했다. 1775년에 베를린을 방문한 스코틀랜드 여행 작가 존 무어는 프로이센의 수도에 대한 인상을 다음과 같이 기록했다.

> 베를린에 처음 발을 디뎠을 때, 내가 가장 놀란 것은 많은 사람이 정부의 시책과 왕의 행위에 대하여 거리낌 없이 말하는 자유였다. 나는 정치적인 대화나 지금도 조마조마할 정도로 심한 말도 들었는데, 여기서는 그런 화제를 놓고 토론을 하는 것이 마치 런던의 커피 하우스에서 대수롭지 않은 말을 하듯 했다. 그런 자유는 온갖 출판물을 공개적으로 파는 서점에서도 엿볼 수 있었다. 얼마 전에 출판된 것으로, 왕을 아주 거칠게 표현하며 폴란드 분할을 다룬 소책자를 쉽게 구할 수 있었고 몇몇 특정 인물을 신랄한 풍자를 해가며 공격하는 강연도 버젓이 열렸다.[25]

프로이센의 유대인 계몽주의

1770년대 베를린의 유대인 사회는 독일에서 가장 부유하고 가장 사회화되어 있었다. 그 핵심층은 군수업자와 은행가, 무역상, 공장주 등의 엘리트였다. 최고 부호들의 저택은 시내 최상류층 구역에 있었다. 베를린은 궁정이 있는 독일 도시 가운데 유일하게 유대인 거주지가 게토에 제한되지 않은 곳이었다. 1762년 은행가인 다니엘 이치히는 부르크슈트라세에 있는 작은 궁을 하나 매입해서 양쪽으로 날개를 펼친 형태의 저택으로 개조했다. 이 집에서 그는 루벤스의 「가니메데스」(Ganymedes)

를 비롯해 테르보르흐와 와토, 요제프 로스, 앙투안 펜의 작품 그리고 '많은 인물이 들어간 카날레토의 대형 그림' 등 뛰어난 미술품 컬렉션을 보유하고 있었다.[26] 여기서 가까운 포스트슈트라세와 뮐렌담 모퉁이에는 궁정 출입 보석상이자 조폐기능장인 바이텔 하이네 에프라임의 3층짜리 궁이 있었다. 건축 명장 프리드리히 빌헬름 디터리히스가 설계를 하고 원주와 벽기둥, 금빛 난간으로 장식을 한 에프라임의 궁은 지금도 베를린을 상징하는 건축물로 남아 있다.

이치히와 에프라임은 대부분의 다른 유대인 금융 엘리트와 마찬가지로 프로이센 국가와의 협력을 통해 행운을 잡은 사람들이었다. 두 사람 모두 프리드리히 2세가 7년전쟁 기간에 통화 공급을 관리하도록 맡긴 사업 파트너의 일원이었다. 1756년에 전쟁이 발발했을 때, 왕은 통화 팽창을 이용해 원정 비용을 충당하기로 결심했다. 프로이센은 이렇다 할 은광이 없었기 때문에 주화용 은괴를 전량 수입에 의존할 수밖에 없었다. 그런데 이것은 전통적으로 유대인 대행자들의 손으로 관리되던 사업이었다. 왕은 프로이센 은화 주조 과정에서 은의 함량을 낮춤으로써 미사용 은의 형태로 '주조비'를 빼낼 수 있었다. 프리드리히는 언제나 선대 왕들보다 유대인 재정 관리자들을 집중적으로 이용했고, (이치히와 에프라임을 포함해) 유대인 은행가와 금은상 조합에게 저질의 주화를 주조하는 책임을 맡겼다. 이 사업에서 나오는 (2,900만 탈러에 이르는) 이익은 왕의 군자금 상당 부분을 충당했다.[27] 전쟁이 끝나자 전문적으로 군수품 공급을 했던 다른 유대인 사업가들과 더불어 유대인 조폐 관리자들은 프로이센에서 최고 부유층이 되었다.

이들은 프로이센의 유대인 소수사회에서 가장 유명한 인물들이었지만 전형적인 모습을 보여주었다고 말하기는 힘들다. 프로이센에서 유대인의 삶은 매우 상반된 특징을 드러냈다. 소수가 거대한 부를 쌓고 법적 특권을 누리는 데 비해, 대다수의 유대인은 번거로운 제약으로 억압을 받았다. 1730년 프리드리히 빌헬름 1세는 유대인의 상업 활동을 제한하는 '국내의 전체 유대인을 위한 일반 예외 법규'를 반포하고 유대인들에게 길드가 통제하는 수공업 활동이나 시내에서 물품 판매를 못하도록 했으며 주택 구입도 금지했다. 국가 규제를 더욱 엄격하게 하는 추세는 프리드리히 2세 치하에서도 계속되었다. 그러다가 1750년에 정교하게 개정된 일반 법전은 프로이센의 유대인을 여섯 개 계급으로 구분했다. 맨 위에는 집이나 땅을 구입할 수 있고 기독교도 동료들과 같은 조건에서 상업 활동을 할 수 있는 '일반적인 특권의 유대인'(generalprivilegierte)이 극소수 있었다. 특별한 경우 이 계급의 구성원은 세습 시민권을 받을 수도 있었다. 하지만 그 다음 계급인 '특권으로 보호받는 유대인'(ordentliche Schutzjude)은 거주지를 선택할 수 없었고 그들의 지위도 자녀 중 한 명에게만 물려줘야 했다. 세 번째 계급인 '특권 없이 보호받는 유대인'(außerordentliche Schutzjude)은 전문직 종사자(안경상, 판화가, 화가, 의사 등)로 구성되었으며 조건부로 거주를 허용해도 충분할 만큼 유용한 일을 한다고 간주되었다. 네 번째 계급에는 랍비나 합창대 지휘자, 합법적 도살업자 등 고용인 사회가 포함되었는데 세습 권리는 인정되지 않았다. 다섯 번째 계급은 '용인된 유대인'(tolerierte Jude)으로 이 계급에는 두 번째와 세 번째 계급의 유대인 자녀 중에 권리를 상속받지 못한 사람도 포함되었다. 최하층인 여섯 번째 계급은 유대인의 사업장이나 집안에서 일하는 개인 고용인이 차지한다. 이 계급의 거주 허가는 고용 조건에 달려 있었다.

유대인과 관련해 국왕의 유명한 계몽주의는 목적을 위한 도구적 근거로 축소되었다. 프리드리히는 유대인을 수익 창출자로 활용하기로 결심하고 이런 목적을 위해 가장 유용한 유대인 국민에게는 지극히 폭넓은 자유를 부여할 각오를 했다. 실제로 그는 금은괴 무역이나 주물공장, 변두리 지역의 월경 상업 활동, 그 밖의 다양한 제조업 분야 등 사업상의 모험이 가장 절실한 경제 분야로 유대인들을 몰아넣었다. 또 유대인의 특별세를 인상하고 그들에게 왕립 도자기 공장에 남아도는 조형

물을 구매하도록 강요했다. 1770년대에 마지못해 사들인 이런 물건은 후세대에게는 소중한 가보로 변했다.

공리적으로 보이는 국가의 조치 밑바닥에는 사회적 긴장과 위험한 편견이 깔려 있었다. 국가 규제에 대한 압박은 부분적으로 신분제 구조의 프로이센 도시에 사는 기독교 엘리트로부터 나온 것이었다. 이들은 유대인의 상업 활동에 대하여 중앙이나 지방 정부를 향해 끝없이 불만을 터트리며 각종 청원을 제기했다.[28] 독일 지역 어디에서나 그렇듯 프로이센 유대인은 국가와 지역 사회 틈바구니에서 십자포화를 받았다. 유대인의 새 거주지를 물색하고 그들의 사업을 보호하려던 국가는 유대인과의 경쟁을 두려워하고 새 이주민이 주도하는 경제 개혁에 적대적인 길드 조합원과 소매상인의 일치된 저항에 부닥쳤다. 다른 영역도 그렇지만 여기서도 당국은 민중의 여론과 더 큰 국가의 이익 사이에서 신중한 행보를 하지 않을 수 없었다.

이는 왕이 편견으로부터 자유로웠다는 말이 아니다. 오히려 반대로 프리드리히는 유대인을 '메뚜기 떼'라고 표현한 그의 아버지만큼이나 그들에게 적대적이었다.[29] 1752년의 정치적 유언에서 그는 유대인들이 기독교도의 상업을 해치므로 국가는 그들의 도움을 받아서는 안 된다고 다소 위선적인 주장을 하며 유대교가 모든 종파 중에 가장 위험하다고 비난했다. 이런 견해는 전쟁 중에 그들이 국가와 유대를 강화하며 생산적인 기여를 했는데도 불구하고 1768년의 유언에서도 반복되었다.[30] 유대인에 대한 차별규정은 결과적으로 상징적인 오점으로 남았다. 유대인은 가축에게 부과되는 '신체세'(Leibzoll)를 내야 했고, 수도를 드나들 때도 별도의 성문을 이용해야 했다. 프로이센의 다른 소수 집단과 달리, 유대인은 집단책임 형태로 처벌받을 수도 있었다. 1747년의 정부 행정명령에 따르면 각 유대인 구역에서 강도 범죄가 발생할 경우, 원로 혹은 구성원 한 명씩 공동책임을 져야 했다. 도산에 따른 손실에도 같은 규정이 적용되었고, 도난품을 받거나 감추면 벌칙이 부과되었다.[31]

비록 부유한 유대인 기업가들은 역사적인 기록을 장식할 만큼 존재를 과시했다고 해도, 프로이센 땅의 대다수 유대인은 매우 검소한 생활을 했다. 에프라임과 이치히가 운영하는 형태의 대규모 상업은 소수 엘리트의 영역이었다. 훨씬 빈번히 등장하고 낯익은 모습은 가가호호 방문하는 유대인 영세 '행상'(Hausierer)이었다. 가게에서 물건을 파는 것을 허용하는 보호장(Schutzbrief)이 없는 유대인은 여기저기 돌아다니며 중고 물품을 파는 수밖에 없었다. 이런 지위에 속한 프로이센 유대인의 비율은 18세기 초중엽에 지속적인 상업 활동의 제한으로 인해 과거에 번성했던 수많은 상인이 경제 외곽지대로 밀려나는 바람에 끊임없이 올라갔다.[32] 또 폴란드에서 가난하게 살며 하찮은 떠돌이 형태의 일로 생계를 유지해야 하는 불법 이민자들이 밀려오는 바람에 계속 불어났다. 이런 경제적 난민 때문에 동쪽 국경을 폐쇄하려는 시도는 이렇다 할 효과를 얻지 못했다. '유대인 거지'를 막기 위해 1780년과 1785년, 1788년, 1791년에 잇따라 반포된 법령은 폴란드 분할로 악화된 이런 이주 물결이 세기말에도 멈추지 않았음을 말해준다.[33] 1730년대부터 '유대연구원'(Institutum Judaicum)과의 계약으로 할레에서 활동하던 경건주의 선교사들은 '가난한 떠돌이 유대인 무리'를 자주 만났다. 그들은 통행세를 낼 돈이 없어 성벽 밖에서 작은 휴대용 기도서나 달력 같은 것을 팔았다.[34]

18세기 중엽 수십 년간, 프로이센 유대인 사이에서는 궁극적으로 유대교의 틀을 바꾸려는 문화적 변화의 과정이 있었다. 유대인의 계몽 혹은 하스칼라(Haskalah, '지식의 도움으로 계몽하다, 밝게 하다'라는 의미를 가진 히브리어 'le-haskil'에서 온 말)는 먼저 베를린에 뿌리를 내렸다. 초기에 이 변화를 주도한 상징적인 인물 중 한 명은 1743년부터 1786년에 사망할 때까지 베를린에 거주한 모제스 멘델스존이었다. 멘델스존은 작센 데사우 시의 초라한 가문 출신이었다. 그의 아버지는 '예배 소집인'(Schulklopfer) 일을 하며 힘들게 가족을 부양했는데, 율법에 따르면 이 직업은 어린아이들을 가르치고 집집마다 문을 두드리고 다니며 아침 기도에 모이라고 알리는 일이었다. 모제스는 여섯 살 때 탈무드 및 그 주석으로 유명한 학자인 다비트 프랑켈 밑에서 배우기 시작했다. 프랑켈이 1743년에 수석랍비의 직을 인수하기 위해 베를린으로 옮길 때 열네 살짜리 제자도 뒤를 따라갔다. 무일푼의 멘델스존은 멘토가 베를린의 한 '보호받는 유대인' 가정에 그가 머무를 거처를 마련하지 못했다면 아마 로젠탈 성문에서 쫓겨났을 것이다.

그것은 화려한 이력의 시작이었다. 일련의 출판물이 연속 간행되면서 멘델스존은 플라톤과 스피노자, 로크, 라이프니츠, 섀프츠베리, 포프, 볼프와 연관된 주제의 해설자로서 명성을 쌓았다. 멘델스존은 우아하고 생기 넘치는 독일어로 글을 썼지만, 동시에 히브리어로 된 출판물도 계속 발표했다. 그는 1755년에 전례가 없는, 히브리어로 된 정기 간행물 『코헬레트 무사르』(Kohelet Musar, 도덕주의자)를 창간했다. 18세기 초, 영국의 『모럴 위클리』(Moral Weeklies)를 본뜬 『코헬레트 무사르』는 유대인 식자층의 계몽된 사상을 널리 전파하는 것이 목적이었다. 1784년 멘델스존은 『월간 베를린』의 지면에서 벌어진 '계몽주의'의 의미를 둘러싼 논쟁에 합류했다. 여기서 그는 계몽은 어떤 상태가 아니라 각 개인이 당면한 문제에 그들의 '이성'을 적용하는 것을 배우며 성숙해 가는 과정을 의미한다고 주장했다.

이것은 완전히 새롭고 독특한 목소리였다. 자신이 유대인 전통에 집착한다는 것을 계속 인정하면서도, 유대인과 기독교도에게 손을 뻗치며 교리에 얽매이지 않는 매혹적인 말투로 이성과 감정과 미를 말하는 유대인 철학자가 나타난 것이다. 멘델스존은 『코헬레트 무사르』에서 히브리어를 사용하면서 시나고그의 신성한 언어를 계몽된 공론장의 개방된 공간으로 가져갔다. 일부 유대인 독자는 거의 들뜬 기분으로 무아경과 해방감을 맛보았다. 프로이센 전역과 그 너머까지 사방에서 몰려든 젊은 유대인들은 그의 집으로 몰려들었고, 거기서 계몽주의 문

22 포츠담의 베를린 성문에서
   검문받는 모제스 멘델스존.
   다니엘 호도비에츠키 원작에
   따른 요한 미하엘 지그프리트
   뢰베의 판화, 『골상학 연감』
   (베를린, 1792년).

제를 놓고 열띤 토론을 벌였다. 바로 여기서 구체적으로 유대인 계몽주
의가 형성되기 시작했다. 초기 베를린 하스칼라의 전문가들(나프탈리
헤르츠 베셀리, 헤르츠 호른베르크, 솔로몬 마이몬, 이자크 오이헬 등)은 모두
이런 열띤 분위기에서 성장했다. 1778년 멘델스존의 제자로서 쾨니히
스베르크 은행가의 아들인 다비트 프리틀렌더는 이자크 다니엘 이치
히(다니엘 이치히의 아들)와 함께 베를린에 유대인 수업료면제학교(Frei-
schule)를 설립했는데 멘델스존은 커리큘럼 설계에 참여했다. 1780년대
초에 멘델스존은 순수한 프로이센 문학 네트워크를 구축했다. 주로 브
레슬라우와 쾨니히스베르크, 베를린을 중심으로 왕국 전역에서 515명
이 그가 번역한 모세 5경(1781~83년)의 구독자 명단에 이름을 올렸다.[35]

  계몽된 기독교도 독자층에게도 멘델스존은 매혹적인 존재로서
당대의 유대 현인이자 '독일의 소크라테스'였고 계몽주의의 잠재력을
상징하는 인물이었다. 그는 어느 누구보다 18세기 후반에 독일의 소설
과 희곡에서 대단히 자주 등장하는 현명한 유대인의 전형이었다.[36] 유
명한 극작가로서 가까운 친구이자 협력자인 고트홀트 에프라임 레싱

은 선하고 도덕적인 유대인 상인이 주인공으로 등장하는 희곡 『현자 나탄』(Nathan der Weise)에서 친구의 모습을 문학적 기념비로 세웠다. 멘델스존은 문화적 아이콘이자 편협과 편견의 어둠을 막아주는 부적 같은 존재가 되었다. 그의 집은 문학적인 호기심으로 베를린을 찾은 관광객이 단골로 들르는 장소였다.[37]

당대에 나온 멘델스존의 초상화는 많지만 가장 잊을 수 없는 것 중 하나는 다니엘 호도비에츠키 그림을 바탕으로 제작한 판화로서 1771년에 포츠담으로 들어가는 베를린 성문에서 검문을 위해 그가 신분증을 제시하는 장면이다. 장대같이 키가 큰 두 명의 경비원이 양옆에 있고, 멘델스존은 수수한 짙은 색 옷에 작고 구부정한 모습으로 서 있다. 경비원 한 명은 그를 알아보고 모자를 벗어 예를 표하고 있다. 당대의 일화를 전하는 이 판화는 왕의 추천서를 제시해달라는 요청과 여기에 응하는 멘델스존을 묘사한 것이다. 이 그림의 감정적 분위기를 판단하기는 쉽지 않다. 위를 향한 멘델스존의 야윈 얼굴에 나타난 어딘지 뒤틀린 표정은 프로이센 장교와 프로이센에서 가장 유명한 유대인의 일상적인 만남에 담긴 부조리한 인상을 암시하는 것은 아닐까?

하스칼라는 멘델스존과 그의 주변에서 흘러나온 것이며 절대 마른하늘에 날벼락처럼 불쑥 튀어나온 것이 아니다. 그 뿌리는 광범위한 사회 변화의 과정에 있었다. 초기의 유대인 계몽주의자들은 근대 언어와 철학, 과학에 관심을 쏟기 시작한 부모세대로부터 큰 덕을 입었다. 프로이센의 국가간섭주의는 (뜻하지 않게) 지식 기반의 신흥 엘리트를 위한 공간을 잠식하면서 전통적인 율법학자의 권위를 훼손했다. 훨씬 더 중요한 것은 베를린 대(大)가문들의 사회화된 분위기였다. 상업 엘리트의 우산 아래, 다수가 먼 데서 온 가난한 떠돌이 학자인 '마스킬림'(maskilim, 하스칼라 옹호자)에게는 가정교사 자리와 더불어 그들이 맡은 어린 제자에게 새로운 이론을 시험할 기회가 주어졌다. 부유한 실크 제조업자인 이자크 베른하르트와의 친분 덕에 가능해진 재정적인 안정이 아니었다면, 아마 멘델스존은 절대 사상가와 작가로서의 경력을 쌓을 수 없었을 것이다. 그는 처음에 베른하르트의 가정교사로 들어갔고 다음에는 장부관리인으로 일하다가 결국 사업 파트너가 되었다. 부유한 은행가(특히 다니엘 이치히)의 집은 젊은 학자들이 모이는 장소이자 사교장이었다. 멘델스존이 베를린에 도착한 직후에 철학 수업을 받은 곳도 바로 이곳이었다.

하스칼라는 독일 역사와 독일계 유대인의 친목의 역사에서 부분적으로 특이한 시기이기도 했다. 1750년대 중반 모제스 멘델스존은 극작가 고트홀트 에프라임 레싱에게 편지를 쓰며 자신이 베를린 출판업자 프리드리히 니콜라이와 깊은 교분을 나눈다고 말했다.

> 나는 니콜라이 씨의 정원을 자주 찾는다네. (친구, 나는 그 사람이 정말 좋아! 나는 이 일로 우리의 우정이 깊어질 수 있다고 믿네. 그가 자네에게도 진정한 친구라고 생각하니 말일세.) 우리는 시를 읽는다네. 니콜라이 씨는 자작시도 읽고 말이지. 나는 벤치에 앉아 비평이나 칭찬을 해주고, 웃으며 인정할 건 하고 결점도 지적하다 보면 어느새 저녁이 돼.[38]

니콜라이와 멘델스존의 대화는 즉흥적이었고 체계적이지 않았지만, 거기에는 정말 상징적인 무게가 실려 있었다. 유대인과 기독교인이 정원에서 대등한 조건으로 만나 시간 가는 줄 모르고 교분을 즐기는 모습, 언제부터 이런 만남이 가능했을까? 1750년대 후반 멘델스존은 '학자 카페'(Gelehrte Kaffeehaus, 회원은 총 100명가량)를 자주 찾았는데, 이곳에서 계몽주의 보급을 위한 모임을 가지며 시대비판적인 주제에 대한 글을 놓고 토론을 벌였다.

이렇게 계몽된 분위기의 유쾌한 초종파적 중간지대는 18세기 후반 수십 년간 지속적으로 확대되었다. 이런 공간은 1780년대 후반과

1790년대에 베를린 문화 엘리트가 자주 찾은 문학 살롱에서 절정에 이르렀다. 문학 살롱은 느슨한 조직의 모임으로서 모든 사회 계층과 종교적 신념을 가진 사람들이 만나서 대화를 하고 생각을 주고받았다. 남과 여, 유대인과 기독교인, 귀족과 평민, 교수, 시인, 과학자, 상인이 뒤섞인 가운데 개인 집에 모여 예술과 정치, 문학, 과학에 대한 토론을 했을 뿐만 아니라 우정과 사랑을 나누기도 했다. 유대인 여성은 이러한 새로운 분위기를 창출하는 데 핵심적인 존재였다. 이들은 사회적으로 소외된 집단의 구성원으로서 어떤 의미에서는 주류사회의 모든 계층과 같은 거리를 유지했기 때문이다. 이들의 집은 전통적인 경계를 허무는 이상적인 공간을 제공했다. 게다가 부유한 유대인 가문의 여성은 배고프고 목마른 베를린 지식인들에게 필요한 자금을 지원해주기도 했다. 이로 인해 몇몇 '살롱 여주인'(salonnières)은 자택을 개방하는 데 소요된 비용 때문에 도산 직전까지 몰리기도 했다.

베를린의 여주인 중에 가장 유명한 두 사람은 베를린 최고의 유대인 의사의 딸인 헨리에테 헤르츠와 부유한 보석상을 아버지로 둔 라엘 레빈이었다. 두 여성은 독일사회에 동화된 베를린 엘리트 가문 출신으로서 모자를 쓰지 않는 모습으로 거리낌 없이 공개적인 장소에 나타나는가 하면, 라엘의 경우 토요일 아침에 무개마차를 타느라고 유대인의 안식일도 지키지 않기로 악명이 높았다. 1790년대에 번창한 헨리에테의 살롱은 한동안 베를린의 문학 및 과학의 문화센터 역할을 했다. 손님 중에는 유명한 신학자 프리드리히 슐라이어마허, 알렉산더와 빌헬름 폰 훔볼트 그리고 극작가인 하인리히 폰 클라이스트도 있었다. 라엘 레빈은 처음에 헨리에테 살롱의 단골 참석자였다가 이후 자신의 문학 서클을 만들었다. 레빈 살롱은 문학이나 학계의 거물들을 구프로이센의 엘리트 계층과 접촉하게 해주었다. 라엘은 보헤미아의 온천장에 머무르는 동안 수많은 여성 귀족과 친교를 맺었다. 구용커가문의 귀족이(슐라프렌도르프 가문, 핑켄슈타인 가문, 심지어 왕실 구성원까지) 과학자와 작가, 비평가, 문학적으로 장래가 촉망되는 사람들과 한자리에 앉아 어울렸다. 레빈 살롱을 출입한 유명 지식인 중에는 프리드리히 슐레겔, 장 파울, 요한 고틀로프 피히테도 있었다. 단골 참석자는 사회적 지위와 상관없이 서로 친근한 호칭인 '두'(Du)를 사용했다.[39]

이렇게 활발한 접촉은 어떤 조건에서 일어났을까? 당대 기독교도의 마음속에는 교육 수준이 높다고 해도 여전히 문화변용(Akkulturation)이 궁극적으로는 개종으로 이어져야 한다는 강한 선입견이 있었다. 취리히의 신학자인 요한 카스파르 라바터는 계몽주의 엘리트와 어울리며 사회화된 인물로서 1763~64년에 멘델스존의 집을 빈번히 드나들었는데, 1769년에 한 공개서한을 통해 과거의 살롱 주인을 경악시켰다. 이 편지에서 그는 멘델스존에게 기독교로 개종하든가, 아니면 유대교 신앙에 계속 집착하는 것에 대해 정당한 이유를 설명하라고 요구했다. 라바터의 뻔뻔한 도발과 멘델스존의 점잖은 반응은 문학적인 소동을 불러일으켰다. 이 일화는 비록 문단 내에서 일어난 일이기는 하지만 관용의 한계를 보여주는 신호탄이었다.

계몽된 프로이센 공무원인 크리스티안 빌헬름 폰 돔의 경우도 또하나의 단적인 예에 해당한다. 돔은 멘델스존의 친한 친구로서 마르쿠스 헤르츠(헨리에테의 남편)의 집에 단골손님으로 드나들었다. 그는 유대인의 법률적 해방을 위해 싸운 1세대 활동가 중 한 명이었다. 1781년에 그는『유대인의 시민권 개선에 관하여』(Über die bürgerliche Verbesserung der Juden)라는 기념비적인 정치평론을 발표했는데, 이것은 기독교도의 편견을 비판하고 전통적인 법적 차별의 철폐를 요구하는 글이었다. 유대인은 "더 행복하고 우수한 사람으로서 좀 더 유용한 사회구성원이 될 능력을 똑같이 부여받았다"는 것이었다. 그러면서 "우리 시대의 부끄러운 현상이라고 할" 탄압은 그들을 타락시킬 뿐이라고 했다. 그러므로 "이런 탄압을 추방하고 유대인의 생존조건을 개선하는 것이 인도주의와 정의, 계몽정책"과 조화를 이룬다고 했다.[40] 하지만 돔조차도 해방되는 과정에서 개종하지 않으면 유대인 정체성의 가치가 하락하는 것은 어쩔 수 없다고 추정했다. 그는 일단 법적 차별이라는 억압이 사라지면, 유대인을 설득해 '랍비의 궤변'과 '배타적인 종교관'에서 벗어나도록 하고 그 자리에 애국심과 국가에 대한 애정을 불어넣을 수 있을 것이라고 주장했다.[41]

그렇지만 유대인이 이 일방적인 거래에서 그들의 몫을 챙기지 못한다면 어떻게 할 것인가? 외형상 주류 기독교 형태로 문화적 변용을 했음에도 불구하고 그들이 어떤 점에서 계속 주류사회와 다른 유대인으로 남는다면 어떻게 할 것인가? 이 점에 대한 회의론이 유대인의 사회적 동화 사업에 계속 붙어 다녔다. 1803년 베를린의 변호사인 카를 빌헬름 그라테나우어는 신랄한 논문 한 편을 발표했는데, 살롱을 출입하는 유대인 엘리트를 대놓고 공격했다. 『반유대인론』(Wider die Juden)이라는 제목이 붙은 이 글은 특히 젊은 유대인 여성에 비난의 초점을 맞췄다.

> 그들은 많은 책을 읽고 여러 외국어를 구사하며 많은 악기를 다룰 줄 알고 다양한 양식의 스케치를 한다. 또 그림에 온갖 색깔을 입히고 온갖 유행의 춤을 추며 온갖 형태의 수를 놓을 줄 알고 자신에게 매력을 주는 것이라면 아무리 귀해도 무엇이나 다 갖고 있다. 다만 이 모든 특별한 것들을 아름다운 여성성으로 묶어주는 솜씨가 없을 뿐이다.[42]

이것은 다른 그 무엇보다 유대인 엘리트와 기독교 엘리트 사이에 소통 채널을 열기 위해 많은 노력을 해온 사회적 운동을 겨냥한 공격이었다. 『반유대인론』은 베를린뿐만 아니라 프로이센 전역에서 큰 인기를 끌며 많은 독자를 확보했다. 보수적인 정치평론가 프리드리히 겐츠는 처음의 우려와 달리 '아주 즐겁게' 읽은 것을 기억했다.[43]

유대인의 문화변용에 대한 이런 새로운 비판으로부터 나온 쓰디쓴 열매의 하나는 브레슬라우의 의사 카를 보로메우스 제사가 쓴 익살극 『우리의 교류』(Unser Verkehr)였다. 1813년에 쓴 제사의 이 희곡은 브레슬라우에서는 큰 관심을 불러일으키지 못했지만, 베를린에서는 1815년 9월 2일에 오페라 하우스에서 개막되어 즉시 성공을 거두었다. 초대받은 관객은 터무니없는 고정관념에 사로잡힌 유대인 군상을 보고 마음껏 웃었다. 유대인 마을(shtetl)의 구세대를 대표하는 아브라함은 중고품 상인으로서 우스꽝스럽게 뒤틀린 이디시어로 말한다. 하지만 그의 아들 야코프는 원대한 목표가 있다. 그가 원하는 것은 춤을 추고 프랑스어를 말하고 독학으로 미학 공부를 하며 연극평론을 쓰는 것이다. 그런데 자신이 말할 때 이디시어 악센트를 떨쳐버리는 것이 어렵다는 것을 안다. "내 안에 있는 유대인을 내던지고 싶어요. 나는 계몽되지 않았나요? 내 안에 유대인의 흔적은 하나도 없답니다." 전체적으로 환경에 가장 동화된 인물은 현실에 영향을 받고 말을 잘하는 리디아다. 틀림없이 헤르츠-레빈 시대의 재기 넘치는 살롱 여주인이라고 할 리디아는 엄청 노력하는데도 불구하고 근본적인 유대인의 흔적을 감추는 데는 실패한다.[44] 제사의 패러디에서 점잖거나 인정 어린 구석이라곤 전혀 찾아볼 수 없다. 이것은 문화변용이 유대인과 프로이센의 기독교도 동료 사이에 놓인 사회적·정치적 간극을 메워주는 데 부족함이 없을 거라는 생각에 대한 노골적인 공격이었다.

그동안 하스칼라 및 기독교 사회 환경과의 긴밀한 접촉은 프로이센 유대인 사이에서 엄청난 문화적 변화를 만들기 시작했다. 멘델스존의 모습으로 구체화되었듯, 유대 전통에 계속 깊은 뿌리를 내리고 히브리어로 감동적인 글을 쓰는 계몽주의 1세대와 독일어로 글을 쓰고 궁극적으로 전통적인 관점을 몽땅 깨부수려고 한 혁명시대의 더 과격한 개혁가 사이에 명백한 단절이 있음을 발견할 수 있다. 유대인의 전통에서 지역 사회의 변두리로, 또 그 인습의 세계로 향하는 여행은 다양한 목적지로 갈라졌다. 일부는 자연 종교(Naturreligion)의 노선을 따라 유대교의 새 틀을 짜려고 했다. 다른 일부는 (멘델스존의 돈키호테 같은 제자 다비트 프리틀렌더처럼) 유대교의 신앙을 삼위일체 요소가 제거된 기독교와 통합하는 희망을 품었다. 많은 사람이 볼 때 모든 선택 중에서 가장 급진적으로 동화되는 길은 기독교로 개종하는 것이었다. 명문가 출신의 젊은 유대인 살롱 여주인 다수와 모제스 멘델스존의 여섯 자녀 중 네 명도 같은 선택을 했다.[45]

베를린 하스칼라는 전통적인 유대교의 소멸(그러기에는 실용적이고 유연한 서구 아슈케나짐[Aschkenasim, 독일을 중심으로 서유럽에 정착한 유대인—옮긴이]의 공동체 문화는 너무 저항력이 강했다)로 이어지는 대신 지속적인 변화를 이끌어냈다. 우선 이 문화는 랍비나 탈무드 철학자 같은 구엘리트와 나란히 번창할 수 있는 세속적인 유대인 인텔리겐치아가 출현하게 만들었다. 이런 과정에서 아슈케나짐은 자체의 전통을 가지고 자유 노선에 관여할 수 있는 비판적인 유대인 공론장의 토대를 만들었다. 일상생활이 (비록 점진적이기는 했지만) 종교적 권위의 탈을 벗어버리는 동안, 종교는 사적 영역으로 제한되고 시나고그로 밀려났다. 하스칼라가 만들어낸 그 파장은 처음에는 도시 엘리트와 그 추종자에게 해당하는 현상이었지만 랍비의 지식 지평선을 확장하고 독일 대학에서 세속적인 교육(특히 의학)을 받도록 독실한 신자층을 격려하면서 점점 전통 유대교 조직을 파고들었다. 이것은 19세기 시나고그의 전례와 종교적 계율을 근대화한 개혁 운동으로 이어졌다. 이것은 동시에 전통적인 랍비 유대교의 세계 안에서 폭넓은 변화를 촉발했다. 19세기 유대교가 (개혁파와 보수파, 정통파를 막론하고) 신세대의 영적·지적 목표를 이해하고 키워준 것은 대체로 멘델스존과 그의 후계자가 시도한 과감한 도전 덕분이었다.

"한때 모든 것이 활짝 피어났다면, 이제는 모든 것이 왜소하게 쪼그라들었다."[46] 1786년 프리드리히 대왕의 죽음을 놓고 미라보 백작이 한 말이다. 프리드리히 2세에서 후계자이자 조카인 프리드리히 빌헬름 2세로 정권이 교체되자,[47] 호엔촐레른 왕가 내에서 대조적인 현상이 분명히 드러났다. 삼촌은 사람을 싫어했고 냉정했으며 여자에게는 전혀 관심이 없었다. 반면에 조카는 상냥하고 사교적인 데다가 분별이 없을 정도로 여자를 밝혔다. 엘리자베트 폰 브라운슈바이크-볼펜뷔텔과의 첫 번째 결혼(딸 하나를 둠)은 쌍방 간통을 저지른 뒤 이혼으로 끝났다. 프리데리케 루이제 폰 헤센-다름슈타트와의 두 번째 결혼에서는 일곱 자녀를 두었다. 그리고 평생 정부로서 관계를 맺은 빌헬미네 엥케(훗날 폰 리히테나우 백작부인으로 귀족에 오름)와 일곱 자녀를 낳았다. 그리고 중혼으로 두 차례 더 결혼했다. 삼촌은 1780년대 들어 시대에 뒤진 것처럼 보인 엄격한 회의적 합리주의를 신봉하면서 후기계몽주의의 가치에 충실했다. 조카는 당대의 분위기에 따라 심령술과 투시력, 점성술, 그밖에 선왕이 알면 싫어했을 취미에 몰두했다. 삼촌은 왕세자 시절에 프리메이슨에 가담해서 개인적으로 계몽주의 이상에 심취했다. 반대로 조카는 프리메이슨의 밀교적인 비밀 분파로서 신비롭고 마술적인 데 관심을 쏟는 장미십자단(Rosenkreuzer)에 가담했다. 프리드리히 대왕은 국사의 전 영역에서 경제적으로 엄격한 통치를 함으로써 5,100만 탈러의 국고를 물려주었다. 이 어마어마한 자금을 그의 후계자가 탕진하는 데는 11년밖에 걸리지 않았다.[48] 통치 방식에서도 큰 차이가 있었다. 삼촌의 경우 비서관이나 장관이나 똑같이 자신의 뜻을 전하며 끊임없이 중앙 행정을 통제하고 감시한 데 비해, 조카는 감정에 치우치고 확신이 없는 인물로 쉽게 보좌진에게 휘둘렸다.

어떤 의미에서 프로이센은 유럽 왕조의 평균 수준으로 회귀했다.

프리드리히 빌헬름이 특별히 어리석은 인물은 아니었고 문화적 관심이 깊고 넓은 사람인 것은 분명했다. 미술과 건축의 후원자로서 그가 중요한 역할을 한 데는 논란의 여지가 없다.[49] 하지만 그는 프로이센 정부 시스템에 강력한 지휘 본부를 구축할 능력이 없었다. 통치자의 국정 장악력이 이렇게 취약해지면서 '권력의 곁방'(Vorzimmer der Macht), 즉 보좌관과 장관, 소위 왕의 측근이 군주에 대한 영향력을 놓고 경쟁하는 공간이 다시 나타났다. 프리드리히 빌헬름의 보좌관 중에는 특히 국내 문제에 대한 영향력 면에서 누구도 필적할 수 없는 사람이 있었다. 요한 크리스토프 뵐너는 지적이고 야망이 큰 평민으로서, 출신은 비천했지만 훗날 목사가 되고 다시 운 좋게 후원자의 딸과 혼인함으로써 지주 반열에 오른 인물이다. 뵐너는 베를린 장미십자단 내의 측근 중에서 높은 지위를 차지하고 왕세자 시절의 프리드리히 빌헬름과 교류했다. 프리드리히 대왕은 왕세자와 붙어 다니는 이 출세주의자를 '흉계를 품은 사기성이 있는 목사'로 간주하며 두 사람의 관계를 달가워하지 않았다. 하지만 프리드리히 빌헬름 2세가 즉위하자 뵐너의 때가 찾아왔다. 1788년에 그는 프리드리히 행정부 내에서 가장 탁월하고 가장 진보적인 인사라고 할 폰 체틀리츠 남작이 맡았던 문화부 장관에 임명되었다. 이 자리에 있는 동안 뵐너는 권위주의적인 문화정책에 매진하면서 초중등학교와 교회, 대학교의 윤리 조직에 번진 이른바 회의론이 끼친 부식 효과를 막는 데 목표를 두었다. 뵐너가 왕국 내에서 공공생활의 이념적 실체를 안정시키기 위해 벌인 캠페인의 핵심은 1788년 8월 9일에 반포된 유명한 종교칙령인데, 이것은 기독교 교리의 통합에 대한 합리주의자들의 공리공론이 야기하는 부정적 영향을 억제하고 되돌리기 위해 설계된 법이었다.

뵐너의 신랄한 비난이 특히 종교적 사유를 겨냥한 것은 우연이 아니었다. 철학적 합리주의의 영향을 둘러싼 논쟁이 전통적인 확신을 가장 심하게 뒤흔든 것은 종교 영역(특히 개신교)에서였기 때문이다. 계몽주의가 무엇보다 프로이센의 성직자에게 미친 영향은 프리드리히 2세가 합리주의자를 성직자로 임명하는 것을 선호하면서 더 힘을 받았다. 칙령 전문은 노골적으로 '계몽주의'(이 말은 별도의 행에 굵은 글씨로 인쇄되었다)가 너무 멀리 나갔다고 기술했다. 그리스도 교회의 무결성과 일관성이 위험에 빠졌다는 것이었다. 신앙이 유행의 제단에서 희생되고 있다고 했다.

칙령은 모든 학교 및 대학교에서 사용하는 교재에 통일된 교리를 신도록 새로운 검열제도를 도입했다. 루터파와 칼뱅파 종교법원(최고위 교회행정기관)의 징계권이 강화되었다. 또 성직에 임명될 후보가 실제로 각 종파의 신앙조항에 확실하게 서명으로 동의하도록 감시하는 절차를 두었다. 그 밖의 조치도 이어졌다. 새로운 조처를 비판하는 팸플릿과 기사가 나오는 것을 차단하기 위해 애쓰는 가운데, 1788년 12월에는 검열칙령이 발표되었다. 또 교회와 교육기관에서 합리주의자를 일소하기 위해 왕립 조사위원회가 설치되었다. 조사 대상자 중에는 요하네스 하인리히 슐츠 폰 겔스도르프라는 목사도 있었는데, 이 사람은 예수는 보통 사람이고 결코 부활한 적이 없으며 보편적 부활이라는 교리는 난센스고 지옥 같은 것은 없다는 설교로 악명이 높았다.[50] 그 밖에 임마누엘 칸트도 당국의 주목을 받았다. 1794년 가을에 칸트는 『이성의 한계 안에서의 종교』(Die Religion innerhalb der Grenzen der bloßen Vernunft)라는 제목으로 나온 에세이 전집이 철학을 빙자하여 성서의 몇 가지 원칙과 근본 교리를 왜곡하고 모독했다고 지적하는 준엄한 경고를 왕명의 형식으로 받았다.[51]

뵐너가 기초한 칙령은 종종 프로이센 계몽주의에 대한 반동으로 간주되어왔다.[52] 물론 이는 당대의 일부 비판적인 관점을 반영하는 것이다. 하지만 여러 가지 점에서 뵐너의 종교정책은 프로이센 계몽주의 전통에 깊이 뿌리박혀 있었다. 프리메이슨 단원이었다가 장미십자단(아무튼 프리메이슨 운동의 부산물)에 가담한 뵐너 자신은 합리주의적인 할레 대학교에서 교육을 받았고 농업 개량과 토지 개혁, 농노제 폐지를 주창하는 다양한 계몽주의 논문의 저자였다.[53] 칙령의 핵심 목표는 (좀 더 격렬하게 비판하는 당대의 일부 진영에서 주장하듯이) 새로운 종교적 '정통성'을 강요하기 위한 것이 아니라 기존의 종파 구조를 통합, 정리하고 거기서 1648년 베스트팔렌 조약의 다원적 타협 구조를 보호하려는 것이었다. 이런 의미에서 그것은 여러 종파의 공존이라는 프로이센의 전통과 일치했다. 따라서 칙령은 이단적인 합리주의 사상의 대중 선전뿐 아니라 두 개 종파에 속한 프로테스탄트 신도들을 가톨릭으로 개종하는 것도 금지했다. 그것은 유대교와 헤른후트형제회, 메노파, 보헤미아형제단을 포함해 "과거에 국가에서 공식적으로 관용을 베푼 종파"에 이르기까지 국가의 보호범위(제2조)를 확장하기까지 했다.[54]

칙령은 또 본질적으로 종교에 대한 도구적 관점으로도 주목을 받았다. 그 바탕에 깔린 것은 (계몽주의 특유의) 종교에는 공공질서를 보호하는 중요한 역할이 있다는 믿음이었다. 문제는 그런 신학적 관점 자체의 존재가 아니라, '불쌍한 일반 대중'이 성서와 목사, 나아가 군주의 권위라는 익숙한 신앙으로부터 빠져나가고 있다는 사실이었다.[55] 안정화 조치의 필요성은 폴란드 영토에서 대규모 토지를 합병하면서(10장 이하 참조) 프로이센의 가톨릭 신도 숫자가 급증하고 왕국 내에서 종파의 세력 균형 문제가 발생한다는 사실 때문에 그만큼 더 시급했다. 이런저런 이유로 아주 유명한 계몽주의 신학자 중에 다수는 칙령을 종교적 평화를 유지하기 위한 정책으로 간주하며 기꺼이 지지했다.[56]

칙령을 둘러싼 논쟁을 '계몽주의'와 시대의 흐름에 역행하는 정치적 '반동' 사이의 충돌로 보는 것은 말이 안 된다. 진정한 싸움은 계몽주의를 둘러싼 노선 차이에 있었다. 한쪽에서는 종교적 평화와 개인의 자유에 관심을 두고 "그들이 선택한 대중 종파가 방해받지 않도록" 하는 것을 국가의 합리적 실천으로 보고 칙령을 옹호한 계몽주의자들이 있었다.[57] 다른 한쪽에서는 이 칙령이 개인의 양심을 억압한다고 주장하며 극렬하게 비판하는 진영이 있었다. 이들 중 한 명으로서 칸트학파의 법학교수인 고트프리트 후펠란트는 공공기관은 이 기관을 구성하는 개인들의 합리적 신념을 반영해야만 한다고 주장했다. 설령 개개의 신념에 맞는 개개의 많은 교회가 있어야 하더라도 말이다.[58] 어떤 면에서 볼 때, 역사를 통해 현재까지 전해진 종파적 정체성은 과격한 비판 세력의 무정부주의적 개인주의로부터 보호받아야 하는 종교의 자유를 나타내는 것이라고 볼 수 있다. 또 다른 관점으로 보면, 그것은 지속적으로 존재하는 것 자체가 개인의 양심에 부담을 주는 과거의 숨 막힐 것 같은 유산이기도 하다. 실제 문제는 합리적 행동의 현장에서 부각되었다. 푸펜도르프가 제안한 대로 이 문제를 국가가 관할해야 하는가, 아니면 좀 더 급진적인 칸트학파의 주장처럼 개인의 이성적인 문제 해결에 맡겨야 하는 것인가? 국가는 자연법의 원리에 기초한 합리적인 공공질서를 떠받치기에 더 적합한 위치에 있는가, 아니면 이것을 점점 역동적으로 떠오르는 시민사회 내의 정치세력 몫으로 남겨둬야 하는가?

칙령과 그에 병행하는 조치로 촉발된 공공의 논란은 계몽주의적인 비판적 논쟁이 이미 프로이센 여론을 얼마나 정치적인 분위기로 몰고 갔는지를 보여주었다. 인쇄물로 나온 논평에는 그때까지 보지 못하던 신랄한 어조가 담겨 있었고, 1788년 9월에는 '언론의 자유'가 '언론의 뻔뻔함'으로 변질되었다는 왕의 경고가 있었다.[59] 또 검열을 통해 칙령을 관리하기 위해 뵐너가 설치한 임시기구와 기존의 교회 자치조직 사이에 제도적 마찰도 있었다. 이 자치조직은 자유주의 신학자들이 지배하고 있었다. 악명 높은 이단 목사 슐츠에 대한 징계는 사법 및 종교법 조사관에 임명된 선임 관리들이 슐츠가 (루터파는 아니라고 해도) 기독교인이기 때문에 목사직을 유지하도록 해야 한다고 결론내림으로써 무산되었다.[60] 이뿐만 아니라 숱한 다른 사건으로 인해 행정체제 맨 꼭대기에는 베를린 계몽주의의 시련을 견뎌내고 뵐너와 프리드리히 빌헬름 2세의 권위주의적 처방에 맞서 자신들의 계몽주의적 정치 질서에 대한 생각을 옹호할 준비가 된 공무원 네트워크가 있다는 사실이 드러났다.⁶¹ 종교법정의 관리로서 관련 논문 발행을 통과시켜준 요한 프리드리히 횔너, 논문의 칼뱅파 저자인 요한 게오르크 게프하르트, 고등법원의 선고를 맡은 판사 에른스트 페르디난트 클라인이 모두 한때 베를린 수요회의 회원이었다는 것은 우연의 일치가 아니었다.

이런 저항에 직면해서 논란을 가라앉히고 합리주의 비판 세력의 행정조직을 제거하려는 뷜너의 노력은 기껏해야 부분적인 성공밖에 거둘 수 없었다. 1794년 봄, 왕립 조사위원회 위원인 헤르만 다니엘 헤르메스와 고틀로프 프리드리히 힐머는 할레 대학교를 비롯한 대학을 조사하기 위해 할레 시로 갔다. 할레 대학교는 한때 경건주의의 거점이었지만, 이제는 급진주의 신학의 요새로서 지휘부는 최근의 검열 조치에 공식적인 항의를 했다. 헤르메스와 힐머가 5월 29일 저녁에 할레에 도착해 숙소인 황금사자 호텔에 갔을 때, 가면을 쓴 학생들이 이들을 둘러쌌다. 학생들은 이들이 묵은 방의 창문 밖에 서서 새벽까지 합리주의 구호를 외쳤다. 이튿날 밤에는 훨씬 큰 규모의 군중이 모여서 학생 한 명의 격정적인 연설을 들었다. 하지만 공감하지 않는 구경꾼의 귀에는 '신성모독적인 발언과 반종교적인 표현'으로밖에 들리지 않았다. 이어 학생들은 조사관 숙소의 창문에 기왓장과 벽돌, 돌멩이를 마구 던졌다.

설상가상으로 대학 당국은 학부 내에서 뷜너의 정책을 이행하기를 거부했다. 칙령의 정신에 적대적이었을 뿐아니라 상부에서 내려온 그런 조치는 학문의 자유 및 대학의 자율과 조화되지 않는다는 이유였다. "우리 권한을 인정하지 않는 거요?" 헤르메스는 대학 고위당국자와의 논의가 난관에 봉착하자 실망하며 소리쳤다. "우리는 아직 신조류의 설교자를 단 한 명도 쫓아내지 못했어요. 모두가 우리를 적대시하네요."⁶²

1795년 프로이센에서 가장 중요한 대학교에서 새로운 조치를 실시하는 데 실패하자, 뵐너의 권위주의적 프로젝트는 동력을 상실한 것이 분명했다. 하지만 프랑스혁명의 전개와 더불어 정치적 급진주의로 인해 전통적인 권위에 가해진 위협의 수위가 드러나고 이에 따라 검열은 사실 전반적으로 강화되었다. 이런 상황에 대한 당대의 중요한 증인 중 한 사람은 애국활동가이자 출판업자인 프리드리히 니콜라이였다. 니콜라이는 1792년에 프로이센의 엄중한 검열을 피하기 위해 자신이 운영하던 잡지 『알게마이네 도이체 비블리오테크』(*Allgemeine Deutsche Bibliothek*)의 발행처를 알토나(덴마크 치하에 있던 함부르크 인접 도시)로 옮겼다. 1794년 프리드리히 빌헬름 2세에게 보내는 편지에서, 니콜라이는 베를린에서 독립적으로 가동되는 인쇄기의 수가 1788년 이후 정부에서 내린 정책의 결과로 181대에서 61대로 줄었다면서 최근의 조치에 대해 항의했다. 그러면서 넌지시 이 때문에 왕실의 세수가 피해를 볼 것이라고 했다.[63] 그가 말한 경기 위축이 전적으로 (시장의 조절 기능을 거스르는) 검열의 여파 때문인지는 의문이다. 아무튼 정부의 검열로 인해 프로이센 지식인 계층의 초조한 반응은 갈수록 고조되었다. 이것은 부분적으로 실질적인 제약에 따른 결과였지만 동시에 1780년대의 지적·정치적 소요 기간에 발생한 기대감 확산의 표현이기도 했다. 1790년대 중반 프로이센에서 '언론의 자유'는 그 10년 전보다 훨씬 더 심한 제약을 받았다. 그리고 '유일한 프리드리히'의 카리스마가 국가기구의 수레바퀴를 굴리던 때의 따뜻한 빛은 1786년 이후 점차 희미해졌다.

여론이 이렇게 악화되었다고는 하지만, 프리드리히 시대 이후의 행정부에서 자행된 억압을 과장하지 않는 것이 중요하다. 프랑스혁명 기간의 베를린 신문에 대한 최근의 연구에 따르면, 프로이센 국민은 당대의 프랑스에서 일어난 사건에 관하여 매우 상세하고 믿을 만한 신문 보도를 접했다. 비단 1789~92년의 자유주의 혁명 기간뿐 아니라 자코뱅당의 공포정치와 그 이후의 기간에 대해서도 잘 알 수 있었다는 것이다. 베를린 신문의 보도에는 결코 혁명 세력의 주장에 늘 적대적이지만은 않은 교묘한 정치적 논평이 섞여 있었다. 특히『하우데셰 운트 슈페너셰 차이퉁』(Haudesche und Spenersche Zeitung)은 다양한 정파(로베스 피에르와 자코뱅당도 포함)의 입장과 정책을 설명하며 공감하는 것으로 주목을 받았다. 프로이센 정부는 1792~93년에 왕을 재판하고 처형할 때조차 진지하게 프랑스에 대한 정보 유포를 막거나 국왕 시해 일당에게 특별히 적대적인 이미지를 덧씌우려는 시도를 결코 하지 않았다. 또 당국은 교육 목적으로 당시의 그런 보도를 광범위하게 활용하는 것을 막지 않았다. 비단 김나지움(인문계 중등학교)뿐만 아니라 마을학교나 초등학교에서도 마찬가지였다. 아마 함부르크를 제외한다면, 독일 어디에서도 기사의 질이나 공정성에서 이 정도 수준의 신문 보도를 찾아볼 수 없었을 것이다. 혁명과 관련해 공포가 널리 퍼지고 검열이라는 장애가 있는데도 불구하고 악셀 슈만은 이렇게 쓰고 있다.

> 1789년부터 1806년까지 수도 베를린의 네 개 신문사가 프로이센의 검열 체제 아래 있었지만, 프랑스혁명이 역사적 필연성으로 그리고 귀족정치의 오만과 군주제의 실수에 대한 이성의 승리로서 축하를 받았다는 사실은 변치 않을 것이다.[64]

두 얼굴의 나라

1796년 여름, 베를린 군중이 슈바벤의 유명한 마술사 카를 엔슬렌의 마지막 공연을 보기 위해 몰려들었다. 공연은 멋진 차림을 한 자동인형 트리오가 등장하면서 막이 올랐다. 하나는 플루트를 연주하는 에스파냐 사람, 또 하나는 유리 오르간을 연주하는 여자 그리고 말을 할 줄 아는 트럼펫주자였다. 그 다음에는 '공중 사냥'이 이어졌는데, 가스를 채워 넣은 동물 형상이 공중에 떠다니는 장면이 나온 후에 체조선수로 분장한 인조인간이 등장했다. 운동 모습이 실물처럼 너무도 생생해서 목 관절에서 나지막이 삐걱거리는 소리만 나지 않았다면 진짜 사람으로 착각할 정도였다. 공연 끝부분에 불이 꺼지면서 우레와 같이 '꽝' 하는 소리가 일련의 유령이 나타남을 알렸고 아주 감쪽같은 마술로 객석은 흥분의 도가니로 변했다.

> 그때 멀리서 아주 밝은 별이 보였다. 그리고 별이 벌어지면서 거기서 프리드리히 2세와 똑같이 닮은 모습이 나왔다. 옷차림이나 행동거지까지 아주 똑같았다. […] 그 형상은 점점 커지고 가까워지더니 객석 앞줄 바로 앞까지 왔을 때는 실물과 똑같은 크기로 서 있었다. 1층과 특등석에서 느끼는 유령의 효과는 엄청난 것이었다. 박수갈채와 환호가 끝없이 이어졌다. 프리드리히가 막 돌아가려고 할 때, 객석에서 일제히 앙코르를 외쳤다. "아, 가지 마세요!" 그는 일단 별 안으로 들어갔지만, 관객의 앙코르 외침에 두 번이나 다시 나와야 했다.[65]

여기서 근대적인 형식의 연극을 볼 수 있다. 어둠을 활용해 마술의 효과(새로운 기술)를 극대화하고 관객의 형편에 따라 입장권과 좌석에 다양한 가격을 매기는 형태다. 유료 관객만 하더라도, 남녀, 하급 관리, 수공업자, 사무원, 귀족 계층과 심지어 왕실 사람들까지 뒤섞여 있었다. 그리고 여기서 오락에 굶주리고 그것을 위해 기꺼이 돈을 쓸 준비가 된 관객을 만족시키기 위해 부활한 왕이 다시 무대로 나오는 장면이 연출되었다. 이 놀라운 기획을 본 왕실 사람들은 죽은 왕이 관객에 의해 불려나오고 그들이 하라는 대로 하는 광경에 곤혹스러움을 느꼈을까? 아마 노스탤지어의 양면성과 근대성을 이보다 더 잘 보여주는 예는 생각하기 힘들 것이다.

1800년 무렵, 베를린은 (지적이고 사회적인 생활이라는 측면에서 볼 때) 독일어권 유럽에서 가장 활력이 넘치는 도시였다. 인구는 200만에 가까워지고 있었다. 각종 클럽과 협회가 빽빽한 네트워크 형태로 형성되었고 이 중에 이름이 알려진 것만 해도 38개 조직 외에 프리메이슨 지부 16개가 있었다.[66] 잘 알려진 조직 말고도 지금은 잊힌 하층 계급을 위한 단체들도 있었다. 베를린의 클럽 활동은 알찼을 뿐만 아니라 고도로 조직화되고 다양성을 갖추었다. 월요클럽, 수요회, 목요서클은 규모가 작고 배타적인 곳으로 상류 중산층의 지식인이나 계몽된 구성원의 욕구를 충족하는 모임이었다. 또 가령 자연연구회나 매월 첫째 월요일에 베르더 교외의 회의실에서 모이는 교육학회, 당시 공급이 부족하고 값비싼 물자라고 할 목재의 소비를 줄이는 방법을 논의한 경제촉진회처럼 특수한 취미에 초점을 맞춘 광범위한 협회가 있었다. 칸트학파의 유대인 철학자 라차루스 벤다비트, 조각가 요한 고트프리트 샤도, 고위 관리 에른스트 페르디난트 클라인 등이 속한 과학협회는 과학에 흥미를 가진 회원 35명으로 구성되었다. 또 의사 클럽과 (훗날 전문기구의 선구라고 할) 회원들을 위한 식물표본과 소규모 도서관을 보유한 약사협회도 있었다. 군사개혁의 필요성에 관심을 두는 군사협회는 회원수가 200명 정도 되었는데, 이 협회는 1806년 이후 지도적 위치에 서게 될 활동가들의 개혁 에너지가 초기에 집중된 곳이었다. 정치와 과학, 문화에서 최신의 흐름과 보조를 맞추려는 사람들을 위해 광범위한 독서회와 대출 도서관 같은 상업적인 독서 시설이 있었다. 신문이나 잡지도 커피하우스에 비치되어 있었고 프리메이슨 지부가 그럴듯한 도서관을 운영하는 일도 종종 볼 수 있었다.

클럽의 수가 늘어나면서 그 기능은 더욱 전문화되고 다양해졌다. 베를린에서 인기를 끄는 조직화된 사회활동의 새로운 형태로는 아마추어 연극협회가 있었다. 광범위한 관객층을 위한 연극협회는 1780년대와 1790년대에 빠르게 성장했다. 우라니아(Urania, 1792년 설립)가 계몽된 사회 엘리트 구성원을 위한 모임이라면, 폴리힘니아(Polyhymnia, 1800년 설립)는 배관공이나 악기 제작자, 구두장이, 솔 제작자 등이 속해 있었다. 연극 모임은 남녀 상관없이 가입을 허용했다. 다만 공연 작품의 선정은 보통 남자들 몫이었다. 클럽에 회원 전용 장소나 다양한 여가 및 오락을 제공하는 손님이 생기는 것은 시간문제였다. 흔히 '자원'(Ressourcen)이라고 불리는 시설은, 식사에서부터 당구, 독서실, 연주회, 무도회, 연극공연, 경우에 따라 불꽃놀이까지 다양한 서비스가 제공되는 건물과 대지를 임대한 클럽을 가리켰다. 이런 사업체 중에는 회원이 200명이 넘는 곳도 많았으며, 그 모든 것이 수도의 사회적 다양성을 반영하는 것이었다.

이렇게 빈틈없이 짜이고 빠르게 변하는 자발적인 조직의 형태는 18세기 말 프로이센 사회에서 작동되던 힘을 말해준다. 베를린은 왕실 및 정부 당국의 중심지인 동시에 자율적인 사회활동의 무대였다. 시민은 여기서 중요한 국사에 대해 깊이 생각할 수도 있고, 과학이나 그 밖에 비전(祕傳)의 지식을 얻기도 하며, 사적인 것도 아니고 전적으로 공적인 것도 아닌 사교의 즐거움을 만끽하고, 문화를 소비하면서 비슷한 사람들끼리 어울리는 즐거움을 맛볼 수 있었다. 이런 활동은 어떤 의미에서든 반역을 꾀하는 것도 혁명적인 것도 아니었다. 단지 사회적인 힘의 균형에서 발생하는 엄청난 변화를 반영했다. 기독교인과 유대인, 남자와 여자, 귀족과 시민 계급, 기능직이 이런 사교적인 도시 환경에서 서로 어울렸다. 그것은 도시 주민의 재능과 소통하려는 에너지, 현금으로 만들어진 세계였고, 격식을 따지는 정중함보다는 예의 바름을 중시하는 공간이었다. 이런 세계를 통제하거나 검열하거나 나아가 감독하기란 힘들었다. 뾰족한 수단이 없는 베를린 경찰이나 검열기관의 역량을 벗어나는 과제였다. 그리고 그 존재 자체가 전통적인 권위 구조와 관습에 대한 미묘한 도전이었다.

행정부의 계급 구조 안에서도 패러다임 변화의 징조가 있었다. 신

23 카를 폼 운트 춤 슈타인 남작.

세대 공무원은 새로운 목표를 향한 프로이센 정부 방침에 방향을 맞추기 시작했다. 1780년 란(Lahn) 강변에 있는 나사우 출신의 젊은 귀족이 프로이센 행정부의 공무원으로 합류했다. 고대 황실 혈통인 카를 폼 운트 춤 슈타인 남작은 같은 세대의 많은 독일인처럼 프리드리히 2세를 숭배했다. 전쟁토지관리국의 관리로서 슈타인은 베스트팔렌 지역 광산 부문의 효율성과 생산성을 개선하는 임무를 맡았다. 당시에 마르크 백작령에서 수익성이 좋은 광산은 거의 '광산 조합'의 통제를 받고 있었다. 지역 노동시장을 관리하는 상업노조 같은 법인체였다. 슈타인의 주도하에 조합의 권한은 새로운 단일 임금제를 도입하고 국가 검사제도를 확대하기 위해 축소되었다. 하지만 동시에 효율성을 방해하지 않는 한, 법인 조직을 인정한 슈타인은 그들의 직원 임명권을 포함해 광범위한 자율을 부여함으로써 광산 조합과 화해했다.[67]

슈타인의 독창성과 탁월한 재능은 곧 인정받았고, 1788년이 되자 그는 클레베와 마르크 백작령 지방 정부에서 고위직을 차지했다. 그는 조세 체계에서 시대에 뒤진 규정과 특권을 폐지했다. 또 시골 지역의 제조업을 장려하고 밀수를 일소하기 위해 시골에서 길드의 통제를 중지시켰다. 개인이나 단체에서 걷던 통행세는 폐지하고 국가가 관장하는 적정 수준의 국경관세로 대체했다.[68] 1796년부터 민덴-라벤스베르크의 주지사으로서 슈타인은 다시 지방 경제의 활력을 약화시키는 전통적인 부담금과 특권을 겨냥했다. 뿐만 아니라 베스트팔렌 지역에서(특히 수많은 농민이 여전히 개인적으로 자유롭지 못한 민덴-라벤스베르크에서) 예속 상태에 있는 농민 지위의 문제에 대처하기 위한 시도까지 했다(실패했다). 구황실 귀족 신분으로서 슈타인은 지역의 전통을 짓밟는 것이 내키지 않았기 때문에 지방의 신분제의회와 협상하는 길을 택했다. 목표는 지주의 권리를 박탈하는 대가로 지주 가문과 화해할 수 있는 보상책을 마련하는 것이었다. 지주의 권리를 제한하기 위한 노력은 귀족의 완강한 저항으로 수포로 돌아갔지만, 이것은 프로이센 행정부 안에서 과감한 혁신이 다가오고 있다는 신호였다.[69]

그 밖에 개혁적인 아이디어를 통해 새롭게 떠오르는 공무원으로 1790년에 프로이센 행정부에 가담한 카를 아우구스트 폰 하르덴베르크가 있었다. 슈타인과 마찬가지로 하르덴베르크는 프리드리히 2세를 마음속 깊이 숭배하는 '외국인'이었다. 1750년 에센로데에 있는 외조부의 땅에서 태어난 하르덴베르크는 진보적이라는 평판을 듣는 하노버 가문 출신이었다.[70] 젊은 시절 하르덴베르크는 고향 하노버의 관리로서 뛰어난 개혁가로 알려졌다. 1780년에 작성한 비망록에서 그는 농노제의 폐지와 경제 규제 철폐, 담당 부처를 기반으로 한 간소한 행정조직과 지시 및 책임의 명확한 한계를 요구했다.[71] 프로이센으로 이주한 뒤, 하르덴베르크는 1792년 1월부터 새로 합병된 안스바흐와 바이로이트의 프랑켄 영토를 행정적으로 통합하는 책임을 떠맡았다.[72] 이것은 타국 내의 자국 영토와 자국 내의 타국 영토가 뒤얽혀 있고 통치권이 중복되는 지역이 포함되어 있었기 때문에 아주 복잡한 임무였다.

하르덴베르크는 비범한 결단력과 무자비한 태도로 이 문제에 매
달렸다. 제국의 귀족들은 제국 법률을 노골적으로 위반함으로써 얻은
지나친 특권과 헌법상의 권리를 빼앗겼다. 타국 내의 영토를 없애고 통
과가 가능한 프로이센 영토를 확보하기 위해 경계를 정하는 영토 교환
과 관할권 합의가 이루어졌다. 백성들이 제국법정(Reichsgerichte)에 직
접 소송할 수 있는 권리가 폐지됨으로써 지방의 귀족 계층이 황제에게
불만을 호소할 수 있는 통로는 차단되었다. 자신의 명령에 반발하는 곳
이 있으면, 하르덴베르크는 즉시 군대를 파견해 지시를 따르도록 강요
했다. 이런 조치는 혁신적인 여론 접근 방식을 통해 지지를 받았다. 예
컨대 하르덴베르크는 지역의 몇몇 주요 언론과 접촉을 유지했고 자신
의 정책을 지지하는 기사와 논설을 쓸 수 있도록 믿을 수 있는 필진을
양성했다.[73]

하르덴베르크는 왕에게 직접 보고하는 권한을 조건으로 취임했
다. 그는 안스바흐와 바이로이트에서는 총독처럼 군림하면서 수도의 동

료 고관들에게서는 볼 수 없는 권력을 행사했다. 이 권력을 발판으로 그는 자신을 질투하는 상관들의 방해를 걱정하지 않고도 광범위한 개혁을 추진할 수 있었다. 그가 토대를 놓은 프랑켄의 새로운 행정 체제, 즉 분야별 네 개 부처(법무, 내무, 전쟁, 재무)라는 형태는 베를린의 중앙행정부와 달리 근대적인 방식으로 조직되었다. 하르덴베르크의 리더십으로 프랑켄 후작령은 프로이센 행정개혁의 실험실이 되었다. 중앙행정부에서 안스바흐와 바이로이트의 빈자리로 수평 이동을 한 관리들 중에서 슈크만, 코흐, 키르히아이젠, 훔볼트, 뷜로 등 훗날 프로이센의 최고위층에서 유명해진 사람을 많이 볼 수 있다. 그 지역 출신으로 야심만만하고 열정을 갖춘 일군의 젊은 관료가 하르덴베르크 주변으로 몰려들었다. '프랑켄파'로 알려진 사람들은 프로이센뿐 아니라 나폴레옹 전쟁 이후 양 후작령을 흡수한 바이에른에서까지 고위직에 올랐다.[74]

전통적인 곡물 관리 시스템까지도 갈수록 변화의 압력을 받게 되었다. 프리드리히 빌헬름 2세(재위 1786~97년) 정권의 첫 4년 동안, 곡물 거래에서 극적인 자유화 현상이 있었다. 이것은 단기적인 실험이었는데, 1788년부터 점차적으로 다시 통제를 함으로써 행정부 내 자유주의자들의 엄청난 불만을 사게 되었다.[75] 하지만 1800~5년에 있었던 생존을 위한 연쇄적인 폭동으로 고위 관리들은 국가가 통제를 포기하고 곡물 시장의 자율 기능을 허용할 때 생산성이 향상되고 분배가 더욱 효율적으로 이루어진다는 것을 납득하게 되었다. 이런 견해의 옹호자 중에 영향력이 있는 사람은 동서 프로이센 국무장관 겸 관리총국 부국장인 프리드리히 레오폴트 폰 슈뢰터였다. 슈뢰터는 한때 임마누엘 칸트의 제자였고 그 집안과도 잘 아는 사이였다. 그는 세기가 바뀔 무렵, 동프로이센의 엘리트 사이에서 유행한 농업자유주의를 적극 옹호하는 입장이었다. 1805년 7월 11일, 그는 자신의 비망록에 정리된 의견을 왕에게 설명했다. 그가 우려한 것은 만일 국가 시스템이 고장 나고 그에 따른 비능률 때문에 평화 시에 생존 폭동이 일어날 수 있다면, 전쟁이 발발해서 곡물 수송에 사용되는 국가 수송선을 군대가 징발할 때는 어떤 사태가 벌어지겠는가 하는 것이었다. 그는 기존의 통제 대신에 곡물 경제에 대한 규제를 근본적으로 철폐해야 한다고 건의했다. 아무도 판매자 본인의 뜻에 반해서, 또는 정부가 권장하는 가격에 곡물을 팔도록 강요해서는 안 된다는 것이 그의 생각이었다. 곡물 재고를 상인들로부터 보호하기보다 상인을 보호하고 그들의 재산을 자유롭게 처리할 권리를 옹호해야 한다는 말이었다. 1805년 8월 관리총국은 슈뢰터의 제안을 거부했다. 하지만 (관리총국의 보호주의가 아니라) 슈뢰터의 자유주의가 이기기까지는 그리 오래 걸리지 않았다.[76]

말하자면 프로이센의 여러 변경 지역에서 중앙을 향해 변화의 조짐이 밀려들어 오기 시작했다고 할 수 있다.[77] 1790년대 유럽에서 혁명의 폭풍이 몰아친 10년 동안, 프로이센은 두 개의 세계 틈바구니에 끼어 있는 것처럼 보였다. 18세기 마지막 30여 년간 발생한 비판적인 신문의 확산으로 정부는 억누를 수도 없고 완전히 받아들일 수도 없는 현상과 맞닥뜨렸다. 한편 프로이센 군주국에 대한 애국심이 활짝 피어난 것은 중요한 국사에 참여하는 신흥 도시 인텔리겐치아의 야망의 표현이었다. 프로이센 정부 체제에서는 이때까지 그쪽으로 나갈 출구가 없었다. 정부 안팎의 논쟁과 비판적인 토론은 사실상 정치 체제의 모든 영역에 대한 (농업 사회의 권력 구조에서부터 군대의 조직과 전술, 정부의 경제 관리에 이르기까지) 의문을 불러일으켜왔다.

어떤 단일 문건도 1794년에 반포된 프로이센 국가의 보통법만큼 18세기말 프로이센의 과도기적 상태를 잘 기록한 것은 없을 것이다. 2만 개에 가까운 항목과 더불어 프로이센 사람들 사이에서 일어날 수 있는 모든 상호관계의 토대를 다루는 것처럼 보이는 보통법은 프리드리히 계몽주의가 민간 사회에서 이룩한 최대의 위업이었다. 공적 토론과 협의의 긴 과정을 거쳐 뛰어난 법률 팀이 기초한 이 법전은 반포 당시에는 유례가 없는 것이었다. 뒤늦게 1804년과 1811년에 프랑스와 오스트리아에서도 이와 비슷한 법을 만들었지만 이만큼 포괄적이지는 못했다. 그런 의미에서 보통법은 언어의 명료함과 우아함에서도 모범이었다. 투명하고 정확한 핵심 원칙을 또렷이 표현하기 때문에 프로이센 법전에 등장하는 숱한 단편적 수사는 오늘날의 독일 민법에도 그대로 살아남았다.[78]

18세기 말 보통법의 매력은 특이하게도 프로이센 사회를 결정되지 않은 미완의 상태로 바라본 것에 특징이 있다. 이런 의미에서 각각의 항목을 통해 프로이센을 들여다보는 것은, 마치 초점거리가 서로 다른 쌍안망원경을 사용하는 것과 다를 것이 없다. 한쪽에서는 평등주의에 기초한 사회적·법적 질서가 나온다. 맨 앞의 항목은 다음과 같이 나온다. "보통법전은 국가 거주민의 권리와 의무를 부과하는 […] 법칙을 담고 있다."[79] 이것을 보는 사람은 즉시 전통적인 '백성'(Untertanen)이라는 용어 대신에 평등주의적인 '거주민'(Einwohner)을 선택한 것에 놀란다. 그리고 이런 인상은 "국가의 법은 신분이나 지위, 성별을 가리지 않고 그 모든 구성원을 하나로 묶어준다"라는 제22조에 의해 재확인된다.[80] 여기서는 국가의 '구성원'이라는 개념이 백성이라는 신분을 대체했고, 평등주의적 의도는 더 분명해졌다. 그러나 전문 제82조에는 "개인의 권리는 '혈통과 신분'에 따르고 나머지는 모두 평등하다"라는 표현이 나온다. 그리고 뒤에 가서 '귀족 신분의 의무와 권리'를 규정한 장에 가면, 법전은 노골적으로 "귀족은 국가 제1의 신분이며 주요 사명과 임무는 국가 수호"라는 말이 나온다. 더욱이 같은 장의 다른 항목에서는, "귀족 신분의 구성원은 국가 최고법원(höchste Gerichte)에서만 재판을 받고, 귀족은 '국가의 명예직'에 접근할 특권을 누리며(해당 자격이 있다는 전제에서), 귀족의 토지는 귀족만 소유할 자격이 있다"라고 되어 있다.[81]

권리에 대한 이런 차이는 오늘날 우리가 생각하는 것만큼 당대 사람들에게 이상하게 보이지는 않은 것 같다. 법전 편찬이라는 대규모 프로젝트를 시작하라고 명령한 프리드리히 2세에게 귀족의 우월한 지위는 사회 질서의 원칙이었다. 그는 법률가들에게 '공익'(Allgemeinwohl)만 고려하지 말고 특별한 신분 자격도 중시하라고 지시했다. 이런 요소는 그의 사후에 더 강화되었다.[82] 여기서 나온 양면성은 귀족 토지에 대한 농민 백성의 권리와 의무 조항에서 발견할 수 있다. 놀랍게도 법은 이런 사람들을 '국가의 자유 시민'(freye Bürger des Staates)이라고 표현한다. 실제로 농민은 이런 표현을 듣는 유일한 집단이었다. 하지만 이 분야에 관련된 항목은 대부분 기존의 신분 지배 구조와 시골 지역의 불평등을 재확인하고 있다. 백성은 혼인하기 전에 영주의 허락을 받아야 하고(반면에 정당한 사유 없이 혼인을 불허할 수는 없다), 농민의 자녀는 장원 일을 도와야 하며, 잘못을 저질렀을 때는 (온건한) 처벌을 받아야 한다는 것이다. 이들은 법에서 정한 대로 봉사나 그에 상당하는 보답을 해야 했다.[83] 프로이센 사회의 신분 구조는 너무도 철저히 사회 질서에 예속되어 있기 때문에 법이 그 구조를 정한다기보다 그 구조가 법을 규정하는 것으로 보였다. 사실상 신분 구조는 법전 전문의 제목 하나가 말하듯이 '법의 원천'이었다.[84]

보통법에서 정말 흥미로운 것은, 그 안에 서로 다른 관점이 들어있다는 점이 아니라 서로 인과관계가 성립되지 않는다는 점이다. 이 법전은 이미 지나간 세계, 각각의 질서가 국가와의 관계에서 제자리를 차지하고 있는 세계로 돌아가는 것처럼 보였다. 중세에 뿌리를 내리고 있는 것처럼 보이지만 실제로는 프리드리히 대왕이 창안한 세계, 성문화 작업이 끝날 무렵 이미 해체되고 있던 세계로 후퇴하는 듯했다. 하지만 그것은 동시에 모든 시민이 '자유롭고' 국가에 주권이 있으며, 왕과 정부가 법으로 규정된 세계를 예견하고 있기도 하다. 실제로 일부 역사가는 이 법전이 법치를 보장하는 헌법의 원형이라고 보았다.[85] 19세기의 역사가인 하인리히 트라이치케는 이 법전이 프리드리히 국가의 '야누스의 얼굴'을 표현한다고 보면서 내적인 긴장을 강조했다.[86] 이 아이디어는 마담 드 스탈로부터 빌려온 것이었다. 스탈은 프로이센의 특징이 야누스의 두 얼굴처럼 한쪽은 군사적이고 다른 한쪽은 철학적인 이미지를 제공한다고 보았다.[87] 출입문을 지키는 두 얼굴을 한 이 로마 신에 대한 은유는, 야누스에게 경의를 표하지 않고서는 프로이센에 대해 뭔가 쓰는 것이 불가능했던 그 시점이 끝날 때까지(1970년대와 1980년대까지) 프로이센의 역사 편찬에서 무섭게 퍼져나갔다. 마치 두 얼굴을 가진 신의 분리된 시선이 프로이센의 경험을 포착한 것과 같이, 전통과 혁신이라는 양극단이야말로 호엔촐레른 국가의 역사적 궤적을 정의한다.

9

오만과 인과응보
: 1789~1806년

Hubris and Nemesis
: 1789~1806

1789년의 프랑스혁명부터 1806년에 프로이센이 나폴레옹에게 패배하기까지의 시기는 프로이센 왕조의 역사에서 가장 파란만장한 시대인 동시에 가장 감동을 주지 못하는 시대이기도 하다. 어리둥절할 정도로 엄청난 위험과 기회에 직면한 프로이센의 외교정책은 일관성 없이 변화무쌍한 노선을 오락가락했다. 오스트리아와의 전통적인 경쟁 관계, 북독일에서 프로이센의 지배력을 강화하는 문제, 폴란드 내의 광대한 영토 합병을 앞두고 애를 태우는 전망 등, 이 모든 것이 베를린의 정책입안자들이 관심의 우선순위를 놓고 다투는 주제였다. 교활한 이중 외교와 불안한 흔들림, 탐욕의 발작이 끝없이 번갈아가며 되풀이되었다. 나폴레옹 보나파르트가 주도권을 쥐면서 생존을 새롭게 위협했다. 대륙을 지배하려는 나폴레옹의 끝없는 야욕과 국제 조약이나 약속을 전적으로 무시하는 그의 태도는 프로이센 정부를 극한의 시험대로 몰고 갔다. 1806년 수없는 도발 끝에 프로이센은 강대국의 군사 지원을 확보하지 않은 상태에서 나폴레옹과 전투를 벌이는 중대한 실수를 저질렀다. 그 결과는 전통적인 군주제 질서의 정통성을 뒤흔들 만큼 참혹했다.

혁명기 프로이센의 외교정책

프로이센 정부는 1789년에 파리에서 발생한 사태를 호의적인 관심을 갖고 바라보았다. 파리 주재 프로이센 특사는 폭동을 피하기는커녕 다양한 정파와 우호적인 관계를 구축하면서 1789~90년의 가을과 겨울을 보냈다. 혁명이란 '신의 섭리'와 '인간의 의지' 중에서 무엇을 선택하는지에 전적으로 달려 있다는 (후대 사람들에게는 낯익은) 생각은 아직 혁명에 대한 베를린의 해석에 별다른 영향을 주지 못했다.

프랑스의 격변에 대한 이런 너그러운 반응에는 본질적으로 두 가지 이유가 있었다. 우선 베를린의 단순한 시각으로 볼 때, 격변은 위기가 아니라 기회를 의미했다. 프로이센은 무엇보다 오스트리아의 국력과 독일 내의 영향력을 떨어트리는 데 관심이 있었기 때문이다. 1780년대에 독일어권의 이 두 경쟁국 사이에는 계속 팽팽한 긴장감이 감돌았다. 1785년 프리드리히 2세는 합스부르크의 요제프 2세 황제가 바이에른을 합병하는 것에 반대하는 독일 군주동맹을 주도했다. 1788년 황제가 터키와 전쟁을 벌인 끝에 합스부르크가 발칸반도에서 광대한 영토를 획득하자, 프로이센이 뒤처지는 것은 아닐까 하는 불안을 불러일으켰다. 하지만 오스트리아군이 술탄 셀림 3세의 군대를 격퇴한 1789년 여름과 가을에 벨기에와 티롤, 갈리시아, 롬바르디아, 헝가리 등 합스부르크 왕국의 변두리 영토 일대에서 일련의 봉기가 발생했다. 허영심이 많고 충동적인 프리드리히 빌헬름 2세는 삼촌의 명성에 합당한 행동을 하기로 결심하고 최선을 다해 오스트리아의 불리한 상황을 이용했다. 그리하여 벨기에 사람들에게는 합스부르크의 통치에서 벗어나라고 충동질을 하고 생각을 달리하는 헝가리 사람들에게는 빈에 맞서 봉기하라고 촉구했다. 급기야 독립적인 헝가리 왕정을 프로이센 군주가 통치해야 한다는 말까지 나왔다.[1]

이런 배경에 비춰볼 때 프랑스혁명은 환영할 만한 소식이었다. 새로 들어선 프랑스 '혁명' 정부가 프랑스-오스트리아 동맹에 종지부를 찍을 것이라는 희망을 품을 충분한 근거가 있었기 때문이다. 프로이센에서 잘 알듯이, 이 동맹은 (두 왕조 간의 동맹을 구현한 마리 앙투아네트 왕비와 더불어) 오스트리아에 적대적인 혁명 주체 세력에게 전혀 인기가 없었다. 그런 의미에서 베를린 측에서는 파리에 반합스부르크 '당파'를 구축한다는 희망으로 여러 혁명 파벌에게 환심을 샀다. 그 목적은 1756년 재편된 외교적 조치를 뒤집고 오스트리아를 고립시켜 요제프 2세의 팽창주의적 야망을 끝장내는 것이었다. 벨기에 한가운데에 있는 지협(地峽)인 리에주 주교령에서 본격적인 혁명이 일어나자 프로이센은 오스트리아의 지배를 받는 인접 지역까지 소요가 확산되기를 바라면서 반란세력을 지원했다.

혁명세력에 대한 이런 일시적 지원은 이데올로기적인 이유도 있었다. 1789년의 시점에서, 외무장관 헤르츠베르크 백작을 포함해 대표적인 프로이센의 정책입안자 다수는 개인적으로 혁명가들의 대의에 공감했다. 헤르츠베르크는 계몽주의의 지지자로서 무능한 프랑스 부르봉 왕조의 독재를 개탄하는 인물이었다. 그는 프로이센이 리에주 봉기를 지원하는 것이 왕국의 '자유주의 원칙'에 전적으로 부합한다고 보았다. 주교령 주재 프로이센 외교 사절인 크리스티안 빌헬름 폰 돔은 계몽된 관리로서 지적인 인물이었다(유대인 해방을 지지하는 유명한 논문의 저자인 것은 말할 것도 없다). 그는 리에주의 주교 지배 체제를 비판했고 주교와 제3신분 반란자들 사이의 분쟁을 점진적이고 합헌적으로 해결하는 방법을 선호했다.[2]

요제프의 후계자인 레오폴트 2세가 프로이센과 합의를 보기로 결심한 것은 프로이센의 지원으로 인해 헝가리에서 혁명이 발발할지도 모른다는 위기감 때문이었다.[3] 현명하고 온건한 기질의 레오폴트는 배후에서 자신의 세습 영토가 유린되는 동안에, 오스만이 지배하는 발칸 지방에서 새로운 영토를 정복하려는 시도가 어리석다는 것을 즉시 깨달았다. 1790년 3월 그는 베를린으로 우호적인 서한을 급히 보내면서 협상의 문을 두드렸고, 이것은 1790년 7월 27일의 라이헨바흐 협정으로 큰 결실을 보았다. 독일의 양 강대국은 (열띤 토론 끝에) 전쟁의 위기에서 한 발 물러나 견해 차이를 극복하기로 합의를 보았다. 오스트리아는 완화된 조건으로(즉 합병 없이) 터키와의 소모적인 전쟁을 끝냈고 프로이센은 합스부르크 왕국 내에서 반란을 부추기는 행위를 멈추기로 약속했다.

이 협정은 별다른 악의가 없는 것으로 보였지만, 사실 보기보다는 문제가 심각했다.[4] 아무튼 1740년의 슐레지엔 침공 이래 신성로마제국의 정치 구조를 지배해왔던 프로이센-오스트리아의 냉혹한 반목시대는 이로써 적어도 일시적으로는 끝났고 독일 지역의 양 강대국은 상대국에게 짐을 떠넘기지 않고 함께 공동의 관심사를 추구할 수 있었다. 대선제후 시대를 연상시키는 노선 전환에 따라, 프리드리히 빌헬름 2세는 파리와 동맹을 맺으려는 은밀한 노력을 포기하고 프랑스의 혁명 정부와 전쟁을 하는 쪽으로 정책을 전환했다. 헤르츠베르크 외무장관의 자유주의적 견해는 왕의 총애를 잃었고 그는 이후 해임되었다. 신외교 노선에서 중요한 역할을 한 사람은 프리드리히 빌헬름의 고문관이자 막역한 친구인 요한 루돌프 폰 비쇼프베르더였다. 혁명세력과의 전쟁을 주장한 비쇼프베르더는 1791년 2월과 6~7월에 빈으로 급파되었다. 그 결과 1791년 7월 25일에 나온 빈 조약은 오스트리아-프로이센 동맹의 초석을 깔았다.

오스트리아-프로이센 화해의 첫 번째 결실은 놀랄 만한 정치적 제스처였다. 1791년 8월 27일 오스트리아 황제와 프로이센 국왕이 공동 발표한 필니츠 선언은 실행 계획이라기보다 혁명에 대한 원칙적인 반대를 천명한 것이었다. 선언은 프로이센과 오스트리아의 통치자는 그들의 "형제"인 프랑스 국왕의 운명을 "모든 유럽 군주의 공동관심사"로 간주한다는 언급으로 시작했다. 그런 다음 프랑스 왕이 가능한 한 빨리 "완벽하게 자유로운 상태에서 왕정의 토대를 확인할 수 있는 위치로" 돌아올 것을 요구했다. 그리고 오스트리아와 프로이센은 "제안한 공동 목표"를 달성하기 위하여 "필요한 무력 수단"으로 "신속하게 행동할 것"이라는 약속으로 끝을 맺었다.[5] 표현은 비록 흐리멍덩했지만, 이것은 각 왕조의 반혁명 연대에서 나온 명확한 선언이었다. 다만 선언에 첨부된 비밀조항은 막후에서 권력 정치가 변함없이 펼쳐지고 있음을 보여주었다. 제2조는 선언 서명국이 늘 상호협의하면서 "현재와 미래에 습득할 이익을 교환할" 권리를 확보한다고 언명했고, 제6조에서는 황제가 "토른과 단치히를 [프로이센이] 차지하도록 러시아 및 폴란드와 선린관계를 맺을 것을" 약속했다.[6]

이 선언은 프랑스 국민의회에 몰아치는 정치적 극단주의의 불길에 부채질을 했다. 그리고 프랑스 국고를 다시 채워 넣을 수단으로서 전쟁을 선호하고 혁명을 조장하는 지롱드당의 입지에 힘을 실어주었다. 1791년 후반에서 1792년 전반 사이에 파리에서는 전쟁을 지지하는 여론의 압박이 거세졌다.[7] 그사이에 프로이센과 오스트리아는 그들의 목표를 정하고 합의했다. 그 계획은 (1792년 2월 7일에 매듭지어진 동맹협정에 따라) 신성로마제국의 서부 변경에서 일련의 영토 이전을 추진한다는 것이었다. 동맹국은 먼저 알자스를 정복한 다음, 그중 일부는 오스트리아에, 나머지는 팔츠 선제후국에 할양하기로 했다. 대신 율리히와 베르크는 강제로 프로이센에 넘겨주기로 했다. 동맹국이 실제로 프랑스를 침공할 것인지, 한다면 정확하게 어느 시점에 할 것인지는 불분명했지만, 1792년 4월 20일 프랑스 정부가 공식적으로 오스트리아 황제에게 선전포고를 하자 군사적 충돌은 불가피해졌다. 침공을 준비하면서 프로이센과 오스트리아는 이데올로기상으로 반혁명의 책임을 떠맡았다. 7월 25일 프로이센 사령관이자 동맹군 연합사령관인 카를 빌헬름 페르디난트 폰 브라운슈바이크 공작은 브라운슈바이크 선언으로 알려진 선언문을 발표했다. 복수심에 불타는 프랑스 망명자들의 초안을 기초로 작성된 이 선동적인 문서에서, 두 동맹 왕실은 (조금은 허위로) "정복을 통해 배를 불리려는 의도가 없다"고 주장하면서 프랑스 국왕의 권위에 복종하는 사람들은 누구나 보호받을 것이라고 약속하는 한편, 혁명 지지자들은 체포되어 가혹한 처벌을 받을 것이라고 위협했다. 이 선언은 협박조의 표현으로 끝맺음으로써 파리의 극단적인 분위기는 더욱 고조되었다.

두 분 폐하께서는 황제와 국왕의 명예를 걸고 만일 튈르리궁[체포된 국왕과 가족이 머무르는 곳]이 군대의 침입이나 공격을 받는다면, 또 국왕 일가에게 조금이라도 폭력이 행사된다면, 그리고 국왕 일가의 안전과 자유가 즉시 보장되지 않는다면, 가공할 군사적 응징으로 파리를 초토화시키고 궤멸시킬 것이며 폭동을 일으킨 자들에게는 그에 상당하는 처벌을 내릴 것이라고 선언하셨다.[8]

1792년 늦여름, 오스트리아-프로이센 동맹군은 서서히 프랑스로 침입하면서 루이 16세의 동생 아르투아 백작이 이끄는 소규모의 망명 부대와 동행했다. 하지만 망명군은 도움보다는 짐만 된다는 것이 드러났다. 이들은 프랑스 국민에게 전혀 환영받지 못했고 전력으로서도 효과가 없었다. 망명군의 주 기능은 침공군이 내세운 반혁명군이라는 명분에 힘을 보태는 정도였다. 식량과 가축을 징발당한 프랑스 농민과 시민은 루이 16세의 이름으로 발행된 약속어음을 받았는데, 그것은 전쟁이 끝나고 왕이 복귀하면 '갚아준다'는 오만한 보증서였다. 결국 동맹군의 원정은 실패로 돌아갔다. 이때까지 프로이센군과 오스트리아군은 신성로마제국의 서쪽 변경에 주둔한 군대와 합동 작전을 펼치는 것이 언제나 쉽지 않았는데, 1792년의 프랑스 원정도 예외가 아니었다. 처음 침공 계획을 세울 때부터, 혼란과 갈등으로 시달린 동맹군은 9월 20일 발미 전투에서 진격을 멈추었다. 여기서 침공군은 고지대에서 넓게 아치형으로 배치된 적과 대치했는데, 그들이 차지한 곳은 난공불락의 지형이었다. 양측은 포격을 주고받았지만 승리는 프랑스군이 차지했다. 그들은 연달아 동맹군 전열에 정밀한 포격을 집중했고 포탄을 맞아 1,200명의 사상자를 낸 동맹군은 더 이상 적진으로 진격할 수 없었다. 혁명군이 적군과 마주친 것은 이때가 처음이었다. 예기치 못한 혁명군의 기세에 전의를 상실한 동맹군은 프랑스군에게 주도권을 빼앗긴 채 노출된 위치에서 퇴각했다.

프로이센군은 발미 전투 이후에도 공식적인 동맹군으로 남았고 알자스와 자르에서는 프랑스군에 맞서 몇 차례 승리를 거두기도 했다. 하지만 정신이 다른 데 가 있었기 때문에 원정 자원을 일부밖에 투입하지 못했다. 베를린 정부의 마음을 어지럽힌 것은 폴란드의 상황이었다. 제1차 폴란드 분할에서 빚어진 내부의 혼란과 외부의 간섭은 1780년대 내내 계속되었다. 1788~91년에 러시아가 큰 희생을 치른 오스만 제국과의 전쟁 때문에 꼼짝 못 하고 있는 사이, 스타니스와프 아우구스트 포니아토프스키 왕과 폴란드 개혁파는 정치 체제의 변화를 추진할 기회를 잡았다. 1791년 5월 3일에 반포된 폴란드 신헌법은 최초로 세습 왕조와 중앙 정부 기능의 틀을 다듬었다. 헌법을 기초한 사람들은 "우리 나라는 구원을 받았다"라고 선언했다. 또 "우리의 자유는 보장되었다. 우리는 자유롭고 독립된 국민이다. 우리는 노예 상태와 무질서의 사슬을 끊어버렸다"라는 말도 들어갔다.[9]

프로이센도 러시아도 이런 전개 양상을 반기지 않았다. 폴란드의 독립 쟁취는 근 1세기 동안 지속된 러시아 외교정책의 기본 노선에 어긋나는 것이었다. 프리드리히 빌헬름 2세는 공식적으로는 신헌법 반

1793년 2차 폴란드 분할

발 트 해

리가

다우가바강

메멜

쾨니히스베르크

빌니우스

단치히

동포메른

서프로이센

동프로이센

브롬베르크

폴란드 왕국

토른

포즈난(포젠)

비스와강

부크강

바르샤바

브레스트-
리토프스크

브레슬라우

오데르강

슐레지엔

크라카우(크라쿠프)

합 스 부 르 크 군 주 국

리비우

삼보제츠

N

W — E

S

| 0 | 50 | 100 | 150 | 200 마일 |

| 0 | 100 | 200 | 300 킬로미터 |

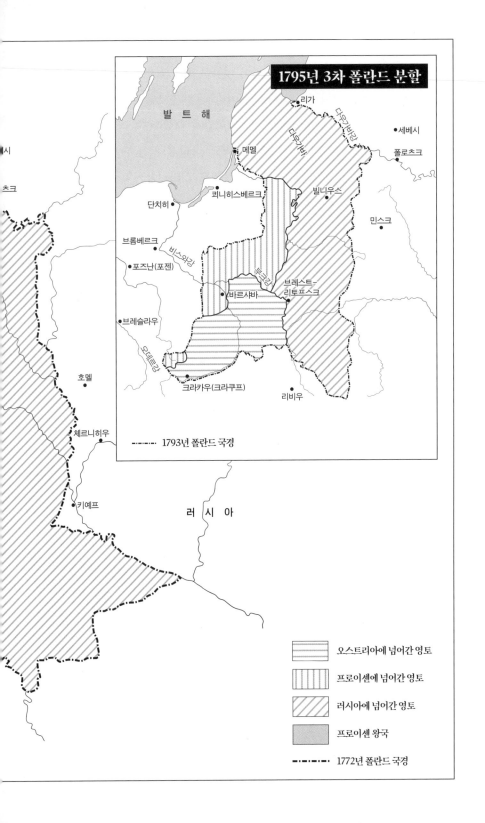

1795년 3차 폴란드 분할

발트해

리가

다우가바강

세베시

폴로츠크

메멜

쾨니히스베르크

빌니우스

단치히

민스크

브롬베르크

비스와강

포즈난(포젠)

부크강

브레스트-
리토프스크

바르샤바

브레슬라우

오데르강

호멜

크라카우(크라쿠프)

리비우

체르니히우

키예프

러 시 아

--·--·-- 1793년 폴란드 국경

시

츠크

츠크

	오스트리아에 넘어간 영토
	프로이센에 넘어간 영토
	러시아에 넘어간 영토
	프로이센 왕국
--·--·--	1772년 폴란드 국경

포에 대해 폴란드에 축하 메시지를 보냈다. 하지만 막후에서는 폴란드 부활에 대한 전망을 놓고 "짐이 예상하건대, 폴란드는 얼마 후에 우리로부터 서프로이센을 찾아갈 것이다"라는 경보를 울렸다. 헤르츠베르크는 프로이센의 수석외교관에게 이렇게 말했다. "우리가 어떻게 통치가 잘되는 수많은 국민을 상대로 우리 나라를 지킬 수 있습니까?"[10] 1792년 5월 18일 예카테리나 2세는 폴란드로 러시아군 10만 명을 파병했다. (러시아의 폴란드 합병을 저지하거나 제한할 의도로) 침공에 저항하는 폴란드 반대파를 지원할지 말지 고민하던 프로이센은 지원 대신 러시아의 분할 제안을 받아들이기로 결정했다. 1793년 1월 23일 체결된 상트페테르부르크 조약에 의거해, 프로이센은 상업적으로 중요한 거점인 단치히와 토른을 접수한 데 이어 슐레지엔과 동프로이센의 빈틈을 메워주고 운 좋게 폴란드 연방에서 가장 부유한 지역이 포함된 삼각지대 요지까지 차지했다. 러시아는 나머지 폴란드 영토의 거의 절반에 가까운 광활한 지역을 집어삼켰다. 이 조약은 (러시아의 몫이 프로이센의 규모에 네 배나 된다는 점에서) 명백히 불평등한 조약이었지만, 프로이센은 여기서 옛날부터 바라오던 것 이상을 얻었고 서부에서 오스트리아에 보상할 의무도 없었다.[11]

1794년 3월 폴란드 애국자 타데우시 코시치우슈코가 분할 강대국을 상대로 일으킨 반란은 추가로 최종적인 분할의 무대를 만들어주었다. 반란은 기본적으로 러시아를 직접 향한 것이었지만, 먼저 이것을 이용하려고 한 것은 프로이센이었다. 프로이센은 반란을 진압함으로써 폴란드의 추가 분할에 러시아와 동등한 몫을 주장할 수 있기를 바랐다. 하지만 적잖은 병력이 여전히 서부에 주둔한 상태에서 프로이센군은 몹시 지쳐 있었다. 반란군을 상대로 몇 차례 승전을 거둔 끝에, 이들은 어쩔 수 없이 후퇴하며 러시아에 원군을 요청했다. 기회를 엿보던 오스트리아도 이 분쟁에 끼어들었다. 한편 필사적으로 대규모의 모병 운동을 전개한 코시치우슈코는 8개월 만에 러시아와 프로이센, 오스트리아군을 물리쳤다. 하지만 1794년 10월 10일 바르샤바 남동부에 있는 마체요비체에서 러시아군이 승리를 거두면서 반란은 진압되었다. 이리하여 3차이자 최종적인 폴란드 분할의 길이 열렸다. 3국 사이에 극심한 논란을 벌인 끝에 1795년 10월 24일, 삼분할에 대한 합의가 이루어졌다. 이에 따라 프로이센은 다시 바르샤바의 구수도가 포함된 폴란드 중심부 약 5만 5천 제곱킬로미터에 이르는 영토를 100만여 명의 주민과 함께 얻게 되었다. 폴란드는 더 이상 존재하지 않았다.

중립의 모험

뭔가 흔치 않은 사건이 발생했다고 볼 수 있다. 제2차와 제3차 폴란드 분할에서, 그때까지 150년 동안 프로이센의 군주로 즉위한 인물 가운데 국민에게 가장 감동을 못 주었다고 할 프리드리히 빌헬름 2세가 호엔촐레른 왕조 역사상 어느 통치자보다 더 많은 영토를 확보했기 때문이다. 프로이센은 영토 규모가 약 3분의 1이 늘어나 30만 제곱킬로미터가 넘었다. 인구도 550만 명에서 870만 명으로 불어났다. 동부에서 기대 이상으로 목표를 달성한 프로이센은 지체 없이 서부의 반프랑스 동맹에서 발을 빼고 1795년 4월 5일, 바젤에서 프랑스와 단독으로 강화조약에 서명했다.

프로이센은 다시 한번 동맹국을 저버린 것이다. 오스트리아의 선전물 제작자들은 반프랑스 공동전선에서 등을 돌린 이 비열한 배신을 맹렬하게 비난했다. 역사가들도 종종 비슷한 시각으로 이 단독 강화와 그에 따른 중립 노선을 비열하고 "비겁"하며 "자멸적"이고 "치명적"인 행위로 매도했다.[12] 이런 평가에 담긴 문제점은, 18세기 후반에 프로이센이 독일의 '민족적' 사명을 가지고 있었는데 그것이 1795년에 수포로 돌아갔다는 시대착오적인 가정에 근거한다는 점이다. 오히려 프로이센과 그 이해관계에 초점을 맞추고 들여다보면 단독 강화는 최선의 선택이었음이 드러난다. 재정이 고갈되고 국내 행정은 새로 획득한 폴란드의 광활한 영토를 소화하느라 허덕였던 프로이센은 서부 원정을 지속할 입장이 아니었다. 단독 강화는 경제적인 이유로 대프랑스 동맹에서 탈퇴하는 것을 적극 지지하는 주장과 더불어 베를린 궁정에서 골격을 드러냈다.[13]

바젤 평화 조약의 조건은 아무튼 (적어도 문서상으로는) 프로이센에 매우 유리했다. 그중에서도 중요한 것은 프랑스와 프로이센이 북독일의 중립을 지지하기로 한 약속이었다. 중립 지대를 설정함으로써 베를린 정부는 그 안에 있는 작은 독일어권 국가들에 대한 영향력을 키울 기회를 얻었다. 하우크비츠 외무장관은 재빨리 이에 편승해 프로이센 중립 체제에 합류하고 신성로마제국 수호 의무에서 발을 빼라고 (하노버를 포함해) 여러 북독일 지역을 설득했다.[14] 마침내 중립 지대는 동부전선에서 프로이센의 짐을 덜어주고 프랑스의 침공을 오스트리아로 향하게 만들었다. 여기까지는 전통적인 이중정책과 노선이 일치했다. 바꿔 말해, 중립정책은 단순히 프랑스와의 전쟁을 피하는 데서 그치는 문제가 아니었다는 말이다. 강화조약을 체결하고 북독일의 '휴전선' 너머에서 안전을 확보한 뒤에, 왕은 만족한 시선으로 그동안에 성취한 것을 돌아볼 수 있었다.

하지만 그가 이룩한 것은 보기보다 깨지기 쉬운 것이었다. 이로써 프로이센은 고립되었기 때문이다. 지난 6년 동안 프로이센은 사실상 모든 유럽 국가와 스스로 동맹을 맺었다가 파기했다. 잘 알려진 왕의 비밀외교 취향과 혼란스러운 이중거래는 그를 외톨이로 만들었고 외교적인 문제에서 믿을 수 없는 인물이라는 인상을 남겼다. 곧 프로이센은 강대국의 지원이 없으면 독일의 휴전선을 방어할 수 없고, 따라서 중립 지대는 무의미하다는 사실을 경험해야 했다. 그와 달리 더 장기적으로 영향을 미치는 것은 폴란드가 유럽 지도에서 사라졌다는 사실이었다. 폴란드를 상대로 강대국이 자행한 영토 분할의 도덕적 무도함은 차치하고라도, 폴란드가 독립해 있으면 동부의 3대 강국 사이에서 완충지대로서 또 중재자로서 결정적인 역할을 할 수 있다는 사실은 여전히 남아 있었다.[15] 더 이상 폴란드가 존재하지 않는 이제, 프로이센은 사상 처음으로 러시아와 방어가 불가능한 긴 국경을 공유하게 되었다.[16] 이제부터 프로이센의 운명은 광활하고 갈수록 강해지는 동부 인접국의 운명과 불가분의 것이 되었다.

　1795년에 프랑스와 바젤에서 맺은 조약에 따라 북독일의 중립 지대로 피한 베를린 정부는 신성로마제국의 운명에 철저히 무관심했다. 독일 한복판을 가르는 휴전선은 남부를 프랑스와 오스트리아의 자비에 맡기고 포기한 꼴이었다. 뿐만 아니라 1795년의 바젤 조약에 부기한 비밀협정은 프랑스가 라인 지방에서 차지한 프로이센의 영토를 끝까지 보유해야 한다면, 프로이센은 라인 동쪽의 영토 보장을 통해 보상받을 것이라는 단서가 들어 있었다. 1790년대 말이 되자 합병의 물결이 독일을 집어삼킬 것 같은 불길한 전조가 감돌았다. 오스트리아도 겉으로나마 군소 국가들을 배려하는 체했던 모습을 더 이상 보이지 않았다. 대프랑스전에 참전한 오스트리아군은 남독일 국가에서 동맹군보다는 점령군 행세를 했다. 1793년 3월에 오스트리아 외교정책을 관장하는 자리에 임명된 요한 폰 투구트 남작은 지적이고 파렴치한 장관으로서 대독일 전략을 바이에른 지역의 오랜 교환 프로젝트에 초점을 맞췄다. 1797년 10월 오스트리아는 나폴레옹 보나파르트와 거래를 하며 오스트리아령 네덜란드를 내주고 베네치아 및 구제국의 교회 조직에서 가장 중요한 주교령인 잘츠부르크를 얻기로 결론을 내렸다.[17] 폴란드의 운명이 신성로마제국에도 들이닥칠 것처럼 보였다. 소백작령인 나사우의 선임공사 한스 크리스토프 폰 가게른은 다음과 같이 예상하며 그 가능성을 정확하게 짚었다. "독일 군주들은 프랑스를 생각할 때면 프로이센과 오스트리아가 화해하길 바라고, 폴란드를 생각할 때면 그들도 똑같이 되지 않을까 전전긍긍하며 공포에 휩싸이는 이중고의 불운을 겪었다."[18]

이 시기에 프랑스가 정한 대독일정책의 주요 목표는 프랑스의 '자연경계선' 회복이라는 전혀 터무니없는 개념이었는데, 국민의회가 만들어낸 이 개념의 기원은 루이 14세로 거슬러 올라가는 것이었다. 사실상 이것은 라인강 좌안을 따라 난 독일 영토를 모조리 합병한다는 의미였다. 이 지역은 제국 소속의 제후령이 조각조각 흩어져 있는 인구 밀집 지대로서 거기에는 호엔촐레른가의 프로이센 국왕 영지와 쾰른, 트리어, 마인츠 선제후령, 팔츠 선제후령, 팔츠-츠바이브뤼켄 공국, 그 밖에 자유제국도시와 숱한 군소 영토가 포함되어 있었다. 따라서 이 일대가 단일국가인 프랑스에 흡수된다면, 그것은 신성로마제국으로서는 대재앙이 될 것이 분명했다. 하지만 독일 영방은 프랑스의 서부 탈취에 대항해 싸울 형편이 되지 못했다. 비교적 규모가 큰 국가(바덴, 뷔르템베르크, 바이에른)는 이미 전쟁에서 밀려나 프랑스와 연결할 다리를 놓기만을 바라고 있었다. 나폴레옹이 북부 이탈리아에서 오스트리아를 상대로 대승을 거둔 이후 1797년 10월에 체결된 캄포포르미오 조약에서 오스트리아는 프랑스가 독일의 라인 지방을 점령하는 것까지도 인정했다. 또한 제국에 대한 프랑스의 합병 결과는 전체적으로 프랑스와 제국의 영방 대표 간에 직접 교섭에 의해 결정되어야 한다는 데에도 합의했다. 이렇게 해서 독일어권 유럽의 재분할을 향해 치달을 지루한 협상을 위한 무대가 마련되었다. 협상은 1797년 11월 바덴 지역의 그림 같은 도시 라슈타트에서 시작되어 중단과 재협상을 거듭하다가 1803년 4월 27일에 이른바 제국대표단 최종보고안(독일어로는 어마어마하게 Reichs-deputaionshauptschluss라고 부른다)을 채택하면서 레겐스부르크에서 끝났다.

이 최종보고서는 지정학적 혁명을 알렸다. 자유제국도시 여섯 개를 제외하고는 사실상 거의 대부분 휩쓸려나갔다. 쾰른과 트리어 등 제국 직할의 교회 주교령부터 코르베이, 엘방겐, 구텐첼 등 제국에 소속된 대수도원이 세 곳만 남고 지도에서 모두 사라졌다. 살아남은 지역은 주로 중대형 규모의 제후령들이었다. 전통적으로 독일 지역에 속국을 만드는 정책을 추구해온 프랑스는 프랑스와 오스트리아 사이에 낀 지리적 위치 때문에 유용한 동맹이 될 수 있는 바덴과 뷔르템베르크, 바이에른에는 유난히 관대했다. 비율로 치면 바덴이 영토 획득의 최대 승자였다. 프랑스의 합병으로 440제곱킬로미터의 영토를 잃었지만, 그 대신 슈파이어, 슈트라스부르크, 콘스탄츠, 바젤 등의 주교령에서 떨어져 나온 영토 3,237제곱킬로미터를 얻었기 때문이다. 또 다른 승자는 힐데스하임과 파더보른 주교령, 뮌스터의 대부분 지역, 에르푸르트, 아이히스펠트, 에센과 베르덴, 크베틀린부르크 등의 대수도원, 노르트하우젠, 뮐하우젠, 고슬라르 등의 자유제국도시 등을 획득한 프로이센이었다. 프로이센은 주민 12만 7천 명과 더불어 라인 지방의 영토 2,642제곱킬로미터를 잃었지만 50만 명에 가까운 인구와 더불어 1만 3천 제곱킬로미터에 가까운 영토를 얻었다.

신성로마제국은 빈사 상태에 놓였다. 교회 소속의 제후령이 사라지자 제국의회 내의 가톨릭 다수파도 더 이상 존재하지 않았고 제국의 가톨릭 도시도 옛말이 되었다. 전통적인 중부 유럽의 정치적·헌법적 다양성을 위한 보호 지대라는 존재의 이유도 바닥이 났다. 종래의 황제 지위와 합스부르크가의 등식 관계는 이제 의미를 상실한 것처럼 보였다. 레오폴트 2세의 후계자인 프란츠 2세도 이런 상황을 알고 1804년에 제국과 상관없이 황제 지위를 유지하기 위해 자신이 오스트리아의 세습 황제임을 선언했지만 결과는 달라지지 않았다. 1806년 8월 6일 제국 의전관이 평소대로 트럼펫 팡파르를 울리고 제국의 공식적인 종말을 알렸지만, 이것은 단순한 절차였을 뿐 주목하는 사람은 아무도 없었다.

나폴레옹 전쟁이 끝나기 전에 다시 영토가 재편되었지만, 단순해진 19세기 독일의 기본 윤곽은 이때 이미 가시화되었다. 프로이센은 새로 얻은 영토를 통해 북독일의 지배권을 굳혔다. 또 바덴과 뷔르템베르크, 바이에른은 단결해 오스트리아와 프로이센의 주도권 다툼에 맞서는 빈틈없는 중립국가 핵심 블록을 형성했다. 교회 소유지가 사라진 것은 수백만의 독일 가톨릭교도가 프로테스탄트 국가의 한복판에서 유대인의 공동체 디아스포라처럼 산다는 것을 의미했다. 이것은 근대 독일의 정치적·종교적 삶에 엄청난 영향을 미치는 문제였다. 과거 제국의 잔재 한가운데에서 독일의 미래가 점점 형태를 갖추고 있었다.

중립에서 패배에 이르기까지

1806년 10월 14일, 26세의 요한 폰 보르케 중위는 에른스트 빌헬름 프리드리히 폰 뤼헬 장군 휘하의 2만 2천 군단 병력과 함께 예나 시 서쪽에 배치되었다. 나폴레옹 군대가 시 부근 언덕에 주둔한 프로이센 주력 부대와 교전했다는 소식이 전해진 것은 아직 어둠이 가시기 전이었다. 이미 동쪽에서는 대포 소리가 들렸다. 병사들은 밤새 축축한 땅에서 대기하느라 춥고 몸이 뻣뻣했지만 아침 해가 떠오르면서 안개가 걷히고 어깨와 사지가 따뜻해지기 시작하자 사기가 되살아나고 "고달프고 배고픈 것도" 잊어버렸다고 보르케는 회고했다. "일제히 실러의「기마병의 노래」(Reiterlied)를 불렀다." 10시가 되자 보르케와 병사들은 예나를 향해 이동했다. 동쪽을 향해 큰길을 따라 행군하는 동안, 이들은 전투 지역에서 돌아오는 많은 부상병을 보았다. "보이는 거라곤 모두 패배해서 도망치기 바쁜 모습뿐이었다." 하지만 정오가 되자, 예나 외곽에서 프랑스군에 맞서 싸우는 프로이센 주력군 사령관 호엔로에-잉겔핑겐 후작의 부관 한 명이 메시지를 들고 달려왔다. "뤼헬 장군, 서두르시오! 승리는 우리 것이나 다름없소. 지금 프랑스군을 완전히 밀어붙이고 있어요." 이 소식을 전군에 알리라는 명령이 떨어졌고 대열 곳곳에서 우렁찬 함성이 울려 퍼졌다.

　전투 지역으로 향하는 군단은 카펠렌도르프라는 작은 마을을 지나갔다. 길에는 대포와 각종 마차, 부상병, 죽은 말들이 널려 있어 행군이 더뎠다. 군단이 마을을 빠져나오자 나지막한 언덕이 늘어서 있었고 거기서 처음으로 전투 지역의 모습이 보였다. 호엔로에 군단에서 겨우 "전열이 무너진 나머지 병력"만 프랑스군의 공격에 버티는 것을 보고 이들은 겁에 질렸다. 보르케 휘하의 병사들이 공격 위치로 이동하는 동안 총탄이 빗발치듯 쏟아졌지만, 프랑스군은 아주 유리한 위치를 선점해서 보이지도 않았고 총알이 어디서 날아오는지도 알 수 없었다. "보이지도 않는 적으로부터 이렇게 집중 사격을 받은 부대원들은 공포에 휩싸였다. 이런 식의 전투에는 익숙지 않았기 때문에 병사들은 무기를 들고 싸울 엄두를 내지 못했고 이내 적군이 우월하다는 생각에 사로잡혔다"라고 보르케는 회상했다.

　맹렬한 사격에 당황한 군단 병력은 지휘관이나 병사들이나 똑같이 빠른 속도로 움직이며 앞으로 진격했다. 공격은 14성인 마을 부근에 포진한 프랑스 부대를 향해 시작되었다. 하지만 프로이센군이 치고 나가는 동안, 적군의 포격과 소총사격은 점점 더 맹렬해졌다. 이에 맞서 군단은 소수의 연대 대포로 대응했지만, 이마저도 곧 고장 나고 말아 공격을 포기할 수밖에 없었다. "왼쪽 어깨 앞으로!"라는 기마 구령이 진격 중인 대열에 떨어지자, 프로이센 기마부대는 오른쪽으로 방향을 바꾸며 공격 각도를 틀었다. 이 과정에서 왼쪽에 포진한 대대별 간격이 벌어지기 시작했다. 프랑스군의 포격이 더 거세지면서 진격 중인 대열에도 갈수록 큰 구멍이 생겼다. 보르케와 동료 장교들은 앞뒤로 말을 몰며 흐트러진 대열을 정비하려고 애를 썼지만, 좌익열의 혼란을 가라앉힐 방법이 없었다. 그들의 지휘관인 폰 판비츠 소령은 부상을 당해 말을 탈 수 없었고 그의 부관인 폰 야고 중위는 전사했기 때문이다. 폰 발터 연대장도 뤼헬 장군과 몇몇 참모장교의 뒤를 이어 사망했다.

명령을 기다리지도 않고, 보르케 군단 병사들은 프랑스군을 향해 마구 총을 쏘기 시작했다. 탄약이 떨어진 병사들은 총검을 꽂고 적진을 향해 달려들었지만 저지 사격이나 '아군의 포격'에 의해 쓰러져갔다. 프랑스 기병대가 도착하자 공포와 혼란은 가중되었다. 이들은 밀려오는 프로이센군을 향해 군도를 휘두르며 머리고 팔이고 사정없이 베었다. 보르케는 어쩔 수 없이 바이마르를 향해 서쪽으로 후퇴하는 물결에 휩쓸렸다. 보르케는 다음과 같이 썼다. "아무짝에도 쓸모없는 목숨. 마음의 고통은 이루 말할 수 없이 컸다. 육체적으로 기력이 완전히 바닥난 나는 무거운 발을 질질 끌며 겁에 질린 패잔병 무리를 따라갔다."[19]

예나 전투는 끝났다. 프로이센군은 규모는 비슷했지만(프로이센군 5만 3천 명, 프랑스군 5만 4천 명) 전투력이 우수한 적군에게 패배했다. 설상가상으로 북쪽으로 몇 킬로미터 안 되는 아우어슈테트에서 브라운슈바이크 공작이 이끄는 약 5만의 프로이센군이 그 절반밖에 안 되는 다부 원수 휘하의 프랑스군에 참패했다는 소식이 들어왔다. 2주 후에 프랑스군은 할레 부근에서 소규모의 프로이센군을 무너뜨리고 할버슈타트와 베를린을 점령했다. 잇따라 승전과 항복이 줄을 지었다. 프로이센군은 단순히 패배만 한 것이 아니라 궤멸 상태에 빠졌다. 예나에 있었던 한 장교의 말을 빌리자면, "신중하게 소집하고 누가 봐도 흔들림이 없던 군대 조직이 갑자기 바닥부터 산산조각 났다".[20] 이런 결과는 정확하게 1795년에 프로이센이 체결한 중립 조약이 회피하려고 했던 대참사였다. 어떻게 이런 일이 일어났을까? 왜 프로이센은 비교적 안전한 중립 조약을 포기하면서 권력의 정점에 있던 프랑스 황제를 상대로 전쟁을 벌였을까?

우유부단한 프리드리히 빌헬름 3세가 즉위한 1797년 이후, 그의 전임자가 유리하다고 판단해서 채택한 중립 노선은 일종의 원칙이 되었다. 이는 곧 중립 노선이 교전 당사국 중 한 나라의 편이 될 수밖에 없는 상황에서도 (1799년 제2차 대프랑스동맹을 준비할 때처럼) 프로이센이 고집하는 체제가 되었다는 뜻이다. 이것은 어느 정도 군주가 선호하는 바를 반영하는 것이기도 했다. 선왕과 달리 프리드리히 빌헬름 3세는 군사적 명성을 쌓는 데 관심이 없었다. 1798년 10월 그는 숙부에게 이렇게 말했다. "아시다시피 짐은 전쟁을 혐오합니다. 인류의 행복에 꼭 맞는 제도로서 지상에서 평화와 평온의 유지보다 더 중요한 것은 없어요."[21] 하지만 중립정책을 선호한 것은 그것을 지지하는 여론이 우세하기 때문이기도 했다. 왕 스스로 그럴싸하게 합리화했듯이, 중립을 유지하는 것은 훗날 전쟁 가능성을 열어두는 것이어서 매우 유연한 선택이었다. 선임 장관들과 잦은 접촉을 하며 막강한 영향력을 행사한 왕비 루이제 폰 메클렌부르크-슈테를리츠는 동맹군 쪽에서 전쟁을 하면 러시아에 의존하는 결과를 부를 것이라고 경고했다. 이런 주장은 열강 중에서 프로이센이 최약체국이라는 정확한 판단을 기반으로 한 것이었다. 이런 상황에서 교전 당사국 중 한 나라와 동맹을 맺는 것으로는 목표를 달성한다고 장담할 수 없었다. 게다가 국고는 갈수록 적자가 늘었다. 그러므로 중립이라는 보호막 없이 미래의 분쟁에 대비해 국고를 보충하는 것은 불가능했다. 결국 중립 노선은 북독일의 영토 확장에 대한 전망을 제시한다는 점에서 매력이 있었다. 이런 약속은 부분적으로 1802년 5월 23일, 프로이센과 프랑스가 맺은 비밀협정에서 실현되었다. 여기서 알토란같은 이전의 자유제국도시와 세속화된 교회 주교령을 프로이센이 차지하게 되었고, 이것은 이듬해 제국대표단이 결의한 최종보고서로 확인되었다. 국왕의 정책을 자문하는 프로이센의 장관이나 각료회의에서 볼 때는 중립 노선이 너무도 그럴듯했기 때문에 1805년 이전에는 사실 완강하게 반대하는 사람이 없었다.[22]

중립 노선을 유지한 기간에 프로이센이 당면한 근본 문제는 간단히 말해 프랑스와 러시아 사이에 노출된 왕국의 지정학적 위치였다. 이 때문에 중립 지대와 그 안에서 누리는 프로이센의 지배적 위치가 끊임없이 위협을 받았다. 여기에 대선제후 시절 이후 호엔촐레른가가 싸워왔던 지리적 약점이 있었다.[23] 그런데 이런 위협적 상황이 독일 내에서 프랑스의 합병정책이 이루어지고 프로이센과 러시아를 가르는 폴란드라는 완충지가 제거되면서 한층 거세진 것이다.[24] 1801년 3월부터 10월까지 프로이센이 일시적으로 하노버를 점령한 것이 단적인 예다. 동군연합에 따라 영국왕 편에 선 하노버는 중립 지대 안에서 두 번째로 규모가 큰 영토였기 때문에 영국에 외교적 압박을 가하려는 국가에게는 탐스러운 먹잇감이었다. 1800~1년의 겨울과 봄에 러시아의 차르 파벨 1세는 발트해와 북해에서 영국의 해상 패권을 약화시킬 생각으로 프랑스와 친선을 도모했고 베를린을 압박해 하노버 선제후령을 점령하도록 했다. 그러면 하노버가 영국이 철수하도록 설득할 것이라고 기대했기 때문이다. 프로이센 왕은 처음에는 망설였다. 그러다가 프로이센이 가만 있으면 프랑스가 하노버를 점령할 것이 분명해지자 그에 동의했다. 이것은 확실한 중립국으로서 프로이센의 역할에 남아 있는 한 가닥 믿음마저 깨버리는 행위였다. 프로이센은 가능한 한 빠른 시간에 다시 철수했지만, 이 사건은 그들이 바젤 평화 조약에서 확보한 중립 지대 안에서도 자율적인 작전을 전개할 여지가 별로 없었다는 것을 보여준다. 동시에 이 일로 베를린과 런던의 관계는 악화되었고, 영국에서는 결국 "[영국] 왕 휘하의 선제후령 전체를 차지하는 것"이 프로이센의 최종 목표일 것이라고 생각하는 사람이 많았다.[25]

중립 지대 안에서 주도권을 주장하는 베를린의 요구가 공허하다는 것은 프랑스에 영토를 빼앗긴 독일 내의 중소 국가들에 대한 배상 과정에서 더 확연히 드러났다. 이들은 한결같이 프로이센을 외면하고 파리와 직접 협상했다.[26] 1803년 7월, 나폴레옹은 하노버를 점령함으로써 프로이센의 감정을 철저하게 무시한다는 것을 보여주었다. 여기서 그치지 않고 1804년 가을에 프랑스군이 함부르크에 침입해 영국 사절인 조지 럼볼드 경을 납치하자 프로이센의 위신은 다시 추락했다. 이 납치 사건은 베를린의 분노를 유발했다. 럼볼드는 프리드리히 빌헬름 궁정에 파견되어 임무를 수행하는 외교 사절이었다. 말하자면 프로이센 왕의 보호를 받고 있었다. 더욱이 이 행위는 중립협정과 국제법의 중대한 위반이었다. 프리드리히 빌헬름은 나폴레옹을 향해 엄중히 항의했다. 프랑스와의 충돌을 피하는 길은 나폴레옹이 예기치 않게 한 발 물러나 럼볼드를 석방하는 것밖에 없었다.[27]

프랑스군이 아우스터리츠에 주둔한 오스트리아-러시아 연합군을 향해 남진하는 중에 호엔촐레른의 타국 내 소유지인 안스바흐와 바이로이트를 통과한 1805년 10월에도 다시 조약을 위반하는 행위가 발생했다. 이런 도발과 맞닥뜨리면서 프로이센의 중립 노선을 지지하는 목소리는 갈수록 힘을 잃는 것처럼 보였다. 프리드리히 빌헬름 3세가 중립에 대한 대선제후의 쓰라린 경험을 생각했는지 아니면 북방전쟁이 한창일 때, "중립을 지킨다는 것은 중간층에 살면서 아래층에서 올라오는 연기에 그을리고 위층에서 쏟아지는 오줌에 흠뻑 젖는 것"[28]과 같다고 말한 라이프니츠의 논평을 생각했는지에 대해서는 알려진 것이 없다.

난관은 중립에 대한 최선의 대안이 무엇인지를 결정하는 것이었다. 프로이센은 프랑스와 한 편이 되어야 하나, 아니면 러시아 및 연합군과 한 편이 되어야 하나? 의견은 갈렸다. 장관이나 고위 관료, 비공식 고문관들은 모이면 서로 군주에게 영향을 주기 위해 다투어 논쟁을 벌였다. 이 싸움은 어느 한 이해 집단의 영향을 받지 않으려 한 왕이 허용한 것이어서 핵심 안건을 놓고 고위 관료나 각료, 추밀고문관, 왕비나 왕의 측근들로부터 의견을 들으며 계속되었다. 외교정책에 대한 통제권을 놓고 벌인 이 싸움에서 주도적인 인물은 외무장관으로 얼마 전에 퇴직한 크리스티안 폰 하우크비츠 백작 그리고 하우크비츠가 1804년에 건강상의 이유로 물러난 뒤 후임자로 들어온, 앞서 안스바흐-바이로이트 대목에서 소개한 카를 아우구스트 폰 하르덴베르크였다.

럼볼드 사건으로 위기에 빠졌을 때 하르덴베르크는 러시아와 동맹을 맺고 프랑스와 공개적으로 단절하자고 주장하기 시작했다. 부분적으로는 자신의 입지를 다지기 위해 하우크비츠의 중립 노선이 와해된 것을 이용하려는 의도도 있었다. 은퇴했으나 군주에게 자문하기 위해 다시 불려 나온 하우크비츠는 신중한 대처를 주문하면서 동시에 하르덴베르크를 제치고 외교정책에 대한 통제권을 다시 거머쥐려는 책략을 썼다. 하르덴베르크는 평소처럼 끈질기고 무자비할 정도로 자신의 주장을 내세우며 모든 것을 결정하는 군주의 환심을 사기 위해 애를 썼다.[29] 이들의 다툼에서 보듯, 의견 차이는 정치적 엘리트 계층 내의 대립 관계 때문에 확대되었다. 이런 상황이 연출된 것은 특히 1805~6년에 프로이센의 안보 위기가 간단히 해결될 수 있는 것이 아니었기 때문이다. 프랑스와 동맹을 맺든, 연합군에 합류하든, 양쪽 의견 똑같이 그럴듯한 동시에 꽤나 감당하기 벅찬 것이었다.

국제 정세는 프로이센의 정책을 어지럽게 이리저리 뒤흔들었다. 1805년 10월, 안스바흐와 바이로이트에서 프랑스가 중립을 깨버리자 러시아와 동맹하는 것에 관심이 쏠렸다. 11월 하순, 프랑스에 강경한 최후통첩을 전하기 위해 하우크비츠가 파견되었다. 하지만 그가 떠나자마자 발생한 일련의 사건으로 다시 균형추는 프랑스 쪽으로 기울었다. 나폴레옹 사령부에 도착했을 때 하우크비츠는 (1805년 12월 2일에) 프랑스 황제의 군대가 아우스터리츠에서 오스트리아-러시아 연합군을 궤멸시켰다는 소식을 들었기 때문이다. 자신이 전하려던 최후통첩이 더 이상 쓸모가 없다고 느낀 이 프로이센의 특사는 나폴레옹에게 동맹을 제안했다. 쇤브룬 조약(1805년 12월 15일)으로 프로이센은 프랑스가 요구한 여러 후속 합의사항과 더불어 나폴레옹과 포괄적인 동맹을 맺는 것뿐 아니라 하노버를 합병하고 영국 선박에 대해 북해항을 폐쇄해야할 의무가 생겼다. 프리드리히 빌헬름은 이것이 영국과의 전쟁을 의미한다고 생각했지만, 프랑스에게 망하는 것보다는 그나마 나은 결과라고 보았다. 상황은 하우크비츠가 경쟁자를 누르고 승리한 것처럼 보였다. 1806년 3월 그는 하르덴베르크를 강제로 사임시키는 데 성공했다. 1806년 여름, 하우크비츠는 "프랑스는 초강대국이고 나폴레옹은 이 시대의 영웅이요"라고 프로이센 특사인 루케시니에게 편지를 보냈다. "그러니 그와 손을 잡으면 무엇이 두렵겠소?"[30]

러시아와 분쟁을 피하고 싶어서 결정을 미루기로 결심한 프리드리히 빌헬름은 계속해서 상트페테르부르크와 선린 관계를 유지하기 위한 정책을 비밀리에 추진하기로 했다. 비밀외교 요원으로서 민감한 임무를 맡은 하르덴베르크로서는 환영할 만한 유예조치였다. 3월에 화를 내며 공직에서 물러난 것으로 보였던 그에게는 러시아와의 비밀외교를 위한 임무가 주어졌다. 이것은 한편으로 프랑스와 표면상 동맹을 추진하는 하우크비츠의 정책을 망치는 것이기도 했다.[31] 두 개 전선의 진퇴양난이 이렇게까지 베를린을 곤경에 빠뜨린 적은 없었다.

이제 관료 계층의 최고 상층부 안에서 정치적으로 단호한 입장에 선 반대파가 모습을 드러냈다. 영향력이 막강한 반대파 중에는 프로이센의 재정경제대신으로서 다혈질의 폼 슈타인이 있었다. 슈타인은 1795년 이래로 중립정책을 독일에 대한 비겁한 배신으로 간주하고 한 번도 찬성한 적이 없었다(사실 제국에 충성하는 라인 지역의 귀족으로서 예상된 행보였지만). 1805~6년 겨울에 하우크비츠 백작이 나폴레옹과 동맹을 맺고 하노버의 합병을 추진하며 영국과 전쟁을 벌이려는 동안, 친영파인 슈타인은 정부의 노선을 지지할 수 없었다. 그는 정부 최고위층의 철저한 구조 개혁만이 한층 더 효율적인 외교정책을 가능하게 할 것이라고 믿게 되었다. 책임의 한계를 한참 벗어난 행동을 하면서 그는 1806년 4월 27일 자로 메모를 한 장 작성했다. "잘못된 각료 조직과 부처 회의 설치의 필요성에 관하여"라는 제목만 보아도 충격적인 선언에 해당하는 것이었다. 슈타인의 문서는 치열한 어휘 선택으로 주목을 받았다. 국왕 휘하의 각료들에게 "오만과 독단, 무지, 신체적·도덕적 나약함, 천박, 잔인한 감각, 불충한 배신, 수치를 모르는 거짓말, 편협함, 짓궂은 험담"[32]이라는 비난을 쏟아냈다. 당면한 국란에 대한 타개책으로, 슈타인은 타락한 관료들을 쫓아내는 것만으로는 부족하고 투명한 책임의 한계를 확립해야 한다고 주장했다. 그는 현행 규정상으로는 왕의 개인 고문관들이 "모든 권력을 쥐고 있는데, 책임은 대신들이 진다"고 주장했다. 그러므로 편파적으로 가까운 사람끼리 정한 자의적인 규정 대신 책임지는 각료 체제로 교체해야 한다는 것이었다.

> 국왕 폐하가 이 혁신 제안에 동의하지 않는다면, 폐하가 불완전한 조직과 불량한 구성원으로 이루어진 내각의 영향 아래 계속 통치를 한다면, 국가는 해체되거나 독립성을 상실할 것이고 백성의 사랑과 존경을 다시는 받지 못할 것이다. […] 결국 강직한 관리로서는 부당한 수치감만 떠안은 채, 잇따르는 부정에 대항하지도 못하고 국가를 포기하는 것 외에 달리 도리가 없을 것이다.[33]

프로이센 정부 최고위층 안에서 형성된 분위기가 얼마나 반역적이었는지, 이처럼 극적으로 보여주는 문서도 없을 것이다. 어쩌면 슈타인으로서는 유난히 솔직한 이 문서가 왕에게 전달되지 않은 것이 다행이었을 것이다. 슈타인은 이것을 뤼헬 장군에게 건네며 (자신의 불행한 명령이 예나에서 곧 이행되도록) 군주에게 전해달라고 당부했지만, 노(老) 장군은 망설였다. 5월에 슈타인은 이 문서를 루이제 왕비에게 제시했는데, 왕비는 그의 감정을 이해하기는 했지만 내용이 너무 '극단적이고 강렬하다'고 생각해 남편에게 보여주지 않았다. 그래도 메모는 효과를 발휘했다. 의견을 달리하는 정부 내의 고위 인사들이 회람하면서 그들의 반대 의견은 더 완강해졌기 때문이다. 1806년 10월, 슈타인은 반대파 관료의 지도자 중 한 명으로 부각되었다.

　　그때까지 프로이센 외교정책의 진퇴양난 상황은 미해결의 상태로 남았다. 하르덴베르크는 1806년 6월의 비망록에서 다음과 같은 경고를 했다. "전하가 놓인 처지는 러시아 및 프랑스와 동시에 동맹을 맺는 한 가지 선택뿐이었다. [⋯] 이런 상태가 지속되어서는 안 된다."³⁴ 7월과 8월에는 역내 동맹을 맺자는 의견을 제시하며 다른 북독일 국가들의 반응을 살폈다. 이런 노력 끝에 얻은 가장 중요한 결실은 작센과의 동맹이었다. 대신 러시아와의 협상은 지지부진했다. 한편으로는 아우스터리츠에서 정신이 번쩍 들 만큼 참담한 패배를 당한 충격의 여파가 아직 가시지 않았기 때문이기도 했고, 또 한편으로는 수개월간 비밀외교를 펼친 데 따른 혼란을 정리하는 데 시간이 걸렸기 때문이다. 여전히 공고한 동맹을 위해 별 진전이 이루어지지 않은 상태에서 다시 프랑스가 도발한다는 소식이 베를린에 알려졌다. 1806년 8월에는 나폴레옹이 영국과 동맹 협상을 벌이고 있으며 런던에 대한 유인책으로 하노버를 반환하겠다는 일방적인 제안을 했다는 소문이 돌았다. 이것은 너무도 모욕적인 것이었다. 북독일 중립 지대와 그 속에서 프로이센이 처한 입지에 대한 나폴레옹의 모욕을 이보다 더 생생하게 보여준 것은 없을 것이다.

이때 프리드리히 빌헬름 3세는 프랑스와의 전쟁을 선호하는 측근들로부터 심한 압박을 받고 있었다. 9월 2일, 국왕에게 그의 정책을 극렬히 비판하고 전쟁을 압박하는 메모 한 장이 전해졌다. 서명자 중에는 인기를 끄는 군지휘관이자 프리드리히 대왕의 조카인 루이 페르디난트 왕자와 왕의 동생인 하인리히 왕자와 빌헬름 왕자, 사촌인 오라녜 공이 있었다. 서명자를 대신해 궁정 사료편찬 위원 요하네스 폰 뮐러가 작성한 메모는 신랄했다. 거기서 왕은 신성로마제국을 포기하고 백성을 희생시켰으며 친프랑스파 장관들이 사리사욕을 위해 추구하는 못된 정책 때문에 말의 신뢰성을 잃었다는 비난을 받았다. 그런 마당에 이제는 분명한 태도를 보여주지 않음으로써 왕국과 왕실의 명예를 실추시킬 위험에 빠트리고 있다는 것이었다. 왕은 이 문서를 자신의 권위에 대한 계획적인 도전이라고 간주하고 분노했으며 경고를 보냈다. 그는 형제들이 왕위 다툼을 벌이던 옛날을 연상시키는 태도를 드러내며, 왕자들에게 수도를 떠나 각자의 연대로 복귀하라는 명령을 내렸다. 이 일화가 보여주듯이 외교정책을 둘러싼 파벌 싸움은 통제 가능한 범위를 벗어났다. 왕실 사람이 포함된 완강한 '주전파'가 모습을 드러냈지만, 중심은 카를 아우구스트 폰 하르덴베르크와 카를 폼 슈타인 두 명의 장관이었다. 주전파의 목적은 중립정책의 임시방편과 절충안 들을 끝장내는 것이었다. 하지만 그 속뜻은 왕을 어떤 합의 구조의 틀에 묶어둘좀 더 폭넓은 기반에 근거한 의사결정 과정에 대한 요구였다.[35]

9월 2일의 무례한 문서를 본 왕은 몹시 화를 내면서도 신뢰를 상실했다는 비난 때문에 불안해졌다. 신중하고 조심스러운 성격이었던 그가 불안하게 흔들리자 베를린의 정책결정자들은 러시아 및 오스트리아와 동맹을 체결하는 계획이 아직 구체적으로 가닥을 잡지 못했는데도 불구하고 행동을 취해야 할 것 같은 압박을 받았다. 9월 26일 프리드리히 빌헬름 3세는 프랑스 황제에게 격렬한 비난으로 가득 찬 편지를 보냈다. 거기서 그는 니더라인 지역 곳곳에 흩어진 프로이센 영토를 반환하라고 요구하면서 중립 조약을 준수해야 한다고 주장했다. 그러면서 다음과 같은 말로 편지를 마무리했다. "폐하의 명성을 온전히 지키고 동시에 다른 백성의 명예도 보존하는 토대 위에서 제발 우리가 서로 이해의 폭을 넓힐 수 있기를 바랍니다. 그리하여 아무도 미래를 장담할 수 없는 이 공포와 기대감의 열병에 종지부를 찍을 수 있기를 바랍니다."[36] 10월 12일 게라의 황제사령부에서 서명한 나폴레옹의 답장은 오만과 공격성, 빈정거림, 거짓 배려가 숨 막힐 정도로 어지럽게 뒤섞여 있었다.

10월 7일에야 전하의 서신을 받았습니다. 그런 문서에 서명하시게 만들다니 지극히 유감이로군요. 짐이 이 글을 쓰는 이유는 오로지 그 안에 들어 있는 모욕을 절대 전하 개인의 탓으로 돌리지 않겠다는 점을 분명히 하기 위함입니다. 그렇게 무례한 언사는 전하의 성격에도 맞지 않고 그저 우리 두 사람의 명예를 깎아내릴 뿐이니까요. 짐은 그런 행위를 혐오하며 그런 짓을 한 사람을 경멸한답니다. 그 직후에 전하의 장관 한 명이 짐과 만나기를 요구하는 연락을 받았습니다. 짐은 교양인으로서 약속을 지켰고 지금은 작센 한복판에 있습니다. 장담하건대 귀국이 전력을 다해도 끄떡없이 우리에게 승리를 가져다 줄 강력한 군사력을 짐은 보유하고 있어요! 그러니 무엇 때문에 그 많은 피를 흘린단 말입니까? 무엇을 위해서죠? 아우스터리츠 전투 직전에 짐이 러시아 알렉산드르 황제에게 말한 것처럼 전하에게도 똑같이 말하지요. […] 전하, 귀국은 정복당할 겁니다! 전하는 노년의 평화뿐 아니라 백성의 생명을, 단 한 치의 자비도 받지 못하고 날려버릴 것입니다! 오늘은 전하의 명성을 온전히 유지하고 전하의 위상에 걸맞은 방식으로 짐과 협상을 하겠지만, 한 달이 지나기 전에 전하의 처지는 달라질 것입니다![37]

이것이 1806년 가을에 '금세기의 남자'(Mann des Jahrhunderts)로, '마상의 세계정신'(Weltgeist zu Pferde)으로 불리던 나폴레옹이 프로이센 왕에게 전한 말이었다. 이로써 예나–아우어슈테트 전투는 피할 수 없게 되었다.

　프로이센으로서는 시기적으로 그렇게 운이 나쁠 수가 없었다. 차르 알렉산드르가 약속한 병력이 언제 올지 여전히 모르는 상황에서 러시아와의 동맹은 가정에 지나지 않았다. 작센 동맹군을 제외하면, 프로이센군은 홀로 강력한 프랑스 군대와 맞닥트린 것이나 다름없었다. 아이러니컬하게도 주전파가 왕에게 그토록 불만스러워했던 습관, 즉 결정을 못 내리고 우왕좌왕하는 습관만이 프로이센을 구할 수 있는 유일한 길이었을 것이다. 프로이센과 작센의 야전사령관들은 튀링겐 숲 서쪽 어딘가에서 나폴레옹 군대와 교전이 시작될 것으로 예상했지만 프랑스군은 이들의 예상보다 훨씬 빨랐다. 1806년 10월 10일 프로이센 선봉대는 프랑스군과 잘펠트에서 전투를 개시하고 패배했다. 프랑스군은 지체 없이 프로이센군의 측면을 지나 베를린과 오데르강으로 향하면서 프로이센군의 보급선과 퇴각로를 차단했다. 이것이 전장에서 발생한 혼란을 되돌릴 수 없는 이유 중의 하나였다.

　　비교적 용감했던 프로이센군은 7년전쟁이 끝난 뒤로 전투력이 저하되었다. 갈수록 복잡해진 행진 훈련이 한 원인이었다. 이것이 과사용은 아니었다. 순수하게 군사적인 이유가 있었다. 다시 말해 극단적인 스트레스를 받는 개개의 병사들을 끈질긴 의지로 응집력을 유지하는 전투기계로 완성하는 것을 목표로 둔 훈련이었다. 이런 접근 방식이 강점을 지닌 것은 분명하지만(무엇보다 베를린에서 연례적으로 개최하는 열병식 훈련에서 외국인 참관자들에게 미치는 전쟁 억지 효과가 컸다), 나폴레옹 휘하의 프랑스군이 보여주는 유연하고 신속한 이동에 비해 비효율적이라는 것이 드러났다. 또 다른 문제는 프로이센군이 지나치게 많은 외국인 부대에 의존한다는 점이었다. 프리드리히 대왕이 사망한 1786년의 경우, 프로이센군에 복무하던 19만 5천 명의 병력 중에 외국인이 11만 명이었다. 외국인 부대를 보유한 데는 충분히 그럴 만한 이유가 있었다. 복무 중에 사망해도 감당하기가 쉬웠고, 군복무에 따른 국내 경제의 혼란을 줄여주었다. 하지만 이들의 엄청난 숫자도 문제를 일으켰다. 외국인 부대는 규율이 느슨했고 동기 부여가 부족했으며 탈영이 잦았다.

　　바이에른 왕위 계승 전쟁(1778~79년)에서 1806년의 원정까지 수십 년간 중대한 개선이 이루어진 것도 분명하다.[38] 기동력이 있는 경무장 부대와 소총수(Jäger) 분견대를 확대했고 현장 징발 체계도 단순화하고 철저히 점검했다. 그러나 그중 어느 것도 혁명을 거친 나폴레옹 휘하의 프랑스군과 순식간에 벌어진 격차를 메우기에는 부족했다. 어느 면에서 볼 때, 이것은 단순히 숫자의 문제이기도 했다. 프랑스 공화국이 '국민총동원령'의 후원 아래 국내 모병을 위해 프랑스의 노동자 계급을 찾아다니는 상황에서, 프로이센이 곧바로 보조를 맞출 수는 없는 노릇이었다. 그러므로 프로이센으로서는 동맹국의 지원이 없는 상황에서 어떤 수를 써서라도 프랑스와의 싸움을 피하는 것이 최선의 정책이었다.

더욱이 혁명전쟁 초기부터 프랑스는 보병과 기병, 포병을 영구적인 사단 체제로 편입시키고 독립적인 병참 지원을 받으며 자율적인 종합 작전을 전개할 수 있도록 했다. 나폴레옹 휘하에서 이 부대는 군단에 수용되면서 어디에도 비할 수 없는 유연성과 전투력을 갖추게 되었다. 이에 비해 프로이센군은 예나와 아우어슈테트에서 프랑스군과 마주쳤을 때, 제병연합군 형태의 사단 체제를 시험 운영도 제대로 해보지 못한 상태였다. 프로이센은 능숙한 사수의 활용에서도 프랑스에 한참 뒤졌다. 비록 우리가 본 대로 군사력 효율성을 높이려는 노력이 이루어지기는 했지만, 전체적으로는 미미했고 무기 제조도 최고 수준에는 못 미쳤다. 그리고 소총수의 배치가 대규모 부대의 배치와 어떻게 조화를 이룰지에 대해 충분한 계획을 세우지 못했다. 요한 보르케와 그의 지휘를 받는 보병들은 예나의 대량학살 현장과 마주쳤을 때 전술적 유연성과 전투력에서 드러난 이런 격차를 메우기 위해 엄청난 희생을 치렀다.

프리드리히 빌헬름 3세는 처음에 예나와 아우어슈테트 전투 이후 나폴레옹과 협상을 하려고 했지만 그의 시도는 퇴짜를 맞았다. 베를린은 10월 24일에 점령되었고, 그로부터 3일 후에 나폴레옹이 수도에 입성했다. 포츠담 부근에 잠시 체류하는 동안 나폴레옹은 프리드리히 대왕 무덤을 찾았는데 역사에 회자될 만큼 이 유명한 방문 행사에서 그는 관 앞에 서서 깊은 생각에 잠겼다고 한다. 전해진 이야기에 따르면, 그는 수행한 장군들을 향해 이렇게 말했다고 한다. "여러분, 이분이 아직 살아 있다면, 짐은 이 자리에 있지 못했을 겁니다." 이 말은 황제의 치기 어린 감상이자 프랑스인들(특히 프랑스 외교정책에 활력을 불어넣고 1756년 오스트리아와의 동맹을 '앙시앙 레짐'의 최대 실수라고 여긴 애국지사들)사이에서 회자되는 프리드리히 대왕의 특별한 명성을 향한 순수한 찬사라고 볼 수도 있다. 나폴레옹은 오랫동안 이 프로이센 왕을 찬미해 왔다. 그는 프리드리히의 원정에 얽힌 이야기를 탐독했고 개인 금고에 프리드리히 대왕의 작은 조각상까지 소장했다. 심지어 젊은 시절의 알프레드 드 비니는 의미심장한 표정을 지으며 나폴레옹이 프리드리히 대왕의 자세를 흉내 내는 것을 보았다고 주장했다. 가령 나폴레옹이 보란 듯이 코담배를 맡거나 모자로 과장된 행동을 하는 등 '그와 유사한 동작'을 취하는 것을 목격했다는 것이다. 이는 나폴레옹이 프리드리히 숭배 풍조에 지속적으로 젖어 있었다는 설득력 있는 증언이라고 볼 수 있다. 프랑스 황제가 베를린에서 딴 세상의 프리드리히에게 경의를 표하는 시간에 현실의 대왕 후계자는 1630년대와 1640년대의 암울한 시기와 똑같은 모습을 연출하며 왕국 최동단 모퉁이로 도피하고 있었다. 국고도 아슬아슬하게 빼내어 동부로 운송할 수 있었다.[39]

나폴레옹은 이제 평화협상을 제안할 준비가 되었다. 그는 프로이센을 향해 엘베강 서쪽의 영토 전부를 포기하라고 요구했다. 고뇌에 찬 망설임 끝에, 프리드리히 빌헬름은 10월 30일에 샤를로텐부르크 궁에서 이런 취지의 협정서에 서명했지만, 나폴레옹은 다시 생각을 바꿔 프랑스가 러시아를 공격할 때 프로이센을 작전기지로 활용하는 데 동의해야만 휴전에 응하겠다고 주장했다. 휘하의 장관 다수가 이 조건을 지지하는데도 불구하고, 프리드리히 빌헬름은 러시아 편에서 전쟁을 계속하자고 주장하는 소수의 손을 들어주었다. 이제 모든 것은 러시아가 프랑스 진격의 추진력을 막는 데 충분한 군사력을 전투 현장에 투입할 수 있느냐에 달려 있었다.

1806년 10월 하순부터 1807년 1월까지 프랑스군은 주요 요새를 강제로 점령하거나 항복을 받아내면서 프로이센 영토를 계속 유린해 나갔다. 그러나 1807년 2월 7일과 8일에 이들의 진격은 프로이시슈-아일라우에서 러시아군과 소규모의 프로이센 분견대에 의해 저지되었다.

이때의 패전으로 정신이 번쩍 든 나폴레옹은 1806년 10월의 휴전 제안, 즉 프로이센이 단순히 엘베 서쪽 영토만 포기하는 협정안으로 복귀했다. 이번에는 러시아의 공격 재개를 이용해 프로이센에 유리한 방향으로 다시 균형추가 기울기를 바라는 프리드리히 빌헬름이 거절했다. 하지만 그런 기대는 실현되지 않았다. 러시아군이 프로이시슈-아일라우에서 얻은 이점을 활용하는 데 실패했기 때문이다. 그리고 프랑스군은 1월과 2월 내내 슐레지엔에 있는 프로이센 요새를 계속 점령했다. 그동안 1806년에 효과를 본 친러시아 정책을 계속 밀어붙이던 하르덴베르크는 러시아와 다시 동맹 협상을 벌이고 1807년 4월 26일에 서명했다. 그러나 이 동맹은 얼마 가지 못했다. 1807년 6월 14일 프랑스가 프리트란트에서 러시아에 승리를 거둔 뒤, 차르 알렉산드르가 나폴레옹에게 휴전을 요청했기 때문이다.

1807년 6월 25일 황제 나폴레옹과 차르 알렉산드르는 강화를 위해 만났다. 이례적인 협상 무대가 마련되었다. 나폴레옹의 명령에 따라 화려한 뗏목을 만들어서 니멘강 중간에 묶어놓은 것이다. 니멘강은 동프로이센의 틸지트 부근에 있는 피크투푀넨을 흐르는 강이었다. 니멘강은 정전에 따른 공식 경계선이었고 러시아와 프랑스 양군이 서로 대치한 상태로 양 강둑에 포진해 있었기 때문에, 뗏목은 두 황제가 대등한 위치에서 만나는 중립 지대로서는 기발한 착상이었다. 프로이센의 프리드리히 빌헬름은 초대받지 못했다. 대신 그는 몇 시간 동안 러시아 외투를 걸치고 차르의 장교들로부터 호위를 받으며 초라하게 강둑에서 대기했다. 이것은 나폴레옹이 패전한 프로이센 국왕의 열등한 지위를 전 세계에 알린 여러 조치 중 하나에 지나지 않았다. 니멘강의 뗏목은 두 황제를 상징하는 'A' 자와 'N' 자가 들어간 화환 및 각종 꽃으로 장식되었다. 모든 행사가 프로이센 영토 안에서 치러졌지만 'FW' 자는 어디에도 없었다. 프랑스기와 러시아기가 곳곳에서 산들바람에 나부끼는데 비해 프로이센기는 눈을 씻고 봐도 보이지 않았다. 이튿날 나폴레옹

25 틸지트의 니멘강에 설치한 뗏목에서 만나는 나폴레옹과 차르 알렉산드르. 나데 원작에 의한 당대의 동판화, 르보 작.

이 프리드리히 빌헬름을 뗏목에 초대했지만, 그것은 두 군주 사이의 회담이라기보다 한쪽에서 일방적으로 듣는 자리였다. 게다가 프리드리히 빌헬름은 프랑스 황제가 미처 처리하지 못한 서류를 검토하는 동안에 대기실에서 기다려야 했다. 나폴레옹은 프로이센에 대한 자신의 계획을 왕에게 알려주기를 거부했고 왕이 전쟁 기간에 저지른 수많은 군사적·행정적 과오에 대해 소리를 지르며 지적했다.

차르의 압박에 못 이긴 나폴레옹은 프로이센이 국가로서 존속하는 데 동의했다. 하지만 틸지트 조약(1807년 7월 9일)에 따라 프로이센은 완전히 쪼그라들었다. 남은 것은 브란덴부르크와 포메른(스웨덴령은 제외), 슐레지엔, 동프로이센 그리고 여기에 폴란드 1차 분할 때 프리드리히 대왕이 획득한 회랑 지대가 전부였다. 2차와 3차 분할 때 획득한 폴란드 지방은 동부에 프랑스-폴란드 위성국가를 위한 기반을 조성하기 위해 떨어져나갔다. 부분적으로는 17세기 초까지 연고권이 거슬러 올라가는 서부 지역도 프랑스에 합병되거나 친나폴레옹 지역으로 통합되며 찢겨나갔다. 프리드리히 빌헬름은 왕비 루이제를 황제에게 보내 좀 더 관대한 처분을 구걸하게 했다. 이로써 뜻하지 않게 1630년대에 불운한 선제후 게오르크 빌헬름이 자신의 여자를 구스타부스 아돌푸스와 협상하기 위해 베를린 밖으로 파견한 것과 똑같은 상황이 연출되었다. 나폴레옹은 프로이센 왕비의 결단력과 우아한 멋에 깊은 인상을 받았지만 양보하지는 않았다.

북독일(중립 지대에 의해 잠시 유지된)에서 프로이센이 계속 관리인 역할을 하겠다는 꿈은 흔적도 없이 사라진 것처럼 보였다. 러시아 및 오스트리아와 대등한 위치에서 프로이센이 동부의 강대국으로 군림하려던 꿈도 날아갔다. 엄청난 전쟁배상금에 대한 요구가 나왔고 정해진 순서에 따라 정확한 액수가 제시되었다. 프랑스는 전액을 갚을 때까지 점령 상태를 유지하겠다고 했다. 세부적으로는 단순하면서도 쓰라린 사건이 있었다. 1806년 12월에 작센 선제후가 프랑스와 단독 강화를 체결하고 독일 내의 프랑스 위성국가 연합인 라인 동맹에 합류하는 일이 있었는데, 이때 그는 나폴레옹으로부터 왕위를 인정받고 작센의 프리드리히 아우구스트 1세가 되었다. 그리고 이듬해에 작센은 프로이센 소유였던 코트부스를 보상으로 받았다. 이것은 마치 드레스덴이 북독일의 패권을 놓고 다시 베를린에 도전할 수 있을 만큼 작센의 운이 되살아나는 것처럼 보인 사건이었다. 전투를 치른 다음 날, 예나성에서 패전한 작센군 장교들을 상대로 행한 연설에서 프랑스 황제는 해방자를 자처하며 그가 프로이센과 전쟁을 벌인 것은 오직 작센의 독립을 유지하기 위해서였다고 주장했다.[40] 이것은 프로이센과 작센 사이에 전개되었던 긴 경쟁의 역사에서 새로운 변곡점이었고 1806년의 동맹은 일시적인 중단을 맞았다.

프로이센의 역대 모든 정권은 패전하면 명성에 금이 갔다. 이것은 많지 않은 역사 법칙의 하나다. 프로이센이 1806~7년에 당한 참담한 결과보다 더 비참한 패배를 당한 국가는 얼마든지 있었다. 다만 군사적 용맹성과 지나치게 동일시된 국가 체제로 볼 때 예나와 아우어슈테트의 패전, 그리고 그에 따른 항복은 치명적이었다. 이것이 프로이센 국가 시스템의 핵심을 강타했다. 국왕 자신이 유년기부터 연대에서 복무해오며 (비록 특출한 재능이 있었던 것은 아니지만) 자발적으로 선두에서 말을 타고 연대를 이끈 지휘관이었다. 성인이 된 왕실의 왕자들도 모두 유명한 지휘관이었다. 장교단은 제복을 입은 농촌의 지배 계층이었다. 이러한 구프로이센의 전반적인 정치 질서가 의문시된 것이다.

10

관료들이 만든
세계

The World
the Bureaucrats Made

'새 왕조'

프로이센의 프리드리히 빌헬름과 루이제가 프랑스군의 진격을 피해 동부로 도주하던 1806년 12월, 일행은 날이 어두워지자 동프로이센의 오르텔스부르크라는 마을에서 묵었다. 먹을 것은 고사하고 마실 물조차 변변히 없었다. 이들과 동행하던 영국 사절 조지 잭슨에 따르면, 어쩔 수 없이 왕과 왕비는 "말만 집이지 허름한 헛간이나 다름없는 곳에서" 하룻밤을 묵었다고 한다.[1] 여기서 프리드리히 빌헬름은 한가한 틈을 타 프로이센이 패배한 의미에 대해 찬찬히 생각해보았다. 예나와 아우어슈테트의 참패 여파로, 숱한 프로이센의 요새가 당연히 견뎌내야 했던 상황에도 불구하고 무너져갔다. 예를 들어 약 5천 명의 수비대가 주둔하고 식량 공급도 완벽했던 슈테틴은 800명밖에 안 되는 적군의 소규모 기병연대에 항복했다. 프로이센의 역사 성지인 퀴스트린 요새는 왕이 동부로 이동하기 위해 그곳을 떠난 지 며칠 후에 항복했다. 프로이센의 붕괴는 기술적 열세만큼이나 정치적 의지와 동기 부여의 문제인 것으로 보였다.

이 같은 잇단 항복에 왕은 분노했다. 1806년 12월 12일, 프리드리히 빌헬름이 문안을 가다듬고 직접 쓴 성명서인 오르텔스부르크 선언에서 이를 엿볼 수 있다. 그는 프로이센군이 전투 현장에서 보인 '거의 총체적인 붕괴'에 대한 책임을 누가 혹은 무엇이 져야 할지 결론짓는 것은 아직 이르다고 보았지만, 요새의 잇단 항복은 프로이센군 역사에서 '전례를 찾을 수 없는' 추문이었다. 그는 앞으로 "단순히 포격이 두려워서" 혹은 "그 밖의 어떤 무가치한 이유로" 자신의 요새를 버리고 항복한 사령관이나 지휘관은 누구나 "사정없이 총살될 것"이라고 썼다. "공포심에서 자신의 무기를 내버린" 병사도 마찬가지로 예외 없이 사형대에 서게 될 것이며, 적군에 입대하여 무기를 든 프로이센 백성도 "사정없이 총살될 것"이라고 했다.[2] 선언문의 상당 부분은 울분을 토하는 분노의 폭발로 읽히지만, 맨 끝에는 혁명을 선포하는 것 같은 구절이 들어 있다. 프리드리히 빌헬름은 앞으로 공훈을 세운 전투원은 누구라도 사병이든 준사관이든 혹은 왕자든 상관없이 장교로 승진시킬 것이라고 공언했다.[3] 패배와 도주의 혼란 한가운데에서 개혁과 자력갱생의 과정이 시작된 것이다.

1806~7년에 패전과 굴욕의 여파 속에서, 대신과 고위 관료로 구성된 새 정부 지도부는 프로이센 정치 행정부의 구조를 개편하고, 경제 규제를 철폐하며, 농촌 사회의 기본 규칙을 새로 짜고, 국가와 민간 사회의 관계를 재설정하는 일련의 정부 칙령을 실시하기 시작했다. 개혁의 문을 열어젖히도록 만든 것은 바로 패전의 규모였다. 전통적인 사회 구조 및 행정 절차에 대한 신뢰가 무너지자 오랫동안 내부로부터 시스템을 개선하기 위해 노력해온 사람들에게 기회가 찾아왔고 반대파들은 침묵하게 되었다. 전쟁은 종래의 수단으로는 해결할 수 없는 재정 부담을 안겨주었다. 갚아야 할 배상금(1억 2천 만 프랑)도 엄청났지만, 당대의 평가에 따르면 1807년 8월부터 1808년 12월까지 지속된 프랑스군의 실제 점령 비용만 약 2,169만 탈러였다. 1816년의 총 정부수입이 3,100만

탈러를 조금 넘은 것을 감안하면 어마어마한 액수다.[4] 여기서 나온 위기감은 강력하고 일관된 행동 계획과 그런 실태를 설득력 있게 전파할 수 있는 사람들에게 유리한 환경을 조성했다. 이처럼 모든 면에서, 나폴레옹의 승리라는 외부로부터의 충격은 프로이센 국가 내에서 이미 움직이고 있던 힘을 한데 모으고 그것을 확대하는 결과를 가져왔다.[5]

1807년에 시작된 개혁 과정의 중심에는 (비록 그 역할이 때로 과소평가되기는 했지만) 프로이센 국왕인 프리드리히 빌헬름 3세가 있었다. 개혁적인 관료층의 역할이 아무리 중요했다고 해도 군주의 지원이 없었다면 그들은 계획을 추진하지 못했을 것이다. 1807년 10월에 카를 폼 슈타인을 자신의 수석보좌관으로 임명한 사람도 (물론 프랑스에 적대적인 음모를 꾸민다는 진술이 나온 뒤에 나폴레옹의 압력을 받고 해임하기는 했지만) 프리드리히 빌헬름 3세였다. 알렉산더 추 도나 백작과 카를 반 알텐슈타인(옛 '프랑켄파'의 동료)을 공동 수석대신으로 임명한 다음, 왕은 1810년 6월에 하르덴베르크를 재정 및 내무부로 불러들이고 그에게 '슈타츠칸츨러'(Staatskanzler)라는 새로운 직함을 주고는 프로이센 초대 수상이라고 불렀다.

그렇다고는 해도 프리드리히 빌헬름 3세는 여전히 정체불명의 인물로 남아 있다. 19세기에 세 권짜리 슈타인 전기를 쓴 J. R. 실리는 이 왕을 "그때까지 프로이센을 통치한 군주 중에서 가장 존경스러우면서도 가장 평범한 사람"이라고 묘사했다.[6] 프로이센의 문화적·정치적 삶이 몇몇 뛰어난 인물들(슐라이어마허, 헤겔, 슈타인, 하르덴베르크, 훔볼트 형제)에 의해 지배받던 시대에, 왕은 지나치게 규칙을 따지는 편협하고 따분한 사람이었다는 것이다. 단편적이고 무뚝뚝하게 말했다고 한다. 여름철이면 틸지트에서 종종 함께 만찬을 한 나폴레옹은 훗날 그에게 '군모나 단추, 가죽 가방' 외에 다른 화제로 말을 하게 하는 것이 힘들었다고 기억했다.[7] 패전 이전의 국가 위기 때 프로이센의 국책 중심에서 멀어진 적이 없는데도 불구하고 그는 뒤로 물러나거나 결정적 순간에 측근들에게 의존하려고 했기에 후세 사람들에게는 하찮은 존재로 비친다. 프리드리히 빌헬름은 왕세자 시절에 내부에서 정부 시책을 배울 기회를 차단당했다(반대로 그는 훗날의 프리드리히 빌헬름 4세인 아들에게 프로이센 국내 정치의 핵심 역할을 맡겼다. 바로 호엔촐레른 왕조의 특징이라고 할 부계 체제의 변증법적 교체라고 할 수 있다). 평생 과묵했고 예리한 지성은 자신의 재능에 대한 극심한 자신감 결핍과 결합되어 있었다. 왕권이라는 기회를 거머쥐고 이용하기는커녕 프리드리히 빌헬름은 왕관을 견뎌내야 할 '짐'으로, 자신보다 다른 누가 더 잘 감당할 부담으로 여겼다.

1797년에 프리드리히 빌헬름이 즉위한 뒤에도 호엔촐레른가에서 늘 있었던 대조적인 현상이 나타났다. 아버지는 기회가 주어질 때마다 영토를 획득하기 위해 노력했지만, 아들은 평화를 갈망하며 영광과 명성을 추구하는 길을 외면했다. 아버지 정권이 사치와 낭비를 일삼고 여인들이 숱하게 등장하는 가운데 바로크적인 군주의 화려함이 흘러넘쳤다면, 아들은 검소한 취향에 자신의 아내에게 충실한 남자였다. 프리드리히 빌헬름 3세는 시내의 왕궁이 너무 위압적이라 생각하고 왕세자 시절에 지내던 작은 궁을 더 좋아했다. 그중에서도 포츠담 부근의 파레츠에 구입한 시골의 조그만 사유지를 즐겨 찾았다. 여기서 살면서 그는 조용한 가정 분위기를 맛볼 수 있었고 평범한 시골 지주처럼 지낼 수 있었다. 프리드리히 빌헬름은 선임자들과 달리 공과 사를 엄격히 구분했다. 그는 지독하게 수줍음을 탔고 정성을 들인 궁정의 공개 행사를 싫어했다. 1813년엔 자녀들이 그가 없는 자리에서 그를 '아빠'가 아니라 '왕'이라고 부르는 습관이 있다는 것을 알고 충격에 빠지기도 했다. 그는 극장에 가서 가벼운 희극을 관람하는 것을 즐겼는데, 집중적인 주목을 받는 환경에서 벗어나 여럿이 어울리는 기회를 좋아한 이유도 있었다.

이런 일이 대수롭지 않게 보일지 모르지만, 당대의 목격자들은 그

26 샤를로텐부르크 궁의 정원에서 가족과 함께 한 프리드리히 빌헬름 왕과 루이제 왕비,
1805년 무렵, 하인리히 안톤 델링의 원작에 따른 프리드리히 마이어의 동판화.

런 광경에 큰 의미를 부여했다. 재위 기간 초기에 당대 사람들은 프리드리히 빌헬름의 겸손하고 시민적인(bürgerlich) 거동을 계속 주목했다. 즉위 직후인 1798년에 베를린의 극작가인 카를 알렉산더 폰 헤르클로트는 다음과 같은 시로 왕에게 갈채를 보냈다.

> 금관도 쓰지 않고
> 자줏빛 용포도 걸치지 않았네.
> 용상에 앉은 평민으로
> 인간 존재가 그의 자랑이라네.[8]

평범한 (중산층) 가정의 남자인 왕이라는 주제는 재위 기간 초기 몇 년간 지속적으로 나타난다. 즉위할 때 국왕 내외에게 바친 다음의 시에서도 그런 특징을 엿볼 수 있다.

> 왕이시여 신이 되지 마옵시고
> 왕후시여 여신이 되지 마옵시고
> 품위 있는 인간으로 우리 곁에 임하소서.
> 지극히 고귀한 형식으로 보여주소서,
> 크고 작은 것의 조화를,
> 가정의 안락한 삶과
> 국가 대사가 화합하는 것을.[9]

아마 1797년 이후 프로이센 왕실을 둘러싼 담론 중에 가장 두드러진 특징은 왕비의 명성과 그녀에게 열광하는 대중의 반응이었을 것이다. 왕조 역사상 처음으로, 왕은 단지 군주로서뿐 아니라 남편으로 인식되고 찬양받았다. 선왕 재위 시절의 번쩍이는 군모와 모피 칼라와 더불어 바로크적인 군지휘관 같은 초상들은 가족 풍경 뒤로 사라졌다. 그

풍경 속에서 왕은 아내, 자녀들과 함께 편안한 모습을 보여주었다. 왕비는 (처음으로) 자신의 권리라고 할 유명한 공인으로서 모습을 드러냈다. 1793년 루이제가 미래의 남편과 약혼하기 위해 친정인 메클렌부르크를 떠나 베를린에 도착한 소식은 일대 소동을 일으켰다. 운터 덴 린덴 거리에서 어린 소녀로부터 환영 인사로 시를 봉헌받았을 때, 루이제는 격식에 구애받지 않고 그 아이를 품에 안고 키스를 했다. 이 장면을 본 사람들은 "누구나 그녀의 매력에 푹 빠졌고 그 우아하고 달콤한 거동에 감동하지 않은 이가 없었다"라고 시인 드 라 모트-푸케는 썼다.[10]

루이제는 자선 활동뿐 아니라 미모 때문에도 유명했다(1795~97년에 요한 고트프리트 샤도가 제작한 두 사람의 멋진 전신상은 10대 시절의 루이제가 여동생 프레데리케와 팔짱을 끼고 서 있는 모습을 묘사했는데, 거의 속이 들여다보이는 여름옷이라 오랫동안 일반 공개가 금지되었다. 지나치게 선정적이라고 보았기 때문이다). 루이제는 왕조 역사상 전례가 없는 인물로서 대중의 마음속에서 미덕과 겸손, 군주의 우미와 친절, 성적 매력이 결합한 유명 여성 인사였다. 그리고 34세라는 젊은 나이에 일찍 세상을 떠났기 때문에 후대의 추억 속에서도 젊음을 간직하고 있다.[11]

왕비로서 루이제는 18세기의 이전 왕비들보다 왕실 생활에서 훨씬 주목받으며 눈에 잘 띄는 공간을 차지했다. 그녀는 전통을 깨고 왕이 지방의 각 신분 대표들로부터 충성 맹세를 받기 위해 프로이센 전역을 취임 순행할 때도 동행했다. 끝없이 이어지는 지역 명사들과의 만남 중에도 새 왕비는 따뜻한 매력으로 모든 사람에게 깊은 인상을 주었다. 루이제는 패션의 아이콘이 되었다. 그녀가 추위를 막기 위해 두른 목도리는 곧 프로이센뿐 아니라 외국에서까지 여성들이 모방할 만큼 유행했다. 뿐만 아니라 루이제는 프리드리히 빌헬름의 공식 직무에서도 중요한 파트너로서 처음부터 국사에 대해 규칙적으로 자문을 구했다. 또 주요 대신들과 자주 교류하며 궁정의 정치적 전개 상황을 꿰고 있었다. 1806년의 국가적 위기 상황에서 슈타인이 과격한 개혁안을 가지고 왕

27 루이제와 프레데리케. 요한 고트프리트 샤도의 공주 자매, 1795~97년.

비에게 접근한 것을 적절하다고 판단한 대목은 인상적이다. 남편이 그렇지 않아도 극도의 스트레스를 받는 마당에 성가시게 한다는 이유로 그녀가 문서를 왕에게 넘기지 않는 결정을 했다는 것도 똑같이 눈여겨볼 대목이다. 루이제는 우유부단한 왕에게 심리적인 안정을 제공했다. 루이제는 1806년 10월에 남편에게 보낸 편지에 "당신에게 필요한 것은 오로지 자신감뿐"이라고 썼다. "일단 자신감이 생기면 당신은 훨씬 더 신속한 결정을 할 수 있을 거예요."[12]

어떤 의미에서 왕비의 돌출은 여인들이 1세기 가까이 군주제의 주변으로 밀려난 이후 프로이센 왕가가 다시 여성화되는 조짐이기도 했다. 하지만 여성이 군주제의 공적 생활로 복귀하는 현상은 두 성(性)과 성에 따른 사회적 소명에 대한 이해가 점차 양극화되는 와중에 일어난 일이었다. 루이제의 공적 활동은 자신의 궁정을 소유하고 우선권을 행사하며 외교정책을 다루는 여성 군주로서가 아니라 어디까지나 아내와 조력자로서의 역할이었다. 그녀의 탁월한 능력과 재능은 어디까지나 남편에 대한 봉사의 범위를 벗어나지 않았다. 이렇게 종속적인 성과는 국왕 내외의 대중적 이미지에 결정적이었으며, 왜 루이제의 여성적인 속성(그녀의 미모와 상냥한 성격, 어머니 같은 친절과 아내로서의 미덕)이 그녀 주변에 형성된 숭배 분위기의 두드러진 요인인지를 말해준다. 루이제는 차츰 한적한 왕실 가족의 '사적 영역'을 만들면서 늘어나는 중산층 대중에게 노출되었다. 여성적이고 평민적인 매력을 주는 그녀의 명성은 왕가와 프로이센 대중 사이의 정서적 거리감을 없앴다.[13]

루이제는 우리가 본 대로, 1806년의 정부 정책과 조처에 도전하기 위해 등장한 반대 진영에 협력했으며 왕을 압박해 틸지트 조약 이후 그들을 복귀시키도록 했다. 틸지트 소식이 전해진 뒤에 루이제는 "슈타인은 어디 있어요?"라고 물었다. "그 사람이 마지막 희망인데 말이죠. 품성도 훌륭하고 포용력이 있어서 우리가 모르는 타개책을 알 거예요. 슈타인만 있다면 좋으련만."[14] 왕은 1807년 여름에 슈타인을 재임명하기

28 루이제 왕비의 데스마스크, 1810년.

위해서 몇몇을 설득해야 했다. 불과 몇 개월 전에 오만함과 불복종을 이유로 슈타인을 해고했기 때문이다. 루이제는 또 카를 아우구스트 폰 하르덴베르크를 높이 평가하며 지원하기도 했다. 한 보고서에 따르면, 그의 이름은 1810년 루이제가 임종의 자리에서 넋이 나간 남편에게 더 듬거리며 말한 마지막 몇 마디 중 하나였다.[15]

프리드리히 빌헬름도 프로이센의 패전으로 발생한 비상사태를 극복하기 위해 극약 처방이 필요하다는 사실을 인정했다. 사실 그는 1806년 훨씬 이전부터 개혁에 대한 관심을 보였다. 1798년에 그는 왕립 재정개혁위원회를 설치하고 프로이센 전역에서 관세 규정 및 통행세, 소비세의 수입 관련 행정에 변화를 주라고 명령했다. 다만 담당 위원들이 각자의 임무를 조절하는 데 실패했을 뿐이다. 그리고 소비세, 관세, 공장 담당 대신인 카를 아우구스트 폰 슈트루엔제는 그 결과를 일목요연하게 정리할 능력이 없었다. 이듬해 프리드리히 빌헬름은 담당 공무원들에게 프로이센 교도소 체계의 개혁에 대한 계획서를 작성하라고 명령했다. 이에 대해 폰 골트베크 대법관은 포괄적인 (본질적으로 계몽된) 죄수들의 자기계발과 자력갱생을 장려하기 위한 등급별 보상과 처벌 제도를 제안했다. 골트베크의 권고안은 이후 1804~5년에 발표된 프로이센 교도소 개혁을 위한 기본 계획에 구현되었다.[16]

관료 사회를 포함해서 여러 부문의 저항만 없었다면, 왕은 분명히 더 많은 것을 성취했을 것이다. 1798년 10월 정부 지시를 통해 왕은 재정개혁위원회에 귀족의 기본 재산세를 늘리는 방안을 조사할 것을 명령했다. 하지만 위원회가 회의를 열기도 전에 한 선임 관리가 함부르크의 『노이에 차이퉁』(Neue Zeitung)에 이 지시를 발설하는 바람에 프로이센 각 지방에서 신분제 대표들의 저항을 촉발했다.

농업 개혁 분야에서도 군주가 주도한 강력한 조치들이 있다. "농민들로부터 믿을 수 없을 만큼 많은 불만이 제기되는 것에 충격을 받은" 프리드리히 빌헬름 3세는 왕실 영지에서 노예처럼 사는 농민들의 거주 제도를 폐지하기 위해 1799년에 이와 관련한 명령을 내렸다. 그런데 왕의 노력은 관리총국의 완강한 저항에 부닥쳤다. 이들은 왕실 영지 내 농민의 지위에 손을 대면 귀족 영지에 사는 농민들의 욕구까지 자극하게 될 것이며 결국 "엄청 많은 사람의 봉기"를 촉발할 것이라고 주장했다.[17] 1803년이 지나고 나서야 프리드리히 빌헬름은 비로소 이런 반발을 무시하고 주지사들에게 왕실 영지 농민에게 남아 있던 모든 노역을 단계적으로 없애라고 지시했다.[18]

관료와 장교

1806년 이후 프로이센 행정부 내에서 가장 막강한 영향력을 발휘한 슈타인과 하르덴베르크 두 사람은 독일의 진보적 전통 두 가지를 대표했다. 슈타인은 가문 배경 때문에 신분제 대표기관에 대한 깊은 존경심을 간직하고 있었다. 괴팅겐 대학교에서 영국의 귀족적인 휘그당 정신을 받아들인 그는 정부 책임의 일부를 지방기관으로 이양하는 것을 지지했다. 베스트팔렌의 탄광업 분야에서 고위 관리로 경험을 쌓은 그는 효율적인 행정의 열쇠는 각 지방 및 지역의 엘리트를 상대로 한 대화와 협력에 있다고 믿었다.[19] 하르덴베르크는 이와 대조적으로 독일의 계몽주의자이자 때로 급진 프리메이슨인 '일루미나텐'(Illuminaten)의 회원이었다. 비록 그가 사회 질서 속에서 귀족의 역사적 역할을 존중했다고는 하지만, 하르덴베르크는 자신의 계급에 대한 자만심이 슈타인보다는 훨씬 약했다. 그의 개혁 비전은 무엇보다 국가의 권력 집중과 합법적인 권위에 초점이 맞춰 있었다. 두 사람은 기질적으로도 완전히 달랐다. 슈타인은 침착하지 못하고 충동적이며 오만했다. 하르덴베르크는 빈틈이 없고 민첩하며 타산적이고 외교적이었다.

하지만 두 사람은 능률적인 협력이 가능할 만큼 많은 공통점도 있었다. 이들은 여론의 힘과 중요성을 잘 알았다. 이 점에서 두 사람은 유럽 계몽주의의 특징을 드러냈다고 볼 수 있다. 두 사람은 최고위층 차원의 구조적 개혁이 절실하다고 굳게 믿었다. 이들은 격렬하게 파벌싸움이 벌어지던 1806년에 이런 문제를 놓고 각자의 위치에서 서로 협력했다. 더욱이 이들은 혼자가 아니었다. 20년 이상 프로이센 행정부 내에서 고속 승진을 하는 동안에, 이들 주변에는 내실이 있는 젊은 인적 네트워크가 형성되었다. 일부는 부하거나 친구였고, 일부는 프랑켄이나 베스트팔렌 행정부에서 관리로 경험을 쌓은 인물이었으며, 또 일부는 위기가 찾아왔을 때 개혁에 이끌리는 식으로 단순하게 마음이 통하는 사람들이었다.

개혁파가 당면한 첫 번째 과제, 즉 어떤 면에서는 가장 시급한 과제는 유럽이라는 무대에서 자율적으로 작동하는 힘으로서의 프로이센을 재건하는 것이었다. 이 문제를 거론하면서 개혁파는 두 가지 영역에 초점을 맞추었는데, 그것은 정책을 결정하는 중앙행정부와 군대였다. 지금까지 보았듯이 고위 관리들 사이에서는 프로이센에 더 간소화된 각료조직이 필요하다는 공감대가 널리 퍼져 있었다. 특별히 우려의 대상이 된 것은 이른바 '내각 시스템'이었는데, 이 체제에서 한 명 혹은 그 이상의 '외무대신'이 군주 측근의 비서관들이나 총애를 받는 보좌관들과 정책 결정 과정에 대한 영향력을 놓고 경쟁한다는 것이었다. 이것이 프로이센을 1806년의 대재앙으로 몰고 간 위기의 근본 원인이라는 주장도 나왔다. 이런 배경에서 1807년 10월에 임명된 슈타인은 개인 보좌관으로 이루어진 내각을 해체하고 책임이 구분된 다섯 명의 대신으로 중앙집행부(1808년 11월 신설)를 구성하도록 전력을 다해 왕을 설득했다. 그리고 집행부는 담당 분야를 책임진 각각의 대신이 왕에게 직접 보고하는 식으로 운영되도록 했다. 이렇게 2단계 조처를 거쳐 기능의 조화가 이루어지면, 비서관과 대신 들 사이에 형성된 자문의 중복 기능이나 복수의 '외무대신'을 줄지어 임명하는 것을 피할 수 있으리라는 것이었다. 개혁파는 또 책임지는 관리 한 명으로 공식적인 협의 창구를 일원화해서 대신과 보좌관 들이 서로 적대적인 경쟁을 하지 못하도록 하자고 왕을 압박했다.

슈타인과 하르덴베르크 그리고 이들의 협력자들은 당연히 프로이센이 1807년의 결정을 뒤집을 수 있는 조건으로 회복되기 위해서는 이런 조처가 필수적이라고 주장했다. 1806~7년의 참사가 행정부 내의 대립적인 긴장에 의해 '유발'되었으며 군주가 바람직한 결정을 내리도록 보좌할 수 있는 좀 더 나은 의사결정 구조였다면 이런 폐단을 예방할 수 있었다는 것이다. 한때 카를 슈미트가 '결단주의 숭배'라고 부른 것은 이런 주장을 뒷받침했다. '결단주의'는 변화하는 조건에 대응할 수 있는 신속하고 이성적이며 정보에 밝은 결정을 할 정도로 유연하고 투명한 시스템의 창출에 만사가 달려 있다는 이론이다. 틸지트 조약 이후 감정이 격앙된 상황에서 이런 주장에 반대하기는 힘들었다.

그러나 개혁가들의 주장은 보기보다 결단주의적이지 않았다. 어쨌든 1804~6년의 프로이센 외교정책을 둘러싼 문제는, 왕이 고집스럽게 광범위한 의견을 들었기 때문이 아니라 프로이센이 직면한 상황 특유의 어려움 때문에 발생했다. 나폴레옹이 프랑스 역사에서 일찍이 볼 수 없었던 인물이라는 사실을 잊지 말아야 한다. 대선제후 집권 기간에 루이 14세가 신성로마제국 변두리에서 시작한 '재통합'의 노력도 나폴레옹이 추진한 제국 프로젝트의 규모와 야망에 비하면 초라한 것이었다. 이 같은 유형의 적수에게 적용되는 법칙은 없었으며 그가 다음에 어떻게 행동할지 예측하는 데 근거가 될 선례도 없었다. 중립정책이 갑자기 중단되었을 때 프로이센이 어느 방향으로 나아가야 할지 판단하는 것은 대단히 어려웠다. 특히 국제적인 힘의 균형과 잠재적인 동맹국이 보내는 신호가 끊임없이 변하는 상황에서는 더 힘들었다. 대선제후는 북방전쟁과 루이 14세 치하의 프랑스를 상대로 치른 여러 전쟁 사이에서 오랫동안 고통스럽게 흔들렸다. 그것은 대선제후가 선천적으로 결단력이 없고 겁이 많아서라거나 적정 규모로 간소화한 행정부가 없어서가 아니라 그에게 밀어닥친 난관 앞에서 분명한 결정을 내리기가 쉽지 않았기 때문이다. 조심스럽고 심사숙고할 수밖에 없었다. 그런데 프리드리히 3세가 내려야 할 판단은 이보다 더 복잡하고 변화무쌍했으며 더 큰 위험을 안고 있었다. 개혁파가 옹호한 체제가 1804년에 시행되었더라도 그들이 그토록 맹렬하게 공격한 것보다 더 좋은 결과가 나왔을 것이라고 판단할 근거는 없다. 무엇보다 전쟁을 하기로 한 왕의 불행한 결정은 당시 구제도에 반대했던 사람들이 지지한 것이었다.[20]

그럼에도 불구하고 개혁 진영에서 외교정책 부문의 행정 간소화를 밀어붙였을 때, 이것은 부분적으로 행정의 중앙 집중이 최고위층 관리들의 권력을 굳히는 길을 보장해준다는 생각이 배후에 깔려 있었기 때문이다. 1806년 이전에 권력 측근에서 행사되던 영향력을 놓고 경쟁을 벌이는 대신, 새로운 시스템은 다섯 명의 대신이 안정된 지위에서 결정을 내리는 길을 열어주었다. 구제도 아래서 개인 보좌관의 영향력은 왕이 어느 쪽으로 귀를 기울이는가에 따라 들쑥날쑥했다. 어느 날 조심스럽게 주장을 펼치고 설득을 해서 결정된 안건도 바로 그 다음 날 물거품이 될 수 있는 구조였다. 하지만 새로운 제도하에서는 다른 대신들과 '함께' 공동 작업을 벌이면서 왕을 '관리'하는 것이 가능했다. 그리고 1805~8년에 행정 간소화를 주장했던 대부분의 고위 관리들이 핵심 부서 중 하나가 자신에게 떨어질 것을 예상했다는 점도 놀랄 일은 아니지만 흥미로운 대목이다.[21]

개혁 진영에서는 항상 왕에게 더 과감한 결정기구에 대한 통제권을 제공함으로써 군주의 권위를 확대하고 강화하는 것이 그들의 목표라는 점을 강조했다(그렇게 하지 않는다면 무척이나 불손한 일이었을 것이다). 하지만 이들은 실제로는 자문이라는 빗장을 걸어 잠금으로써 왕의 운신의 폭을 제한했다. 이들은 좀 더 광범위한 국가의 책임과 의무 구조에 군주제를 묶어놓고 관료화할 작정이었다.[22] 왕은 이것을 잘 알았기 때문에 슈타인이 앞으로 왕이 반포하는 법령은 다섯 명의 대신이 서명할 때만 효력이 발생되도록 하자고 건의했을 때 묵살했다.[23]

프로이센군은 당연히 예나와 아우어슈테트 이후 뜨거운 관심의 대상이었다. 그러나 군사개혁에 대한 논쟁도 새로운 것이 아니었다. 프리드리히 대왕의 죽음 이후 몇 년간은 민간이나 군부를 막론하고 프리드리히 체제에 대한 비판적 재검토를 요구하는 목소리가 있었다. 이 논쟁은 좀 더 이해력이 빠른 군부 두뇌집단이 혁명기와 나폴레옹 초기의 원정으로부터 교훈을 받아들인 1800년 이후에도 지속되었다. 남부 독일 출신으로 1782년(24세)에 프로이센군에 들어온 프리드리히 빌헬름 3세의 부관이자 군사이론가인 크리스티안 폰 마센바흐 대령은 나폴레옹 원정이 보여준 실제 '대전'(big war) 사례는 군사계획과 리더십의 전문화를 수반했다고 주장했다. 군주 자신이 뛰어난 군사전략가인지 아닌지 여부에 프로이센의 운명이 좌우되어서는 안 된다는 말이었다. 또 이용 가능한 모든 정보는 원정 이전과 원정 중에 수집하고 평가할 수 있

29 1813년 이전의 게르하르트
요한 다비트 폰 샤른호르스트,
프리드리히 부리 작.

도록 지속적인 구조가 자리 잡아야 하며, 지휘 기능은 단일한 결정기관
으로 집중되어야 한다고 강조했다.[24] 근대적인 참모제도와 행정개혁을
둘러싼 당대의 논쟁 사이에는 뚜렷한 유사점이 있었는데, 마센바흐는
행정 간소화의 옹호자이기도 했다.[25]

    군사개혁을 위해 가장 중요한 토론의 장은 1802년에 설립된 군사협
회였고 여기서 장교들은 서로 준비해 온 보고서를 읽고 프로이센과 관
련한 당시 유럽의 군사 상황에 대한 토론을 벌였다. 이 협회를 이끈 인물
은 고향 하노버에서 빠르게 진급한 다음 1801년 46세의 나이에 프로이
센군에 들어온 게르하르트 요한 다비트 폰 샤른호르스트였다. 샤른호
르스트는 나폴레옹의 사단 체제를 프로이센에 도입하고 예비군으로 지
역민병대를 설치할 것을 주문했다. 카를 프리드리히 폰 뎀 크네제베크
(프로이센 토박이)를 비롯한 다른 장교들도 순수하게 '민족적'인 프로이
센군의 창설을 내다보는 야심 찬 계획을 수립했다.[26] 이런 노력이 보여
주듯이, 프로이센 군부는 1780년대와 1790년대에 국가와 민간 사회의
관계를 바꾸기 시작한 비판과 자기성찰 과정에 귀를 닫고 있지 않았다.

1806년 이전에는 이런 아이디어를 실행하기 위해 기울인 노력이 거의 없었다. 모든 주요 개혁은 기득권의 이해관계를 위협했고, 1803년에 어느 정도 형태를 갖춘 참모기구를 설치하려는 실험적인 시도는 전통적인 구조의 행정부 내에서 고위 공직자들의 노골적인 적대에 직면했기 때문이다. 장기 복무 중인 고위급 지휘관들 사이에서도 개혁에 대한 반발이 심했는데, 가령 7년전쟁 기간에 세운 수훈으로 유명해진 묄렌도르프 원수 같은 원로가 그랬다. 완고한 보수파로서 82세의 나이에 예나에서 빗발치는 프랑스군의 총탄을 뚫고 의연하게 진격했던 묄렌도르프는 개혁파의 모든 제안에 대해 "이 모든 것을 이해할 수 없다"는 한마디로 일축했다고 한다. 하지만 프로이센 육군에서는 이런 사람들이 큰 존경을 받았으며, 설사 왕(유명한 삼촌의 그늘 아래에서 성장한)이라고 해도 그런 원로들에게 맞서는 것이 심리적으로 힘들었다. 흥미로운 사실을 보여주는 1810년의 대화에서, 프리드리히 빌헬름은 1806~7년의 전쟁 훨씬 전부터 군부를 철저하게 개혁하고 싶었다는 사실을 토로했다.

> … 하지만 아직 어리고 미숙한 짐은 감히 그러지를 못했고 대신 승리를 쟁취하며 나이를 먹은 이 두 원로[묄렌도르프 원수와 브라운슈바이크 공작]가 짐보다 확실히 잘 판단할 것이라고 믿은 거요. […] 만일 짐이 개혁가로서 그들의 의견에 반대했다가 잘못되기라도 하면, 누구나 한마디씩 했을 거요. "군주가 어려서 경험이 없어!"라고 말이오.[27]

예나와 아우어슈테트의 패전은 이런 상황을 완전히 바꿔놓았고 군주는 기회를 놓치지 않고 주도권을 쥐었다. 1807년 7월 틸지트의 충격이 아직 가시기도 전에 왕은 필요한 모든 개혁을 수립하는 임무를 지닌 군사재편위원회를 설치했다. 마치 전쟁 이전의 군사협회가 정부기관으로 환생한 것 같았다. 주도적인 인물은 제자처럼 따르는 유능한 장교 네 명(아우구스트 빌헬름 나이트하르트 폰 그나이제나우, 헤르만 폰 보이엔, 카를 빌헬름 게오르크 폰 그롤만, 카를 폰 클라우제비츠)의 지원을 받는 샤른호르스트였다. 그나이제나우는 평민 출신의 작센 포병장교 아들로 1786년에 왕실수행원(참모의 전신)으로 프로이센 육군에 합류했다. 1806년 10월 전투 이후 소령으로 진급한 그나이제나우는 포메른의 발트해변에 있는 콜베르크 요새 지휘관이 되었는데, 여기서 그는 몇몇 애국적인 마을 사람들의 도움을 받으며 1807년 7월 2일까지 프랑스군의 공격을 버텨냈다.

보이엔은 동프로이센 장교의 아들로 쾨니히스베르크 대학교에서 임마누엘 칸트의 강의를 들었고 1803년 이후로는 군사협회 회원이었다. 그롤만은 예나에서 호엔로에의 부관으로 근무하다가 동프로이센으로 패주한 다음 레스토크 군단의 참모로 합류했다. 프로이시슈-아일라우에서 러시아군과 함께 프랑스군에 맞서 싸운 부대였다. 그나이제나우와 마찬가지로 그롤만은 이전 가을의 패배와 달리 운 좋게 1807년의 프로이센 반격에 합류할 수 있었다. 이들 중에 가장 나이가 어린 클라우제비츠는(1806년에 26세) 12세에 사관후보생으로 육군에 합류했다가 1801년에 베를린의 청년 장교 양성기관에 입학허가를 받았다. 샤른호르스트가 막 교장으로 부임한 엘리트 훈련소였다.

이들은 프로이센 육군의 황폐한 토대에서 새로운 형태의 군사 조직체를 만들어내기 위해 애를 썼다. 그 결과 구조적·기술적 측면에서 중요한 개선이 이루어졌다. 군사 행정은 슈타인이 제안한 노선에 따라 통제가 엄격해졌다. 무엇보다 전쟁부가 신설되어 여기서 참모기구의 각 기초 요소들이 유기적으로 결합되기 시작했다. 개방적인 서열 속에서 운영되는 소총부대의 유연한 배치가 특별히 강조되었다. 샤른호르스트는 훈련과 전술, 무기에 대한 중대한 개선이 이루어지도록 감독했다. 지휘관 임명도 이후로는 성과주의를 따랐다. 1808년 8월 6일에 나온 (그롤만이 작성한) 명령서에는 "지금까지 가졌던 모든 사회적 특혜는 이제부터 그리고 여기 군에서 끝이다. 따라서 누구나 출신 배경과 상관없이 똑같은 의무와 권리를 갖는다"라고 명시되어 있다.[28] 이런저런 개혁의 심리적 효과는 프로이센군 지휘부에서 단행한 전례 없는 숙군 작업과 동시에 진행됨으로써 커졌다. 전체 장교 중에서 208명이 군사재편위원회의 소위원회에서 실시한 패전의 과학적 분석에 따라 예편되었다. 장군은 142명 중에서 17명이 단순 퇴역으로 처리되었고 84명은 명예제대 처분을 받았다. 숙군 작업에서 살아남은 장교는 전체의 4분의 1이 조금 넘는 정도였다.

1808년 8월에 나온 명령의 직접적인 목표는 미래의 우수한 간부를 빠른 시간에 확보하는 것이었다. 개혁파는 더 광범위한 목표가 있었다. 이들은 카스트 제도 같은 장교단의 배타성을 극복하고자 했다. 군대는 절도 있는 애국심의 보고가 되어야 하고, 1806년에 명백히 결여되었던 활기와 책임감을 불어넣는 존재여야 했다. 샤른호르스트의 말을 빌리자면, "군인정신의 함양과 고취를 통해 군대와 국민을 좀 더 유대가 굳건한 연합체로 만드는 것"이 목표였다.[29] 군과 프로이센 '국민' 간에 이같이 새로운 관계를 다각도로 달성하는 효과를 올리기 위해, 개혁파는 보편적인 병역 의무를 주장했다. 직접 군에 입대하지 않는 사람은 향토 방어를 위해 복무하도록 하고, 프로이센 사회의 상당 부분을 차지해온 (특히 도시에서) 병역 면제를 폐지해야 한다고 주장했다. 규율 위반에 대한 가혹한 체벌을 단계적으로 폐지하라는 명령도 나왔다. 가장 주목받은 것은 악명 높은 '배열태형'(Spießrutenlauf, 양쪽으로 늘어선 병사들 사이를 빠져나가도록 하여 양측 열의 병사로부터 채찍 등으로 맞게 하는 체벌. 곤틀릿으로도 부른다 — 옮긴이)이었는데, 이런 체벌은 부르주아 신병의 품위와 어울리지 않는다는 것이 이유였다. 또 장교의 임무는 휘하의 병사들을 때리거나 모욕하는 것이 아니라 '교육하는 것'임을 확실히 했다. 이것이 긴 변화의 과정에서 정점이었다. 군대 체벌은 프리드리히 빌헬름 2세의 집권 이후 간헐적으로 개선의 시금석 역할을 해왔다.[30]

이런 가치관의 일대 전환에 대한 가장 중요한 표현은 클라우제비츠의 『전쟁론』(*Vom Kriege*)이었다. 군사 갈등에 대한 이 포괄적인 철학 논문은 저자가 1831년 콜레라로 사망할 때까지도 완성되지 못했다. 클라우제비츠의 군복무 유형에 따르면, 병사는 전투 현장에 불러 모아야 할 가축이 아니라 변화무쌍한 기분과 도덕성, 굶주림, 추위, 피로, 공포의 흔들림에 노출된 인간이었다. 군대는 기계로 개념화해서는 안 되고 그 자체의 집단적 '재능'을 지닌 의식적인 의지의 유기체로 보아야 한다는 것이었다. 그 결과 군사이론은 부분적으로 주관적인 변수를 고려해야 하는 불확정의 과학이 되었다. 하급 지휘관 사이에서의 유연성과 자신감이 필수였다. 이런 통찰과 더불어 정치 우위에 대한 주장이 동시에 나타났다. 클라우제비츠는 군복무가 그 자체로 목적이 되어서는 절대 안 되며 언제나 명확하게 규정된 정치 목표를 위해 봉사해야 한다고 주장했는데, 이는 나폴레옹의 끊임없는 전쟁 도발에 대한 묵시적 비판이었다. 이런 식으로 『전쟁론』은 나폴레옹이 자행한 '대전'의 새롭고 예측할 수 없는 힘을 인정하고 이론화하는 동시에 그 힘을 본질적으로 생명을 중시하는 민간 사회의 목표에 기여하도록 하려는 최초의 시도였다.[31]

토지개혁

틸지트 조약 직후에 프리드리히 빌헬름 3세는 관리 두 명에게 "농노제 폐지는 즉위 초부터 짐의 일관된 목표였소"라고 말했다. "짐은 그 목표를 점진적으로 달성하기 바랐지만, 이제 우리 나라의 불행한 조건이 더 빠른 행동을 정당화해주고 있고 실제로 그렇게 요구하고 있소."[32] 여기서도 나폴레옹으로 인한 충격은 원인이 아니라 촉매로 작용했다. '봉건적'인 토지 소유 제도가 많은 비판을 받아온 지는 오래되었다. 비판의 일부는 이데올로기적인 것으로 프로이센 행정부로 흘러들어온 중농주의 및 애덤 스미스의 자유주의 사상에서 나왔다. 구제도의 경제적 합리성은 근거가 박약했다. 인구 성장의 시대에 값싸고 공급이 잘되는 임금 노동자의 활용도가 높아지면서 수많은 토지 소유자들은 예속된 소작농의 노역에 의존하던 상태에서 벗어났다.[33] 더욱이 18세기 후반에 곡물 가격이 폭등하면서 봉건제도에 새로운 불균형 상태가 조성되었다. 좀 더 여유가 있는 소작농은 잉여 농산물을 시장에 내다팔았고 임금 노동자를 고용해 본인 대신 '봉건적' 노역을 하게 하면서 호경기를 적극 이용했다. 이런 조건에서 토지 보유의 대가를 노역으로 지불하는 예속된 소작농의 존재는 경제적인 측면에서 역효과를 내는 것처럼 보였다. 한때 융커의 장원 관리에서 소중한 상징처럼 평가되던 노동 부과는 이제 고정 임대료 같은 기능을 했고 좀 더 여유가 있는 농민은 이런 구조에서 '보호받는 소작인'의 혜택을 받았다.[34]

슈타인의 동료 테오도르 폰 쇤과 프리드리히 폰 슈뢰터, 이 두 사람은 농업 시스템 개혁의 얼개를 짜는 법률 초안 작성의 임무를 맡았다. 그 결과로 나온 것이 때로 10월 칙령이라고 불리기도 하는 1807년 10월 9일의 칙령으로서 개혁 시대 최초의 그리고 가장 유명한 기념비적 입법이라고 할 만하다. 수많은 개혁 법령과 마찬가지로 그것은 법 자체보다 의도를 선언하는 성격이 더 강했다. 이 칙령은 프로이센 시골의 사회 구조에 대한 근본적인 변화를 예고했지만, 그 형식에서 많은 부분이 지나치게 모호했다. 칙령이 추구하는 목표는 본질적으로 두 가지였다. 첫째는 잠재적인 경제 에너지를 해방시키는 것으로서, 모든 개인은 자유롭게 "본인의 능력이 닿는 한 많은 번영을" 누려야 한다고 선언했다. 둘째는 모든 프로이센 사람이 법 앞에 평등한 '국가의 시민'이 되는 사회의 창조였다. 이런 목표는 특수한 세 가지 수단을 통해 달성될 터였다. 첫째, 귀족 토지의 구매에 대한 모든 제한을 없앴다. 드디어 국가가 특권 토지에 대한 귀족의 독점을 유지하기 위한 무익한 싸움을 포기하고 최초로 자유로운 토지 시장과 유사한 제도를 만들어낸 것이다. 둘째, 모든 직업을 모든 계층의 사람에게 개방했다. 처음으로 길드를 비롯한 직업단체의 제약에 구속받지 않는 자유 노동시장이 형성되었다. 길드 지배 제도의 폐지는 1790년대 초부터 관리총국과 베를린 공장부 간에 계속 논의되던 오래된 주제였다.[35] 셋째, 모든 세습 노예제도가 폐지되었다. 지극히 암시적이고 갑갑할 정도로 부정확한 표현이기는 했지만, 칙령은 1810년 성 마르티누스 축일[11월 11일]부터 프로이센 왕국에는 오직 '자유민'만 존재할 것이라고 선언했다.

이 마지막 조항은 왕국의 시골 지역 일대에 엄청난 충격을 몰고 왔다. 그것은 또 많은 문제를 미해결 상태로 남겨두었다. 소작농은 공식적으로는 '자유' 상태라고 했다. 그렇다면 이 말은 더 이상 노역을 수행할 의무가 없다는 의미였을까? 이에 대한 대답은 보기보다 애매했다. 대부분의 노역은 개인적인 예속 상태의 상징이 아니라 토지 소유주에 대해 지불하는 임대료 형태였기 때문이다. 그럼에도 불구하고 칙령이 주지의 사실이 된 많은 지역에서 지주들은 농민들에게 노역을 하도록 설득하는 것은 사실상 불가능하다고 보았다. 슐레지엔 당국은 이 소식이 각 마을에 전달되는 것을 막으려고 애썼지만 소용없었다. 그리고 1808년 여름에는 이제 불법적인 종속 상태로 살게 될 것이라고 생각한 소작농 사이에서 폭동이 발생했다.[36]

그 밖에 계속 골치를 썩인 의문은 소작지를 궁극적으로 소유할 수 있는가의 문제였다. 칙령은 전통적으로 프로이센 농업정책의 특징이 되어왔던 소작농 보호 원칙에 대한 언급을 하지 않았기 때문에 일부 귀족 지주는 그들 마음대로 이것을 소작 중인 토지에 대한 점유 혹은 반환 요구에 대한 백지위임장으로 간주했고 이에 따라 무모하게 회수하는 사태가 수없이 발생했다. 1808년 2월 14일의 법령을 통해 어느 정도의 투명성이 확보되었는데, 여기서는 토지 소유는 보유권의 사전조건에 달려 있다는 설명이 들어갔다. 소유권이 확실한 농민은 일방적 전용으로부터 보호를 받았다. 다양한 형태로 일시적 차용계약을 맺은 사람들은 입지가 더 불안했다. 이들의 땅은, 물론 당국의 허가가 있을 때만이라는 단서가 붙기는 했지만 회수될 가능성이 있었기 때문이다. 하지만 세부적인 해석을 둘러싸고 벌어진 숱한 문제는 여전히 논란의 여지가 있었으며 1816년이 되어서야 토지 소유 문제와 잃어버린 땅 및 노역에 대해 지주에게 보상하는 문제가 타결되었다.

최종적인 지위는 1811년의 규정칙령(Regulierungsedikt)과 1816년의 선언이 나왔을 때 일련의 등급화된 소작농의 우선적인 보유권에 따라 규정되었고, 이에 상응하는 차별화된 권리를 농민에게 부여했다. 대체로 두 가지 선택권이 있었다. 토지를 분할할 때 세습보유권이 있는 농민의 경우에는 그들이 전부터 경작해온 토지의 3분의 2에 대한 사용권을 확보했다(비세습 보유권의 경우에는 절반이었다). 혹은 농민이 완전히 매입할 수도 있었는데, 이때는 영주의 몫을 갚아야 했다. 토지와 노역, 현물 소작료에 대해 농민들이 보상하는 문제는 대부분 50년 이상 끌어온 문제였다. 최하층 계급의 농민들은 그들이 경작하는 땅에 대한 소유권 이전을 주장할 수 없었기 때문에 사용권이 회수될 위험이 컸다.[37] 이런 조치들은 계몽주의 후기에 유행하던 중농주의 정책과 맞물리며 농민을 노동 의무와 넌더리 나는 '봉건적' 의무에서 해방시키면서 더 생산적인 활동에 매달리게 해주었다. 그리고 프로이센 관료정치를 지지하는 젊은 세대 사이에서(슈뢰터와 쇤을 포함해) 높은 평가를 받던 애덤 스미스의 저술들은 최하층 농민은 땅을 포기하는 것이 최선이라는 주장을 했다. 어차피 독립적인 농민으로 성장할 수 있는 길이 없기 때문이라는 것이었다.[38]

일부 귀족은 구프로이센의 농업 구조를 뒤바꾼 이런 조치에 몹시 분개했다. 개혁 시대에 베를린의 게를라흐 형제 주변에 모여든 보수적인 신경건주의자들은 전통적인 생활 방식에 군주 국가는 혁명만큼이나 잠재적인 위협이 된다는 인식에 도달했다. 레오폴트 폰 게를라흐는 점점 거세지는 중앙 관료정치에 대한 요구가 새롭게 "무엇이든 해충처

럼 먹어치우는" 군주 개인의 힘을 대체할 것이라고 믿었다.[39]

이런 관점을 대변하는 인물 중에 가장 강력하고 기억할 만한 사람은 오데르강 범람 지대 구석에 있는 퀴스트린 부근의 지주인 프리드리히 아우구스트 루트비히 폰 데어 마르비츠였다. 마르비츠는 개혁 조치들을 시골의 전통적인 가부장적 구조에 대한 공격으로 매도했다. 그는 세습된 예속은 노예제의 잔재가 아니라 농민과 귀족을 묶어주는 가족적인 유대를 표현하는 것이라고 주장했다. 이런 유대를 해체하는 것은 전체로서의 사회의 단결을 해치게 된다는 것이었다. 마르비츠는 우울한 성격으로서 향수에 젖을 때가 많았다. 그는 대단한 지적 능력과 수사적인 기술을 발휘해 자신의 반동적 견해를 분명히 말했지만 외톨이가 되고 말았다. 귀족은 대부분 새 제도의 이점을 알았다. 농민들은 상대적으로 이득이 없었다. 반면 지주들은 복잡한 세습권에서 자유로워진 땅에 값싼 임금 노동을 투여해 농업 생산성을 촉진할 수 있었다.[40]

시민권

귀족 토지에서 '봉건제도'의 법적 잔재를 일소함으로써 10월 칙령은 프로이센에 정치적으로 더 응집력 있는 사회가 출현하는 길을 활짝 열었다. '백성'(Untertanen)이 '국가의 시민'(Bürger des Staates)으로 거듭나는 사회였다. 하지만 개혁파는 전체 주민의 애국적 책임감을 발휘하게 만들기 위해서는 좀 더 적극적인 조치가 필요하다고 생각했다. 카를 폰 알텐슈타인은 1807년에 하르덴베르크에게 다음과 같은 편지를 보냈다. "교육제도가 우리의 뜻에 어긋난다면, 또 교육제도가 열의 없는 관리를 국가 공직에 내보내서 무기력한 시민을 낳는다면, 우리의 모든 노력은 물거품이 될 것입니다."[41] 행정이나 법적 개혁만으로는 부족하며, 광범위한 교육개혁 프로그램을 통해 프로이센의 해방된 시민계층에 활력을 불어넣어 그들이 눈앞에 닥친 임무를 수행하도록 해야 한다는 발상이었다.

왕국의 교육제도를 일신하는 임무를 담당한 사람은 빌헬름 폰 훔볼트였다. 훔볼트는 포메른의 군인 가문 출신으로 1770년대와 1780년대에 계몽된 베를린에서 성장한 인물이었다. 그의 가정교사 중에는 해방론자인 크리스티안 빌헬름 폰 돔과 진보적 법학자인 에른스트 페르디난트 클라인 등이 있었다. 슈타인의 적극적인 추천에 따라 훔볼트는 1809년 2월 20일에 내무부 내의 종교 및 공교육 국장에 임명되었다. 그는 고위 개혁파 사이에서 혼자 겉돌았다. 그는 본래 정치가라기보다 세계주의 기질을 가진 학자로서 성인이 된 이후 자발적으로 외국에서 많은 시간을 보냈다. 1806년 훔볼트는 아내와 함께 로마에 살면서 아이스킬로스의 『아가멤논』(Agamemnon)을 열심히 번역하고 있었다. 그러다가 프로이센이 패전하고 나폴레옹 군대가 베를린 북쪽의 테겔에 있는 훔볼트 가문의 집을 약탈하자 포위된 고향으로 돌아갈 결심을 했다. 그는 전혀 내키지 않았지만 새로운 행정부의 직책을 받아들였다.[42]

하지만 일단 취임하자, 훔볼트는 프로이센의 교육을 변화시킬 몹시 진보적인 개혁 프로그램을 실시했다. 처음으로 프로이센 왕국은 진보적인 유럽 교육학의 최신 추세에 맞는 단일하고 표준화된 공교육 체계를 받아들였다. 그런 교육은 이제부터 기술 혹은 직업 훈련이라는 발상과 분리될 것이라고 훔볼트는 선언했다. 그러면서 그 목표는 구두장이의 아들을 구두장이로 만드는 것이 아니라 "인간의 아이를 인간으로 만드는 것"이라고 했다. 혁신학교는 단순히 특수한 주제로 학생들을 안내하는 대신, 그들의 마음속에 스스로 생각하고 학습하는 능력을 심어준다는 것이었다. "학생은 타인으로부터 충분히 배워서 스스로 학습하는 위치에 들어갈 때 성숙한 것"이라고 그는 썼다.[43]

이런 접근 방식이 교육제도에 두루 스며들게 할 목적으로 훔볼트는 프로이센의 무질서한 초등학교에 파견할 교사를 양성하기 위해 새

30 빌헬름 폰 훔볼트, 루이제 헨리 작, 1826년.

교육대학을 설립했다. 그리고 표준화된 국가고사 및 검사 제도를 도입하고 교육과정과 교과서, 학습 보조도구를 감독할 특별 부서를 내무부에 설치했다.

훔볼트 개혁의 핵심은 (가장 오래 지속된 기념비적 공로로서) 1810년 베를린에 설립한 프리드리히-빌헬름스 대학교였다. 운터 덴 린덴 거리에 있는 프리드리히 대왕의 동생 하인리히 왕자의 비어 있던 궁에 자리를 잡았다. 여기서도 훔볼트는 자율적이고 합리적인 개인에 의한 자기 해방의 과정이라는 칸트적 교육 이상을 실현하기 위해 애썼다.

초등교육에서 교사가 나오듯이, 교사는 중등교육을 통해 스스로를 없어도 되는 존재로 만든다. 이런 의미에서 대학 교원은 더 이상 교사가 아니며 대학생도 더 이상 배우는 학생이 아니다. 대학생은 스스로 연구하며, 교수는 학생의 연구를 이끄는 과정에서 그를 지원한다. 대학 수업은 학생이 학문 연구의 통일성을 파악하도록 안내하고 거기서 창의력을 요구하는 과정이기 때문이다.[44]

여기서 학술 연구는 미리 정해진 종착지가 없는 행위이며 순수하게 공리적인 틀에서 규정될 수 있는 목표는 없다는 결론이 나온다. 그것은 내재적인 역동성에 의해 전개되는 과정이자 사실을 축적하는 지식보다는 성찰 및 합리적인 주장과 관계된다. 이런 주장은 칸트의 인간이성 비판에 담긴 다원적 회의론에 대한 경의의 표현이자 프로이센 계몽주의에 활기를 불어넣으며 모든 것을 포용하는 대화의 이상으로 돌아간 것이기도 했다. 이런 사업이 성공하는 데 필수적인 전제는 정치적 간섭으로부터 자유로워야 한다는 것이었다. 국가는 지배적인 교수 파벌이 그들 자체의 계급 안에서 학술적 다원주의를 억압하려고 드는 경우에 '자유의 보증인'으로서 중재하는 것을 제외하면 대학의 지적 생활에 간섭하지 말아야 한다는 것이다.[45]

프리드리히-빌헬름스 대학교(1949년에 훔볼트 대학교로 개명)는 프로테스탄트 독일 국가 사이에서 빠르게 명성을 쌓아갔다. 대선제후 시대의 할레 대학교처럼 이 신설기관은 프로이센 국가의 문화적 권위를 전파하는 데 기여했다. 더구나 할레 대학교를 대신하는 학교의 필요성이 이 학교를 설립하게 한 동기 중 하나였다. 나폴레옹 전쟁으로 영토가 재편된 와중에 할레 대학교가 프로이센의 왕좌 지위를 잃었기 때문이다. 이런 점에서 신설 대학교는 프리드리히 빌헬름 3세가 말한 대로, "국가가 물질적인 강국으로서 상실한 것을 지적인 수단으로 회복하는 데" 도움을 주었다. 하지만 이 학교는 동시에 (그리고 여기에 이 학교의 진정한 의미가 담겨 있는데) 고등교육의 목표에 대한 새로운 이해를 제도적으로 표방하는 기능도 했다.

훔볼트의 각급 교육제도에서 배출된 해방된 시민들은 프로이센 국가의 정치 생활에서 적극적인 역할을 맡을 것으로 기대되었다. 슈타인은 공익 분야에 좀 더 능동적인 참여를 유도하는 지방자치 정부의 선발기관을 설치해서 이런 목표를 달성하기를 희망했다. 그가 퇴임하기 직전인 1808년 11월에 내무부는 '시 조례'를 제정했다. 한때 대부분, 길드 같은 법인단체의 특권회원으로 제한되었던 '시민'(Büger)은 집을 소유하거나(독신여성 포함) 시 경계 안에서 '생업'(Gewerbe)에 종사하는 모든 사람으로 범위가 확대되었다. 일정한 재산상의 자격을 만족시키는 모든 남자시민은 시 선거의 투표권과 공직을 맡을 수 있는 자격을 얻었다. '소유'(Teilhabe)와 '참여'(Teilnahme) 사이에서 주장되는 등가관계는 19세기 자유주의 역사에서 지속적인 주제가 된다.

똑같은 프로젝트(시민들이 공공의 일에 적극적으로 참여하는 것)가 하르덴베르크의 재직 기간에 왕국 전체에 주어졌다. 대중 참여라는 이런 놀라운 실험은 1806년 이전의 계몽주의 개혁가 대부분이 구상한 프로그램의 범위를 벗어나는 것이었으며, 대규모 재정 위기가 배경으로 작용했다. 1810년에 나폴레옹은 전쟁배상금에 대한 요구를 새롭게 제기하며 도나-알텐슈타인 내각을 향해 배상금 전액을 갚든가 슐레지엔 일부를 양도하든가, 둘 중 하나를 선택하라고 종용했다. 대신들이 두 번째 요구를 수용하는 방안을 논의하고 있을 때, 프리드리히 빌헬름 3세는 대신들을 해임하고 급진 재정개혁을 통해 프랑스가 요구하는 배상금을 해결하겠다고 약속한 하르덴베르크를 임명했다. 국가부채는 1806년 3,500만 탈러에서 1810년 6,600만 탈러로 급증했으며 주화의 가치 하락과 신권 발행, 고리의 대출이 악성 인플레이션을 부채질하고 있었다.

사태가 더 이상 악화되는 것을 막기 위해 하르덴베르크는 주요 금융 및 경제 개혁을 알리는 일련의 칙령을 연달아 쏟아냈다. 세금부담은 소비세의 일종인 '영토 소비세'를 부과함으로써 균등하게 하고, 10월 칙령과 시 조례에서 고지된 기업의 자유가 왕국 전역에 발효되게 하며, 교회 및 국가 재산을 매각하고 관세 및 세금 체계를 시대에 맞게 완전히 개정하고 합리화한다는 내용이었다. 수상은 논란이 많은 이런 정책을 제도적으로 쉽게 실시하기 위해 1811년 2월에 각 지역의 엘리트가 추천한 명사회(Notabelnversammlung)를 소집하고 회원 60명에게 자유롭고 평등한 프로이센 사회를 설립하는 임무에 이바지할 '전국 대표' 자격을 부여할 것이라고 알렸다.[46] 하르덴베르크가 1809년 3월에 작성한 비망록에 따르면, 명사회의 목표는 "정부와 인민 사이에 조성된 사랑과 신뢰의 유대를" 손상하지 않고 필요한 기금을 조성하는 방법을 찾아내는 것이었다. 말하자면, 그들 자신에게 새 세금을 부과함으로써 명사회는 "안타까운 희생자를 만들어야 하는 통치자의 고통을 경감해주고 국가의 시민들 사이에 형성된 반감을 줄여주며, 이들에게 어느 정도 세부 시행에 대한 재량권을 부여해서 그들의 애국심을 입증하고 공익 목적에 활기를 불어넣게 되리라는 것이었다".[47]

명사회는 (같은 목적으로 소집된 수많은 역사적 회의처럼) 실망스러운 결과를 보여주었다. 하르덴베르크는 공공의식이 있는 이 모임의 회원들이 짐을 꾸리고 정부의 전도사가 되어 각자의 고향으로 돌아가기 전에, 어떻게 필요한 변화를 이끌어내고 그 이상의 개혁을 추진할지를 놓고 건설적인 조언을 해줄 것으로 기대했다. 하지만 대표단은 오히려 하르덴베르크의 계획에 큰 소리로 반대 의견을 표명하는 바람에 명사회는 반개혁파의 의견을 제기하는 논단이 되고 말았다. 결국 명사회는 이내 해산되었다. 1812년과 1814년에 지방 정부에서 선출하고 수상이 소집한 이른바 임시 국민대표단이 똑같은 문제에 매달리게 되었다. 돌이켜보면 이런 사이비 민주주의 의회로 하르덴베르크가 성공을 거둘 수는 없었을 것이다. 우선 그는 그들에게 완전한 자격을 갖춘 의회의 권한을 허용할 의도가 없었다. 자문 역할로 기능을 제한하고, 그들을 정부와 국민을 연결해주는 이해의 고리로 삼을 생각이었다. 여기서 국가와 시민사회 사이에 합리적인 '대화'를 한다는 계몽주의적 꿈이 뚜렷하게 드러난다.

하지만 명사회와 다른 두 차례의 임시 회의에서 노출되었듯이, 이런 바람직한 전망도 갈등과 위기가 고조된 시기에 상충하는 사회, 경제적 이해를 공적으로 화해시키는 적합한 메커니즘을 제공하지는 못했다. 대표단을 상대로 한 하르덴베르크의 실험은 개혁 프로젝트 중심에 걸린 문제를 보여주었다. 즉 정부의 행위가 논란을 빚을 때, 참여라는 제도는 합의를 이끌어내기보다 반대 의견을 부각시키는 경향이 있었다. 똑같은 문제는 슈타인이 소집한 회의가 종종 개혁 조치에 반대하는 기구로 등장한 도시에서도 나타났다.[48]

좀 더 자유롭고 평등하며 정치적으로 일관된 시민사회를 만들려는 노력으로부터 혜택을 보는 사람들 중에는 프로이센 땅의 유대인이 있었다. 프리드리히 빌헬름 2세 치하에서 최상류층에 대해서는 통제가 부분적으로 완화되었지만, 프로이센 유대인은 여전히 많은 제약을 받았고 그들에 관한 업무는 특별한 사법적 관할하에 있었다. 더 포괄적인 개혁에 대한 최초의 신호는 "재산을 소유한 보호받는 유대인"

에게 투표권을 허용하고 시의회 구성원으로서 지방자치 업무를 보도록 한 1808년의 시 조례였다. 멘델스존의 제자인 다비트 프리트렌더가 유대인 최초로 베를린 시의원이 된 것은 이런 자유화 조치 덕분이었다. 하지만 광범위한 해방은 행정부 내에서 논란거리였다.[49] 1809년 미래의 유대인 지위에 대한 계획 초안을 작성하는 임무가 프리드리히 폰 슈뢰터에게 떨어졌다. 슈뢰터는 제한을 조금씩 제거하면서 완전한 시민권을 인정받기까지 처음에는 서서히 진행하는 점진적 접근을 제안했다. 그가 작성한 초안은 여러 정부부처에 회람되며 관리들의 의견을 물었다.

　행정부 내의 반응은 가지각색이었다. 재정부를 지배하는 보수 진영은 유대교의 모든 의식 절차를 포기하고 전통적 행위를 중단하는 조건으로 해방을 허용해야 한다고 주장했다. 훨씬 더 진보적인 의견은 빌헬름 폰 훔볼트의 반응에서 나왔다. 그는 투명한 정교 분리를 내세우며 세속적인 노선에 따라 조직된 국가에서, 개별 시민의 종교는 오로지 사적인 문제이며 시민권 행사에 전혀 영향을 미쳐서는 안 된다고 주장했다. 하지만 그런 훔볼트조차 해방이 궁극적으로 유대교의 자발적인 자체 해산으로 이어질 것이라는 생각했다. 그는 유대인이 "더 높은 신앙에 대한 인간의 타고난 욕구에 의해 움직이기 때문에, 자유의지에 따라 기독교로 전환할 것"이라고 주장했다.[50] 이상의 두 가지 견해는 (20여 년 전에 돔이 했던 것만큼이나) 해방이 유대인에 대한 '교육'을 통해 그들의 신앙과 관습을 벗어나 더 높은 사회적·종교적 질서로 향하는 결과를 수반할 것이라고 추정했다는 공통점이 있다. 차이는 훔볼트가 이 과정을 해방의 자발적인 결말로 상상한 데 비해, 재정부 관리들은 그것을 국가에서 부과한 전제 조건으로 보았다는 점이다.

　해방안은 하르덴베르크가 1810년 7월 6일 수상으로 임명된 직후 착수하지 않았다면 서랍 속에서 잠자고 있었을 것이다. 하르덴베르크는 원칙적으로 해방 전반에 대해 호의적이었는데 그의 이런 주장에는 개인적인 이유도 있었다. 그는 1790년대와 1800년대 초에 유대인 살롱에 자주 출입한 손님으로서 친구나 동료 중에 유대인이 많았다. 하르덴베르크가 첫 번째 부인과 이혼할 무렵 부채의 늪에 빠졌을 때, 저리 융자로 그를 곤경에서 구해준 사람은 베스트팔렌의 궁정은행가인(유대인의 종교개혁과 해방에 대한 열렬한 옹호자이기도 한) 이스라엘 야코프슨이었다. 하르덴베르크와 활동 영역이 같은 다비트 프리트렌더는 지역 사회별로 해방 사례를 담은 각서를 작성해달라는 요청을 받았는데, 프로이센 국사의 공식 심의에 유대인이 포함된 것은 이때가 처음이었다. 하르덴베르크가 조사하고 심의한 결과는 1812년 3월 11일 '프로이센 국가에서 유대인의 시민 조건에 관련한 칙령'으로 나왔다. 이 칙령은 프로이센에 거주하면서 일반 특권과 시민권 보유자, 보호증이나 특별 허가증을 소유한 모든 유대인은 이후로 프로이센 국가의 '내국인'(Einländer)과 '국가시민'(Staatsbürger)으로 간주해야 한다고 선언했다. 칙령은 유대인의 상업 및 직업 활동에 가해진 이전의 모든 제한을 해제하고 모든 특별세와 부담금을 없앴으며 유대인이 그들이 원하는 곳에서 자유롭게 살고 그들이 선택한 상대와 결혼하는 토대를 세웠다(물론 유대교인과 기독교인이 결혼하는 것은 계속 불허했다).

이런 결정은 분명히 진일보한 개선이었기 때문에 베를린에 소재한 유대인 계몽주의 잡지가 '새롭고 행복한 시대'의 출발이라며 축하한 것은 당연했다.[51] 베를린에 거주하는 유대인 원로 그룹은 이 '이루 헤아릴 수 없는 자선 행위'[52]에 대해 '심심한 감사'를 표하며 하르덴베르크의 선행을 칭송했다. 하지만 칙령으로 적용되는 해방은 몇 가지 중요한 점에서 한계가 있었다. 가장 중요한 것은, 공직에 유대인이 지원할 수 있는지 여부에 대한 판단을 유보했다는 점이다. 따라서 이것은 유대인의 요구에 부응해 모든 정치적 권리와 함께 보편적인 시민권을 부여한 1791년의 프랑스식 해방에는 결코 미치지 못했다. 그와는 반대로 프로이센 칙령에 사용된 언어에는 "이들에게 주어진 국가 주민과 시민으로서 자격의 유지는 사전에 주어진 의무의 충족 여부"에 달려 있다는 등의 경고가 담겨 있었다. 따라서 칙령은 권리의 인정이라기보다 지위의 허가라는 것이 분명해졌다.[53] 이런 점에서 칙령에서는 유대인의 '시민권 개선'에 대한 돔의 유명한 논문에 담긴 양면성을 느낄 수 있었다. 개혁파의 다수는 차별의 부정적인 효과가 가시고 유대인이 국가의 공공생활에서 동등한 참여자로서 지위를 찾기까지는 시간이 걸릴 것이라는 돔의 의견과 생각이 같았다. 한 프로이센 관리가 말했듯이, "유대인은 억압을 받으며 불온해졌기 때문에 […] 갑작스럽게 자유를 허용한다고 해서 당장 타고난 인간의 기품을 회복하기는 어려울 것"이라고 본 것이다.[54] 칙령은 오랫동안 차별해온 법을 상당 부분 걷어내기는 했지만, 정치적 해방의 단계까지 나가지는 못했다. 그 과정은 한 세대 정도는 걸릴 것으로 보였다.

맺음말

19세기에 슈타인과 하르덴베르크, 샤른호르스트 그리고 위로부터의 강력한 혁명의 주체로서 이들의 동료들이 토대를 쌓은 프로이센의 개혁시대는 신화의 후광으로 뒤덮였다. 하지만 실제로 무엇이 성취되었는지 좀 더 가까이 들여다보면, 개혁파의 업적은 초라해 보인다. 포고령을 둘러싼 요란한 선전과 열기를 제외하면, 남는 것은 1790년대부터 1840년대까지 장기 지속된 프로이센 행정 개혁기의 풍성한 얘깃거리뿐일지도 모른다.[55]

개혁은 하나의 합의된 목표를 향해 나아가지 못했으며 중요한 제안 중에 많은 것이 개혁파 자체의 격렬한 논쟁 때문에 약화되거나 지지부진해지거나 중단되었다.[56] 예를 들어, 세습 영지에 대한 권리를 폐기하는 계획을 보자. 슈타인과 대신들은 처음부터 그런 법적 권한을 폐

463

지하기로 결심했다. '민족의 문화적 조건과 맞지 않는다'는 것과 그로 인해 '우리가 살고 있는 국가'에 대한 대중의 애착을 약화시킨다는 것이 그 이유였다.[57] 반대로 하르덴베르크와 동료인 알텐슈타인은 정부가 지주의 이익을 고려해야 한다고 생각했다. 그리하여 그런 개혁 과제는 1808년에 나폴레옹에 의해 슈타인이 강제 해임된 이후 우선 순위에서 밀려나 논쟁거리로만 남았다. 귀족 계층의 반발은 특히 신분제의 잔재가 맹위를 떨친 동프로이센에서 강했으며 이는 개혁의 진전을 가로막았다. 마찬가지로 농민 계층의 불안은 농촌에서 유연하면서도 단호한 사법기관의 필요성을 일깨워주었다.[58] 그 다음으로 1810년의 재정 위기가 찾아왔다. 절망적인 현금 부족은 농촌의 정의를 실현하기 위한 값비싼 '총체적 개혁'을 회피하는 또 다른 이유였다. 전쟁과 점령 부담이 어떻게 개혁의 동기가 될 뿐 아니라 걸림돌이 될 수 있는지를 보여주는 예였다.[59] 이 같은 요인들이 뒤얽힌 가운데 세습재판소(patrimonial court) 폐지는 정부의 의제에서 사라졌다.

1812년 7월 30일에 반포된 경찰권 칙령에도 똑같은 운명이 닥쳤다. 이것은 프랑스식으로 농촌 정부에 관료 체제를 도입하고 전체 농촌 지역에 준군사적인 국가경찰대를 세우려는 방안이었다. 개략적인 계획이 처음 세워진 때는 슈타인의 재임 기간이었다. 베를린 경찰국장이 행동에 나서기를 재촉함에 따라, 하르덴베르크는 법령의 초안 작성을 옛날 프랑켄 시절의 부하였던 크리스티안 프리드리히 샤른베버에게 위임했다. 샤른베버가 마음에 둔 방식은 프로이센의 철저한 행정개혁이라는 틀 안에서 새로운 국가경찰력을 형성하는 것이었다. 칙령의 조건에 따르면, 프로이센의 전체 영토는 (가장 규모가 큰 7대 도시를 제외하고) 지역 대표라는 요소를 통합한 일률적인 행정기관을 갖춘 엇비슷한 크기의 행정구역(Kreis)으로 나누게 되어 있었다.[60] 경찰권 칙령은 하르덴베르크 시기의 개혁적인 주장 가운데 가장 강력한 목소리였다. 이것이 성공을 거두었다면, 프로이센 왕국의 시골 지역을 다스리는 비능률적이고 제각각인 구체제 조직의 상당 부분을 쓸어버렸을 것이다.

하지만 실제로 칙령은 일련의 저항을 불러일으켰고 (특히 동프로이센의) 시골 귀족과 행정부 보수파들로부터 나온 광범위한 시민불복종에 부닥쳤다. 1812년 베를린에서 열린, 귀족이 지배하는 임시 국민대표회의(Nationalrepräsentation)는 경찰권 칙령을 귀족 지주의 전통적인 권한을 강탈하려는 새로운 시도로 보고 세습 사법관할권을 폐지하려는 모든 방안을 거부하는 안건을 통과시켰다. 이는 정치적 참여와 개혁이 항상 함께하는 것은 아니라는 단적인 예였다.[61] 2년 뒤 행정부 내에서 후속 논의가 진행된 이후, 경찰권 칙령은 시행이 중단되었다. 하르덴베르크 행정부의 마지막 수년간 농촌의 지방 정부를 중앙집권적인 국가에 종속시키려는 계속된 노력은 실패로 돌아갔고 이 여파는 바이마르 공화국 초기까지 그대로 지속되었다. 동시에 농촌 행정에 대한 프로이센의 제도는 독일에서 가장 낡은 형태로 남았다.[62]

귀족의 정치적 저항에 대한 두려움은 좀 더 급진적인 조세제도를 위한 개혁파의 철저한 조사를 무산시켰다. 하르덴베르크는 토지세를 균등하게 부과하고 여전히 시골 귀족에게 특혜를 주는 많은 예외 조항을 철폐하고, 항구적인 소득세를 도입하겠다고 약속했다. 하지만 이런 계획은 신분제의회의 귀족들이 반발하는 바람에 좌절되었다. 대신 프로이센의 시민들이 일련의 소비세를 물게 되었고 이는 극빈층에게 가장 큰 부담이 되었다. 정부는 1817년에 이어 다시 1820년에도 토지세 개혁을 다짐했지만 결코 개혁이 약속대로 실현된 적은 없었다.[63]

아마 가장 큰 실망은 프로이센 왕국의 사회 전체를 대표할 수 있는 기관을 설립하는 데 실패한 일일 것이다. 1810년 10월 27일 하르덴베르크가 반포한 재정 칙령은 "누구나 기꺼이 활용할 수 있는 합리적인 대표기관을 지방뿐 아니라 [왕국] 전역에" 설치할 의도가 왕에게 있음을 공표했다.[64] 각료들의 성화에 못 이긴 왕은 1815년 5월 22일에 발표된, 향후 출현할 국민대표기관에 대한 포고령에서 이 약속을 반복했다. 정부가 '지방 신분제의회'(Provinzialstände)를 세우고 여기서 '주대표 기관'을 선출해 베를린에 본거지를 둔다는 것을 재확인하는 것이었다. 하지만 주의회(Landesparlament)는 쉽사리 실현되지 못했다. 대신 프로이센 사람들은 하르덴베르크 사후 1823년 6월 5일에 반포된 일반법에 따라 설립된 상대적으로 영향력이 작은 지방 신분제의회로 만족해야 했다. 이것은 대부분의 급진개혁파가 바랐던 강력한 근대적 민의의 대표기관은 아니었다. 이런 의회는 신분 기준에 따라 선출되고 조직되었으며 권한의 범위도 매우 협소하게 정해졌다.

프로이센 발전의 특이성을 파악하는 한 가지 방법은 나폴레옹 시대에 독일 지역 각국에서 진행된 광범위한 개혁 활동의 맥락에서 조명해보는 것이다. 바덴, 뷔르템베르크, 바이에른 3국 역시 이 무렵에 집중적인 행정개혁을 겪었는데, 거기서 빚어진 결과는 헌법개혁이라는 본질적으로 훨씬 더 파급력이 큰 것이었다. 3개국 모두 헌법과 전국 선거, 의회를 받아들였다. 법안을 통과시키려면 의회의 동의가 필요했다. 이런 배경으로 볼 때, 1823년 이후 프로이센에 새로 설치된 주의회(Landtag)는 깊은 인상을 주지 못했다. 한편, 프로이센 사람들은 경제 근대화에서 일관되게 훨씬 더 급진적이었다. 뮌헨과 슈투트가르트의 개혁파가 구체제의 중상주의가 걸어왔던 보호주의 노선을 옹호한 데 비해, 프로이센 사람들은 무역과 제조업, 노동시장의 규제 철폐에 목표를 두었다. 이것은 이미 산업화가 완전히 궤도에 오른 영국의 시장과 프로이센이 문화적·경제지정학적으로 근접해 있다는 확실한 증좌였다. 바덴과 뷔르템베르크, 바이에른이 이와 비교할 만한 개혁에 착수한 것은 한참 뒤인 1862년과 1868년에 들어서였다. 프로이센의 경제개혁은 1815년 이후로도 전후 관세동맹 시기까지 오랫동안 지속되었다. 이렇게 프로이센은 남부 독일 3개국보다 덜 '근대적인' 헌법 체계를 가진 채 나폴레옹 시대를 벗어났다. 대신 국민경제는 더 '근대적'이었다.[65]

개혁파의 업적을 어떻게 평가할 것인가는 그들이 성취한 것을 부각시킬 것인가, 아니면 여전히 극복하지 못한 과거의 유산에 초점을 맞출 것인가에 달려 있다. 한편으론 하르덴베르크의 다양한 개정에 따른 보상에서부터 슈타인의 농민해방 포고령에 이르기까지 지주들이 혜택을 받는 방식에 주목할 수도 있다. 아니면 그 대신에 농지분할에서 파생된 중소 농민계층의 규모와 번영을 지적할 수도 있다.[66] 프로이센 초등학교에 대한 훔볼트의 자유주의 교육은 1819년 이후 약화되기는 했지만, 프로이센의 교육제도는 윤리적인 인간정신과 졸업생의 자질 덕분에 국제적인 감탄을 불러일으켰다. 연구의 자유를 강력하게 부르짖은 프리드리히-빌헬름스 대학교는 유럽 전역에서 찬탄하는 모델이 되었고, 훔볼트의 교육관으로 근대 아카데미 사상이 태동하는 데 도움을 받은 미국이 열심히 따르는 모방의 대상이었다.[67] 또 한편으로 1812년의 유대인 해방 칙령의 성과의 한계를 얼마든지 지적할 수 있지만, 19세기 독일에서 일어난 유대인 해방사에 무게의 중심이 있음을 인정하는 것도 중요하다.[68] 시골에서 세습재판권을 폐지하려는 개혁파의 노력이 실패한 것을 한탄할 수도 있지만, 대신 1815년 이후 10년간 세습재판소를 국가의 합법적인 도구로 바꿔놓은 사회적 힘에 초점을 맞출 수도 있다.[69]

또 다른 측면에서 개혁파는 1815년 이후 드러난 변화의 동력을 되돌릴 수 없는 것으로 만들기 위해 최선을 다했다. 1817년에 설립된 국무원(Staatsrat)은 슈타인이 행사했던 것만큼의 권력을 누리지는 못했을지 모르지만, 법률 제정에 결정적인 역할을 했다. 정부부처를 세분화한 결과는 이론을 떠나 실제로 군주의 독립성을 제한하는 경향이 있었고 부처 관료주의의 위력을 강화했다.[70] 1815년 이후의 각부 대신은 1780년대나 1790년대보다 훨씬 권위가 있었다. 주의회는 제한된 권한에도 불구하고 궁극적으로 정치적 반대를 위한 중요한 기반이 되었다.

최종적이며 가장 중요한 입법조치 중 하나로서 1820년 1월 17일에 하르덴베르크가 단행한 전체적인 국가 부채의 처리 방침에 대한 명령만큼 개혁의 장기적인 효과를 잘 보여준 것도 없다. 법안은 현재 프로이센의 국가 부채(1억 8,000만 탈러가 넘는 규모)는 '영원히 폐쇄된 [계정]' 것으로 간주한다는 선언으로 시작해, 만일 국가가 차후에 새 국채를 발행할 처지가 된다면 '미래의 국민의회가 개입하고 공동으로 보증'할 때만 발행할 수 있다고 발표했다. 이 법령을 통해 하르덴베르크는 프로이센 국가조직 내에 헌법상의 시한폭탄을 설치한 것이라고 볼 수 있다. 1847년, 예측하지 못한 철도 시대가 도래함으로써 정부가 어쩔 수 없이 베를린에서 통합주의회(vereinigten Landtag)를 소집하고 여기서 혁명의 물꼬가 트일 때까지 이 시한폭탄은 계속 째깍거렸다.

개혁은 무엇보다 모두 소통과 관련한 행위였다. 칙령이 풍기는 요란한 선전의 분위기는 뭔가 새로운 것이었다. 특히 10월 칙령은 민의를 달래듯이 놀라운 수사를 사용했다. 프로이센 정부가 전에 이런 식으로 대중에게 말한 적은 한 번도 없었다. 이 분야에서 가장 개혁적인 인물이 하르덴베르크였다. 그는 여론을 정부정책의 성패를 가름하는 요인으로 보고 실용적이면서도 정중한 태도로 대중 앞에 나섰다. 안스바흐와 바이로이트에서 재직하는 동안 그는 '생각하고 공개적으로 의견을 펼칠 자유'를 침해하지 않고 대중의 안전욕구를 충족시키기 위해 최선을 다했다. 1807년에 작성된 유명한 '리가 각서'에서 하르덴베르크는 국가와 여론 사이에 적대적이 아닌 협조적인 관계를 강조하고 정부는 '훌륭한 필진'을 활용해서 과감하게 '여론의 지지'를 이끌어내야 한다고 주장했다. 1810~11년에 수상으로서 주석이 달린 주기적인 법령 반포를 처음으로 주창하고 과거 정부의 비밀주의에서 탈피해야 행정부에 대한 신뢰가 튼튼해진다고 주장한 사람도 하르덴베르크였다. 특히 대민업무에서 자유계약 작가와 편집자를 고용한 것이 혁신적이었다.[71]

하르덴베르크의 재임 중에 별로 알려지지는 않았지만 유난히 상징성이 큰 조치로는 공식 성명을 발표할 때 과거 관청 양식(chancellary style)의 낡은 잔재를 개혁한 것을 들 수 있다. 이 문제는 1800년 3월에

468

'짐 프리드리히 빌헬름 3세'를 시작으로 왕의 칭호를 중요도에 따라 열거하는 긴 '왕명'(nomine regis)을 정부 문서 상단에서 생략해야 한다는 제안이 나왔을 때 불거졌다. 1800년 4월 7일에 이 문제를 내각에서 논의했을 때, 거의 모든 대신은 완전한 칭호를 단축하는 것은 정부에서 사용하는 표현의 권위를 훼손할 것이라며 반대했다. 하지만 이튿날 하르덴베르크는 정부의 공식 문서에 사용하는 언어를 훨씬 더 급진적으로 개혁하는 것을 지지한다는 의견서를 내각에 전했다. 그는 현재 사용되는 관청 양식은 '지나간 시대'의 것이라고 의견서에 썼다. 시대는 바뀌었는데도 [양식은] 그대로 남았다는 말이다. 따라서 정부 당국은 '교육받지 못한 시대의 야만적인 문체'를 고집해서는 안 된다는 것이었다. 1800년 당시에는 이 문제와 관련해 별다른 성과가 없었지만, 10년이 지나자 긴 '왕명'은 하르덴베르크와 왕의 서명이 들어간 1810년 10월 27일의 법령에 따라 폐지되었다.[72]

별로 중요해 보이지 않는 이런 개혁은 하르덴베르크의 본질적인 개혁 프로젝트로 이어진다. 무엇보다 그가 중시한 것은 (과거 다른 개혁파도 마찬가지였지만) 개방과 소통이었다. 이런 의미에서 하르덴베르크는 자유주의자라기보다 계몽주의자였다. 그는 여론이 정부를 검증하거나 정부에 반대하는 역할을 하는 '자율적인' 힘이라고 보지 않았다. 그는(이 문제에 관한 한 슈타인도) 비판적인 담론의 장으로서 '자유주의적인 공론장'을 강화할 의도가 없었다.[73] 그는 소통을 위한 매체를 개방하고 교육받은 대중을 공익을 위한 조화로운 대화의 장으로 불러들임으로써 그런 반대는 필요 없고 생각할 필요도 없도록 만들고 싶었다. 이런 논리가 명사회와 임시 국민의회뿐만 아니라 과장되면서도 매혹적인 칙령과 끝없는 정부 출판물의 언어 배후에 숨어 있었다. 그것은 또한 언제고 필요하다고 생각할 때면 검열을 실시할 것이라는 하르덴베르크의 의지를 보여주는 것이기도 했다.[74]

하지만 하르덴베르크는 말이 경우에 따라 생명체처럼 살아 움직인다는 것을 간과했다. 그가 '대표기구'라는 말을 했을 때 속으로 생각한 것은 시골과 대도시 사이에서 정보와 생각을 전달하는 고분고분하고 성실한 협의회 같은 것이었다. 하지만 다른 사람들은 거기서 단체의 이해, 의회 혹은 입헌군주국을 생각했다. 그가 '참여'라는 말을 했을 때, 그것은 선출과 협의를 의미했지만, 다른 사람들은 정부를 감시하기 위한 공동결정과 권한으로 받아들였다. 그가 말하는 '국민'(Nation)은 정치적인 의식을 지닌 프로이센 사람을 가리켰지만, 다른 사람들은 이해관계와 운명이 반드시 프로이센 사람과 동일하다고 할 수 없는 넓은 의미의 독일 민족(deutsche Nation)을 생각했다. 이것이 왜 개혁이 당장은 약속만 풍성하고 실적은 빈약한지를 말해주는 이유 중 하나이다. 여기에 똑같이 역사적으로 사면초가에 몰렸던 미하일 고르바초프와 유사한 점이 있다. 고르바초프가 원한 것은 혁명적인 변화가 아니라 개혁과 개방이었다. 고르바초프와 하르덴베르크의 목표는 현재의 요구에 국가체제를 맞추는 것이었다. 따라서 차후의 변화에 그가 기여한 몫까지 부인하는 것은 인색한 평가일 것이다.

11

강철 시대

A Time of Iron

헛된 기대

1809년 봄이 되자, 승리의 여신은 마침내 나폴레옹을 외면한 것처럼 보였다. 자유의 전사들이 이베리아반도에서 프랑스군을 궁지로 몰아붙였다는 소식은 프로이센 전역을 흥분의 도가니로 만들었다. 4월 둘째 주에는 부르봉 왕조가 지배하던 에스파냐에서 조제프 보나파르트가 왕위에 오르자 격분한 오스트리아의 황제 프란츠 1세가 나폴레옹에게 선전포고를 했다는 보고서가 올라왔다. 오스트리아의 수석대신인 슈타디온 백작은 독일의 전폭적인 지원을 기대했으며 오스트리아의 선전 활동은 모든 영방의 독일인들이 프랑스에 맞서 싸우도록 자극했다. 4월 11일에는 티롤에서 포도주 상인 안드레아스 호퍼가 지휘하는 대규모 농민 반란이 일어났다. 티롤 사람들은 프랑스와 동맹을 맺은 바이에른 세력을 몰아내는 데 성공했다. 바이에른이 프랑스군으로부터 오스트리아 땅인 티롤을 넘겨받은 것은 불과 4년 전의 일이었다.

많은 프로이센 사람들은 자국이 침략군에 맞서 싸울 순간이 다가온 것으로 보았다. 주지사(Regierungspräsident)인 요한 아우구스트 자크는 베를린에서 "전반적인 분위기로 볼 때, 지금이 아니면 의존과 굴종으로부터 벗어나기 힘들다"[1]라는 보고서를 보냈다. 다시 한번 국왕은 불가능해 보이는 선택에 직면했다. 빈은 두 나라가 협력해서 군사작전을 짜고 프랑스에 맞서 싸우자고 설득하면서 프로이센의 지원을 재촉했다. 한편 프랑스는 1808년 9월 8일의 프랑스-프로이센 조약에 따라 프로이센이 프랑스에 병력 1만 2천 명을 지원할 의무가 있음을 상기시켰다. 러시아는 확실한 입장을 밝히지 않았다. 그들은 오스트리아의 원정에 무관심하고 확실한 언질을 줄 준비가 안 된 것으로 보였다. 국왕은 재빨리 본래의 자리를 찾았다. 그는 적대관계가 형성되기 전에도 프로이센으로서는 '우선 가만히 정세를 관망하는 것'이 최선이라는 결론에 도달했다.[2]

1805~6년에 그랬듯이, 국가가 직면한 외교정책의 난관은 군주 주변에서 막강한 영향력을 휘두르는 인물들을 분열시켰다. 일부는 러시아의 지원 없이 프랑스에 선제 공격을 하는 것은 프로이센으로서는 자살 행위나 다름없다고 주장했다. 군 개혁파와 외무대신 아우구스트 프리드리히 페르디난트 폰 데어 골츠, 법무대신 카를 프리드리히 바이메를 비롯한 나머지는 오스트리아와의 동맹을 촉구했다.[3] 그런데도 왕은 완강하게 방임정책을 고수했다. 자칫 국가의 완벽한 멸망을 부를지도 모를 어떤 움직임도 자제하는 것이 그의 정책이었다. 명성이나 명예 따위는 값비싼 사치품이었다. 어떻게든 살아남는 것이 최선이었다. "아무리 보잘것없어도 정치적으로 존재하는 것이 그러지 않은 것보다 낫다. 그러면 […] 적어도 미래를 위한 희망이 남는다. 만일 프로이센이 국가공동체에서 완전히 사라진다면, 아무것도 남지 않는다. 때가 무르익기 전에 프로이센이 움직인다면 그럴 가능성이 아주 클 것이다."[4]

오늘날의 관점에서는 프리드리히 빌헬름의 노선이 가장 지혜로웠는지도 모른다. 나폴레옹을 상대로 성공적인 전략을 펼치려면 러시아의 전폭적인 지원이 필수적이라고 본 반전론자들의 생각이 옳았다는 것은 의심할 여지가 없다. 프로이센과 오스트리아가 1809년 봄에 연합군을 편성했다고 해도 나폴레옹군을 휩쓸었을 가능성은 대단히 낮아 보인다. 하지만 당대의 많은 사람 눈에 국왕이 신중하게 기다리는 태도는 비열하고 비난받아 마땅해 보였다. 쾨니히스베르크 왕실 주변에서는 프리드리히 빌헬름을 폐하고 대신 더 유능해 보이는 그의 동생 빌헬름을 왕위에 앉히려는 음모가 있다는 소문이 나돌았다. 경찰을 비롯한 공식보고서에서는 장교단 내부에 전반적인 사기 저하와 불안감이 번지고 있다는 언급이 있었다. 4월 초에는 포메른 출신 장교들이 꾸민 난폭한 반란이 사전에 저지되었다. 알트마르크 서부 접경에서는 (프리드리히 대왕 친구 헤르만 폰 카테의 먼 친척일지도 모르는) 전 프로이센군 중위인 폰 카테가 프로이센 인근의 베스트팔렌 왕국에서 무장반란을 일으켜 프로이센에 속한 슈텐달을 장악했으며 현금이 보관된 금고를 압류했다.[5] 프로이센 장교의 다수는 오스트리아 편에 서서 참전하기를 원하는 것으로 보였다. 4월 18일, 쿠르마르크 지방 정부를 이끄는 프리드리히 루트비히 폰 빙케 주지사는 베를린에서, 군 내부의 여론은 왕실 정책에 매우 비판적이고 왕이 선제조치를 취하지 않으면 젊은 장교 전원은 군대를 떠나기로 결심했으며 그렇게 되면 "질서 유지가 불가능할 것"이라는 보고서를 올렸다. 끝으로 빙케는 왕이 당장 베를린으로 오지 않으면 전반적인 붕괴가 시작될 것이라는 결론을 내리며 "이런 현상이[붕괴가] 군에서 시작된다면, 그것을 누가 막을 수 있겠는가?"라고 경고했다. 샤른호르스트와 절친한 타우엔치엔 중장은 프로이센이 계속 중립으로 남아 있을 때, 자신의 군대가 충성한다는 보장을 할 수 없다고 선언했고, 왕의 사촌인 아우구스트 왕자는 필요하면 국왕이 없어도 '국민'이 행동에 나설 것이라고 프리드리히 빌헬름에게 경고했다.[6]

4월 말, 한 프로이센 장교가 애국심에서 프랑스군에 맞서기 위해 베를린 밖으로 자신의 연대를 이끌고 나왔다는 소식이 들렸을 때, 다시 소동이 벌어졌다. 페르디난트 폰 실 소령은 프랑스군과의 게릴라전 경험으로 유명했다.[7] 1806년, 그는 자원병들을 이끌고 콜베르크 요새 주변 지역에서 프랑스군의 보급선을 연달아 습격한 적이 있었다. 이 습격이 성공을 거둠에 따라 그는 1807년 1월 프리드리히 빌헬름 3세에 의해 대위로 진급하고 자유군단(Freikorps) 부대를 창설하는 임무를 맡았다. 그리고 이 부대를 지휘하면서 1807년 봄과 초여름에 프랑스군을 상대로 작전을 펼쳐 연달아 성공을 거두었다. 하지만 7월 9일 틸지트 조약에 따라 실의 자유군단은 해산되었다. 그럼에도 실은 소령으로 진급했고 프로이센 최고 용사에게 주는 '푸르르메리트'(Pour le mérite) 훈장을 받았고 이내 유명인사가 되었다. 1808년 여름, 쾨니히스베르크의 애국적인 노선의 주간지 『폴크스프로인트』(Der Volksfreund)는 실의 공훈을 정리한 전기물을 출간하고 그를 프로이센 애국자의 이상으로 찬양했다. 이 전기에서는 영웅의 초상을 검은 머리에 긴 수염을 늘어뜨리고 군모를 삐딱하게 쓴 다소 퇴폐적인 남자로 묘사했다.

1808년 가을, 실 연대는 1806년 패전 이후 최초로 베를린에 입성한 프로이센 부대였다. 그의 부관은 훗날 "믿을 수 없는 환대를 받았다"라고 회고했다. "월계관과 꽃다발이 우리를 향해 비처럼 쏟아졌다. 모든 창문마다 예쁘게 단장한 여인과 소녀 들이 우리를 환영했다. 실이 가는 곳은 어디서나 환호성을 지르는 군중이 그를 둘러쌌다."[8] 어쩌면 군중의 흥분이 그를 우쭐하게 했는지도 모른다. 실은 독일에서 프랑스에 대한 대규모 민중 반란의 기운이 무르익었으며 그것을 지휘할 적임자는 바로 자신이라고 믿기 시작했다. 이 같은 망상은 그가 프로이센 전역에서 떨치고 일어난 여러 비밀 애국조직을 접하면서 힘을 받았다. 그중에 쾨니히스베르크에 본거지를 둔 도덕연맹이라는 비밀결사는 회원의 80퍼센트가 다양한 계급의 군 출신이었다. 포메른에 근거를 둔 조국협회 요원들은 실에게 애국 운동의 지휘봉을 잡으라고 설득했다. 1809년 1월과 2월에는 베스트팔렌 왕국의 애국 단체에서 비밀리에 사자들을 파견해 서부 독일에서 반란을 이끌어달라고 애원하기까지 했

31 작가 미상, 실 소령.

다. 독일 애국 단체의 비밀 네트워크는 비록 수적으로는 작은 규모였을지 모르지만 열정적이었고 단결력이 강했으며 정신적으로 탄탄하게 무장되어 있었다. 일단 조직에 들어간 사람은 이내 현실을 잊었으며 자신의 뒤에는 민중이 있고 승리는 확실하며 해방이 멀지 않았다고 쉽게 믿었다. 1809년 4월, 실은 계획된 베스트팔렌의 봉기를 지휘해달라는 제안을 수락했다. 그는 성명서를 작성해 베스트팔렌으로 보냈고 모든 애국 시민을 향해 점령군에 맞서 봉기할 것을 호소했다. 그런데 그만 성명서를 프랑스군에 빼앗겼다. 4월 27일, 자신이 곧 체포되리라는 것을 안 실은 상관들에게 보고도 하지 않고 이튿날 부하들을 이끌고 베를린을 빠져나가 반란 작전에 착수했다.

그가 부대를 이탈했다는 소식은 엄청난 소동을 일으켰다. 5월 1일자로 내무대신 도나 백작에게 보내는 보고서에서 브란덴부르크 주지사 요한 아우구스트 자크는 수도의 소요를 말로 다 설명할 수 없다고말했다. 베를린에서는 어디나 실에 관한 얘기뿐이라는 것이었다. 또 누구나 나폴레옹에 대한 프로이센의 선전포고가 임박한 것으로 믿고 있다고 했다. 국왕이 더 이상 나라를 다스릴 수 없다는 인상을 주지 않기 위해, 시 당국은 일시적으로 실이 공식적인 지원 아래 작전을 수행한다는 믿음을 키워주기로 결정했다고도 써 있었다.[9] 5월 7일, 쾨니히스베르크의 왕은 베를린 경찰국장 유스투스 그루너가 올린 보고서를 받았다. 보고서에서 그루너는 프로이센에서 국왕의 권위를 유지하는 유일한 길은 즉시 오스트리아와 동맹을 맺고 싸우든가 아니면 베를린으로 와서 직접 프랑스와 강화 조약을 맺는 것뿐이라고 경고했다.

> 군대가 동요하는데 정부의 권위가 설 수 있겠습니까? […] 존귀한 항해사가 직접 키를 잡고 대중의 소요를 가라앉히지 않는다면, 지칠 줄 모르는 [국왕을 위한] 개인의 모든 열정은 끊임없이 날뛰는 파도가 집어삼킬 것입니다. 호엔촐레른의 왕위가 백척간두의 위기에 놓였습니다.[10]

그루너는 과장하고 있었다. 실의 모험은 대실패로 끝났다. 1809년 5월 31일, 실은 슈트랄준트에서 덴마크 병사의 칼에 부상을 입은 다음 네덜란드 병사의 총에 사살되었다. 두 사람 모두 프랑스군 편에서 싸우는 군인이었다. 전하는 말에 따르면, 이 네덜란드인은 실의 머리를 잘라 '순 알코올'에 담근 다음 라이덴 공공도서관에 전시했고, 이것은 1837년 브라운슈바이크에 매장될 때까지 그곳에 보관됐다. 이어 실의 휘하에서 살아남은 장병 28명에 대해서는 나폴레옹의 명령에 따라 반란에 가담한 죄를 물어 총살형이 집행되었다.[11] 비록 많은 프로이센 장교가 실과 애국단의 활동에 동정심을 품었다고는 하나, 국왕에 대한 충성맹세를 깨트릴 사람은 별로 없었다. 프로이센의 백성 다수는 (나머지 독일 지역과 마찬가지로) 애국자들이 박해받는 것을 가만히 지켜볼 뿐이었다. 거의 동시에 베스트팔렌의 왕 제롬에 맞서 일으켰다가 실패한 페르디난트 빌헬름 카스파르 폰 되른베르크 대령의 반란이 그랬듯이, 실에게 일어난 사건은 독일 대중의 애국적인 목표를 정치나 군사적 행동으로는 달성할 수 없다는 것을 보여주었다.

그럼에도 불구하고 프로이센 당국은 당황하는 기색이 역력했다. 이 사건은 프리드리히 대왕 이래 왕실과 민중 사이에 얼마나 큰 변화가 일어났는지 보여주었기 때문이다. 타우엔치엔이나 그루너, 자크, 빙케 등이 작성한 보고서의 특징은 거기에 백성의 목소리가 실렸다는 것이다. 왕조 역사상 처음으로 프로이센의 고위 관리와 고급 장교가 군주의 행동을 촉구하기 위해 민의를 인용한 것이다. 변함없이 신중한 프리드리히 빌헬름은 공포 분위기를 조장하는 신하들이 주장하는 것만큼 상황이 나쁘지는 않다고 말하며 냉정한 태도를 유지했다. 그는 폰 데어 골츠 외무대신에게 "짐은 우리 백성들이 일으키는 불법적인 소요가 두렵지 않소"라고 말하면서 대수롭잖게 자신은 베를린으로 갈 생각이 없다고 덧붙였다. 베를린에 가면, '무정부 상태의 소요' 때문에 더 중요한 국사에 시간과 정력을 쏟지 못할지도 모른다는 것이었다.[12]

하지만 프리드리히 빌헬름 자신도 관료들의 주장을 마음속에 새겼던 것으로 보인다. 1809년의 위기 기간에 그가 손으로 작성한 노트는 이례적으로 날짜가 없다. 여기서 그는 강제 퇴위의 가능성을 염두에 두고 있다. 그는 침울한 기분으로 '여론의 지지를 더 받는' 다른 인물에게 왕위를 물려주어야 한다면, 욕심 부리지 않고 기꺼이 '국민들이 더 낫다고 생각하는 이에게 정부의 지휘봉을 넘겨줄 것'이라는 마음을 내비쳤다.[13] 이런 모습은 일시적인 몽상일 수도 있지만, 혁명기의 격동적 상황에서 나온 덧없는 감정이 전통적인 군주의 자화상을 얼마든지 뒤바꿔놓을 수 있음을 보여주는 것이기도 하다.

애국자와 해방자

1809년의 위기가 닥쳤을 때 대두된 문제는 단순히 프랑스를 상대로 싸

479

울 것인지, 싸운다면 그 시점은 언제가 좋을지의 물음일 뿐만 아니라 프로이센이 나폴레옹을 상대로 벌이는 전쟁은 궁극적으로 어떤 싸움이어야 하는지에 대한 물음이기도 했다. 프리드리히 빌헬름과 보수적인 군부 지도자들은 여전히 전통적인 내각전쟁(Kabinettskrieg)의 틀에서 생각했다. 이런 싸움에서는 왕실의 외교와 잘 훈련된 정규군이 가장 중요한 무기 역할을 하기 마련이었다. 이와는 대조적으로 개혁파는 애국심에 불타는 시민들이 대거 무장을 하고 참여하는 새로운 민란 형태의 전투 방식을 염두에 두었다. "왜 우리가 에스파냐나 티롤 사람보다 못하다고 생각해야 합니까?" 1809년 10월, 위험을 무릅쓰고 오스트리아 편에서 참전할 것을 설득하러 온 게프하르트 레버레히트 폰 블뤼허 장군이 프리드리히 빌헬름 왕에게 물었다. "그들보다 우리의 장비가 우수하단 말입니다!"[14]

이 문제는 일단 전쟁 위기가 지나가자 긴급한 현안에서 멀어졌지만, 1811년 프랑스와 러시아 사이에 전운이 감돌자 다시 쟁점으로 부각되었다. 1811년 8월 8일, 국왕에게 올리는 작전계획서에서 그나이제나우는 에스파냐의 민중해방전쟁 방식을 따라 전선 배후에서 프랑스군을 타격하는 유격전에 대한 계획을 상세하게 설명했다. 이런 형태의 민중봉기는 프랑스 부대를 약탈하고 보급선을 끊어놓을 것이며 그대로 두면 적의 수중에 넘어갈 자원을 파괴한다는 것이었다. 그나이제나우는 한때 자신의 부하였던 실이 무너지는 것을 보았기 때문에 평범한 프로이센 사람들에게는 목숨 걸고 프랑스군과 싸우기 전에 사기를 높여줄 필요가 있다는 것을 잘 알고 있었다. 이에 필요한 애국심의 결핍을 확실하게 보충할 수 있도록, 그나이제나우는 정부에서 성직자들을 고용해 지역 사회를 동원할 것을 건의했다.[15] (당시 프라하로 망명한) 슈타인과 클라우제비츠도 비슷한 제안을 했지만, 이들은 군주의 명석한 지도력에 더 무게를 두었다.

민중봉기의 형태로 프랑스와 전쟁을 벌이는 구상은 장교단 내에서 폭넓은 지지를 받지 못했다. 정규군의 통제를 벗어난 병력이 위험을 무릅써야 하는 전투 방식을 마음에 들어 하는 장교는 소수였다. 하지만 군대 밖, 프로이센의 애국적인 지도층 사이에서는 이 아이디어가 큰 공감을 얻었다. 한때 프로이센의 근위병이었던 하인리히 폰 클라이스트는 나폴레옹에 맞선 오스트리아의 원정에서 영감을 받아 1809년에 쓴 시에서 구독일제국 곳곳에서 프랑스에 맞서 일어난 독일인을 상상하며 놀랍도록 치열한 언어로 전면전의 야수성을 부각시켰다.

> 초원마다 도시마다 온통
> 그들의 뼈로 하얗게 물들었네.
> 까마귀와 여우가 남긴 것은
> 굶주린 물고기의 배를 채워주네.
> 그들의 시체로 라인강이 막히고
> 그 많은 살이 쌓이다가
> 둑이 무너지고 서쪽으로 흘러가며
> 새로 국경선을 그리네![16]

아마 반란에 대한 생각을 가장 기발하게 표현한 것은 체조(Turnbewegung)일 것이다. 체조는 1811년 프리드리히 루트비히 얀이 지금은 베를린 구역이 된 노이쾰른의 하젠하이데 공원에서 창안한 것이다. 이 운동의 목적은 임박한 프랑스와의 전쟁에 대비해서 청년을 단련시키는 것이었다. 준군사조직을 훈련시키는 것이 아니라 민중 전체가 적과의 싸움에 대비할 수 있도록, 민간인의 신체적 기량을 닦고 애국심을 고취하는 것이 목표였다. 체조하는 사람은 '병사'(Soldaten)가 아니었다. 병사는 용병(Söldner, 'Sold'는 독일어로 급료를 뜻한다)을 연상시키기 때문에 얀이 경멸하는 말이었다. 그보다 체조인은 조국에 대한 사랑 때문에 완전히 자발적으로 싸우는 민병대였다. 그들은 얀이 초기 운동의 공식 교재라고 할 『독일 체조술』(*Die Deutsche Turnkunst*)에서 지적하다시피 '행군'하지 않는다. 행군은 자발적인 의지를 억누르고 개개인을 고위층의 단순한 도구로 격하시키려는 의도가 있기 때문이다. 대신 그들은 자유로운 사람이 그렇듯이 자연스러운 동작으로 다리를 흔들며 '걷는다'. 얀은 체조 기술이 "예절과 법칙의 의미에서, 또 권리를 침해하지 않으며 즐거운 순종의 의미에서, 운동의 자유와 활기찬 자율성을 위해 […] 사회적 미덕을 닦는 지속적인 장(eine bleibende Stätte)"이라고 썼다.[17]

이 운동의 자유를 확대하기 위해 얀은 특별한 의상을 개발했다. 헐렁한 셔츠와 표백하지 않은 회색의 통 넓은 바지는 신체 운동의 자유로운 동작을 위해 디자인되었기 때문에 체조선수들이 아주 좋아했다. 여기서도 다시 반군사적인 특징이 돋보인다. 얀은 다음과 같이 썼다. "가볍고 간편하며 수수하고 철저히 기능에 맞춘 체조인의 리넨 의상은 선두에 선 지휘관의 제복에 달린 끈 장식이나 완장, 군도, 긴 장갑 같은 것에 어울리지 않는다. 이런 의상을 입는다면 엄정한 군기는 흐트러지고 행군은 한가한 놀이처럼 비칠 것이다."[18] 전통적인 군대의 계급 질서에 대한 이 같은 반감의 배후에는 암묵적인 평등주의가 깔려 있었다. 얀의 문하생들은 서로 격의 없이 '두'(du, 가까운 사이에서 허물없이 사용하는 2인칭 대명사 — 옮긴이)를 사용하라는 권유를 받았으며, 이들의 독특한 의상은 외형적인 사회적 차별 표식을 없앰으로써 신분의 장벽을 허무는 데 도움이 되었다.[19] 체조인들은 모든 구성원이 「신분과 계급에서 누구나 평등하다」(An Rang und Stand sind alle gleich)라는 노래를 부르는 것으로 알려지기도 했다.[20] 젊은 남자들이 옥외에서 (오늘날 사용하는 체조 도구의 원형이라고 할) 막대를 세워놓고 그 위에 올라가 몸을 흔들거나 비트는 훈련은 군중을 엄청나게 끌어들였다. 이것은 어떻게 애국심이, 계급이라는 권위적인 구조보다 자연스러운 단결에 뿌리를 둔 정치문화의 개념을 재정립하는 열쇠가 되는지를 보여주는 단적인 예라고 할 수 있다.

애국의 담론에 들어 있는 바로 이런 막강한 잠재력은 급진적인 군사개혁으로부터 군주의 눈을 돌리게 만들었다. 1809년 12월 28일, 프리드리히 빌헬름은 마침내 베를린으로 돌아왔다. 군중은 시내 곳곳에서 그에게 환호하며 갈채를 보냈다. 하지만 그는 여전히 어떤 종류의 애국적인 모험에도 반대하고 있었다. 수도로 귀환한 이 시점에 그는 어느 때보다 프랑스 당국의 완벽한 감시를 받았다. 바로 이런 이유로 나폴레옹은 그가 쾨니히스베르크를 떠날 것을 요구했다. 더구나 1809년 이후, 프랑스의 입지는 완전히 난공불락으로 보였다. 1810년까지 신성로마제국이 해체된 뒤 남아 있던 거의 모든 독일 영토는 라인 동맹에 가담한 상태였다. 이것은 국가별 연합으로 회원국은 나폴레옹의 외교 노선을 지원하기 위해 군 병력을 분담할 의무가 있었다. 이런 세력 앞에서 저항한다는 것은 가망이 없어 보였다.

프리드리히 빌헬름이 과감한 군사 행동을 마땅치 않게 생각하는 태도는 개인적인 비극으로 인해 더 뿌리가 깊어졌다. 1810년 7월 19일, 그는 34세밖에 안 된 아내 루이제의 갑작스러운 죽음으로 오랜 우울증에 빠졌다. 이런 상태에서 그의 위안거리는 은둔과 기도뿐이었다. 그는 민중봉기라는 발상을 신뢰하지 않았다. 개혁파는 군사 행정을 개선하고 훈련을 실시하기 위해 다양한 조치를 취하는 것이 허용되었지만, 프리드리히 빌헬름은 보편적인 병역 의무를 도입해 '인민군'(Volksarmee)을 동원하기 위한 모든 노력을 차단했다. 성직자를 고용해 시민들이 점령군에 맞서도록 설득하자는 그나이제나우의 제안에 대해, 왕은 간결하게 '목사 한 명이라도 총살되는 날엔 모든 것이 허사가 될 것'이라는 주석을 달았다. 또 민병대 제도를 제안한 것에 대해서는, 간단히 '시적인 발상'[21]이라고 일축했다. 그렇기는 해도 왕은 주전파에게 한 가지 중요한 양보를 했다. 1811년 여름, 그는 프로이센 군대를 확대하고 주요 요새를 강화하는 계획을 승인한 것이다. 러시아와 영국과 관련된 문제에 대해서는 재치 있는 감각을 발휘하기도 했다.

프리드리히 빌헬름으로서 다행이었던 것은 선임보좌관 대부분이 관망하는 그의 정책을 지지했다는 것이다. 이 때문에 왕은 '주전파'의 탄원에 맞서는 데 큰 어려움이 없었다. 하지만 프랑스와 러시아의 관계가 1810년 이후 냉각되는 바람에, 베를린 의사결정권자들에 대한 외부의 압력은 갈수록 거세졌다. 나폴레옹과 알렉산드르 1세가 형제처럼 지내는 유럽의 미래는 언제나 상상하기 어려운 그림이었다. 양국 사이에 한동안 긴장이 쌓이다가 1810년 12월, 나폴레옹이 북서 독일 지역의 올덴부르크 공국을 합병하자 러시아의 분노가 폭발했다. 올덴부르크의 보전은 틸지트 조약에서 보장된 것이었고, 더구나 그곳의 군주는 알렉산드르 황제의 숙부였다. 알렉산드르는 12월 31일 칙령을 반포하고, 프랑스 상품(포도주와 비단은 제외)에 대해 러시아의 시장과 항구를 봉쇄했다. 1811년 봄과 여름에 양 강대국의 관계는 더욱 멀어졌지만 어느 쪽도 전쟁이란 말은 입 밖에 내지 않았다. 그러나 1811~12년 겨울이 되자 프랑스의 대규모 공세가 임박한 징조가 보였다. 나폴레옹은 독일 동부와 중부의 병력을 증강하고 스웨덴령 포메른을 점령했으며 에스파냐에 주둔한 36개 대대를 이동시켰다.[22]

프로이센은 다시 한번 강대국의 정치적 수레바퀴에 깔릴 위험에 놓였다. 프리드리히 빌헬름과 보좌관들은 (누구보다 하르덴베르크가 유난히) 평소의 소심하고 신중한 태도를 보였다. 초여름에 시작된 재무장 과정을 프랑스 측에 숨기는 것은 불가능했다. 1811년 8월, 나폴레옹은 해명을 요구했다. 하르덴베르크의 답변에 만족하지 못한 나폴레옹은 최후통첩을 보내며 만일 재무장을 당장 멈추지 않으면 베를린에서 프랑스 대사를 철수시키고 대신 프랑스군 최고사령관인 다부 원수를 주둔시키겠다고 경고했다. 이런 연락을 받은 베를린은 깜짝 놀랐다. 그나이제나우는 그런 협박에 굴복하는 것은 정치적 자살이라고 반대했지만, 프리드리히 빌헬름은 그의 의견을 묵살하고 모병 활동과 요새 구축을 중단하라는 명령을 내렸다. 이후 대프랑스전에서 결정적인 역할을 맡게 되는 콜베르크 요새의 지휘관 블뤼허 장군도 거세게 반발했다. 왕이 프랑스의 명령에 맞서야 하고 베를린에서 물러나야 한다고 블뤼허가 주장하자, 왕은 그의 지휘권을 몰수하고 그 자리에 나폴레옹이 수용할 수 있는 타우엔치엔을 앉혔다.

최후의 굴욕은 1812년 2월 24일, 나폴레옹이 강요한 모욕적인 동맹 조약의 형태로 찾아왔다. 프로이센이 병영과 군량을 제공하고 프랑스 대육군(Grande Armée)이 러시아 침공을 위해 동부로 진격할 때, 모든 군수 창고와 요새를 프랑스 지휘관에게 개방할 것이며 나폴레옹에게 예비군단 1만 2천 명을 지원하라는 것이었다. 베를린에 주둔한 프랑스 측이 강요한 이 '협정'은 30년전쟁 때의 조약 협상을 연상시켰다. 나폴레옹은 제국 본부에 파견된 프로이센 대사 크루제마르크에게 대육군이 프로이센에 들어갈 때 친구로 맞을지 적으로 맞을지 선택하라는 말로 협상을 시작했다. 절망에 빠진 대사는 일단 모든 조건을 받아들이고 베를린으로 비준을 위한 문서를 보냈다. 하지만 프랑스 측이 문서를 가지고 갈 특사의 출발을 지연시키는 바람에 프리드리히 빌헬름이 문서를 받아볼 무렵에는 이미 프랑스군이 프로이센의 수도에 접근하고 있었다.

프로이센은 이제 나폴레옹의 군사전략을 위한 도구일 따름이었고, 라인 동맹에 속한 독일 위성국들과 처지가 다를 바 없었다. 이런 상황은 프로이센이 나폴레옹과 싸우게 하려고 온갖 노력을 해온 애국적인 개혁파에게 지극히 실망스러운 결과였다. 일단의 고위 관리들은 이런 상황에 그만 정나미가 떨어져서 자리에서 물러났다. 여기에는 베를린 경찰국장 유스투스 그루너도 포함되었다. 그루너는 프라하로 가서 애국조직에 합류해 봉기와 사보타주를 통해 프랑스군을 무너뜨리려고 했다(그는 8월에 역시 프랑스군과 동맹을 맺은 오스트리아 정부에 의해 체포되었다). 군사개혁을 추진하던 샤른호르스트는 '내부 망명'을 택해 공적인 생활로부터 완전히 모습을 감췄다. 군사개혁 작업에서 가장 출중한 보이엔, 그나이제나우, 클라우제비츠 세 명은 동료들과 의견이 갈린 뒤에 러시아만이 나폴레옹을 쓰러트릴 잠재력이 있다고 믿고 차르의 군대에 들어갔다. 여기서 이들은 슈타인과 재결합했다. 오스트리아로 망명한 슈타인은 이때 차르 알렉산드르의 초대를 받고 1812년 6월, 러시아군 본부에 와 있었다.

3월부터 대육군 병사들은 노이마르크와 포메른, 동서 프로이센을 행군하며 그들의 집결지인 동부를 향해 진격했다. 1812년 6월, 약 30만에 이르는 병력(프랑스군, 독일군, 네덜란드군, 왈롱군 등)이 동프로이센에 집결했다. 지방 정부는 이 어마어마한 규모의 병력에 식량을 공급할 형편이 못 된다는 것이 곧 확실해졌다. 그 전년도에 곡물 수확이 너무 저조했기 때문에 군량은 얼마 안 가 바닥이 나고 말았다. 동서 프로이센의 주지사인 한스 야코프 폰 아우어스발트는 4월에, 동서 프로이센 농장의 가축들이 굶어 죽어가고 있고, 길바닥에는 죽은 말들이 흩어져 있으며, 종자용 씨앗도 남은 것이 없다고 보고했다. 지방 정부의 식량조달 기구는 제 역할을 하지 못해 곧 와해되었고 각 지휘관들은 그저 부대원들에게 개별적으로 식량을 징발하도록 명령하는 수밖에 없었다. 수레를 끄는 가축을 가진 농부들은 말이나 소를 빼앗기지 않으려고 한밤중에 파종을 하거나 쟁기질을 한다는 소문이 들렸다. 어떤 사람들은 말을 숲속에 감추었지만, 프랑스군이 이내 알아채고 숨긴 가축을 찾아내기 위해 숲속을 샅샅이 뒤졌다. 이런 상황에서 군대의 기강은 순식간에 무너지고 말았으며 군대의 무도한 행위에 대한 보고가 숱하게 쏟아져 들어왔다. 특히 재물 강탈이나 약탈, 매질에 대한 보고는 끝이 없었다. 한 고위 관리가 올린 보고서는 참화가 "30년전쟁 때보다 더 심하다"라고 표현했다. 프랑스 지휘관들은 수레를 끌 말이 없으면 농부들에게 강제로 마구를 씌워 끌게 한다는 것이었다. 이 보고서에 따르면, 동프로이센의 농민들은 대부분 자신이 국왕의 동맹국 군인들에게 그런 학대를 받는 것을 이해하지 못했다. 실제로 프랑스군은 적이었던 1807년보

486

다 '우군'으로 바뀐 1812년에 더 잔인하게 행동한다는 말이 들렸다. 동부 변두리에 있는 리투아니아 지역에서는 여름에 기근이 심해져 불가피하게 아이들의 사망률이 증가했다.[23] 하노버의 외교관인 루트비히 옴프테다의 인상적인 표현에 따르면, 프랑스군은 프로이센 주민들에게 '참상을 보고 눈물을 흘릴 눈'을 제외하곤 아무것도 남겨놓지 않았다.[24]

프로이센 전역에서 나폴레옹 군대에 대한 민심은 점차 분노에서 끓어오르는 증오로 변했다. 그러다가 처음으로 러시아에서 프랑스군이 패배했다는 소문이 어렴풋이 들리자 비로소 민심은 열렬하게 고소해하는 마음(Schadenfreude)으로 그 소식을 반겼다. (나폴레옹 군대의 겨울 숙영지를 없애기 위해 러시아군이 지른) 모스크바의 화재에 대한 간추린 보고는 먼저 10월 초에 프로이센 동부에 들어왔다. 특별히 관심을 끈 것은 비정규군인 카자크 부대와 무장 농민유격대의 공격으로 대육군이 막대한 피해를 입었다는 보고였다. 11월 12일, 대육군이 모스크바에서 철수한다는 소문이 신문에 났을 때, 그것은 기정사실이 되었다. 베를린에 주재한 프랑스 외교관 르카로는 베를린 시민의 강렬한 반감에 충격을 받았다. 베를린에 3년 반 사는 동안 주민들이 '그렇게 맹렬한 증오와 그토록 공공연한 분노'를 드러낸 적은 없었다는 것이다. 최신 뉴스에 고무된 프로이센 민중은 "러시아인과 힘을 합쳐 프랑스 체제에 속하는 모든 것을 박멸하고 싶은 욕구를 더 이상 숨기지 않았다".[25] 12월 14일, 대육군의 제29차 공보는 러시아 원정의 참패에 대한 더 이상의 의문에 종지부를 찍었다. 황제의 이름으로 발표된 공보문은 악천후와 무기력, 배신에 참패의 책임을 돌렸다. 그리고 나폴레옹이 러시아에 군대를 남겨두고 서둘러 파리를 향해 서쪽으로 가고 있다는 소식을 전했다. 공보문의 마무리 문장은 자기중심적인 황실 분위기를 보여주는 것으로서 그 와중에 "황제는 그 어느 때보다 건강하다"라는 놀라울 정도의 잔인한 표현으로 끝을 맺었다. 이 소식은 프로이센에서 새로운 소요사태를 유발했다. 서프로이센의 노이슈타트에서는 지역 주민들이 러시아 전쟁 포로의 이송을 감시하던 나폴리 군대와 싸웠다. 프랑스군에 대한 자발적인 공격은 특히 알코올의 영향으로 쉽게 애국심이 불붙기 쉬운 주점에서 두드러졌다.

그러나 어떤 소문이나 어떤 인쇄물도, 한때 무적을 자랑하던 대육군이 러시아에서 서쪽으로 패주하는 처참한 몰골만큼 나폴레옹 참패의 진정한 의미를 전달해주지는 못했다.

늠름하던 자태는 온데간데없이 추위와 굶주림에 일그러지고 쪼그라진 모습들. 그들은 시퍼런 멍 자국과 허연 동상의 흔적으로 뒤덮인 처참한 몰골이었다. 동상에 걸린 채 썩어가는 그들의 사지에서는 […] 역병 같은 악취가 풍겼다. […] 입고 있는 것은 옷이라 할 수 없었고, 넝마나 거적, 노파의 누더기, 양가죽 아니면 손에 넣을 수 있는 것은 무엇이든 몸에 걸쳤다. 제대로 된 모자를 쓴 사람은 없었다. 대신 그들은 헌 옷이나 셔츠 조각으로 머리를 감쌌다. 구두나 바지 대신 그들은 거적이나 짐승가죽 아니면 넝마로 발과 다리를 감싼 모습이었다.[26]

서서히 끓어오르던 농민들의 분노는 시골 주민들이 직접 팔을 걷어붙이고 나서면서 보복 행위로 나타났다. 주지사인 테오토르 폰 쉔은 다음과 같이 보고했다. "하층민들, 특히 적개심에 불타는 농민들이 비참한 패잔병들을 무섭게 다룬다. […] 마을에서, 시골길에서 이들은 적병을 향해 그동안의 온갖 분노를 쏟아낸다. […] 관리에게 복종하는 태도는 완전히 사라졌다."[27] 무장한 농민들이 낙오병들을 공격한다는 보고도 있었다.

1812년 12월, 프로이센 정부는 독일 지역의 다른 위성국과 마찬가지로 여전히 프랑스의 동맹국 상태로 있었다. 12월 15일, 나폴레옹이 프로이센의 군대 분담 규모를 확대하라는 요구를 했을 때 베를린 정부는 순순하게 응했다. 하지만 연말에 가까워질수록, 프리드리히 빌헬름은 2월 24일의 동맹 약속을 깨고 나폴레옹과 싸우는 러시아의 손을 잡으라는 압력을 받았다. 1812년 크리스마스에 고위 관리들이 올린 세 건의 각서 중에 (크네제베크와 첼러가 보낸) 두 건은 나폴레옹의 러시아 원정 참패로 얻은 기회를 놓치지 말고 프랑스에 맞서라고 설득하는 내용이었다. 추밀고문관 알프레히트가 보낸 세 번째 각서는 좀 더 신중한 것으로서, 나폴레옹에게 남아 있는 잠재력을 과소평가하지 말라고 왕에게 경고하는 것이었다.[28] 오스트리아가 전력을 동원해 대프랑스동맹군에 가담할 때 비로소 프로이센은 공개적으로 프랑스를 공격해도 늦지 않다는 것이었다.

여느 때처럼 감각이 무디고 비관적이며 결단력이 없는 왕은 세 번째 의견으로 쏠렸다. 3일 후에 작성한 비망록에서 프리드리히 빌헬름은 이후 수개월간 프로이센의 외교정책에 대한 자신의 견해를 드러냈다. 그 골자는 "우리도 살고 저쪽도 살려주자"는 것이었다. 오스트리아가 전반적인 유럽의 평화를 위해 중재 역할을 떠맡아야 한다는 생각이었다. 나폴레옹은 상호존중의 토대에서 차르 알렉산드르와 화합하지 않을 수 없을 것이고, 그런 뒤에는 그가 합병한 라인강 왼쪽의 독일 땅을 건사한 채 조용히 프랑스로 돌아가도록 해주자는 것이었다. 프로이센은 그가 이런 방안을 거절할 경우에만 전쟁을 하겠다고 했다. 그때는 오로지 오스트리아의 편에서 싸운다는 것이었다. 이런 결말이 적어도 이듬해 4월 중에는 현실로 다가온다는 것이 왕의 계산이었다.[29]

전환점

프리드리히 빌헬름이 이런 한계를 정했을 때 상황은 이미 그를 앞지르고 있었다. 1812년 12월 20일, 러시아군 선발대가 동프로이센 국경을 넘었다. 프랑스와 동맹을 맺은 상황에서 휘하의 1만 4천 명 병력을 러시아 원정에서 용케 구해냈던 프로이센군의 요르크 장군에게 러시아군의 추격을 저지하고 대육군 잔여 병력의 후퇴를 엄호하는 임무가 주어졌다. 이때 요르크는 프랑스군과 러시아군 양쪽으로부터 지원 요청을 받는 처지에 놓였다. 알렉상드르 마크도날 프랑스군 원수는 요르크에게 자신의 퇴각을 위한 진로를 열고 러시아의 공격에 대비해 프랑스군 우익을 엄호하라고 명령했다. 동시에 러시아군 사령관 디비치 장군으로부터는 마크도날에 대한 지원을 포기하고 러시아군이 추격할 수 있도록 해달라는 긴급 요청이 있었다. 12월 25일, 요르크와 디비치가 만나 프로이센군 일부가 러시아군 본부에 남아 계속 협상한다는 데 합의를 보았다. 이 임무를 맡은 사람은 다름 아니라 그해에 프로이센군을 떠났던 개혁파로서 애국자이자 군사이론가인 클라우제비츠였다.

12월 29일 저녁에 힘겨운 협상을 하는 동안, 클라우제비츠는 요르크에게 엄청난 규모의 러시아군이 가까이에 와 있다고 설명했다. 마크도날 군단은 어차피 소규모에 불과하고 그것도 프로이센 파견대와 멀리 떨어져 있으므로 그와 합류하는 것은 의미가 없다는 것이었다. 클라우제비츠의 말은 설득력이 있었고 확신에 찬 태도가 믿음직했기 때문에 요르크는 드디어 그의 의견에 찬성했다. "좋아. 그렇게 하지. 디비치 장군에게 내일 아침 포셰룬 방앗간(프로이센 국경에서 동쪽으로 40킬로미터 떨어진 리투아니아의 타우로겐 부근)에서 만나자고 전해줘요. 이제 나는 프랑스군이나 그들의 노선과 완전히 갈라서기로 결심했다고 말이요."[30] 회담은 이튿날 아침(12월 30일) 8시로 정해졌다. 거기서 체결된 타우로겐 협정에 따라, 요르크는 앞으로 두 달 동안 중립을 지키기로 하고 러시아군이 방해받지 않고 프로이센 지역을 통과하도록 해주었다.

그것은 쉽지 않은 결정이었다. 요르크에게는 이런 방식으로 정부 정책을 취소할 권한이 전혀 없었다.[31] 이런 의무 위반은 단순한 불복종이 아니었다. 그것은 반역 행위였다. 더구나 출신 성분과 태생이 보수적

32 요한 다비트 루트비히 요르크 백작,
작가 미상.

인 왕당파인 그로서는 심각한 문제였다. 요르크는 이런 자신의 행위를
1813년 1월 3일, 프리드리히 빌헬름에게 보내는 매우 인상적인 편지에
서 다음과 같이 정당화했다.

전하께서 아시다시피 소신은 정치에 관여하지 않는 조용하고 냉정
한 사람입니다. 만사가 정상적인 경로를 밟는 한, 시대 상황을 따르
는 것이 충성스러운 신하라면 누구에게나 해당되는 의무일 것입니
다. 하지만 상황이 급변한 새로운 정세에서 다시는 오지 않을 절호
의 기회를 이용하는 것 또한 충신의 의무일 것입니다. 지금 저는 충
성을 바치는 노신의 말씀을 올리고 있습니다. 이 말은 거의 모든 국
민(Nation)의 목소리이기도 합니다. 전하께서 선언하시면 만인이 활
기를 얻고 감격할 것이며 우리는 충성스러운 옛날 프로이센 사람처
럼 싸울 것이며 전하의 보위는 반석처럼 탄탄하고 앞으로도 흔들
리지 않을 것입니다. […] 이제 제가 진정한 적을 향해 돌진해야 할지,
아니면 정치적 상황에 따라 전하께서 저에게 벌을 내리실지, 전하께
서 숙고하신 결과를 소신은 마음 졸이며 기다리겠습니다. 어떤 결
과든 소신은 변함없는 충성심으로 기다릴 것이며 처형장으로 끌려

가더라도 전장에서처럼 평화롭게 총탄을 맞을 것을 맹세합니다.[32]

아마 이 편지에서 가장 두드러진 특징은 왕의 입장에 대해 (표면적으로는 개인적인 충성심에 대한 수사를 나열하고 있지만) 양보를 하지 않는 태도일 것이다. 오히려 요르크는 프리드리히 빌헬름에게 자신의 행위를 승인할 것인지, 명령불복종의 죄를 물어 사형에 처할 것인지 밝힐 것을 요구하고 있다. 더구나 베를린의 외교정책에 의해 계획된 적과 반대인 '진정한 적'이라는 언급을 통해서 요르크는 통치권의 구성 요건 중 하나인, 적과 동지를 결정할 권리를 침해했다는 것을 분명히 보여주었다. 설상가상으로 요르크는 은연중에 심하게 억압받는 프로이센 '국민'이라는 최고 권위에 호소하는 방법으로 이러한 권한 찬탈을 정당화하기까지 했다.

이것은 처음부터 군사개혁과 거리를 둔 사람으로서는 놀라우리만치 과격한 말이었다. 1808~9년에 요르크는 정치사회적 질서에 중대한 위협이 된다는 이유로 무장봉기에 대해 극렬하게 반대했다. 하지만 행동에 대한 압박이 심해지면서 그는 애국파의 포퓰리즘에 냉정을 잃은 것처럼 보이기 시작했다. 1811년 여름에 그가 샤른호르스트에게 말한 바에 따르면, 민중봉기에 대한 생각을 하면 할수록 그에게는 그것이 '절대로 필요한' 것처럼 보였다고 한다. 1812년 말에 국왕에게 올린 각서에서, 그는 봉기를 집중해서 서프로이센에 프랑스 사단을 묶어두고 공격의 예봉을 꺾는 계획을 펼쳐 보였다.[33] 국사에 대하여 완강한 보수파가 이렇게 변신한 모습만큼 개혁파에 힘을 실어주는 것은 상상하기 힘들다.

1813년 2월 첫 번째 주말, 동프로이센 전역은 베를린 정부의 직접 통제를 벗어났다. 러시아 행정부 관리로서 이 지방에 들어온 슈타인은 해방된 지역에서 자신이 직접 권한을 행사할 자격이 있다고 보았다. 그리하여 그는 평소의 서툰 솜씨로 생각을 행동에 옮겼다. 나폴레옹의 대륙관세와 연계된 여러 무역 제한 조치가 지방 당국과 협의 없이 풀렸다. 극렬한 반발에도 불구하고 프로이센 재무 당국은 러시아 지폐를 고정 환율로 받지 않을 수 없었다. '러시아 황제 전권대사' 자격으로 자신의 통치권을 과시하면서 슈타인은 임박한 대프랑스전의 준비사항을 점검하기 위해 동프로이센 신분제의회를 소집하기까지 했다. 그는 2월 초에 요르크에게 보낸 편지에서 이렇게 말했다. "지성과 명예, 조국애, 복수심은 우리에게 망설일 시간이 없다고 말합니다. 또 뻔뻔한 억압자의 사슬을 끊어내고 우리가 받은 치욕을 저 사악한 무리의 피로 씻어내기 위하여 민중 전쟁을 시작하라고 요구합니다."[34] 슈타인은 요르크가 신분제의회 1차 회의를 열고 감동적인 연설을 하기 바랐지만, 요르크는 자신이 러시아의 이익을 대변하는 역할로 비치는 것이 불편했다. 하지만 그는 신분제의회에서 공식적으로 자신을 초청하면 회의에 참석하겠다고 했다.

2월 5일, 당시 널리 불린 명칭으로서 '국민대표단'(Vertreter der Nation)이 쾨니히스베르크 신분제의회 회관에 모였다. 중앙의 의장을 중심으로 우측에는 신분제의회 위원 일곱 명이 앉았고 양옆으로 지방 귀족과 자유농, 시민 대표들이 앉았다. 이들은 모이자마자 요르크를 초빙해서 의견을 들을 수 있도록 대표를 파견하자는 주장에 동의했다. 대표단은 이런 조치의 엄중함을 잘 알고 있었다. 2월 초에 요르크가 직위에서 해임되고 그에 대한 체포령이 떨어졌으며, 그가 왕의 눈 밖에 났다는 소식이 널리 알려졌기 때문이다. 동프로이센에서 벌어지는 반란은 이제 지방의 정치적 계층이 다 휘말릴 정도로 폭넓게 번졌다.

요르크는 집회 장소에 잠시 얼굴을 비치고는 위원회를 조직해서 전쟁을 위한 준비를 하자고 설득하면서 간결하고 힘찬 어조로 다음과 같은 결론을 내렸다. "나는 여러분이 있는 곳이면 어디서나 프랑스군과 싸우기를 바랍니다. 그리고 여러분 모두의 열렬한 참여를 기대할 것입니다. 만일 그들의 힘이 우리보다 강하다면, 우리는 명예롭게 죽는 길을 알게 될 것입니다." 이 말에 우레와 같은 환호와 박수갈채가 터져 나왔지만, 요르크는 손을 들어 조용히 만든 다음 말을 이었다. "하지만 실제로 그럴 일은 없어요!"

말을 마친 그는 돌아서서 그 자리를 떠났다. 그날 저녁, 요르크의 숙소에 모인 위원회는 2만 명의 향토방위군(Landwehr)과 예비대 1만 명을 소집하기로 결의했다. 구장병제도에서 허용한 예외 규정은 폐지되었다. 학교 교사와 성직자를 제외하고 45세까지 모든 성인 남자는 사회적 지위와 종교에 상관없이 소집 대상자라는 선언이 있었다. 사상 최초로 유대인도 병역의 의무를 져야 한다는 의미였다. 목표는 1단계로 의용군으로 인원을 채우고 여기서 부족할 때 추첨으로 병력을 선발하는 것이었다. 이리하여 적에 맞선 무장한 국민이라는 이상적인 모습이 마침내 실현되었다. 이 과정에서, 지방 통치기관으로서 그들의 전통적인 소명을 재가동하게 된 신분제의회가 군주국가의 권위를 거의 전적으로 대신하게 되었다.[35]

1월이 지나가는 동안 베를린은 프랑스와의 동맹에서 발을 빼기 시작했다. 1월 21일, 프랑스군이 국왕을 포로로 잡을 계획을 세우고 있다는 소문이 나돈 뒤에 프리드리히 빌헬름은 포츠담을 떠나 하르덴베르크와 70여 명의 수행원을 거느리고 4일 뒤에 슐레지엔의 브레슬라우에 도착했다. 신분제의회가 쾨니히스베르크에 모일 준비를 하던 2월 첫째 주에, 왕과 보좌진은 불확실한 상태에서 결정을 못 내리고 있었다. 동부에서 전개되는 사태로 볼 때 프랑스 편에 선다는 것은 생각할 수 없었지만, 프랑스와 본격적으로 갈라서게 되면 전적으로 러시아에 의존하게 되는 위험이 따랐기 때문이다. 프로이센이 동서 강대국 사이에서 진퇴양난에 놓인 상황이 이때만큼 극적으로 드러난 적은 일찍이 없었다. 서부는 프랑스의 보복을 받기 쉬운 곳이었고, 동서 프로이센은 이미 러시아에 점령된 것이나 다름없는 상태였다. 완전히 궁지에 몰린 나머지 브레슬라우 궁정은 마비된 것처럼 보였다. 2월 4일 하르덴베르크가

기록한 목격담에 따르면, 왕은 '어찌할 바를 모르는 것처럼' 보였다.[36]

그런 와중에도 왕은 좀 더 과감한 정책의 방향으로 나가는 결정을 승인하기 시작했다. 이미 은퇴한 샤른호르스트가 다시 불려왔고, 2월 8일에는 소총수를 중심으로 한 자유군단을 편성하기 위해 의용군 총동원령이 내려졌다. 이튿날 논란 끝에 적어도 일시적으로 모든 남자에게 병역 의무를 부과하기로 하면서 징병 면제 규정은 중지되었다. 마치 발전이 뒤처진 동부에서 그동안의 부진을 만회하려는 것처럼 보였다. 하지만 이런 조치만으로 단기간에 군주와 그 측근들에 대해 무너진 대중의 신뢰를 회복하는 것은 역부족이었다. 2월 중순, 반란의 기운은 오데르강을 넘어 노이마르크까지 번졌고, 국왕이 즉시 러시아와 연대한다는 신호를 보내지 않으면 혁명이 일어날 것이라는 말까지 나돌았다. 국왕의 보좌관 중에 가장 신중하고 호감이 가는 신하 중 한 명이라고 할 위그노 설교사 앙시용조차 2월 22일의 각서에서, 왕이 프랑스와 전쟁을 벌이면서 백성을 이끌어야 한다는 것이 '국민 전반의 뜻'이라면서, 그렇게 하지 않을 경우 왕은 민심의 노도에 쓸려갈 것이라고 경고했다.[37]

2월 말에 가서야 왕은 드디어 러시아와 굳게 손을 잡고 나폴레옹과 완전히 갈라설 것을 결심했다. 2월 27일과 28일 양일에 걸쳐 칼리시와 브레슬라우에서 러시아와 조약이 체결되었다. 여기서 러시아 측은 1806년의 국경에 가깝게 프로이센의 영토를 회복한다는 데 합의했다. 이 조약에 따르면, 프로이센은 폴란드 2차 및 3차 분할 때 획득한 폴란드 땅 대부분을 러시아에 할양하되 (서프로이센 외에) 슐레지엔과 동프로이센 사이에 있는 회랑 지대는 유지하기로 했다. 대신 러시아는 폴란드 땅을 할양받은 대가로 연합군이 공동점령하는 독일 땅을 프로이센이 추가로 합병한다는 데 동의했다. 이것은 비공식적인 논의로 작센을 염두에 둔 것이었는데, 작센 왕은 여전히 나폴레옹과 손을 잡고 있었고 최대의 희생자가 될 가능성이 컸다.

공동 전쟁의 계획을 논의하기 위해 샤른호르스트가 차르 알렉산드르 본영으로 파견되었다. 3월 17일에는 프랑스와 결별한다는 공식 발표가 이어졌고, 3월 25일에는 러시아와 프로이센이 칼리시 공동선언을 발표했다. 이 선언을 통해 러시아의 차르와 프로이센 국왕은 통일 독일에 대한 구상을 추진하기로 약속함으로써 국민적 열기를 견인할 길을 모색했다. 독일 땅 전역에서 신병을 모집하고 남서부 독일에 미래의 정치기구에 대한 계획을 세우기 위해 슈타인을 의장으로 하는 위원회가 설립되었다. 이제 프로이센 정부는 반란군에게 잃은 땅을 되찾기 위해 최대의 노력을 기울였다. 3월 17일, 왕은 「나의 국민에게」(An mein Volk)라는 유명한 연설을 통해 그때까지의 정부의 신중한 정책을 정당화하며 방방곡곡에서 프랑스에 맞서 싸울 것을 호소했다. 쾨니히스베르크 토박이로서 1811년에 하르덴베르크의 수상청에 합류했던 테오도르 고트프리트 히펠이 초안을 작성한 「나의 국민에게」는 반란을 부추기는 애국적 급진파의 수사와 전통적 절대주의의 계급 질서 사이에서 조심스러운 중도 노선을 취했다. 보수적인 동기에서 일어난 방데(1793년)와 에스파냐(1808년), 티롤(1808년)의 반란과 비교하기는 했지만, 1793년에 있었던 혁명기 프랑스의 '군중봉기'(Levée en masse)처럼 치열한 어조는 아니었다. 그리고 당시의 사건들을 전통적인 호엔촐레른 왕조의 리더십 틀 안에 가두려는 노력이 엿보였다.[38] '지역돌격대'(Landsturm) 창설을 호소한 1813년 4월 21일의 칙령이 아마 3주간의 발언 중에서 가장 과격했을 것이다. 여기서는 장교를 선발해야 한다고 못을 박았다. 단 장교 계급에 오르기 위한 자격을 사회적·직업적으로 특정 집단으로 제한했다.[39]

3월 초가 되자, 브레슬라우는 프로이센군과 러시아군 지휘부뿐 아니라 자원 운동의 중심지가 되었다. 프리드리히 빌헬름 3세가 원정군을 통합하기 위해 샤른호르스트, 그나이제나우, 블뤼허를 비롯해 러시아군 상대역들을 왕궁에서 만나는 동안, 얼마 떨어지지 않은 쳅터 호텔에는 루트비히 아돌프 빌헬름 폰 뤼초 소령의 휘하에서 복무하려는 의용군이 몰려들었다. 뤼초는 베를린 출신의 프로이센 장교로서 실의 경기병 연대에 복무한 적이 있고, 1813년에는 왕의 명령으로 의용군으로 구성된 자유군단을 창설하는 권한을 위임받았었다. 검고 헐렁한 제복을 입어서 '검은 무리'(Schwarze Schar)라고 알려지기도 한 뤼초 자유군단은 끝에 가서는 수가 3천 명에 이르렀다. 이들 중에 의용군 모집에 가장 적극적으로 뛰어든 사람은 프리드리히 루트비히 얀이었다. 얀은 일단의 열성적인 체조 회원을 데리고 브레슬라우에 와서 이미 숭배의 대상이 된 인물이었다. 정규군의 한 젊은 장교의 기록에는 "사람들은 마치 그가 메시아라도 되는 양 눈을 휘둥그레 뜨고 바라보았다"라는 말이 나온다.[40] 2월 말경에 브레슬라우로 온 젊은 귀족 레오폴트 폰 게를라흐는 시내에 감도는 열기와 흥분 상태를 보고 어리둥절했다. 저녁 때 극장에서 하르덴베르크 수상이 체면 유지를 위해 프랑스 대사와 여전히 잡담을 주고받는 모습을 볼 수 있었지만 거리는 전쟁 준비로 들썩였다고 게를라흐는 썼다. 성벽과 순환도로, 성문 앞에서는 군인들이 훈련하고 있었고 거리는 말을 사고파는 군중으로 가득했으며 길옆에서는 유대인들이 소총과 권총, 기병도를 팔고 있었다. "양복장이와 대장장이, 구두장이에서부터 가죽 끈 제조상과 모자 제조상, 마구 제조상에 이르기까지 거의 모든 사람이 전쟁 대비를 하고 있었다."[41]

연합군 지휘관들이 브레슬라우에서 계획을 세우는 동안 나폴레옹도 고참병과 라인 동맹의 위성국에서 모집한 아직 훈련을 거치지 않은 신병들로 새 군대를 편성하면서 독일에서 전쟁 준비를 하고 있었다. 나폴레옹의 역사와 카리스마, 명성은 대부분의 독일 군주들을 설득해 이탈할 생각을 단념하게 할 만큼 여전히 위력이 있었다. 그들은 나폴레옹의 힘을 두려워했을 뿐 아니라 전국적으로 프랑스군에 맞서 반란이 일어남으로써 프랑스 수비대뿐만 아니라 그들 자신의 왕위까지 날아가지나 않을까 노심초사했다. 사면초가에 몰려 일시적으로 동요했던 작센 왕조차 5월이 되자 프랑스의 보호막으로 돌아온 상황이었다. 부분

497

적으로는 그가 나폴레옹보다는 연합군(특히 프로이센)이 자신의 왕위 보전에 더 큰 위협이 된다고 보았기 때문이다. 또 연합군은 여전히 독일 쪽 유럽 지역의 물자와 인적 자원 상당 부분을 통제하는 적을 상대로 길고 불확실한 싸움을 하고 있었다.

해방전쟁(Befreiungskriege)이라고 알려지게 된 이때의 싸움은 연합 군에게 불리하게 시작되었다. 프로이센군은 러시아군 최고사령관 휘하 에서 작전을 하도록 합의되었지만(연합군 내에서 프로이센의 뚜렷한 종속 적 위치를 말해준다) 처음에는 두 갈래의 지휘 체계를 통합하는 것이 어 렵다는 것이 입증되었다. 3월 말 작센 지역으로 들어간 연합군은 5월 2일의 뤼첸 전투에서 패배했다. 하지만 나폴레옹의 승리는 막대한 희 생을 치르고 얻은 것이었다. 프로이센군이 8,500명, 러시아군이 3천 명 의 사상자를 낸 데 비해, 프랑스군과 위성국의 사상자 수는 2만 2천 명 이나 되었다. 이런 흐름은 5월 20~21일의 바우첸 전투에서도 반복되었 다. 여기서 나폴레옹은 연합군을 몰아붙여 후퇴하게 만들었지만, 다시 러시아-프로이센 연합군의 두 배에 이르는 2만 명 이상의 사상자를 냈 다. 연합군은 불가피하게 작센에서 후퇴하고 슐레지엔으로 들어갈 수 밖에 없었지만 그들의 부대는 큰 피해를 입지 않았다.

물론 사기를 올려주는 출발은 아니었지만 연합군의 맹렬한 저항 은 나폴레옹을 주저하게 만들었다. 6월 4일, 그는 차르 알렉산드르 및 프리드리히 빌헬름 3세와 일시 휴전에 합의했다. 훗날 나폴레옹은 6월 4일의 휴전 명령을 독일에서 지배력을 상실하게 된 결정적 실수로 평가 했다. 이런 생각은 그 결과에 지나친 의미를 부여하는 것이기는 하지만, 이 결정이 심각한 판단착오였다는 것은 분명하다. 연합군은 이때 얻은 휴식을 이용해 군대를 확충하고 재정비했을 뿐 아니라 6월 14~15일 라 이헨바흐에서 영국과 동맹 및 전비 지원 조약을 체결함으로써 전시 협 력의 재정적 토대를 탄탄하게 다질 수 있었기 때문이다. 총 200만 파운 드의 직접 보조금(이 중 3분의 1, 약 330만 탈러는 프로이센으로 갈 것이었

다) 외에 영국은 '지폐'로 500만 파운드를 조달하는 데 합의했다. 이 지폐는 런던이 보증하는 특별통화로서 연합군 정부의 전쟁 관련 비용과 전후에 조약 당사국 3개국이 공동으로 상환하기 위한 비용이었다.[42] 이것은 이미 영국을 전례 없는 국채의 늪으로 몰아넣은 전쟁에서 최대의 보조금 거래였다.

6월 4일 이후, 연합군의 정책에서 가장 시급한 목표는 오스트리아를 설득해 연합군에 합류하게 만드는 것이었다. 오스트리아 외무대신인 클레멘스 벤첼 폰 메테르니히는 1813년 초 이래로 러시아-프로이센 연합군과는 거리를 두고 있었다. 오스트리아 정부는 이미 러시아를 발칸반도 최대의 위협으로 보고 있었고 독일에 대한 나폴레옹의 지배권이 러시아의 손에 넘어가는 것도 원치 않았기 때문이다. 하지만 라이헨바흐 조약이 체결된 뒤 7월 22일에 스웨덴마저 연합군에 합류하자, 유럽의 미래는 다툼에 휘말릴 것이 분명해졌고 빈은 더 이상 옆에서 방관할 수만은 없게 되었다. 여름이 되자 메테르니히는 나폴레옹이 수용할 수 있는 선에서 유럽의 강화를 중재하려고 시도하면서 동시에 중재가 실패할 경우를 대비해 (6월 27일 라이헨바흐에서) 연합군과 공동으로 행동하기로 합의했다. 평화 중재를 위한 메테르니히의 노력이 나폴레옹의 비타협적인 태도로 실패하자, 오스트리아는 마침내 연합군에 합류하기로 결정했다. 6월 4일에 약속한 휴전은 1813년 8월 10일이 만료일이었다. 이튿날 오스트리아는 공식적으로 연합군에 가담하고 프랑스에 선전포고를 했다.

힘의 균형은 프랑스에 불리한 쪽으로 급격히 기울었다. 오스트리아군은 전시협력을 위해 공동보조를 맞추면서 12만 7천 명의 병력을 파견했다. 러시아는 봄철 원정 기간에 11만 명의 병력을 전투에 배치했는데, 이 숫자는 신병들이 속속 합류함으로써 계속 늘어났다. 스웨덴은 추가로 3만 명을 파견했는데 지휘관은 프랑스군 원수 출신이지만 이제는 스웨덴의 왕세자가 된 장 바티스트 쥘 베르나도트였다. 새 징병법에 따라 프로이센군은 보병 22만 8천 명, 기병 3만 1천 명, 포병 1만 3천 명을 배치할 수 있었다. 전투가 한창일 때는 프로이센 인구의 약 6퍼센트가 현역으로 활동했다. 이렇게 위압적인 다국적군을 상대로 나폴레옹은 44만 2천 명의 병력을 끌어모을 수 있었지만, 이들 중에 다수는 제대로 훈련을 못 받았거나 전투 의욕이 없는 신병들이었다.

나폴레옹은 연합군 부대 한 곳에 결정적인 타격을 가할 기회를 엿보면서 충실한 동맹이라고 할 작센 왕의 지역, 드레스덴 주변에 병력을 집중했다. 한편 연합군의 핵심 전략은 베르나도트가 지휘하는 스웨덴-프로이센 북군이 브란덴부르크를 향해 남진하는 동안 블뤼허가 이끄는 슐레지엔군이 나폴레옹의 동쪽으로 진격하는 것이었다. 남쪽에서 치고 올라가는 보헤미아군의 지휘관은 슈바르첸베르크였다. 연합군이 수적으로 우위에 있다고는 하지만 나폴레옹에게 접근하는 것은 쉽지 않았다. 그는 내부 전선의 이점을 안고 있었기 때문에 여전히 신속하고 파괴적인 공격력이 있었다. 이에 비해 연합군은 동맹군 특유의 문제로 시달렸다. 프로이센군과 스웨덴군, 오스트리아군은 부대 내 문제뿐 아니라 각 군 사이의 문제로 조화가 어려웠고 외곽에 널리 분산 배치되었기 때문에 가공할 위력의 프랑스군 공격에 노출되지 않은 채로 나폴레옹에 대한 포위망을 좁힌다는 것은 어려웠다. 8월 셋째 주에는 세 번의 승리와 한 번의 패배를 거두었다. 작센과 프랑켄을 비롯해 다른 독일 위성국이 주축이 된, 프랑스 우디노 장군 휘하의 '베를린군'(Armée de Berlin)은 프로이센 수도에 접근하다가 8월 13일 그로스베렌 부근 전투에서 대패했다. 1만 명 병력의 프랑스 군단은 우디노를 지원하기 위해 브란덴부르크로 들어가다가 공격을 받고 하겔베르크 부근에서 전열이 무너졌다. 양 전투에서 프로이센 향토방위군 병사들이 중추적인 역할을 했다. 8월 26일, 블뤼허가 지휘하는 슐레지엔군은 마크도날이 이끄는 프랑스군과 라인 동맹군의 6만 7천 병력에 막대한 피해를 입혔다. 마크도날군 병력의 절반 가까이 전사하거나 포로로 잡혔다. 하지만 이런 성공은 8월 26~27일에 드레스덴 외곽에서 당한 참담한 패전으로 상쇄되었다. 이 전투에서 슈바르첸베르크의 보헤미아군이 나폴레옹에게 격퇴당하면서 3만 5천 명의 사상자를 냈다.

드레스덴에서의 승전으로 고무된 나폴레옹은 내부 전선의 이점 때문에 적군의 어떤 부대든 가리지 않고 아군의 우세한 전투력을 집중할 수 있다고 믿었다. 이런 판단 아래 그는 처음에 연합군 부대를 발견하는 대로 가리지 않고 섬멸하는 데 초점을 맞추었다. 그는 부하들이 잘레강과 엘베강 사이에 형성된 넓은 틈을 뚫고 나가도록 지휘하면서 베르나도트의 북군이나 블뤼허의 슐레지엔군을 찾아내려고 했다. 이들이 그 지역에 있다고 생각했기 때문이다. 하지만 그 양쪽 군은 나폴레옹을 우회하여 잘레강을 건너 서쪽으로 돌아갔다.

이 무렵 나폴레옹에게는 선택의 여지가 없었다. 아직 멀쩡한 상태에서 전투 준비가 된 적군은 말할 것도 없고, 비정규군과 카자크 부대의 공격에 노출되지 않고 빠져나갈 방법은 없었다. 프랑스군 내의 의견은 반전되어 전투를 지속하는 것에 등을 돌리기 시작했다. 게다가 보급 물자가 바닥을 드러내고 있었다. 시간에 쫓기던 나폴레옹은 작센의 라이프치히 부근에 병력을 집결시키고 일전을 벌일 각오로 적군이 도착하기를 기다렸다. 이렇게 해서 라이프치히는 당시까지 유럽 대륙의, 나아가 인류의 전쟁에서 사상 최대의 단일 전투를 위한 무대가 되었다. 라이프치히 전투는 '제(諸)국민 전투'(Völkerschlacht)로 불리기도 하는데, 프랑스군과 독일군(서로 적이 되어 싸운 양쪽의 독일군)을 포함해 러시아군, 폴란드군, 스웨덴군, 합스부르크 제국에 속하는 거의 모든 국가의 군대, 또 전년도에 편성되어 라이프치히에서 처음으로 실전 배치된 영국의 로켓 특수여단 등 여러 나라에서 50만이나 되는 병력이 참전한 싸움이었기 때문이다.

10월 14일 저녁, 나폴레옹은 시내와 시 주변에 17만 7천 명의 병력을 집결시켰다. 이튿날 새벽, 20만 명이 넘는 슈바르첸베르크의 매머드

군단이 시 남쪽으로 접근하던 중에 뮈라가 지휘하는 프랑스군과 맞닥 뜨렸다. 양쪽 군대가 상대의 위치를 파악한 10월 15일에는 거의 정찰과 소규모 접전을 하며 시간이 흘렀다. 그동안에 나폴레옹에게 정확한 위치가 노출되지 않은 블뤼허의 슐레지엔군은 잘레강과 엘스터강을 따라 북서쪽에서 접근했다. 다음 날인 10월 16일, 슈바르첸베르크는 남쪽에서, 블뤼허는 북쪽에서 공격하고, 1만 9천 명의 소규모 군단은 시 서쪽의 삼림 지대를 뚫고 가면서 라이프치히 주변의 넓은 지역에서 격렬한 전투가 끝없이 벌어졌다. 날이 저물자, 나폴레옹은 대부분의 남쪽 전선을 유지했지만, 북서쪽에서는 밀렸다. 북서쪽 뫼커른 일대에 주둔한 그의 군대는 프로이센의 슐레지엔 제1군단과 격렬한 전투를 치른 후 전열이 무너지고 말았다. 제1군단의 지휘관은 아직 왕의 용서를 받지 못한 상태에서 군으로 복귀한 요르크 장군이었다.

밤이 되자 전체적인 결과는 여전히 예측 불허였다. 엄청난 사상자가 발생했다. 프랑스군의 사상자는 2만 5천 명에 가까웠고 연합군은 3만 명이나 되었다. 하지만 이것은 연합군에게 좋은 징조였다. 나폴레옹이 끌어모을 수 있는 총병력은 예비대를 포함해 20만 명밖에 안 됐지만, 연합군은 북군과 베니히센이 지휘하는 폴란드군이 도착하면서 라이프치히 일대에 총 30만 명을 투입했기 때문이다. 게다가 휘하에 있는 독일동맹군에 대한 나폴레옹의 장악력이 떨어지고 있었다. 10월 16일, 바이에른군 3만 명이 오스트리아군 쪽으로 달아나 나폴레옹과 프랑스군의 통신선을 차단하려고 한다는 소식이 나폴레옹에게 들어왔다.[43]

프랑스 황제는 후퇴 가능성을 타진해보았지만, 혹시 연합군이 치명적인 실수를 저지르면 전세를 뒤집을 기회가 올지 모른다는 데 희망을 걸고 18일까지 퇴각을 미루기로 최종 결심을 했다. 그는 또 습관대로 적을 갈라놓기 위해 오스트리아와 단독 강화를 할 생각도 해보았지만, 이런 시도는 자칫 적에게 자신의 자원이 바닥났다는 사실을 드러내는 꼴이 될 수도 있었다. 이튿날(10월 17일)은 모든 군대가 결전을 대비하며 소규모 접전을 피한 채 휴식을 취했고, 공격력의 차이도 없어졌다. 라이프치히 시가지는 양쪽의 부상병들로 가득했다. 라이프치히의 작가 프리드리히 로흐리츠는 10월 17일 자 일기에 다음과 같이 적었다. "어젯밤부터 우리는 쉴 새 없이 부상병을 집 안에 들여 붕대를 감아주는 일에 매달렸다. 지금도 많은 군인이 시장 바닥에 방치된 채 누워 있고 부근의 거리 곳곳은 말 그대로 피바다를 이루고 있다."[44]

　　10월 18일, 연합군은 프랑스군에 대한 포위망을 좁히면서 라이프치히 외곽을 향해 진격했다. 이 전투 과정에서 프로이센의 뷜로 장군이 중요한 역할을 맡았다. 뷜로 군단은 베르나도트 휘하의 북군에 속했다. 뷜로는 동쪽에서 파르테강을 건너가면서 선봉에 섰다. 그리고 라이프치히 동쪽에서 접근하기 위해 정면에서 전투를 치렀다. 다시 양쪽에서 수많은 사상자가 발생했다. 연합군은 또 2만 명을 잃었으며 프랑스군은 수비에 치중했기에 피해가 적었지만 그래도 1만 명은 잃었을 것이다. 다시 탈영병이 속출했다. 그중에서도 특히 밀집대형으로 적군을 향해 행군하던 라이니어 군단 소속의 작센 병사 4천 명의 이탈이 두드러졌다. 마크도날 원수도 이 탈영 행렬을 목격했다. 그는 망원경으로 작센군의 행동을 보았다. 적을 향해 용감하게 진격하던 이들이 갑자기 돌아서더니 뒤를 따르던 프랑스군을 향해 총을 겨누었다. 마크도날은 훗날 다음과 같이 회고했다. "그들은 지극히 끔찍하고 냉혹한 태도로 영문을 모르는 동료들에게 총을 갈겼다. 바로 직전까지 뜨거운 전우애로 함께 싸우던 사람들이었다."[45] 필사적으로 이탈을 막고 반격을 개시하려던 네이 원수는 영국의 로켓 여단에 저지당했다. 돌격하던 프랑스군은 영국 여단의 콩그리브 로켓의 위력 앞에서 혼비백산해 흩어졌다.

　　여기서 판가름이 났다. 참패를 면할 희망이 없다는 것을 깨달은 나폴레옹은 이른 새벽에 어둠을 틈타 퇴각하라는 명령을 내렸다. 10월 19일 오전 11시에 프랑스 황제는 라이프치히를 떠나 라인강 방면으로 후퇴했다. 그리고 라이프치히를 사수하기 위해 잔류한 3만의 병력이

후퇴하는 본대를 엄호했다. 전쟁의 끝은 아직도 멀었다. 평균 4미터 간격으로 촘촘한 방어선을 형성한 수비대는 싸워보지도 않고 포기할 생각이 없었기 때문이다. 연합군은 북서쪽에서 시 남부를 향해 긴 아치를 그리며 압박해 들어왔다. 동쪽 방어선에 접근하던 뷜로 군단은 전방이 비어 있는 가운데 진격을 방해하기 위해 수백 대의 마차가 쓰러져 있는 것을 보았다. 포격으로 길을 뚫는 동안 잠시 휴식이 있었다. 뷜로 군단의 선봉대는 주 성벽 앞에 있는 건물 밀집지로 들어가면서, 비좁은 거리 양쪽의 건물 옥상이나 고층에 배치된 프랑스 사수들로부터 맹렬한 총격을 받았다. 몇 분 되지 않는 이 짤막한 전투에서 뷜로 군단의 병사 1천 명이 전사했다. 포격은 사실상 쓸모가 없었다. 이들은 거리 모퉁이를 돌며 진격하는 동안 수비군과 백병전을 치러야 했기 때문이다. 옆길로 돌진하던 동프로이센 향토방위군의 대대병력 400명은 수비병들에게 심한 반격을 받으면서 진출을 저지당했다. 이들 중에 목숨을 건지고 빠져나온 병사는 겨우 절반밖에 안 되었다. 전투는 특히 그리마 성문에서 치열했는데, 여기서 퇴각하는 프랑스 부대의 병사들은 자신들이 시 외곽으로 밀려났다는 것을 알게 되었다. 안쪽에서 성문을 장악한 바덴군 병사들은 아무도 안으로 들이지 말라는 명령을 받았다. 오도 가도 못 하고 고립된 프랑스 병사들은 추격하는 프로이센군에게 궤멸되고 말았다. 추격하는 군대의 다수는 뷜로 선봉대에 속한 향토방위군이었다.

정오가 되자 라이프치히시는 동쪽과 북쪽에서 함락되었다. 궤멸 직전에 놓인 수비대는 서쪽으로 후퇴하여 엘스터 다리를 건너 대육군의 뒤를 따르는 것 말고는 달리 선택의 여지가 없었다. 나폴레옹은 후퇴하는 부대가 통과할 때까지 다리에 폭약을 설치하고 최종 수비대가 시를 떠난 후에 폭파하라고 명령했다. 하지만 운 나쁘게 이 임무를 맡은 하사는 카자크 부대가 접근하는 것을 보고 겁에 질린 나머지 아직 다리 위에 연합군에게 쫓기는 프랑스 병사와 전마가 가득 차 있는 상황

33 라이프치히 전투 중 그리마 성문 앞 전장, 1813년 10월 16~19일, 요한 로렌츠 루겐다스.

에서 폭약을 터트리고 말았다. 도시 전체를 뒤흔든 우레와 같은 폭음이 들리면서 유일한 퇴로가 차단되었고 사람과 말 몸통 조각이 분수처럼 솟아오르며 빠르게 흘러가는 강물 위로, 서쪽 일대의 길거리와 지붕 위로 쏟아졌다. 궁지에 몰린 수비대 생존자들은 강물로 뛰어들다 익사하거나 추격 부대에게 살해되었고 스스로 목숨을 끊기도 했다.

라이프치히 전투는 끝났다. 나폴레옹이 잃은 총 7만 3천 명 중에 3만 명은 포로로 잡혔는데 그중에 탈영병이 5천 명이나 되었다. 연합군이 손실한 병력은 총 5만 4천 명이었는데 이 중에 1만 6,033명이 프로이센 병사였다. 3일간 전투를 치르면서, 매일 3만 명이 넘는 병사가 전사하거나 부상을 입었다. 라이프치히를 장악하기 위한 어마어마한 규모의 싸움이 나폴레옹 전쟁을 끝낸 것은 아니었지만, 나폴레옹의 독일 지배를 종식시킨 것은 분명하다. 이제 라인강과 프랑스로 돌아가는 길만 열려 있었다.

1807년의 틸지트 조약에서 당한 굴욕으로부터 프로이센의 재도약을 가능하게 해준 이 사건의 의미는 아무리 강조해도 지나치지 않을 것이다. 프로이센군은 1813년의 원정에서 결정적인 역할을 했다. 실제로 그들은 연합군의 지휘 체계에서 가장 적극적이고 공격적인 구성원이었다. 뷜로는 명목상 신중한 성격의 북군 소속 군단장 베르나도트의 부하였지만, 원정 기간에 프랑스군과의 전투에서 결정적인 승리를 차지하기 위해 몇 차례의 중요한 고비에 상관의 명령을 무시했다. 전쟁의 흐름을 바꿔놓은 뷜로의 성공적인 베를린 방어는 베르나도트의 지원 없이 시작된 것이었다. 북군이 라이프치히에 접근하는 동안 무리하게 서두른 사람은 뷜로였다. 마찬가지로 블뤼허도 9월에 보헤미아로 철수하라는 연합군 합동사령부의 명령을 무시하고 엘베강으로 내려가는 결단을 내렸다. 만일 그가 명령에 따랐더라면, 결정적인 순간에 연합군이 나폴레옹군을 향해 화력을 집중하는 것은 불가능했을 것이다. 프로이센군이 거둔 일련의 대대적인 승리(데네비츠, 그로스베렌, 카츠바흐, 하겔베르크, 쿨름 전투)는 드레스덴에서 슈바르첸베르크가 당한 패배를 역전시키는 데 도움을 주었고 오스트리아와 대등한 지위를 요구하는 프로이센의 입지를 살려주었다.[46]

　이와 똑같은 흐름은 이듬해의 원정에서도 엿볼 수 있다. 1814년 2월에 연합군이 프랑스 국경으로 접근하자, 슈바르첸베르크와 메테르니히는 지금이야말로 전력이 약화된 나폴레옹에게 강화를 제안할 때라고 주장했다. 나폴레옹은 무사히 황제의 지위를 유지하고 있었다. 이때도 늦추지 말고 전쟁을 계속해야 한다고 압박한 사람은 블뤼허였다. 그동안 그롤만은 블뤼허와 뷜로가 부대를 통합해서 단독으로 공세를 취하도록 프로이센 국왕을 설득했다.[47] 오스트리아군 지휘부는 18세기식 내각전쟁의 틀에서 나폴레옹 전쟁에 임하고 있었다. 다시 말해 군사적 승리의 목표를 수용 가능한 강화 조건을 확보하는 것이었다. 이에 비해 프로이센의 전쟁기획자들은 좀 더 야심 찬 목표를 겨냥했다. 즉, 나폴레옹군을 궤멸시켜 그가 다시는 전쟁을 일으키지 못하도록 하자는 것이었다. 이런 전쟁관은 훗날 클라우제비츠의 『전쟁론』에서 상세하게 다루어진다.

　1815년에 결정적인 역할을 한 플랑드르 전투에서도 프로이센군은 중대한 공헌을 했다. 프랑스군이 1815년 여름 리니 원정에서 첫 주요 공격을 한 6월 16일, 대부분의 전투를 주도한 것도, 가장 극심한 피해를 입은 것도 프로이센군이었다. 웰링턴이 아직도 불확실한 이유로 위치가 노출된 프로이센군을 지원하는 데 실패한 리니에서 프로이센군은 타격을 입은 뒤 놀라운 속도로 부대를 재편성하고 와브르 주변에 집결했다. 그들은 6월 18일 아침에 여기서 워털루에 있는 웰링턴군과 합류하기 위해 출발했다. 바닥이 고르지 못하고 그 전에 내린 비로 갑자기 늘어난 늪지대를 뚫고 가면서, 뷜로 백작이 지휘하는 프로이센 제4군단의 선봉대는 이른 오후에 전투 지역에 도착했다. 그리고 플랑스누아 마을에 주둔한 프랑스군 우익을 향해 즉시 돌격하면서 마을을 장악하기 위해 맹렬한 전투를 벌였다. 몇 시간이 지난 오후 7시 무렵, 웰링턴의 우익을 보강하기 위해 치텐 장군의 제1군단 병력이 도착했다. 이때가 전투의 승패를 판가름할 결정적인 순간이었다. 영국 전선 가까이에 있는 요새화된 농장 라 에이 상트가 한 시간 전에 프랑스군에 넘어간 상황이라 웰링턴 부대는 극심한 공격에 노출된 것이나 다름없었다. 나폴레옹은 승리를 눈앞에 둔 것처럼 보였다. 바로 이때 치텐 군단이 도착한 덕분에 웰링턴은 가장 공격에 취약한 전열에 당장 필요한 병력을 공급할 수 있었다. 반대로 나폴레옹은 프로이센군이 배후에서 포격을 하며 위협했기 때문에 플랑스누아를 재탈환하기 위해 본진 병력을 분산할 수밖에 없었다. 나폴레옹의 친위대는 잠시 플랑스누아를 재탈환하는 데 성공했지만, 아침 8시부터 8시 30분까지 필사적인 시가전이 벌어진 뒤에 마을은 다시 프랑스군의 배후를 장악한 프로이센군의 수중에 떨어졌다. 프랑스군이 플랑스누아에서 허둥지둥 도망치는 것을 보자 웰링턴은 이 순간을 놓치지 않고 총공격을 명령했다. 마침내 프랑스군의 전열이 무너지고 병사들은 달아나기에 급급했다.[48]

모처럼 찾아온 그 짧은 기회를 이용해 군 개혁파는 프로이센군의 전투력 향상에 많은 노력을 기울였다. 이것은 1806년에 대대적인 실패로 남은 과제였다. 무엇보다 핵심적인 것은 지휘 체계의 질적 개선이었다. 이것은 부분적으로 1806~7년의 패배에도 불구하고 명성에 금이 가지 않은 일단의 자질이 뛰어난 장군들(블뤼허, 요르크, 클라이스트, 뷜로)의 탁월한 능력 때문에 가능했다. 혁신적인 지휘 체계는 군단지휘관들이 전투 지역에서 일정한 자율성을 행사할 만큼 융통성이 있었다. 예컨대 치텐 중장은 블뤼허 사령부로부터 플랑스누아에 있는 프로이센 제4군단 병력을 증강하라는 명령을 받았다. 하지만 마지막 순간에 그는 이 명령을 무시하고 웰링턴의 좌익을 지원했다. 이것은 명령불복종이지만 전투가 연합군 쪽으로 기우는 데 이바지했다고 볼 수 있다.[49] 이보다 훨씬 더 중요한 것은, 참모장교들이 지휘 체계에 합류했다는 것이다.

프로이센군 역사상 최초로 책임이 막중한 참모장교들이 모든 지휘관과 함께했다. 그나이제나우는 블뤼허군의 참모장으로 배속되었고 두 사람은 서로 상대의 재능을 인정하면서 이상적인 팀워크를 이루었다. 블뤼허는 옥스퍼드 대학교에서 명예박사학위를 받을 때 특유의 망설이는 태도로 입을 열었다. "제가 박사(의사) 학위를 받아야 한다면, 그나이제나우에게도 최소한 약사 학위는 주어야 할 것입니다. 우리 두 사람은 언제나 함께했으니까요."[50] 물론 지휘관과 참모의 모든 관계가 이들처럼 조화로운 것은 아니었지만, 프로이센군 전체에 새로운 분위기가 확산됨으로써 좀 더 호응을 잘하고 결집력 있는 군사력이 창출되었다.

다만 1813~15년의 프로이센군을 근본적으로 새로운 전쟁도구라고 생각한다면 오산일 것이다. 1807년 이후 이루어진 개혁의 효과는 고참병 중에 많은 사상자가 발생하고 새로운 체계에 훈련이 되지 않은 신병이 대거 입대함으로써 1813~14년에 빠르게 희석되었다. 무기의 기술적인 개선을 통한 화력 향상이 거의 이루어지지 않은 것은, 부분적으로 개혁파가 (예상대로) 무엇보다 병력과 통신, 사기 진작에 초점을 맞추었기 때문이다. 새로 창설된 향토방위군은 정규군을 위해 고도로 의욕적인 보조병력을 투입하려는 발상에서 나온 제도였다. 하지만 개별적인 향토방위군 부대가 수많은 전투에서 중요한 지원 역할을 했음에도 불구하고 그들의 전투 기록은 들쭉날쭉했기 때문에 창설자들의 높은 기대치를 충족하는 데는 실패했다. 훈련이 여전히 초보 단계였기 때문에 많은 향토방위군이 전투에 투입되었을 때 극히 기초적인 기술 외에는 부족한 점이 많았다. 그리고 대다수는 군 개혁 정신을 토대로 소규모 접전과 사격 기술을 강조하는 1812년의 새로운 규정을 알지 못했다.[51] 또한 프로이센의 군사조직은 향토방위군 부대의 급속한 증가에 대처할 능력이 없다는 것이 드러났다. 1815년 여름까지만 해도 많은 병사에게 외투와 군화가 없었고 심지어 바지조차 없는 병사도 있었다.[52] 제복은 지방 차원에서 지원했기 때문에 품질이 열악할 때가 많았다. 그에 따라 전투력에도 편차가 심했다. 북군 소속의 향토방위군이 정규군 못지않게 옆에서 효과적으로 싸운 데 비해, 블뤼허의 슐레지엔군에 소속된 향토방위군 부대는 적군의 포화 속에서 쓸모가 없었다.[53]

군 개혁파는 무엇보다 프로이센 민중의 애국 열기를 전시 동원 체제와 연결하는 데 목표를 두었다. 여기서도 그들은 부분적인 성공밖에 거두지 못했다. 프로이센 국왕의 백성이 모두 애국적인 호소에 똑같이 반응을 보인 것은 아니라는 말이다. 슐레지엔과 서프로이센 지역에서는 향토방위군 연대 창설을 위한 징병을 실시하자 많은 대상자가 러시아가 점령한 폴란드로 국경을 넘어갔다. 많은 상인과 지주, 여인숙 주인은 면제를 규정한 구제도에 의존하며 자신의 아들을 빼달라고 당국에 간청했고 너무 허약해서 군복무를 할 수 없다는 내용의 진위가 의심스러운 진단서를 제출하기도 했다. 애국심은 지역마다 달랐고 사회 계층별로도 고르지 못했다. 의용군으로 구성된 파견대에는 교육받은 남자(고등학생, 대학생, 대학 졸업자)가 지나치게 많았다. 이들은 전체 인구의 2퍼센트에 해당했지만 의용군 중에서는 12퍼센트를 차지했다. 더욱 놀라운 것은 기술 분야의 장인들로서 이들은 전체 인구의 7퍼센트였지만 의용군으로 보면 41퍼센트나 되었다. 반대로 프로이센 인구의 4분의 3 가까이 되는 농민은 의용군의 18퍼센트에 지나지 않았다. 그리고 이들 대다수는 프로이센의 농업 중심지라고 할 엘베강 동부 지역 밖에서 온 토지 없는 날품팔이 노동자거나 자유농이었다. 애국적 행동에 대한 사회적 열기는 7년전쟁 이후로 대폭 확대되었지만, 그것은 유난히 도시의 현상으로 남았다.[54]

이런 한계에도 불구하고 프로이센 대중은 정부의 지원 요청에 전례 없는 규모로 응답했다. '금 기부'(Gold für Eisen) 모금운동으로 650만 탈러의 기부금이 걷혔고 프로이센 향토방위군 지원병과 별도의 의용군으로 구성된 자유군단 부대가 봇물을 이루었다. 유대인 사회의 청년들도 최초로 법적인 복무자격을 얻었으며 그들의 신분 해방에 감사하는 애국심을 보여주려는 열기에 가득 차 자유군단이나 향토방위군 부대의 깃발 아래 모여들었다. 유대인 자체의 모금운동도 있었는데, 이 과정에서 랍비들은 전시 협력을 위해 키두시 컵(Kaddischkelche)이나 오경 두루마리(Torarolle)를 기부하기도 했다.[55]

여성들이 조직적인 자선활동을 통해 국가 지원의 두드러진 역할을 한 것은 이번 전쟁의 현대적이고 포용적인 특징을 말해준다. 사상 최초로 호엔촐레른 왕조는 여성 국민의 도움을 받은 것이 분명했다. 프로이센 왕실 여성 12명이 서명하고 1813년 3월에 발표된 「프로이센 국가의 여성에게 호소함」(Aufruf an die Frauen des preußischen Staates)이라는 성명은 '구국여성동맹'(Frauenvereins zum Wohle des Vaterlands)의 창설을 알리면서 '모든 계급의 고귀한 아내와 딸들'에게 장신구와 현금, 원료, 노동을 기부함으로써 전시 협력 체제를 지원하라고 설득했다. 1813~15년에 이런 목적으로 600여 개의 여성단체가 창설되었다. 여기서도 유대인 여성들은 두드러진 하위집단을 형성했다. 라엘 레빈은 야심 찬 모금운동을 위해 부유한 여성 위주로 단체를 하나 조직하고 1813년 여름에는 프라하로 가서 프로이센군 부상병을 간호하기 위한 의료봉사단 창설을 도왔다. 레빈은 "저는 우리 책임자 및 간부 의사와 접촉하고 있어요"라고 친구이자 훗날의 남편인 카를 파른하겐에게 편지를 썼다. "린트 천과 붕대, 누더기 옷, 스타킹, 셔츠가 잔뜩 쌓여 있어요. 시내 몇몇 구역에서는 식사 준비를 해요. 매일 30~40명의 총병과 병사들을 직접 간호해요. 모든 것을 논의하고 검사한답니다."[56]

조국에 대한 공훈을 기리기 위해 도입된 새로운 훈장만큼 프로이센 전시 동원 체제의 대중적인 특징을 단적으로 보여준 것은 없을 것이다. 왕실 주도로 설계되고 도입된 철십자훈장(Der Eiserne Kreuz)은 모든 계급을 대상으로 수여되는 프로이센 최고의 훈장이었다. "병사도 장군과 동등한 조건이다. 장군과 병사가 똑같은 훈장을 단 것을 본 사람은 누구나 장군이 훌륭한 지휘를 통해 그것을 받은 데 비해 병사는 한정된 자신의 영역 내에서도 그것을 받을 수 있다는 것을 알 것이다." 여기서 처음으로 용기와 솔선수범은 계급을 불문하고 모든 사람이 갖추어야 할 미덕이라는 인식이 모습을 드러냈다. 이 훈장의 수여를 선임하사 이하의 계급으로 제한하자는 보좌진의 의견을 왕이 직접 무시했기 때문이다. 공식적으로 1813년 3월 10일에 도입된 새 훈장은 소박했다. 주철로 만든 소형 십자 모양에 참나무가지와 왕관, 원정 년도 밑에 왕의 머리글자만 들어 있는 간단한 도안이었다. 주철을 선택한 것에는 실용적인 면과 상징적인 면 두 가지 이유가 있었다. 비싼 금속은 공급이 부족했고 베를린에는 마침 주철을 장식적인 용도로 다루는 우수한 주물공장이 있었다. 마찬가지로 철의 비유적인 의미도 중요했다. 1813년 2월에 주목할 만한 각서에서 왕이 말한 것처럼, 프로이센은 이때 '강철 시대'(eiserne Zeit)였다. 오직 '강철과 결단'만이 나라를 구원할 수 있다고 보았다. 특별 조치로 왕은 전쟁 내내 다른 모든 훈장의 제작을 중단하라고 명령했다. 이리하여 철십자훈장은 이 전쟁을 기념하는 상징으로 변했다. 연합군이 파리에 입성한 뒤, 왕은 모든 프로이센의 깃발과 기장에 철십자훈장을 넣고 전쟁 내내 사용하라고 명령했다. 철십자훈장은 처음부터 프로이센의 '기억의 공간'(lieu de mémoire)으로 설계되었던 것이다.[57]

1814년 8월 3일에는 전시 협력 체제에 뛰어난 기여를 한 여성들에게 적절한 보상을 해주는 훈장이 도입되었다. 훈장의 명칭은 프로이센의 성모 마리아를 세속적으로 우상화하는 방편으로, 고인이 된 루이제 왕비의 이름에서 따왔다. 루이제 훈장(Luisenorden)은 철십자훈장과 비슷하지만, 감청색(prussian blue) 에나멜을 입혔고, 루이제의 머리글자 'L'을 돋을새김해 넣었다. 수여 대상은 원주민과 귀화인을 가리지 않고 사회적 신분과 또 혼인 여부와도 상관없이 프로이센 여성이면 모두 해당되었다. 자선활동과 모금운동에 공훈을 세운 여성 중에 아말리아 베어가 있었다. 작곡가인 자코모 마이어베어의 어머니이자 베를린 유대인

34 철십자훈장   35 루이제 훈장

엘리트 계층에서 가장 부유한 여성 중 한 명이었다. 왕은 그녀의 종교적 감수성이 상하지 않도록 보통 십자 형태로 만드는 메달의 모양을 수정하라고 지시했다.[58]

　'루이제 훈장'의 제정은 18세기에 가능한 수준 이상으로 동원된 군의 전시 체제에 대한 대중의 광범위한 공감을 반영하는 것이었다. 처음으로 민간 사회의 자발적인 노력이, 특히 여성들이 군사적 성공에 필수적인 요소로 찬양되었다. 여기서 비롯한 한 가지 결과로 여성의 실천을 강조하는 새로운 풍조가 생겼다. 하지만 이것으로 성별 차이는 더 엄격해졌다. 루이제 훈장 제정과 관련된 문서에서, 프리드리히 빌헬름 3세는 여자의 기여에서 여성적이고 종속적인 성격을 강조했다.

　　용감무쌍한 우리 군대의 남자들이 조국을 위해 피를 흘릴 때, 그들은 여자를 안락하게 보호함으로써 원기를 회복하고 안도감을 느꼈다. 이 나라의 어머니와 딸 들은 사랑하는 아들이 적과 싸우는 것을 걱정했고 전사자들을 애도했다. 하지만 믿음과 희망이 그들에게 조국의 대의를 위한 지칠 줄 모르는 활동 속에서 평화를 찾을 힘을 주었다. [...] 이렇게 말없는 봉사로 고난의 세월을 보낸 사람 모두의 업적을 기릴 수는 없지만, 그중에서도 특별히 큰 공을 세운 사람에게는 훈장을 수여하는 것이 마땅하다 할 것이다.[59]

새로운 성 담론에서 중요한 것은, 차이에 대한 강조가 아니라 이 차이에서 민간 사회를 구성하는 원칙을 찾으려는 경향이라고 할 수 있다. 징병의 범위가 (이론상) 복무연령에 해당하는 모든 남자로 확대되었을 때, 프로이센 사회에서 가부장적인 남성 지배의 특성이 강화되었다고 상상하는 것이 가능해졌다. 1814년의 프로이센 병역법에서 말하듯, 만일 군대가 '전쟁에 대비해 전체 국민을 훈련시키는 기초학교'라면, 국민은 오로지 남자로만 구성되는 결과가 되었을 것이다. 아무튼 여성은 암묵적으로 여성 특유의 공감 및 희생 능력으로 정의되는 종속적이고 사적인 역할로 제한되었다.

    이것을 전적으로 나폴레옹 원정의 결과로만 본다면 잘못일 것이다. 애국적인 철학자 피히테는 1790년대 후반부터 여성에 대해서는 적극적인 시민의 권리와 시민의 자유, 나아가 재산권까지 유보해야 한다고 주장해왔다. 여성의 소명은 아버지와 남편의 권위에 완전히 복종하는 형태여야 한다는 것이다. 1811년에 얀이 창시한 체조운동은, 시인이자 민족적인 평론가인 에른스트 모리츠 아른트의 공격적 애국심이 그랬듯이,[60] 신체적인 용맹의 이른바 남성적인 형태를 높이 평가하는 데 치중했다. 같은 해에 일단의 애국자들이 기독교 독일인 만찬회를 창설하기 위해 베를린에 모였다. 이 모임의 정관은 명백하게 여성(유대인과 유대인 개종자도 함께)을 배제했다. 이 모임의 문화행사 가운데는 '남편에 대한 아내의 거의 무제한적인 복종'에 대한 피히테의 강연이 있었다. 하지만 전쟁으로 인해 이런 차별은 더 심해졌고 그에 따라 대중의 인식에도 더 깊이 뿌리박혔다. 남성성과 군복무, 적극적인 시민권 사이에 굳어진 일체감은 19세기 내내 더욱 분명히 드러났다.[61]

전쟁에 대한 '기억'

1817년 10월 18일, 적어도 11개 독일 대학교에서 온 약 500명의 학생이 튀링겐의 바르트부르크 성 앞에 모였다. 이곳은 루터가 교황 레오 10세로부터 파문당한 뒤 한때 공부하던 곳으로 학생들은 종교개혁 300주년과 라이프치히 전투 4주년을 기념하기 위해 모인 것이었다. 이 두 기념식은 독일 민족의 역사에서 전설적인 해방의 순간을 기념하는 자리였다. 전자는 '교황의 독재'에서 해방된 날이었고, 후자는 프랑스 폭정의 속박에서 해방된 날이었다. 애국적인 노래를 몇 곡 부른 다음, 바르트부르크에 모인 젊은이들은 엄숙한 분위기에서 반동적인 작가들이 쓴 많은 출판물을 불태웠다. 불길 속으로 들어간 작품 중에는 해방전쟁 말기에 베를린 대학교 총장 테오도르 안톤 하인리히 슈말츠가 출판한 소책자도 있었다. 이 책에서 슈말츠는 프랑스군에 점령된 기간에 프로이센에서 생겨난 애국 비밀협회를 비난하고 대프랑스 전쟁이 프로이센에서 일어난 대중적 열기로부터 힘을 받았다는 견해를 강력하게 배척했다. 그런 기치 아래 모인 프로이센 사람들은 대의에 대한 열정에서 나온 것이 아니라 '이웃집이 불타는 것을 보고 허둥대는 사람처럼' 일종의 의무감에서 나온 것이라고 슈말츠는 주장했다.[62] 1815년에 간행된 이 책은 애국적인 평론가들의 폭풍 같은 분노를 유발했다. 슈말츠 자신은 대중의 격렬한 반응에 놀라고 충격을 받았다.[63] 그가 국민이 왕을 따라 피곤하게 전쟁에 나선 것으로 묘사한 내용은 2년이 지나서도 여전히 바르트부르크에 모인 학생들을 화나게 했다. 이들 중 다수는 참전 경험이 있는 의용군 출신으로서 가장 규모가 크고 가장 결정적으로 적과 대치했던 해방전쟁의 4주년에 맞춰서 참석한 것이었다.

바르트부르크에서 있었던 이 상징적인 '화형식'(auto-da-fé)은 전쟁 직후, 해방전쟁에 대한 대중의 기억에 수반된 논란과 정서를 상기시켜 준다. 바르트부르크에 모인 학생들은 뤼초 자유군단이 사용한 흑, 적,

515

황, 3색을 그들의 깃발로 정했다. 그들이 기념하는 것은 '해방의 전쟁'이 아니라 '자유의 전쟁'이었고, 정규군의 전쟁이 아니라 의용군의 전쟁이 었으며, 전사한 의용군 소총수이자 시인인 테오도르 쾨르너가 말한 대로 '왕들이 아는 전쟁이 아니라' 십자군 전쟁 같은 '성전'이었다.[64] 학생들은 대프랑스 전쟁을 '민중봉기'로 느꼈다.[65] 이 같은 선입관은 전쟁 시기에 대한 보수파의 기억과 극명하게 대조되었다. 평론가 프리드리히 폰 겐츠는 바르트부르크 축제가 시작되고 며칠 후에 "나폴레옹과의 전쟁에서 최대의 공훈을 세운 사람은 군주들과 대신들이었다"라고 썼다.

> 지금은 물론이고 앞으로도 어떤 선동정치가와 격문 저자라 할지라도 그들의 공적을 빼앗아갈 수는 없다. […] 그들이 전쟁을 준비하고 그 토대를 다지고 틀을 짰다. 그뿐만 아니라 그들은 전쟁을 지휘하고 거기에 힘과 활기를 불어넣었다. […] 오늘날 젊은 혈기로 자신들이 폭군을 타도했다고 뻔뻔한 생각을 하는 자들[겐츠는 바르트부르크에 모인 학생들을 가리켰다]은 폭군을 독일에서 몰아내지도 못했다.[66]

부분적으로 이런 기억의 차이는 얽히고설킨 전투의 특징에 바탕을 두었다. 해방전쟁은 정부 및 군주들끼리의 전쟁이었고 왕조 간의 동맹 전쟁이었으며 유럽에서 힘의 균형을 재정립하는 데 주로 관심을 두고 권리를 주장하는 전쟁이었다. 하지만 해방전쟁에는 (프로이센의 역사에서는 전례가 없을 정도로) 민병대와 정치적인 동기에서 움직인 의용군도 참전했다. 프로이센에서 동원된 29만 명에 가까운 장교 및 사병 중에 향토방위군 부대에서 복무한 사람이 12만 565명이나 되었다. 일반적으로 프로이센 장교의 지휘를 받으며 복무한 향토방위군 연대 외에, 프로이센을 비롯한 여러 독일 군소국가에서 모집한 의용군 소총수 부대를 중심으로 다양한 형태의 자유군단이 있었다. 정규군에 복무하는 군인들과 달리, 이들이 충성맹세를 한 대상은 프로이센 국왕이 아니라 독일 조국(das deutsche Vaterland)이었다. 전쟁이 끝날 무렵에 유명한 뤼초 의용군 같은 자유군단의 총병력은 약 3만 명으로서 프로이센군의 12.5퍼센트를 차지했다.[67] 많은 의용군의 뜨거운 애국심은 잠재적으로 이상적인 독일 혹은 프로이센의 정치 질서를 뒤집어엎는 전망과 얽혀 있었다.

그렇다고 해서 출정을 놓고 왕조와 의용군 사이에 기억의 차이가 나는 것이 전적으로 혹은 기본적으로 입대 및 전투 경험이 다른 데 기인한다고 생각하면 잘못이다. 전후의 애국자가 모두 의용군 군단에 복무한 것은 아니었다. 향토방위군이나 정규군 부대에서 복무한 사람도 많고 군복무를 하지 않은 사람도 있었다. 또 정규군 장교나 사병도 전쟁 시기의 애국적 열기에 영향을 받지 않을 수가 없었다. 1816년 1월의 베를린 주재 영국사절의 보고에 따르면, 정규군에는 거의 모든 연대마다 '혁명의 선동'에 '오염된' 장교들이 있었다.[68] 반면에 '의용군 소총수'(freiwillige Jäger)중에는 전후 시기의 정치 성향이 진보적이거나 민주적이라기보다 보수적이거나 (빌헬름 폰 게를라흐와 프리드리히 레오폴트 슈톨베르크 백작의 아들들처럼) 귀족 신분에 속하는 사람들도 있었다.[69] 전후의 논쟁은 단순히 전시 경험에 대한 기억의 차이뿐만 아니라 정치적 목적을 위해 기억을 도구화하는 것에 의해서도 불이 붙었다.

프로이센 사람들은 1815년 이후, 해방전쟁을 기념하는 다양한 방법을 찾아냈다. 지방별로 보관되는 문서(특히 지방 정부가 매달 철해놓는 뉴스보도)를 보면 교회의 타종과 군복차림이 포함된 행진, 사격대회, 라이프치히 및 워털루 전투를 기념하는 지역 연극 행사 등에 대한 묘사가 나온다.[70] 1830년대와 1840년대의 프로이센 소도시에서는 전사한 참전 의용군의 장례 기금 모금을 위해 '의용군 클럽'과 '장례협회'가 창설되었다. 이런 단체는 장례 비용을 후원했을 뿐 아니라 장례 행렬 참석자들의 제복 비용까지 지급함으로써 대프랑스 전쟁에서 국왕과 조국에 봉사했던 특별한 신분(아무리 그들의 사회적 지위가 비천하다고 해도)의 공동체에 대한 기억을 불러일으켰다.[71] 베를린을 본거지로 하는 『포시셰 차이퉁』(Vossische Zeitung)의 보도에 따르면, 1840년대에 참전 용사들은 거의 해마다 여러 지역에서 모여 접촉을 재개하며 떠나간 전 우를 추모했다. 워털루 전투 30주년인 1845년 6월에는, 향토방위군과 정규군 연대에 복무했던 참전용사의 모임이 수없이 열렸고, 생존한 뤼 초 의용군은 시인이자 소총수 지원병인 테오도르 쾨르너가 묻혀 있는 떡갈나무 밑에서 모임을 가졌다.[72]

전후 수십 년간 의용군은 계속해서 특별한 지위를 누렸다. 예를 들어 작가인 테오도르 폰타네의 유년기 회고를 보면, 1826년에 그의 가족이 슈비네뮌데에 살 때 있었던 공개 처형 이야기가 나온다. '1813년 의 해방전쟁 참전용사'였던 폰타네의 아버지는 처형장으로 가는 시가 행진 위원으로 선발되어 선두에 섰고 처형장에 모인 군중을 통제하는 역할을 맡았다. 이때 처형을 앞둔 살인범은 예나 전투 이후에 왕으로부 터 받은 추천서가 있어서 죽는 순간까지 자신이 사면받을 것으로 믿었 다는 것이다.[73] 요르크 장군 또한 대프랑스 전쟁의 마법에서 헤어나지 못하고 있었다. 그의 개인적인 기억은 온통 타우로겐 협정과 왕의 총애 를 상실할 당시의 언저리를 맴돌았다. 프로이센 왕은 그 협정을 공식적 으로 승인한 적이 없었다. 따라서 그 협정은 적어도 단기적으로는 개인 적인 기억의 공간으로 제한되었다. 물론 요르크는 1813년 3월에 그 어 떤 범죄 혐의로부터도 벗어났으나, 여전히 나폴레옹 전쟁 초기에 자신 이 세운 공훈을 인정받지 못했다고 확신했다. 협정 내용이 담긴 문서 원 본은 국가 공문서로 보관되지 못하고 요르크 가문의 서고에서 소중한 가보로 남았다. 가문의 땅에 묻힌 장군의 무덤에는 장군 자신의 의뢰 에 따라 전신 입상이 서 있는데, '타우로겐 협정'이라는 글씨가 새겨진 석판 두루마리를 들고 있는 모습이다.[74]

이렇게 차이가 나는 과거의 자료는 해방전쟁에 대한 기억이 특정 사회적 맥락에 기반을 두고 있음을 확실하게 보여준다.[75] 가령, 한쪽에서는 해방전쟁에 대한 유대인의 특별한 기억에 대해 말할 수 있다. 이 전쟁에서 의용군의 이야기는 해방에 대한 이야기와 긴밀하게 맞물려 있었다. 1813년 3월 11일에 브레슬라우의 랍비들이 유대인 의용군의 무기에 축복을 내리는 동시에 전쟁 기간 중 계율엄수를 면제해주면서 그 의식이 프로이센의 해방칙령 1주년을 기념한다는 사실을 잊지 않고 분명히 지적했다.[76] 유대인의 참전은 차별법 반대 논란을 부를 수 있었고 실제로 그렇게 되었다.[77] 1843년에 『군사주간지』(Militärwochenblatt)가 해방전쟁에 참전한 유대인 의용군의 숫자를 과소평가한 통계를 발표하자, 분노의 시위가 잇따랐고 『오리엔트』(Orient)와 『알게마이네 차이통 데스 유덴툼스』(Allgemeine Zeitung des Judentums) 같은 유대인 신문에서는 정확한 통계를 내놓았다.[78] 해방전쟁에 대한 이런 식의 유대인의 기억은 '최초의 근대 유대인 화가'로서, 개종하고 동화된 유대인의 초상화 작품으로 알려진 모리츠 다니엘 오펜하이머에 의해 그림으로 표현되었다.[79] 1833~34년에 나온 「유대인 의용군, 해방전쟁에서 여전히 옛날 풍습대로 살고 있는 가족의 품으로 돌아오다」라는 그림에서 오펜하이머는 군복을 입은 청년이 집안 살림살이와 유대교의 상징물이 흩어진 방에서 가족에 둘러싸인 모습을 묘사했다. 창문을 통해 방으로 들어온 빛은 그가 입은 상의의 테두리 장식을 비추고 있다. 길게 이어진 유대인의 동화 및 해방의 과정과 '1813년에 대한 기억'의 관계를 이보다 더 선명하게 조명해주는 장면은 없을 것이다.[80]

전쟁은 기념비 건립으로 기억되기도 했다. 빛나는 전쟁기념비로는 프로이센 최고 건축가라고 할 카를 프리드리히 싱켈이 설계한 작품으로 1821년에 (후에 크로이츠베르크로 알려진) 템펠호퍼산 정상에 세워진 것이 있다. 평평한 베를린 풍경을 배경으로 가장 높은 지대에 우뚝 솟은, 고딕식 교회 탑의 축소 모형을 연상시키는 이 기념비는 전쟁의 신성한 기억을 위해 성역이 되기에 알맞은 자리에 서 있었다. 싱켈의 기념비에는 한 가지 특별한 기억을 분명히 보여주는 명문이 새겨져 있었다. 그

36 「유대인 의용군, 해방전쟁에서 여전히 옛날 풍습대로 살고 있는 가족의 품으로 돌아오다」,
모리츠 다니엘 오펜하이머의 유화, 1833~34년.

것은 다음과 같이 국왕을 다른 모든 대중보다 우선하는 왕조의 전쟁에 대한 기억이었다. "국왕에서부터 왕의 부름에 생명과 재산을 조국에 숭고하게 바친 대중에 이르기까지." 이 메시지는 기념비 둘레의 벽감에 자리 잡은 12인상에 의해 더 뚜렷해졌다. 처음에 해방전쟁의 위대한 전투를 대표하는 '천재들'을 의도했던 구상은 장군들과 프로이센 및 러시아 통치 가문의 구성원에 대한 초상으로 그 기능이 바뀌었다.[81] 마찬가지로 프로이센 교회에 있는 기념 명판에도 '왕과 조국을 위하여'라는 명문이 새겨져 있다.[82] 또 하이나우, 카츠바흐, 덴비츠, 워털루 등의 전투에서 전사한 프로이센 사람을 기리는 기념비에도 "왕과 조국은 이곳에서 영면하는 전사 영웅들에게 경의를 표한다"라는 글이 새겨져 있다.[83]

이와 반대로 애국적인 의용군의 전쟁에 대한 기억은 석판에 새기지 않은 상태로 남아야 하는 것처럼 보였다. 이 문제에 대하여 가장 민감한 사람 중에는 화가인 카스파르 다비트 프리드리히가 있었다. 그는 애국자이자 정치적 급진파로서 그라이프스발트(메클렌부르크)에서 성장했지만, 당시에는 작센의 드레스덴에 살고 있었다. 그리고 뤼겐 섬 출신의 에른스트 모리츠 아른트도 있었다. 구포메른 공국의 일부인 뤼겐은 1815년에 스웨덴에서 프로이센으로 넘어간 땅이었다. 아른트와 프리드리히는 공동으로 샤른호르스트 동상을 제작했지만, 이 프로젝트에 대한 공식적인 지원을 받지는 못했다. 두 사람은 프로이센의 대나폴레옹 전쟁을 독일의 '민족적' 과업으로 보았으며, 두 사람의 전쟁에 대한 기억은 급진적인 정치와 긴밀히 맞물려 있었다. 1814년 3월, 프리드리히는 아른트에게 보내는 편지에서 이렇게 썼다. "나는 '민족'의 대의나 위대한 독일인의 용감무쌍한 행동을 보여주는 기념비가 세워지지 않는 것이 놀랍지 않습니다. 우리가 군주의 머슴으로 있는 한 그런 일은 일어나지 않을 것입니다."[84] '민중'의 해방전쟁을 기리는 적당한 기념비의 부재는 1815년 이후의 기간에 프리드리히가 그린 그림에서 되풀이되는 주제였다. 의용군 애국자들뿐만 아니라 군이나 관청에 포진한 개혁파들도 해방전쟁에 대한 대중의 기억이 왕조 및 군대의 전통을 선호하는 경향에 눌리는 방식에 민감한 반응을 보였다. 1822년, 전에 슈타인의 가까운 동료였던 서프로이센의 진보적인 주지사 테오도르 폰 쇤은 보수적인 뷜로 장군의 기념비 건립 계획을 듣고는, 라이프치히 진격 시 후퇴를 명령한 뷜로 대신에 그의 명령에 "헛소리!"라고 외쳤다고 전해지는 민병의 동상을 세우자고 제안했다.[85]

어떻게 기념비도 없이 전쟁의 공훈을 기념한단 말인가? 이것이 프리드리히 루트비히 얀과 그의 체조 동호인들이 제기한 문제 중의 하나였다. 체조를 장려하는 운동은 베를린 교외의 하젠하이데 공원에서 출범한 이후 몇 년 지나지 않아 프로이센 국경 너머까지 전파되었고, 프로테스탄트 중심지와 북독일 일대에 새로운 지지자들이 생겨났다. 1818년 무렵 얀은 총 150개의 체조 클럽에 회원은 약 1만 2천 명이 되는 것으로 추산했다.[86] 1815년 이후 돌에 새긴 형태로 과거를 공식적으로 재현하는 것은 왕조가 독점하는 주제로 남았지만 체조인들은 자신들의 의용군 민족주의가 투영된 전쟁의 기억을 길이 보존하는 새로운 방법을 개발했다. 이들은 해방전쟁의 전투 지역을 대상으로 순례여행길에 올랐다. 이들은 또 축제일을 제정해서 기념했는데 가장 중요한 행사는 라이프치히 전투 기념일에 열렸다. 이러한 기념행사는 1814년 10월 18일에 하젠하이데에서 처음 열렸는데 구경꾼이 1만 명 정도 모였다. 1819년에 당국이 체조운동을 금지할 때까지 기념일마다 같은 방식으로 단련된 신체동작에 노래와 손 등불, 타오르는 횃불 행진이 조화를 이루는 축제가 열렸다.

체조축제는 체조인의 연례행사 중에서 중요한 공휴일 행사였고, 대중에게 인기를 끄는 해방전쟁의 기념비로서 기능했기에 동시대인들에게 주목을 받을 수밖에 없었다. 체조 기술은 기억을 각인하는 한 방법이기도 했다. 그것은 단순한 피트니스 프로그램 이상의 의미가 있었다. 말하자면 분쟁과 전투에 대비한 숙련된 준비 태세였다. 전쟁이 끝나고 얼마 지나지 않았을 때 이런 대응 자세는 어김없이 프랑스 점령 시절에 대한 기억을 불러일으켰다. 그것은 우리가 본 대로, 병사가 아니라 민간 의용군의 입장이었다. 체조인들의 유니폼은 19세기 초 애국주의자들의 '구독일 복장'(altdeutsche Tracht)의 드레스 코드를 따르고 있었다. 헐렁한 재킷의 구독일 복장은 얀이 세기 전환기에 유행시킨 것이었으며 의용군이 많이 입었다. 그리고 '대학생 학우회'(Burschenschaften)의 학생복과도 관계가 있었다(이 단체의 설립 초기에 얀이 활약했다).

체조운동 회원들과 중복되기도 하는 학우회 학생들은 가까운 과거의 위대한 행동에 심취해 있었다. 그리하여 프로이센의 대나폴레옹 전쟁은 이들의 네트워크를 통해 좀 더 광범위한 독일인의 기억 속으로 들어가 그 구성요소가 되었다. 1817년 12월, 예나의 '민족주의 학우회'가 그들이 벌이는 운동의 의미를 설명하기 시작했을 때, 이들은 여전히 그들을 하나로 묶어주는 경험에 대한 기억을 불러일으켰다. 이들은 고통스러운 상처와 전장에서 전사한 친구들을 회고하며 다음과 같이 썼다. "우리는 모두 1813년의 위대한 한 해를 보았다. 만일 우리가 그에 대한 생각과 감정을 가슴속에 품고 있지 않다면 우리는 신과 이 세계 앞에서 무가치한 존재가 아닐까? 우리는 떠나간 친구들에 대한 기억을 소중히 간직하고, 언제라도 그들 곁으로 돌아올 것이며, 절대 그들을 저버리지 않을 것이다."[87]

이렇게 기억을 숭배하는 와중에 새로운 정치의 가능성이 싹텄다. 인간을 서로 묶어주고 이 결합에 의미를 부여할 수 있는 힘으로서 전후의 애국자들이 생생한 경험을 강조하는 것은 우리에게 낯익고 평범해 보일지도 모른다. 하지만 그것은 19세기 초반의 낭만주의적인 모든 특징이 담긴 시대의 발명품이다.[88] 바르트부르크 축제는 '새로운 형태의 정치적 행동'이었다.[89] 특히 이는 내향적인 '부르주아 자아'를 찾아나서는 과정을 대변하는 것이다. 부르주아 자아는 새로운 형태의 정치공동체에 대한 낭만주의적 언어와 사고로 상상된 존재이자, 공동의 정서적 의무감으로 결속된 존재였다. 기억한다는 것은 동지들과 유대를 맺는 것이어야 했다. 반대로 망각은 배신이었다. 과거에 대한 공동의 호소는 의용군의 경험이 없는 사람을 배제하지 않았다. 축제와 의식의 목적은 경험이 없는 사람이라고 할지라도 사건을 '기억'할 수 있게 만들어주는 것이었기 때문이다. 그래서 축제는 구경꾼과 참여자 모두의 마음속에 강렬한 감정을 심어주는 공개적인 스펙타클 형태를 띠었다. 이런 정치는 합리적이지도 않고 논리정연하지도 않았다. 상징적이고 숭배적이며 감정적이었다.[90]

프로이센인인가 아니면 독일인인가?

처음부터 프로이센 사람의 애국심은 7년전쟁 기간에 교육받은 중간계층 사이에서 주로 문학적인 현상으로 발생했기 때문에, 거기에는 단순히 자발적으로 조국을 수호한다는 것 이상의 의미가 있었다. 그것은 정서적 헌신과 정치적 열망이 뒤섞인 형태였다. 이런 애국심은 7년전쟁 기간보다 나폴레옹 시대에 훨씬 더 위협적이었다. 부분적으로는 애국적 열기가 지속될 수 있는 사회적 기반이 훨씬 컸기 때문이기도 하고, 그것을 표현할 수 있는 수사학적 환경이 프랑스혁명이나 개혁을 둘러싼 논란으로 격화되었기 때문이기도 하다. 젊은 날의 레오폴트 폰 게를라흐는 1813년 2월 브레슬라우에서 필사적인 전쟁 준비를 목격했을 때, 다음과 같이 썼다. "한 가지는 이제 분명하다. 가장 독립적인 사람들의 두드러진 모습은 극단적인 자코뱅파와 혁명파처럼 보인다는 것이다. 역사적 토대 위에 세워진 미래에 대한 필요성을 말하는 사람은, 또 아직도 건강한 줄기에 [과거의] 새싹을 접붙이려고 하는 사람은 누구나 웃음거리가 되기 때문에 나 자신도 확신이 흔들리는 느낌을 받는다."[91]

문제는 애국심이 때로 급진적인 정치와 손을 맞잡을 뿐만 아니라 민족주의적인 약속과 직결되어 특수한 독일 왕조의 법통을 뒤흔들 만큼 위협적이라는 것이었다. '민족'이란 말은 프로이센과 독일 양쪽에 사용되었다. 하르덴베르크와 요르크는 정치적 스펙트럼의 양극단에 있었을 수도 있지만 두 사람은 프로이센의 충신들이었다(비록 요르크는 프로이센에 대한 충성심과 그곳의 통치 군주에 대한 복종심을 일치시키는 것을 어렵게 생각하기는 했지만). 그와 반대로 피히테와 보이엔, 그롤만, 슈타인은 명백한 독일 민족주의자였다. 슈타인의 경우, 이것은 특별히 프로이센의 이익에 헌신하는 것을 완전히 포기하는 것을 암시하게 되었다. 그는 1812년 11월에 쓴 편지에서 "나에게는 독일이라는 하나의 조국밖에 없습니다. 나는 그 조국에 내 온 마음을 바치는 것이지, 그 일부에 대해서가 아닙니다"라고 선언했다. "내게, 왕조는 아무래도 좋습니다. […] 프로이센 자리에 당신이 생각하는 것을 넣고, 그걸 없애버리세요. 슐레지엔, 마르크 선제후국, 북독일로 오스트리아를 강하게 하는 겁니다. 사라진 제후들은 배제하고요."[92]

프로이센 애국주의와 독일 민족주의 사이의 은밀한 긴장에는 위험과 희망이 내포되어 있었다. 민족주의의 동요가 독일의 모든 국가에서 왕조의 권위에 도전할 수 있는 힘으로 발전하고, 그것이 구체제의 계급적 질서를 수평적인 충성과 친화력의 문화로 대체될 수도 있다는 점에서 위험이었다. 그리고 그 과정에서 프로이센에 독특한 역사와 의미를 부여했던 배타주의 유산이 일소될지도 몰랐다. 프로이센이 자체의 이익을 위해 민족적 열기를 이끌어내고 배타주의적인 정체성과 제도를 포기하지 않고서도 민족주의의 흐름을 탈 방법을 찾아낼지도 모른다는 점에서는 희망이었다. 단기적으로 프리드리히 빌헬름 3세가 다른 군주들과 합동으로 민족주의적 '선동'을 억압하고 의용군의 공적인 전쟁 기억을 침묵시켰을 때는 위험이 희망을 압도했다. 하지만 우리가 보다시피 장기적인 측면에서 프로이센의 정치 지도자들은 민족주의적 열망과 영토 이익 사이에서 나오는 시너지를 인식하고 개발하는 데 익숙해졌다. 그 과정에서 전후의 분열된 기억은 평화로운 통합을 위한 길을 닦았고 거기서 대중의 요소와 왕조의 요소가 나란히 가면서 상호보완적인 것으로 보였다. 정치적 모호성을 제거하면, 프로이센의 대나폴레옹 전쟁은 (아무리 모순처럼 보여도) 궁극적으로 독일 민족의 해방을 위한 신화적인 전쟁으로 재정립되기에 이른다. 체조, 철십자훈장, 루이제 왕비에 대한 숭배 열기, 심지어 예나 전투까지도 모두 시간이 흐르면서 독일 국가들의 공동체에서 프로이센이 정치적 리더십을 가져야한다는 요구를 정당화했고 독일의 민족적 상징으로 변모해갔다.[93]

12

역사를 통한
신의 행진

God's March
through History

1814~15년의 빈 회의(Wiener Kongress)에서 합의된 영토 협정에 따라 새로운 유럽이 탄생했다. 북서쪽에는 네덜란드–벨기에 연합국가, 즉 네덜란드 연합왕국이 모습을 드러냈다. 노르웨이는 덴마크에서 스웨덴으로 소속이 바뀌었다. 오스트리아는 롬바르디아–베네치아를 얻어 이탈리아 안쪽으로 깊이 점령해 들어갔고 토스카나와 모데나, 파르마의 통치권을 차지함으로써 합스부르크 왕조의 영향력이 확대되었다. 폴란드 동부와 중부의 대부분 지역을 포함해 다시 그려진 러시아 제국의 국경선은 유럽 역사상 그 어느 때보다 더 서쪽으로 확장되었다.

새로운 이원론

프로이센으로서도 새로운 출발이었다. 1806년 이전의 국경으로 회귀할 일은 없었다. 1790년대에 점령한 폴란드 영토는 대부분(포젠 대공국

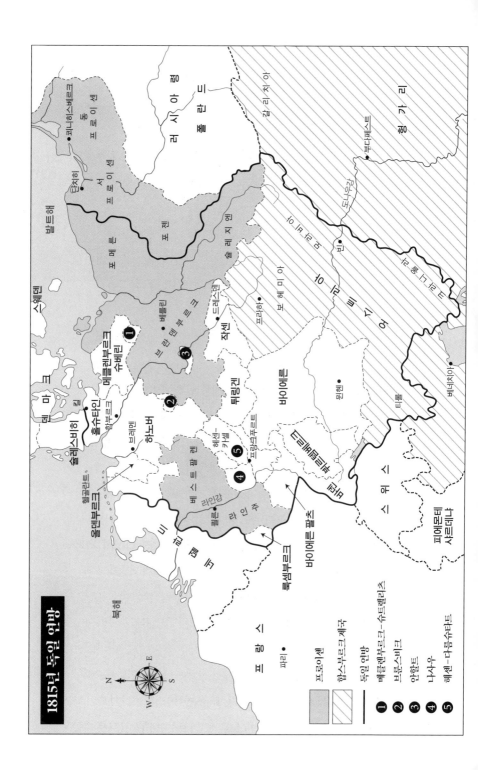

1815년 독일 연방

독일 연방

프로이센

합스부르크 제국

메클렌부르크-슈트렐리츠

브라운슈비크

안할트

나사우

헤센-다름슈타트

① ② ③ ④ ⑤

북해

스웨덴

발트해

덴마크

슐레스비히

홀슈타인

올덴부르크
헬골란트

메클렌부르크-슈베린

①

②

하노버

브레멘

프로이센

바이에른 팔츠

뷔르츠부르크

라인강

라인 주

코블렌츠

베스트팔렌

프랑크푸르트

헤센-카셀

④

⑤

틀링겐

작센

작센

드레스덴

브란덴부르크

베를린

포메른

포젠

동
프로이센

단치히

쾨니히스베르크

서
프로이센

러 시 아 령
폴 란 드

갈 리 치 아

보헤미아

프라하

바이에른

뮌헨

뷔르템베르크

스 위 스

티롤

빈

도나우강

오 스 트 리 아

헝 가 리

부다페스트

도나우강

베네치아

피에몬테
사르데냐

프랑스

파리

N
E
S
W

530

을 제외하고) 러시아의 수중에 떨어졌고 동프리슬란트(1744년 이후 프로이센령)는 하노버 왕국에 할양되었다. 대신 프로이센은 작센 왕국 북반부와 스웨덴이 다스리던 서포메른, 하노버에서 네덜란드 동부 및 프랑스 서부에 이르는 광활한 라인 지방과 베스트팔렌 지역을 얻었다.[1] 이것은 프로이센의 의지가 관철된 결과는 아니었다. 베를린은 원하던 것을 얻는 데 실패했고 원치 않던 것을 얻었다. 이들이 원한 것은 작센 전체였지만, 이런 기대는 오스트리아와 서구 열강에 의해 저지되었고, 프로이센 대표단은 1815년 2월 8일의 작센 분할로 만족할 수밖에 없었다. 이 협정에 따라 프로이센은 왕국 전체의 5분의 2에 해당하는 영토를 새로 얻었는데, 이 중에는 요새화된 토르가우와 비텐베르크가 포함되었다. 비텐베르크는 루터가 1517년에 종교개혁에 착수할 때, 성당 정문에 자신의 반박문을 게시한 곳이다. 프로이센 영토가 라인강을 따라 서쪽으로 길쭉하게 생기게 된 것은 프로이센이 아니라 영국의 구상이었다. 영국의 정책입안자들은 오래전부터 합스부르크 세력이 벨기에에서 철수하고 나서 생기는 힘의 공백을 걱정해왔는데, 그들은 프로이센이 오스트리아를 대신해서 프랑스 북동쪽 국경을 지키는 독일 '파수꾼' 역할을 해주기를 바랐다.[2] 오스트리아는 문제투성이인 벨기에에서 손을 떼게 된 것을 반겼다. 벨기에는 잠시 불행한 네덜란드 통치기로 접어들었다.

프로이센은 독일 국가들의 미래의 조직에 관한 복잡한 협상에서 그들의 뜻을 관철하지 못했다. (하르덴베르크와 훔볼트가 대표로 활동한) 프로이센이 원한 것은 강력한 중앙집행기관을 갖춘 독일이었다. 이것은 프로이센과 오스트리아가 군소국들에 대한 권한을 공유하는 체제로서, 간단히 말해 '강력한 주도권을 행사하는 이원 체제 방식'이었다.[3] 이와 반대로 오스트리아는 중앙기관을 최소화한 상태에서 느슨한 독립국가 연합을 선호했다. 1815년 6월 8일에 합의를 본 독일 연방약관(Deutsche Bundesakte, 1820년 '최종 약관'으로 개정)은 프로이센의 구상에 대한 오스트리아의 승리를 의미했다. 38개국(이후 39개국)이 포함된 신독일 연방은 유일한 법정 중앙기구로서 '연방의회'(Bundesversammlung)를 두었는데 프랑크푸르트에서 모이는 이 기구는 사실상 외교 대표권자들의 상설회의체였다. 이런 장치는 독일 땅에서 좀 더 응집력이 있는 조직을 바랐던 프로이센의 정책 입안가들에게는 패배를 의미했다.

그렇다고 이것이 프로이센 국가의 미래라는 측면에서, 나폴레옹 이후에 찾아온 안정 상태의 중요성을 떨어트린 것은 결코 아니다. 또 서부에서 보상으로 얻은 영토는 바덴과 뷔르템베르크의 통합만큼이나 규모가 큰 프로이센 라인 영토 블록을 만들어냈다. 새로 얻은 영토에 둘러싸인 지역은 설계에 따른 것이라기보다 우연하게 형성된 것으로 대선제후의 눈이라고 불리던 율리히와 베르크 공국이었다. 이제 호엔촐레른 왕국은 독일 북부 전역에 걸친 거대한 땅덩어리가 되었는데, 다만 중간에 40킬로미터 정도의 협소한 틈이 영토를 가르고 있었다. 즉, 하노버와 브라운슈바이크, 헤센-카셀의 영토가 프로이센의 '작센 지방'과 프로이센의 '베스트팔렌 지방'을 갈라놓은 형태였다. 이를 바탕으로 한 19세기 프로이센의 (그리고 독일의) 정치적·경제적 발전은 무시할 수 없는 결과를 가져왔다.

라인란트는 유럽의 산업화와 경제 성장을 위한 발전소 역할을 할 운명이었는데 이는 빈의 협상대표들이 전혀 예측하지 못한 결과였다. 그들은 독일 지도를 새로 그릴 때 경제적 요인을 중시하지 않았다. 1815년의 협상 결과도 지정학적으로 광범위한 영향을 주었다. 이때 프로이센이 1790년대에 획득한 폴란드 영토의 상당 부분에 대한 요구를 철회하고 중부와 서부에서 보상을 받아냄으로써 유럽에서 독일 지역의 위상이 높아졌다. 동시에 오스트리아는 북서부(벨기에)에서의 지위를 영구적으로 포기하고 북부 이탈리아에서 실속이 있는 새 영토를 얻었다. 이 결과 사상 최초로 프로이센은 오스트리아보다 더 많은 '독일의' 영토를 차지하게 되었다.

독일 연방은 베를린이 북부 독일을 공식적으로 지배할 수 있도록 해줄 만큼 강력하지는 않지만 프로이센이 위기에 처했을 때에는 전체적인 시스템을 위험에 빠트리지 않는 선에서 비공식적이고 제한된 주도권을 행사할 정도로는 융통성이 있는 집행기구를 두었다. 독일 연방이 영토를 초월한 자체의 제도를 확립하는 데는 실패했지만 프로이센이 주도권을 행사할 문은 열려 있었다. 1815년 이후 프로이센 행정부가 주목한 것은 특히 관세 일원화와 연방 안보정책 두 개 분야였다. 이 두 가지는 프로이센이 발전시킨 분야로서, 1848년 혁명 이전에 수십 년간 '독일 정책'이라고 부를 수 있는 것이었다.

베를린의 대신들은 팽창주의 관세정책을 수용하는 데는 시간을 끌었다. 일례로 헤센-다름슈타트 정부는 1825년 6월에 관세 협정에 대한 협상안을 가지고 베를린에 접근했으나 잠재적인 재정 이익이 너무 적다는 이유로 거부당했다. 헤센이 바이에른과 뷔르템베르크 사이에 새로 맺어진 남부 독일 관세동맹에 가담하는 결정을 해도 프로이센에는 그리 위험하지 않다고 본 것이 분명했다. 1826년이 되어서야 비로소 베를린 정부는 더 광범위한 틀에서 생각하기 시작했다. 이것은 부분적으로 국가의 재정 상황이 개선된 데 따른 결과였다. 재정 문제를 더 이상 국가의 최우선 목표로 삼을 필요가 없었던 것이다. 거의 같은 시기에 외무부는 관세협상을 프로이센 외교정책의 중요한 도구로 봐야 한다고 주장하기 시작했다. 1827년 헤센-다름슈타트가 다시 한번 베를린과 단일 정책을 수립하자고 호소했을 때 이 안건은 대환영을 받았다.

오스트리아는 새 관세 협정에 대한 소식을 듣고 놀라는 반응을 보였다. 메테르니히는 베를린 주재 대사에게 보내는 편지에서 프로이센-헤센 조약을 '대단히 우려스러우며 동시에 독일 내 각국 정부의 당연한 관심을 불러일으킬 것'으로 보았다. 이후 프로이센은 나머지 국가들이 자국의 그물에 걸려들게 하는 일에 모든 노력을 기울였다.[4] 오스

프로이센 – 독일 관세동맹의 발전

발트해

북해

프로이센

프로이센

슐레스비히

메클렌부르크

홀슈타인

하노버

브라운슈바이크

올덴부르크

작센

튀링겐

헤센

나사우

프로이센

바이에른

뷔르템베르크

바덴

룩셈부르크

알자스로렌

- 프로이센 관세동맹 1828년
- 프로이센 – 독일 관세동맹 1836년까지
- 1854년까지 추가된 지역
- 1869년까지 추가된 지역

(1888년까지 함부르크, 브레멘, 알자스로렌이 추가)

N
E
S
W

트리아 수상은 독일 내의 각국 궁정이 프로이센과 손잡는 것을 단념하도록 설득하기 위해 자신이 할 수 있는 노력을 다했다. 경쟁적인 관세동맹을 장려하기도 했다. 그것은 중부 독일 무역 동맹으로 회원국은 작센과 하노버, 헤센 선제후국과 나사우 등이었다. 이들의 영토는 나폴레옹 이후 갈라진 프로이센의 영토 사이에 있었다. 하지만 이들의 승리는 일시적인 것에 지나지 않았다. 베를린은 자기 이익에 충실하라고 친절하게 호소하고 노골적으로 협박하는 양면 전략을 구사했다. 프로이센-헤센 동맹 체제로 들어가기를 거부하는 인근의 군소국들은 결국 베를린의 강력한 대응에 굴복했다. 그중에는 '길거리 전쟁'(Straßenkrieg)도 있었는데, 이것은 무역의 흐름이 목표 지역에서 벗어나는 것을 흡수하는 데 이용되었다. 마침내 1829년 5월 27일, 바이에른 및 뷔르템베르크와 협정이 체결되어 프로이센과 협력국들은 중부 독일 연맹의 군소국가 일부를 끌어안게 되었다. 이로써 관세 구역 두 개를 하나로 합병할 문이 열리게 되었다.

1834년 1월 1일에 발효된 독일 관세동맹(Zollverein)으로 오스트리아를 제외한 독일 지역 다수 국가의 관세 제도가 통합되었다. 이듬해에 바덴과 나사우, 프랑크푸르트가 합류했고, 이어 1841년에는 브라운슈바이크와 뤼네부르크가 가담했다. 그리하여 독일 지역 인구의 90퍼센트 가까이가 독일 관세동맹의 회원국에 살게 되었다.[5] 1841년의 독일 관세동맹 국가의 지도를 보면, 그것이 1864~71년의 전쟁 결과로 나온, 프로이센이 지배하는 독일 국가와 밀접한 연관이 있다는 인상을 피할 수 없다. 하지만 이런 결과는 아직 베를린의 정책 입안자들의 상상력을 훨씬 벗어난 것이었다. 그들의 목표는 무엇보다 좀 더 응집력이 있는 독일 국가들의 연합 안에서 프로이센의 영향력을 확대하는 것이었다. 관세의 일원화는 독일 영토에서 영향력과 특권을 놓고 프로이센과 오스트리아 사이에 벌어진 오랜 경쟁을 위한 새로운 터전이 되었다.

오늘날의 시각으로 볼 때, 양쪽이 프로이센의 성공을 과대평가한 것은 분명하다. 관세동맹은 프로이센이 군소국들에 대한 정치적 영향력을 행사하는 데 결코 효과적인 도구가 되지 못했다. 실제로는 자치에 목말라하는 보수적인 지역의 정부에 연간 소득이 늘어나는 결과를 가져왔다는 점에서 부분적으로는 반대 효과를 일으켰는지도 모른다.[6] 군소국들이 볼 때, 관세동맹의 회원은 재정적인 편의의 문제였지 (1866년의 사건들이 보여주듯이) 베를린에 대한 정치적 충성으로 이어지는 조건이 아니었다.[7] 또 독일 통일 이전의 경제사를 다루는 여러 문헌에서 주장되듯이, 관세동맹이 독일에서 프로이센이 경제적 지배권을 획득하는 근거가 된 것으로 보이지도 않는다.[8] 관세동맹이 프로이센의 산업투자를 결정적으로 가속화했다거나 국내 경제에서 농업의 압도적인 우위를 상당 부분 뒤집었다는 것을 보여주는 증거도 없다.[9] 관세동맹이 이후 프로이센 중심의 독일제국이 탄생하는 데 기여한 것은 흔히 생각하는 것과 달리 간단히 말할 수 없다.

관세동맹은 중요했으나, 그 이유는 다양했다. 그것은 한동안 베를린의 '독일 정책'에서 뛰어난 역할을 감당했다. 대신이나 고위 관리가 순수하게 독일적인 한계에서 생각하고 특별히 프로이센의 이익을 챙기면서 다른 독일 국가들 사이에서 이익을 중재하는 법을 배운 것도 바로 이 분야였다. 또 독일 관세동맹을 위해 꾸준히 성실하게 노력한 결과, 베를린의 도덕적 권위가 높아졌다. 그것은 군소국 내의 자유주의적이고 진보적인 여론에 대하여, 프로이센이 결점에도 불구하고 더 도덕적이고 합리적인 질서를 대표한다는 것을 보여주었다. 재무대신 프리드리히 폰 모츠와 외무대신 크리스티안 폰 베른슈토프 백작, 두 정치가는 1820년대와 1830년대의 프로이센 관세정책에 깊이 관여했다. 그들은 그 문제를 꿰뚫고 있었고 프로이센이 독일 문제의 진보 세력으로 명성을 쌓도록 끊임없이 노력했다.[10]

독일의 안보 문제를 조정하면서 연방 체제의 틀 안에서 영향력을 놓고 또 다른 경쟁의 공간이 만들어졌다. 이것은 처음부터 프로이센과 오스트리아의 이해가 충돌하는 영역이었다. 프로이센의 협상대표단은 1818~19년에 좀 더 응집력이 있고 '민족적'인 색깔을 띤 (베를린의 지휘를 받는) 연방 군대를 창설하기 위해 애를 썼지만, 오스트리아의 지원을 받는 군소국 대표는 독일 군소국의 군사적 자율성을 양보하는 그 어떤 방안도 지지하기를 거부했다. 결국 이 국가들은 독일에 연방 군사기구를 두지 않는다는 결론을 이끌어냄으로써 승리를 거두었다. 이것은 강력한 연방기구가 궁극적으로는 프로이센에 이로울 것이라고 생각한 오스트리아의 마음에 드는 결과였다.

연방 군사정책을 시험해볼 최초의 기회는 1830년의 프랑스 7월 혁명과 더불어 찾아왔다.[11] 혁명사상의 침투와 나폴레옹 침략은 여전히 기억에 생생했고, 당대 사람들, 특히 남부 사람들은 1830년 여름의 격동적인 상황이 (1790년대처럼) 서부 독일에 대한 침략으로 이어지지나 않을까 두려워했다. 프로이센의 정책입안자들은 때를 놓치지 않고 프랑스가 전쟁을 일으킬지도 모른다는 불안을 프로이센에 이롭게 이용하는 법을 깨달았다. 베른슈토프는 왕에게 보내는 1830년 10월 8일 자 편지에서 합동 안보정책을 공식화해야 한다는 견해를 드러내며 남부 국가의 왕실과 군사적 협의를 해야 한다고 강력히 주장했다. 이것은 당장 프로이센의 안보 욕구를 충족시킬 뿐만 아니라 "프로이센에 대한 전반적인 신뢰 분위기를 조성한다"는 것이 베른슈토프의 주장이었다. 그렇게 되면 프로이센의 충고와 제안, 유익한 영향에 대한 의존도가 높아진다는 것이었다.[12]

단기적으로 볼 때, 그의 정책은 성공했다. 1831년 봄, 프로이센의 아우구스트 륄레 폰 릴리엔슈테른 장군이 남부 독일에 특사로 파견되어 바이에른의 왕 루트비히 1세와 우호적인 대화를 나누었다. 루트비히는 프로이센이 연방 합동군의 총지휘를 맡는다는 발상에 의구심을 표하기는 했지만, 긴밀한 협동에 대해서는 열띤 반응을 보였다. 1831년 3월 17일 프리드리히 빌헬름 3세에게 보내는 편지에서 바이에른 국왕은 "나는 북부 독일이니 남부 독일이니 하는 것은 모릅니다. 내가 아는 것은 오로지 독일뿐입니다"라고 썼다. 바이에른도 프로이센처럼 1815년에 광대한 라인 지역(라인강 서안의 바덴 맞은편에 있는 팔츠)을 얻었기 때문에 공동의 방어정책이 필요했다. 왕 스스로 말했듯이, '탄탄한 안보'는 '프로이센과 유대를 공고히 할 때만 주어질 수 있는 것'이었다.[13] 뢸레 폰 릴리엔슈테른이 프로이센의 '확실하고 현명하며 관대하면서 신중한 태도'와 관세정책의 유익한 효과 때문에 바이에른 일대의 정치 집단으로부터 '존경과 신뢰, 공감'을 얻었다고 보고한 것은 부분적으로 옳은 판단이었다.[14] 슈투트가르트(뷔르템베르크)와 칼스루에(바덴)에서 받은 대접은 바이에른보다 덜 융숭하기는 했지만, 여기서도 연방 군대를 재창설하고 프로이센과 좀 더 긴밀한 유대를 맺을 필요성에 대해서는 폭넓은 합의가 이루어졌다.

하지만 결과로 볼 때, 오스트리아가 이런 프로이센의 주도적인 노력을 차단하는 것은 어렵지 않은 것으로 드러났다. 오스트리아를 불신하고 서부 독일의 방어에 대한 빈의 약속을 믿지 못하면서도, 결국 남부 국가들은 베를린의 힘이 더 강해지는 것을 경계한 것이다. 이후 프랑스로부터의 위협이 약화되면서 독립적인 안보를 위한 교류의 열기는 식어갔다. 오스트리아의 가장 결정적인 자산은 단순히 프로이센 정치 엘리트의 균열이었다. 1831년 9월에 상황을 정리하기 위해 베를린에 파견된 오스트리아의 교활한 사절 클람 마르티니츠는 곧 새로운 연방 군사정책의 배후세력이 베른슈토프와 아이히호른, 뢸레 폰 릴리엔슈테른 주변에 포진한 진보적 노선의 프로이센 독일파라는 것을 간파했다. 이 반대편에는 메클렌부르크 공장 주변의 보수적인 '프로이센 독립파'와 빌헬름 루트비히 자인-비트겐슈타인 왕자, 위그노 설교사로서 왕실과 가까운 앙시용(외교관으로서 베른슈토프의 부하인데도 클람과 내통했다) 등이 있었다. 클람으로서는 서로 다른 이익을 안겨주는 방식으로 프로이센 정책 입안의 토대를 분열하는 것이 비교적 쉬웠다. 일단 반베른슈토프파의 지지와 왕에게 직접 접근하는 통로를 확보하자, 그는 외무대신을 잘라내고 앞으로 있을 오스트리아-프로이센 협상에서 그를 배제할 수 있었다.[15]

연방안보 문제는 1840~41년에 프랑스의 침략에 대한 불안이 조성되자 다시 수면 위로 떠올랐다. 동부 문제에 대한 국제적인 긴장의 여파로, 파리에서 아돌프 티에르 수상이 라인 지역에 대한 프랑스의 공격을 거론했다는 부정확한 소문이 떠돌았다. 독일 전역에 퍼진 '라인 위기설'(Rheinkrise)은 민족주의자들의 폭력사태를 불렀다. 이번에도 프로이센 행정부에서는 이 순간을 이용하는 무리가 있는 것으로 보였다. 프로이센의 고위 사절 한 명이 좀 더 긴밀한 군사협력을 논의하기 위해 남부 독일의 각국 독일 궁정에 파견되었다. 다시 따뜻한 환대가 있었다. 적어도 처음에는 그랬다. 베를린 주재 오스트리아 사절은 재빨리 빈을 향해 프로이센 내각이 명목상으로가 아니라 사실상 프로이센 중심의 독일을 세우는 작업을 한다는 경보를 울렸다.[16] 남부 독일 국가들은 프로이센을 향해서는 오스트리아를 불신한다고 하고, 오스트리아에 대해서는 프로이센이 두렵다고 하는 등 양다리를 걸쳤다. 결국에는 손실을 만회하기 위해 남부 독일의 궁정들을 상대로 설득 작업을 벌인 오스트리아의 사절이 프로이센의 사절을 눌렀다. 다시 한번 외교전에서 승리한 쪽은 오스트리아였다. 그들은 프로이센이 일방적인 주도권을 포기하고 협상 타결을 위해 빈과 협력하도록 강요했다.

프로이센 대표단은 노력의 대가를 얻지 못했다. 그 이유 중의 하나는, 남부 국가들이 그런 모든 주도적인 조치를, 특히 프로이센이 나설 때는 깊은 불신의 눈으로 보았기 때문이다. 일찍이 독일의 군소국가 자율 체제의 보증인 역할로 자리매김해온 오스트리아는 그런 불안을 십분 활용할 수 있었다. 게다가 프로이센 역시 단일한 정책 수립기구를 가져본 적이 없다는 사실도 한몫했다. 대신들이나 고위급 정치인들은 여전히 집단 책임에 매여 있지 않았다. 개혁파는 이런 문제점을 알고 있었지만 해결책을 꾸준히 제시하지는 못했다. 오히려 대신이나 왕실 고문관, 조신, 심지어 하위 관리들까지도 서로 영향력을 발휘하기 위해 싸우면서 오스트리아가 이용할 수 있는 빈틈을 만들어주었다. '권력 측근들'의 논리는 계속해서 프로이센의 정치를 어지럽혔다. 그러다가 1850년대와 1860년대에 가서야 비로소 이런 문제는 선임 대신에게 권한이 차츰 집중되면서 해소되었다.

베를린 사람들로서는 여전히 빈과 공공연히 대립을 무릅쓸 의도가 없었다. 국제적인 무질서와 체제 전복의 위기 앞에서 오스트리아와 프로이센이 연대할 필요성은 상존했다. 정치적 격동기에 대한 전망은 베를린과 빈의 보수적 지도자들을 주기적으로 협상 테이블로 돌아오게 만들 힘이 있었다. 이것이 연방군 위기의 여파로 독일 남서부에서 일련의 과격한 소요가 발생한 1832년 봄의 상황이었다. 베를린과 빈은 검열과 감시, 억압 기능을 갖춘 연방 체제를 강화하기 위해 다른 독일 국가 대표단과 함께 손을 맞잡고 재빨리 협력 상태로 복귀했다. 1848~49년의 혁명 이후 급진정치가 외면당하고서야 비로소 이런 제한 조치는 풀리게 된다.

아무튼 베를린 사람들은 여전히 오스트리아 황위의 종주권 체제 하에서 정치적으로 분열된 독일이라는 사고의 지평에서 계획을 수립했다. 오스트리아의 사절인 하인리히 폰 헤스 장군이 1840년 프랑스와의 전쟁에 대한 불안이 최고조에 올랐던 상황에서 프리드리히 빌헬름 4세를 알현했을 때, 그는 신임 군주가 오스트리아에 몹시 감상적으로 접근하는 것을 보고 놀라면서 당황했다. 프로이센 왕은 헤스에게 이렇게 말했다. "짐은 빈이 아주 좋아요. 한동안 개인적으로 거기 살 수 있다면 얼마나 좋겠소! 황실 사람은 모두가 우아하고 독특한 인간적 분위기를 풍기니 말이오."[17] (오스트리아 사절의 보고에 따르면) 왕의 보좌관들은 여전히 "독일의 구원은 일방적인 프로이센주의(Preußentum)가 아니라 오스트리아와의 긴밀한 유대로부터 온다"고 보았다.[18] 급진 민족주의 일색의 구상은 프로이센 정치가들이나 호엔촐레른 왕실에 매력이 없었다. 이처럼 프로이센은 (1839년에 베를린 주재 영국 사절이 말했듯이) 계속 "프로이센 정책 결정의 특징이라고 할 소심하고 소극적인 체제 안에서" 움직였다.[19] 오스트리아는 (1834년의 관세동맹에도 불구하고) 깨지기 쉬운 헤게모니를 쥐고 있었다. 오스트리아는 계속해서 독일 연방의 복잡한 구성을 효과적으로 이용할 수 있었다.

이와 더불어 1815년 이후의 국제 시스템에서 프로이센은 주체라기보다 놀라울 정도로 객체로 남았다. 프로이센은 유럽 열강과 비교하면 여전히 차이가 크게 나는 군소 국가였다. 국제적으로는 물론이고 독일 지역 안에서조차 프로이센이 자율적으로 주도권을 행사할 여지가 별로 없었다는 것을 감안하면, 프로이센이 차지한 위상은 진정한 강대국과 대륙의 군소 국가 중간쯤 된다고 생각할 근거가 많았다. 이런 사정으로 프로이센 지도자들과 프로이센 왕국은 소극적인 외교의 긴 단계로 들어갔다. 빈 협정과 크림전쟁 사이에 조성된 40년간 이어진 평화 시기 내내, 베를린은 전력을 다해 최상의 조건을 갖추기 위해 노력했다. 이들은 가능하면 언제 어디서나 합의를 추구했다. 반면에 국제적으로 주요 위기가 닥칠 때마다 방관함으로써 영국을 자극하는 일을 피했다. 오스트리아와 직접 갈등을 빚는 상황도 멀리했다. 1837년에 영국 사절이 보고한 대로, 화해를 통해 모든 당사국을 만족시키고 유럽의 평화를 보존하는 것이 베를린의 확고한 정책이었다.[20]

무엇보다 프로이센은 러시아를 달래고 그들의 비위를 맞추었다. 나폴레옹 전쟁 기간에 러시아는 스스로 유럽 대륙에서 동부의 패권국가로 자리매김하면서 100만 명이 넘는 군대를 동원했다. 1815년의 폴란드 영토 분할을 통해 러시아 제국의 서쪽 돌출부는 중부 유럽 깊숙이 파고들었다. 전후 프로이센의 외교정책은 러시아의 주도권 행사를 아무 불만 없이 받아들이는 것을 원칙으로 삼았다. 프로이센의 미래가 러시아의 손에 달려 있었던 1807년과 1812~13년의 사건은 여전히 그들의 기억에 생생했다. 프로이센과 이 동부 이웃국가의 관계는 1817년에 프리드리히 빌헬름 3세의 딸 샤를로테 공주와 로마노프 왕조의 계승자인 니콜라이 대공이 결혼함으로써 깊어졌다. 1825년에 등극한 이후, 차르 니콜라이 1세는 인척이 된 프로이센을 상대로 막강한 영향력을 행사했다. 그는 프로이센의 헌법 개정을 저지하고 호엔촐레른 왕조를 절대주의 체제에 묶어두려는 국제적인 노력에 가담했다.[21] 그가 단순히 불쾌한 표정만 지어도 프로이센은 러시아의 이익과 충돌하는 어떤 행동도 감히 생각하지 못했다.[22]

보수로 방향을 선회하다

1819년 3월 23일 오후 5시에 프로이센 소유의 바이로이트 공국 관리의 아들로서 한때 신학생이던 24세의 카를 잔트가 만하임에 있는 극작가 아우구스트 폰 코체부 집의 벨을 눌렀다.[23] 코체부 부인의 여자 손님들이 와 있었기 때문에 잔트는 층계참에서 기다렸다. 잠시 후에 코체부가 친절하게 인사를 하며 잔트를 집 안으로 안내했다. 두 사람은 대화를 시작했다. 그때 잔트가 갑자기 윗옷 소매에서 단도를 꺼내면서 외쳤다. "나는 당신이 전혀 자랑스럽지 않아. 이 매국노야!" 그는 단도로 57세의 집주인 가슴을 두 번 찌른 다음 얼굴에 대고 칼을 그었다. 코체부는 쓰러지고 몇 분 만에 사망했다. 집 안이 혼비백산한 사이에 잔트는 비틀거리며 계단 쪽으로 걸어가더니 다시 단도를 꺼냈다. 그는 "성공하게 해준 하늘에 감사드립니다!"라고 외치고는 자신의 하복부를 두 번 찌른 다음 똑같이 쓰러졌다.

잔트의 코체부 암살은 전후 수십 년 동안 독일에서 발생한 단일 정치적 행위로는 가장 떠들썩한 사건이었다. 이런 결과는 바로 잔트가 원한 것이었다. 그는 오래전부터 암살을 계획했고 자신의 행위에 최대

37 코체부를 암살하기 위해 만하임으로 떠나는 카를 잔트의 이상화된 초상.

의 상징적인 의미를 부여하려고 했다. 코체부 집의 문 앞에 도착했을 때, 그는 프리드리히 루트비히 얀이 디자인하고 대중화한 이국적인 '구 독일 복장'을 하고 있었다. 이 복장은 1815년 이후 급진 민족주의 운동 의 열기와 결합했다. 당대의 판화는 잔트가 프랑켄 산골에 있는 고향 을 떠나는 모습을 보여준다. 천사처럼 평온한 표정에 긴 금발은 부드러 운 '독일 베레모' 밑으로 자연스럽게 늘어지고 상의 옷깃 아래로는 단 도가 불길하게 삐져나온 모습이다. 잔트는 라이프치히 전투에서 보고 배운 프랑스식 수렵용 칼을 살인자의 무기로 삼았다. 그는 암살할 대상 도 세심하게 선정했다. 코체부는 오래전부터 애국 운동의 열혈청년들 에게 눈엣가시 같은 존재였다. 대중적인 인기를 끈 감상적인 그의 통속 극은 여성의 역할을 크게 부각시키면서 수많은 여성관객을 끌어들였 고 부르주아지의 지배적인 성도덕을 애매하고 지루하게 되풀이하곤 했 다. 민족주의자들은 그의 연극을 나약하고 부도덕한 것으로 보았으며 '독일 젊은이를 미혹하는 자'로 그를 매도했다. 이에 대해 코체부는 젊 은 애국자들의 국수주의와 거친 언행을 비난했다. 1819년 3월에 발표한 글(코체부가 마지막으로 쓴 글)에서 그는 대학생 학우회(Burschenschaft) 운동의 속물적이고 방자한 태도를 비웃었다. 잔트는 바로 이 운동의 과 격파에서 활동해왔다.

첨예하게 대립된 이런 상징적인 양극성 때문에 살인의 잔인함은 수많은 동시대인의 의식 속에서 크게 부각되지 않았다. 대중은 잔트의 급진적인 행위와 동기의 순수성에 흥분했다. 잔트는 감옥에서 자해한 상처가 아물며 완전히 몸을 회복했다. 다른 재소자들은 그의 감방 앞 을 지나갈 때면, 잠자는 영웅을 깨우지 않으려고 쇠사슬을 들어올렸다 고 한다. 5월 20일 오전 5시 참수형 집행 시각이 다가올 무렵, 잔트는 이 미 유명인사가 되어 있었다. 그가 처형장으로 걸음을 옮길 때, 길거리에 는 군중이 줄지어 서 있었다. 그가 참수된 뒤에 구경꾼들은 손수건에 잔트의 피를 적시려고 앞으로 몰려들었다. 의학적인 또는 마법적인 용도로 사형수의 피를 받으려는 오랜 관습이 새로운 애국 열기로 변형된 풍조였다. 잔트의 유명한 금발머리를 포함해 유해는 민족주의 운동 진영 내에서 추모의 의미로 나돌았다. 뿐만 아니라 피 묻은 처형대를 해체한 집행관은 그 목재를 자신의 포도밭에다 작은 창고를 짓는 데 썼다. 그리고 훗날 이 창고에서 죽은 애국자를 기리기 위해 찾아온 순례자들을 맞았다고 한다.

암살이 일어난 여파로 프로이센 당국은 공포 분위기에 휩싸였다. 잔트 사건은 잠재울 수 없는 민족주의 운동의 핵심을 드러낸 것으로 보였다. 훨씬 더 심각한 것은, 애국적인 대의명분에 공감하는 당대의 많은 사람들이 살인을 비난하는 기색을 내비치지 않았다는 것이다. 이런 분위기를 보여주는 사건 중에 가장 유명한 것은 베를린 대학교 신학교수인 빌헬름 드 베테의 사건이다. 사건 일주일 후, 베테는 살인범의 모친에게 편지 한 통을 썼는데, 이 편지 사본이 학우회 운동 내부에서 널리 회람되었다. 드 베테는 잔트가 "세속 판사에 의해 처벌받을 수 있는" 범죄를 저지른 것은 인정했지만, 이것이 그의 행위를 판단해야 할 척도는 아니라고 주장했다.

잘못은 확고부동한 신념과 진실성에 의해 용서를 받습니다. 그리고 열정은 그 원천에 의해 정당화됩니다. 저는 이 두 가지가 경건하고 덕스러운 아드님 사건의 본질이라고 굳게 믿습니다. 그는 확고한 신념을 지녔고 자신이 한 행위가 정당하다고 믿었습니다. 아드님의 생각이 옳았습니다.

자주 인용되는 구절에서 이 교수는 잔트의 행위가 "시대의 아름다운 징표"라고 결론지었다.[24] 드 베테로서는 불행하게도 이 편지 사본이 프로이센 경찰 총수인 빌헬름 루트비히 게오르크 폰 비트겐슈타인 왕자 손에 들어갔다. 1819년 9월 30일, 드 베테는 교수직에서 해고되었다. 검거 바람이 불면서 '선동세력 일제 단속'(Demagogenverfolgung)이라고 알려진 조치가 취해졌다. 이것은 코체부 암살 사건에 대한 대책으로 메테르니히가 프로이센을 지원하려고 도입한 강력한 검열과 감시 조치에 따른 것이었다. 9월 20일에는 프랑크푸르트 연방의회에서 만장일치로 이 안건을 의결했다.

보수 회귀 물결의 희생자 중에는 이때 본 대학교 역사교수였던 에른스트 모리츠 아른트가 있었다. 경찰이 이른 아침에 아른트의 자택을 급습해서 가택수색을 하는 동안, 일단의 학우회 학생들이 몰려들었다. 학생들은 경찰이 아른트의 집에서 압수한 문서를 한아름 들고 떠날 때 휘파람을 불며 야유를 퍼부었다. 라인 지역의 주지사인 프리드리히 크리스티안 폰 졸름스 라우바흐 백작이 반대했음에도 불구하고, 아른트는 교수 지위에서 정직되었다.[25] 프리드리히 루트비히 얀도 피의자였다. 그의 체조협회는 폐쇄되었고, 정성 들여 하젠하이데에 세운 운동장 시설이 해체되었으며, 체조단 제복과 '구독일 복장'을 입는 것은 위법이 되었다. 얀 자신은 이후 콜베르크 요새에 투옥되었다.

탄압의 흐름 속에서 덜 알려진 희생자 중에는 혈기 넘치는 젊은 귀족으로서 근위대의 중위이자 얀의 열렬한 문도인 한스 루돌프 폰 플레베가 있었다. 플레베는 1817년의 바르트부르크 축제에 참석했고 베를린 거리에서 운동하기에 편한 구독일 복장을 입고 있는 모습이 자주 목격되었다. 당대 사람들 사이에서 그는 체조훈련을 철저하게 규칙적으로 하는 것으로 유명했으며, '조깅'의 초기 개척자로서 베를린 중심가에서 포츠담까지 전 구간을 왕복해서 달리는 습관이 있었다. 이 왕복달리기가 싱거워지자 그는 체조복 상의 주머니에 조약돌을 가득 채우고 같은 구간을 달렸다고 한다. 얀을 후원하는 집회에 참석했다는 사실이 알려지고 나서, 플레베는 체포된 뒤 슐레지엔에 있는 글로가우 근위대로 전속되었다.[26]

1819년의 이러한 탄압은 프랑스 점령 기간에 군주 주변에 모여든 보수파의 작품이었다. 1810년에 루이제 왕비가 세상을 떠난 뒤, 프리드리히 빌헬름 3세는 궁정인들의 '대리가족'(Ersatzfamilie) 영향권에 들어갔다. 이들 중에 위그노 설교사인 앙시용이 있었는데 수석보좌관이 되어 군주에게 끊임없이 개혁파의 합헌적 설계에 역행하는 주장을 늘어놓았다. 앙시용은 어떤 것이건 간에 민족적인 주장은 군주의 권한을 불가피하게 침해할 수밖에 없다고 경고했다. 그런 민족주의 책략에 내포된 위험은 국민의회와 더불어 시작된 프랑스혁명 과정에서 분명하게 드러났으며, 결국 군주제 폐지를 통해 불법적인 강탈자의 독재로 이어졌다는 것이다. 루이제의 사망 이후 등장해 막강한 영향력을 휘두른 또 다른 인물로는 친근한 외모에 보수적 견해를 가진 포스 백작부인이 있었다. 포스 부인 곁의 사람들은 국권침탈의 시련기에 국왕에게 중요한 역할을 했다. 집안의 친구인 비트겐슈타인 왕자를 왕의 측근으로 부른 사람도 포스 백작부인이었다.[27]

81세의 백작부인 그리고 40대의 설교사와 귀족, 이 별난 3인조가 영향력이 큰 궁정세력의 핵심을 형성했다. 왕에게 없어서는 안 될 이들의 필수불가결한 역할과 힘은 점점 커가는 하르덴베르크의 권한에 상대적인 균형추 역할을 해준다는 사실에서 나왔다. 왕은 수상에게 깊이 의존해오면서도 특유의 방법으로 고문단을 이용해 하르덴베르크의 권한을 견제하려고 했다. 하르덴베르크가 수상 집무실에 있는 부하직원들이 꼼꼼하게 작성한 제안서를 올리면, 검토를 위해 측근들에게 넘겨졌다. 결국 이것은 개혁파가 1806년에 폐지하려고 했던 '내각 정부'로 돌아간 것이나 다름없었다.

고문단 사람들은 다방면에 걸쳐 그들의 정치적 영향력을 확보하는 동시에 반대파의 영향력을 무력화하려고 했다. 비트겐슈타인 왕자와 앙시용, 추밀고문관 다니엘 루트비히 알브레히트는 그들의 목적을 위해 왕과 하르덴베르크를 이간질하고 갈수록 보수적인 국제 정세를 이용하면서 메테르니히와 프리드리히 빌헬름 3세 사이에서 비공식적인 중재자 역할을 했다. 그들은 또 프로이센 행정부 내에서 낮은 목소리(sotto voce)로 비난하는 운동을 전개했다. 이 과정에서 정치적으로 온건한 고위 인사들은 정치적 파괴 행위를 덮어주거나 동정하거나 심지어 부추긴다는 비난을 들었다. 비트겐슈타인과 그를 열심히 대리하는 카를 알베르트 폰 캄프츠로부터 이렇게 용의자로 지목된 사람들 중에는 당시 프로이센 소속의 라인란트 고위 공무원으로 있던 유스투스 그루너와 군 개혁파인 나이트하르트 폰 그나이제나우 장군, 율리히-클레베-베르크의 주지사로서 슈타인의 옛 친구인 프리드리히 추 졸름스라우바흐 백작 등이 있었다.

이제 매파가 지배하는 베를린의 분위기에서 그 노선에 충실하지 않은 사람은 누구라도 의심을 받았다. 1819년 10월 첫 주, 내각의 각 부처에서 카를스바트 결의를 의논하기 위해 모였을 때, 개혁시대에 가장 진보적인 인사 중 한 명인 빌헬름 폰 훔볼트는 결의에 반대하는 성명서의 초안을 동료들에게 내밀었다. 훔볼트는 카를스바트 결의안이 연방에 새 대표권을 부여함으로써 프로이센 군주의 통치권을 침해한다고 주장했다. 이 진보 성향의 각료가 이런 식으로 사건을 쟁점화해야 했다는 것은 새로운 풍토에서 진보적인 통치 원칙을 호소하는 것이 얼마나 힘들었는지를 보여준다. 훔볼트는 부처에서 다수의 지지를 얻지는 못했지만, 무시 못 할 세력이 있는 법무대신 카를 프리드리히 폰 바이메와 전쟁대신 헤르만 폰 보이엔 두 사람의 지지를 받고 있었다. 이 세 사람은 1806년 이후에 시행된 개혁정책에 깊이 관련되어 있었다. 훔볼트와 바이메는 1819년 마지막 날 직에서 해임되었다. 왕은 두 사람의 대신 봉급 6천 탈러가 계속 지급되는 조건을 달았지만 훔볼트는 이 제안을 거절했다. 헤르만 폰 보이엔도 군 개혁파의 핵심 쟁점인 프로이센 향토방위군의 지위가 낮아지는 것을 놓고 격렬한 논쟁을 벌인 다음에 해임되었다. 이 문제로 직위를 그만 둔 사람들 중에 개혁파인 그롤만과 그나이제나우도 있었다.

하르덴베르크도 보수회귀에 대한 공동책임에서 완전히 자유롭지는 않았다. 수상이자 선임 대신으로서 자신의 권력을 다지는 데 집착한 그는 동료와 부하 들을 반대파로 내몰면서 그들과 사이가 멀어졌고, 동시에 보수파에게 힘을 실어주었다. 예컨대 1819년에 훔볼트가 해임된 것도 보수파 못지않게 그를 경쟁자이자 정적으로 본 하르덴베르크의 작품이었다. 그토록 노골적으로 권력투쟁에 몰두하고 주변 인물들의 독립적인 태도를 억압함으로써 하르덴베르크는 개인 경쟁을 심화해 이념적 긴장을 확대하는 결과를 초래했다. 전술적인 면에서도 하르덴베르크는 비트겐슈타인이 주문한 검열과 감시 조치를 지원함으로써 고문단의 손에 놀아났다. 그는 언제나 오늘날의 의미에서 '자유주의자'라기보다 권위주의적 계몽주의의 옹호자였으며 진보적인 목표를 성취하기 위해 반자유주의적 수단의 사용을 선호했다. 그 역시 프로이센 내부에서 정권 타도 기운이 확산되는 데 대한 경고를 받기도 했다.[28] 어쩌면 그는 억압정책이 좀 더 안정적인 정치 풍토를 만들어내고 이것이 다시 그가 마음속 깊이 원하는 목표, 즉 프로이센 사람들의 '국민' 대표성을 창출하는 데 유리하다고 계산했는지도 모른다.

이것이 그의 희망이라면 그것은 착각이었다. 보수파는 오래전부터 어떤 형태의 '국민' 대표성에도 반대해왔다. 그들이 볼 때, 실현 가능한 대표성의 형태는 사회 내부에 역사적인 뿌리가 있는 기존 신분제의 이익과 특권에 맞춰야 하는 것이었다. 반대로 프로이센 국민을 차별성이 없는 전체로 묘사하는 헌법은 반란과 무질서를 조장하는 것이었다. 이런 이유로, 메테르니히는 1818년 11월, 비트겐슈타인에게 프로이센 왕은 "지방 신분제의회(Provinzialstände)를 설치하는 것보다 더 나가면 절대 안 될 것"이라고 충고했다.[29] 고문단의 주장에 용기를 얻기도 하고 또 스스로 두렵거나 불확실하기도 해서 국왕은 하르덴베르크와 거리를 두었다. 1820년 12월, 헌법 문제를 해결하기 위해 설치된 위원회는 보수파로 채워졌고 수상이 이 문제를 방해하지 못하도록 왕은 그를

1821년 초에 외교 사절로 파견했다. 수상은 그의 계획이 산산조각 나는 것을 볼 때까지 살다가 1822년 11월 26일에 사망했다. 1823년 6월 5일의 일반법을 통해 정부는 국민에게 의도를 드러냈다. 프로이센은 성문 헌법도 국민 의회도 받아들이지 않는다는 것이었다. 대신 왕의 백성들은 지방의회로 만족해야 할 것이라고 했다.

일반법을 근거로 소집된 지방 신분제의회는 각각 귀족과 도시민, 농민으로 대표되는 신분제를 기준으로 선출되고 조직되었다. 이런 조치는 전통적인 구정권의 신분제의회와 일치하는 것이었다. 비록 정확한 숫자는 지방별로 달랐음에도 신분별 지분은 지방 귀족이 수적 우위를 차지하도록 할당되었다. 그러므로 귀족 대표단은 회의에서 올라오는 모든 안건을 똘똘 뭉쳐서 부결할 수 있었다. 그들은 중앙행정부에 도전하는 모습을 보여주지 않으려고 지방 신분제의회의 권한을 최소화했다. 회의는 3년에 한 번밖에 소집되지 않았으며 행정권이나 징세권도 주어지지 않았다. 토의 내용도 정치적 소요의 초점이 되는 것을 막기 위해 비밀에 부쳤다. 진행 과정을 공개하는 것은 불법이었다. 요컨대 현대적 의미에서 민의를 대표하는 기관으로 기능할 수가 없었다. 그보다는 공공 예산이 투입된 지방의 주요기관을 감독하는 행정상의 잡무를 떠맡는 고문기관으로 남고자 했다.[30]

온건 진보파의 관점으로 볼 때, 이 의회는 이상하게 시대의 조류에 역행하는 것처럼 비쳤다. 무엇보다 이들은 지역 사회의 구조와 권력관계를 반영하는 데 실패했다. 특히 라인란트가 심했다. 대부분의 지역에서 전통적으로 제한적인 역할밖에 하지 못했던 귀족은 지나치게 높은 비율로 선출되었으며, 이는 부르주아지의 가치와 문화가 지배하는 사회와 이들의 관계가 삐걱거렸다는 사실을 보여주는 것이었다. 주요 산업 및 상업 도시의 대표들은 농촌의 귀족 대표에 비해 주민 수에서는 120배, 세수에서는 34배나 비율이 높았다. 게다가 전체적인 과정은 제3, 제4신분, 즉 농민과 노동자 대표를 간접선거로 선출함으로써 방해를 받았다. 각각의 사회 집단을 형성하는 유권자는 선거인을 지명하라는 요구를 받았고, 여기서 선출된 선거인은 다시 지구 선거인을 선출했으며, 지구 선거인은 다시 의회에 나갈 대표를 선출했다. 이것은 가능하면 지역 사회의 흐름이나 갈등으로부터 의회를 보호하려고 설계된 시스템이었다.[31] 동시에 의회가 정치적 쟁점의 논단이 되는 것을 막으려는 노력도 있었다. 의원들은 추첨으로 자리를 배정받았기 때문에 생각이 같은 의원들이 의회 내에서 당파를 형성할 수도 없었다.[32] 바덴이나 뷔르템베르크, 바이에른과 달리 프로이센은 의회가 없는 국가로 남았다.

보수파의 승리였다. 다만 이들의 승리는 보기보다 토대가 부실했고 결정력이 약했다. 정치적 변화의 과정은 이미 시작되었고 더 이상 흐름을 되돌릴 수는 없었다.[33] 1815년의 라인란트 획득이 프로이센 왕국의 정치적 공감대를 변화시키는 것은 불가피한 일이었다. 다수의 자신만만한 도시 중산층이 있는 라인란트는 전후 수십 년간 프로이센 정치에 활력을 불어넣은 불안과 소요의 원인을 제공했다. 라인 지역의 엘리트는 베를린의 '리투아니아' 행정부에 회의적이었고 단번에 왕국으로 통합하는 것에 격렬하게 저항했다. 라인 지역의 가톨릭은 신프로테스탄트 행정부를 불신했고, 라인 지역의 프로테스탄트는 그들의 (비교적 민주적인) 종교회의 헌법을 수호하기 위해 베를린과 20년 동안 싸웠다.[34] 나폴레옹 시대의 법적 제도를 놓고서도 싸웠다. 이 제도의 평등주의적 사회 인식과 사유재산에 대한 강력한 지지는 프로이센의 일반법보다 라인란트의 조건에 훨씬 적합했기 때문이다. 프로이센 법을 부과하려는 보수파의 노력은 서부 지역의 격렬한 반대에 부닥쳤고 결국 이 생각을 접을 수밖에 없었다. 이리하여 라인란트는 법적으로는 자체의 규정과 시설(예를 들어 배심원과 법관 양성기관을 포함해)을 둔 외국으로 남았다. 실제로 라인 지역의 나폴레옹 시절 제도는 엘베강 동부 지역의 법관 사이에서 지지자를 얻었기 때문에 중요한 변화의 동력이 되었다. 1848년 이후 프로이센 왕국에 도입된 새로운 법은 과거 프리드리히 대

왕의 법전보다 라인 지역의 제도에 바탕을 둔 것이었다.[35]

똑같은 진보적 추진력은 관세개혁에서도 엿볼 수 있다. 경제의 규제 철폐와 관세 일원화의 과정은 1815년 이후에도, 1818년 5월 26일의 관세법으로 지속되었고, 이로써 프로이센 최초로 지역별 관세가 동일한(처음에는 동부와 서부 지역의 계획이 서로 달랐지만 1821년에 단일화되었다) 정권이 탄생했다. 1820년대 후반부터 각부 대신과 관리들이 프로이센의 지원 아래 독일 관세동맹을 체결하기 위해 발 벗고 나섬으로써 똑같은 관세 일원화 과정을 프로이센 국경 너머까지 확대하는 계획이 세워졌다. 이것은 행정부 고위직에서 가장 지략이 뛰어난 인물들의 관심이 집중된 정책 분야였다.

교육은 1815년 이후에도 개량과 근대화가 지속된 또 다른 분야였다. 교사 양성의 확대와 전문화는 1840년대 들어 빠르게 진행되었고 6~14세에 해당하는 프로이센 아동의 80퍼센트 이상이 초등학교에 다녔다. 이는 작센과 뉴잉글랜드를 제외하면, 당시에 세계 어느 곳도 따라오지 못할 수준이었다. 그러므로 문맹률이 낮다.[36] 효율성과 접근의 보편성뿐만 아니라 제도의 자유주의 풍토 때문에 프로이센의 교육은 외국에서 큰 주목을 받았다. 1821년에 루돌프 폰 베케도르프가 공교육 책임자로 임명된 것은, 프로이센 교육정책이 보수적으로 회귀하는 것처럼 비치기도 했지만(베케도르프는 개혁파의 교육관을 형성했던 자유주의 노선의 페스탈로치 교육학을 반대했기 때문에) 그는 관료들의 개혁 과정을 막을 수 없었다. 주무대신인 카를 폰 알텐슈타인이 여전히 진보적인 교육제도를 지지했기 때문이다. 아무튼 베케도르프는 그 시대의 많은 보수파와 마찬가지로 본질적으로 선배들로부터 물려받은 구조 속에서 일하고 그 구조를 확산시킬 준비가 된 실용적인 인물이었다. 1840년대에 미국의 교육개혁가 호러스 맨이 베를린을 방문했을 때, 그는 학교에서 아이들이 스스로 정신 단련법을 배우는 것을 보고 놀랐다. 아이들을 지도하는 교사의 교수법은 권위주의적인 방법과는 거리가 먼 것이었다. 맨은 다음과 같이 썼다. "나는 수백 곳의 학교를 돌아보고 또 […] 수만 명의 학생을 보았지만, 잘못을 저질러서 체벌을 받는 아이는 한 명도 보지 못했다. 또 벌을 받았거나 벌을 받을 것이 겁이 나서 눈물을 흘리는 아이도 보지 못했다."[37] 영국에서 온 자유주의 성향의 방문객들은 그렇게 '독재적'인 정치 풍토에서 그렇게 진보적이고 너그러운 교육 제도가 나온 것을 보고 놀라는 일이 많았다.[38]

베케도르프의 경우가 보여주듯이 보수적 경향이 1806년의 위기 이래 변해온 모든 것에 대한 무자비한 반대를 의미했던 것은 아니다. 그 것은 너무도 유연하고 목적이 분명치 않은 데다가 조정 가능한 것이었기 때문에 개혁 이전 상태로 완전히 복귀할 수도 없었고 앞을 향해 나아가는 개혁을 멈추게 할 수도 없었다. 더욱이 보수파는 점점 개혁 프로젝트의 핵심적인 사고를 채택하고 마음속에 받아들였다. 가령 프로이센 '국민'이라는 관념은 (구분되고 특혜를 받는 집합이라기보다) 단일하고 일관된 실체를 구성하는 것이었다.[39] 어쨌든 행정부 내에서 여전히 중요한 진보적 힘의 중심은, 재무부나 외무부뿐만 아니라 교육·의료·종교부에 이르기까지 그 자체로 개혁시대의 산물이었다. 1815년 이후 이 부처의 담당 대신은 하르덴베르크의 친구이자 협력자로 한때 부하였던 계몽적 합리주의자 카를 폰 알텐슈타인이었다. (여러 가지 면에서 계몽주의자였던) 국왕은 대신을 임명할 때 딱히 일관성이 있지는 않았으며 정부의 여러 부처에 통일된 이념으로 접근하려고 노력하지도 않았다.

정치 변화

1823년에 구성된 지방의회는 급진파가 원했던 수준의 강력한 대표기관은 아니었을지 모르지만, 역할이 커지면서 정치 변화의 중요한 구심점이 되었다. 외형상으로는 전통적인 신분제를 바탕으로 한 단체였음에도 불구하고, 이들은 사실상 새로운 형태의 대표기관이었다. 이들의 정통성은 국가 외적인 신분제 전통의 권위가 아니라 국가의 입법 행위로부터 나온 것이었다. 의원들은 개별적으로 표결에 참여했고 심의도 구정권의 신분제의회처럼 별도의 모임이 아니라 본회의에서 다루어졌다. 가장 중요한 것은 (라인란트 '직속'의 소규모 귀족 대표를 제외하고) '귀족'(Ritterschaft) 신분이 이제 혈통이 아니라 재산으로 정해졌다는 점이다. 핵심은 '특권이 있는 토지'의 소유권이지 특권이 있는 신분의 혈통이 아니었다.[40] 18세기 중반 이후 구매력을 기반으로 프로이센의 사회적 지형을 바꿔왔던 부르주아의 부동산 구매자들은 이제 정치적 국민의 최상층부로 진입하는 것이 허용되었다(유대인이 아닌 경우에만. 유대인들은 자신들을 대표할 대리인을 보내야 했다).

이것이 사회적·정치적 변화의 힘을 더 키워주었다. 과거 귀족 소유의 토지가 중간 계층의 손으로 이전되는 속도는 개혁 진영이 농촌 지역에서 시장의 규제를 철폐한 뒤에 훨씬 더 빠른 속도로 지속되었기 때문이다. 1806년만 해도 쾨니히스베르크의 농촌에서는 과거 귀족이 소유하던 토지의 75.6퍼센트가 여전히 귀족의 수중에 있었다. 그러다가 1829년에 이 비율이 48.3퍼센트로 떨어졌다. 이런 귀족의 몰락 현상은 동프로이센의 모룽겐 지구가 특히 심해서 그 비율은 74.8퍼센트에서 40.6퍼센트로 폭락했다. 동프로이센이 상대적으로 심한 것은 1806~7년의 위기와 나폴레옹이 이 지방의 곡물경제를 봉쇄한 데서 오는 충격파가 컸기 때문이다. 하지만 프로이센 전체로 볼 때는 일반적인 추세를 유지해서 1856년에는, 귀족 토지의 57.6퍼센트가 여전히 귀족 지주의 수중에 있었다. 결과적으로 지방 신분제의회는 보기보다 금권 정치에 가까웠다고 할 수 있다. 정교한 신분제의 위장 구조에는 재산에 기반을 둔 투표권이 시작되는 길이 숨어 있었다.

지방 신분제의회는 처음부터(처음에는 시험적으로, 이후에는 좀 더 단호하게) 그들에게 부여된 역할을 확대하려고 애를 썼다. 의원들이 제출한 결의안 초안은 공공연히 정치적 색깔을 띠거나 국가에서 규정한 지방의회의 활동 범위를 시험해보려는 목표를 가진 것이 많았다. 많은 의원은 의회 의사록 인쇄본을 유포하게 해달라는 요구를 하는가 하면 (정부의 검열 규정에 따라 금지된) 의회의 검토 과제를 '좀 더 다양하고 포괄적인' 업무 범위로 확대해달라는 청원과 (프로이센 전체의) 총회를 열게 해달라는 요구도 했다.[41] 언론 자유는 그들이 빈번하게 제기하는 단골 의제였다. 바꿔 말해, 그들은 각 지방에서 자유롭게 정치적 압력을 행사하기 시작했다. 그들은 의원들 자신뿐만 아니라 정치적인 식견이 있는 일반 대중을 위해서도 이 역할을 행사했다. 1820년대부터 동프로이센의 각 소도시로부터 지방 신분제의회를 향해 수많은 청원이 쇄도했다. 1829년 1월에 이 지역의 남서부에 있는 모룽겐에서 서명자들이 제출한 청원은 지역의 경제 문제를 방관하는 베를린 행정부를 비판하는 내용이었다. 그들은 무기력한 지방 신분제의회를 질책했고 신분제 대표들이 국왕에게 헌법을 승인하겠다는 약속을 지킬 것을 요구해야 한다고 주장했다. 쾨니히스베르크 동부의 조용한 소도시이자 폴란드 국경에서 멀지 않은 슈탈루푀넨에서 제기한 청원은 헌법과 총회에 대한 요구를 반복했고 나폴레옹에 맞선 해방전쟁에서 보여준 공로를 언급하며 청원에 힘을 보탰다.[42]

1830년대와 1840년대에 갈수록 숫자가 늘어난 이런 청원의 두드러진 특징은, 그것이 보수적이고 귀족이 지배하는 동프로이센 서부 지역의 고지를 포함해 전 지역을 망라한 것일 뿐만 아니라 비교적 광범위한 사회 계층을 대변하고 있다는 것이었다. 1843년 이 지역 중심에 있는 행정도시 인스터부르크에서 제기한 청원의 서명자 중에는, 단순히 상인이나 지역의 관리들뿐만 아니라 목수와 석수, 열쇠장이, 제빵업자, 가죽끈제조공, 모피제조공, 유리제조공, 제본공, 도살업자, 비누제조공 등 매우 중요한 수공업 장인들도 있었다. 이렇게 다양한 집단은 단순히 전국총회와 공개적인 회의뿐 아니라 토지 재산의 가중치를 줄이는 '다

른 대표 방식'까지 요구하기에 이르렀다.[43] 바꿔 말하면, 지방 신분제의
회를 그 사회적·정치적 배후와 차단하려는 정부의 노력은 실패했다고
볼 수 있다. 의원들과 각 도시 사회의 정치적 환경은 다양한 통로를 통
해 연결되었기 때문에 의회의 안건은 지역 전체로 확산되었다. 이런 네
트워크는 점점 성장하는 지방 언론에 의해 뒷받침되었다.

지방 신분제의회는 폴란드 땅이었다가 1815년 이후 베를린에 양도
된 포젠 대공국(Großherzogtum Posen)에서도 정치적 목표의 중심에 있
었다. 이 지역에서는 헌법 문제가 프로이센의 폴란드 정책에 가려져 크
게 부각되지 않았다. 1815년 5월 15일에 반포되고 이후 자주 인용되는
선언문에서 프리드리히 빌헬름 3세는 자신의 폴란드 백성을 향해, 그들
도 조국이 있을 것이며 국적을 포기할 필요 없이 프로이센 왕국에 편입
될 것이라고 확약했다. 그리고 모든 공론장에서 그들의 언어는 독일어
와 더불어 사용될 것이라고 강조했다.[44]

전후 시기 들어 처음에는 지역의 폴란드 엘리트를 회유하는 노력
이 있었다. 중앙행정부와 지역의 상류층을 중재하는 역할로 총독(Statt-
halter)을 임명(대공국에만 적용된 특별조치)했으며, 1821년에는 상류층
의 부채부담을 줄여주기 위해 대출조합을 설립했다. 폴란드어는 관청
업무와 재판에 사용되는 공식 언어의 자격을 유지했다. 또 폴란드어는
초·중등학교에서 수업시간에 사용할 수 있는 언어로 채택되었다. 다만
대학 준비를 위해 독일어가 도입되는 김나지움 졸업반은 예외였다. 목
표는 폴란드인을 '독일화'하는 것이 아니라 그들이 충성스러운 프로이
센 백성이 되도록 하는 것이었다.[45] 하지만 1820년대 후반에는 대공국
의 발전에 대한 불만이 이미 누적된 상태였다. 예를 들면, 포젠의 귀족
들이 크게 기대하는데도 불구하고 정부가 프로이센 군대 내에 별도의
폴란드 사단을 설치하지 않는 것에 대한 실망이 컸다. 1827년 주의회의
첫 회기에는 중등학교 상급반에서 독일어를 사용하는 것과 지역의 많
은 프로이센 관리가 폴란드어를 하지 못하는 것에 항의하는 청원이 쏟

아져 들어왔다. 이런 문제로 야기된 적대감이 너무 강한 나머지 어떤 청원의 지지자들은 반대편 사람들에게 결투를 신청할 정도였다.

상황은 1830년 이후 유난히 악화되었다. 이해에 발생한 폴란드인의 봉기는 폴란드의 프로이센 점령지보다 러시아 점령지에 집중되기는 했지만, 전국적으로 자유주의자들의 열정을 자극하는 계기가 되었다. 쾨니히스베르크 대학의 부를라흐 교수는 훗날 자신이 "[폴란드의] 해방에 대한 꿈을 꾸고 폴란드의 자유가 조국에 만개하도록" 비밀리에 국경을 넘은 일을 회고했다.[46] 폴란드의 봉기는 예상대로 포젠 대공국의 정치를 방해하는 효과를 가져왔다. 프로이센군에서 빠져나온 1천 명이 넘는 탈영병을 포함해 수천 명의 폴란드인이 국가적 명분을 위해 싸우려고 국경을 넘었기 때문이다. 민족주의가 대두될 가능성에 놀란 베를린 정부는 회유정책을 포기했다. 이리하여 대공국은 단순히 포젠 '주'로 강등되었고 프로이센이라는 조합된 국가 내에서 포젠의 특수한 지위를 상징하던 폴란드 총독은 후임 없이 해임되었다. 1830년 12월에 신임 주지사로 임명된 에두아르트 하인리히 플로트벨은 강경파로서 폴란드 상류층을 달랠 능력이 없었다. 그는 이렇게 주장했다. "이 귀족들 중에서 젊은 남자는 대부분 조국과 자유라는 고급 사기수법에 속아왔다. 그런 망상은 폴란드인의 불합리한 머릿속에서 사마리아 고관의 오만함과 기막히게 결합되었다."

포젠은 폴란드라는 조국의 일부이고 폴란드인은 독자적인 민족성을 가지고 있다는 생각은 철저한 동화정책 앞에서 힘을 쓰지 못했다. 이 지방의 슬라브계 주민은 '폴란드인'이 아니라 '프로이센인'이라고 플로트벨은 주장했다. 중립을 표방한 모든 구실은 플로트벨이 독일 농민의 정착을 장려하는 정책을 시작하고부터 사라졌다. 이뿐만 아니라 그는 독일 시민계급 엘리트의 목소리를 키워주기 위해 도시 자치정부의 기능을 강화했고, 학교 교육에서도 독일어 사용을 확대했다. 파산한 폴란드인의 부동산은 독일 구매자들에게 매각되었다. 이런 변화는 지역

내에서 폴란드인의 과격한 여론을 부추겼다. 1834년과 1837년의 지방의회에서는 독일어 사용의 확대에 대한 격렬한 저항이 있었다. 폴란드인은 프로이센의 공직에서 집단으로 물러났다. 1830년대 중반, 폴란드 귀족 중에 활동적인 애국자들은 '조직 작업'(Organisches Werk)이라는 운동에 가담했다. 이것은 농사법을 점진적으로 개선하고 폴란드의 문화적 기반시설을 구축함으로써 지역에서 폴란드인의 문화 및 사회생활을 향상시키는 것에 목표를 둔 귀족 클럽의 네트워크였다.[47]

라인란트에서 주의회는 진보적(그리고 보수적) 동원 체제의 중요한 구심점이 되었다. 서부의 정치적 활동가들은 18세기까지 거슬러 올라가는 신분제의회의 공동결정에 대한 생생한 기억에 의존했다.[48] 여기서는 1830년 이후에도 주의회가 정부에 총회와 헌법에 대한 약속을 촉구하는 정치 논단의 기능을 했다.[49] 동부에서처럼 라인란트에서도 수많은 청원이 의회에 쏟아졌고, 동프로이센에서처럼 라인란트에서도 지역사회의 정치적 기대가 촉진되면서 주의회와 그 구성원의 지위가 덩달아 상승했다. 1833년 12월에는 트리어의 전용 카지노 클럽이 귀향하는 의원단을 환영하기 위해 연회를 베풀기까지 했다.[50] 속도는 느리지만 꾸준히 전개되는 이러한 주의회 주변의 활발한 움직임은 불가피하게 그들의 요구 수위를 높이는 결과를 가져왔다. 19세기 국민자유당의 역사학자 하인리히 폰 트라이치케가 말한 그대로였다. "여론의 판단에 내맡겨진 의회는 장기적으로 구속력이 없는 충고에 만족하지 못했다. 그들은 결정권을 달라고 요구할 수밖에 없었다."[51]

신앙 갈등

정치에서와 마찬가지로 이 시기는 종교에서도 차별과 분열, 갈등의 시대였다. 신앙 부흥 운동은 종교적 공동체의 균형을 뒤흔드는 방법으로 독실한 신자들을 동원했다. 대선제후의 집권기 이래 그 어느 때보다도 국가가 프로이센 왕국의 신앙생활에 공격적으로 개입한 결과, 비국교 신앙과 정치적 반대의 경계가 모호해졌다. 신앙 네트워크는 정치적 당파를 위한 인큐베이터가 되었다. 종교는 정치적 담론의 언어와 논란을 위한 저수지 이상의 기능을 했다. 종교는 그 자체로 행동의 강력한 동기였다. 사회적 힘으로서 종교의 역동성은 17세기 이래 그 어느 때보다 이 시기에 컸다.

1827년 12월, 한 영국인이 베를린에서 '프로이센 땅의 영향력 있는 사람들 사이에서 신앙심이 깊어지고 있다는 기쁜 소식'을 가지고 런던으로 돌아왔다. 복음주의자로서 이 여행자는 런던의 유명한 선교회 앞에서 베를린의 한 기도모임을 소개하며 거기서 자신이 '맨 앞줄의 30명'을 만난 얘기를 했다. 그는 왕과 대신들이 하나같이 경건주의 프로젝트에 매달리고 있다고 전하며 '진실한 그리스도 정신'을 가진 군 장교들과 숱한 만남을 가졌다고 말했다.[52] 이 영국인 여행자가 '깨달음'(Erweckung)의 중심지 중 하나인 베를린에서 직접 눈으로 본 것은 사회적으로 다양한 계층이 벌이는 종교부흥 운동이었고, 이것은 19세기 전반 수십 년 동안 독일 북부의 프로테스탄트 지역을 휩쓸고 있었다. '깨우친' 기독교도는 그들의 신앙에 감정적이고 참회하는 특징이 있다는 것을 강조했다. 이들 다수가 불신앙자 또는 이름뿐인 기독교 신자였다가 '거듭남'이라는 충격적 순간을 겪고 종교적 각성이 주는 충만함을 경험했다. 1817년 베를린에서 열린 야간기도회의 참석자 중 한 사람은 자정을 알리는 시간에 일어난 사건을 다음과 같이 회고했다. "살아계신 주님이 직접 내 영혼 앞에 나타났어요. 전례가 없고 그 이후로도 없었던 일이죠. 마음속 깊이 충격을 느끼며 뜨거운 눈물을 흘리는 가운데 산처럼 내 눈앞에 서 있는 나의 죄를 깨달았습니다."[53]

이런 형태의 열렬한 신앙은 교회 차원에서 일어난다기보다 개인적이고 실용적인 특징이 있었다. 그것은 놀라우리만치 폭이 넓은 사회 운동으로 모습을 드러냈다. 자발적으로 조직된 많은 기독교 단체가 자선 활동과 숙소 제공, '타락한 여성'의 '갱생', 죄수의 도덕 향상, 고아에 대한 후원, 성서의 인쇄 및 배포, 극빈자나 부랑자의 생계를 위한 일거리 제공, 유대교도 및 이교도의 개종에 열심히 매달렸다. 예를 들어 초기 각성 운동의 중심 인물이라고 할 슐레지엔의 귀족 한스 에른스트 폰 코트비츠는 시내의 실업자들을 위해 '방적 시설'을 세웠다. 1822년에는 베를린에 유대인을 위한 선교소가 새로 설립되어 상류계층의 핵심적인 인물들로부터 후원을 받았다. 이 중에는 군주의 측근들도 있었다.

서부 프로이센령 베스트팔렌에서는 1817년에 경건주의 신자인 아달베르트 폰 데어 레케 백작이 나폴레옹 전쟁 이후 급증한 고아와 버려진 아이들에게 피난처를 제공하기 위해 뒤셀탈 구호소를 세웠다. 이후 그는 기독교로 개종하려는 유대인들을 위한 구빈원을 설립하기도 했다. 깨달음을 얻은 많은 기독교도가 그랬듯, 백작도 부분적으로는 천년왕국설에 영향을 받았다. 그는 자신이 지상에 신의 왕국을 건설하는 일을 하고 있다고 믿었다. 죄와 악에는 자비가 없었다. 1822년 1월에 작성한 그의 고아원 일기에는 그와 관련해 마틸데라는 여자아이가 "뺨을 40대나 맞고서" 기도문을 암송하라는 그의 지시를 따랐다는 설명이 나온다.[54] 이로부터 2주 뒤에는, 대장장이 기능장의 도제로 들어간 한 귀머거리 소년이 주인이 때리려고 할 때 방어하려 했다는 이유로 "흠씬 두들겨 맞았다"는 이야기도 있다.[55] 3월 어느 일요일 아침, 뒤셀탈의 남자아이들은 야코프가 매 맞는 광경을 지켜봐야 했다. 이 아이는 술을 마시기 위해 구내에 있는 브랜디 통에 구멍을 냈다. 야코프는 매를 맞는 중간에 잘못을 반성하라는 종용을 받았지만, 뉘우치는 기색이 없어서 양 다리에 '나무 장화'로 족쇄를 채운 채 일주일간 감금되는 처지가 되었다. 식사와 수업, 취침 시간은 나팔 소리로 알렸으며 원생들은 군대식 규율 속에서 각자의 임무를 향해 행진했다. 구호소는 엄격한 규율을 따르지 못하는 아이들에게는 끔찍한 곳이었지만, 이런 형태의 많은 자발적 기관이 그렇듯, 국가가 제공해야 할 최소한의 사회적 부양을 보충하는 필수적인 기능을 했다. 1823년 무렵, 이 같은 시설은 뒤셀도르프 인근에 버려진 아이들을 위한 공식 수용소가 되었다.

전후 시기의 프로테스탄트 선교회와 각급 기관, 경건주의 단체는 주민들의 다양한 사회적 기반을 대표했다. 사회적(그리고 종종 정치적) 엘리트 출신의 부자들은 창업의 아버지들(Gründungsväter) 가운데서 대규모로 등장했는데, 주로 그들만이 부동산과 시설을 구하는 데 필요한 자본력과 당국으로부터 특권을 따낼 만큼의 영향력이 있었다. 프로이센 각 지방의 소도시나 마을에는 광범위한 지원자 네트워크가 형성되었는데, 수공업자가 대다수를 차지했다. 이들은 지원 단체를 조직하고 기독교의 틀 안에서 기도와 성서 읽기, 토론, 기금 모금을 위해 모였다. 19세기 복음주의 개신교 풍토에서 '연맹'(Verein)이라고 불린 이런 자발적 모임은 새롭고 의미심장한 것이었다. 이것은 회의적이고 비판적이며 논쟁을 좋아하는, 위르겐 하버마스가 이상화한 부르주아지의 '공론장'(öffentliche Sphäre)은 아니었을지 모르지만, 최초의 정치적 네트워크와 그 소속을 자극하는 인상적인 자치조직을 대표했다. 광범위하게 전개된 자발적 에너지의 일부가 중산층 및 중하위 계층 사회를 변화시켰다.

프로이센 프로테스탄트의 신앙 부흥 운동은 제도권 교회 밖에서 그들의 믿음을 표현하려는 경향이 있었다. 교회 예배는 교화를 위한 한 가지 가능한 수단으로 평가되기는 했지만, 깨달음을 얻은 신자들은, 그들 중 한 사람이 말한 대로, "개인적 신앙 활동과 집 안이나 창고, 들판의 설교, 비밀집회" 같은 것을 선호했다.[56] 깨달음을 얻은 일부 개신교도는 공식적인 종파 구조를 공공연히 비방했고, 교회 건물을 '돌집'으로, 교회의 설교사를 '검은 가운을 입은 남자'라고 부르며 경멸하기도 했다.[57] 프로이센의 일부 시골 지역에서는 기도회에 모이는 것을 선호하며 공식적인 성직자 복무에 대한 후원을 거부하기까지 했다. 포메른의 레덴틴에 있는 귀족 토지에서는 이런 종류의 기도회가 1819년에 시작되었는데, 지주인 카를과 구스타프 폰 벨로가 이런 모임을 장려했다. 기도회 참석자 중에는 즉석 설교로 유명해진 두바흐라는 양치기가 있었다. 전언에 따르면, 두바흐는 설교를 마친 뒤 청중을 향해 달려들어 무릎을 꿇은 (지주를 포함한) 신자들의 목덜미를 걷어차며 "더 겸손한 자세를 취하시오!"라고 외쳤다고 한다.[58] 카리스마가 넘치는 이런 행사는 단순히 공식적인 교회의 예배를 보충하는 것이 아니라 대체하려는 의도에서 이루어졌다. 깨달음을 얻은 영지 내의 신자는 교구 성직자의 설교에 나가지도 말고 목회자의 충고를 구하지도 말라는 권유를 받았다. 바꿔 말하면, 좀 더 과격한 양상을 띤 부흥주의·복음주의 개신교는 공식적인 종교 구조에 대한 노골적인 적대감으로 성장했다. 각성한 신도 중에서 '분리파'는 공식 교회조직에서 완전히 발을 뺐으며, 성직자의 집전이 법적인 강제조항으로 규정된 유아세례 같은 영역에서도 교회조직의 개입을 거부했다.

이 경우 세속의 정부 당국과 갈등을 빚을 소지는 얼마든지 있었다. 1815년 이후 프로이센 정부는 왕국의 종교 생활에 더욱 공격적으로 개입하기 시작했다. 1817년 9월 27일, 프리드리히 빌헬름 3세는 루터파와 칼뱅파를 단일 프로이센 '복음주의 기독교교회'(evangelischchristliche Kirche)로 합병할 의도가 있음을 알렸다. 이는 훗날 프로이센 연합교회로 알려진 것이다. 국왕 자신이 이 새로운 통일 교회조직의 수석 설계사였다. 그는 독일과 스웨덴, 성공회, 위그노 등 각 종파의 기도서를 조합해서 새로운 연합 예배의식을 설계했다. 또 제단 장식과 촛불 사용, 제의, 십자고상 등에 대한 규정도 반포했다. 목표는 칼뱅파와 루터파 양쪽의 종교적 감각과 조화를 이루는 합성물을 만들어내는 것이었다. 이는 군주와 백성 사이에 형성된 종파적 간극을 메우려는 호엔촐레른 왕조의 긴 노력의 역사에서 마지막 장이었다. 왕은 연합교회에 엄청난 에너지를 쏟아붓고 큰 기대를 걸었다. 여기엔 왕 자신의 개인적인 동기도 작용했다. 종파 분열 때문에 그는 고인이 된 루터파 왕비 루이제와 성찬식에 함께 참례하지 못했다. 프리드리히 빌헬름은 또 연합교회가 전후 프로이센에서 부쩍 늘어난 가톨릭 소수파 앞에서 개신교 조직을 안정시켜줄 것이라고 믿었다.[59]

뚜렷한 동기는 무엇보다 왕국의 종교 생활에 질서와 동질성을 부여하고 부흥 운동에서 생길지도 모를 무정부적 기운을 차단하려는 욕구에서 나왔다. 프리드리히 빌헬름 3세는 여러 종파의 확산에 대한 신절대주의적 혐오감이 있었다. 새 '문화부'(Kultusministerium, 연합교회와 같은 해에 설치된 종교·보건·교육부) 수장인 알텐슈타인은 1820년대 내내, 왕국의 국경 안팎에서 전개되는 분파의 양상을 계속 주시했다. 특히 주목받은 것은 하슬리와 그린델발트, 라우터브룬 등 스위스 계곡의 종파였는데, 이 분파의 신봉자들은 옷이 죄와 수치의 표시라고 믿어 벌거벗고 기도를 한다고 알려졌다. 문화부에서는 분파 출판물 목록을 수집했고 반분파 유인물 보급을 위한 보조금을 지급했으며 모든 종류의 종교 집단 및 단체를 밀착 감시했다.[60] 프리드리히 빌헬름은 분파 형성의 원심력을 저지하기 위해 프로이센 연합교회가 교훈적이며 접근하기 쉬운 의식과 상징적인 문화를 보여주기를 기대했다. 마치 나폴레옹이 1801년에 세워진 프랑스 종교협약에 따른 교회가 혁명 이후 프랑스 가톨릭 사이에 벌어진 틈을 메워주기를 기대했던 것과 같았다.[61]

연합교회 구상의 핵심에는 나폴레옹 이후 시대의 두드러진 특징이라고 할 획일화에 대한 강박에 가까운 집착이 있었다. 전장에서처럼 제단에서도 단순하고 균일한 의상을 고집했고 예배의식도 그 앞 세기의 현실이었던 지역적인 다원성 대신 단일성을 추구했다. 심지어 다양한 규모의 소도시에 맞출 수 있도록 미리 제작된 부품으로 조립하는 '표준 교회'(Normkirche)까지 생겼다.[62] 국왕은 프로이센에서 종교 생활을 회복하는 것과 다원화된 교회조직을 제거하는 것이 불가분의 관계에 있다고 본 것 같다. 그는 막역한 친구이자 협력자인 아일러르트 교구장에게 이렇게 말했다. "분별없는 목사들이 모두 못된 생각을 가지고 세상에 나온다면, 도대체 어떻게 되겠나?"[63]

연합교회는 초기에 순조롭게 정착이 진행되었지만 1830년대 들어 반대운동이 급격히 증가했다. 이것은 부분적으로 프로이센 행정부가 점차 연합교회의 외연을 확장해서 예배 규정을 왕국 전체의 프로테스탄트 예배에 강요한 데 따른 것이다. 개신교 신자 중에는 이런 강요에 반대하는 사람이 많았다. 더 중요한 요인은 프로테스탄트 부흥 운동의 성격이 변하고 있었다는 것이다. 세계교회운동(ökumenische Bewegung)이 시작된 이후, 이것은 대략 1830년부터 좀 더 치열한 자기고백의 경향으로 나아가고 있었다. 특히 루터파는 부분적으로 루터주의의 핵심 교리서라고 할 1530년의 '아우구스부르크 신앙고백'(Confessio Augustana) 300주년을 계기로 촉발된 전성기를 누리고 있었다. 루터교의 이런 신앙고백이 부활하는 틈을 타 프로이센 연합교회로부터 탈퇴할 권리를 주장하는 구루터교 운동이 등장했다.

이 운동은 프로이센 연합교회의 후원 아래 변형된 전통적인 루터파 의식에 정서적으로 깊은 애착을 가졌다. 프로이센 왕국에서 구루터교의 소요가 절정에 달했을 때, 경찰 당국에 알려진 약 1만 명의 적극적인 분리파는 대부분 루터교의 중심지인 작센의 영향을 강하게 받은 슐레지엔에 집중되어 있었다. 왕은 이들의 저항에 격분하면서 무척이나 당황했다. 누구나 안락한 피난처같이 느낄 품이 넓은 교회로 연합교회를 구상했는데, 프로테스탄트라면서 어떻게 반대할 수 있단 말인가? 국왕에게 압력을 받은 프로이센 정부 당국자들은 평범한 실수를 범하기 시작했다. 특히 이들은 구루터파가 악의적으로 분란을 일으키는 단순한 얼간이라고 생각했다. 1836년 6월에 올라온 보고서는 췰리하우 지구에 있는 600명의 분리파를 "정신력이 제한된" 사람들로서 "물질적으로 잃을 것이 없는" 처지이기 때문에 "광신적인 설교사의 왜곡된 주장"에 물들기 쉬운 것으로 묘사하고 있다.[64]

일단 주모자들을 무기력하게 만들면 구루터교 운동은 잦아들 것이라고 확신한 프로이센 당국은 무거운 세금과 징역형을 부과하고 정부의 눈치를 보지 않는 집회 지역에 군대를 파견해 분리파 설교사들을 인정사정없이 억압했다. 예상대로 이런 조치는 효과가 없었다. 슐레지엔의 분리주의는 대중의 신앙심에 깊이 뿌리박은 운동이었다. 1830년대 초중반에 루터파 집단이 소작인과 일용 노동자들의 삐뚤빼뚤한 서명을 첨부해 제출한 청원서에 "우리는 새로운 것을 추구하지 않습니다. 우리는 아버지들의 가르침에 충실할 것입니다"라는 말이 적힌 것을 보면 이들이 지역의 루터교 전통의 가르침과 정신에 깊은 애착을 느끼고 있음을 알 수 있다.[65] 억압정책은 단지 고초를 겪는 루터파에 대한 동정심을 유발한 나머지 1830년대에 이 운동은 슐레지엔에서 인근의 포젠과 작센, 브란덴부르크 지방까지 꾸준히 확산되었다. 압박이 심해지자, 구루터파는 지하로 숨어들어 비밀 집회를 열며 불법적으로 교회를 운영하기 위한 규정과 절차를 마련했다. 1838년, 해임된 분리파 목사 젠켈은 다양한 모습으로 변장한 채 슐레지엔 일대를 돌아다니며 추종자들을 위해 불법 성찬식을 집전했다. 1838년 6월, 『노이에 바르츠부르거 차이퉁』(Neue Warzburger Zeitung)은 젠켈이 라티보르의 지하실에서 몇몇 루터파 신자에게 성찬식을 집전하기 위해 여인으로 변장했다고 보도했다.[66]

강제 조치에 따른 어려움 외에도 정부는 훨씬 근본적인 장해물에 직면했다. 반분리파 조치에 대한 법적 근거가 불확실했기 때문이다. 18세기 말에 프로이센 당국자들은 일반적으로 기존의 종파 공동체의 자율성을 보호하기 위해 노력했다. 1788년 7월 9일에 나온 뵐너의 종교칙령(Wöllners Religionsedikt)은 '기독교 3대 종파'의 권리를 군주가 보호한다고 단언했다. 그런데 1794년의 일반법에는 종교 문제와 관련해 국가의 조치에 대한 명확한 규정이 없었다. 단 양심의 불가침성과 신앙의 자유는 근본적이고 침해될 수 없는 권리로 규정되었다. 따라서 국가는 개인의 종교적 신념에 영향을 주려는 어떤 역할도 맡기를 거부했다. 일반법의 표현대로, 용인된 '종파'는 최소한 이론상으로는 동등하게 종파적으로 불편부당한 정부의 보호를 받았다. 그에 따라 국가는 '교리서를 강요하거나' 교리가 건전하지 않다는 이유로 목사를 해고할 권리가 없었다. 1791~92년에 법률학자 카를 고트리프 스바레츠가 이후 국왕에 오를 프리드리히 빌헬름 3세에게 설명한 대로, 그런 권한은 국가가 아니라 각 종교 공동체에 있었다. 프로이센 성문법에 따르면, 1830년대 루터교 분리파들에게 프로이센 국가가 행한 조치에는 근거가 없었다.

새 종파가 안정된 토대를 마련하려면 프로이센 법의 공식적인 승인을 받아야 했지만, 루터교를 새 종파라고 비난하기는 힘들었다. 분리파의 관점으로 볼 때, 프로이센에 새 종파를 만든 것은 국가에 저항하는 루터교 신자들이 아니라 국가였다. 루터주의는 아우크스부르크 종교화의 이래 독일에서 공식적인 승인을 받아 왔다. 슐레지엔 지방에서 루터파가 인정받을 권리는 1740년에 프리드리히 대왕이 보장했고, 1798년에 프리드리히 빌헬름 3세가 재확인한 것이다. 분리파 신자들은 정부의 억압적 조치에 정당성이 없다는 것을 잘 알았다. 분리파의 청원서에서는 공인된 종교조직의 권리와 법적 자율성을 규정한 일반법의 핵심 구절이 자주 인용되었다. 그들은 양심의 명령에 근거하여 이의를 제기하면서 법전에서 근본적으로 보장한 권리를 인정하라고 요구했다.

이 모든 이유로 폰 로호 내무대신과 동료들이 구루터파 운동을 억압하려는 시도는 실패로 돌아갔다. 하지만 이들의 횡포에 시달린 수천 명의 분리파 신자는 새로운 삶의 터전을 찾기 위해 북아메리카와 오스트레일리아로 이민을 가는 신세가 되었다. 오데르 강변을 따라 살던 프로이센 사람들은 놀라운 광경을 보여주었다. 법을 지키려는 루터파 신자들은 거룻배에 올라타 찬송가를 부르며 함부르크로 갔다. 프로이센 당국의 종교 탄압을 피해 런던이나 오스트레일리아 남부로 가기 위해서였다. 마치 과거에 잘츠부르크 프로테스탄트(역시 루터파!)가 연출한

38 남부 오스트레일리아 클렘직에 있는 구루터파 정착촌, 조지 프렌치 앵가스 작, 1845년.

대단한 광경을 다시 보는 것 같았다. 이 탈출 행렬은 독일 신문에 대서 특필되었다. 국민 모두에게 당혹스러운 사건이 아닐 수 없었다. 이때 골이 깊어진 갈등은 1845년에 프리드리히 빌헬름 4세가 일반사면을 단행하고 루터교가 프로이센에서 자율적인 종교단체로 정착할 권한을 줌으로써 해소되었다.

종파 정체성에 따른 갈등이 격렬해지면서 국가와 가톨릭 국민 간의 관계까지 뒤흔들렸다. 가톨릭 신도들은 1815년의 영토 타결 이후 수가 부쩍 늘었고, 프로테스탄트와 마찬가지로 가톨릭도 부흥 운동으로 변화를 겪었다. 이제 계몽주의의 합리성은 더 강렬해진 감정과 신비, 계시의 물결에 밀려났다. 순례여행이 인기를 끌며 급증했다. 그중 그리스도가 십자가를 지고 가는 길에 입었다고 믿은 옷을 보기 위해 50만 명의 가톨릭 신자가 라인란트의 트리어로 몰려든 1844년의 순례여행이 가장 유명했다. 가톨릭의 부흥은 '교황권지상주의'(Ultramontanismus)의 부상과 밀접한 관련이 있었는데, 이것은 로마 교황청이 '울트라 몬테스'(ultra montes), 즉 알프스 너머까지 영향을 미친다는 것을 일컫는 용어였다. 교황권지상주의자들은 교회를 확고부동하게 로마의 권위에 초점을 맞춘 중앙집권적이고 초국가적인 기관으로 인식했다. 이들은 교회가 교황의 권위에 절대복종하는 것을 교회가 국가의 간섭으로부터 보호받는 가장 확실한 길로 보았다. 이런 사고방식은 주교가 전통적으로 독립성에 긍지를 느끼고 로마의 요구에 회의적이었던 라인란트에서는 색다른 것이었다. 교황권지상주의자들은 가톨릭 지역의 다양한 신앙생활을 로마의 기준에 단단히 맞추려고 했다. 이리하여 트리어 같은 라인 지방 주교 도시에서 행해지던 지역 방언이 들어간 옛 예배는 표준화된 로마의 라틴어 의식으로 조정되고 대체되었다.

이렇게 '로마화'된 가톨릭에 잠재된 갈등 요인은 1837년에 라인란트에서 가톨릭-프로테스탄트 간 혼인으로 태어난 자녀들에 대한 종교교육을 둘러싸고 심각한 갈등이 불거졌을 때 분명하게 모습을 드러냈다. 가톨릭 교리에 따르면, 이종교 간의 혼례를 집전하는 사제는 프로테스탄트 측 신랑 혹은 신부로부터 혼인성사를 진행하기 전에 장차 자녀에게 가톨릭 교육을 시킬 것이라는 취지의 서약을 받을 의무가 있었다. 이런 관습은 이종교 간 혼인에서 자녀는 아버지의 종교로 교육받아야 한다고 규정한 프로이센의 법과 (종파의 평등 정신에) 모순되는 것이었다. 전후 시기 초기에 정부 당국과 라인 지방의 성직자들은 타협적인 해결책에 합의를 보았었다. 혼례를 집전하는 성직자는 별도의 서약을 요구하지 않고 장래의 자녀를 가톨릭으로 교육시키도록 프로테스탄트 측 배우자를 설득한다는 것이었다. 하지만 1835년에 강경파인 교황 권지상주의자가 쾰른 대주교에 임명되면서 그 합의는 지킬 수 없게 되었다. 교황 그레고리오 16세의 지원을 받은 클레멘스 아우구스트 드로스테 추 피셔링 대주교는 이종교 간 혼인의 비(非)가톨릭 배우자를 위한 의무교육 서약 제도를 단독으로 재도입했다.

프로이센 연합교회의 우두머리이자 '국교회 수장'(Summus Episcopus)으로서 프리드리히 빌헬름 3세는 그러한 정책 변화를 자신의 권위에 대한 직접적인 도전으로 간주했다. 합의를 위한 협상이 실패로 돌아간 뒤, 1837년 11월에 국왕은 드로스테-피셔링의 체포를 명령했다. 그것은 (그의 대신들이 말했듯이) "가톨릭 교회권력 앞에서 왕권의 완전무결함을 보여주는" 문제였다.[67] 증원군 병력이 지역의 소요에 대비해서 비밀리에 쾰른으로 파견되었다. 그리고 대주교는 민덴 요새 안에 있는 숙소에 연금되었다. 공식적인 방문객을 맞거나 교회 문제를 논하는 것은 금지되었다. 서약을 요구하는 관습을 법으로 금하는 칙령이 반포된 뒤, 프로이센의 고위층은 칙령의 지위를 군건히 했다. 프로이센이 지배하는 동부 지방에서도 (다수의 폴란드인을 포함해) 가톨릭 신도의 수가 많았는데, 그네젠과 포젠의 대주교인 마르틴 폰 두닌이 역시 혼인서약을 재도입하는 바람에 똑같이 체포되고 콜베르크 요새에 유폐되었다.

이처럼 극적으로 간섭하는 과정에서, 주요 가톨릭 소도시의 거리에서는 시위가 발생했고 프로이센군과 가톨릭 주민 사이에 충돌이 일어났다. 프로이센 정부를 비난하는 교황의 공식 선언문이 발표되자, 새로운 조치에 대한 저항 운동은 빠르게 파더보른과 뮌스터로 번져나갔고 이곳의 주교들도 마찬가지로 혼인서약을 다시 요구하기로 했다는 발표를 했다. 1838년 들어서 처음 몇 달간 이 문제를 둘러싸고 논쟁에 불이 붙었다. 독일 지역의 국가 전체에 (나아가 유럽 전역에) 광범위한 언론 보도가 있었고 팸플릿이 홍수를 이루었다. 그중에서 가장 유명하고 가장 많이 회자된 것은, 한때 라인 지방의 급진파 가톨릭 신도로서 교황권지상주의자인 요제프 괴레스가 프로이센 정부를 강력 비난함으로써 엄청난 논란을 불러일으킨 「아타나시우스」(Athanasius)였다. 1837~8년의 사건으로 인해 서부 지방 일대의 가톨릭 여론은 점점 더 과격해졌다. 이 싸움을 분노와 호기심이 뒤섞인 시선으로 지켜본 당대의 프로테스탄트교도 중에 훗날 프로이센의 정치가가 될 오토 폰 비스마르크가 있었다. 이때는 아직 20대 초반이었다.

공식적인 교회와 다양한 종파 혹은 분파 운동이 프로이센 사람의 영적 생활을 전적으로 독점한 것은 아니었다. 교회 주변과 신앙 및 관습의 수많은 틈바구니에는 기준에서 벗어난 아주 다양한 변종 종파가 번창했다. 이런 토양에서 정식으로 허용된 교리가 민간신앙이나 불확실한 자연철학, 사이비 과학과 감쪽같이 결합했다. 공식적인 종교의 포장도로 사이로 쑥쑥 자라는 끈질긴 잡초도 있었다. 이런 것들은 어느 정도는 신앙 부흥에서 흘러나온 에너지를 먹고 살았다. 시골이나 소도시의 가톨릭 사회에서 신비나 기적을 지향하는 전후 풍조는 맹신이나 미신으로 쉽게 변할 수 있었다. 1822년 늦여름에는 조그만 성당의 성모 마리아상에 '기적의 불빛'이 비쳤다는 보고가 줄을 이었다. 쾰른과 뒤셀도르프 사이의 라인 강변에 있는 소도시 촌스의 가톨릭 교회였다. 순례자들이 이곳으로 모여들기 시작하자 쾰른과 아헨의 교회 당국자들이 조사에 착수했다. 그 결과 불빛은 창문을 통해 들어온 햇살의 굴절작용에 따른 것임이 밝혀졌다. 이어 순례자들이 그 교회로 몰리는 것을 막기 위한 조치가 취해졌다. 이렇게 지역마다 제멋대로 나타나는 광신적인 풍조로 인해 교회 당국의 지속적인 경계가 요구되었다.[68]

가톨릭교회 조직과 세속의 프로테스탄트 당국은 촌스의 '불빛' 사건에 대하여 쉽게 의견의 일치를 보았다. 하지만 기적을 믿는 다른 사건의 경우에는, 그것이 민간의 마법과 대중의 경건 신앙 중간에 있는 것들이라 문제가 많았다. 예컨대 광견병에 걸린 사람을 '치유하는'(프로이센의 라인란트에서 뿌리를 내린) 관습이 있었다. 성 후베르투스의 성체 용기에 있는 제복에서 실 한 가닥을 뽑아, 광견병에 걸린 사람의 이마를 절개한 곳에 올려놓는 방식인데 정부 당국은 이것을 인정하지 않았지만 지역의 교회 지도부에서는 (대부분) 용인했다. 1820년대와 1830년대에 라인 지방의 가톨릭에서 전개된 부흥 운동의 두드러진 특징 중 하나는, 신학과 당대의 이론과학 및 자연철학의 변종들 간에 다리를 놓으려는 열망이 강했다는 것이다. 그런 변종에는 최면술과 동물자기(動物磁氣)도 있었다.[69]

프로테스탄트 쪽에서도 종교적 신앙이 당국의 판단을 흔드는 방법으로 민간의 마법과 상호작용을 일으킬 수 있었다. 1824년에는 토르가우(프로이센령 작센)의 전직 마구간지기인 요한 고틀리프 그라베가 기도와 주문, 마법 행위, 동물자기를 조합한 수법으로 매일 100명이 넘는 '환자'를 '치유'했다는 말이 나돌았다. 정부 당국은 베를린의 자선병원에서 조사를 마치고 그라베의 주장을 반박했지만, 치료사로서 그라베의 카리스마는 훼손되지 않았다. 토르가우의 한 상인은 그라베가 입던 가죽 바지를 구입하고 나서 바지에 잔류한 자기 때문에 몸이 튼튼해졌다는 말도 했다.[70] 1842년에는 라인 지방의 가톨릭 지도자인 노이라트의 하인리히 모르를 둘러싸고 격렬한 논란이 벌어졌다. 치유 능력을 가졌다는 모르에게는 하루에 1천 명이나 되는 사람들이 몰려 들었다. 대부분 모르를 보려고 주 경계를 넘어온 사람들이었다. 모르 같은 사람들은 당시 대부분의 만성질환 앞에서 속수무책인 의료시설이 감당하지 못하는 욕구를 충족시켜주었다. 환자들이 간절히 바라는 것은 무엇보다 그의 '축복'이었다. 이 부분이 특히 가톨릭 교회 당국을 긴장시켰다. 그것은 법으로 규정된 사제의 결정적인 권한을 침해하는 것이었기 때문이다.[71]

한결 다루기 힘든 것은 1830년대 말 쾨니히스베르크에서 독자적인 노선을 걷는 설교사 요한 빌헬름 에벨과 하인리히 디슈텔 주변으로 몰려든 '분파'였다. 이 두 사람은 오늘날 결혼 상담이라고 부르는 행위를 절충적인 실용 신학의 토대 위에서 실행했다. 이 신학은 기원전의 자연철학에서 빌려온 사상을 천년왕국설과 체액이론, 19세기 중반의 결혼 및 성생활에 대한 편견과 혼합한 것이 특징이었다. 동프로이센의 종말론 신비주의자인 요한 프리드리히 쉔헤르의 가르침을 토대로 에벨과 디슈텔은 남자와 여자의 성행위를 본질적으로 창조의 반복이라고 생각했다. 각각 물과 불로 이루어진 거대한 천구가 충돌을 해서 우주가 생성되는 이치와 같다고 본 것이다.[72] 그리하여 남자(불)와 여자(물) 사이의 성행위는 고유한 우주적 의미와 가치를 지닌 것이며 조화로운 부부관계의 필수적인 특징으로 받아들이고 장려되어야 하는 것이다. 이 모임의 남성 참여자는 암흑보다는 밝은 등불이 있는 곳에서 아내와 성관계를 맺으라는 조언을 들었다. 그러면 성적 환상이 사라지고 '맹목적인 정욕'은 '배우자에 대한 의식적인 애정'으로 변한다는 것이었다.[73] 이 모임의 구성원들(여성 포함)은 성행위에서 긍정적인 기쁨을 맛보도록 권유 받았다. 에벨과 디슈텔 두 성직자는 쾨니히스베르크에서 일단의 상류층을 끌어들였다. 이 중에는 쾨니히스베르크의 대표적인 가문 출신 남녀도 있었다.

온갖 형태로 불과 물이 충돌하다 보니 원치 않는 임신도 생겼다. 그리고 설교사들이 방탕한 생활과 혼외정사를 부추긴다는 소문이 나돌았다. 심지어 다수의 남녀가 나체 상태로 종파의 '비밀집회'에 참가했는데, 신입회원들은 '천사의 키스'(Engelkuß)라고 불리는 접대를 받고 나서 "말할 수 없는 쾌감의 극치에 이르게 되었으며" 그중에 "젊은 여자 두 명이 성적 흥분이 과도해 사망했다"는 (허황된) 주장도 제기되었다.[74] 참여자 몇몇을 개인적으로 알고 있던 주지사 테오도르 폰 쇤은 실태를 조사하고 놀라지 않을 수 없었다. 그 결과 독일 프로테스탄트 사이에 '광신도 재판'(Muckerprozess)으로 알려진 소송이 언론에 대서특필되어 엄청난 논란을 일으켰다.[75] 우리는 종교를 질서를 부여하는 힘으로 생각하곤 한다. 그러나 집단적이고 외부에서 인정된 공식 신앙 분파의 정체성과 개개인의 난삽한 욕구와 충동 덩어리 사이의 경계는 혁명을 전후한 수십년 동안 대단히 불안정했다.

선교 국가

다수 프로테스탄트의 실생활을 종교 생활과 거의 같이 취급하는 정부 당국의 생각은 프로이센 유대인에게 광범위한 영향을 미쳤다. 유대인 해방론자 빌헬름 폰 돔의 유명한 논문 「유대인의 시민권 개선에 대하여」(Über die bürgerliche Verbesserung der Juden, 1781년)를 둘러싼 논란에서 주석자는 대부분 국가의 과제와 책임에 대한 저자의 세속적인 생각과 같은 의견이었다. 종교가 다르다고 해서 유대인에 대한 차별을 정당화할 근거가 있다고 보는 사람은 아무도 없었다. 개종을 유대인의 신분 문제를 해결하는 유일한 혹은 반드시 필요한 수단으로 보는 사람도 없었다. 마찬가지로 하르덴베르크의 해방칙령도 세속적인 의미로 받아들였다. 1812년에 개혁파가 추구한 것은 유대인의 (기독교로의) 종교적 개종이 아니라 조건 없는 프로이센 '국민' 구성원으로서의 세속적인 개종이었다. 그 이후로 상황이 변했다. 칙령 덕분에 중심 지역의 유대인은 더 이상 폐하의 관용으로 프로이센 땅에서 살아가는 '외국인'이 아니라 이웃의 기독교도와 함께 사는 '국가 시민'이었다. 이제 관건은, 이미 경제와 사회 영역에서 동등한 자격을 얻은 유대인을 국가의 공공 생활에도 참여하도록 허용할 것인가 여부였다. 이 물음에 대한 답은 국가 및 국가기관의 존립 목적과 관계된 것이었다.

1815년 이후 프로이센의 유대인 정책 중 가장 두드러진 특징(이것이 대부분의 다른 독일 국가들과 프로이센의 발전 방향을 구분하는 기준이기도 하다)은 유대인 신분 문제의 핵심으로 종교를 새롭게 강조했다는 것이다. 1816년의 각료회의에서 이 문제를 둘러싼 내부 논쟁을 벌이는 와중에 재무부는 총론적으로 종교의 역할을 자신만만한 독립국가에 대한 단 하나의 진정한 토대로 보는 장문의 각서를 제출했다. 응집력이 있으면서 독립적인 사람들은 '그들에게 가장 소중한 기본 사고'를 똑같이 공유하는 구성원들로 구성되어야 한다는 것이다. 또 종교는 '외부에서 위협하는 시대'에 한 국민을 통일되고 단호한 행동을 할 수 있는 '하나의 전체'로 바꿔줄 수 있을 만큼 강력한 연결고리라고 했다. 이 보고서는 계속해서 "유대인의 기독교 개종은 보다 쉽게 이루어져야 하고 시민권의 부여를 수반해야 한다"고 주장하면서도 "유대인이 유대인인 한 [유대인으로 남는 한], 국가의 직책을 맡도록 해서는 안 된다"고 강변했다.[76] 지방에서도 같은 문제로 논란이 있었다. 1819년에 라인란트 아른스베르크 지방 정부에서 나온 보고서는 종교가 신분 해방에 대한 주요 방해요인이라고 단언하며 국가는 유대인의 개종을 장려하는 조치를 도입해야 한다고 제안했다. 1820년에 뮌스터 지구에서 작성한 보고서는 유대인을 위한 기독교도의 성인 위탁교육과 기독교로 개종할 때 특혜를 주는 제도를 추천했다.[77]

프리드리히 빌헬름 3세는 이런 정책을 승인했다. 유대인으로서 프로이센 시민권자인 수학자 다비트 웅거가 베를린 건축대학(Berlin Bau-akademie)의 수학교수직(프로이센 정부에서 급여를 받는 직책)에 응모했을 때, 왕은 그에게 '복음주의 교회(프로이센 연합교회)로 개종한 뒤에' 응모를 고려하는 것이 좋겠다고 직접 충고했다. 유대인 중위 메노 부르크의 경우도 유사한 일을 겪었다. 부르크는 1812년에 근위보병대에 들어간 뒤에 계속 차별을 받았다. 1830년 부르크가 대위로 진급해야 하는 시점에, 왕은 내각명령을 통해 자신의 확고한 방침을 밝혔다. 즉 부르크가 프로이센 장교들과 함께 생활하며 교육을 받을 때, 그간에 지체된 과거를 만회해주는 기독교 신앙의 진정한 힘을 인정하게 될 것이고 '그의 진급에 방해되는 것을 일소'하게 될 것이라고 말했다.[78] 이렇게 특별히 개입하는 것 외에도 프리드리히 빌헬름 3세는 기독교로 개종할 때, 군주의 이름을 '대부'명으로 등록하는 유대인에게 왕실장려금을 지급했다. 또 유대인과 결혼하려는 여성들이 유대교로 개종하는 것을 막기 위해 정부 당국도 그와 유사한 노력을 기울였다. 물론 이는 14세 이후엔 용인된 종파라면 개종을 허용한 프로이센 일반법에 비춰볼 때 정당한 근거가 없었다.[79]

그 밖에 기독교도가 유대인의 행사(결혼식이나 성년식)에 참석하는 것을 금지하는 명령을 비롯해 관련 조치들이 취해졌고 유대인이 기독교식 이름을 붙이는 것을 막기 위한 조치도 반복해서(1816년, 1836년, 1839년) 나왔다. 두 공동체 사이의 사회적·법적 경계를 흐리지 않기 위한 것이었다. 마침내 왕은 유대인 사회의 기독교 전파를 위한 베를린 협회의 활동을 지원했고 쾨니히스베르크와 브레슬라우, 포젠, 슈테틴, 프랑크푸르트(오데르)의 지부 및 소도시의 보조기관도 똑같은 지원을 받았다. (유대인 최고 밀집 구역인) 포젠의 무료 선교학교는 초등교육에 대한 새 법령의 도움으로 유대인 아이들을 선교학교로 끌어들였다. 프로이센이라는 국가가 선교기관이 된 것이다.[80]

1815년 이후에 드러난 정책의 흐름을 보면, 프리드리히 빌헬름 3세가 젊을 때 계몽주의 개인 교수들로부터 받아들인 종교의 기능적 개념으로부터 점점 국가 종교가 규정한 목표를 추구하기 위해 존재한다는 믿음을 향해 나아가는 것 같은 인상을 준다. 그는 1821년에 이렇게 말했다. "아무리 관용에 대한 요구가 거세진다고 해도, 그것이 인류 구원의 길에서 후퇴를 의미할 때는 언제나 선을 그어야 한다."[81] 그러다가 1840년대가 되자 '기독교 국가'(der christliche Staat)라는 말이 널리 쓰였다. 통합주의회 차원에서 유대인의 공직 허용을 둘러싼 논쟁이 벌어진 1847년에는 개종한 유대인으로서 베를린 대학교의 보수적 법학교수인 프리드리히 율리우스 슈탈이 그런 생각에 확실한 이론적 토대를 제시하려고 했다. 슈탈은 자신의 저서 『국가 그리고 이신론 및 유대교와 국가의 관계』(*Staat und sein Verhältnis zu Deismus und Judentum*)에서 국가는 '국민의 윤리정신에 대한 계시'이기 때문에 스스로 '기독교도의 정신'을 표현해야 한다고 주장했다. 따라서 유대인(그리고 그 밖의 비신자들)이 국가 공직을 맡는 것은 있을 수 없다는 것이었다.[82]

유대인 기자들이 '기독교 국가의 망령'이라며 그것을 단순히 '우리의 권리를 부인하기 위한 마지막 구실'로 매도하는 것은 충분히 이해할 수 있는 일이었다.[83] 하지만 거기에는 그 이상의 의미가 있었다. 전후 시기에 기독교의 국가 통제가 뿌리 내릴 수 있었던 것은 당대의 개신교 활동가와 이상주의자의 목소리의 출구를 제공했기 때문이다. 더욱이 그것은 비록 제한적이기는 해도 국가의 궁극적인 도덕적 목표의 근거를 제공했다. 또 민족이 아니라 종교가 국가와 사회 사이의 동일성을 부여함으로써, 1815년 이후 독일 군주들의 영토통치권에 위협적인 주장을 한 민족주의에 대한 대안을 제공했다. 불확실한 통치권의 이익을 위해 프로이센 군주정은 혹독한 대가를 치렀다. 전후 시기에 종파에 대한 공격적인 국가 통제는 종교적 반목과 정치적 반목의 경계를 흐려 놓았다. 신학 논쟁과 신학 단체는 양극화되었다. 정치적 반목에서도 신학적으로 선호하는 노선이 생겼다. 결국 정치와 신학은 모두 더 자신의 진영에 집착하며 분열했다.

1831년에 프로이센 왕국의 인구는 1,315만 1,883명이었다. 이 중에서 약 543만 명(약 41퍼센트)이 작센과 라인란트, 베스트팔렌 지방에 살았는데, 이들 지역은 1815년 이후에야 프로이센 땅이 된 곳이었다. 여기에 1793년 폴란드 제2차 분할에 따라 프로이센에 병합된(1807년 틸지트 조약 이후 나폴레옹의 바르샤바 공국에 합병되었다가 1815년에 가서야 프로이센으로 '되돌아온') 포젠 대공국의 주민들까지 더하면 새로 프로이센이 된 곳의 비율은 50퍼센트 가까이 올라간다. 따라서 이곳의 주민을 프로이센 사람으로 만들기 위한 과제는 쉬운 것이 아니었다. 이것은 프로이센만의 문제가 아니었으며, 바덴과 뷔르템베르크, 바이에른도 실질적으로 새로운 영토가 생긴 나폴레옹 시대의 격동기로부터 비롯했다고 봐야 한다. 하지만 이런 상태에서도 지역의회가 세워지고 일원화된 행정부와 사법조직이 들어서면서 새로운 국민을 통합하는 과제는 가속화되었다. 반면에 프로이센은 '전국적'인 의회와 '전국적'인 헌법을 요구하는 목소리를 내지 않았다.

따라서 프로이센 왕국은 행정적인 의미에서는 여기저기 흩어진 형태로 남았다. 법적인 조직도 여전히 일원화되지 않았다. 베를린 행정부는 1820년대에 국가 체제를 하나씩 통일시켜나갔지만, 라인 지방의 (즉 나폴레옹의) 법은 서부 주에서 계속 유효했기 때문에 법관 지망생들은 라인란트나 베스트팔렌에 들어가서 훈련을 받아야 했다. 19세기 전반 내내 베를린 '추밀 대법원'(Geheime Obertribunal) 외에 라인란트와 포젠, 스웨덴령 포메른이었던 그라이프스발트까지 네 개의 대법원이 있었다.[84] 스웨덴령 포메른이었던 곳에서는 자체의 전통적인 법전과 자치정부기관 그리고 지방 특유의 헌법을 토대로 삼았다.[85] 라인란트 또한 프랑스가 도입한 비교적 자유로운 지방 정부 체제를 유지했다.[86] 프로이센의 다른 지역에서 대부분 프로이센 일반법을 사용함으로써 몹시 다양한 지방의 법과 규정은 가려졌다. 1812년 3월 11일의 해방칙령은 1815년에 획득한 지역까지 미치지 못했기 때문에, 프로이센 유대인은 적어도 33개나 되는 서로 다른 법전 치하에서 사는 신세가 되었다. 한 지역 당국은 국가가 (적어도 이 분야에서는) 주와 지역에 항복했다는 말을 했다.[87]

그러므로 1840년의 프로이센 사법 체계는 1813년보다 균일하지 못했다. 이 같은 분산적인 특징을 강조해야 하는 것은 프로이센이 흔히 중앙집권국가의 전형으로 인식되기 때문이다. 하지만 슈타인이 시도한 도시 개혁의 요점은 정확하게 권력을, 널리 공감을 얻은 도시 자치정부 체제로 이양하는 것이었다. 1831년 베스트팔렌에 도입된 더 보수적인 개정 도시법조차 나폴레옹 치하 시절보다 더 많은 자율성을 각 소도시에 주었다.[88] 전후 시기 내내 국가의 중앙기관은 프로이센 각 주의 귀족들에게 경의를 표했다. 그리고 각 지방의 엘리트 계급은 특히 동부와 서부의 변두리 지역에서 그들 특유의 정체성에 대한 자의식이 유달리 강했다. 이런 풍조는 각 주가 자체의 의회를 소유한 데 비해 프로이센 왕국 자체는 그에 해당하는 전국 단위의 의회가 없다는 사실 때문에 더 확산되었다. 1823년의 일반법에 따라 각 주에 의회가 세워지고 나서 생긴 여파의 하나는 프로이센이라는 국가 체제가 약화되고, 각 주의 중요성이 커졌다는 점이다. 1851년에 쾨니히스베르크를 방문한 한 여행자는 동프로이센이 단순한 '주'(Provinz)가 아니라 그 자체로 한 '나라'(Land)라는 말을 들었다. 이런 점에서 보면 프로이센은 흡사 연방 체제 같았다.[89]

행정에 관한 발전적이고 실용적인 접근 태도는 은연중에 문화적 다양성을 수용하는 흐름과 궤를 같이했다. 19세기 초의 프로이센은 언어와 문화의 측면에서 조각보 같은 구조였다. 서프로이센과 포젠, 슐레지엔에 사는 폴란드인은 언어상으로 최대의 소수 집단을 형성했으며 동프로이센 남부에 거주하는 마주렌인은 농촌 지역의 폴란드어 방언을 사용했다. 단치히 오지의 카슈비아 사람들은 또 다른 방언을 사용했다. 19세기 중반까지만 해도, 네덜란드어가 과거 클레베 공국의 학교에서 여전히 광범위하게 사용되었다. 외펜 말메디의 왈롱 지구(1815년에 프로이센에 편입된 땅)에서는 1876년까지 학교와 법정, 행정부에서 계속 프랑스어를 사용했다.[90] 빌립보인들(1818~32년에 러시아에서 쫓겨온 난민으로 마주렌[마주리아]에 정착한 구신도들)은 러시아어를 사용했는데 이들 특유의 목조 교회를 오늘날에도 그 지역에서 볼 수 있다. 오버슐레지엔에는 체코 지역 사회가 있었고, 코트부스에는 소르브족이 살았으며, 베를린 부근의 크고 작은 슈프레발트 마을 일대에 흩어져 사는 벤드족은 옛 슬라브어 방언을 사용했다. 쿠로니아 사주로 알려진 발트 해안의 좁고 긴 땅에는 쿠렌족이 근근이 살고 있었다. 북유럽에서 풍경이 가장 황량하고 음산한 곳에 사는 주민들이었다. 거친 환경에서 꿋꿋이 살아가는 이 억센 어부들은 라트비아어 방언을 사용했는데 이들은 단조로운 먹거리를 보충하기 위해 까마귀 고기를 먹는 것으로 알려졌다. 까마귀를 잡을 때는 머리를 깨물어 죽였다고 한다. 동프로이센의 굼비넨 같은 곳은 사실상의 마주렌 주민과 리투아니아인, 독일인들이 서로 가까이 살면서 세 개 언어가 사용되는 지역이었다.[91]

동부 지역에 대한 프로이센의 정책은 전통적으로 이들 정착지를 그들만의 독특한 문화를 가진 '식민지'로 취급하는 것이었다. 실제로 프로이센 행정부는 종교 지도와 초등 교육을 도구 삼아 지역의 방언이 자리 잡도록 지원했다. 프로테스탄트 교회 조직도 중요한 역할을 했다. 이들은 해당 지역의 언어로 된 찬송가와 성서, 선교 팸플릿을 보급했고 소수언어 지역에서는 두 개 언어로 예배를 볼 수 있도록 했다. 프로이센 최초의 리투아니아어 정기간행물인 『누시다비마이』(Nusidavimai)는 리투아니아 사람들 사이에서 활동하는 독일 지역 목사가 편집한 것이었다.[92] 정치가이자 학자인 빌헬름 폰 훔볼트와 쾨니히스베르크 대학의 신학교수인 마르틴 루트비히 레자 같은 독일 지역의 프로이센인은 리투아니아어와 그 민속유산이 광범위한 문화적 관심사로 자리 잡는 데 결정적인 역할을 했다.[93] 1876년에 가서야 독일어가 일반법을 통해 프로이센의 모든 분야에서 사용하는 공식 언어로 규정되었다.

이런 점에서 프로이센은 1840년대에 호엔촐레른 지방을 둘러본 한 스코틀랜드 여행자 새뮤얼 라잉의 말마따나, 여전히 "누더기와 조각보 같은 왕국"이었다. 그는 프로이센이 흔히 하는 말로 "도덕적이거나 사회적인 의미가 아니라 프로이센 정부 혹은 그 정부가 다스리는 주를 나타내는, 지리적·정치적 의미밖에 없다고 보았다. 프로이센이라는 국가는 별로 들어보지 못한, 결코 실현되지 못한 […] 사고의 조합"이라는 것이었다.[94] 비록 호의적이진 않지만 라잉의 언급은 통찰력이 있는 것이었다. "프로이센 사람"답다라는 것은 정확하게 무슨 의미였을까? 복구기의 프로이센은 공통의 민족성에 묶이고 정의되는 사람들이라는 의미에서 '민족'(nation)은 아니었다. 프로이센 요리라는 것은 옛날부터 존재하지 않았다. 프로이센 특유의 민속이나 언어, 방언, 음악도 없었고 (군복을 제외하면) 프로이센만의 고유한 의상 같은 것도 없었다. 프로이센은 공동의 역사를 공유하는 공동체라는 의미에서 민족이 아니었다. 더구나 '프로이센 정신'(Preußentum)은 독일 민족주의라는 강력한 경쟁 이데올로기가 한 번도 점유해보지 않았던 토대에서 스스로를 규정해야만 했다. 그 결과 추상적이면서 파편화된 기묘한 정체성의 감각이 생겼다.

어떤 사람들에게는 프로이센이 법의 지배를 의미했다. 그런 의미에서 슐레지엔의 구루터교 분리파는 정부 당국의 독단적인 행위를 막기 위해 프로이센 일반법에 의존했다.[95] 프로이센 왕권의 이 비천한 백성에게는 법전이 양심의 자유를 지켜주는 보호장치였고 백성의 생활에 국가가 간섭하는 것을 제한하는 '헌법'이었다. 일정한 개인의 자유를 보장해주는 법은 프로이센 통치의 또 다른 중요한 특징이라고 할 공공질서에 대한 약속을 지켜주었다. 1830년대 '쾰른 소요' 기간에 회자된 개신교 노래를 통해 작가는 프로이센 사람의 질서정연한 생활 방식과 가톨릭 성직자들의 오만과 독재를 다음과 같이 대조적으로 부각시켰다.

> 프로이센 땅에 사는 우리에게
> 주인은 언제나 왕,
> 우리는 법과 질서 속에 산다네,
> 멋대로 날뛰는 무리와 달리.[96]

이런 점에서 '프로이센 정신'은 사물의 어떤 질서에 대한 약속을 암시하게 되었다. 호의적인 의미에서 상투적으로 쓰이는 프로이센 정신의 '2차적인 미덕'(정확, 충성, 정직, 철저, 정밀)은 모두 더 높은 이상에 기여하는 속성을 지녔다.

　　정확하게 어떤 이상을 말하는가? 프리드리히 대왕 집권기에 생긴 왕을 숭배하는 시대는 지나갔다. 1830년대에 정부는 군주제주의자의 애국심을 전파하기 위해 최선을 다했지만 거기에는 한계가 있었다. 1830년대 후반에 영토를 찬양하는 노래로 정부가 도입한 「프로이센의 노래」(Preußenlied)는 공식적으로 용인된 프로이센의 애국적인 감정을 표현했다. 할버슈타트의 김나지움 교사 베른하르트 티어리쉬가 가사를 쓰고 제2척탄근위연대 군악대장 하인리히 아우구스트 나이타르트가 쾌활한 행진곡으로 작곡한 이 노래는 "나는 프로이센인, 그대는 나의 깃발을 아는가?"라는 말로 씩씩하게 시작하지만, 이내 비굴한 군주제주의자의 감정에 빠진다. 상상 속의 프로이센인은 (금욕적이고 내성적이며 남성적인) "애정과 충성심으로" 왕에게 다가가며 그로부터 "아버지다운 부드러운 음성"을 듣는다. 프로이센인은 자식이 부모에게 하듯 충성을 맹세한다. 그리고 가슴속에서 왕의 부름이 진동하는 것을 느낀다. 프로이센인은 왕과 백성이 애정과 충성심으로 결합할 때만, 한 국민은 번성할 수 있다고 생각한다. 「프로이센의 노래」는 행진곡으로는 훌륭했지만, 결코 대중에게 인기를 끌지는 못했다. 그 이유를 확인하는 것은 어렵지 않다.[97] 노래가 언급하는 것은 오로지 비좁은 군대를 벗어나지 못했고 그 중심에 있는 군주는 너무 실체가 없었으며 어조가 너무 비굴해서 대중의 애국심에 활기찬 열망을 불러일으킬 수가 없었다.

국가는 모든 프로이센 사람이 공동으로 소유한 유일한 기관이었다. 하필 이 시기에 국가의 개념을 둘러싼 담론이 전례 없이 활발해진 것은 우연이 아니었다. 국가의 위엄은 적어도 대학이나 고위 공직자의 환경에서는 그 어느 때보다 강렬한 공감을 얻었다. 1815년 이후 프로이센 국가의 위엄을 널리 알리는 데 게오르크 빌헬름 프리드리히 헤겔보다 더 많은 기여를 한 사람은 없다. 이 슈바벤의 철학자는 1818년에 피히테가 떠나고 비어 있던 신설 베를린 대학교의 자리를 물려받았다. 헤겔은 국가가 의지와 이성, 목적을 지닌 유기체라고 주장했다. 국가의 운명은 (모든 생명체가 그렇듯이) 변화하고 성장하며 전진할 수 있다는 것이었다. 그가 볼 때, 국가는 '스스로 의지를 실현하는 이성의 힘'(Macht der Vernunft)이었다.[98] 국가는 소외된 채 경쟁을 벌이는 민간 사회의 '특수한 관심'이 응집력과 정체성으로 융해되는 초월적인 영역이었다. 국가는 신성해 보이는 목적을 가진다는 것이 헤겔의 국가관에 들어 있는 이론적 핵심이다. 국가는 '세계에 담긴 신의 자취'(Gang Gottes in der Welt)였다. 헤겔에 이르러 국가는 시민 사회를 구성하는 다수 주체에게 보편성을 되찾게 해주는 신성해 보이는 기구가 되었다.

이런 접근방식으로 헤겔은 푸펜도르프와 볼프 이래 프로이센 정치이론가들의 지배적인 관점, 즉 국가는 그것을 만든 사회의 내적·외적 안전욕구를 충족시키도록 설계된 기계에 다름 아니라는 견해를 타파했다.[99] 헤겔은 국가를 기계에 비유한 견해를 완강하게 거부했다. 그가 후기 계몽주의 이론가들이 선호한 국가론에 반대한 까닭은 그것이 '자유로운 인간'을 단순히 기계의 톱니바퀴처럼 취급한다고 보았기 때문이다. 헤겔 철학에서 보는 국가는 강제로 세운 구조물이 아니라 한 국민의 윤리적 실체에 대한 고도로 다듬어진 표현이자 초월적이고 합

582

리적인 질서의 전개였으며 '자유의 실현'이었다. 그 결과 시민 사회와 국가의 관계는 적대적인 것이 아니라 호혜적인 것이었다. 그는 국가가 시민 사회 스스로 합리적인 방법을 통해 질서를 세울 수 있게 만들어준다고 보았다. 그리고 다시금 국가의 활력은 개별적이고 특수한 이해에 달려 있다고 보았다. 이것들이 "특수한 기능에 적극적인 시민 사회를 만들어내며 개별적 영역이 잘 갖춰져야 보편적인 것이 형성된다."[100]

헤겔의 국가론은 자유주의적인 관점이 아니었다. 프랑스 자코뱅당에서나 가능했던 단일한 국가 입법자를 옹호하지도 않았다. 하지만 그의 관점에 진보적인 성향이 있음을 부인할 수는 없다. 자코뱅당의 실험에 대한 온갖 불안에도 불구하고 헤겔은 프랑스혁명을, '생각하는 모든 민중'으로부터 축하인사를 받은 '빛나는 일출'로 반겼다. 베를린의 헤겔 제자들은 혁명이 '되돌릴 수 없는 세계정신(Weltgeist)의 업적'을 나타내는 것이며 그 여파는 지금도 계속되고 있다는 말을 들었다.[101] 이성을 중심에 놓고 발전을 파악하는 태도는 헤겔의 국가관 곳곳에서 엿볼 수 있다. 헤겔이 생각하는 국가에 특권 계급이나 사적인 관할권이 들어갈 자리는 없었다. 헤겔은 국가를 당쟁보다 높은 차원으로 끌어올림으로써 진보가 (정치·사회적 질서의 유익한 합리화라는 의미에서) 프로이센 국가에서 구현되듯이, 단순히 역사 전개의 특징일 수도 있다는 신선한 가능성을 고려했다.[102]

프로이센의 교육받은 세대에게 헤겔 사상이 어떤 점에서 매력적이었는지 오늘날의 관점에서는 이해하기 어렵다. 이것은 헤겔의 교육적 카리스마의 문제가 아니었다. 그는 교탁 위로 허리를 굽힌 자세로 서서 더듬거리며 거의 들리지 않게 중얼거리는 목소리로 교재를 읽는 것으로 유명했다. 베를린 대학교에서 헤겔의 강의를 들은 제자 호토의 설명에 따르면, "그의 얼굴은 마치 죽은 사람처럼 창백하고 축 처져 있었다. 그는 피곤함에 전 자세로 앉아서 고개를 숙이고 끊임없이 자신의 간추린 노트를 뒤적이면서 말을 계속했다"고 한다. 또 다른 제자로 훗날 헤겔 전기를 쓴 카를 로젠크란츠는 계속 기침을 하면서도 코담배를 들이마시는 바람에 읽는 데 오랜 시간과 노력이 필요했던 구절을 기억했다.[103]

헤겔이 이들에게 분명하게 표현하기 위해 만들어낸 생각 자체와 독특한 언어는 프로이센 왕국 전역에 있는 제자들의 머릿속에 자리 잡았다. 이것은 역사적인 맥락에서 설명할 수 있다. 헤겔의 임명은 한때 하르덴베르크의 부하였고 계몽주의 개혁가이자 문화부대신인 카를 폰 알텐슈타인의 작품이었다. 이 철학자의 저술은 개혁 시대에 프로이센 행정부 내에서 권력을 확장한 프로이센 관료제에게 필요했던 정당성을 제공해주었다. 헤겔은 교조적인 자유주의와 복고적인 보수주의 사이에서 행동했다. 정치적으로 지극히 불확실한 시대에는 이런 '중도 노선'을 아주 매력적인 것으로 보는 사람이 많았다. 헤겔의 글은 상반되는 관점의 균형을 유지했으며, 때로는 눈부신 기교를 부리기도 했다. 수수께끼 같고 때로 어리둥절하게 만드는 전달방식과 결합한 그의 변증법적 묘기는 다양한 해석의 장을 열었다. 그리하여 헤겔식 언어와 사상은 좌파, 우파 정치 이데올로기 양쪽 어디와도 무리 없이 결합될 수 있었다.[104] 결국 헤겔은 이익과 목적의 궁극적인 조화에 대한 희망을 통해 정치적·사회적 갈등을 화해시키는 수단을 제공하는 것처럼 보였다.

'헤겔주의'는 대중적인 정체성을 만들어내는 소재가 아니었다. 이 대가의 작품은 이해는 고사하고 읽는 것조차 어렵다고 정평이 나 있었다. 리하르트 바그너와 오토 폰 비스마르크는 헤겔을 이해하려고 했다가 실패한 이들이다. 뿐만 아니라 그의 호소는 종파적 색깔에 물들어 있었다. 헤겔은 프로테스탄트 경건주의 환경에서 자랐는데, 그 흔적은 세속적인 것을 신의 섭리에 맞추려는 시도에서 엿보인다. 가톨릭 학생들은 그의 가르침에 양면적인 반응을 보였다. 1826년에는 일단의 베를린 대학교 가톨릭 학생들이 교육부에 공식적인 불만을 제기하는 사태가 있었다. 헤겔이 가톨릭 교리를 조롱한 것은 분명하다. 그는 만일 생

39 학생들에 둘러싸인 헤겔. 프란츠 쿠글러의 석판화, 1828년.

쥐가 축성을 받은 성찬식의 빵을 갉아먹는다면, 성례전의 기적이라는 성체변화 효력에 의해 "신은 생쥐와 생쥐의 배설물에도 깃들어 있을 것이다"라는 말을 했기 때문이다.[105] 교육부로부터 해명하라는 요구를 받은 헤겔은 학문의 자유라는 원칙을 들먹이며 가톨릭 신도들은 원하면 자신의 강의를 안 들어도 된다고 덧붙였다. 이런 자극적인 행동이 아니더라도 헤겔의 국가신성화 작업이 세속의 프로테스탄트 당국과 관계가 껄끄러운 가톨릭 신도보다는 프로이센 국가교회의 프로테스탄트 신자들에게 더 직접적인 호소를 했다는 것은 분명하다.

(동화된 유대인 사회는 말할 것도 없고) 프로테스탄트 주류 사회에서 헤겔의 영향은 아주 크고 지속적이었다. 헤겔이 주장하는 명제는 그의 강의를 들으려고 몰려든 학생들을 통해, 또 문화부대신 알텐슈타인과 추밀고문관 요하네스 슐체의 후원을 통해 빠른 속도로 정치문화 속으로 스며들었다. 한때 헤겔의 수강생이기도 했던 슐체는 헤겔이 특히 베를린 대학과 할레 대학의 핵심 교수직에 응모할 때 지원을 아끼지 않았다. 헤겔 철학은 (포스트모더니즘과 마찬가지로) 이 대가의 작품을 한 번도 읽어본 적도 없고 이해하지도 못한 사람들의 말과 생각 속으로 침투하면서 세상에 만연했다.

헤겔의 영향은 근대 국가가 사고의 중심으로 자리를 잡는 데 기여했다. 프랑스혁명 이후 체제가 재편성되는 기간에 헤겔은 그 누구보다 국가의 개념을 둘러싼 담론 확산에 앞장섰다. 국가는 더 이상 단순한 통치권과 권력의 원천이 아니라 역사를 만드는 기관이었고 역사 자체를 구현하는 수단이었다. 이렇게 독특하게 국가관과 역사관 사이에서 형성된 긴밀한 연관성은 대학에 새로 생긴 문화적 분야에, 특히 역사 자체에 지속적인 흔적을 남겼다. 근대적 학문 분야로서 역사학의 토대를 세운 레오폴트 폰 랑케는 헤겔의 철학 체계가 비역사적이라는 이유로 그를 탐탁지 않게 여겼다. 헤겔은 '인간 의식의 단계 및 정신사'를 형이상학적으로 이해했고 초기의 프로이센 역사학파는 확실한 원천에 대하여 강박적으로 탐구하며 정확한 묘사에 집착하는 특징을 보였다. 이 같은 양극성 사이에 갖가지 세계가 들어 있었다. 하지만 작센 사람으로 1818년 23세의 나이에 프로이센에 와서 1825년에 베를린 대학교의 교수직에 임명된 젊은 랑케는 프로이센의 국가주의적 이상주의의 영향에서 완전히 벗어나지 못했다. 1833년과 1836년에 발표한 논문을 통해 랑케는 국가가 '도덕적 선'이며 '신의 생각'으로서 '자체의 생명'을 담은 유기체라고 주장했다. 국가는 끊임없이 발전하고 진보하는 유일무이한 '살아 있는 존재'라는 것이다. 19세기 내내 그리고 20세기에 들어서까지, 역사학의 '프로이센 학파'(preußische Schule)는 계속해서 역사 변화의 도구이자 동인으로서 국가에 집중적인 관심을 쏟았다.[106]

1831년에 헤겔이 콜레라로 사망한 뒤, 헤겔 철학은 서로 싸우는 학파로 분열되면서 급격하게 이념적인 변화를 겪었다. 1830년대에 베를린에서 결집한 과격한 노선의 '청년 헤겔학파' 중에는 젊은 시절의 카를 마르크스도 있었다. 기독교로 개종한 유대인의 아들로서 라인란트 출신으로 새 '프로이센인'이 된 마르크스는 1836년에 법학과 정치경제학의 학업을 계속하기 위해 베를린에 왔다. 마르크스에게 헤겔 사상과의 진정한 첫 만남은 종교적 개종과 비슷할 정도로 강렬한 충격을 안겨주었다. 그는 1837년 11월, 아버지에게 보내는 편지에서 이렇게 말했다. "며칠간은 전혀 생각을 할 수 없을 정도로 흥분했습니다. 지저분한 슈프레 강변의 밭을 미친 듯이 뛰어다녔고 […] 집주인의 사냥에도 따라나섰지요. 베를린 길모퉁이에서 마주치는 사람들을 부둥켜안고 싶은 충동을 느끼기도 했답니다."[107] 훗날 마르크스는 관료 계층을 '보편적인 신분'으로 본 헤겔의 관점을 받아들이지 않았지만, 이와 상관없이 헤겔사상과 밀접한 관계를 유지했다. 프롤레타리아를 '일반 이익의 순수한 화신'으로 이상화한 마르크스의 생각이 헤겔 철학의 개념을 유물론적으로 반전시킨 것이 아니면 무엇이란 말인가? 마르크스주의도 프로이센에서 만들어진 것이었다.

13

정치적 혼란의
확산

Escalation

1840년대 들어서 유럽 대륙의 정치적 반목은 더 조직화되고 확고해졌으며 사회적으로 더 다양한 모습을 띠었다. 대중문화는 더 비판적인 목소리를 냈다. 갈수록 심각해지는 사회적 위기는 행정기관이나 정치조직으로는 해결할 수 없는 문제와 부닥치면서 갈등과 폭력으로 이어졌다. 이 시기는 나폴레옹 이후 나타난 '변화와 분열의 시대' 중에서도 가장 난폭한 단계에 해당했다.[1] 이런 추세는 프로이센에서 정권 교체를 통해 확대되었다. 1840년 6월 7일, 프리드리히 빌헬름 3세의 죽음은 미완의 과업에서 나온 고통스러운 유산을 남겼다. 그의 통치 기간에 빚어진 정치적 난관은 여전히 미해결 상태였다. 무엇보다 헌법에 대한 그의 '중대하고 유명한 약속'은 그가 사망했을 때 '이행되지 못한 맹세'로 남았다.[2] 프로이센 전국에 포진한 자유주의자와 급진주의자의 희망과 기대는 온통 그의 후계자로 초점이 맞춰졌다.

정치적 낭만주의

후계자인 프리드리히 빌헬름 4세는 즉위할 때 이미 45세였으며, 그를 잘 아는 사람들에게조차 수수께끼 같은 인물이었다. 프리드리히 빌헬름 3세나 프리드리히 빌헬름 2세, 프리드리히 대왕 등 선대왕들은 모두 계몽주의 정신과 가치관 속에서 교육을 받았다. 신임 왕은 반대로 낭만주의 시대의 존재였다. 그는 낭만주의 역사소설을 읽으며 성장했다. 그가 좋아하는 프로이센 작가는 브란덴부르크의 위그노 후손인 프리드리히 드 라 모테 푸케였다. 푸케가 쓴 역사소설은 고상한 기사와 가련한 여자, 바람이 몰아치는 바위, 고대의 성, 음울한 숲 같은 배경이 특징이다. 프리드리히 빌헬름은 문학적인 기호뿐만 아니라 개인적인 삶에서도 낭만적이었다. 그는 자주 울었다. 그가 형제자매와 친구에게 보내는 편지는 장문의 고백이었고 느낌표를 아낌없이 사용해 여덟 개나 연달아 찍을 때도 있었다.[3]

프리드리히 빌헬름 4세는 종교를 국가관의 중심에 놓은 마지막 프로이센인(어쩌면 마지막 유럽인)이었다. '왕관을 쓴 아마추어 신학자'로서 그에게 종교와 정치는 서로 불가분의 관계였다.[4] 극심한 스트레스를 받거나 극적인 변화를 겪을 때면, 그는 본능적으로 성서에서 답을 구하려고 했다. 하지만 그의 기독교 신앙은 단순히 이미지와 형식화의 문제가 아니었다. 그것은 그의 정책을 형성했고 보좌관을 선발할 때도 영향을 주었다.[5] 1840년에 선왕이 죽기 훨씬 전부터 왕세자는 생각이 비슷한 기독교도 친구들에게 둘러싸여 있었다. 1838년 무렵 무신론 성향의 동생 빌헬름 왕자는 왕위가 '광신도 분파'(Frömmler-Sekte)의 손에 들어간 것이 분명하다고 볼 정도였다. 빌헬름 왕자는 이 '광신도들'이 '세자의 몸과 마음, 불안정한 상상력을 온통 쥐고 흔들 수 있게 된 것'이 불만스러웠다. 빌헬름 왕자는 기독교 부흥 운동의 윤리가 왕세자 추종세력 내에 아주 탄탄하게 자리 잡았기 때문에, 야심을 품고 미래의 군주를 주목하는 조신들은 출세하려면 경건주의적인 행동을 반사적으로 할 줄 알아야 한다고 주장했다. 왕세자 주변의 기독교도 친구들인, 레오폴트 폰 게를라흐, (정적들에게 '성서 틸레'로 알려진) 루트비히 구스타프 폰 틸레, 안톤 폰 슈톨베르크-베르니거로데 백작, 카를 폰 데어 그뢰벤 백작 등은 신임 왕의 즉위와 더불어 정치적인 영향력을 얻었다. 이들은 1810년대의 프로테스탄트 부흥 운동에 가담한 자들이었다. 이들 중 일부는 프로이센 국가교회의 과격파에서 벌어진 경건주의 및 루터파 분리 운동과 밀접한 관련이 있었다.

선왕에게 그랬듯이, 프리드리히 빌헬름 4세에게도 프로이센 국가는 기독교기관이었다. 하지만 프리드리히 빌헬름 3세가 프로테스탄트 집회에서 칼뱅파와 루터파의 절충적인 방식을 적용하고 프로이센의 가톨릭과는 이교 간 결혼 문제로 대립하며 적의를 드러낸 것과 달리, 아들의 기독교 신앙은 폭넓게 전체를 포용하는 형태였다. 프리드리히 빌헬름 4세가 가톨릭교도인 바이에른의 엘리자베트 공주를 결혼 상대로 정했을 때 아버지는 깜짝 놀랐다. 더구나 아들은 신부가 원하는 시기에 개종해도 된다고 할 정도였다(실제로는 제때에 개종했다). 그가 쾰른 대성당의 보강 공사와 완공을 위해 아낌없이 지원한 것은, 단순히 고딕 양식에 대한 그의 낭만적 취향이 남달랐다는 반증일 뿐만 아니라 가톨릭 신앙을 프로이센 왕국 내에서 동등한 역사와 문화를 지닌 종교로 과감하게 인정했다는 의미가 있다.

성지에 사는 유대인들에게 복음을 전파하고 동방 기독교도와 연결고리를 만들 의도로 1841년에 세워진 예루살렘의 영국-프로이센 주교관은 독특한 세계교회운동 기관으로서 영국 성공회와 프로이센 연합교회의 성직자들이 교대로 근무했다. 건물을 지은 책임 건축가는 왕의 절친한 친구이자 예배사(Liturgiegeschichte) 전문가인 카를 요지아스 폰 분젠으로, 프리드리히 빌헬름과 마찬가지로 초기 기독교(Urkirche)를 열광적으로 동경하는 인물이었다.[6] 이미 왕세자 시절부터 프리드리히 빌헬름은 부왕의 행정부가 종파가 다른 슐레지엔과 포메른의 루터파 신도들에게 강압적인 조치를 취하는 것에 비판적이었다. 즉위 초기에 그는 1830년대 말의 대치 기간에 투옥된 구루터교 성직자들을 석방하라는 명령을 내렸다. 지역에 분리파 루터교 교회를 세우는 데 방해가 되는 것은 점차 제거되었으며 아메리카와 오스트레일리아로 향하는 루터파의 이민 물결도 끝이 났다.

프리드리히 빌헬름은 자유주의자가 아니었다. 다른 한편으로 그는 권위를 내세우는 캄츠와 로호, 비트겐슈타인과 같은 유형의 보수주의자도 아니었다. 복구기에 정부에서 보여준 보수주의는 프로이센 계몽주의의 권위주의적인 경향에 기원을 둔 것이었다. 이와 반대로 프리드리히 빌헬름은 낭만적인 반계몽주의의 조합주의적인 이념(coporatist ideology)에 심취했다. 그는 대의기구에 반대하지 않았지만, 그런 것은 '자연스럽고' '유기적'이며 '성숙한' 상태여야 한다고 생각했다. 바꿔 말하면 그것들은 중세의 '질서정연한 사회'에서 예시되듯이, 하늘이 자연스럽게 사람에게 내려준 위계나 계층, 인간이 성취한 것과 부합해야 한다는 것이었다. 그의 정치관과 역사관의 기본 원칙은 연속성과 전통에 대한 강조였다. 이것은 아마, 프로이센 '강철 시대'에 있었던 사건, 1806년에 그가 모후와 함께 프랑스군의 침략을 피해 동부로 도피한 것과 1810년 모후의 갑작스러운 죽음에서 겪은 트라우마가 반영된 것으로 보인다. 프로이센의 근대 관료주의 국가 형태에 대한 프리드리히 빌헬름의 태도는 양면적이었다. 그가 볼 때, 국가는 역사적 연속성의 살아 있는 힘이 구현된 것이 아니라 자체의 보편적인 권위를 요구함으로써 더 오래되고 더 신성한 왕실과 기독교 집회와 신앙고백의 권위를 훼손하는 인위적인 것이었다. 따라서 왕은 행정 수반 이상의 존재였고 확실히 국가의 최고 관리 이상의 존재였다. 그는 자신의 백성과 신비로운 동맹으로 맺어진 그리고 백성의 욕구에 대한 전례 없는 이해력을 타고난 신성불가침의 군부(君父)였다.[7]

왕은 이런 책무를 거의 자유주의적으로 들릴 만한 언어로 표현했다. 그것은 정치적 낭만주의의 언어라는 특징을 보여줌으로써 최소한 겉으로는 진보적인 입장과 보수적인 입장의 차이를 흐리는 경향이 있었다. 프리드리히 빌헬름은 영국과 영국의 '고대 국제'에 대해 감탄조로 말했다. 그는 독일인의 문화민족주의(Kulturnationalismus)의 호소에 (바이에른의 왕 루트비히 1세처럼) 개방적이었다. 프리드리히 빌헬름은 '부활', '활성화', '발전' 등 유행하는 전문용어를 자주 사용했고 '관료주의'나 '독재'의 악덕을 비난할 때는 자유주의적 열망을 말하는 것처럼 보였다. 그의 절친 중 한 사람은 왕이 '경건주의'와 '중세정신', '귀족정치' 같은 말을 '애국심'이나 '자유주의', '영국 숭상' 같은 용어와 산만하게 조합해서 설명하는 것을 알았다.[8]

이런 것들은 모두 프리드리히 빌헬름 4세의 정체를 파악하기 어렵게 만드는 요인이었다. 정권 교체기에는 정치 변화에 대한 기대가 커지곤 한다. 이 경우에는 초기에 좀 더 자유주의적인 과정으로 보이는 신호를 통해 그런 기대가 커졌다. 신임 왕은 즉시 모든 프로이센 주의회를 1841년 초에 소집할 것이며 이후로는 2년마다 열릴 것이라고 알렸다(선왕 치하에서는 3년마다 열렸다). 그는 대의정치의 '활기 회복'이란 말도 했다.[9] 1840년 9월, 쾨니히스베르크 의회가 '전체 국토와 백성에 대한 대표성'을 승낙할 것을 간청하는 제안서를 제출했을 때, 프리드리히 빌헬름은 '이 고귀한 과업을 계속 충실하게 추진할 것'이며 그 '추이'를 지켜볼 것이라고 답변했다.[10] 왕의 이 말은 정확하게 무슨 뜻인지 불확실했지만, 모두를 거대한 흥분의 도가니로 몰아넣었다. 정치적 반대파는 감금에서 풀려났고 에른스트 모리츠 아른트는 본 대학교의 교수로 복직되었다. 검열에 따른 제한도 완화되었다. 또 포젠 지방에서는 폴란드인의 거주 허가가 났다. 1840년 8월 19일에는 1830년 11월의 봉기에 가담했던 폴란드인에 대한 일반사면이 있었다. 1841년에는 그동안 말썽을 빚었던 에두아르트 플로트벨이 주지사에서 해임되었고, 러시아 치하의 폴란드에서 빠져나온 망명자들은 쾨니히스베르크 지역에 정착할 수 있었다. 독일인만의 정주 정책을 포기한 것이다. 학교에서 사용하는 언어에 대한 법령도 폴란드 활동가들의 본격적인 요구에 직면했다.[11]

1840년 10월에 교육, 보건, 종교 분야 신임 대신으로 취임한 요한 알브레히트 프리드리히 아이히호른은 슈타인에 협력했던 관세동맹 설계자 중의 한 명이었다. 그의 입각으로 자유주의 진영은 희망이 생겼다.[12] 헤르만 보이엔의 정치적 복권은 그들에게 용기를 주는 또 하나의 희망적인 신호였다. 1819년에 보수파 대신들에 의해 강제로 공직에서 쫓겨났던 보이엔은 군사 및 정치 개혁을 오랫동안 지지해온 인물이었다. 71세의 보이엔은 베를린의 부름을 받아 전쟁대신에 임명되었다. 신임 왕은 이 노전사를 환대하며 (나이를 고려해) 그에게 내각의 수석대신 자리뿐 아니라 제1보병연대의 지휘권을 맡겼다. 그나이제나우 기념비 제막식에서 프리드리히 빌헬름은 보이엔에게 검은 독수리 훈장을 수여했다. 이는 대나폴레옹 전쟁에 대한 기억을 둘러싸고 애국 진영과 왕실 사이에 벌어진 틈을 메우기 위해 왕이 단호한 결심을 했다는 증거였다. 보이엔의 극적인 복권은 명백한 정치적 신호를 보여준 것이었다. 노인이 된 그는 그 얼마 전에 위대한 애국자이자 군 개혁가인 샤른호르스트에 대한 지극히 당파적인 전기를 발간함으로써 보수 진영의 여론을 악화시켰기 때문이다.

신임 왕의 즉위로 카를 크리스토프 알베르트 하인리히 폰 캄프츠는 경찰국장 경력에 종지부를 찍어야 했다. 그는 전후 시기에 정치적 반대파를 억누르기 위해 비트겐슈타인과 손잡고 선동가들을 열심히 잡아들인 사냥꾼이었다. 1830년대에 캄프츠는 급진적인 반대파에겐 혐오의 대상으로 그들의 노래와 시에 자주 등장했다. 1841년 여름, 요양차 가슈타인에 머무르던 그는 베를린으로부터 폐하의 '활력과 영적 에너지'는 더 젊고 원기 왕성한 관리를 찾는다는 전갈을 듣고 충격을 받았다.[13] 그런 신호가 주는 효과는 신임 군주의 활력이 넘치는 개성 때문에 배가되었다. 프리드리히 빌헬름 4세는 선대 왕들과 마찬가지로 쾨니히스베르크와 베를린의 신분제의회로부터 충성 맹세를 받았지만 공식 절차에 따라 왕궁 앞에 모여든 군중을 상대로 대중연설을 한 것은 그가 처음이었다. 이때 마치 국민투표를 앞두고 행한 것 같은, 열정적이고 복음주의적인 두 차례의 연설은 청중과 여론에 열광적인 반응을 불러일으켰다.[14]

　　하지만 취임식을 통해 조성된 들뜬 분위기와 낙관주의 그리고 왕의 연설 효과는 이내 시들해졌다. 진보적인 개혁에 대한 기대가 커지는 것에 불안해진 왕은 자신의 헌법 계획에 관한 기자간담회를 취소하기에 이르렀다. 10월 4일의 내각명령에 따라 구스타프 폰 로호 내무대신은 국왕이 쾨니히스베르크 주의회에 대한 답변으로 촉발된 오해를 유감스럽게 생각하며 국민의회(Nationalversammlung)에 대한 그들의 요구를 승인할 생각이 없다는 성명을 발표하라는 지시를 받았다. 이 나쁜 소식이 전임 정권에서 왕국 전체 진보 진영이 질색하던 강경파 로호로부터 나왔다는 사실이 알려지면서 여론에 더 큰 실망과 배신감을 안겨주었다.[15]

　　새로 들어선 정권과 다툼을 벌이던 사람 중에는 쾨니히스베르크 주지사로 장기 근속중인 테오도르 폰 쉰이 있었다. 쉰은 동시대 사람들에게 상징적인 인물이었다. 그는 젊은 시절에 여러 번 영국을 여행했고, 평생 스미스적인 경제 자유주의자였으며 영국의 의회 제도를 찬양했다. 또 슈타인과 막역한 사이였고, 실제로 1808년에 '전국적인 국민대표권'(allgemeine Nationalrepräsentation)을 요구한 슈타인의 정치적 유언을 기초하기도 했다. 쉰이 말하고자 하는 내용은, '국가 운영에 대한 국민 참여'를 통해서만 "국민정신을 긍정적으로 불러일으키고 활기를 불어넣을 수 있다"는 것이었다.[16] 전후 시기 초기에 그는 서프로이센의 지방 정부와 신분제의회 사이의 건설적인 상호작용을 위한 토대를 쌓는 데 적잖은 성공을 거두기도 했다. 많은 온건 개혁파가 그렇듯이, 그는 1823년에 세워진 주의회의 한계를 알았지만 지속적인 입헌 구조를 발전시키기 위한 기지로서 의회를 환영했다.[17] 그는 프로이센(동서 프로이센이 합병된 것은 1829년이었다)의 주지사으로서 나폴레옹 이후의 프로이센 국가에서 중추적인 역할을 맡은 지방의 실력자였다. 또 쾨니히스베르크 시장인 루돌프 폰 아우어스발트를 포함해 동프로이센의 자유주의 성향의 귀족 중에 영향력이 있는 파벌의 수장이기도 했다.

1840년 신분제의회의 충성 맹세에 따라 신문지상에서 논쟁이 벌어지는 동안 쉔은 『어디서 왔다가 어디로 가는가?』(*Woher und Wohin?*)를 저술했다. 이 책에서 그는 개혁 시대를 축하하며 전국 신분제의회의 설치와 그에 따른 "관료주의적 […] 반응"을 한탄했다. 그는 "삼부회(Generalstände)가 있을 때만 우리 나라에 공적 생활이 시작되고 발전할 수 있다"고 주장했다. 단지 32부로 한정 출판된 『어디서 왔다가 어디로 가는가?』는 개인적으로 주지사와 가까운 친구 및 동료 들에게만 배포되었다. 쉔은 왕에게도 한 권을 헌정했는데 아마 자신과 자신이 잘 아는 신임 군주가 반드시 헌법 문제에서 의견이 일치할 것이라고 믿었기 때문으로 보인다. 쉔의 저서에 대한 프리드리히 빌헬름의 반응은 날카롭고 솔직했다. 왕은 자신과 백성 사이에 끼게 될 '종잇조각'(헌법)을 절대 허락하지 않겠다는 것이었다. 그러면서 프로이센을 계속 '가부장적' 방식으로 다스리는 것이 자신의 신성한 의무라고 선언했다.[18]

베를린과 쾨니히스베르크의 관계는 순식간에 냉각되었고 베를린의 보수파는 정부정책에 대한 통제력을 다시 거머쥘 기회를 포착했다.[19] 내무대신 구스타프 폰 로호는 베를린 경찰서가 입수한 과격한 노래 가사를 쉔에게 보냄으로써 불길에 기름을 부었다. 노래는 동프로이센 주지사를 '자유의 전도사'로 추켜세우는 내용이었다. 쉔은 이런 도발에 대해 대신에게 비난을 퍼붓고 그가 봉직하는 나라의 위해요인이라고 매도하면서 노골적으로 경멸하는 반응을 보였다. 신문지면을 통한 격렬한 충돌도 있었다. 쉔의 친구들은 동프로이센의 진보적 노선의 신문을 통해 내무대신에게 일제히 사격을 퍼붓기 시작했고, 로호는 내무부의 직원들을 시켜 프로이센 신문뿐 아니라 라이프치히와 아우크스부르크의 『알게마이네 차이퉁』(Allgemeine Zeitung)에 쉔을 비난하는 글을 싣도록 했다. 이는 독일 다른 지역의 여론 동향에 관심이 많은 프로이센 관료들에게는 중요한 일이었다. 이런 대치 상태는 1842년 5월에 슈트라스부르크의 급진파 한 명이 쉔의 허락도 받지 않고 『어디서 왔다가 어디로 가는가?』를 재출판하면서 절정에 올랐다. 개정판에는 국왕을 공격하는 긴 발문이 실렸다. 6월 3일에 쉔의 해임이 발표되었고 10일 후에는 로호도 해임되었다. 프리드리히 빌헬름 4세는 양 적대 진영 중 한쪽만 제거함으로써 어느 한쪽과 손을 잡았다는 인상을 피하고 싶었다.

쉔과 로호의 사건에서 드러난 중대한 의미는 프로이센 왕을 섬기는 양대 파벌이 반목한다는 것이 아니었다. 그것은 새로울 것이 없었다. 문제는 여론이 특별할 정도로 이 권력투쟁에 공감했다는 것이다. 1841년 10월, 베를린에서 쾨니히스베르크로 돌아온 쉔은 영웅처럼 환영을 받았다. 그가 항구로 들어올 때 화려한 깃발을 휘날리는 배들이 그를 영접하러 나갔으며, 그를 지지하는 쾨니히스베르크 시민들은 밤 늦도록 환하게 창문의 불을 밝혔다. 그가 해임되고 1년이 지난 1843년 6월 8일, 쾨니히스베르크의 진보 진영은 전임 주지사의 취임 50주년을 기념하는 축하행사를 기획했다. 기금 모금을 위한 조직이 만들어졌다. 쉔의 명성은 독일 지역에 널리 퍼져 있었기 때문에 바덴이나 뷔르템베르크처럼 멀리 떨어진 곳에서도 그에게 공감하는 진보 진영으로부터 기부금이 들어왔다. 전체적으로는 아르나우에 있는 쉔의 가문 토지에 물린 부채를 청산하고, 그 나머지로 시내에 기념탑을 건립할 만큼 충분히 걷혔다. 프로이센 역사상 처음으로 정부의 고위 관리가 정치적 반대파의 우두머리로 축하를 받는 진풍경이 벌어졌다.

프리드리히 빌헬름 4세의 즉위에 뒤따른 정치적 좌절은 일시적 현상이 아니라 되돌릴 수 없을 정도로 정치 환경을 후끈 달아오르게 만들었다. 정치적 대립은 더욱 첨예해졌고 격화되었다. 의사이자 유대인 급진파인 요한 야코비는 쾨니히스베르크의 카페 지겔에 모여 토론을 하는 일단의 정치 모임 회원 중 한 명이었다. 1841년에 발표된 그의 팸플릿 「네 가지 물음에 대한 동프로이센인의 답변」(Vier Fragen, beantwortet von einem Ostpreußen)은 양보나 호의로서가 아니라 '빼앗길 수 없는 권리'로서 국민의 '합법적인 국정 참여'를 요구했다. 이 일 때문에 야코비는 반역 혐의로 법정에 소환되었다가 항소법원에서 몇 차례 재판을 받고 풀려났다. 재판을 통해 그는 프로이센의 반대 운동에서 유명인사 중 한 명이 되었다. 상류층인 테오도르 폰 쉔이나 그 주변의 귀족들과 달리, 야코비는 도시 전문직 계층의 좀 더 성급한 행동주의를 대변했다. 도시 엘리트 계층 중에 과격한 지식인들은 프로이센의 주요 도시로 확산된 새 연맹에서 포럼을 조직했다. 브레슬라우의 '도시 자원', 마그데부르크의 '시민 클럽', 쾨니히스베르크의 '목요회' 등이 지겔 카페 모임에서 파생된 후 더 조직화된 공식 포럼이었다.[20] 정치 참여는 여러 다른 동기에 의해서도 활발해졌다. 예컨대 쾰른 대성당 건축협회는 자유주의자와 급진주의자를 위한 중요한 모임이 되었으며 시청 소유의 포도밭에서 열린 초청연사 강연회도 마찬가지였다.[21]

주의회 내에서도 틀림없는 변화의 기류가 감지되었다. 1830년대에는 곳곳의 집회를 통해 제기되는 각종 요구가 모든 프로이센인의 목소리가 되어 전국으로 퍼져나갔다. 1841년과 1843년에는 실제로 모든 주의회가 언론 자유를 요구하는 결의안을 통과시켰다. 1843년에는 (중간계층의 여론으로부터 폭넓은 지지를 받는) 라인 지역의 의회가 여러 면에서 아주 진보적인 새로운 프로이센 형법을 거부하는 사태가 벌어졌다. 이유는 사람의 신분에 따라 다른 처벌이 새 형법에 포함됨으로써 '법 앞에 평등'이라는 원칙에 어긋난다는 것이었다.[22] 의회 청원을 지지하는 과정에서 힘을 받은 이 운동은 극적으로 규모가 커지면서 대중의 지지를 받았다.[23] 포젠 지방에서 일어난 폴란드 민족 운동은 처음에는 진보 진영이 요구하는 국민의회를 지지하는 데 소극적이었다. 그것으로 포젠 지역은 왕국의 조직에 더 단단히 결속될 것이라는 이유 때문이었다. 1845년, 주의회 의원들 중에 폴란드 애국자들과 독일 자유주의자들은 합세해서 광범위한 자유화 조치를 요구하기에 이르렀다.[24]

진보 진영이 1840년대의 '운동 세력'과 연합을 시작했다면 보수 진영은 그렇지 못했다. 보수주의(Konservativismus, 이 용어는 당시에는 쓰이지 않았으므로 사후적으로 구성된 것이라 할 수 있다)는 흩어지고 분열된 현상으로서 응집력이 있는 섬유조직으로 짜이지 못한 여러 갈래의 실 가닥과 같았다. 마르비츠의 지주 프리드리히 아우구스트 루트비히로 대변되는 향수 어린 시골의 온정주의는 시골 귀족들 사이에서도 외면받았다. 베를린 대학교에서 헤겔 철학 반대파들에 의해 결성된 '역사학파'(historische Schule)는 대립적인 여러 견해를 포용했는데, 그런 견해가 모두 지속적인 결합의 토대가 될 정도로 '보수적'인 것은 아니었다. 각성 운동의 신경건주의적 경향에 뿌리를 둔 것처럼 보이는 보수파들은 18세기 말에 유행한 세속의 권위주의적 국가 통제에 영감을 받은 사람들과 의견일치를 보기가 어렵다고 생각했다. 관료주의 국가에 대한 여러 보수파의 양면적인 태도 역시 당국과의 협력을 어렵게 만들었다. 1831년에 극보수파가 창간한 『베를리너 폴리티셰스 보헨블라트』(Berliner Politisches Wochenblatt)는 프랑스 7월혁명에서 파생된 세력과 정반대편에 있는 왕당파 기관지를 자처했다. 하지만 이 신문은 곧 프로이센 당국의 검열 때문에 난관에 부닥쳤다. 이 신문사의 후원자들에 따르면, 담당 관리들이 '자유주의' 성향의 사람들이었다. 이 신문은 고정 독자층을 확보하기 위해 분투했지만 1841년에 파산하고 말았다.[25]

이처럼 보수 진영은 반대쪽 진보 진영의 확장에 대응하기 위해 협력을 할 입지가 좁았다. 이들은 대개 타협을 모색하거나 변화가 불가피하다는 생각에 체념하고 말았다. 내각에서조차 보수 진영의 단일화 징후는 보이지 않았다. 대신들끼리 벌이는 정치 토론은 놀라우리만치 공론을 일삼았고 갈등만 드러내고 결론을 내지 못했는데 이는 왕이 부추기거나 적어도 용인한 것이었다.[26] 1843년 10월, 베를린 교외의 슈판다우에 있는 제1근위 향토방위군 여단의 여단장으로서 왕의 측근인 레오폴트 폰 게를라흐는 프로이센의 정치 상황을 돌아보았다. 그는 단순히 헌법개혁을 요구하는 압력뿐만 아니라 보수파가 (정부 안에서까지) 정부에 대하여 단일 대오를 형성하는 데 실패했다는 것을 걱정했다. 몇몇 대신은 ('성서 틸레'라고 불린 극보수파인 폰 틸레마저도) 아주 '노골적으로' 하원을 양보하라는 말을 하기 시작했다. 게를라흐는 국가라는 배는 언제나 새로 부는 시대정신이라는 바람을 타고 급진주의 방향으로 항해하고 있다고 보았다. 그는 자유화 과정을 막는 데 도움이 될 여러 방안을 떠올려보았지만, 성공하리라는 환상을 품지 않았다. 그는 마음속으로 결론지었다. "이 사소한 조치들이 조여들어 오는 시대정신에 맞서 무엇을 할 수 있단 말인가? 신이 세운 권위에 맞서 사탄의 지혜로 무장하고 끊임없이 체계적인 전쟁을 일으키려고 위협하는 시대정신 앞에서?"[27]

이런 상황에서 국왕이 자신이 생각하는 새로운 신분 이데올로기의 기준에 따라 사회를 바꾼다는 것은 생각할 수 없는 일이었다. 물론 시도는 했지만 실패했다. 일례로, 1841년에 그는 프로이센 유대인을 행정상의 편의를 위해 '유대인 집단'(Judenschaft) 조직으로 편입시키라는 내각명령을 내렸다. 선출된 유대인 대표가 지역 당국을 상대로 유대인 지역 사회의 이익을 대변하라는 내용이었다. 이 명령에는 유대인의 병역 의무 면제 조항도 포함되어 있었다. 이런 조치 중에 실현된 것은 하나도 없었다. 국왕의 대신들이 반대했기 때문이다. 내무대신 로호와 신임 종교·교육대신인 요한 알브레히트 프리드리히 아이히호른은 그런 정책이 프로이센 사회의 최근 발전 방향에 어긋난다는 이유로 반대했다. 조사에 따르면 각 지역별 정부도 왕의 계획에 반대한다는 결과가 나왔다. 물론 각 지역별 정부는 유대인의 종교기관에 합법적 지위를 부여하는 데는 반대하지 않았지만, 프리드리히 빌헬름이 선호하는 좀 더 넓은 정치적 의미에서 신분에 따른 지위를 부여하는 것에는 완강하게 반대했다. 국왕의 조치가 지극히 중요한 사회적 동화에 방해가 된다고 보았기 때문이다. 사실 왕이 선호하는 방안에 반대하면서 보여준 열성과 솔직함에 주목해야 한다. 쾰른 지역 정부도 프랑스와 네덜란드, 벨기에, 영국의 성공 사례를 지적하며 유대인 소수민족의 완전하고 무조건적인 해방을 계속적으로 요구했다. 1840년대의 관리들은 왕을 위해 맹목적으로 일하는 '신하'(Untertanen)가 아니라 스스로 정치적 결정과정의 자율적인 참여자로 인식했다.[28]

유대인 문제를 둘러싼 불협화음이 보여주듯이, 프리드리히 빌헬름의 신신분주의는 시대에 맞지 않는 발상이었다. 전반적인 여론과도 맞지 않을 뿐 아니라 당시의 시급한 정치적 현안에 합의를 보는 것이 점점 어렵다고 본 관료 사회의 지배적인 윤리와도 맞지 않았다. 진보 진영과 급진파는 물론이고 일부 보수 진영에게도 새 정권의 정치는 근본적으로 일관성이 없었고 '우리 시대의 극단을 아무렇게나 뒤섞어놓은 것'처럼 보였다.[29] 이 결과로 나온 단절의 감각을 다비트 프리드리히 슈트라우스만큼 제대로 포착한 사람도 없다. 급진적인 신학자인 슈트라우스는 1847년에 간행한 『황제의 지위에 오른 낭만주의자』(Der Romantiker auf dem Thron der Cäsaren)에서 그런 감각을 표현했다. 슈트라우스의 이 책은 '배교자 율리아누스'로 알려진 로마 황제에 대한 글이지만, 실제로는 프로이센 왕에 대한 풍자였다. 여기서 왕은 고대에 대한 향수에 젖어 지내며 절박한 현실의 욕구는 외면하는, 세속을 벗어난 몽상가로 묘사된다.[30]

대중 정치

주의회 주변에서 정치적 행동주의가 확산된 것은 프로이센의 각 주 깊숙이 번진 정치 바람이 더욱 널리 퍼졌기 때문이다. 특히 1840년대 라인란트에서는 대중의 신문 구독이 급증했다. 프로이센의 문맹률은 유럽 기준으로 볼 때 대단히 낮았으며, 글을 몰라도 주점에 가면 큰 소리로 신문 읽어주는 소리를 들을 수 있었다. 신문보다 일반 대중에게 훨씬 더 인기를 끈 것은 '민중달력'(Volkskalender)이었는데, 이것은 전통적으로 저렴하게 대량으로 유통되는 인쇄물로서 뉴스와 소설, 일화, 실용적인 조언 같은 것을 실었다. 1840년대에 들어서자 달력 시장은 고도로 분화되어 다양한 정치적 성향에 맞춰 발행되었다.[31] 1840년대에는 대중에게 인기를 끄는 점괘를 실은 전통적인 달력 시장도 정치 바람을 탔다. 프로이센 정부가 특별한 관심을 기울인 것으로서 『레닌 예언서』(Lehnin'sche Weissagung)란 것이 있었는데 호엔촐레른 왕조의 미래를 점치는 것으로 보이는 책으로 기원은 불확실했다. 라인란트에서 널리 유포된 이 책에는 왕실이 곧 가톨릭으로 개종한다는 예언(이 자체로 당국의 적대감을 일으키기에 충분했다)이 많았는데, 1840년대 초에는 과격한 판본이 나와 '평판이 나쁜 왕'이 '잔학 행위'를 한 대가로 처형될 것이라는 예언이 있었다.[32]

대중문화가 은연중에 정치 영역으로 들어오는 현상은 인쇄물에 국한하지 않았다. 노래는 정치적인 반대 목소리를 훨씬 더 쉽게 전파하는 매체였다. 프랑스혁명에 대한 기억이 유난히 생생하게 남아 있는 라인란트에서는, 경찰 문서에 금지된 「자유의 노래」를 언급한 것이 많았는데, 그중에는 「라 마르세예즈」(La Marseillaise)나 「사이라」(ça ira)를 다양하게 변형한 곡들이 있었다. 이런 자유의 노래는 코체부의 암살범 카를 잔트의 삶과 공훈을 기억나게 했고 오스만제국과 러시아의 폭정에 대항한 그리스인과 폴란드인의 고귀한 투쟁을 기렸으며 불법적인 세력에 맞선 대중 봉기의 순간을 기념했다. '떠돌이 음유시인들'(Bänkelsänger)은 정치적으로 불경스러운 내용을 노래할 때가 많았다. 어떤 박람회나 민간 축제라고 해도 이들이 없으면 안 되었다. 여기저기 떠돌아다니며 '트롱프뢰유'(trompe-l'oeil, 실제로 착각하게 만드는 눈속임 그림)를 보여주는 '요지경 장수'조차 이야기 속에 정치적인 비판을 능숙하게 섞었다. 그러므로 평범한 풍경화도 풍자의 소재가 되기 마련이었다.[33]

　　1830년대부터는 사육제와 5월제, 견본시 같은 민속 축제가 점점 정치적인 메시지를 전하는 경향이 있었다.[34] 1840년대 들어서 (특히 참회의 월요일에 정성껏 준비된 행진을 하는) 라인란트의 사육제는 지방 정부와 프로이센 중앙 정부 사이에 정치적 긴장을 야기하는 활동이 되었다. 인습적인 사회·정치적 관계를 뒤집거나 풍자하는, 무정부적인 주현절 전야제 분위기가 감도는 사육제는 정치적 저항의 유력한 수단이 되기에 적합했다. 1820년대와 1830년대에 라인란트에서 사육제위원회가 설립된 것은 바로 길거리 축제에서 발산되는 문란한 에너지를 다스리기 위해서였다. 하지만 1840년대 초가 되자 여기에도 정치적 반대 목소리가 침투했다. 1842년에는 과격파 위원들이 "공화제 사육제 규약"하에서만 "순수한 바보 행사가 꽃필 수 있다"는 선언을 하면서 쾰른 사육제위원회가 분열되었다. 과격파는 '사육제의 왕'의 즉위식을 거행하고 '바보 상비군'을 통해 왕의 권위를 지켜주자는 발상을 했다. 이례적으로 과격한 뒤셀도르프 사육제위원회도 군주에 대한 눈에 거슬리는 풍자를 통해 유명해졌다.[35]

　　왕에 대한 조롱은 1830년대와 1840년대에 프로이센에서 정치적 반대 목소리를 드러내는 대표적인 방식이었다. 1837년부터 1847년까지 10년간 실제로 조사한 '불경죄'(lèse-majesté)가 575건밖에 안 된다는 것은 이와 유사한 수많은 경범죄가 형사 입건되지 않았다는 것을 암시한다. 경찰이 관심조차 두지 않은 사건도 많았을 것으로 보인다. 사실 군주에 대한 그런 불경죄는 엄하게 처벌하는 것이 보통이었다. 슐레지엔 바름브룬의 재단사 요제프 유로프스키의 경우는 유난히 혹독한 처벌을 받았는데, 그는 술에 취해서 "프로이센의 프리첼(프리드리히)은 악

당이야. 왕은 악당에 사기꾼!"이라고 말했다가 18개월 금고형의 처벌을
받았다. 할버슈타트 부근에 사는 발타자르 마르틴도 주점에서 "왕은
매일 대여섯 병의 샴페인을 마시는데, 백성 걱정을 하겠어? 지독한 술고
래야. 그것도 독주만 마신다니까!"라고 말했다가 6개월간 감옥살이를
했다. 아마 손님들 중에 경찰 정보원이 있었다는 생각은 하지 못한 것
같다.[36]

　이런 비방 중에는 1840년대 중반 들어 대중의 상상 속에 깊이 자
리 잡은 왕의 이미지와 관계된 것도 많았다. 통통하고 소박하며 군대와
는 거리가 먼 외양 때문에 친구나 형제 들에게는 '살찐 넙치'로 통한 프
리드리히 빌헬름 4세는 초대 이래의 호엔촐레른 군주 중에서 신체적
카리스마가 가장 부족했다. 그리고 수많은 풍자화로 조롱을 받은 최초
의 프로이센 왕이었다. 아마 당대에 가장 유명한 묘사는 군주를 동화
에 나오는 '장화 신은 고양이'(Le Chat Botté)에 비유한 1844년에 나온 그
림일 것이다. 살찐 고양이로 묘사된 국왕은 왼손에 샴페인 병을 움켜쥐
고, 오른손에는 거품이 넘치는 잔을 든 채 비틀거리는 모습이다. 그는 상
수시궁의 뜰을 배경으로 프리드리히 대왕의 흉내를 내려고 하지만 애
처로운 인상만 줄 뿐이다. 즉위한 이후 출판물 검열을 완화했던 프리드
리히 빌헬름은 그림에 대한 검열은 다시 강화했다. 하지만 괴상한 모습
으로 군주를 풍자하는 왕국 전역에 걸친 흐름을 막기란 불가능했다.[37]

　아마 통치자의 인격을 무시한 것 중에 가장 극단적인 표현은 「체
히의 노래」(Tschechlied)였을 것이다. 이 노래는 정신장애가 있는 전직
시골 면장 하인리히 루트비히 체히가 왕을 암살하려고 기도한 사건을
떠올리게 했다. 체히는 고향 슈토르코의 부정부패를 막기 위한 공식적
인 지원을 받는 데 실패했다. 그는 자신의 불행에 대해 왕이 직접 책임
져야 한다고 생각했다. 1844년 7월 26일, 체히는 베를린에서 은판 사진
사에게 연극적인 자세로 사진을 찍고, 국왕 부부가 탄 마차를 향해 다
가가 두 발의 총을 쏘았다. 그런데 두 발 다 빗나갔다. 체히의 비정상적

40 장화 신은 고양이 모습의 프리드리히 빌헬름 4세, 프리드리히 대왕의 발자취를
따라가려고 애를 쓰지만 잘 안 된다. 작가 미상의 석판화.

인 정신 상태를 감안할 때 사형은 면할 것이라는 것이 중론이었다. 여론은 처음에 국왕에게 동정적이었으며, 프리드리히 빌헬름도 처음에는 자비를 베풀 생각이었다. 하지만 대신들이 일벌백계로 나가야 한다고 주장했다. 그러다가 12월 들어 체히가 비밀리에 처형되었다는 사실이 알려지자 여론은 왕에게서 등을 돌렸다.[38] 이후 수년간 베를린뿐 아니라 독일 지역의 국가 전체에 다양한 「체히의 노래」가 유포되었다. 노래의 내용은 다음 구절을 보면 알 수 있듯 불경스러웠다.

　　불쌍한 시골 면장 체히
　　지지리 운도 없지,
　　바로 앞에서 쏘았건만
　　그 뚱뚱이를 맞히지 못했다네![39]

사회적 물음

1844년 여름, 페터스발다우와 랑겐빌라우 일대의 슐레지엔 섬유공장 구역은 1848년 혁명 이전에 발생한 프로이센의 폭동 중에서 가장 참혹한 유혈극의 무대가 되었다. 소요는 6월 4일, 군중이 페터스발다우 소재의 건실한 섬유회사 '츠반치거 운트 쇠네'(Zwanziger & Söhne)를 공격하며 시작되었다. 이 회사는 지역의 노동력 과잉을 이용해 임금을 터무니없이 깎고 노동 조건도 열악한 것으로 악명이 높았다. 이 지역에서 유행하는 노래는 츠반치거 형제들을 '사형집행인'이라고 불렀다.

　　회사 사람들은 악당이라네,
　　노동자를 보호하기는커녕
　　우리를 노예처럼 짓밟는다네.[40]

직조공들은 임원들의 사택으로 난입한 뒤 벽난로에서부터 금박거울, 값비싼 도자기 등을 닥치는 대로 때려 부수었다. 이들은 장부와 채권, 차용증, 각종 문서를 보이는 대로 찢어발긴 다음, 방과 헛간, 창고를 짓밟고 다니면서 발에 걸리는 것은 모조리 박살냈다. 파괴는 날이 저물 때까지 계속되었으며 일군의 직조공들이 다시 와 외곽 마을에서 현장으로 발걸음을 옮겼다. 이튿날 직조공들은 지붕을 비롯해 멀쩡하게 남아 있던 구조물들을 이어 파괴했다. 아마 누군가 집주인들이 화재보험에 들어 있어서 보상을 받을 거라고 지적하지 않았다면 모조리 불탔을 것이다.

도끼와 쇠갈퀴, 돌멩이 같은 것으로 무장한 직조공들은 3천 명으로 수가 불어난 가운데, 페터스발다우를 빠져나와 디리히 가족의 저택이 있는 랑겐빌라우로 길을 잡았다. 여기서 이들은 겁에 질린 회사 사원들로부터 회사 건물을 공격하지 않는 대가로 전원에게 (은화 5그로셴씩) 현금을 지급하겠다는 말을 들었다. 그사이 로젠베르거 소령이 지휘하는 슈바이트니츠의 두 개 보병중대가 질서를 회복하기 위해 현장에 나와 있었다. 군인들은 디리히 저택 앞의 광장에 자리를 잡았다. 이로써 재앙이 일어날 모든 조건이 갖춰졌다. 디리히의 집이 공격당하지 않을까 우려한 로젠베르거는 사격 명령을 내렸다. 세 차례의 일제사격이 끝나자, 11명이 바닥으로 쓰러지며 죽었다. 그중에는 군중 틈에 섞인 여자와 아이가 한 명씩 있었고 바느질을 배우러 가던 여자아이를 포함해 구경꾼도 몇몇 있었다. 사망자 중에는 현장에서 200보쯤 떨어진 집 대문 앞에서 구경하던 여자도 한 명 있었다. 목격자들의 보고에 따르면, 한 남자는 일제사격을 받고 머리통이 날아갔다고 한다. 피로 얼룩진 머리가 몸통에서 분리되어 몇 미터 떨어진 곳에서 발견되었다는 것이다. 분노가 폭발한 군중은 끝없이 저항했다. 군인들은 성난 군중의 기세에 놀라 정신없이 도망쳤고 밤새 군중은 디리히의 집과 부속 건물들을 짓밟고 다니면서 귀중품과 가재도구, 회사장부 등 약 8만 탈러에 이르는

Hunger und Verzweiflung

41 직조공의 고통과 그에 대한 국가의 대응. 1844년 급진파 잡지
『전단』(*Fliegende Blätter*)에 '기아와 절망'이란 제목으로 발표된 이 목판화는
그해 6월에 일어난 슐레지엔 직조공의 봉기를 다루고 있다.

재물을 파괴했다.

최악의 사태는 지나갔다. 이튿날 아침 일찍이 포병대까지 가세한 증원군이 랑겐빌라우에 도착하자 디리히의 건물 안이나 주변에 흩어져 있던 군중은 순식간에 흩어졌다. 인근의 프리드리히스그룬트에서 몇 차례 더 폭동이 일어나고 브레슬라우에서도 일단의 장인들이 유대인 주택을 공격하는 일이 있었다. 하지만 시내에 주둔한 부대는 더 이상의 소요를 그럭저럭 막을 수 있었다. 약 50명이 소요와 관련해 체포되었다. 이들 중에 18명은 중노동 및 체형(채찍 24대)과 더불어 징역형에 처해졌다.[41]
  1840년대 프로이센 땅에서 많은 소요와 기아로 인한 폭동이 일어났지만, 슐레지엔 직조공의 반란처럼 여론의 지지를 받은 것은 없었다. 검열을 통해 엄청 애를 썼는데도 불구하고 반란과 진압에 대한 소식은 며칠 사이에 전국으로 퍼져나갔다. 쾨니히스베르크와 베를린에서부터 빌레펠트, 트리어, 아헨, 쾰른, 엘버펠트와 뒤셀도르프에 이르기까지 다양한 언론의 논평과 대중의 논의가 잇따랐다. 직조공을 동정하는 급진적인 시가 쏟아져나왔는데 그중에는 1844년의 종말론적 노래라고 할 하인리히 하이네의 「슐레지엔의 직조공」(Die schlesischen Weber)이 있었다. 여기서 시인은 기아 수준의 임금을 받으며 끝없는 노동에 시달리는 삶의 참담함과 그에 대한 분노를 부르짖고 있다.

  북이 나르고 베틀이 삐걱거리고
  우리는 밤낮 없이 옷감을 짠다.
  독일이여 우리는 너의 수의를 짠다.
  덜커덩덜커덩 쉬지 않고 짠다!

이후 수개월 동안 이 봉기를 가능한 모든 각도에서 분석하는 평론이 수없이 나왔다. 슐레지엔 사태가 큰 반향을 불러일으킨 까닭은 그것이 훗날 '사회적 물음'(soziale Frage)으로 알려지게 될 당대의 민감한 사안에 대해 말했기 때문이다. 이것은 시기적으로 거의 동시에 있었던 영국의 논쟁과 유사한데 그 동기가 된 것은 1839년에 발표된 칼라일의 「영국의 조건」(Condition of England)이라는 글이었다. 이 같은 사회적 물음에는 공장의 노동 조건, 인구밀집 지역의 주택 문제, 신분조직의 해체(예를 들면, 길드와 신분에 따른 지위 등), 경쟁에 기반을 둔 자본주의 경제로 변화, 새로 부상하는 프롤레타리아 사이에서 종교 및 도덕의 타락 등 복합적인 문제가 깔려 있었다. 하지만 가장 중대하고 핵심적인 문제는 하층계급이 점차 가난해지는 '궁핍화' 현상이었다. 포어메르츠(Vormärz, 1848년 3월에 일어난 독일 혁명 이전 시기를 말한다 — 옮긴이) 기간의 '빈궁'(Pauperism) 상황은 여러 가지 중요한 측면에서 전통적인 빈곤의 형태와 달랐다. 그것은 질병과 부상 혹은 흉작에 따른 개별적인 우연의 산물이라기보다 집단적이고 구조적인 현상이었고 계절적인 현상이 아니라 지속적인 것이었다. 이때의 빈곤은 장인계급(특히 도제와 조수)과 영세자작농처럼 그 이전 시기에 상대적으로 지위가 안정적이었던 사회집단을 집어삼키는 특징을 드러냈다. 1846년에 간행된 『브로크하우스 백과』(Brockhaus Encyclopaedia)에서는 '빈궁'을 "대규모 계층이 극심한 중노동을 할 때만 근근이 살아갈 수 있을 때 발생한다"고 설명했다.[42] 문제의 핵심은 노동과 여기서 나온 생산품의 가치가 하락하는 것이었다. 이런 현상은 비숙련 노동자와 수공업 분야에 종사하는 사람들뿐만 아니라 그 수가 점점 늘어나 상당 규모가 된 다양한 형태의 가내공업으로 살아가는 농촌 인구에까지 영향을 미쳤다.

심각한 궁핍화는 식량 소비에도 반영되었다. 예컨대 1838년 프로이센의 라인 지역 주민들은 1년에 평균 41킬로그램의 고기를 소비한데 비해, 1848년에 가면 이 수치가 30킬로그램으로 줄었다.[43] 1846년에 시행한 통계조사는 프로이센 국민의 50~60퍼센트가 최저 수준 혹은 그 비슷한 수준으로 생존하고 있음을 보여주었다. 1840년대 초에 전국적으로 심각해진 빈곤은 프로이센 식자층 사이에 도덕적 공황을 유발했다. 1843년 베를린에서 간행된 베티나 폰 아르님의 『이 책은 왕의 것』(Dies Buch gehört dem König)은 일련의 가상 대화로 시작하는데, 왕국 내에 번진 사회적 위기가 주제여서 당대의 실상을 소상히 알 수 있다.[44] 이 책에는 더구나 23세의 스위스 대학생 하인리히 그룬홀처가 베를린 빈민가를 관찰한 상세한 기록이 부록으로 들어 있었다. 수도 베를린의 인구는 1816~46년 30년 동안, 19만 7천 명에서 39만 7천 명으로 폭증했다. 이주해 온 다수의 극빈층(대부분 임금 노동자와 장인)은 인구가 밀집한 시 북쪽 외곽의 '포크트란트'라는 빈민가에 살았는데, 초기에 이주해 온 사람들 다수가 작센의 포크트란트에서 왔기 때문에 그렇게 불렸다. 그룬홀츠가 아르님의 책에 실은 부록도 이 동네를 관찰한 기록이었다.

다큐멘터리의 사실적인 효과에 익숙해진 우리 시대에 그룬홀츠가 당대 독자들에게 수도 빈민가의 삶을 적나라하게 전달한 매력적인 필치를 느끼기는 어렵다. 그는 4주간 미리 선정한 몇몇 주택을 샅샅이 조사하고 주민들과 인터뷰를 했다. 그룬홀츠는 격식을 갖추지 않고 간결하게 작성한 별도의 산문에서 자신의 인상을 기록하며 베를린의 극빈층 가정의 삶을 조명하는 꾸밈없는 통계를 작성했다. 대화의 구절은 화자의 서술과 섞여 있으며 빈번히 현재시제를 사용함으로써 '현장에서' 갈겨쓴 메모라는 것을 암시한다.

지하 3호실에서 나는 다리를 저는 벌채꾼을 보았다. 내가 들어가자 부인은 식탁에 있던 감자 껍질을 치웠다. 16세 난 딸은 당황해서 그녀의 아버지가 입을 여는 사이에 방구석으로 피했다. 그는 새 건축학교를 짓던 중에 일을 할 수 없게 되었다고 한다. 도움을 요청했지만 오랫동안 무시당했고, 경제력을 완전히 상실하고 나서야 한 달에 은화 15그로셴(0.5탈러)을 수당으로 받았다. 더 이상 시내의 주택에서 지낼 수 없었기 때문에 어쩔 수 없이 가족들이 있는 집으로 돌아왔다. 지금 그는 빈민위원회에서 매월 2탈러를 받는다. 다리 부상을 치료할 수 없다는 것이 인정되면 매월 1탈러를 추가로 받을 수 있다. 그의 아내는 그 두 배를 벌며, 딸은 추가로 1탈러 반을 벌어들인다. 그러면 총 가계소득은 6탈러 반이 된다. 하지만 매월 주거비로 2탈러가 나가고 '감자 한 끼'로 식사를 때우는 데 은화 1그로셴 9페니히가 든다. 하루에 이렇게 두 번 먹는다고 할 때, 매월 주식 식료품비로 3탈러 반이 나간다. 그러면 1탈러가 남는데, 이것으로 땔감을 사야 하고 살아남기 위해 날감자 외에 필요한 모든 것을 해결해야 한다.[45]

같은 맥락에서 쓴 다른 글로는 프리드리히 빌헬름 볼프의 「브레슬라우 방공호」(Kasematten von Breslau)가 있다. 예전에 군 막사와 창고로 쓰이던 구역으로 슐레지엔의 수도 외곽에 있는 빈민촌을 묘사한 이 기사는, 1843년 11월에 『브레슬라우어 차이퉁』(Breslauer Zeitung)에 발표되어 많은 사람에게 읽혔다. 가난한 슐레지엔 농부의 아들로 태어난 볼프는 급진파 기자로 유명해졌다. 그는 스스로 표현하듯이 가깝고도 먼, 있는 그대로의 세계를 묘사했다고 주장했다. '펼쳐진 책'처럼 바로 성벽 앞에 있지만, 대부분의 부유한 주민들에게는 보이지 않는 세계라는 것이다. 부르주아 독자층에 의해 이런 글이 소비되는 배경에는 관음증적인 쾌감의 요소가 깔려 있다는 것을 부인할 수 없다. 사회성이 짙은 묘사로 급성장하고 있던 문학에 중요한 영향을 준 것으로는, 파리의 지하생활을 묘사해 엄청난 주목을 받은 외젠 쉬의 10권짜리 소설 『파리의 비밀』(Les Mystères de Paris)이 있었다. 이 작품은 1842~43년에 연재물로 나와 유럽 전역에 많은 아류작을 낳았다. 볼프는 만일 독자들이 쉬가 묘사한 다채로운 '화류계'에 열중할 준비가 되었다면 바로 자신의 집 앞에서 펼쳐지는 실제의 '브레슬라우의 비밀'에 더 큰 관심을 쏟아야 할 것이라고 말했다.[46] 거의 똑같은 말로 『베를린의 비밀』(*Die Mysterien von Berlin*, 1844)의 저자 아우구스트 브라스는 누구나 그들이 이기적이고 안락하고 편리한 베일을 벗어던지고 자신의 '일상적인 집단' 밖으로 시선을 돌릴 각오가 되어 있다면, 수도의 지하에서 펼쳐지는 비밀을 관찰할 수 있을 것이라고 주장했다.[47]

　1844년 초 몇 달 동안 모든 사람의 이목은 슐레지엔 구릉지의 섬유단지로 집중되었다. 이곳에서는 수년간 가격 폭락과 수요 급감이 거듭되면서 직조공이 사는 거주지 전체가 극심한 가난으로 내몰렸다. 라인란트의 섬유 지구에서는 슐레지엔을 위한 모금 활동이 시작되었다. 3월 중에는 시인이자 급진적인 문학자인 카를 그륀이 각 소도시를 돌며 셰익스피어를 주제로 문학 강연을 하며 인기를 모았고 여기서 거둔 수익금은 지방 정부를 통해 리그니츠 지구의 직조공을 돕도록 전달되었다. 같은 달, 브레슬라우에서는 슐레지엔 직조공 후원연합회가 결성되었다. 봉기가 일어나기 전인 5월에는 지방 정부 관리이자 브레슬라우 후원회원인 알렉산더 슈네르가 가장 피해가 큰 지역에서 집집마다 돌아다니며 그룬홀츠가 모범을 보인 방식으로 직조공 가정의 상황을 꼼꼼하게 기록했다.[48] 이토록 민감한 환경에서 동시대인들이 1844년 6월의 봉기를, 용납할 수 없는 소동이 아니라 근본적인 사회불안의 표현으로 여긴 것은 별로 놀라울 것이 없다.

　봉기에 가담한 주민과 대량 빈곤의 뚜렷한 상관관계는 이 시대의 사회적 위기가 '맬서스 트랩'(Malthusian trap)의 결과가 아닌가 하는 의심을 지울 수 없게 만든다. 맬서스 트랩이란 주민의 욕구가 이용 가능한 식량 공급을 초과하는 상황을 말한다.[49] 이런 견해는 적어도 프로이센의 경우에는 오해를 불러일으키기 십상이다. 전후 수십 년간 이루어진 기술 증진(인공비료, 근대화된 축산, 삼포식 농업 등)과 경작지의 증가는 농업 생산을 두 배로 늘렸다. 그 결과 식량 공급량은 인구 증가율보다 두 배로 늘어났다. 그러므로 문제는 만성적인 생산 부족이 아니었다. 오히려 농업의 과잉 생산이 제조업에 해로운 영향을 끼쳤다. 그것이 농산물의 가격을 떨어트려 농가의 소득이 와해되고, 그 결과 제조업 상품에 대한 수요도 감소해 제조업 분야의 공급이 과잉되었다.

더 중요한 것은 전반적인 농업생산의 두드러진 성장에도 불구하고 식량 공급의 취약한 구조가 개선되지 못했다는 것이다. 자연재해(흉작, 가축 전염병, 농작물 병충해)로 인해 여전히 과잉 생산이 극적으로 생산부족으로 뒤바뀔 수 있었다. 흉작으로 가격이 평소의 두 배, 심할 때는 세 배로 뛴 1846년 겨울의 위기가 좋은 예라고 할 수 있다. 1846~47년에는 설상가상으로 경기 침체가 겹쳤고 대부분의 지역에서 빈민들이 의존하는 감자에 병충해까지 번졌다(예컨대 그룬홀처는 1842년에 방문한 베를린 포크트란트에서는 감자가 극빈 가정이 소비하는 주식이자 유일한 식량이라는 것을 알게 되었다).

생존 위기에 따른 압박감은 불안의 파도를 몰고 왔다. 프로이센에서는 식량 가격이 최고로 폭등한 1847년 4~5월에만 158회의 식량 폭동이 (시장 소란과 상점 및 노점 공격, 교통 봉쇄를 포함해) 일어났다. 4월 21~22일에는 베를린 시민들이 노점과 상점을 습격하고 약탈했으며 감자 상인들을 공격하기도 했다.[50] 꽤나 흥미로운 것은 식량폭동이 발생한 지역과 식량 부족이 가장 극심했던 지역이 일치하지 않는다는 점이다. 폭동은 수출용 식량을 생산하거나 수시로 식량 수송 마차가 통과하는 지역에서 더 자주 발생하곤 했다. 따라서 작센 왕국과 경계를 맞대고 있는 프로이센 지역은 특히 폭동을 일으키기 쉬웠다. 상대적으로 산업화된 작센에서 늘어난 수요 때문에 수출되는 곡물들이 이 지역을 통과할 가능성이 컸기 때문이다.

그런 저항은 정치적인 모반과는 거리가 멀었고 일반적으로 식량 공급을 통제하려고 했거나, 사회적인 난제는 전통적으로 당국의 책임이라는 것을 정부에 일깨워주려는 의도에서 일어났다. E. P. 톰슨이 18세기 영국의 기아 문제를 연구해서 유명해진 '도덕 경제 이론'과 같은 맥락이었다.[51] 폭도들은 특정 계층의 일원이기보다는 정의가 부인되는 상황에서 지역공동체의 대표로서 행동한 것이었다. 이들이 분노를 터뜨린 대상은 원거리 시장과 거래하는 상인, 세관원, 외국인 혹은 유대인 등 주로 외부인이었다. 1846~47년의 폭동과 1848년의 혁명적 행동 사이에 자동적이거나 필연적인 연결고리가 형성된 것은 아니다. 1846~47년에 폭동을 일으킨 대부분의 지역은 혁명 기간에 조용했으며, 1848년의 혁명 기간에 슐레지엔에서 정치적으로 가장 적극적인 집단은 1844년에 봉기한 슐레지엔의 직조공이 아니라 부유한 농부들이었다. 연합회를 결성하고 도시 중산층이라고 할 민주적 인텔리겐치아와 협력을 한 것은 농부들 중에서 가장 형편이 나은 축이었다.

생존을 위한 폭동은 자발적일 때가 많았고 비정치적인 동기에서 일어나긴 했지만, 결과적으로는 고도로 정치적이었다. 그것은 참여자의 주변 영역 너머로 확장된 정치화 과정을 촉진했기 때문이다. 보수주의자와 보호무역주의자는 물가 상승과 정부의 복지부동에 따른 대량 빈곤, 자유주의 관료들이 도입한 규제 해제식의 개혁을 비난했다. 일부 보수주의자들은 '공장 시스템'을 비난하기도 했다. 반면에 자유주의자들은 산업화와 기계화는 사회를 위기에 빠뜨린 원인이 아니라 그에 대한 대책이라고 주장하며, 투자를 방해하고 경제 성장을 가로막는 정부 규제의 철폐를 요구했다. 1844~47년의 사회적 위기에 놀란 보수파는 이후 19세기 독일식 복지국가를 내다보는 처방으로 실험을 했다.[52] 생존 폭동은 특히 급진파에게 그들의 수사와 이론에 초점을 맞추고 그것을 더 날카롭게 벼릴 기회를 제공했다. 일부 헤겔 좌파는 '사회적 보수주의자들'과 마찬가지로 사회 양극화를 막을 책임은 공공의 이익을 관리하는 당국인 국가에 있다고 주장했다. 1844년의 슐레지엔 사태에 자극을 받은 프리드리히 빌헬름 볼프는 위기에 대한 자신의 사회주의적 분석을 다시 정교하게 가다듬었다. 1843년에 나온 브레슬라우 빈민가에 대한 그의 보고서가, '빈자'와 '부자', '이 사람들'과 '부유층' 혹은 '일

용노동자'와 '독립적인 부르주아' 등 주로 막연하게 대립되는 이원적인 대립 진영 중심으로 짜였다면, 7개월 후에 쓴 슐레지엔 봉기에 대한 그의 상세한 평론은 이론적으로 훨씬 거창했다. 여기서는 '프롤레타리아'와 '자본 독점', '생산자'와 '소비자', '민중의 노동계급'과 '사유재산'의 영역이 대치된다.[53]

슐레지엔 봉기의 의미를 둘러싸고 전개된 아르놀트 루게와 카를 마르크스의 논쟁은 동일한 과정을 재조명했다. 파리로 이주한 독일 급진파 신문인 『돌격!』(Vorwärts!)에서 루게는 직조공의 반란이 프로이센의 정치권력에 아무런 위협이 되지 않는 단순한 기아 폭동에 불과했다고 주장했다. 카를 마르크스는 두 차례의 긴 기고를 통해 옛 친구의 생각을 반박했다. 마르크스는 프로이센을 자랑하는 듯한 태도로 영국이나 프랑스에서 발생한 그 어떤 '노동자 봉기'도 슐레지엔에서 일어난 것만큼 '이론적이고 의식적인 특징'을 보여준 적이 없다고 주장했다. 그는 오직 '프로이센인'만이 '정확한 관점'으로 문제의 본질을 꿰뚫었다고 말했다. 직조공들은 츠반치거와 디리히 회사의 장부를 불태움으로써 그들의 분노를 '재산소유권'으로 돌렸고, 여기서 사주에게 일격을 안겨주었을 뿐 아니라 사주를 지탱해주는 금융자본 시스템에 대항했다는 것이다.[54] 궁극적으로 민중은 어떤 압박을 받아야 혁명에 성공할 수 있는가 문제로 비화된 이 논쟁은 두 사람이 돌이킬 수 없이 갈라서는 계기가 되었다. 자원을 둘러싼 극심한 사회적 갈등은 프로이센의 정치적 분화 속도를 촉진하는 부정적 에너지를 방출했다.

하르덴베르크의 시한폭탄

1840년대 들어서서 프로이센의 정치 체제는 예상외로 오래 버티고 있었다. 그것은 비단 점증하는 대중의 정치적 기대감뿐만 아니라 재정상의 한계와도 관련이 있는 문제였다. 1820년 1월 17일에 반포된 국가부채법 (Staatsverschuldungsgesetz)에 묶여서 프로이센 정부는 '전국적인 신분제 의회 소집'을 통해 승인을 받지 않고서는 국채를 발행할 수 없었다. 이런 방법을 통해 개혁 진영(입안자는 재무부의 국가부채 책임자이자 하르덴베르크의 절친한 동료인 크리스티안 로테르였다)은 추가적인 헌법 개정에 대한 양보를 받아낼 때까지 정부의 손발을 묶어놓았다. 이것은 하르덴베르크가 프로이센 국가의 심장부에 설치해놓은 시한폭탄이었다. 1820년대와 1830년대에 후임 재무대신이 간접적으로 명목상의 독립적인 해상(海商)을 통해 국채 발행에 초점을 맞추고 부채를 소규모로 제한하는 동안 이 시한폭탄은 빠르게 째깍거리며 갔다. 1820년대와 1830년대에 프로이센은 다른 어떤 독일 국가보다 부채가 적었다.[55]

하지만 프리드리히 빌헬름 4세가 잘 알고 있었듯, 이런 환경이 언제까지고 지속될 수는 없었다. 국왕은 수송기술의 경제적·군사적·전략적 중요성이 갈수록 두드러지는 시기에 철도를 열광적으로 옹호했다.[56] 1843년, 젊은 시절의 헬무트 폰 몰트케는 "철도의 발전 하나하나가 군사적 이점을 가져다준다. 철도 완성에 수백만 탈러를 쓰는 것이 성채를 짓는 데 거금을 쏟아붓는 것보다 국방에 훨씬 더 유익하다"라고 보았다.[57] 이는 민간 부문에 맡기기에는 너무도 중요한 영역이라 프로이센이 곧 기반시설에 지출할 수밖에 없는 것은 분명했고 대대적으로 국채를 발행하지 않고서는 감당할 수 없는 노릇이었다.

하지만 왕은 꾸물거리며 통합주의회를 소집해야 한다는 주장을 받아들이지 않았다. 왕의 한 측근이 본 대로 전국 의회가 "국채와 관련한 협의에는 응하지 않고 이를 시급하게 보는 견해에 사사건건 트집을 잡을" 위험성이 있었기 때문이다.[58] 1842년, 국왕은 각 주의회 대표 12명으로 구성된 연합위원회를 소집했다. 그가 바란 것은, 그들이 헌법 문제로 확대시키지 않고 철도 건설을 위한 국가 재원을 마련해야 할 필요성 같은 의제를 논의해주었으면 하는 것이었다. 하지만 연합위원회에 대한 청원은 금지되었고 의제는 극히 제한적이었으며 토론 규칙 때문에 진정한 논의는 불가능했다. 위원들은 알파벳 순서로 나와서 한 가지 의제에 대하여 한 번씩 발언할 수 있었다. 이런 조건에서 위원회가 실질적으로 결정할 수 있는 것은 하나도 없었다. 한 라인란트 위원이 철도 재정에 관한 토론 도중에 용기를 내어 지적했듯이, 가장 중요한 것은 위원회에는 국채 발행을 승인할 권한이 없다는 것이었다.[59] 1844년 말, 프리드리히 빌헬름은 차후 3년간 주의회의 전국회의를 소집하는 것을 단념했다.

1840년대 중반에 접어들자 철도 문제가 긴박한 현안으로 대두했다. 프로이센의 철도망은 그 무렵에 극적으로 늘어나 1840년의 185킬로미터에서 1845년에는 무려 1,106킬로미터가 되었다.[60] 하지만 이런 성장은 민간 투자자들이 이익을 볼 수 있는 구역에 집중되었다. 사업가들이 수익성 없이 거시경제와 군사적 필요에 맞춘 주요 프로젝트에 관심을 보이지 않는 것은 이해할 수 있는 일이었다. 하지만 1845년 가을이 되자, 프랑스가 전략적 철도망 건설에 착수했다는 소식이 베를린에 날아들었다. 그 동쪽 종착역은 독일 연방(Deutsches Bund)의 안보에 잠재적인 위협이 될 수 있었다. 통합된 전 독일의 전략적 철도정책에 대한 베를린의 요구는 허사로 돌아갔다. 독일 연방은 통합 철도망을 위한 적절한 표준 궤간 문제조차 합의를 보지 못했다. 프로이센이 독자적으로 해결해야 한다는 것은 분명했다.[61] 1846년에 다듬어진 사업의 핵심에는 라인란트 및 프랑스 접경지를 브란덴부르크 및 동프로이센과 연결해주는 '동부철도'(Ostbahn)가 있었다.

하르덴베르크의 시한폭탄은 이제 폭발할 조건을 갖추었다. 1847년 2월 3일 작성된 왕의 칙서는 통합주의회의 소집을 알리는 것으로서, 이것이 1820년의 국가부채법에서 상정한 기구임을 분명히 했다. 통합주의회는 새 헌법기관이 아니라 단순히 각 주의회를 조합한 단일 기구에 불과했다. 따라서 이전 기구의 어색하고 잡다한 정체성을 그대로 물려

받았다. 의원들은 주와 신분에 따라 따로 앉았으면서도 표결은 개인으로 했으며, 의회는 대부분의 안건에 대해 국민의회 같은 단일 기구처럼 운영되었다. 왕자와 백작, 왕실에 딸린 귀족 및 왕실 구성원이 앉는 상위 구역(Herrenkurie)이 있었고, 나머지 의원들은 지방 귀족과 시민, 농민의 대표로서 3신분 구역(Dreiständekurie)에 앉았다. 복잡한 표결 방식 때문에 각 지역의 대표는 그들의 이익을 침해하는 안건에 대한 거부권을 유지할 수 있었으며, 이런 점에서 통합주의회는 1815년 이후에 보여준 프로이센 국가의 '연방' 구조를 반영했다. 칙서는 통합주의회의 주 업무가 새로운 세금을 도입하고 철도 건설을 위한 국채 발행을 승인하는 것이라는 점을 강조했다.[62]

통합주의회는 소집되기 전부터 논란이 많았다. 소수 온건 보수파는 이구동성으로 지지했지만, 이 목소리는 자유주의자들의 비판적인 함성에 묻혀 들리지 않았다. 대부분의 자유주의자들은 칙서에서 설정한 조건이 그들의 정당한 기대에 훨씬 못 미친다고 느꼈다. 슐레지엔의 자유주의자 하인리히 지몬은 (프로이센의 검열을 피하기 위해) 작센의 라이프치히에서 간행해서 논란을 일으킨 평론을 통해 "우리는 빵을 요구했는데 당신은 돌덩이를 주었어!"라고 부르짖었다. 테오도르 폰 쉔은 전국의회로서의 자격이 없기 때문에 통합주의회 의원들이 공개 회의를 통해 새로운 선거를 요구해야 한다는 견해를 대표하는 인물이었다. 칙서가 자유주의자들에게 공세적이었다면, 그것은 칙서를 온전한 헌법적 해결로 가는 길이라고 여긴 강성 보수파에게도 경고하는 의미가 있었다. 소유지가 적은 다수의 귀족은 (보수파라 할지라도) 고위 귀족에게 부여된 특별 지위에 의해 기가 꺾였다. 슐레지엔과 베스트팔렌의 성씨를 사용하는 상위 구역의 많은 의원도 구프로이센 지역의 지방 대표를 짜증나게 만들었다.[63] 하지만 통합주의회의 발표는 정치적 기대를 부풀게 하는 측면도 있었다.

1847년 4월 11일 일요일(춥고 흐리고 비가 오는 베를린 날씨), 600명이 넘는 일단의 주대표들이 통합주의회 개회식이 열리는 베를린궁의 백색 홀로 들어갔다. 원고 없이 30분 넘게 이어진 왕의 개회사는 일종의 경고사격이었다. 자신의 칙서를 받아들이는 방식에 격노한 왕은 타협할 기분이 아니었다. 그는 다음과 같이 말했다. "지상의 어떤 세력도 짐으로 하여금 군주와 백성의 자연스러운 관계를 […] 인습적인 헌법적 관계로 바꾸게 만들 수는 없소. 짐은 하늘에 계신 하느님과 이 나라의 관계를 언급한 어떤 종잇장도 허용치 않을 것이요." 연설은 통합주의회는 법적인 기구가 아니라는 암시로 끝을 맺었다. 그것은 특별한 목적, 즉 새 세금과 국채를 승인하기 위해 소집된 것이며 통합주의회의 미래는 왕 자신의 의지와 판단에 달려 있고,' 통합주의회의 임무는 결단코 '의견을 제시'하는 것이 아니라는 것이었다. 그는 의원들에게 자신은 "바람직하고 쓸모가 있다"고 생각할 때만, 또 "왕권을 훼손하지 않는다는 것을 의회가 증명해 보일 때만 의회 소집이 가능하다"는 것이었다.[64]

결국 통합주의회의 논란은 강성 보수파가 옳다는 것을 입증하는 꼴이 되었다. 다양한 노선의 프로이센 자유주의자들은 사상 처음으로 자신들이 같은 무대에서 공동으로 대처하고 있다는 것을 깨달았다. 그들은 일정한 간격을 두고 재소집할 권리를 확보하고 모든 법안을 승인할 권한을 요구하며 자의적으로 방해하는 정부 당국에 맞서 이 권한을 보호함으로써, 그리고 신분차별의 잔재를 일소함으로써 의회를 적절한 입법기구로 전환하기 위한 운동을 전개했다. 이런 요구를 받아들이지 않으면 의회는 정부의 지출 계획을 승인할 수 없다고 주장했다. 지방의 진보적인 정치인들이 볼 때, 이는 생각이 같은 전국의 동지들과 의견을 공유하고 교환할 절호의 기회였다. 자유주의 열혈 지지자가 출현하기 시작한 것이다.

라인 지방의 실업가이자 철도 사업가인 다비트 한제만은 1843년부터 라인 주의회의 의원을 지내온 인물로서 라인 지역 진보 진영의 대표적인 인물이었다. 그는 왕궁 부근에 큼직한 집을 구하고 여기서 다른

622

주의 진보적인 의원들과 모임을 열었다. 자유주의의 각 정파는 호텔 '루시셔 호프'에서 모임을 갖고 정치 토론과 논쟁을 벌이며 연회를 열었다. 자유주의 성향의 의원들은 예비 모임을 갖기 위해서는 적어도 첫 회기 일주일 전에 수도에 도착해야 한다는 말을 들었다. 언론과 정치 네트워크가 주의 노선에 따라 여전히 분산된 국가에서 이런 경험의 중요성은 아무리 강조해도 지나치지 않을 것이다. 그 경험은 자유주의자들에게 자신감과 목표 의식을 불러일으켰다. 동시에 그것은 그들에게 정치적 협력과 타협의 미덕에 대한 최초의 강렬한 가르침을 주었다. 한 보수파 의원이 안타깝게 지켜본 대로, 자유주의자들은 핵심 정치논쟁에 대한 전략을 조정해가며 '밤늦도록' 일하는 것이 일과였다.[65] 이런 방법으로 그들은 숱한 원내 토의에서 주도권을 잃지 않았다.

반대로 보수주의자들은 비틀거렸다. 그들은 의사 진행 과정에서 툭하면 수세에 몰린 것으로 보였고 자유주의자들의 제안과 도발에 대응하기에 급급했다. 각 주의의 다양성과 자율성을 위해 싸우는 투사로서 그들은 전체 프로이센의 계획에 합심하여 협력하기가 어렵다는 것을 알았다. 많은 보수파 귀족에게 그들의 정치는 신분상의 지위와 떼려야 뗄 수 없는 관계였다. 이것은 그들이 더 낮은 신분의 잠재적 동맹 세력과 공동전선을 펼치는 것을 어렵게 만들었다. 자유주의자들이 광범위한 원칙(입헌주의, 국민 대표성, 언론의 자유)에 합의할 수 있었던 반면에, 보수주의자들은 급격한 변화보다 전통에 기초한 점진적인 발전을 선호하는 모호한 감각을 제외하면, 명확하게 규정된 공동의 연결고리라곤 전혀 없는 것 같았다.[66] 보수파는 리더십이 결여되었고 당파를 결성하는 데도 느렸다. 레오폴트 폰 게를라흐는 4주간의 회기가 끝난 5월 7일, "하나의 패배가 또 다른 패배로 이어졌다"라고 말했다.[67]

순수한 헌법적인 측면에서 볼 때 통합주의회는 기대한 것과는 딴판이었다. 입법부로 전환되는 것은 허용되지 않았다. 1847년 6월 26일 산회하기 전에 통합주의회는 정기적인 회의를 소집할 의회의 권리를 국왕이 승인할 때만 협력할 수 있다는 선언을 하면서, 동부철도의 재정을 충당하기 위한 정부의 국채 발행 요청을 거부했다. 자유주의 성향의 사업가이자 의원인 다비트 한제만은 "돈 문제에서는 온정에 한계가 있다"라고 비꼬는 유명한 말을 남겼다. 그러나 정치문화의 틀에서 보자면 통합주의회는 무척이나 중요한 것이었다. 주의회와 달리 통합주의회는 의사진행이 기록되고 공표되는 공적 기구였으므로 원내에서 이루어지는 논쟁은 전국적인 정치 지형에서 반향을 불러일으켰다. 통합주의회는 가장 단호한 방법으로 군주의 봉쇄 전략이 힘을 잃었다는 것을 보여주었다. 또한 통합주의회는 실제 헌법의 교체가 긴박하다는(불가피하다는) 신호를 보냈다. 하지만 정확하게 어떤 방법으로 그 변화가 일어날 것인지는 불확실했다.

혁명 전야의 프로이센

시인이자 수필가며 위트와 과격한 풍자를 하는 문인 하인리히 하이네는 자신의 풍자시 「독일, 겨울동화」(Deutschland. Ein Wintermärchen)에서 13년간 파리에서 망명을 마치고 프로이센으로 돌아온 자신의 귀환을 묘사했다. 하이네는 뒤셀도르프의 유대인 중산층 상인 가문 출신으로서 베를린 대학교에서 헤겔 강의를 들었으며 관리로서의 경력에 장애물을 제거하기 위해 청년 시절에 기독교로 개종했다. 프로이센이라는 '기독교 국가'에서 유대인 국민을 동화시키려는 압력이 있었음을 알 수 있다. 1831년, 국가 관리가 되려는 꿈을 포기한 뒤로 시인과 작가로서 상당한 명성을 얻은 하이네는 파리에서 기자 생활을 하기 위해 프로이센을 떠났다. 1835년, 당시 독일 정치에 대한 거침없고 비판적인 논평 때문에 연방의회는 하이네의 작품에 대해 광범위한 출판 및 유통 금지 처분을 내렸다. 이것으로 독일 연방 내에서 작가로서의 그의 경력은 끝난 것이나 다름없었다. 시집 『독일, 겨울동화』는 짧고 불운한 고향 (라인란트) 방문이 있은 1844년에 출간되었다. 맨 처음 그를 맞이한 프로이센 사람들은 당연히 세관원들로 하이네의 짐을 샅샅이 수색했다. 재기가 번뜩이는 일련의 4행시에서 하이네는 프로이센 국경에서 겪은 일화를 들려준다.

> 그들은 바지와 셔츠를 샅샅이 뒤지며 킁킁거렸다.
> 하나도 빼놓지 않고 손수건까지.
>
> 그들은 펜촉과 장신구를 찾고 있었다.
> 그리고 금서목록에 오른 책까지.
>
> 멍청이들! 여기서는 찾을 것이 없는 것을
> 그렇게 터무니없는 생각을 하다니!
> 나와 함께 다니는 금서들은
> 이 머릿속에 저장되었다네!
> […]
>
> 머릿속에 쌓인 책은 너무도 많아
> 셀 수도 없는 것을!
> 내 머리는 지저귀는 새들의 둥지
> 모두가 압수품이라네!

이 시가 프로이센에 대한 현실을 묘사하고 있다는 것을 부인해도 부질없는 짓이다. 전국의 자유주의 사상가들은 한결같이 답답하고 유머 감각도 없으며 좀스러운 프로이센 검열 당국의 간섭을 한탄했다. 베를린의 자유주의자인 카를 파른하겐 폰 엔제의 일기에서는 검열에 대한 부

625

담이 반복해서 등장한다. 그는 "도량이 좁고 짓궂으며 방해만 하는 감시의 폐해"와 '끝없이 새로운 시빗거리'를 짜내는 검열관의 창의성, 자의적인 검열 규정으로 비판적 문예지를 방해하는 것에 대한 글을 쓴다.[68]

다른 한편으로 파른하겐도 알았듯이, 프로이센의 검열 제도는 우스꽝스러우리만치 효과가 없었다. 그는 1837년 8월, 검열의 실제 목적이 대중의 독서 습관을 단속하는 것이 아니라 검열 자체가 왕정 체제의 나머지 분야를 정당화하는 것이라고 보았다. "사람들은 무슨 내용이든 자신이 원하는 것을 읽을 수 있다. 다만 왕이 볼 수 있는 모든 것은 신중한 심사를 거친 것이다."[69] 아무튼 은밀하게 유통되는 인쇄물을 통제하는 것은 사실상 불가능했다. 독일어권 유럽의 정치적 분열은 검열하는 쪽에서 볼 때는 불리한 상황이었다. 한 나라에서 금지된 작품이 다른 나라에서는 쉽게 인쇄가 되었기 때문이다. 밀반입도 국경 경계가 허술해 쉬웠다. 급진적인 뷔르템베르크의 상인인 토마스 베크는 금지된 출판물을 모자 속에 감추고 빈번하게 프로이센의 라인란트 경계를 넘었다.[70] 바르멘의 경건한 섬유제조업자의 아들로 급진파였던 프리드리히 엥겔스는 1839년 11월, 브레멘에서 친구인 빌헬름 그레버에게 보내는 편지를 썼다. "나는 요즘 금서를 프로이센으로 대량 반입하는 수입업자일세. 뵈르네의 『프랑스 혐오자』(Franzosenfresser) 네 권, 뵈르네의 『프랑스 서신』(Briefe aus Paris) 여섯 권, 반입이 가장 엄격하게 금지된 베네다이의 『프로이센과 프로이센 정신』(Preußen und Preußentum) 다섯 권이 바르멘으로 송달되기를 기다리고 있다네."[71] 야코프 베네다이의 『프로이센과 프로이센 정신』은 라인란트의 한 자유주의자가 프로이센 정부를 통렬하게 공격하는 책으로서 연방 차원에서 금지했음에도 소용이 없었다. 독일 서적상들은 교묘하게 단속을 피하는 법을 알았다.[72] 노래의 경우에는 단속이 훨씬 심했다. 많은 종이가 필요 없는 데다가 인쇄본이 없이도 유통될 수 있었기 때문이다. 대중문화의 정치화 현상으로 인해 정부는 결코 단속할 수 없는 저항문화에 직면했다. 그것은 비공식적이고 변화무쌍했으며 어디에나 있었기 때문이다.

　　오만하고 짐짓 꾸민 모습으로 거드름을 피우는 프로이센 병사의 특색은 많은 사람, 특히 급진적인 환경에 사는 사람이 볼 때 최악의 국가 모습을 상징했다. 고향으로 돌아온 하인리히 하이네가 프로이센 군대를 처음 본 것은 고대 프랑켄 제국의 카를 대제 치하에서 중심지 역할을 했고 당시는 조용한 라인 지방의 섬유 중심지인 아헨에서였다.

　　이 맥 빠진 보금자리에서
　　한 시간 남짓 돌아다니다가
　　프로이센 군대를 다시 보았네,
　　여전히 똑같은 그 모습을.
　　[…]

　　똑같이 경직되고 규칙에 얽매인 태도
　　똑같은 직각 보행,
　　그리고 평소와 마찬가지로 경멸을 담은
　　한결같이 얼어붙은 얼굴.

　　그들은 여전히 뻣뻣하게 거리를 어슬렁거리네.
　　너무도 반듯한 콧수염에 단정한 차림새,
　　마치 그들이 휘두르던 몽둥이를
　　집어삼키기라도 한 것처럼.

군대에 대한 대중의 반감은 전국적으로 그 정도가 다양했다. 가장 심한 곳은 라인란트로서 여기서는 애향심을 발판 삼아 베를린의 프로테스탄트에 대한 분노를 키워왔다. 라인 지방의 많은 도시에서는 병사와 민간인(특히 수공업이나 노동에 종사하는 젊은 남자 민간인) 사이의 긴장이

627

일상적이었다. 공공건물에서 보초를 서는 군인은 밤이면 쉽게 젊은 남자들의 표적이 되었다. 주점 안이나 주점 부근에서는 병사와 민간인 사이에서 우연한 폭력 사태가 숱하게 발생했다.[73] 군부대는 형 집행에서 맡은 자신들의 역할을 꺼렸다. 프로이센 도시의 치안은 제대로 훈련되지 않은 경찰관으로 구성된 소수의 파견대에게 맡겨졌다. 하지만 이들이 맡은 임무는 너무나 광범위해서 '원자재와 폐기물'의 말끔한 처리라든가 '거리와 배수관' 청소, 장애물 제거, 오물 제거, 소환장 배달, '요령을 흔들며 공식 발표 알리기' 등 갖가지 궂은일까지 처리해야 했다.[74] 민간인에 대한 치안 유지의 취약한 구조는 프로이센 당국이 질서를 회복하기 위해 종종 군대의 힘을 빌려야 한다는 것을 의미했다. 심각한 폭동이 발생했을 때는 보통 소수의 지방경찰은 얼굴을 내밀지 않고, 군중이 위력을 떨치며 공세적으로 나오는 동안 군대의 지원을 기다렸다. 1844년 페터스발다우와 랑겐빌라우에서 바로 이와 똑같은 상황이 발생했다. 유연하게 군중을 다스리는 기술이 부족한 군지휘관들은 구두경고를 하다가 갑자기 기마병의 군도 사용이나 심지어 총격으로 공세를 강화하는 경향이 있었다. 다만 이것은 프로이센만의 특수한 문제는 아니었다. 영국과 프랑스에서도 질서 회복에 군부대를 활용하는 것은 흔한 일이었다. 1819년 피털루 대학살이 영국의 치안 유지 방식이 아니었던 것처럼, 1844년 랑겐빌라우에서 일어난 극단적인 폭력 사태도 프로이센의 전형적인 상황은 아니었다.

물론 영국은 (영국을 여행하는 사람들이 끝없이 지적하듯이) 비교할 수 없이 더 자유로운 국가였지만, 그렇다고 반드시 더 인간적인 국가는 아니었다. 영국인들은 프로이센에서라면 생각할 수 없을 국가 폭력을 견뎌냈다. 1818~47년에 프로이센에서 이루어진 사형선고는 1년에 21건에서 33건 사이를 오르내렸다. 하지만 실제 집행 건수(5~7건)는 이보다 훨씬 적었다. 이는 이 시대 군주의 중요한 덕목이라고 할 국왕사면권을 적극 활용했기 때문이다. 대조적으로 통합 인구(약 1,600만 명)가 프로이센과 엇비슷했던 잉글랜드와 웨일즈에서는 1816~35년에 1년 평균 1,137회의 사형선고가 내려졌다. 이 판결에 따른 실제 집행 건수(10퍼센트 미만)가 비교적 적었던 것이 확실하다고 해도, 그 숫자는 프로이센보다 16배 더 많았다. 잉글랜드와 웨일즈에서 내려진 사형선고 대다수가 재산범죄와 관련된 것(부분적으로는 규모가 미미한 사건도 있었다)인 데 비해, 프로이센에서 처형된 사형수는 대개 살인범이었다. 혁명 이전 시기에 '정치적' 처형이 있었다면 시골 면장으로 국왕 암살을 시도해서 대역죄의 선고를 받은 체히 사건이 유일했다.[75] 요컨대 프로이센에서는 영국의 '핏빛 법조문'에 의해 교수대에서 일상적으로 자행된 학살에 견줄 수 있는 사형 집행이 없었다.

1840년대의 기아 사태를 낳은 프로이센의 빈민 문제가 아무리 끔찍하다고 해도 영국 통치하의 아일랜드를 황폐하게 만든 기근 대재앙에 비하면 무색할 정도다. 오늘날 우리는 이 재난이 자유시장의 역동성에 잘못 대처한 행정상의 과오라고 비난한다. 만일 그런 기근 사태가 프로이센의 폴란드인에게 일어났다면, 우리는 1939년 이후 자행된 나치 통치의 만행이 당시에도 이미 있었다고 생각할지 모른다. 또한 우리가 기억해야 할 것은 아일랜드에서는 없던 제약이 폴란드에는 있었다는 사실이다. 폴란드는 프로이센과 러시아 제국 사이에 낀 불안정한 전선이었으며 이 지역의 프로이센인 정책은 러시아의 이익을 고려할 수밖에 없었다. 물론 프로이센 왕은 폴란드 민족주의자들이 주장하는 것의 정당성을 받아들이지 않았지만 독특한 민족성을 간직하려는 폴란드 주민들의 열망은 들어주었다. 실제로 정부가 초·중등학교에서 폴란드어를 장려한 결과 프로이센이 점령한 구폴란드 연방 지역에서는 폴란드인의 문맹률이 극적으로 낮아졌다. 물론 플로트벨 주지사가 (이후 전개될 상황의 불길한 전조를 드리운) '독일화'(Germanisierung)라는 동화정책으로 전환했던 10년이 있었다. 하지만 아주 일관성 없이 추진되다가 낭만적인 친폴란드 성향의 프리드리히 빌헬름 4세가 즉위하면서 끝났고, 아무튼 그것도 이 지역의 정치적 충성에 심각한 의문을 제기한 1830년 폴란드 혁명에 대한 대응으로 나온 정책이었다.

하이네가 파리에서 망명생활을 하던 1840년대 전반, 프로이센이 점령한 폴란드는 포젠 국경 동쪽에서 정치적 망명을 택한 폴란드인에게는 매력적인 피난처였다. 러시아의 반체제 인사들도 프로이센으로 향했다. 급진적인 문학평론가인 비사리온 그리고리예비치 벨린스키는 유명한 『고골에게 보내는 편지』(Brief an Gogol)를 쓴 1847년에 슐레지엔의 잘츠브룬에 살고 있었다. 그는 이 작품에서 조국의 정치적·사회적 후진성을 비난한 죄로 러시아 법원의 궐석재판에서 사형선고를 받았다. 이 저항의 외침은 러시아 내의 반체제 인사들 사이에서 너무도 큰 호응을 얻었기 때문에 슐레지엔으로 벨린스키를 찾아간 트루게네프는 『사냥꾼의 수기』(Aufzeichnungen eines Jägers)에 실렸던 「대농장 관리인」(Der Gutsverwalter)에 '잘츠브룬, 1847'이라는 서명을 해주었는데, 이것은 그가 벨린스키의 비판을 강력히 지원한다는 암호였다. 같은 해에 또 다른 망명객인 러시아의 급진파 알렉산드르 게르첸이 동부에서 프로이센 국경을 넘었다. 쾨니히스베르크에 도착한 그는 깊은 안도감을 맛보며 "불쾌한 공포심과 의혹의 압박감을 말끔히 떨쳐냈다"라고 표현했다.[76]

14

프로이센 혁명의
찬란함과 비참함

**Splendour and Misery
of the Prussian Revolution**

베를린의 바리케이드

1848년 2월 말, 베를린 시민은 혁명 소식에 점점 익숙해지고 있었다. 1847년 겨울에는 스위스의 진보적 프로테스탄트 세력이 보수적인 가톨릭 주와 내전을 벌이고 승리를 거두었다. 그 결과 자유주의적 헌법을 실현한 새로운 스위스 연방주가 탄생했다. 그 다음 이탈리아반도의 불안한 정세에 대한 보고가 있고 나서, 1848년 1월 12일에는 팔레르모에서 반란군이 권력을 장악했다는 소식이 들렸다. 이로부터 2주가 지난 뒤, 나폴리 왕이 이탈리아 군주로서는 처음으로 국민에게 헌법을 양보하자 팔레르모 혁명의 성공이 확인되었다.

베를린을 흥분시킨 것은 무엇보다 프랑스에서 날아온 뉴스였다. 2월에 자유주의 반체제 운동은 군대와 시위대의 유혈 충돌로 절정에 오르면서 프랑스 수도에서 세를 얻었다. 2월 28일, 베를린 『포시셰 차이퉁』지의 호외는 '급전'이라는 제목 아래 루이 필리프 왕이 퇴위했다는 소식을 전했다. 편집자는 여기서 "프랑스와 유럽의 현 정세로 볼 때, (너무도 갑작스럽고 너무도 폭력적이며 전혀 예측할 수 없는) 이러한 사태 변화는 [1830년의] 7월혁명보다 결과적으로 더 놀랍고 어쩌면 더 중대한 것으로 보인다"라는 설명을 곁들였다.[1] 파리로부터 프로이센의 수도로 뉴스가 들어오자, 베를린 시민들은 거리로 쏟아져나와 정보를 수소문하면서 토론을 벌이기에 바빴다. 날씨까지 한몫 거들었다. 이날은 누구나 기억할 만큼 온화하고 맑은 초봄 날씨였다. 독서클럽과 커피하우스, 온갖 종류의 공공시설은 사람들이 터질 듯이 들어찼다. "신문이 손에 잡힌 사람은 누구나 의자 위로 올라가 큰 소리로 내용을 낭독했다."[2] 사건 소식이 속속 전해지자 흥분은 걷잡을 수 없이 확산되었다. 만하임과 하이델베르크, 쾰른 및 기타 독일 지역의 도시에서 대규모 시위가 발생했고 바이에른의 루트비히 1세는 정치개혁 및 시민의 자유와 관련한 양보를 했으며 작센과 바덴, 뷔르템베르크, 하노버, 헤센 등지에서는 보수파 각료들에 대한 해임이 잇따랐다.

토론과 시위 과정에서 핵심 역할을 한 곳은 시민 엘리트 계층이 선발되어 규칙적으로 시의 당면 문제를 논의하는 시의회였다. 일단의 군중이 시청으로 몰려간 3월 9일 이후, 평소에 정치적으로 둔감했던 시의회가 저항적인 집회로 변신하기 시작했다. 교외 지역의 휴식과 오락을 위한 장소라고 할 브란덴부르크 문 바로 밖에 있는 티어가르텐 구역에서는 '천막 속에서' 매일 정치 집회가 열렸다. 이것은 비공식 모임으로 출발했지만, 곧 즉석 의회의 형태를 갖추고 안건에 대한 표결을 하고 결의안을 통과시켰으며 대표를 선출했다. 이는 1848년 독일의 전체 도시에 등장한 '대중 집회 민주주의'의 전형적인 예였다.[3] 얼마 지나지 않아 시의회와 '천막 집회'는 공동으로 활동하기 시작했다. 3월 11일, 의회는 정치와 법률, 헌법개혁의 긴 목록을 보내온 천막 모임의 탄원서 초안을 토론했다. 3월 13일, 이제 2만 명이 넘는 사람들이 운집한 천막 집회에서는 노동자와 기술 장인 들의 연설을 듣기 시작했다. 이들의 주 관심사는 법안이나 헌법개혁이 아니라 노동자 계층의 경제적인 욕구였다. 한 모퉁이에서 열린 노동자 집회에서는 별도의 의회를 구성하고 '자본

42 1848년 베를린 클럽의 일상. 당대의 판화.

가와 고리대금업자'로부터 노동자를 보호하는 새로운 법안을 촉구하며 자체적으로 청원서 초안을 작성하고 왕에게는 노동부 설치를 요구했다. 뚜렷한 정치적·사회적 관심사가 이미 결집된 시민 군중 안에서 구체화되고 있었다.

거리를 휩쓰는 군중의 '투지와 불손'이 격화되는 것에 놀란 베를린 경찰국장 율리우스 폰 미누톨리는 3월 13일 시내에 새로운 군부대의 투입을 요청했다. 이날 밤 민간인 몇몇이 궁정 구역 부근의 충돌 상황에서 피살되었다. 군중과 진압부대는 시가지를 장악하기 위해 싸우는 집단적인 적대세력이 되었다. 이후 며칠간 군중은 초저녁이면 시가지를 휩쓸고 다녔다. 만초니의 기억할 만한 비유를 인용하자면, 그들은 "사람들이 하늘을 올려다보며 아직 진정이 안 되었다고 말하곤 하는, 맑은 하늘에 여기저기 흩어져 빠르게 흘러가는 구름" 같았다.[4] 군중은 군대를 두려워하면서도 군인들에게 다가가 그들을 회유하고 설득하다가 비웃기도 했다. 군부대는 그들 나름대로 치밀한 규범이 있었다. 제멋대로 구는 시민들과 부닥칠 때는 1835년의 소요단속법을 3회 읽어주게 되어 있었다. 그리고 나서 북이나 트럼펫으로 경고 신호를 3회 보낸 다음 공격 명령을 내릴 수 있었다. 군중 속의 남자들 중에서는 군복무를 마친 사람이 많았기 때문에 이런 신호는 거의 누구나 알 수 있었다. 소요단속법을 낭독하면 군중들로부터 대개 휘파람과 야유가 쏟아져나왔다. 전진 혹은 공격이 임박했음을 알리는 북소리는 꽤 강력한 억제 효과가 있었지만, 잠시뿐이었다. 베를린에서 전투가 벌어지는 동안, 군중은 군인들이 경고 과정만 계속 반복하게 만들었다. 군인들을 자극하다가 북소리가 들리면 흩어지고 얼마 후에 나타나 처음부터 다시 시작하는 식이었다.[5]

시내의 분위기는 너무도 험악해서 군복 차림으로 시내를 혼자 혹은 소수의 인원만으로 걸어갈 때는 위험하기 그지없었다. 자유주의 성향의 작가이자 일기 작가인 카를 아우구스트 파른하겐 폰 엔제는 3월

15일, 2층 창문에서 착잡한 기분으로 거리를 내다보았다. 인근 인도에서 장교 세 명이 걸어가는데, 200명 정도 되는 청소년들이 고함을 지르며 그들을 쫓아갔기 때문이다. "나는 군중이 장교들에게 돌을 던지고 몽둥이로 한 사람의 등을 내리치는 것을 보았다. 하지만 장교들은 달아나지도 않고 대들지도 않았다. 그들은 모퉁이까지 그대로 걸어간 다음 발슈트라세 쪽으로 꺾더니 정부 청사로 피했다. 그러자 그곳에 있던 무장 경계병들이 쫓아오던 군중을 물리쳤다." 장교 세 명은 이후 파견부대에 의해 구조되어 시내 병기창까지 안전하게 호위를 받고 돌아갔다고 한다.[6]

군대와 경찰 지휘부에서는 소요에 대한 대처 방식을 놓고 서로 합의를 보기가 어려웠다. 베를린 지구 사령관으로서 수도 인근의 부대 전체를 책임지는 에른스트 폰 푸엘 장군은 균형적인 사고를 하는 인물로서 전술적 대처와 정치적 양보를 병행하는 것을 좋아했다. 이와 반대로 국왕의 동생인 빌헬름 왕자는 왕에게 폭도들에 대한 전면공격을 명령하라고 졸랐다. 국왕의 친위대 지휘관으로서 빌헬름 왕자를 지지하는 강경파인 프리트비츠 장군은 훗날 궁정을 지배하던 어수선한 분위기를 회고했다. 왕은 수많은 보좌관과 지지자의 엇갈리는 충언에 시달렸다고 프리트비츠는 주장했다. 그러다가 빈에서 2일간의 혁명적인 격변을 겪고 나서 메테르니히 내각이 무너졌다는 소식(3월 15일 베를린에 전해졌다)과 함께 분기점이 찾아왔다는 것이다. 늘 오스트리아에 대한 경의를 표해왔던 국왕 주변의 대신과 보좌관 들은 이 소식을 불길한 징조로 판단하고 추가로 정치적인 양보를 하도록 건의했다. 3월 17일, 왕은 검열을 폐지하고 프로이센에 헌법 체제를 도입하는 칙령을 반포하는 데 동의했다.

하지만 이 무렵에 반란세력은 3월 18일 오후에 궁정 광장에서 시위를 할 준비를 이미 마친 상태였다. 그날 오전, 정부는 베를린 전역에 정부의 양보 소식을 알렸다. 시의원들은 거리로 쏟아져나와 시민대표들과 춤을 추었다. 시 당국은 이날 밤 감사의 표시로 시내에 불을 밝히도록 지시했다.[7] 그러나 준비된 시위를 중단시키기에는 너무 늦었다. 정오 무렵 인파가 궁정 광장에 모이기 시작했다. 그중에는 부유층 시민과 '보호관'(Schutzbeamte, 군대와 군중을 중재하기 위해 중산층에서 선발해 임명된 비무장 관리)도 있었지만 시 외곽의 빈민가에서 온 기술 장인도 많았다. 그 와중에 정부가 양보했다는 소식이 전파되면서 군중이 반기고 축하하는 분위기로 바뀌었다. 여기저기서 박수갈채가 터져나왔다. 햇볕이 내리쬐는 무더운 광장에 빽빽하게 들어찬 군중은 왕의 면담을 원했다.

궁정 내부에서도 안도하는 분위기였다. 미누톨리 경찰국장이 오후 1시쯤 도착해서 본격적인 소요 가능성이 여전히 남아 있다고 경고하자 왕은 너그러운 미소로 그를 맞이한 다음 노고를 치하하고 덧붙였다. "한 가지 말해둘 것이 있는데, 친애하는 미누톨리, 당신은 언제나 사태를 부정적으로 보는 것이 문제야!" 광장에서 터져나오는 박수갈채와 환호성을 들으면서 왕과 측근 신하들은 군중이 있는 곳으로 향했다. "환호를 맞으러 나가야죠"라고 폰 푸엘 장군이 유쾌하게 말했다.[8] 마침내 발코니로 걸어나가 광장을 내려다본 왕은 열광적인 박수갈채를 받았다. 이어 폰 보델슈빙 수상이 앞으로 나가 입을 열었다. "국왕께서는 언론의 자유를 널리 보급하기를 원하십니다! 국왕께서는 통합주의회가 즉시 열리기를 바라십니다! 국왕께서는 모든 독일 땅이 가장 자유로운 토대에서 헌법의 보호를 받기를 바라십니다! 국왕께서는 독일의 깃발이 반드시 있어야 한다고 생각하십니다! 국왕께서는 세금에 의한 규제를 철폐하려고 하십니다! 국왕께서는 프로이센이 이 운동의 선두에 서기를 원하십니다!" 군중은 대부분 왕이나 대신이 하는 말을 알아들을 수 없었지만, 사람들 사이로 최근의 칙서를 적은 유인물이 배포되면서 발코니 주변에서는 거대한 환호성이 울려 퍼졌고 광장 일대는 흐뭇한 미소로 가득 찼다.

군중의 시야에 먹구름이 하나 끼었다면, 그것은 성문 아치 아래 그리고 그 뒤의 궁정 안에 도열한 군인들이 보였다는 점이다. 눈에 익은 적의 모습이 보이자, 환호하던 분위기는 틀어지기 시작했다. 사람들의 마음 한구석에는 군인들에게 밀려나지 않을까 하는 일말의 공포가 있었다. 함성이 터져나오기 시작했다. "군대는 물러가라! 군대는 물러가라!" 광장의 상황은 곧 통제범위를 벗어날 것 같았다. 이 시점(오후 2시 무렵)에 왕은 수도 주둔군의 지휘권을 푸엘로부터 더 강경한 프리트비츠에게 이관했다. 그리고 군인들을 풀어 광장을 정리하고 "그곳을 지배하는 괘씸한 상황을 종료하도록" 명령했다. 유혈극을 피하려면 기병대는 검을 뽑지 않고 행군속도로 나가야 했다.[9] 극심한 혼란이 이어졌다. 1개 기병대대가 천천히 앞으로 나가며 군중을 밀어붙였지만 해산시키는 데는 실패했다. 현장은 명령이 전달되지 못할 정도로 시끄러웠기 때문에 통제하기가 어려웠다. 말 몇 마리가 겁이 나서 뒷걸음치기 시작했다. 군인 두 명은 그들이 탄 말이 자갈 포장길에서 발을 헛디디고 비틀거리자 말에서 떨어졌다. 기병대가 군도를 뽑아 들고 공격을 시작하자 비로소 군중은 광장에서 흩어졌다.

상당수의 군중이 랑겐브뤼케와 브라이텐슈트라세 사이에 있는 궁정 구역 동쪽 모퉁이에 모여 있었다. 소규모 근위대가 그들을 해산시키기 위해 파견되었다. 우발적으로 두 발의 총성이 울린 것은 바로 이 과정에서였다. 근위대 병사인 퀸의 소총 방아쇠가 차고 있던 칼 손잡이에 걸려 발사되었고, 헤트겐 준위의 총은 시위대 중 한 명이 막대기로 총의 공이치기를 건드려서 격발된 것이었다. 이 두 발의 총격으로 다친 사람은 없었지만, 총소리를 들은 군중은 군대가 민간인에게 총격을 가하기 시작한 것으로 확신했다. 이에 분노한 소식이 빠른 속도로 시내에 전파되었다. 정보가 잘못되었다는 사실을 알리기 위해 궁에서는 기상천외한 발상을 했다. 두 명의 민간인을 고용해서 "국왕의 호의를 오해한 것입니다!"라고 쓰인 거대한 플래카드를 들고 시가행진을 시킨 것이다.

하지만 이런 시도는 예상 가능하듯 아무런 소용이 없었다.

베를린 전역에서 손에 잡히는 것들로 즉석에서 만든 바리케이드가 생겨났다. 이 임시변통 장벽에서 대부분의 전투가 벌어졌는데, 시가지 곳곳에서 비슷한 형태로 치러졌다. 바리케이드를 향해 전진하는 보병대가 사정거리 안에 들어오면 근처 건물에서 타일과 돌멩이가 쏟아졌다. 군인들은 집집마다 들어가서 수색했다. 바리케이드는 포병대의 포격으로 해체되거나 전투 기간에 죄수들의 도움을 받은 병사들에 의해 제거되었다. 파른하겐 폰 엔제는 바리케이드를 지키는 시민군이 군대가 접근해 오는 소리를 듣고 어떤 반응을 보였는지를 다음과 같이 묘사했다. "시민군은 즉각 태세에 돌입했다. 수군대는 소리가 들리더니 젊고 낭랑한 목소리의 '여러분, 지붕으로!'라는 명령이 떨어졌다. 그러자 각자 자신이 맡은 위치로 향했다."[10] 브라이텐슈트라세의 바리케이드를 공격하는 임무를 맡은 샤데빙켈이라는 병사는 훗날 이 전투에서 자신이 했던 일을 회고했다. 옆에 있던 동료가 머리에 총을 맞고 사망한 뒤에, 샤데빙켈은 한 무리의 병사들 틈에 섞여 반란군이 있는 건물로 쳐들어갔다. 이들은 인정사정없이 총을 쏘면서 계단과 집 안으로 돌격했고 "반항하는 자는 누구든 쓰러뜨렸다"고 했다. "집 안에서 일어난 일은 정확하게 설명할 수 없어요. 나는 전례 없이 흥분한 상태였으니까요"라고 샤데빙켈은 말했다.[11] 여기서도 베를린의 다른 구역과 마찬가지로 아무 죄도 없는 구경꾼과 부분 가담자가 전투원과 함께 살해되었다.

시내를 통제하는 것은 군지휘관들이 생각했던 것보다 훨씬 더 힘들다는 것이 드러났다. 3월 18일 자정 무렵, 프리트비츠 신임 반란군 진압사령관은 궁에 있는 프리드리히 빌헬름 4세에게 휘하의 부대가 슈프레강과 노이에 프리드리히 슈트라세, 슈피텔마르크트 사이의 구역을 통제하는 동안 더 이상의 진격은 현재로서 불가능하다는 것을 인정할 수밖에 없다고 보고했다. 프리트비츠는 일단 시내에서 철수한 다음 베

43 1848년 3월 18일 크로네슈트라세와 프리드리히슈트라세의 모퉁이에 있는 바리케이드. 목격자의 눈에 비친 모습, F. G. 노르트만의 석판화, 1848년.

를린을 포위하고 포격을 해서 항복을 받아내자고 제안했다. 왕은 이처럼 무자비한 작전에 대해 초연할 정도로 냉정한 반응을 보였다. 장군에게 감사를 표한 왕은 자신의 책상으로 돌아가 앉았다. 프리트비츠는 폐하가 "구두와 양말을 벗고 아주 편안한 자세로 털이 무성한 발싸개로 발을 감싸는 것"을 지켜보았다. "마치 다시 긴 문서를 작성하려는 것처럼 보였다."[12] 해당 문서는 「친애하는 베를린 시민들에게」라는 연설문으로 이튿날 새벽에 발표되었다. 여기서 왕은 시민들에게 질서회복을 호소했다. "평화를 되찾고 아직 남아 있는 바리케이드를 치우기 바랍니다. […] 그러면 거리와 광장에 있는 군대를 철수시킬 것을 약속합니다. 군대는 필요한 최소한의 건물만 점유할 것입니다."[13] 군대 철수에 대한 명령은 이튿날 정오 직후에 내려졌다. 왕은 혁명의 손에 자신의 운명을 내맡긴 것이다.

이것은 결정적인 순간이며 논란의 여지가 있다. 베를린에서 철수하는 것은 1806년 이후 프로이센군이 겪은 시련 중에 가장 부아가 치미는 사태였다. 왕이 기가 죽은 것일까? 군부 내 매파들은 확실히 이렇게 생각했다.[14] 강경조치를 선호해서 '포도탄 왕자'(Kartätschenprinz)라는 별명을 얻은 프로이센의 빌헬름 왕자는 그중에서도 가장 극렬한 매파였다. 군대가 철수한다는 소식을 접한 그는 형에게 달려가 자신의 칼을 왕의 발아래 내던지며 외쳤다. "이제까지 전하가 수다쟁이라는 것은 알았지만, 겁쟁이인 줄은 몰랐는데 말입니다. 이제 전하를 명예롭게 섬길 수 없어요!" 이에 대해 분노의 눈물을 머금은 왕은 이렇게 대답했다고 한다. "상황이 너무 안 좋아! 너는 여기 있으면 안 돼. 빨리 피해!" 이 무렵 시민들이 가장 혐오하는 인물이 된 빌헬름은 결국 고집을 꺾을 수밖에 없었다. 그는 변장하고 베를린을 떠난 다음 런던으로 건너가 분을 삭였다.[15]

돌이켜보면, 왕의 결정에는 짚어볼 대목이 많았다. 일단 군대의 조기철수는 더 이상의 유혈사태를 막아주었다. 이것은 3월 18~19일 밤에 있었던 잔인한 전투를 감안하면 중요한 결정이었다. 300명이 넘는 반군과 약 100명의 장병이 희생된 베를린은 독일의 3월혁명에서 가장 참혹한 시가전을 치렀다. 이와 대조적으로 빈에서는 3월의 소요 기간에 희생자 수가 50명 정도밖에 되지 않았다.[16] 프리드리히 빌헬름의 결정은 또한 같은 해에 유럽의 몇몇 도시에서 벌어졌던 포병대의 포격으로부터 베를린을 지켜주기도 했다. 이로 인해 국왕은 수도의 격렬한 대치 상태로 인해 명성을 더럽히지 않은 공적 인물로 떠올랐다. 이것은 독일 지역의 문제에서 프로이센이 주도권을 행사할 기회가 혁명에 의해 주어졌다는 매우 중요한 의미가 있었다.

상황 반전

베를린 사건의 충격은 왕국 전역에 불안과 반란 소식이 퍼지면서 한층 더 깊어졌다. 3월 초 이래 무허가 집회와 군중대회, 폭동, 폭력사태, 공장 기계 파괴 사건이 격화되고 있었다. (주로 도시에서) 일부 시위는 헌법 쟁취와 시민의 자유, 법 개정 같이 자유주의 노선의 정치적 목소리에 초점을 맞추었다. 높은 실업률로 고통을 겪는 지역의 복지를 침해하는 요인으로 보고 공장과 창고, 기계를 규탄하는 시위도 있었다. 예를 들어 베스트팔렌의 졸링겐 같은 도시 주변에서는 3월 16일과 17일, 커틀러리 제작공들이 주물 제작소와 공장을 공격하고 파괴했다.[17] 섬유도시인 바렌도르프에서는 일자리를 잃은 직조공과 제혁공 들이 기계 생산 방식을 사용하는 공장에 반대하는 시위를 했다.[18] 라인 지방의 강변에 형성된 도시에서는 기선 운항을 반대하는 시위가 벌어졌다. 기선 때문에 강변의 작은 하항(河港)과 그곳의 서비스 기능이 불필요해졌기 때문이다. 시위대가 총과 소형 대포로 지나가는 선박을 공격하는 사례도 있었다.[19]

자유주의자들과 급진주의자들은 때로 저항 운동의 주도권을 놓고 경쟁을 벌였다. 예를 들어 3월 3일, 쾰른에서는 왕에게 보낼 자유주의적인 청원을 놓고 토론을 벌이기 위해 모인 시의원 모임이 성인 남자의 보편적인 선거권과 상비군 폐지를 요구하는 대규모 군중에 의해 무산되었다. 의원들은 회의실에서 몸을 피했는데, 한 사람은 창문에서 뛰어내리다가 다리가 부러졌다. 다른 어떤 지역보다 농업 해방의 결실이 적었던 슐레지엔에서는 농민들이 앞장섰다. 이들은 떼를 지어 행정관청으로 행진을 하며 '봉건'제도의 전면적인 폐지를 요구했다.[20] 도시는 혁명기에 나타난 불안정한 길거리 정치의 핵심 역할을 했다. 베를린에서만 125건의 소요가 발생했고 쾰른 46건, 브레슬라우 45건, 자유주의 성향의 쾨니히스베르크는 21건을 기록했다. 좀 더 규모가 작은 소도시(특히 라인란트와 베스트팔렌)에서도 격렬한 폭동이 일어나며 갈등이 노출되었다.[21] 비단 프로이센 왕국뿐 아니라 독일 지역의 국가 전체에서, 나아가 유럽 대륙에서 거센 파도처럼 밀어닥친 저항의 동시성과 열기는 엄청난 위력을 보여주었다.

이제 베를린의 국왕은 시민들의 힘에 휘둘렸다. 이런 상황의 심각성은 국왕 내외가 궁정의 발코니로 나오라는 요구를 받은 3월 19일 오후에 절실하게 느낄 수 있었다. 밖에는 간밤의 전투에서 목숨을 잃은 반란군들의 시신이 문짝이나 나무 널빤지 위에 눕혀 나뭇잎에 덮인 상태로 광장에 실려와 있었다. 옷이 벗겨져서 총격과 포탄, 총검 공격으로 생긴 상처가 그대로 드러나 있었다. 왕은 이때 우연히 군모를 쓰고 있었다. "모자 벗어요!" 군중 대열 맨 앞에 있던 나이 든 남자가 큰 소리로 외쳤다. 왕은 모자를 벗고 고개를 숙였다. "단두대만 없군" 하고 하얗게 질린 엘리자베트 왕비가 중얼거렸다. 그것은 잊지 못할 정도로 끔찍한 굴욕이었다.[22]

이런 상황에도 불구하고 국왕은 며칠 지나지 않아 자신의 새로운 역할에 기꺼이 적응하기 시작했다. 3월 21일 오전, 국왕에게 독일 민족 운동의 대의를 받아들이도록 촉구하는 플래카드가 시내에 걸리고 난 뒤, 프리드리히 빌헬름은 범독일 의회 창설을 지원하기로 결심했다는 발표를 했다. 그는 이후 눈에 띄게 적극적으로 대외활동에 나섰다. 궁정 구내에서 말에 오른 왕은 조신들이 대경실색하는 가운데 시내로 나갔다. 뒤에서는 민간인 복장을 하고 독일을 상징하는 3색기를 든 근위대원 한 명이 따르고 있었다. 빽빽이 모여서 환호하는 군중 사이를 뚫고 행진하는 동안 왕은 여기저기 멈춰 서서 자신이 독일 민족의 대의를 지지한다는 즉석 연설을 했다.[23]

　4일 후, 왕은 포츠담으로 나가 베를린에서 철수한 문제로 아직도 화를 삭이지 못하고 있는 군지휘관들을 만났다. 그는 도열한 장교들을 향해 입을 열었다. "짐이 여기에 온 것은, 포츠담에 대해서는 전혀 걱정할 필요가 없다는 것을 베를린 시민들에게 증명해 보이기 위해서요." 가장 아슬아슬했던 순간은 왕이 자신은 시민들이 보호해줄 때보다 더 자유롭고 안전한 느낌을 받은 적이 없다는 놀라운 말을 꺼냈을 때였다.[24] 목격자 중 한 사람인 오토 폰 비스마르크에 따르면, 이 말이 떨어지자 대열에서 "수군대는 소리와 군도가 덜컹거리는 소리"가 들렸다고 한다. "장교들 한가운데에 있는 프로이센 국왕으로서는 한 번도 들어본 적 없는 그리고 이후로도 결코 듣고 싶지 않은 소리"였다.[25] 혁명 초기에 며칠간 복잡했던 왕의 위상을 이보다 더 간명하게 보여주는 일화는 없다. 왕은 소외감을 느끼는 지휘관들 사이에서 반동적인 음모의 기운이 싹트고 있다고 의심하고(사실로 드러났다) 왕 개인에 대한 그들의 충성심을 다시 다짐받음으로써 그 싹을 잘라버리려고 했다.[26] 하지만 이날의 만남은 더 광범위한 공적 기능을 했다는 의미가 있다. 왕의 연설은 즉시 베를린의 『포시셰 차이퉁』과 『알게마이네 프로이셰 차이퉁』(*Allgemeine Preussische Zeitung*)에 실렸는데, 그 내용은 (적어도 이 순간만은) 국왕이 군대와는 선을 그었고, 혁명에 대한 약속이 순수하다는 것을 시민들에게 확실하게 보여주는 것이었다.

　이후 몇 주가 지나면서 프로이센에서는 새로운 정치 질서가 전개되기 시작했다. 3월 29일, 1847년의 통합주의회에서 자유주의 진영의 대표 역할을 했던 라인 지방의 유명한 사업가 루돌프 캄프하우젠이 수상에 임명되었다. 새 내각에는 자유주의자이며 라인 지방의 사업가이자 주 대표로서 재무대신에 임명된 다비트 한제만도 포함되었다. 4월 초에 개회하고 며칠 지나지 않아, 제2차 통합주의회는 프로이센 국민의회(Preußische Narionalversammlung)의 구성을 위한 선거법을 통과시켰다. 이것은 간접선거 방식으로 유권자가 일단의 선거인단을 선출하면, 이들이 다시 대표를 선출하는 형태였다. 해당 지역에 6개월 이상 거주하면서 빈민구제 혜택을 받지 않는 모든 성인 남자에게는 투표권이 있었다. 5월 선거 결과 자유주의 및 자유주의 좌파 색깔이 두드러진 의회가 들어섰다. 의원의 약 6분의 1은 기술 장인과 농민이었는데 이는 프랑크푸르트나 빈의 혁명적인 의회보다 더 높은 비율이었다. 보수파는 소수이거나 아주 드물었으며 지주계급은 새 국민의회 의원의 7퍼센트밖에 되지 않았다.[27] 따라서 국민의회는 그에 걸맞게 새 시대를 상징하는 핵심 안건을 다루는 데 거침이 없었다. 1848년 여름과 초가을에 국민의회는 군주의 행정권을 더 제한하는 결의안을 통과시키고 군대를 헌법의 권위에 종속되도록 요구했으며 제약 없이 수렵할 수 있었던 봉건 지주의 수렵권을 폐지하라고 주장했다. 수렵정책은 계급투쟁의 강력한 무기였다.

캄프하우젠 정부는 새로운 프로이센이 자유주의 원칙에 따라 발전할 수 있도록 끈질기게 노력했다. 대폴란드 정책을 놓고서는 국왕 및 국왕의 보수파 보좌관들과 극렬한 다툼을 벌이기도 했다. 캄프하우젠 내각의 외무대신인 하인리히 알렉산더 폰 아르님-주코 남작은 1848년 3월까지 파리 주재 프로이센 공사를 역임한 자유주의자로서 폴란드인의 민족 운동에 대해 양보 방침을 선호했다. 이에 비해, 왕과 그의 보좌관들은 폴란드인에게 용기를 주는 모습을 보임으로써 러시아를 따돌리는 것이 내키지 않았다. 예상된 일이지만, 외무대신은 이 문제에 어쩔 수 없이 양보를 하고 5월에 벌어진 소요사태를 진압하기 위해 포젠에 프로이센군을 파견했다. 군사적 조치의 결과에 대한 부처별 공동책임이라는 민감한 문제를 놓고서도 분쟁이 있었다. 프리드리히 빌헬름은 전임자들과 마찬가지로 군대에 대한 프로이센 왕의 직접적인 지휘권, 이른바 '군통수권'(Kommandogewalt)을 통치권의 필수적인 요소로 간주했기 때문에 이 분야에 대해서는 어떤 양보도 하려고 들지 않았다. 왕은 내각을 향해 그답게 목청을 높이면서, 양보를 하는 것은 "한 인간으로서, 프로이센인이자 국왕으로서 자신의 명예에 어울리지 않는 것이며 직접적인 퇴위로 이어질 것"이라고 말했다.[28] 이때도 다시 내각이 한발 물러섰다.

5월 22일에 개회된 직후 국민의회에 나가 발표할 준비를 하려고 캄프하우젠 정부가 몹시 서둘러서 준비한 헌법 새 초안을 놓고서도 극심한 논쟁이 벌어진 것은 놀라운 일이 아니다. 프리드리히 빌헬름은 여러 가지로 이 초안이 마음에 들지 않았으며 훗날 헌법과 관련해 대신들과 벌인 토론을 '내 평생 가장 끔찍한 시간'이라고 술회했다. 개정 초안에는 군주는 '신의 은총에 의한' 왕이고, 군대에 대한 독점적인 통수권을 행사하며, (대중의 의지에 의해 군주에게 부과된 기본법과는 반대로) 헌법은 군주와 국민의 '합의'(Vereinbarung)로 이해되어야 한다는 수정된 내용이 즉시 포함되었다.[29]

많은 토론을 거친 이 문건이 국민의회에 제출되었을 때 베를린과 의회의 분위기는 들끓기 시작했다. 프로이센과 독일의 많은 지역에서처럼 베를린에서도 수적으로나 자신감에서나 극좌파의 세력이 커지고 있었다. 동시에 자유주의 강령의 엘리트주의에 거부감을 가진 세력을 대변하는 조직과 신문들이 등장했다. 길거리에서도 자유주의 정부가 여론 장악력을 상실하고 있다는 징조가 엿보였다. 3월 봉기의 유산에 어떻게 대처할지를 놓고서도 극심한 불화를 빚었다. 반란 행위에 대한 형사 처분을 소급해서 면제해줄 것인가? 베를린 국민의회에서는 이 문제를 놓고 열띤 논쟁이 벌어졌다. 다수의 의원이 봉기의 적법성을 인정하지 않자, 급진파 의원인 율리우스 베렌츠는 쩌렁쩌렁한 목소리로 연설을 하며 국민의회가 3월 18~19일 바리케이드에서 싸웠던 투사들에게 빚지고 있음을 상기시켰다. 거의 동시에 민주주의 노선의 신문인 『디 로코모티베』(Die Lokomotive)는 국민의회가 "아버지를 공경하지 않는 제멋대로 자란 소년"처럼 그 기원을 부인한다고 비난했다.[30] 3월의 희생자들을 기리는 추모행진에는 10만 명이 넘는 인파가 모였는데, 사실상 이들은 모두 노동자, 일하는 여성, 장인으로 엄밀히 말해 바리케이드에서 싸우다 희생당한 시민군과 같은 사회 계층이었다. 국민의회의 다수를 차지하는 중산층 시민계급은 별로 눈에 띠지 않았다.

이처럼 갈수록 불안한 분위기에서 헌법 1차 초안에 담긴 타협 정신에 대한 국민의회 다수의 지지를 확보할 가능성은 희박했다. 지지 확보에 실패한 캄프하우젠은 6월 20일에 사임했고 한제만이 새 정부를 구성해달라는 요청을 받았다. 새 내각의 수상은 자유주의 노선의 동프로이센 사람 루돌프 폰 아우어스발트였다(한제만은 재무대신으로 내각에 남았다). 그 다음 달에 명망 높은 민주주의자 베네딕트 발데크가 의장을 맡고 있는 국민의회 제헌위원회가 새로운 헌법 초안을 내놓았다. 새 헌법 초안은 군주의 입법 저지권을 제한하고, 순수한 시민군(Bürger-wehr)을 두고(과거 급진 군사개혁가들의 기획으로 되돌아간 것이었다), 종교 의식 없는 민간 결혼을 도입하며, 농촌 지역에 남아 있는 세습 특권의 마지막 흔적을 제거하는 것이었다.[31] 이 초안은 그 앞의 것만큼이나 논란을 불러왔고, 의회는 합의를 보지 못한 채 양극단의 의견으로 갈렸다. 그리하여 헌법은 어정쩡한 상태로 남았다.

깨지기 쉬운 베를린의 정치적 타협을 가장 뒤흔든 것은 민간과 군 당국 사이의 관계 설정이었다. 이는 프로이센의 다음 세대가 다시 맞닥뜨려야 하는 문제였다. 7월 31일, 슐레지엔의 도시 슈바이트니츠 지역의 군 사령관이 멋대로 내린 명령에 따른 격렬한 충돌로 민간인 14명이 사망하는 사건이 발생했다. 이후 폭력사태가 번졌고 그 와중에 브레슬라우 의원 율리우스 슈타인은 군 장병이 헌법적 가치에 따라 행동하게 하는 기준을 도입하자는 발의를 했다. 그가 주장하는 것은 군대의 모든 인력은 반동적인 경향을 멀리해야 하고 새 정치 질서를 존중한다는 증거로 민간인과 친하게 지내도록 북돋우자는 의미였다.

장황하게 말하긴 했지만, 슈타인은 신흥 정치 엘리트들에게 무소불위의 군부 권력에 대해 경각심을 가져야 한다고 엄중하게 경고한 것이었다. 만일 군대가 새 질서에 반대하는 세력의 거수기로 남는다면, 자유주의자와 그들의 제도는 군대가 눈감아준 덕에 살아남은 것이라고, 그들의 토론과 법안은 한편의 코미디와 마찬가지라는 말이 돌지도 몰랐다. 슈타인의 발의는 국민의회의 몹시 민감한 부분을 건드린 것으로서 압도적 다수의 찬성으로 채택되었다. 아우어스발트와 한제만 정부는 군대 문제에 관해서 국왕이 양보하지 않을 것이라고 예상하고, 대립을 유발하지 않기 위해 최대한 행동을 조심했다. 하지만 국민의회의 인내심은 곧 바닥이 났고, 9월 7일에 의회는 정부가 슈타인의 안건을 이행할 것을 촉구하는 결의안을 통과시켰다. 프리드리히 빌헬름은 분통을 터뜨리며 힘을 써서라도 '불충하고 아무짝에도 쓸모없는' 수도에 질서를 회복시켜놓겠다고 말했다. 그러는 동안 슈타인의 제안을 둘러싼 논란으로 인해 내각은 어쩔 수 없이 해산했다.

신임 수상인 에른스트 폰 푸엘 장군은 3월 18일 전야에 베를린 일대의 군대를 지휘했던 바로 그 사람이었다. 푸엘을 임명한 것은 올바른 선택이었다. 그는 강경 보수파는 아니었지만, 혁명기의 열기와 정치적 소요를 보며 단련된 인물이었다. 젊은 시절엔 낭만주의 성향의 극작가 하인리히 폰 클라이스트와 강렬한 동성애적 우정을 나누었다. 푸엘은 프랑스 점령 기간에 마음속에 상처 난 애국심을 품고 외지로 나간 이주민에 속했다. 빌헬름 폰 훔볼트의 친구이기도 했던 그는 유대인 살롱에서 인기를 끌며 관용과 학식으로 당대의 자유주의 진영으로부터 폭넓은 존경을 받았다. 하지만 온화한 성품의 푸엘조차 고집 센 국왕과 다루기 어려운 의회를 중재하지 못한 나머지 11월 1일 사임하고 말았다.

그의 후임으로 프리드리히 빌헬름 폰 브란덴부르크 백작이 임명될 것이라는 발표가 나오자 자유주의 진영은 실망감을 감추지 못했다. 브란덴부르크는 국왕의 삼촌으로서 브레슬라우에 주둔한 제4군단의 전 사령관이었다. 그는 왕 주변의 보수파에서 선호하는 후보였고 그를 임명한 목적은 아주 간단했다. 레오폴트 폰 게를라흐의 설명에 따르면, 브란덴부르크의 임무는 "가능한 모든 방법을 동원해 여전히 이 나라를 통치하는 사람은 의회가 아니라 왕이라는 것을 보여주는 것"이었다.[32] 11월 2일, 국민의회는 국왕에게 대표를 파견해 신임 수상의 임명에 대해 항의했다. 하지만 이 항의는 간단히 묵살되었다. 일주일이 지난 11월 9일, 안개 낀 아침에 브란덴부르크 신임 수상은 장다르멘마르크트에 있는 국민의회 임시의사당으로 가서, 의회는 브란덴부르크 시에서 모이는 11월 27일까지 휴회할 것이라는 발표를 했다. 몇 시간 뒤, 신임 총사령관 브랑겔 장군은 1만 3천 명의 병력을 이끌고 수도로 입성했다. 그는 장다르멘마르크트로 행진한 뒤 의회의 의원들을 향해 해산하라고 직접 알렸다. 국민의회는 '수동적인 저항'을 외치며 납세 파업을 선언했다.[33] 11월 3일에는 계엄령이 선포되고 시민군이 해산(무장해제)되었다. 정치 클럽이 폐쇄되고 급진적인 신문 중에 유명한 것은 폐간되었다. 많은 의원은 11월 27일에 브란덴부르크 시에서 모이려고 했지만, 이내 흩어지면서 국민의회는 12월 5일에 공식적으로 해산되었다. 같은 날, 정치적으로 기민한 움직임 속에서 브란덴부르크 정부는 새 헌법이 반포될 것이라고 발표했다.

수도에서는 혁명이 끝났지만 라인란트에서는 여전히 혁명의 열기가 끓고 있었다. 여기서는 예외적으로 급진파의 정치 네트워크가 잘 조직되었기 때문에 베를린 정부의 반혁명적 조치에 대한 대규모 반대 세력을 규합할 수 있었다. 라인 지방 곳곳에서는 국민의회가 수명이 다해 가는 와중에 선언한 납세 거부를 강력하게 지지했다. 사회주의 좌파 기관지인『노이에 라이니셰 차이퉁』(Neue Rheinische Zeitung)은 한 달 동안 매일 발행인란을 통해 '더 이상 세금은 없다!'라는 구호를 실었다. 쾰른과 코블렌츠, 트리어를 비롯한 여러 도시에서는 납세거부 운동을 지원하기 위한 '인민위원회'(Volksausschüsse)와 '시민위원회'(Bürgerausschüsse)가 등장했다. 의회 해산에 대한 분노는 프로이센에 대한 각 지방의 적대감과 뒤섞였고 종파에 따른 원한(특히 가톨릭에서)과 불만에 경제적 스트레스, 각 지역의 박탈감까지 더해졌다. 본에서는 분노한 군중이 세리에게 욕설을 퍼붓거나 구타했고 공공건물에 프로이센의 상징으로 설치되어 있던 독수리 형상을 훼손하거나 떼어냈다. 뒤셀도르프에서는 11월 20일, 시민군이 (이때는 불법화된) 시가행진을 벌였고 그 열기는 국민의회와 인민의 권리를 위해 끝까지 싸우겠다고 선서하는 순간에 최고조에 이르렀다. 납세 거부 운동은 라인란트 민주화 운동의 강도와 사회적 깊이를 보여주었고 현지의 프로이센 당국을 향해 분명한 경고의 메시지를 보냈다. 하지만 12월 5일 브란덴부르크에서 국민의회가 공식적으로 해산되면서 민주주의자들은 정치적 구심점을 상실했다. 일부 분쟁 지역에 계엄령을 선포하고 증원군을 보내 임시변통으로 꾸려진 좌파 시민군을 무장해제시키는 것만으로도 국가의 권위를 회복하는 데는 충분했다.[34]

어떡하다 이렇게 되었을까? 왜 3월에 그토록 강렬하게 전개된 혁명이 11월에 그토록 쉽게 좌절되었을까? 이와 관련해 흔히 지적되어온 것은, 베를린의 바리케이드에서 죽어간 강력한 프롤레타리아 투사들과 '2월 내각'의 장관 자리를 차지한 자유주의 노선의 부유층 사업가들이 전혀 다른 사회적 세계를 대표했고 그에 따라 상반되는 정치적 기대를 표출했다는 점이다. 그 여파로 빚어진 분열은 혁명 기간 내내 이어졌다. 예컨대 자유주의자들과 급진주의자들이 무기력하게도 5월의 국민의회 선거를 위한 공동후보를 내세우지 못한 것은 보수주의자와 자유주의 우파 진영의 후보에게는 반대로 승리를 의미했다.[35] 베를린의 국민의회에서 자유주의자들은 급진적인 정책의 중심에 있는 사회 문제를 일관되게 과소평가하거나 비난했다. 민주주의 좌파의 입장에서는 특히 라인란트에서 대대적인 지원을 끌어모으는 데 성공했는데, 이것은 1840년대 대중문화의 정치화로 촉진된 과정이었다. 하지만 좌파 역시 분열했다. 1849년 5월, 프랑크푸르트 의회가 초안을 잡은 제국헌법을 지원하기 위해 라인란트에서 민주 항쟁이 조직되었을 때, 이 운동은 '입헌주의자'와 '마르크스주의자' 또는 공산 민주주의자 사이에서 분열되었다. 마르크스주의자들은 '부르주아지' 헌법은 노동계급과 아무런 상관도 없게 될 뿐이라는 판단 아래 참여를 거부했다.[36]

프로이센에서 상황을 좌우한 것은 전통적인 통치 당국이 쥐고 있는 기본 권력이었다. 이런 맥락에서 볼 때, '왕위에 오른 낭만주의자' 프리드리히 빌헬름 4세가 위기의 기간에 평소 그가 받은 신뢰에 비해 더 많은 지성과 유연성을 발휘한 것은 주목할 만하다. 실제로 그는 놀라운 평정심을 유지하며 자신의 역할을 수행했다. 군대가 철수한 후에도 수도에 남아 입헌군주국이라는 원칙에 동의하면서 자유주의자들을 끈질긴 협상과정에 가두어놓았다. 이 사이에 그는 때를 기다리면서 마음 놓고 거동할 기회를 엿보았다. 그리고 막후에서 최단시간에 혁명을 끝장내기로 결심한 일단의 보수파를 끌어모았다. 독일 민족주의 운동의 통일 지향적 목표와 손을 잡음으로써 어느 정도 대중적인 정당성을 확보하기까지 했다. 1848년 8월, 그가 라인란트를 방문했을 때 대중은 너무도 열광했고 카를 마르크스가 발행하는 『노이에 라이니셰 차이퉁』은 인쇄실 직원들이 왕을 영접하기 위해 휴무하는 바람에 하루를 정간해야 할 정도였다. 물론 프리드리히 빌헬름 4세가 혁명적인 반란에 대하여 '정신병적'인 공포에 시달렸을지도 모르지만, 소요가 발생한 수개월간 그의 행동은 확실한 전술적 본능을 보여주었다.[37]

이밖에 혁명이 프로이센 왕국의 특정 지역에 제한되었다는 사실도 지적해야 할 것이다. 혁명은 무엇보다 도시의 사건이었다. 시골 지역의 저항도 분명히 널리 확산되었지만, 라인란트 일대를 제외하면 시골의 소요는 특정 지역에 심하게 집중되는 경향이 있었다. 도시 정치인들은 시골에서 인민의 관심과 지지를 받는 것이 어렵다고 보았다. 농촌 지역의 시위대가 원칙적으로 왕이나 국가 혹은 국가기관의 권위에 도전하는 일은 드물었다. 시골은 대부분, 특히 엘베강 동부 지역에서는 계속해서 왕을 지지했다. 혁명에 반대한 보수파가 스스로 대중 운동을 조직하기 시작한 곳도 이 지역이었다. 1848년 여름에 참전용사협회, 애국동맹, 프로이센인동맹, 농민연합 등 일련의 보수연합이 브란덴부르크와 포메른 일대에 만연했는데, 이곳은 호엔촐레른 왕조에 대한 애착이 뿌리 깊은 구영토의 핵심 지역이었다. 1849년 5월 당시, 이런 형태의 조직은 회원 수가 총 6만 명이 넘었다. 이것은 기능 장인과 농민, 소매상의 운동이었다. 전통적으로 선교회의 복음주의를 토대로 한 자발적 운동을 지지한 계층이라고 할 수 있다.[38]

대중적인 보수주의가 활발했음을 보여주는 또 다른 증거는 애국적 참전용사의 '군대 클럽'이 융성했다는 것이다. 이런 종류의 집단은 1820년대 이래 존재해왔고 특히 해방전쟁의 참전용사를 대상으로 하는 것이 보통이었지만 많지는 않았다. 회원수는 1848년 여름부터 급증했다. 1848년 이전에 8개의 군대 클럽이 있었던 슐레지엔에서는 혁명 직후에 다시 64개의 클럽이 창립되었다. 1848~49년에 브란덴부르크와 포메른, 슐레지엔에서 결성된 단체의 회원은 총 5만 명 정도였던 것으로 추산된다.[39] 이런 점에서 1848년의 혁명은 프로이센 보수주의가 성년기를 맞았음을 드러냈다고 할 수 있다. 프로이센 보수주의는 보통 사람들의 목소리와 열망을 구현하는 방법뿐만 아니라 보수주의의 이해관계를 당파적으로 표현하는 실천적 방법을 찾기 시작한 것이다.

이 중에서 가장 중요한 것은 프로이센 군대의 지속적인 충성과 그 효과였다. 물론 군대가 혁명을 진압하는 과정에서 결정적인 역할을 했다고 말할 수는 없을 것이다. 군대는 1848년 5월에 폴란드 봉기를 끝내기 위해 포젠으로 들어갔고, 11월에는 국민의회를 베를린 본거지에서 추방하고, 몇 주 뒤 브란덴부르크에서는 그 후속 의회를 해산시켰다. 군대가 소집된 것은 전국적으로 수없이 발생한 각 지역의 소요를 진압하기 위해서였다. 하지만 군대의 충성이란 것이 흔히 생각하는 것처럼 그렇게 간단한 현상은 아니었다. 결국 그것은 프로이센 시민의 군대였다. 대다수의 병사가 혁명을 지지한 바로 그 사회 계층에서 뽑혀왔기 때문이다. 더구나 그들은 대부분 여름휴가 기간에 예고도 없이 소집되었는데, 이는 그들이 혁명에 참여하는 입장에서 곧바로 혁명을 진압하는 입장이 되었음을 의미했다.[40]

따라서 왜 많은 군인이 탈영하거나 복무를 거부하지 않았는지, 또 왜 군대 내에 혁명조직을 결성하지 않았는지, 그 이유를 묻는 것이 합리적이다. 물론 일부는 그렇게 했다. 특히 급진주의자들은 병사들이 혁명 대열로 넘어오도록 열심히 노력했고 때로는 성공을 거두기도 했다. 일부 지역의 향토방위군 부대는 민주파와 왕당파로 갈려서 서로 싸웠고 브레슬라우에서는 급진적인 향토방위군 클럽이 2천 명이 넘는 회원을 모으는 데 성공하기도 했다.[41] 하지만 군 지휘부의 우려에도 불구하고, 부대원 대다수는 계속 왕과 그들의 사령관에게 충성했다. 이것은 엘베강 동쪽 부대뿐만 아니라 (이들에게 특별히 해당되는 사실이기는 해도) 베스트팔렌이나 라인란트 같은 분쟁 지역의 부대 대부분에도 해당되는 사실이었다. 이들이 왕에게 순종하는 동기는 지역의 조건과 개인의 상황에 따라 다양했지만, 결정적인 요인이 하나 있었다. 각 지역의 반란에 대한 진압 임무를 맡은 병사들 사이에는, 그들이 혁명을 진압하는 것이 아니라 혁명을 '보호'하는 것이며, 다만 급진파의 무정부적 혼란에 맞서 헌법을 수호하고 있다는 믿음이 널리 퍼졌다는 것이다. 전체적으로 병사들은 스스로를 반혁명 돌격대로 보지 않고 과격한 폭동이 야기한 위협에 맞서 '3월의 성과'(Märzerrungenschaften)를 지키는 수호자로 자처했다. 실제로 많은 부대의 정체성은 질서 회복을 위한 프로이센 국가의 투쟁과 대체로 일치했기 때문에 각 지역의 정체성을 중시하는 지방주의를 한동안 무시할 수 있었다. 뒤셀도르프에서 급진파의 지원을 받은 납세 거부 운동이 1848년 11월에 베스트팔렌 제16보병연대의 두 개 중대에 의해 중단된 것도 바로 그런 배경 때문이었다. 이때 병사들은 「나는 프로이센인, 우리의 깃발을 아느냐?」라는 '프로이센의 노래'를 부르며 행군했다.[42]

이런 관점은 혁명 세력 내의 주도권이 빠르게 급진 좌파에게 넘어갔다는 사실에 의해 일정한 신뢰를 얻었다. 1849년 4월 중순부터 7월까지 독일 각국은 다시 작센과 프로이센령 라인란트에서부터 바덴, 뷔르템베르크, 라인팔츠에 이르기까지 확산된 반란의 물결에 휩쓸렸다. 물론 반란자들은 프랑크푸르트 국민의회와 파울 교회에서 제정된 헌법을 지지해서 일어났다는 명분을 내걸기는 했지만, 이들은 본질적으로 자코뱅당의 급진적인 강령과 연관된 사회 혁명가들이었다. 특히 분위기가 험악한 바덴에서는 군대의 사기가 무너지면서 공안위원회(Sicherheitsausschüsse)와 임시혁명 정부가 수립되는 길이 열렸다. 뷔르템베르크와 나사우, 헤센 파견군의 지원을 받은 프로이센 부대는 최후로 과격하게 번진 이 혁명의 돌발 사태를 진압하는 데 결정적인 공로를 세웠다. 그들은 작센군을 도와 (리하르트 바그너와 아나키스트 미하일 바쿠닌도 참여한) 드레스덴의 반란을 잠재웠고 남쪽으로 진격해 팔츠를 탈환했다. 6월 21일, 연방군은 바크호이젤에서 반란군에게 승리를 거두면서 바덴 대공국의 혁명을 좌절시켰다. 이날의 싸움은 격렬하고 치명적인 충돌로서 1848년과 달리 제2차 혁명에 나선 반군은 4만 5천 명이 넘는 무장 병력을 동원하면서 그들의 대의를 수호하기 위해 적군과 용감하고도 당당하게 싸웠다.

남부 원정은 1849년 7월 23일 라슈타트 요새에 남은 혁명군 잔류 병력이 굶주리고 사기가 떨어진 상태에서 항복하면서야 끝이 났다. 프로이센 점령 정부 치하에서 프라이부르크와 만하임, 라슈타트 세 군데에서는 반란군 지도부를 재판하기 위해 특별재판소가 세워졌다. 바덴의 법률가와 프로이센 장교들로 구성된 특별재판소는 바덴 법에 따라 민간인 64명과 군인 51명에 대한 판결을 했다. 31명에게는 사형선고가 내려졌고 그중 27명에 대해서는 프로이센군에 의해 실제로 사형집행이 이루어졌다. 라슈타트 담장 안에서 있었던 사형집행을 직접 본 목격자에 따르면, 총살을 집행한 프로이센군은 비록 형장에서 돌아올 때는 '백짓장처럼' 질린 얼굴을 하긴 했지만, 상관의 사격 명령에 일사불란하게 따랐다고 한다.[43]

독일이 부른다

1848년은 민족주의자의 해였다. 유럽 전역에서 혁명이 몰고온 정치 사회적 격변은 민족적 열망과 뒤얽힌 것이었다. 민족주의는 전염성이 있었다. 독일과 이탈리아 민족주의자들은 1847년에 보수 '분리파'(Sonderbund)를 정복함으로써 제1차 스위스 연방국가의 기틀을 닦은 스위스 자유주의자들을 보고 영감을 받았다. 남부의 독일 지역 국가에서 공화제를 지지하는 민족주의자들은 스위스의 프로테스탄트주와 함께 싸우기 위해 의용군 여단을 창설하기까지 했다. 그리고 이탈리아의 혁명적 민족주의는 다시 크로아티아인의 야망을 자극했다. 크로아티아 민족주의의 대표적인 기관지는 서로 합의를 본 문어체 언어가 없어서 이탈리아어로 두브로니크에서 발행되는 『라벤투라』(L'Avventura)였다. 그리고 독일 민족주의는 체코인의 애국운동에 자극을 주었다. 민족적 이념이 드리운 마력은 너무나 강렬했기 때문에 유럽인은 서로 타국의 민족적 대의로부터 대리 흥분을 맛볼 수 있었다. 독일과 프랑스, 영국의 자유주의자들은 폴란드와 그리스, 이탈리아에서 번지는 자유의 물결을 보며 열광했다. 민족주의는 잠재적으로 두 가지 이유에서 급진 세력의 자원이라고 할 수 있었다. 첫째, 민족주의자들은 자유주의자나 급진주의자처럼 왕이 아니라 '인민'(das Volk)을 대변한다는 주장을 했다. 자유주의자들에게 '인민'이란 세금을 납부하는 교육받은 시민으로 구성된 정치적 공동체였다. 민족주의자들에게 인민은 공동의 언어와 문화에 의해 규정된 민족성을 의미했다. 이런 점에서 자유주의와 민족주의는 이념적으로 사촌 관계였다. 사실 민족주의는 어떤 면에서 주로 도시의 부유하고 교육받은 엘리트로 제한된 자유주의보다 범위가 더 포괄적이었다. 자유주의와 대조적으로 민족주의는 적어도 이론상으로는 민족공동체의 밑바닥 구성원까지 품었다. 이런 점에서는 19세기 중엽의 급진주의가 보여준 민주적 방향과 밀접한 유사성이 있었다. 많은 독일의 급진주의자들이 완고한 민족주의자가 된 것은 우연이 아니다. 둘째, 민족주의는 유럽의 많은 지역에서 민족적 비전의 실현이 정치 지형의 근본적인 변화를 의미한다는 점에서 체제 전복적이었다. 헝가리 민족주의자들은 합스부르크가가 지배하는 다민족제국으로부터 벗어나기 위해 애를 썼고 롬바르디아와 베네치아 애국자들도 합스부르크 통치를 벗어나지 못해 안달했다. 폴란드인들은 1772년의 국경선 안에서 복원된 폴란드를 꿈꾸었고 일부 폴란드 민족주의자들은 포메른의 '반환'을 주장하기까지 했다. 그리스와 루마니아, 불가리아의 민족주의자들은 오스만제국 세력이라는 멍에를 떨쳐내는 꿈을 꾸었다.

만일 민족주의가 합스부르크 군주국의 정치적 해체를 의미한다면, 독일에서는 그것이 통합적인 의미를 담고 있었다. 즉 독일 민족주의의 목표는 단일한 국가로 추정되는 조국 독일의 갈라진 땅을 굳게 결속하는 것이었다. 다만 실제의 새 독일이 정확하게 어떤 모습일지는 불확실했다. 통일된 새 국가는 전통적인 군주국의 권한 및 힘과 어떻게 화해를 하게 될 것인가? 중앙 정부에는 얼마나 많은 권한이 집중될 것인가? 새 통일 독일을 이끌 나라는 오스트리아인가, 프로이센인가? 국경선은 어떻게 정할 것인가? 이런 물음들은 혁명이 진행되는 와중에 끝없는 다툼과 논란을 불러일으킨 문제였다. 민족 문제는 독일 지역 국가의 모든 행정부와 입법부에서 논의되었지만, 공개토론의 가장 중요한 무대는 1848년 4월 18일, 프랑크푸르트(마인)의 파울 교회에서 개회한 국민의회였다. 보통 평등선거권을 기반으로 독일 지역 국가 전체에서 선출된 대표들로 구성된 국민의회는 새 통일 독일의 헌법 초안을 작성하는 임무를 떠맡았다. 우아한 타원형의 건물로 지어진 본회의장 내부는 국가를 상징하는 흑·적·황 3색으로 장식되었고 위에서는 화가 필리프 바이트가 그린 거대한 「게르마니아」(Germania)가 내려다보고 있었다. 바이트가 캔버스에 그린 이 기념비적인 우화 작품은 오르간을 비치한 본회의장 2층 정면에 걸려 있었는데, 떡갈나무 잎사귀로 된 왕관을 쓴 여자가 서 있는 그림으로, 발 옆에는 벗어버린 족쇄가 있고 떠오르는 해가 3색 국기의 천을 뚫고 빛을 던지고 있었다.

민족적인 문제에 대처하는 프로이센 당국의 태도는 양면적일 수밖에 없었다. 민족주의자들은 원칙적으로 독일 각 지역 군주들의 권위에 도전적인 태도를 보였기 때문에 체제 전복적이고 위험한 세력으로 간주되었다. 이것이 전후 시기에 '선동정치가'들에 맞서 전개된 운동 배후의 논리였다. 다른 한편으로 프로이센 정부는 독일 지역의 국가에서 더 탄탄하고 응집력이 있는 정치기구가 탄생하는 것에 대하여, 그 과정이 베를린 정치권력의 이해관계에 도움이 되는 한 원칙적으로 반대할 이유가 없었다. 이것은 프로이센이 관세동맹을 지원하고 더 강력한 연방 안보를 지지하는 과정에서 작용하는 논리였다. 이렇게 일관되게 이기적으로 지역 간의 결집을 강화하려는 시도는 전쟁 직후의 현실보다 1840년대에 들어 민족주의에 대한 반응이 좀 더 미묘하게 변했다는 것을 암시했다. 만일 민족적인 정서가 관리될 수 있는 것이라면, 또 그것이 프로이센 국가와 협력 가능한 체제로 흡수될 수 있는 것이라면, 민족적인 열기는 가꾸고 개발할 수 있는 힘이었다. 이런 정책은 물론 주목받는 민족주의자들이 프로이센의 이익과 독일의 이익이 같은 것이라는 점을 납득하기만 한다면 결실을 맺을 수도 있었다.

1840년대에 프로이센과 진보적인 민족주의 운동의 동맹에 대한 생각이 점점 더 그럴듯하게 등장했다. 1840~41년 전쟁이 일어날지도 모른다는 불안 속에서, 그리고 덴마크 접경에 위치한 슐레스비히와 홀슈타인 공국의 미래를 둘러싼 1846년의 위기 속에서, 독일 일대의 온건 자유주의자들은 갈수록 프로이센을 군사력이 취약한 독일 연방을 대신할 국가로 보았다. 하이델베르크 대학교수인 게오르크 고트프리트 게르비누스는 1843년에 비록 베를린이 먼저 헌법 개정을 단행해야 한다는 단서를 달기는 했지만, 프리드리히 엥겔스에게 "프로이센이 독일의 선두에 서야 한다"라는 말을 했다. 1847년 5월에 창간된 자유주의 노선의 신문 『도이체 차이퉁』(*Deutsche Zeitung*)은 프로이센 국가와 민족주의 운동의 유대를 통해서 적극적인 외교정책을 성취하고 이를 발판으로 독일 통일을 추진하는 방안을 지지했다.[44]

민족적 열망에 대한 호소는 1848년 3월의 혁명적 봉기에 대한 프로이센 국왕의 초기 대응에서 두드러진 특징이었다. 봉기가 발생하고 군대가 수도에서 철수한 지 이틀이 지난 3월 21일 오전, 왕의 재가를 받은 벽보는 다음과 같이 수수께끼 같은 내용을 전했다.

금일 백성들에게는 새롭고 영광스러운 역사가 시작되고 있다! 이제 여러분은 유럽의 심장부에서 몹시 자유롭고 강력한, 다시 한번 위대한 단일 국민이 되었다! 여러분의 영웅적인 지원과 영적인 재탄생을 신뢰하면서 프로이센의 프리드리히 빌헬름 4세는 선두에서 독일을 구제하는 운동에 몸을 바치기로 했다. 오늘 여러분은 여러분의 한가운데서 독일 국가를 상징하는 색깔과 함께 마상에 오른 전하를 보게 될 것이다.[45]

실제로 프로이센 왕은 정오에 3색 완장(일부 전언에 따르면 3색 띠라는 말도 있다)을 찬 모습을 하고 나타났다. 뒤에서는 베를린 사격 클럽의 회원 한 명이 국기를 높이 처들고 있었다. 이 진기한 국왕의 수도 순회 시간의 화제는 내내 민족이었다. 대학생들은 앞에서 지나가는 왕을 새 독일 황제라고 불렀다. 프리드리히 빌헬름은 간간이 멈추고는 구경꾼들을 향해 현재의 사태 전개가 독일 민족의 미래를 위해 매우 중요하다고 말했다. 이 말의 진의를 분명히 보여주려는 듯, 그날 저녁 왕궁의 돔에서는 3색 깃발이 나부꼈다. 전쟁부에는 국왕이 이후로 '독일 문제'에 몰두할 것이며 프로이센이 이 문제를 타결하는 데 중요한 역할을 하기로 결심했기 때문에 왕의 군대가 '프로이센의 휘장뿐 아니라 독일 휘장도 함께' 착용하기를 바란다는 내각명령이 전달되었다.[46]

가장 놀라운 것은 3월 21일 밤에 발표된 「나의 백성 및 독일 민족에게」(An Mein Volk und an die deutsche Nation)라는 선언문이었다. 프리드리히 빌헬름 3세가 '수치와 굴욕으로부터 프로이센과 독일을 구한' 1813년의 가장 위험했던 시기를 회고하는 것으로 시작하는 이 성명서는 계속해서 현재의 위기에서 독일의 군주들이 통합된 리더십 아래 협력하는 것이 필수적이라고 주장했다.

> 오늘 짐은 이 지도자의 역할을 떠맡을 것이다. […] 위험을 두려워하지 않는 짐의 백성은 짐을 버리지 않을 것이다. 그리고 독일은 신뢰의 정신 속에서 짐에게 합류할 것이다. 오늘 짐은 옛 독일의 색깔을 되살릴 것이며 백성과 함께 숭고한 독일제국의 기치 아래로 들어갈 것이다. 프로이센은 이제부터 독일과 하나가 될 것이다.[47]

이런 엉뚱한 제스처를 단순히 사면초가에 몰린 나머지 왕정을 위해 대대적인 지원을 끌어모으기 위한 기회주의적 시도라고 여겨서는 곤란하다. '독일'(Teutschland)에 대한 프리드리히 빌헬름의 열의는 순수한 것일 뿐만 아니라 1848년의 혁명이 일어나기 훨씬 전부터 그랬다. 실제로 호엔촐레른가의 왕위에 오른 인물 중에 진정으로 민족적인 성향을 지닌 최초의 군주로서 그를 꼽는 일부 견해도 있다. 프리드리히 빌헬름은 1248년에 당당한 고딕식 건물로 착공되었다가 1560년에 사업이 중단된 쾰른 대성당의 건축을 재개하는 프로젝트에 열심히 매달렸다. 19세기에 들어설 무렵부터 대성당 완공에 대한 말들이 있었는데, 프리드리히 빌헬름은 건축 재개에 대한 열렬한 옹호자이자 지지자가 되었다. 즉위하고 2년이 지난 1842년에 왕은 라인란트로 가서 공사 재개 축하연에 참석했다. 그는 프로테스탄트와 가톨릭 예배에 참석하고 나서 구경꾼들이 반색하며 놀라는 가운데 정초식을 주재했다. 이 자리에서 왕은 대성당 프로젝트를 통해 구현된 '독일 통일과 힘의 정신'을 찬양하는, 재치가 번뜩이는 즉석 연설을 했다.[48] 거의 동시에 그는 메테르니히에게 자신이 '독일의 위대함과 힘, 명예를 보장하는' 일에 몸을 바치기로 결심했다는 편지를 보냈다.[49]

독일의 '통일'에 대해 말할 때, 프리드리히 빌헬름이 의미한 것은 국민-국가의 정치적인 통일이 아니라 중세 독일제국의 산만하고 문화적이며 종교적인 통일이었다. 그러므로 그가 반드시 독일이라는 국가 공동체에서 오스트리아가 지닌 종주권에 도전한다는 것을 의미하는 것은 아니었다. 프리드리히 빌헬름이 남부 독일 국가들의 안보 환경에 대한 프로이센의 영향력을 확대하려고 애를 쓰던 1840~41년의 위기에도 그는 빈과 직접적인 대치 상태로 나가는 것을 내켜하지 않았다. 1848년 봄철 몇 달간, 프로이센의 왕이 품은 독일의 미래상은 여전히 본질적으로는 과거에 대한 환상이었다. 4월 24일, 프리드리히 빌헬름은 하노버의 자유주의자이자 프랑크푸르트 의원인 프리드리히 크리스토프 달만에게 독일에 대한 자신의 꿈은 새로 활기를 불어넣은 일종의 신성로마제국 같은 형태라는 말을 했다. 이 틀 안에서 합스부르크가가 '로마 황제'라는 명예 종주권을 갖는 가운데 부활한 선거인단이 선출한 (아마 프로이센인일) '독일인의 왕'(König der Teutschen)이 집행권을 행사하는 체제가 될 것이라는 말이었다.[50] 낭만적인 정통 왕조파로서 그는 다른 독일 군주들의 역사적 권리를 해치게 될 일방적인 권력 욕구에 대해서는 개탄했다. 이런 맥락에서 그는 자유주의 성향의 신임 외무장관(3월 21일에 임명된 하인리히 알렉산더 폰 아르님-주코)이 새 '독일제국'의 황제 자리를 수락해야 한다고 제안했을 때 끔찍하다는 반응을 보였다. 그는 한 보수파 측근에게 "이미 공표된 짐의 적극적인 의지에 반하여 [아르님-주코는] 짐에게 황제 칭호를 바치고 싶어 한다. […] 짐은 황제 자리를 받지 않을 것이다"라고 불만을 표했다.[51]

하지만 프로이센 황제 칭호를 거부하는 왕의 태도가 결코 절대적인 것은 아니었다. 만일 독일의 다른 군주들이 그를 자발적으로 최고 지위에 선출한다면, 그리고 오스트리아가 독일 공동체 내에서 전통적으로 차지하고 있는 지도국의 위상을 기꺼이 포기한다면, 그것은 전혀 다른 문제일 것이다. 이런 맥락에서 그는 5월 첫째 주에 프리드리히 아우구스트 2세 작센 왕에게 자신은 새 독일제국의 황제 자리를 받아들이는 문제를 적극 고려할 것이라는 생각을 밝혔다.[52] 이 말은 당시로서는 꽤나 불확실한 생각이기는 했지만, 1848년 여름과 가을에 일련의 사건이 전개되면서 점점 그럴듯해졌다.

혁명이 일어나고 한 달 동안, 프로이센은 독일의 민족적 이익을 수호하는 문제에서 기꺼이 리더십을 발휘할 기회가 있었다. 당시는 압도적으로 농업에 의존하는 지역으로서 북유럽의 독일어권 및 덴마크어권 사이의 접경 지대에 있는 슐레스비히와 홀슈타인 공국의 미래가 위기로 치달을 때였다. 양 공국의 복잡한 법적·헌법적 지위는 세 가지 거북한 사실에 의해 규정되었다. 첫째, 15세기로 거슬러 올라가는 법은 양 공국의 분리를 금했다. 둘째, 홀슈타인은 독일 연방에 속했지만, 북쪽에 있는 슐레스비히는 그렇지 않았다. 셋째, 양 공국은 덴마크 왕국과는 다른 상속법으로 통치되었다. 즉, 덴마크에서는 여자의 상속이 가능했지만 살리카법(Lex Salica, 6세기경에 확립된 프랑크 부족의 성문법으로 여성 상속을 금한다 — 옮긴이)의 지배를 받는 양 공국은 그렇지 않았다. 1840년대 초에 덴마크의 왕세자 프레데리크 7세가 후손이 없는 상태에서 사망할 것이 확실시되자 계승 문제가 대두했다. 코펜하겐 정부는 덴마크계 주민이 많이 사는 슐레스비히 공국이 덴마크 국가로부터 영구적으로 떨어져 나가지 않을까 우려했다. 이 우발적인 사태를 막기 위해 프레데리크의 아버지인 크리스티안 8세는 1846년에 이른바 '공개서한'을 발표했다. 그는 이 편지에서 슐레스비히에 덴마크의 상속법을 적용할 것이라고 말했다. 이것은 장차 왕이 남자 후손이 없이 사망할 때 여자 상속을 통하여 슐레스비히 공국에 대한 권한을 유지할 길을 열어주었다. 공개서한으로 독일 국가에 촉발된 위기는 민족주의 정서가 갑자기 격화되는 결과를 불렀다. 앞에서 보았듯이, 이것은 다시 수많은 온건파 자유주의자들이 독일(특히 슐레스비히의 소수 민족으로 사는 독일인)의 이익을 대변하는 프로이센의 리더십이 덴마크 정부의 위협에 직면한 것으로 보도록 자극했다.

1848년 1월 20일, 덴마크 왕위에 오른 직후, 프레데리크 7세는 덴마크의 헌법 반포가 임박했다는 발표를 함으로써 이 문제를 최우선적인 과제로 부각시키고 자신은 슐레스비히를 덴마크 단일 국가에 통합할 생각이라고 말했다. 이 문제를 둘러싸고 국경을 맞댄 양국에서는 논란이 확산되었다. 코펜하겐의 프레데리크 7세는 민족 자유주의 운동권의 압력을 받고 있었고 베를린의 프리드리히 빌헬름 4세는 3월 봉기의 수혜자인 아르님-주코로부터 덴마크 사태에 대응하라는 압력을 받고 있었다. 3월 21일, 새 덴마크 정부는 슐레스비히를 병합했다. 슐레스비히 남부에 사는 독일인들은 임시 혁명 정부를 수립하는 것으로 대응했다. 덴마크의 병합 조치에 분노한 독일 연방 당국은 슐레스비히를 독일 연방의 일원으로 만드는 안건을 가결했다. 독일 연방의 정식 승인을 받음에 따라 프로이센은 파견부대를 소집했고, 북방의 몇몇 독일 국가로부터 소규모 증원부대의 지원을 받아 4월 23일 슐레스비히로 진격했다. 독일 부대는 신속하게 덴마크 국경을 넘어 덴마크의 유틀란트반도를 향해 북쪽으로 치고 올라갔다. 비록 덴마크가 우위를 차지한 제해권을 무너뜨리는 것은 불가능하다고는 생각했지만 말이다.

민족주의자들은 환호했다. 특히 자유주의 진영에서 가장 유명한 의원들(게오르크 베젤러, 프리드리히 크리스토프 달만, 역사가 요한 구스타프 드로이젠 등)이 포진한 프랑크푸르트 의회를 중심으로 일부는 양 공국과 개인적인 관계를 단절했다. 민족주의자들이 제대로 인식하지 못한 것은 슐레스비히-홀슈타인 문제가 빠르게 국제적인 문제로 비화하고 있다는 사실이었다. 상트페테르부르크에서는 니콜라이 황제가 프로이센의 처남이 혁명적 민족주의자들과 손잡고 다닌다고 보고 분통을 터트렸다. 그는 프로이센이 양 공국에서 철수하지 않으면 러시아군을 파견하겠다고 위협했다. 이렇게 강경한 러시아의 조치는 다시 영국 정부를 불안하게 만들었다. 영국은 슐레스비히-홀슈타인 문제가 덴마크에 대한 러시아의 섭정을 유발하는 구실이 될 것을 우려했다. 덴마크는 발트해의 통제권을 행사했기 때문에(덴마크의 준드해협과 카데가트해협은 '북방의 보스포루스해협'으로 불렸다), 런던 정부로서는 전략적으로 큰 관심이 쏠리는 문제였다. 프로이센군이 철수해야 한다는 압박이 거세지기 시작했다. 스웨덴은 이내 프랑스와 함께 이 분쟁 대열에 합류했다. 프로이센은 1848년 8월에 서명한 말뫼 휴전협정에 따라 각국 부대의 상호 철수에 어쩔 수 없이 합의했다.[53]

이 휴전은 프랑크푸르트 의회의 의원들을 깊은 충격으로 몰아넣었다. 프로이센 사람들이 프랑크푸르트 국민의회에 일언반구도 없이 휴전에 서명했기 때문이다. 의회의 무기력을 이보다 더 생생하게 보여준 사건은 없을 것이다. 프랑크푸르트 국민의회는 임시 '중앙 정부' 기능을 하면서도 자체의 군사력이 없었고 지역 정부로 하여금 의회의 뜻을 따르게 만들 강제수단도 없었다. 그것은 의회의 정통성에 치명적인 약점이었고, 이로 인해 국민의회는 이미 독일 각국의 여론에 대한 통제력을 잃기 시작했다. 처음 이 소식을 듣고 분노하는 분위기 속에서 대다수 의원은 9월 5일에 휴전을 저지하기 위한 안건을 통과시켰다. 하지만 이것은 말뿐이었지 프랑크푸르트 집행부에는 북방 상황을 통제할 어떤 수단도 없었다. 9월 16일, 의원들은 다시 표결에 들어갔는데, 이번에는 권력 정치의 현실에 무릎을 꿇고 휴전을 받아들였다. 이에 자극을 받고 프랑크푸르트 거리에서 폭동이 벌어졌고 보수파 의원 두 명이 살해되었다. 프로이센이 독일 민족주의자들의 희망을 뒤엎어버렸기 때문이다. 하지만 이런 걸림돌은 오히려 수많은 온건진보 노선의 민족주의자들이 다시 강력하게 프로이센 중심 노선으로 나가는 데 도움을 주었다. 그런 요인들 때문에 차후 독일 문제를 정치적으로 해결하는 문제에서 프로이센의 핵심적 지위가 확인되었기 때문이다.

그러는 사이에 프랑크푸르트 의회는 합스부르크 왕조와 나머지 독일과의 관계 문제를 해결하기 위해 분투하고 있었다. 1848년 10월 말경, 의원들은 국가(national) 문제 해결을 위한 표결에 들어가 '대(大)독일안'(großdeutsche Lösung)을 채택했다. 즉 합스부르크가 다스리는 독일 지역(체코까지)을 새 독일제국에 포함시킨다는 것이었다. 합스부르크의 비독일 영토는 별도의 헌법으로 규정하고 빈의 동군연합 체제(Personalunion, 1군주 치하에서 각기 주권을 유지하는 2국가 체제 — 옮긴이)로 다스린다는 생각이었다. 문제는 오스트리아에서 이런 방안을 받아들일 의사가 없다는 것이었다. 그 무렵 오스트리아는 혁명의 충격으로부터 회복하는 중이었다. 2천 명의 목숨을 앗아간 유혈 작전으로, 정부군은 10월 말 빈을 재탈환했다. 11월 27일, 빈의 보수적인 새 행정부 수상인 펠릭스 추 슈바르첸베르크 후작은 합스부르크 왕조의 단일 정치 체제를 유지할 것이라고 발표하며 대독일안을 단호히 배격했다. 그러자 프랑크푸르트의 기류는 자유주의 프로테스탄트의 민족주의 온건파 의원들이 선호하는 '소(小)독일안'(kleindeutsche Lösung) 방향으로 바뀌었다. 소독일안의 틀 안에서 오스트리아는 새로운 국가 체제에서 배제되었고, 새 체제의 지도적인 역할은 (의도했다기보다 자연스럽게) 프로이센 왕국으로 넘어가게 되었다.

프로이센 제국의 황위에 대한 프리드리히 빌헬름의 생각은 꿈에서 현실로 변하고 있었다. 1848년 11월 하순, 프랑크푸르트 임시 제국 정부의 신임 내각 수반(수상)인 하인리히 폰 가게른은 베를린으로 가서 독일제국의 황위를 (원칙적으로) 수락하도록 프리드리히 빌헬름을 설득했다. 처음에 프리드리히 빌헬름은 잘 알려진 대로 주어진 황제 칭호는 '흙과 먼지로 만들어낸 왕관'이라고 보고 거절했지만, 오스트리아를 비롯한 다른 독일 군주들이 이 방안에 동의할 경우 수락할 가능성을 배제하지 않았다. 베를린 정부에서 보낸 신호는 이후 몇 달간 소독일안이 가라앉지 않을 만큼은 고무적인 것이었다. 1849년 3월 27일, 프랑크푸르트 의회는 새 독일을 위한 투표를 하고 (근소한 차이로) 군주제 헌법을 승인했다. 이튿날 대다수 의원은 투표를 통해 프리드리히 빌헬름 4세를 독일 황제로 추대했다. 프로이센의 자유주의 성향의 에두아르트 폰 짐존이 이끄는 의회의 대표단이 독일 역사에서 유명한 양식에 따라 공식 제안을 하기 위해 베를린으로 갔다. 왕은 4월 3일에 이 제안서를 받아 보고 사절단에게 그들이 독일 국민의 이름으로 보여준 신뢰에 감사를 표했다. 하지만 그는 다른 독일 지역 국가의 합법적인 군주들이 동의할 때만 프로이센은 그런 명예를 받아들일 수 있다는 이유로 황위를 거절했다. 그렇다 해도 그의 누이 샤를로테(공식적으로는 알렉산드라 페데로브나 황후로 알려졌다)에게 보내는 편지에서는 그녀의 남편을 의식해서 다른 말을 하고 있다. "프랑크푸르트의 인간-당나귀-개-돼지-고양이 대표단에 대한 내 답변을 읽어보았지? 그것은 간단히 말해 이런 뜻이야. '여러분은 무엇이든 나에게 제안할 어떤 권한도 없어요. 요청할 수는 있지요, 그래요. 요청해봐요. 뭔가를 제공한다는 것은, 제공할 수 있도록 먼저 뭔가를 소유해야 하는 겁니다. 그런데 그렇지 않잖아요!'"[54]

44 프리드리히 빌헬름 4세가 프랑크푸르트 의회의 대표단을 영접하고 있다.
에두아르트 폰 짐존 대표가 왕을 향해 발언하고 있다.
왕 옆에 서 있는 사람은 브란덴부르크 백작이다.

프리드리히 빌헬름이 황위를 거절함으로써, 프랑크푸르트 의회가 대대적으로 실시한 실험의 운명은 결정되었다. 그렇다고 해서 프로이센 주도의 독일 통일안이 완전히 물거품이 된 것은 아니었다. 4월 중으로 베를린 정부는 일련의 발표를 통해 프리드리히 빌헬름 4세가 여전히 모종의 독일 연방 국가를 이끌 의사가 있다는 것을 분명히 했다. 4월 22일, 왕의 옛 친구로서 프랑크푸르트 의회의 의원으로 활동하던 요제프 마리아 폰 라도비츠가 독일 통일에 대한 정책을 조율하기 위해 베를린으로 갔다. 라도비츠의 목표는 이원 체제의 통합을 제안해서 빈의 반대 기류를 누그러뜨리는 것이었다. 프로이센은 비교적 응집력이 있는 '긴밀한 통합'을 이끌고 다시 오스트리아와는 '느슨한 통합'을 통해 결속한다는 것이었다. 1849년 5월 중에 바이에른과 뷔르템베르크, 하노버, 작센 등 소규모 독일 왕국의 대표단과 끈질긴 협상이 이어졌다. 동시에 새 국가 체제가 여론상으로 일정 정도 정통성을 갖지 못하면 성공할 수 없을 것이라는 데도 공감대가 형성되었다. 이런 목적으로 라도비츠는 고타에서 소독일안을 지지하는 자유주의와 보수주의 의원들을 대상으로 널리 공표된 회의를 소집했다. 놀랍게도 오스트리아는 라도비츠의 계획을 진지하게 고려하는 것으로 보였다. 베를린 주재 오스트리아 사절인 프로케쉬 폰 오스텐 백작은 예상외로 적대적이지 않았다.

이런 긍정적인 신호에도 불구하고 통일 프로젝트는 곧 심각한 난관에 직면했다. 모든 핵심 당사국이 받아들일 수 있는 타협책을 마련하기는 무척 어렵다는 것이 드러났다. 26개 군소 국가는 기꺼이 참여하겠다는 의사를 밝혔지만 바이에른과 뷔르템베르크는 평소대로 프로이센의 의도를 의심하며 빠지기로 했다. 1849년 겨울, 작센과 하노버도 바덴에 이어 지지를 철회했다. 오스트리아는 이 통일 방안에 결정적으로 등을 돌리더니 처음에는(1850년 2월 하순부터) 전체 합스부르크 왕국이 포함될 수 있는 통일을 제안하다가 그 다음에는(5월 초부터) 구독일 연방으로 복귀하는 방안을 주장하기 시작했다. 오스트리아의 이런 생각은 러시아의 지지를 받았다. 내심 라도비츠와 그의 정책을 인정하지 않는 러시아는 독일 지역에서 오스트리아의 위상에 심각한 도전을 하는 어떤 시도에도 반대하는 입장이었다.

베를린과 빈 사이에 쌓여가던 긴장은 1850년 9월 절정에 올랐다. 헤센 선제후국의 정치적 갈등으로 양국 사이에는 일촉즉발의 위기가 발생했다. 이 작은 땅에는 라인란트와 베스트팔렌을 엘베강 동쪽의 핵심 지역과 연결해주는 프로이센의 군사도로망이 뻗어 있었다. (반동적인 인물로 악명 높은) 헤센 선제후는 반혁명적인 조치를 통해 현지 주의회의 뜻을 강제로 억누르려고 한 적이 있었다. 군부와 관료 사회 내부에서 영향력 있는 인사들이 그 지시를 따르기를 거부하자, 선제후는 독일 연방의 도움을 요청했다(통합 지역 대표는 없었지만, 9월 2일부터 프랑크푸르트 연방의회는 회복된 상태였다). 슈바르첸베르크는 즉시 기회가 왔음을 알아차렸다. 헤센-카셀에 연방군이 배치되자 프로이센은 어쩔 수 없이 통일정책에 대한 계획을 철회하고 독일 각국의 합법적인 정치 기구로서 오스트리아가 의장국을 맡는 부활한 연방의회를 받아들이지 않을 수 없었다. 그에 따라 오스트리아가 조종하는 연방의회는 '연방집행권'(Bundesexekution)에 의거해 투표를 하고 헤센-카셀 선제후의 권위를 회복시켰다. 이런 도발에 분노한 프리드리히 빌헬름 4세는 프로이센이 물러설 생각이 없다는 신호를 보낼 의도로 라도비츠를 외무장관에 임명했다.

이제 독일 지역의 내전이 임박한 것처럼 보였다. 10월 26일, 프랑크푸르트 연방의회는 하노버와 바이에른 군대가 헤센 공국의 사태에 개입할 권한을 승인했다. 프로이센은 연방군의 침입에 맞설 준비를 하기 위해 헤센 접경에 자국의 군대를 배치했다. 전투가 몇 차례 중단되었다가 재개되는 사태가 이어졌다. 11월 1일, 연방군의 작전이 시작되었다는 소식이 베를린에 날아들었다. 바이에른군이 헤센 국경을 넘었다는 것이었다. 프로이센 내각은 처음에 총동원을 중단하고 협상으로 문제를 해결하려고 했다. 그러나 이런 방침은 4일 후, 슈바르첸베르크가 프로이센의 철저한 굴욕을 강요하며 헤센-카셀을 지나는 프로이센 군사도로의 소규모 경계 병력마저 철수할 것을 요구하자 급변했다. 프리드리히 빌헬름과 장관들은 이제 마지못해 총동원령을 내리기로 결심했다. 11월 24일, 러시아의 지원을 받는 슈바르첸베르크는 이후 48시간 내에 헤센-카셀로부터 프로이센군의 완전한 철수를 요구하는 최후통첩을 베를린에 보냈다. 시한이 다가오자 프로이센은 추가 협상에 동의하고 양측은 전쟁으로부터 한 발 물러섰다. 11월 28~29일 보헤미아의 올뮈츠에서 열린 협상에서 프로이센은 양보했다. 올뮈츠 협약(Olmützer Punktation)으로 알려진 합의문에서 베를린은 헤센-카셀 사태에 대한 연방 공동개입에 참여하고 프로이센군을 해산시키기로 합의했다. 프로이센과 오스트리아는 개정되고 재구성된 독일 연방의 협상에 동등한 자격으로 협력한다는 데 동의했다. 이 협상은 지체 없이 시작되었지만, 개정 약속은 완전히 지켜지지 않았다. 그리고 1851년에 사소한 몇 가지만 바뀐 채 구독일 연방이 부활했다.

실패의 교훈

프리드리히 빌헬름 4세는 3월 내내 시끄러운 고함과 총성이 이어지는 가운데 독일 음악을 들어야 하는 처지나 다름없었다. 이런 격동의 세월 속에서 자신의 왕관을 걱정한 숱한 독일의 군주들 가운데, 그는 유일하게 민족의 색깔을 걸친 인물이었다. 합스부르크 왕조가 수차례 국내의 혁명과 대치하며 내부로 관심을 돌린 반면에 프로이센은 슐레스비히를 둘러싸고 덴마크와 맞서고 1849년 남부 국가들의 2차 혁명을 진압하기 위한 주도적인 노력을 기울이며 독일 문제에서 지도적인 역할을 맡기 시작했다. 베를린은 프로이센이 헤게모니를 잡는 계획에서 어느 정도의 정통성을 만들어내며 독일 자유주의운동 내부에서 친프로이센 당파가 출현하도록 유도했다. 프로이센은 빈을 소외시키지 않은 상태에서 대중적이면서도 (자유주의적인 의미에서 엘리트 계층 안에서) 군주제의 특징을 지닌 독일의 통일국가를 건설한다는 희망으로 유연한 타협의 정신을 발휘하며 통일 프로젝트(Unionsprojekt)를 추진했다. 하지만 통일 프로젝트는 실패했고, 그와 더불어 프로이센을 통일된 독일의 수장이 되게 한다는 국왕의 희망도 무산되었다. 이 실패는 1848년의 혁명 이후 독일 국가 공동체 내에서 프로이센의 입지와 그 위상에 어떤 영향을 주었을까?

1848~50년에 발생한 일련의 사건은 무엇보다 프로이센 행정부가 여전히 얼마나 일관성이 없었는지를 보여주었다. 왕이 여전히 (내각 전체나 각 부처보다) 의사결정 과정의 중심에 있었기 때문에 권력 측근의 파벌주의와 경쟁심이 심각한 문제로 남았다. 사실 어떤 면에서 이런 경향은 혁명으로 더 강화된 측면도 있다. 혁명은 왕으로 하여금 궁정의 보수파 품 안으로 파고들도록 강요했기 때문이다. 이런 요인은 라도비츠에게 끝없는 문제의 원천이었다. 그는 궁정 측근 세력이 기피하는 인물로서 자신에 대한 끊임없는 모함의 공포 속에서 지냈다. 이는 베를린이 통일 운동을 마지못해 후원하는 것처럼 보이게 했고, 프로이센 사람이나 외국 사절들 눈에 국왕 측근의 대신이나 보좌관이 라도비츠의 정책을 지지하지 않는 것처럼 보이게 만들었다는 뜻이다. 문제를 가능하면 모든 각도에서 보려고 노력하는 프리드리히 빌헬름 4세조차 총신의 정책을 무조건 지지하는 것은 아니라는 신호를 보낼 때가 있었다. 이런 베를린 내각의 우유부단함은 다시 슈바르첸베르크의 결심을 굳혀주어 헤센-카셀 문제에서 프로이센을 심하게 압박하는 원인이 되었다. 그의 궁극적인 목적은 프로이센을 상대로 전쟁을 벌이는 것이 아니라 그곳의 '과격한 리더십을 제거하는 것' 그리고 '안정적으로 독일 내의 권력을 공유할 수 있는 보수파와 합의를 하는 것'이었다.[55] 바꿔 말하면

오스트리아는 1830년대와 1840년대에 했던 것처럼 여전히 프로이센 내부의 분열을 활용할 수 있었다. 이것은 프로이센으로서는 오로지 강력한 수상이 국왕 측근을 억누르고 정부 내에서 자신의 권위를 발휘할 때만 해결할 수 있는 문제였다.

군소국들의 개별주의는 또 다른 장애물이었다. 바이에른은 프로이센의 통일 프로젝트를 거부했다. 바덴과 작센도 연합 체제에 머물기를 거부했다. 이런 반응은 3개국 전체의 왕권을 회복시켜주기 위해 프로이센이 흘린 피의 대가치고는 너무도 초라한 것이었다. 바덴 대공이 군주로서 존재할 수 있었던 것은 1852년까지 프로이센이 점령군으로 바덴에 주둔한 덕분이었다. 프로이센이 관세동맹과 독일의 안보정책, 혁명 진압을 통해 쌓아온 그간의 온갖 공로에 대한 대가는 완전히 물거품이 된 것 같았다. 이런 아이러니를 놓치지 않고 꿰뚫어본 사람은 당시에 통찰력이 있는 두 명의 프로이센인이라고 할, 카를 마르크스와 프리드리히 엥겔스였다. 이들은 1850년 런던에서 다음과 같은 글을 썼다.

> 프로이센 곳곳에서 반동 세력의 통치가 되살아났다. 이 세력이 재기하면 할수록 군소국의 군주들은 프로이센을 버리고 오스트리아의 품에 안길 것이다. [1848년] 3월 이전의 방식대로 통치를 할 수 있게 된 지금, 절대주의 오스트리아는 반동 세력에 가깝다. 절대주의자가 될 수 있지만 자유주의자이고자 하는 권력이 아닌 것이다.[56]

이런 점에서 1850년의 대실패는 구질서에 부합하는 것이었다. 합스부르크의 절대주의자들은 독일 통일이라는 희망의 트럼펫을 결코 불 수 없었지만, 헐떡거리는 독일 연방의 오르간은 여전히 멋지게 연주할 수 있었다. 독일 군소국 왕조의 귀에는, 이 오르간 소리가 여전히 더 마음에 드는 음악이었다.

슈바르첸베르크가 헤센-카셀 문제에서 프로이센의 기를 꺾는 데 성공한 것은 베를린에 맞서는 빈을 선호하는 국제적 환경의 이점이 없었다면 생각할 수 없었을 것이다. 여기에 프로이센 통치자들이 왕조 역사의 고비마다 배워야만 했던 또 다른 교훈이 있었다. 즉 독일 문제는 궁극적으로 유럽 문제라는 것이다. 그것은 (해결은커녕) 별도로 제기할 수조차 없는 것이었다. 러시아와 프랑스, 영국, 스웨덴은 1848년 여름에 덴마크와의 전쟁에서 베를린을 압박해 프로이센군을 철수시키는 작전에 합류했으며, 이때 러시아의 원조는 빈이 베를린으로부터의 도전에 강력하게 대응할 수 있는 위상을 회복하는 데 결정적인 역할을 했다. 합스부르크군과 헝가리 혁명군 사이에 벌어진 전투에서 균형을 깨트린 것도 러시아였다. 당시 헝가리 혁명군은 1848년 유럽 전역에서 발생한 반란에서 가장 규모가 컸고 잘 조직되었으며 가장 의지가 강했다. 올뮈츠 협약을 맺을 때도 슈바르첸베르크 뒤에는 러시아 차르의 막강한 힘이 버티고 있었다. 1850년 10월, 마르크스와 엥겔스는 "완강하게 버티는 프로이센도 차르의 명령 앞에서 결국은 피 한 방울 흘리지 않고 물러날 것"이라고 예언했다.[57] 1850년 11월의 시점에서 볼 때 프로이센이 주도하는 독일 통일이 성공하려면 유럽의 정치권력 지형에 근본적인 변화가 있어야 한다는 것은 분명했다. 어떻게 이런 변화가 찾아오고, 그것이 어떤 결과를 수반할 것인지는 당대의 그 누구도 예측할 수 없는 문제였다.

통일 프로젝트 지지자들이 볼 때 올뮈츠 협약은 충격적인 패배이자 굴욕으로, 또 복수를 외친 왕국의 명예를 더럽힌 오점으로 보였다. 베를린 대학교에서 레오폴트 랑케에게 배운 역사가이자 자유주의 성향의 민족주의자인 하인리히 폰 지벨은 훗날 이 당시의 실망스러운 분위기를 회고했다. 그는 프로이센 사람들이 민족적 대의를 앞세워 덴마크에 맞서고 독재를 일삼는 선제후 치하의 헤센-카셀의 정의로운 백성을 옹호하는 국왕에게 갈채를 보냈다고 쓰면서 다음과 같이 덧붙였다. "하지만 지금은 갑자기 상황이 변했다. 부들부들 떨리는 주먹에서 단도가 미끄러졌다. 수많은 용감한 전사가 쓰라린 눈물을 떨구었다. […] 수많은 사람의 입에서 고통스러운 외침이 울려 나왔다. 프리드리히 대왕의 업적이 두 번째로 날아갔다는 것이었다."⁵⁸ 지벨의 묘사는 과장되었다. 많은 사람이 올뮈츠의 소식을 듣고 환영했다. 당연히 라도비츠의 보수파 적들도 환영하는 대열에 포함되었다. 그중에는 오랫동안 오스트리아와의 협상안을 밀어붙였던 오토 폰 만토이펠도 있었다. 만토이펠은 1850년 12월 5일에 수상 겸 외무장관에 임명되어 이후 10년간 대부분의 기간에 두 자리를 겸직했다. 또 다른 사람으로는 보수파 의원인 오토 폰 비스마르크가 있었다. 1850년 12월 3일 프로이센 의회에서 행한 유명한 연설을 통해 비스마르크는 올뮈츠 협약을 환영한다고 말하면서 자신은 "불만에 찬 의회의 유명인사들을 위하여 돈키호테 역할을 하는 것"이 프로이센의 관심사라고 생각하지는 않는다고 덧붙였다.⁵⁹

통일 프로젝트를 지지해왔던 민족주의 성향의 프로테스탄트 자유주의자들조차 올뮈츠 협약이 과잉 표출된 혁명의 수사를 절제하고 정화하는 계기가 된다는 점을 인정했다. 소독일안을 지지하는 민족주의자이자 역사가인 요한 구스타프 드로이젠은 1851년에 다음과 같이 썼다. "현실이 이상에 대하여, 이익이 추상에 대하여 승리를 거두기 시작했다. […] 독일 통일은 '자유'를 통해서도 민족적인 결의를 통해서도 달성되지 않는다. 필요한 것은 다른 힘들에 맞서는 하나의 힘이었다."⁶⁰ 1848~50년의 좌절은 프로이센 주도의 독일 과업에 대한 드로이젠의 믿음을 해치기는커녕 오히려 더 굳혀주었다. 1854년 크림전쟁 전야에 발표된 평론을 통해 그는 결연한 프로이센이 어느 날, 여타 독일 국가에 대한 리더십을 주장하는 날이 오고 그 과정에서 통일된 프로테스탄트 독일 국가를 세울 것이라는 희망을 피력했다. "1806년 다음에 1813년이 왔고 리니 다음에는 워털루가 왔다. 진실로 말해 우리에게 필요한 것은 오직 '전진'이라는 구호밖에 없다. 그러면 모든 것이 따라 움직일 것이다."⁶¹

새로운 통합

유럽 전역에서 1848년의 혁명에 대한 역사 서술은 혁명의 실패, 반동의 승리, 처형, 투옥, 급진 활동가들에 대한 박해 혹은 추방 그리고 반란에 대한 기억을 억지로 지우려는 후속 정부의 일치된 노력 등 서글픈 성찰로 끝나는 것이 보통이다. 1848~49년의 질서 회복이 프로이센에 반동의 시대를 불러들였다고 흔히들 말한다. 대중의 인식에서 반란에 대한 기억을 지우기 위한 일치된 노력도 있었다. '3월혁명의 희생자들'을 기리는 행사와 프리드리히스하인 공동묘지에 있는 그들의 무덤으로 향하는 행진은 엄격히 금지되었다. 경찰력은 확대 강화되었고 경찰이 책임지는 범위도 넓어졌다.

1848년의 헌법으로 프로이센 당국이 인정한 민주적 참정권은 1849년 4월에 취소되었다. 새로운 선거권에 따르면, 왕국 내에 거주하는 거의 모든 남자 주민은 투표 자격이 있었지만, 이들은 과세소득에 따라 세 가지 '계급'으로 구분되었기 때문에 행사하는 표의 가치가 달랐다. 각 계급이 선거인단의 3분의 1씩 선출하면, 선거인단은 다시 의회에 진출할 의원을 선출했다. 1849년, 전 인구에 걸친 엄청난 소득 격차가 의미하는 바는 유권자의 5퍼센트를 차지하는 최고 부유층인 제1계급이 제2계급(12.6퍼센트) 및 제3계급(82.7퍼센트)과 똑같은 수의 선거인단을 선출했다는 의미였다.[62] 1855년에는 영국의 상원을 본뜬 새로운 '상원'(Herrenhaus)이 개원했는데, 이 중에 유권자가 선출한 의원은 한 명도 없었다. 부활한 독일 연방(Deutsche Bund)은 독일 국가 전역에서 억압기관이라는 전통적인 역할로 회귀했고, 1854년 7월 6일에는 연방 언론출판법이 반포되었다. 이것은 개별 국가의 입법을 지원하는 역할과 연계되어 체제를 전복하는 출판물의 유통을 금지하는 일련의 장치를 도입했다. 훨씬 더 중요한 것은, 불과 일주일 뒤에 통과된 결사에 관한 연방법으로서 모든 정치단체를 경찰의 감시 아래 두고 서로 관계 맺

675

는 것을 금했다.[63]

하지만 3월 이전의 시기로 복귀하려는 조짐은 없었다. 또 우리가 1848년의 혁명을 실패작으로 보는 것도 잘못일 것이다. J. P. 테일러의 말을 빌리자면, 1848년 프로이센의 봉기는 프로이센이 새로운 방향으로 나아갈 기회를 놓치게 만든 '갈림길'이 아니었다. 어찌 보면 그것은 구세계와 신세계 사이에 놓인 분수령이었다. 1848년에 시작된 10년의 세월은 정치적·행정적 현실의 엄청난 변화, 즉 '정부혁명'(Regierungsrevolution)의 과정이었다.[64] 봉기 자체는 일부 주역의 낙오와 망명, 투옥 등 실패로 끝났을지 모르지만, 그 역동성은 정부사업의 우선순위를 재조정하고 정치적 논란을 재구성했으며 정치 구조와 사고방식을 변화시키는 등 지진파처럼 프로이센의(그리고 다른 독일 국가의) 정부 조직을 뒤흔들었다.

이제 프로이센은 (자체의 역사에서 최초로) 선출된 의회를 가진 입헌국이었다. 이런 사실 자체가 프로이센 왕국의 정치 발전을 위해 전적으로 새로운 출발점을 만들어냈다.[65] 1848년의 프로이센 헌법은 선출된 의회가 입안했다기보다 국왕에 의해 선포된 것이었지만 이 헌법은 대다수 자유주의자와 온건 보수파로부터 좋은 평을 들었다.[66] 주요 자유주의 노선의 신문들은 헌법을 환영했고 심지어 헌법을 비난하는 좌익 세력으로부터 헌법을 옹호했다. 그것이 자유주의자들이 요구해온 것을 대부분 반영했으며 그런 점에서 '인민의 작품'(ein Werk des Volkes)이라는 이유에서였다. 의회의 비준을 거치지 않고 공표함으로써 자유주의 원칙을 어겼다는 사실은 거의 무시되었다.[67] 이후 몇 년 동안, 헌법은 '프로이센의 공적 생활의 일부'가 되었다.[68] 게다가 공개적인 대치와 혁명으로 돌아가기를 꺼리는 온건 자유주의자와 개혁정책을 유지하려고 하는 정부는, 분파들의 행정 연합을 위한 토대가 되었다. 이 연합은 차츰 하원에서 다수파가 되었다.[69]

지방 귀족이 장악했던 3월 이전 시기의 각 주의 신분제의회와 반대로, 베를린 주의회를 중심으로 한 새로운 대의 체제는 차츰 구지주 계급이 지배하는 시골의 정치 구조를 허무는 효과를 가져왔고 프로이센 사회 내에서 힘의 균형을 지속적으로 바꿔놓았다.[70] 이런 효과는 1850년의 상환법(Ablösungsgesetz)에 의해 배가되었는데, 이것으로 나폴레옹 시대에 농업개혁가들에 의해 시작되고 마침내 시골 지역에서 세습사법권을 없앤 개혁 작업이 완성되었다.[71] 1850~58년에 프로이센 수상을 지낸 오토 폰 만토이펠이 프로이센을 위한 새 시대의 도래를 감독하는 데서 자신의 역할을 찾은 것은 올바른 판단이었다. 1858년 이후 자유주의 부활의 '새 시대'라고 불리게 될 토대는 이미 혁명으로 만들어진 헌법 체제 안에 있었다.

1848년 이후, 국가의 주도권을 좀 더 인정하는 자유주의의 온건 노선과 구보수 엘리트 중 좀 더 혁신적인 사업가적 노선 사이에서 느슨한 협조 체제가 나타났다. 혁명 이후 피에몬테의 새 의회를 지배한 자유주의 우파와 보수개혁파 사이의 '결혼'(connubio)이나 포르투갈의 '재생'(Regeneração), 에스파냐의 '자유연합'(Unión Liberal) 같은 초당파적 연합과 유사한 현상이 나타난 것이다.[72] 이런 비공식적 제휴는 의회나 관료 사회에 한정되지 않았으며 부분적으로는 민간에서도 일어났다. 정부와 소통을 하며 정책 입안에 영향력을 행사하는 방법을 발견한 자유주의 기업가의 강력한 로비단체 사이에서도 새로운 소통 창구가 열렸다. 그 결과 자신의 이익 대신 양측의 이익을 이끌어낼 수 있는 '협상 타결'에 토대를 둔 신구 엘리트의 결합이 나타났다.[73]

이렇게 정치·사회적으로 뒤섞인 엘리트가 정치의 중간 지대를 통제하는 수법은 너무도 효과적이어서 민주주의 좌파와 구우파를 비주류로 내몰 수 있었다. '구보수파'는 궁정에서마저 수세로 돌아섰다. 그들은 새 정치 질서에 기꺼이 적응하고 실용적으로 국가 노선에 보조를 맞추면서 교조적인 주장을 접는 사람들이 궁정을 장악했다고 보았다. 왕 자신과 왕 주변의 보수파 다수는 놀라우리만치 빠른 속도로 새 헌정질서를 받아들였다. 하늘에 계신 하느님과 이 나라의 관계를 언급한 '어떤 종잇장'도 허용치 않을 것이라고 공개적으로 맹세했던 군주가 (비록 그 헌법질서 안에서 계속 자신의 권위를 강화하는 방법을 모색하기는 했지만) 새로운 체제와 화해를 한 것이다. 보수파의 적응 과정에서 눈에 띄는 인물은 신임 수상인 오토 폰 만토이펠이었다. 끈질기고 잘 흥분하지 않는 직업 관료로서 그는 시민 사회를 구성하는 단체 간의 상충되는 이해를 중재하는 것이 정부의 목표라고 보았다.[74] 보수적인 대학교수 프리드리히 율리우스 슈탈도 중요한 근대화세력(Modernisierer)이었다. 그는 보수적인 목표와 근대적인 대의정치를 화해시키는 길을 이끌었다.

처음에는 슈탈보다 더 열렬한 보수파였던 프로이센의 빌헬름 왕자조차 빠르게 새로운 질서의 요구에 적응했다. 그는 3월 사태로부터 3주밖에 안 지난 시점에 캄프하우젠 정부에 보내는 편지에서 "이미 엎질러진 물이다"라는 인상적인 표현을 하고는 덧붙였다. "이제 되돌릴 수 있는 것은 없다. 그래봤자 아무 소용없다." 이제 "새 프로이센의 건설을 돕는" 것이 "모든 애국자의 의무"였다.[75] 왕년의 '포도탄 왕자'는 1848년 여름에 영국에서 돌아와 혁명 이후의 질서 안에서 활동할 준비를 했다. 경건주의적인 정통성과 동시에 신분제 구조에 대한 애착을 가진 전통적인 보수주의 정치는 이제 폭이 좁고 이기적이며 퇴행적으로 보였다. 오토 폰 만토이펠 수상이 세제개혁에 반대하는 시골의 보수파들에게 지적했다시피, 프로이센 국가를 계속 '귀족의 영지처럼' 경영하는 것은 생각할 수 없는 노릇이었다.[76] 동시에 새로운 질서를 받아들이는 것을 거부하면서 시대착오적인 행태를 보이는 3월 이전 보수주의(Vormärzkonservatismus)의 전형적인 인물들은 반대파라는 평판은 물론이고 반역이라는 오명을 감수해야 했다.

혁명은 프로이센 국가를 새로운 재정 기반 위에 올려놓기도 했다. 무엇보다 정부는 복구기에 공공지출을 제한했던 하르덴베르크의 국가부채법의 족쇄로부터 벗어날 수 있었다. 1849년 3월에 프로이센 국민의

회의 한 의원은 이전 정부는 국가 발전에 필요한 예산을 내주는 것을 "인색하게 거절했다"라고 설명했다. 그러면서 다음과 같이 말을 이었다. "하지만 우리는 지금 정부 편이므로 도로망을 개선하거나 상업, 공업, 농업을 지원하는 데 필요한 자금을 언제든 승인할 것입니다."[77] 하지만 1851년에 도입된 새 소득세(이 세금의 정당한 근거는 투표권에서 나오는 것으로 인식되었다)도, 1861년에 있었던 구토지세에 대한 개혁도 혁명이 일어나기 전에는 가능하지 않았을 것이다.[78] 풍족한 현금 덕분에 1850년대의 프로이센 정부는 절대적인 규모에서뿐 아니라 전통적으로 프로이센 정부예산에서 큰 몫을 차지한 국방비와 비교할 때 상업 및 기반시설에 대한 공공지출을 대폭 늘렸다.[79] 1847년에 통합주의회를 소집하도록 정부를 강요했던 동부철도의 자금 조달 문제도 새 헌법을 통해 해결되었다. 동부철도를 비롯해 완공되지 못한 다른 두 개 노선을 위해 3,300만 탈러가 지체 없이 승인되었다.[80]

익숙지 않은 이런 넉넉한 씀씀이는 근대화라는 목표를 위해 공적 자금을 투입하는 것이 국가의 권리이자 의무라는 사실을 새롭게 강조함으로써 가능해졌다.[81] 이런 논란은 한목소리를 내는 경향이 있던 당대 독일 경제이론의 덕을 보았다. 19세기 중반 수십 년간은 독일 '자유무역학파'의 엄격한 반국가주의 입장에 등을 돌리고 사회적으로나 개인적으로나 집단이 성취하지 못하는 거시경제의 목표를 국가가 충족하도록 해야 한다는 견해에 따라 경제이론이 재정립될 때였다.[82] 국가의 경제적 능력에 대한 이런 전체론적 견해와 밀접하게 연관된 것으로서 포괄적인 사전계획에 따라 행정 수단을 개발할 필요가 있다는 주장이 있었다. 1846~48년의 사업상 위기 기간에 프로이센의 유명한 일부 자유주의자들은 국가가 전국 철도의 경영을 떠맡고 그 시스템을 "유기적인 전체"[83]로 통합할 것을 요구했다. 이런 통합 시스템은 엘버펠트 출신의 자유주의 투자금융가로서 프로이센의 재무장관이 된 아우구스트 폰 데어 하이트가 프로이센 철도의 점진적인 국유화를 관장하고 나서야 비로소 가능해졌다. 민간의 이익만으로는 동기부여가 불확실하고 전체로서 국가의 틀 안에서 이루어지는 시스템이 합리적이라는 확신 때문에 힘을 받은 것이다. 이 문제와 관련해 하이트는 새 의회의 하원으로부터 전폭적인 지원을 받았다. 정부 자문을 위해 설치된 의회 철도위원회는 "모든 철도를 국가 소유로 이관한다는 정부의 목표를 유지해야 한다"는 것과 정부 당국은 "가능한 모든 수단을 통해 그 목표를 달성하기 위해 노력"해야 한다는 의견을 제시했다.[84]

다른 한편으로, 혁명 이후 정세의 암묵적인 조건은 국가가 때로 한 발 물러나 사업의 자율성을 존중할 것을 요구하는 측면도 있었다. 이런 분위기는 1856년에 내각의 보수파가 프로이센 왕국 안에서 '합자회사 형태의' 은행이 확산되는 것을 막으려고 했을 때 조성되었다. 이런 은행은 본질적으로 민간의 투자 수단이었던 공동투자 은행의 허가를 계속 주저하는 정부 조치를 피하기 위한 재계의 우회적인 수법이었다. (국왕을 포함해) 보수파는 이런 기관을 위험성이 큰 투기를 조장하고 사회질서를 어지럽히는, 미심쩍은 프랑스식 개선책으로 보았다. 그런 의미에서 1856년에 내각은 합자회사 형태의 은행 설립을 금지하는 법령을 입안했다. 하지만 유력 사업가들의 로비 대상이 된 만토이펠 수상은 이런 움직임을 차단할 수 있었고 정부는 차츰 민간 금융기관의 대출 업무에 대한 정부 통제를 포기하게 되었다. 전통적으로 철저한 정부 감독에 순응해온 석탄과 철강 산업에서도 사업가들은 정부 통제를 완화시키는 협상에 성공했다.[85]

1848년 이후에는 중앙 정부의 통합과 일관성을 확보하기 위한 조치도 취해졌다. 1852년에 오토 폰 만토이펠 수상은 왕으로부터 수상을 내각과 국왕 사이에 공식적인 연락을 위한 유일한 통로로 지정하는 내각명령을 이끌어냈다. 이 중요한 문서는 하르덴베르크가 1810년대에 쟁취하기 위해 싸웠던 행정부의 통합을 마침내 실현하기 위한 시도가 이루어졌다는 신호였다. 하지만 이것은 동시에 왕을 비선 측근의 품으로 밀어넣어 최고경영자의 일관성을 훼손한 혁명의 도전에 대한 답변이기도 했다. 단기적으로 이 내각명령은 조신과 음모꾼, 측근들의 영향을 제거하는 데는 충분치 않았다. 만토이펠은 그의 전임자들 누구나 그랬듯이, 국왕 주변으로 몰려드는 극보수파의 끊임없는 음모에 시달렸다. 크림전쟁의 발발로 정치 엘리트 계층이 통상적인 서방파와 동방파로 분열된 1855년에는 음모가 극에 달했다. 서방에 맞서 독재정치를 하는 러시아와 동맹을 맺는 정책을 선호하는 극보수파는 왕이 중립정책을 취하지 못하도록 온갖 노력을 다했다.

이런 음모와 자신에 대한 국왕의 신뢰가 불확실해진 나머지, 내심 불안해진 만토이펠은 스파이를 고용해 핵심 극보수파의 집에서 기밀서류를 빼내게 하면서 사태를 예의주시했다. 그 대상에는 여전히 부관참모로서 국왕에게 충성을 바치는, 덕망 있는 레오폴트 폰 게를라흐도 있었다. 중위 출신의 카를 테헨이라는 문제의 스파이가 경찰에 체포되어 심문을 받던 과정에서 수상을 위해 그 문서를 입수했다고 자백했을 때는 매우 곤란한 상황이 발생했다. 그 같은 상황은 탈취된 편지 중 하나에서 게를라흐가 직접 스파이를 고용해 왕의 동생인 빌헬름 왕자를 감시했다는 사실이 드러났을 때 한층 더 복잡하게 꼬였다. 빌헬름 왕자가 러시아와의 동맹에 강력하게 반대하는 인물로 간주되던 때였다. 이 '프로이센판 워터게이트'[86]는 권력 측근의 문제가 미해결 상태였음을 드러냈다. 프로이센의 중앙행정부는 아직도 국왕 주변에서 얼쩡거리는 느슨한 로비 집단이었다. 그럼에도 불구하고 1852년의 내각명령은 미래를 위한 중요한 출발점이었다. 훗날 훨씬 더 무자비하고 야심만만한 오토 폰 비스마르크 수상 치하에서 내각명령은 내각과 행정부를 관통하는 장치로 작동하며 권력을 집중시키는 메커니즘이 되었기 때문이다.

1848년 혁명에 이어지는 시기에 정부와 대중의 관계가 재정립되는 흐름도 있었다. 1848년 혁명은 복구기에 자리 잡았던 기준보다 더 조직화되고 실용적이며 더 유연한 언론정책으로 나아가도록 변화를 유발했다. 이런 변화의 중심에 검열의 포기가 있었다. 검열은 (발표에 앞서 정치적 내용이 담긴 인쇄물을 면밀하게 조사한다는 의미에서) 국력회복기에 정부 권력을 위한 중요한 도구였고, 검열 폐지 요구는 1848년 이전에 자유주의 및 급진 반대파가 제기하는 핵심 이슈였다. 혁명의 와중에 독일 전역에서 검열에 의존하는 정권은 퇴출되었고 언론의 자유는 정식으로 법률과 헌법에 명기되었다. 물론 1848년에 반포된 관대한 언론 관련 법 중 많은 것이 질서 회복의 국면에서 살아남지 못한 것은 확실하다. 다만 이것이 다른 한편으로 (대부분의 국가에서) 3월 이전 상태로 복귀한다는 것을 의미하진 않았다. 다수의 다른 독일어권 국가에서처럼, 프로이센에서도 언론정책의 초점은 인쇄물의 성가신 사전 검열에서 그것을 생산하는 정치 집단에 대한 감시로 바뀌었다. 이리하여 자유주의 강령의 실질적인 내용은 혁명의 실패에도 불구하고 살아남았다.[87]

　　정책의 기조가 예방에서 억압으로 바뀌며 정부의 조치가 가시화됐다는 점에서 이것은 중요한 변화였다. 신문과 잡지는 유통이 시작되고 난 뒤에, 즉 '타격'이 완료된 후에나 처벌할 수 있었다. 이 때문에 정부는 언론에 영향을 주는 덜 직접적인 다른 수단을 찾아야 한다는 압박에 점점 시달렸다. 동시에 경찰과 사법 당국, 주무 부처 사이에 무엇이 불법적인 내용인지를 두고 견해차가 있다는 것은, 경찰이나 사법 당국의 노력이 자주 차질을 빚는다는 뜻이었다. 이 문제는 특히 어떤 인쇄물을 허용하고 허용하지 않을 것인지를 놓고 극보수파인 페르디난트 폰 베스트팔렌 내무장관과 견해차를 보인 만토이펠 수상 재직 시에 불거졌다.[88] 모든 시민이 (적어도 이론상으로는) 인쇄물로 자신의 의견을 표현할 권리를 누린다는 사실은 정치적인 읽을거리를 생산하는 모든 관계자(서적상, 신문판매상, 출판업자, 편집장 등)에게 각종 청원과 헌법소원, 항소절차 등을 통해 정부 당국에 공세를 퍼부을 빌미를 제공했다. 이런 경우에 정부는 단순히 개별적인 기자나 편집자뿐 아니라 특정 신문을 지지하는 독자 전체와 대치 상태에 있다는 것을 깨달았다.[89]

대부분의 유럽 국가와 마찬가지로 프로이센에서도 혁명 기간에 발생한 정치적인 인쇄물과 정치적인 독자층이 확대된 현상은 되돌릴 수 없는 물결이었다. 정부는 여론을 형성하는 사업에 좀 더 유연하고 협조 체계가 잘 이루어진 접근방식으로 대처했다. 다른 숱한 행정개혁의 영역에서 그렇듯 여기서도 개혁에 추진력을 실어준 것은 혁명에 대한 경험이었다. 1848년 여름, 아우어스발트 수상이 이끄는 자유주의 정부 치하에서 프로이센 행정부는 자유주의 정책에 대한 비판과 더 철저한 반헌법 노선을 견지한 구보수파 및 이들의 기관지 『노이에 프로이셰 차이퉁』(Neue Preussische Zeitung)의 반대 주장에 공식적으로 대응하기 위해 문인내각 팀(Literarisches Kabinett)을 꾸렸다.[90] 제1차 문인내각은 1848년 11월, 정부 교체 뒤에 해체되었지만, 그 다음 달에 오토 폰 만토이펠 정부에서 재구성되었다. 핵심 신문에 친정부적인 기사를 전략적으로 배치하고 반(半)관영 신문인 『독일 개혁』(Deutsche Reform)을 매입할 만큼 문인내각은 활동영역을 차츰 넓혀나갔다. 『독일 개혁』은 외형상 독립적인 발행에 대한 신뢰를 주면서도 내각 노선을 지지하는 신문이었다. 1850년 12월 23일, 마침내 '중앙언론국'(Zentralstelle für Pressangelegenheiten)의 설치를 통해 언론정책 조정을 위한 제도적 기반이 마련되었다. 중앙언론국의 업무에는 신문보조금을 위한 자금 관리와 보조금을 받는 신문사에 대한 감독, 국내외 신문 간의 '관계' 강화 같은 것이 포함되었다.[91] 또 중앙언론국 자체의 신문인 『디 차이트』(Die Zeit)를 발행했는데, 이 신문은 오토 폰 비스마르크나 경건주의자 한스 후고 폰 클라이스트 레초, 심지어 내무장관 베스트팔렌 자신을 포함해 보수 진영의 대표적인 논객들에 대한 날카로운 비판으로 유명했다.[92]

만토이펠은 신문과 정부의 전통적인 대립은 1848년 이전의 전형이었다고 보고 이런 실상을 넘어설 때가 되었다고 보았다. 정부는 직접 정치적 논쟁에 개입할 것이 아니라 산하의 언론 담당기관을 통해서 '모든 국가기관과 신문 사이에 유기적인 상호관계'가 형성되도록 해야 한다는 생각이었다. 그리고 정부 활동에 대한 올바른 태도를 사전에 정립하도록 선제적으로 움직여야 한다는 것이었다. 또 그는 정부가 각 부처 내의 독점적인 정보원을 활용해 국가의 활동과 외국의 사건과 관련한 뉴스를 알려야 한다고 보았다.[93] 1850년대 초반에 중앙언론국은 신문사 간의 연락망을 구축하는 데 성공함으로써 지방 신문사로 더 깊숙이 파고들 수 있었다. 협조적인 신문사는 자금 지원과 함께 독점적인 정보를 제공받았다. 많은 지역신문은 재정적으로 체제 협조에 따르는 특전, 가령 공식 발표에 따른 광고 수입, 보조금, 각 부처의 단체 구독 등에 의존하게 되었다.

이리하여 만토이펠의 혁신은 부담스러운 검열기구로 언론의 글감을 걸러내는 시스템에서 뉴스와 정보의 미묘한 차이를 만드는 방법으로 변화를 이끌어나갔다. 이 모든 것은 1848년에 의해 만들어진 변화는 되돌릴 수 없는 것이라는 설득력 있는 증거였다. 만토이펠은 1851년 7월에 "각 시대마다 전통적인 생활의 영역으로 들어간 새로운 문화적 힘이 있었다. 이것은 파괴하지 말고 '가공해야'(verarbeitet) 할 힘이다"라고 썼다. "우리 세대는 신문을 권력 자체로 인식한다. 신문의 중요성은 대중의 사회 문제 참여가 늘어나면서 커졌다. 이것은 부분적으로 신문이 표현하고 먹여 살리며 방향을 지시하는 참여다."[94] 만토이펠의 현금을 우호적인 기자와 편집자에게 지급하는 임무를 맡은 사람들 중에 오토 폰 비스마르크가 있었다. 비스마르크는 1851년의 프랑크푸르트 연방의회에서 프로이센 의원이 된 인물이었다.

15

네 개의
전쟁

**Four
Wars**

1815년 이후 근 반세기가 지나는 동안, 프로이센은 강대국의 눈치를 살피고 확실한 약속은 회피하며 갈등 국면에서 꽁무니를 빼는 등 유럽의 권력 정치에서 방관자의 입장에 있었다. 프로이센은 힘센 이웃을 적으로 돌리는 행위를 피했으며 자국의 외교정책을 놓고 러시아가 보호국 행세를 해도 묵인했다. 프로이센은 크림전쟁 기간(1854~56년)에 강대국 중에서 유일하게 중립을 유지했다. 보기에 따라서는 프로이센이 유럽 열강의 협조 체제에서 밀려난 것 같은 인상마저 주었다. 1860년 『타임스』의 머리기사를 보자.

프로이센은 언제나 누군가에 의지하는 사람 같았다. 언제나 자신을 도와줄 상대를 찾으면서 결코 자립할 의지가 없는 사람, [...] 회의에는 참석하지만 전투에는 빠지는 사람, 얼마가 되었든 이상이나 감성은 있지만 현실 앞에서는 수줍음을 타는 사람 같았다. 프로이센은 대군을 거느렸지만 그 군대는 전투의지가 없는 것으로 유명하다. […] 어떤 나라도 프로이센을 우방으로 여기지 않으며, 어떤 나라도 프로이센을 적으로 두려워하지 않는다. 어떻게 프로이센이 강대국이 되었는지는 역사가 말해주지만, 왜 프로이센이 아직도 강대국인지 말해주는 사람은 아무도 없다.[1]

그렇다 하더라도 이렇게 통렬한 비판을 받는 11년 동안에, 프로이센 왕국은 군대를 부활시키고 오스트리아를 독일 밖으로 몰아냈으며 프랑스의 군사력을 무너뜨렸다. 프로이센은 새로운 국민-국가를 세우고 전 세계가 놀랄 정도로 정치적·군사적 에너지가 흘러넘치는 가운데 유럽에서 힘의 균형을 뒤바꿔놓았다.

이탈리아 전쟁

이탈리아와 독일의 통일이 서로 10년도 안 된 사이에 이루어진 것은 우연이 아니었다. 독일이라는 국민-국가가 성립하기까지의 문화적 배경은 18세기 이전으로 거슬러 올라가지만, 그 바탕에 '정치적' 가능성을 안겨준 일련의 사건은 제2차 이탈리아 통일전쟁과 더불어 시작되었다. 1859년 4월 26일, 오스트리아 제국은 북부이탈리아의 사르데냐-피에몬테 왕국에 선전포고를 했다. 이것은 사전에 계획된 분쟁이었다. 1858년 여름에 피에몬테의 수상인 카밀로 디 카보우르는 프랑스의 황제 나폴레옹 3세와 방위 동맹을 체결했다. 이어 1859년 봄에 오스트리아 국경에서 가까운 롬바르디아에 피에몬테 군대를 집결시킴으로써 빈을 자극했다. 그 여파로 나온 오스트리아의 선전포고는 비밀 조약에 따라 프랑스의 의무적인 개입을 불렀다. 프랑스 군대는 최초로 철도를 이용해 본격적인 동원을 한 가운데 알프스를 넘어 남쪽으로 진격했다. 4월 말부터 6월 초까지 프랑스-피에몬테 연합군은 마젠타(6월 4일)와 솔페리노(6월 24일)의 두 주요 전투에서 오스트리아를 상대로 승리를 거두면서 롬바르디아를 점령했다. 피에몬테는 롬바르디아 공국을 합병했고 파르마와 모데나, 토스카나 공국, 로마냐 교황령은 설득 끝에 토리노의 연방국이 되었다. 그러자 피에몬테가 이탈리아반도의 북부를 지배하게 되었는데, 아마 주세페 가리발디가 지휘하는 의용군이 남부를 침공하지 않았다면 그 상태가 유지되었을 것이다. 나폴리 왕국이 빠르게 무너지면서 반도 대부분의 지역이 피에몬테 왕조의 통치 아래 통일되는 길이 열렸다. 1861년 3월에는 이탈리아 왕국이 선포되었다.

프로이센의 왕 빌헬름 1세와 외무장관 알렉산더 폰 슐라이니츠는 이런 사태 전개에 대하여 평소의 프로이센답게 신중한 반응을 보였다. 프랑스와 오스트리아가 갈등을 빚을 때도 프로이센은 빈과의 동맹이라는 '보수적'인 방침도, 프랑스와 손을 잡고 오스트리아에 맞서는 '자유주의적인' 방침도 택하지 않은 채 중립을 유지했다. 다만 오스트리아의 희생을 대가로 독일의 이익을 키우려는 통상적인 노력이 있었을 뿐이다. 예를 들면 베를린은 프로이센이 오스트리아를 제외한 연방파견부대에 대한 지휘권을 행사할 때만 프랑스에 맞서며 오스트리아를 지원한다는 약속을 했다. 1830~32년과 1840~41년의 전쟁 위기 기간에 있었던 베른슈토프와 라도비츠의 안보 구상을 연상시키는 이런 제안은 오스트리아 황제의 체면 때문에 거절되었다. 거의 동시에 베를린은 서부 독일로 작전 지역을 확대하려는 나폴레옹 3세의 계략을 저지하기 위해 라인란트에 대규모 병력을 파견했다. 이런 조치에서 특별히 주목되거나 예상을 뛰어넘는 것은 하나도 없었다. 이탈리아 위기에 대한 이런 반응에서 (그리고 그에 따르는 프랑스와의 전쟁 위기와 관련해) 프로이센 정부는 이중적인 경쟁을 시험하는 이중적인 틀을 벗어나지 않았다. 즉 오스트리아의 희생을 통해 프로이센의 영향력을 확대하는 기회를 노리는 한편 직접적인 적대관계는 피하려는 태도를 취했다.

돌이켜보면 이탈리아 전쟁이 프로이센의 국가정책을 새로운 토대위에 올려놓았다는 것은 분명하다. 당대 사람들이 볼 때 이탈리아와 독일이 곤경에 처한 상황이 유사하다는 것은 명백했다. 양쪽 모두 (교육받은 엘리트 계층 내에서) 역사적·문화적 민족성에 대한 강렬한 정서가 왕조 및 정치적 분열(이탈리아가 7개국으로 분열한 데 비해 독일은 39개국으로 분열했다는 차이는 있지만)이라는 현실과 공존했다. 또 양국 모두 오스트리아가 민족 통합에 방해가 된다는 것도 공통점이었다. 뚜렷한 유사점은 피에몬테와 프로이센 사이에도 있었다. 양국 모두 자신만만한 관료 체제와 근대화의 개혁으로 주목받았으며 (1848년 이후로) 입헌군주국이었다. 그리고 대중의 민족주의를 억압하는 동시에 자국의 이익 범위 안에서 민족의 이름으로 군소국에 대한 자국의 영향력을 확대하는 작전을 펼친다는 공통점이 있었다. 따라서 프로이센 주도의 통일에 열광하는 소독일 옹호자들은 1859~61년에 일어난 이탈리아 사태를 자연스럽게 독일의 정치 지형에 투사하게 되었다.[2]

그런 의미에서 이탈리아 전쟁은 유럽의 정치 체제 안에서 새로운 출구가 열렸다는 것을 보여주었다. 이 중에서 가장 중요한 것은 오스트리아와 러시아가 소원해진 것이었다. 1848년에 러시아는 오스트리아 제국이 헝가리 민족 운동으로 분할되는 것을 막아주었다. 하지만 1854~56년의 크림전쟁에서 오스트리아는 반러시아 연합군에 합류하는 치명적인 결정을 내렸다. 이것은 상트페테르부르크에서 볼 때 극도의 배신이었다. 빈은 한때 외교정책의 기본이 되었던 러시아의 지원을 다시는 받을 수 없게 되었다.[3] 카보우르는 이렇게 재편성된 국제 관계를 자국의 이익에 활용할 수 있다는 것을 보여준 최초의 유럽 정치가였다.

1859년의 사태는 다른 측면에서도 많은 것을 암시했다. 나폴레옹 3세 치하의 프랑스는 1815년에 빈에서 타결된 유럽의 질서를 강제로 뒤흔들 준비가 된 강대국으로 드러났다. 이제 프로이센은 조상 대대로 받은 위협을 그 어느 때보다 더 강렬하게 느꼈다. 이탈리아에 대한 프랑스의 개입에서 오는 충격 효과는 이탈리아반도의 정복을 시작으로 라인란트까지 침공했던 나폴레옹 1세에 대한 기억으로 더 커졌다. 1859년의 프로이센 동원령은 일부 역사가들이 묘사한 재난은 아닐지 모르지만, 보나파르트주의자의 프랑스가 부활하는 것에 대한 무력감을 달래준 것은 하나도 없었다.[4] 한편 오스트리아는 이탈리아에서 소유하고 있던 영토를 지키기 위해 마젠타와 솔페리노에서 프랑스–피에몬테 연합군과 치열하게 싸웠고 1만 8천 명의 사상자를 냈다. 그렇다면 오스트리아가 분열된 독일의 정치적인 지배권을 지키기 위해 싸우려고 했을까? '제3의 독일'에 해당하는 군소국들이 (북이탈리아의 군소공국들과 달리) 독일의 잠재적인 두 패권국 사이에 공개적인 분쟁이 발생하면 오스트리아를 지원하리라는 것을 감안했을 때, 프로이센의 입지는 어떤 점에서 피에몬테보다 더 열악했다. 빌헬름 섭정왕자는 1860년 3월 26일에 슐라이니츠에게 보내는 편지에서 "지난 40년간 거의 모든 독일이 […] 프로이센에 대한 적대감을 품어왔다. 그리고 이런 추세는 최근 1년 동안 분명히 확산되었다"고 지적했다.[5]

따라서 이탈리아 전쟁은 깊이 뿌리박힌 권력 정치에 따른 갈등을 해결하는 데 군사력이 차지하는 핵심적인 의미를 일깨워주었다. 군 지휘부 내에서는 프로이센이 가까운 미래에 있을 도전에 직면할 경우 군대를 개혁하고 군사력을 강화해야 할 것이라는 목소리가 더 커졌다. 이것은 새로운 문제가 아니었다. 1810년대부터 받아온 재정 압박으로 군대 규모가 프로이센의 인구 성장을 따라가지 못하고 있었다. 1850년대에는 입대 연령에 해당하는 청년의 절반만 징병되었다. 이밖에 군사개혁가인 샤른호르스트와 보이엔이 나폴레옹과의 전투에 대비하기 위해 창설한 향토방위군의 전투력에 대한 우려도 있었다. 방위군 장교가 받은 훈련이 기준에 훨씬 미치지 못했기 때문이다.

군사개혁을 앞장서 주도하는 사람은 새로이 섭정을 맡은 프로이센의 빌헬름 왕자였다. 빌헬름이 몇 차례의 발작으로 일을 하지 못하게 된 형을 대신해 1858년에 섭정을 시작한 시기는 구레나룻이 인상적인 61세 때였다. 프로이센 군대에 대한 빌헬름의 정서적 애착은 실제 경험과 깊은 관련이 있었다. 그는 6세 때부터 군복을 입었고, 1807년 1월 1일 아홉 살에 소위로 임관했다(같은 해에 크리스마스 선물로 중위로 진급했다). 군복무와 관련한 빌헬름의 최초 경험은 프랑스의 침공과 그 여파로 왕실이 동프로이센으로 도피한 기억과 밀접한 관련이 있었다. 정신적으로 더 활발했던 형과 달리 빌헬름은 다른 공부는 싫어했으며 동료 사관생도와 교관들 사이에서 가장 큰 즐거움을 느꼈다.[6] 1810년 지극히 사랑하던 모친의 별세로 충격을 받은 뒤에 군복무의 사교적인 일과가 그에게 얼마나 중요했을지 상상하기란 어렵지 않다. 빌헬름은 군사 개혁에 관심을 쏟으며 향토방위군의 예비 병력이 아니라 정규군에 초점을 맞추었다. 향토방위군의 민간인 기풍에 질색했고 그것이 군사적으로 비효율적인 동시에 정치적으로 신뢰할 수 없다고 보았다. 보이엔과 샤른호르스트가 국민의 애국 열기를 느끼고 사로잡을 군대의 단련에 착수했다면, 빌헬름과 그의 보좌관들은 오로지 통치자의 의지만 따르는 군사력을 원했다.

빌헬름의 의중에 이미 프로이센의 군사력에 의한 독일 통일이라는 계획이 있었을 것이라고 본다면 그것은 지나친 생각일 것이다. 독일 문제에 대한 그의 생각은 훨씬 더 자유로운 것으로서 고정된 틀에 얽매이지 않았다. 하지만 그가 더 긴밀한 방식으로 통합시킨다는 발상에 지속적으로 열띤 반응을 보였고 프로이센이 주도하는 시나리오를 마음에 품었다는 데는 의심할 여지가 없다. 빌헬름은 그의 형과 마찬가지로 불행하게 무산된 에르푸르트 연합(Erfurter Union)에 대한 열망이 강했고 프로이센이 올뮈츠에서 철수한 것에 실망했다. 그는 1849년에 "독일을 다스리고자 하는 나라는 먼저 독일을 정복해야 할 것이다"라고 썼다. "이 같은 통일의 때가 왔는지 여부는 오직 신만이 안다. 다만 프로이센이 독일이라는 고지의 정상에 오를 운명이라는 것은 우리 역사를 통해 이어져온 기본 사실이다. 그러면 언제 어떻게 통일을 이룰 것인가?

그것이 문제다." 1849년에 라인란트의 군사장관으로 재직하는 동안 빌헬름은 프로이센 주도의 통일에 열광하는 자유주의 노선의 소독일 지지자들과 교류했다. 그는 1851년 4월에 "프로이센의 역사 발전을 보면 프로이센이 독일을 이끌 운명이라는 것을 알 수 있다"라고 썼다.[7]

좀 더 공격적인 독일 정책이라는 난제에 대처하기 위해 프로이센은 유연하고 효율 높은 군대라는 도구가 필요했다. 빌헬름과 그의 보좌관들은 연간 징집자 수를 늘이고 기본훈련 기간을 6개월에서 3년으로 연장하며 정규군의 복무 기간도 2년에서 5년으로 늘리는 방법으로 프로이센 군대의 규모를 배로 확대하는 목표를 세웠다. 섭정왕자는 또한 정규군과 향토방위군을 명확하게 구분하려고 했다. 방위군을 최전선이나 정규군 부대에서 분리하여 후방의 종속적인 위치로 분류하자는 것이었다.

정부의 군사개혁 요구는 그 자체로는 특별히 논란거리가 아니었다. 국방비 지출은 1848년 이후 상대적으로 감소되어왔기 때문에 프로이센이 독자적인 군사력을 유지하기 위해 강력한 군대가 필요하다는 데는 의회의 자유주의 진영에서 다수가 폭넓은 공감대를 형성하고 있었다. 더욱이 1859년의 사태는 북독일 일원에서 자유주의자들의 민족주의적인 희망에 불을 지폈고, 이런 기류는 1859년 9월의 '독일 민족협회'(Deutsche Nationalverein) 창설로 절정에 올랐다. 하노버의 귀족 루돌프 폰 베니히젠이 이끄는 이 단체는 수천 명의 의회의원과 대학교수, 변호사, 기자로 구성된 엘리트 모임이었고 소독일 통일이라는 대의를 위해 정부를 상대로 로비하는 것을 목표로 삼았다.

현실적인 문제는 군대와 의회 사이에 정치적인 관계를 설정하는 것이었다. 섭정의 개혁 프로그램 중에서는 특히 세 가지가 자유주의 진영과 대립했다. 첫째, 향토방위군의 독립적인 지위를 폐지하는 계획이 문제였다. 군 지휘부는 향토방위군을 이제는 존재하지 않는 구시대의 잔재로 보았다. 하지만 많은 자유주의자가 볼 때 향토방위군은 인민군

(Volksarmee)이라는 이상을 강력하게 구현하는 조직이었다. 둘째 쟁점은 정규군의 훈련 기간을 3년으로 하자는 섭정의 주장이었다. 자유주의자들은 부분적으로 비용 대비 효과라는 측면에서, 또 군사적인 필요성보다 정치적인 의도가 있다고 보았기 때문에(일리가 있었다) 이 주장을 거부했다. 단순하게 전쟁을 대비한 훈련뿐만 아니라 그 기간에 병사들에게 보수적이고 군사적인 가치관을 주입시키려고 한다는 이유에서였다. 이런 문제를 둘러싸고 논란을 벌이는 이면에는 군주 고유의 초헌법적 명령권이라고 할 '군통수권'(Kommandogewalt)이라는 핵심 문제가 깔려 있었다.[8]

군대를 둘러싼 갈등은 1848년 이후 프로이센의 정치 체제 안에서 미리 정해진 것이나 다름없었다. 그것은 헌법과 연관이 있을 뿐 아니라 광범위한 문화적 차원의 문제이기도 했다. 군주와 의회가 군대에 대한 권한을 놓고 잠재적인 갈등을 빚는다는 것이 헌법상 문제의 핵심이었다. 군주는 지휘와 일반적으로 군사시설의 구성 및 그 기능성을 책임졌다. 하지만 예산을 통제하는 것은 의회였다. 군주의 관점에서 볼 때, 군대는 의회와는 아무 상관없이 국왕에 대한 충성심으로 결속된 조직이었다. 반대로 자유주의 성향의 의원들은 자신들이 지닌 예산권이 군대의 성격을 공동으로 결정할 제한적인 권한이 있음을 의미한다고 생각했다. 이 권한은 단순히 지출을 감시할 뿐만 아니라 군대가 더 폭넓은 정치문화의 가치를 반영할 수 있어야 한다고 본 것이다. 후자는 1848년의 베를린 의회의 위기를 촉발했던 인계철선이었다. 이와 관련된 문제는 양쪽 모두에 본질적인 의미가 있었다. 빌헬름은 '군통수권'을 양도할 수 없는 통치권의 요소라고 본 반면에 자유주의자들은 국내 활동을 억압할 목적으로 예산편성권을 박탈하거나 반동적인 친위대를 창설함으로써 새로운 헌법이 의회에 부여한 권한을 빼앗는 것이라고 보았다.

이런 상황에서 불거진 군대와 헌법의 갈등은 1848년에 제정된 프로이센의 헌법 체제를 차츰 마비시켰다. 1860년 초에 정부는 법안 두 개를 제출했는데, 하나는 개혁의 틀을 규정하는 것이었고, 다른 하나는 예산 승인에 관한 것이었다. 빌헬름은 이 법안들의 헌법적인 위상을 서로 다르게 보았다. 예산권은 국회의 본질적인 속성이기 때문에 의회가 재정 문제에 발언권을 행사하는 것은 허용할 수 있었다. 하지만 빌헬름은 의원들이 정부에서 제안한 개혁의 세부적인 의제에 간섭할 권리는 인정하지 않았다. 그것은 자신의 지휘권 영역에 속한다고 보았기 때문이다. 의회는 이런 책략에 대하여 일시적으로 추가 자금만 지원하는 것으로 대응했다. 이것은 후에 밝혀지듯이 전술적으로 현명하지 못한 조치였다. 비록 최종 승인은 하지 않았다고 해도 정부가 개혁의 첫 단계를 추진하는 것을 허용했기 때문이다.

자유주의자들 사이에서는 정치적인 과격화의 과정이 시작되었다. 1월에 자유주의 본진에서 이탈한 17명의 의원은 새로운 진보당의 핵심 세력이 되었다. 더 보수적인 의회가 정부로서는 다루기 쉬울 것이라고 생각한 빌헬름은 하원을 해산시키고 새로운 선거를 요구했다. 1861년에 새로 구성된 하원은 100명이 넘는 진보당원이 가세함으로써 이전 의회보다 자유주의적 색깔이 훨씬 더 짙어졌다. 1850년대에 주도권을 행사했던 보수 진영은 의원 15명의 잔당으로 전락하고 말았다. 새 의회가 전보다 군사개혁 승인에 더 적극적으로 나올 리는 없었다. 결국 새로 구성된 하원도 1862년 봄에 해산되었다. 1862년 5월에 실시된 새 선거는 난국을 타개할 방법이 없다는 것을 확인해주는 데 그쳤다. 전체 325명 중에서 자유주의 정파의 의원은 230명이 넘었다.

프로이센의 군부 지도자 중에는 이제 헌법 체제와 전면적으로 단절해야 한다고 생각하는 사람들이 있었다. 이들 중에 가장 영향력이 큰 사람은 만토이펠 수상의 사촌으로서 군사고문단장인 에트빈 폰 만토이펠이었다. 그의 보수적인 개혁은 1848년의 혁명 이후 새로운 헌법 체제가 확립되는 데 무척 큰 기여를 했다. 에트빈은 사촌에 비해 카리스마는 넘쳤지만 정치적인 유연성은 부족했다. 그는 구시대의 군인으로서 자신과 군주의 관계를 독일이라는 부족의 구성원이 추장에게 충성하는 것과 같다고 생각했다. 당대의 판화를 보면 그는 굵은 곱슬머리에 수북한 수염이 하관을 뒤덮은 지극히 남성적이며 꼿꼿한 모습이다.[9] 국왕 직할의 군사고문단 일원인 그는 의회의 헌법적인 통제권에서는 완전히 벗어나 있었다.

만토이펠은 자신과 프로이센 군대의 '명예'(그는 본질적으로 같다고 보았다)를 무자비할 정도로 옹호했다. 1861년 봄, 카를 트베슈텐이라는 자유주의 성향의 시의원이 군사개혁을 비판하는 글을 발표하고 군과 국민을 이간질한다는 이유로 자신을 직접 공격하자, 만토이펠은 시의원에게 발언을 완전히 취소하든가, 결투를 받아들이라고 요구했다. 발언 취소라는 굴욕을 견딜 수 없다고 생각한 트베슈텐은 결투를 선택했지만 그는 사격에 능한 사람이 아니었다. 시의원의 총탄이 멀리 빗나간 반면, 장군이 쏜 것은 상대의 팔을 관통했다. 이 일화가 단적으로 보여주는 것은, 단순히 군대 문제로 야기된 극단적인 대립이라기보다 1848년 이후 점차 거칠어진 프로이센의 공적 생활 양식이다.

만토이펠의 극단적인 견해가 국왕 주변의 보수파들 사이에서 일정한 동조를 얻은 1862년 초 몇 달 동안은 마치 집단편집증에 걸린 것 같았다. 하지만 혁명 이후 형성된 새 물결의 공감대가 안정적으로 자리 잡으면서 장군의 '전성기'는 결코 오지 않았다.[10] 빌헬름 왕(프리드리히 빌헬름 4세는 1861년 1월에 사망했다)도 다수의 정치 및 군사 보좌관도 헌법과의 전면적인 단절을 심각하게 고려하지 않았다. 개혁안을 주도한 알브레히트 폰 론 전쟁장관은 개혁 강령의 골자를 유지하면서 헌법 체제를 유지하는 타협안을 모색했다.[11] 빌헬름 왕조차 절대주의로 회귀하는 길을 찾느니 차라리 자신이 왕위에서 물러나는 것이 쉽다고 생각했다. 1862년 9월, 그는 자유주의 노선에 공감하는 것으로 알려진 아들, 프리드리히 빌헬름 왕세자에게 양위하려는 것처럼 보였다. 이때 한

발 물러나 최후의 수단을 쓰도록 왕을 설득한 사람은 알브레히트 폰 론이었다. 즉 오토 폰 비스마르크를 프로이센 수상으로 임명하라는 것이었다.

비스마르크

오토 폰 비스마르크는 어떤 사람이었는가? 우선 그가 19세밖에 안 된 1834년 봄에 쓴 편지부터 보기로 하자. 당시는 그가 다닌 괴팅겐 대학교의 학업이수증 발행이 지체되면서 계획한 베를린 대학교 입학이 불확실할 때였다. 이런 과도기적인 상황에서 어쩔 수 없이 나태와 미래에 대한 불안에 휩싸인 젊은 비스마르크는 입학 자격을 얻지 못할 경우, 자신이 어떤 진로를 밟게 될지 곰곰이 생각하게 되었다. 크니프호프에 있는 집안의 영지에서 그는 학교 친구 샤를라흐에게 다음과 같은 편지를 썼다.

나로 말할 것 같으면, 몇 년간 신병들에게 칼이나 휘두르며 권태를 달래다가 여자를 얻고 아이를 낳겠지. 농사를 짓고 독주 양조장을 운영하며 영지 농부들의 풍속을 해칠지도 몰라. 혹시 10년 안에 네가 이 동네에 올 일이 있다면 내가 초대할게. 농장에서 얌전하고 몸매가 풍만한 젊은 여자를 하나 골라서 간통하는 거야. 감자 브랜디를 곯아떨어질 때까지 마시고 질릴 때까지 사냥에 푹 빠질 수도 있지. 이 동네에 오면 콧수염을 한 뚱뚱한 방위군 장교를 볼 거야. 땅이 흔들릴 때까지 악담과 저주를 퍼붓는 자야. 유대인과 프랑스인이라면 무조건 혐오하고 마누라에게 들볶일 때면 하인이나 개를 사정없이 두들겨 패는 인간이지. 내가 가죽바지를 입고 슈테틴 양모시장에 나가면 웃음거리가 될 거야. 그러다가 사람들이 나를 남작님이라고 불러주면 수염을 쓰다듬으며 값을 조금 깎아주겠지. 국왕 탄신일이면 술에 취해서 큰 소리로 축하 인사를 하다가 중간 중간 "하, 정말 잘난 사람이야!"라고 외치겠지.[12]

이 편지를 길게 인용한 것은 자신의 사회적 환경에 대한 청년 비스마르크의 관점에 들어 있는 아이러니한 거리감이 얼마나 큰지를 보여주기 때문이다. 비스마르크는 종종 프로이센 산간벽지에 사는 보수적인 '시골대지주'(Krautjunker)로서의 생활을 즐겼지만, 실제로 그런 유형 중에서는 오히려 이색적인 예에 속했다. 물론 그의 부친은 500년 전에 엘베 강 동부에 살았던 귀족지주의 후손으로서 그런 생활을 실천한 지주였다. 하지만 비스마르크 외가의 전통은 완전히 달랐다. 비스마르크의 모친인 빌헬미네 멩켄은 작센의 라이프치히에 뿌리를 둔 학자 가문의 후손이었다. 그녀의 조부는 법학교수로 재직하다가 프리드리히 대왕의 정부에서 내각비서관에 임명되어 근무한 적이 있었다.[13]

아들의 교육을 위해 중대한 결정을 내린 사람은 빌헬미네 멩켄이었다. 그 결과 비스마르크는 가문의 계급으로서는 비전형적인 교육을 받게 되었다. 즉 사관학교가 아니라 베를린에 있는 플라망 기숙학교에서 고전적인 부르주아지 교육을 받기 시작한 것이다. 고급공무원의 자녀들이 다니는 학교였다. 이 학교를 거쳐 그는 프리드리히 빌헬름 김나지움으로 진학했고 다시 괴팅겐 대학교(1832~33년)와 베를린 대학교(1834~35년)를 다녔다. 그 다음에 아헨과 포츠담에서 4년간 수습공무원 생활을 했다. 전형적인 인턴 생활이 그렇듯이 개인의 자율성이라곤 없는 단조로운 일과에 질린 젊은 오토는 가족이 놀라고 당황하는 가운데 공무원 생활을 포기하고 자신의 소유지인 크니프호프의 장원으로 돌아가 1839년부터 1845년까지 머물렀다. 이 긴 중간 휴식기에 그는 대담한 융커의 생활을 즐겼다. 고기와 에일 맥주를 곁들인 요란한 아침식사를 비롯해 마음껏 먹고 마시던 시절이었다. 하지만 다시 집안에서의

698

45 32세의 오토 폰 비스마르크.
1847년의 초상화를 토대로 한 목판화,
작가 미상.

일과를 자세히 살펴보면, 오토 폰 비스마르크는 전혀 융커답지 않게 헤겔과 스피노자, 바우어, 포이어바흐, 슈트라우스의 작품을 비롯해 광범위한 독서를 하며 지냈다.

여기서 비스마르크의 정치적 삶을 이해하는 데 중요한 단서가 되는 주제들이 튀어나온다. 그의 이런 배경과 태도는 비스마르크와 (적어도 그의 눈으로 볼 때) 지주귀족의 자연스러운 대표라고 할 보수파들의 관계가 금이 간 것을 설명하는 데 도움을 준다. 비스마르크는 결코 그들의 일원이 아니었으며, 이를 아는 그들도 결코 비스마르크를 온전히 신뢰하지는 않았다. 그는 구보수파의 조합주의(Korporatismus)를 지지하지 않았으며 신분연대를 통해 국가에 맞서 계급의 이익을 추구하는 세계관에 결코 끌린 적이 없었다. 그는 중앙 정부의 요구에 맞서 지방과 주의 권리를 옹호하는 데는 별 관심이 없었다. 그는 혁명과 국가개혁을 자연스러운 역사 질서에 맞서는, 악마적 음모의 두 얼굴로 보지 않았다. 오히려 정치와 역사에 대해 비스마르크가 한 말은 절대주의 국가에 대한, 특히 이런 국가가 자율적인 행동을 받아들이는 수용력에 대한 깊은 존경으로 (때로는 공개적인 찬양으로) 늘 충만해 있었다. "그의 연설에서 프로이센에 대한 맹세가 나올 때, 그것은 대선제후와 프리드리히 대왕의 프로이센이었지, 결코 절대주의에 재갈을 물리는 조합주의 국가의 퇴행적인 유토피아가 아니었다."[14]

외가의 조상들처럼 비스마르크는 국가에 봉사하는 성인으로서 할 일을 찾았다. 하지만 국가의 종복으로 봉사한다는 의미가 아니었다. 지주로서의 신분은 그 자체로 운명이라고 할 수는 없었다(그러기에 그것은 너무 협소하고 갑갑했다). 하지만 그것은 그에게 독립적인 지위를 보장해주는 것이었다. 독립되어 있으며 지배자라는 감각을 비롯해 영지와의 연결고리는, 비스마르크 개인의 자율성 개념에 근간이었다. 그가 23세 때 사촌에게 보낸 편지에서 설명한 대로, 공인으로서 중요한 역할을 열망하는 남자는 "사생활의 자율성을 공적 영역으로 넘겨야 한다"는 것이었다.[15] 그가 생각하는 사생활의 자율성이라는 개념은 결단코 부르주아의 생활을 말하는 것이 아니었다. 그것은 오로지 자신 외에는 누구도 책임지지 않는 지주의 사회적 세계에서 나온 것이었다.

세계 속에서 자신의 위치를 이렇게 이해하는 방식은 공인으로서 그의 품행에서 엿볼 수 있으며, 특히 불복종이라는 그의 성향에서 확인된다. 비스마르크는 결코 우두머리 행세를 하지 않았다. 이것은 그와 빌헬름 1세의 관계에서 가장 확연하게 드러나는 특징이었다. 수상으로서 비스마르크는 빈번히 왕의 의지를 거스르는 정책을 밀고나갔다. 왕이 방해가 될 때면 비스마르크는 화를 내거나 눈물로 감정적인 호소를 했으며 (때로는 말없이 때로는 노골적으로) 사임하고 영지로 돌아가 조용히 전원생활을 하겠다는 협박도 서슴지 않았다. 왕과의 관계를 돈독히 하고 싶을 때, 비스마르크는 보통 직접적으로 군주에게 사랑을 받는 방법이 아니라 위기를 조장함으로써 자신이 없어서는 안 되는 존재임을 부각시키는 방법을 썼다. 마치 자신의 선박 조종술을 과시하기 위해 일부러 폭풍 속으로 들어가는 키잡이 같았다.

비스마르크는 어떤 파벌을 막론하고 이념적인 기준을 초월한 것처럼 보였다. 그는 귀족의 이익을 대변하는 조합주의자가 아니었다. 그렇다고 자유주의자도 아니었고 그렇게 될 수도 없었다. 자신의 공직 경력에도 불구하고 그는 '제4신분'의 관료들과 자신을 동일시하지 않았다(그는 평생 행정 관료라는 '좀생원'[Federfuchser]들을 경멸했다). 그 결과 이념적 제약에서 해방된 자유로 인해 그의 행동은 예측할 수가 없었고(그것을 현실주의로 부를 수도 있고 실용주의나 기회주의로 칭할 수도 있을 것이다), 어떤 상황에서도 적들을 당황케 하거나 그들의 차이를 이용하면서 진영을 자유자재로 이동하는 능력이 생겼다. 비스마르크는 해명을 하지 않았다. 그는 보수파에 맞서 자유주의 세력과 손을 잡을 수 있었고(그 반대도 가능했다), 자유주의 엘리트에 맞서는 무기로 민주적 선거권을 내세울 수도 있었다. 그는 또 민족적인 대의를 짊어지는 것처럼 보임으로써 민족주의자들의 공명심을 달래줄 수도 있었다.

비스마르크는 이 모든 것을 완벽하게 꿰뚫고 있었다. 그는 정치적 삶의 척도로서 이론과 원칙을 경멸했다. "정치는 과학이 아니라 예술이다. 그 자질은 배울 수 있는 것이 아니라 타고나는 것이다."[16] 이런 말도 했다. "원칙이라는 잣대로 세상을 살아간다는 것은 마치 긴 막대를 가로로 입에 물고 좁은 숲길을 달리는 것과 같다." 그 막대가 성가셔졌을 때 그것을 내버릴 수 있는 비스마르크의 능력은, 자신을 그의 이념적인 지지자라고 믿은 친구들에게 충격을 주었다. 이들 중의 한 명이 보수파 귀족인 루트비히 폰 게를라흐(레오폴트 게를라흐의 형제)이다. 두 사람은 나폴레옹 3세가 혁명의 덕으로 권력을 잡았다는 사실에도 불구하고 그를 합법적인 군주로 대접해야 하는가를 두고 사이가 틀어졌다. 이렇듯 비스마르크는 원칙주의자가 아니었다. 오히려 원칙과 거리를 둔 사람으로 보는 것이 정확하다. 고정된 이념적 약속에서 탈피해 유연하고 실용적인 새 정치를 실현하기 위해 구세대의 낭만적인 잔재와 관계를 단절한 사람으로 보는 것이 맞다. 그에게 대중의 정서와 여론은 충족되거나 따라야 할 권력이 아니라 관리되고 조종되어야 할 힘이었다.

후기 낭만주의 시대에 펼쳐진 비스마르크의 정치는 1848년의 혁명이 몰고 온 광범위한 변화의 일부였다. 이런 의미에서 비스마르크는 카보우르나 포르투갈의 살다냐 원수, 교황 비오 9세, 나폴레옹 3세와 동류에 속한다고 볼 수 있다. 때로는 비스마르크가 프랑스 황제의 대중적인 권위주의로부터 많은 것을 배웠다거나 1871년 이후 독일수상으로서 그의 통치가 뒤늦은 독일판 '보나파르트주의'가 되었다는 말을 놓고서 논란이 벌어지기도 했다.[17] 하지만 프랑스 모델의 중요성을 과장해서는 안 된다. 지금까지 보았듯이 프로이센 자체가 1848년 이후 정부의 실천을 통해 변화를 겪은 것이 사실이다. 오토 폰 만토이펠이나 새로 즉위한 왕처럼 비스마르크는 새롭게 정치를 조합할 준비가 된 '1848년의 남자'였다. 만토이펠과 마찬가지로 그는 군주 국가를 정치적 삶의 주역으로 보았다. 비스마르크가 미래의 결정적인 요소로서가 아니라 회유와 조종을 통해 협력을 이끌어내야 할 종속적인 파트너로서 여론에 대해 기민하게 '존중심'을 나타낸 시기는 바로 만토이펠의 재직 기간이었다. 프랑크푸르트의 독일 연방 본부에 파견된 프로이센의 대표로서 비스마르크는 우호적인 신문 편집자와 기자 들에게 은밀하게 정부 지원금을 보내는 역할을 위임받았다. 정부가 배후에서 신문을 조종하는 기술은 이후 비스마르크가 예술의 경지로 끌어올린 통제 도구였다.

비스마르크는 1862년 가을에 베를린에서 수상에 임명되었다. 그가 왕세자에게 보낸 편지에서 설명한 바에 따르면, 그의 목표는 국왕의 권력과 군대의 능률을 보호하면서 '의원들 대다수의 이해'를 확보하는 것이었다.[18] 비스마르크는 2년 복무라는 자유주의자의 요구를 들어주는 한편 군대의 병력을 증강하고 핵심 영역에서 정부의 통제력을 확보하는 수정된 군사개혁 프로그램을 만들어내는 정책을 실시했다. 하지만 이런 작전은 지지를 유보하도록 왕을 설득하는 데 성공한 에트빈 폰 만토이펠의 저항 때문에 실패했다. 그것은 권력 측근의 해묵은 문제였다. 비스마르크는 직위를 유지하는 열쇠는 왕의 신임을 얻기 위한 싸움에서 모든 정적을 무력하게 만드는 것임을 즉각 깨닫고 그에 걸맞게 자신의 정책을 바꾸었다. 타협을 포기한 비스마르크는 오로지 군주와 그의 이익에 전념하겠다는 것을 확실하게 왕에게 보여주기 위한 공개적인 대립정책으로 전환했다. 군사개혁은 순조롭게 진행되었고, 징세는 의회의 승인을 거치지 않았으며, 공무원들은 복종하지 않거나 야당과 정치적으로 휘말리면 즉각 해임될 것이라는 말을 들었다. 이런 흐름 속에서 의회는 비능률적이고 자해에 가까운 분노의 표현을 쏟아내며 허우적거렸다. 이 모든 것은 국왕에게 비스마르크의 능력과 신뢰성에 대한 확신을 심어주기에 충분했다. 그는 곧 왕에 대한 영향력에서 다른 경쟁자들을 압도하기 시작했다.

하지만 다른 측면에서 비스마르크의 입지는 극단적으로 취약해졌다. 1863년 10월에 다시 치른 선거에 따라 구성된 의회의 의석 분포에서 친정부 의원은 38명밖에 되지 않았다. 여론전에서 패배한 것이 분명했다. 소문에 따르면 왕은 선거 결과에 너무 기가 꺾인 나머지 의기소침해져서 창밖으로 궁정 광장을 내려다보며 "저기가 바로 그들이 내 단두대를 설치할 곳이야"라고 말했다고 한다.[19] 베를린에서 감지되는 정치적 마비 상태는 프로이센이 독일 문제를 선도할 능력을 망가뜨리는 것처럼 보였다. 1863년에 비스마르크가 하원과 싸우는 동안, 오스트리아는 독일 연방에 새로 숨결을 불어넣게 될 개혁안을 짜고 제시하느라 바빴다.

베를린은 표류하는 것처럼 보였다. 외교정책에서 프로이센 수상의 업적은 보잘것없어 보였다. 1863년에 그는 오스트리아의 개혁 프로젝트를 차단하는 데 성공했고 독일 관세동맹에 합류하려는 빈의 노력을 간신히 저지했다. 더 중요한 것은 비스마르크와 러시아의 화해였는데, 이것은 알벤스레벤 협정(1863년 2월 8일)으로 공식화되었다. 프로이센과 러시아가 폴란드 민족주의를 함께 억압하기로 한 이 조약으로 상트페테르부르크의 호감을 사는 데는 성공했다. 대신 친폴란드 자유주의자들에게는 큰 실망을 안겨주었고 이 일로 비스마르크는 곳곳에서 혐오 인물이 되었다. 새로 취임한 수상이 보기 드물게 정력적이고 무정하며 창의적인 정치책략가로 이름을 떨친 것은 취임하고 18개월이나 지난 뒤였다. 하지만 당대의 관점으로는 그가 1~2년간 의회의 하원과 타협점을 찾기 위해 애를 쓰다가 해임될 거라고 생각하기 쉬웠다. 비스마르크의 운명을 바꿔놓은 것은 1864년에 발발한 독일-덴마크 전쟁이었다.

덴마크 전쟁

1863년 겨울, 슐레스비히-홀슈타인이 다시 뉴스의 초점이 되었다. 덴마크의 프레데리크 7세가 1863년 11월 15일 사망하면서 후계자 문제로 위기가 발생했다. 직계 남자상속자가 없었기 때문에(덴마크의 왕위는 대신 모계혈통을 거쳐 크리스티안 폰 글뤽스부르크에게 계승되었다), 슐레스비히-홀슈타인 양 공국을 통치하는 데 필요한 합법적인 상속권이 누구에게 있는가를 놓고 분쟁이 발생했다. 슐레스비히-홀슈타인을 둘러싼 논란의 세부사항은 언제나 복잡하기 때문에(특히 여기에 관련된 사람들은 대부분의 이름이 프레데리크 아니면 크리스티안이다) 중요한 쟁점으로 논의를 제한하기로 하자. 1850년대 초에 이루어진 일련의 국제조약에서는 크리스티안 폰 글뤽스부르크가 선임자인 프레데리크 7세와 동일한 조건으로 덴마크의 왕위를 계승하기로 합의가 되어 있었다.[20] 하지만 1863년에 들어와 프레데리크 폰 아우구스텐부르크 왕자가 양 공국에 대한 권리를 주장하면서 문제가 꼬이기 시작했다. 아우구스텐부르크는 오래전부터 양 공국에 대한 권리를 주장해왔지만, 프레데리크 왕자의 아버지인 크리스티안 폰 아우구스텐부르크가 1852년의 런던의정서에서 그 권리를 포기하는 데 동의했다. 그런데 1863년에 프레데리크 폰 아우구스텐부르크가 자신은 1852년의 조약과 무관하다면서 대담하게 '슐레스비히-홀슈타인 공작'의 칭호를 스스로 붙인 것이다. 그의 주장은 독일 민족주의 운동으로부터 열렬한 지지를 받았다.

여기서 슐레스비히-홀슈타인 위기의 뚜렷한 특징을 잠시 살펴볼 필요가 있다. 거기에는 근대와 근대 이전의 문제가 서로 뒤얽혀 있었다. 한편으로 그것은 17세기와 18세기의 숱한 위기가 그렇듯이, 남자 후손이 없는 상태에서 왕의 죽음으로 촉발된 구시대적인 왕조의 위기였다. 이런 점에서 1864년의 갈등을 '덴마크 왕위 계승 전쟁'이라고 부를 수도 있을 것이다. 다른 한편으로 이 전쟁의 주요 발화점이 된 것은 오로지 대중 운동으로서 민족주의가 담당한 역할 때문이었다. 슐레스비히-홀슈타인 문제가 독일 민족주의 운동에 준 충격 효과는 이미 1848년의 프랑크푸르트 의회에서 경험할 수 있었다. 1863~64년에 들어와 독일 민족주의자들은 양 공국이 아우구스텐부르크 왕조의 통치를 받되 공동으로 독일 연방의 일원이 될 것을 요구했다. 민족주의는 덴마크 쪽에도 마찬가지로 결정적인 요소였다. 덴마크 민족주의 운동은 덴마크가 슐레스비히에 대한 권리를 지켜나갈 것을 요구했고, 이는 덴마크 자유주의 내의 주류 여론으로부터 지지를 받았다. 이런 배경에서 경험도 없고 무능한 신임 국왕 크리스티안 9세는 왕위에 올랐을 때, 일촉즉발의 국내 문제에 부닥쳤다. 한때 코펜하겐 왕궁 밖에서 발생한 시위는 코펜하겐 경찰국장이 수도의 법질서가 풍전등화라고 경고할 정도로 과격했다. 한 치 앞도 알 수 없는 정치적 격변에 대한 불안은 신임 왕에게 특단의 조치를 내리도록 강요했다. 크리스티안 9세는 1863년의 11월 헌법에 서명함으로써 슐레스비히 공국을 덴마크 단일국가 체제로 흡수하려는 의도를 드러냈다. 하지만 이것은 독일 민족주의자들에게는 용서할 수 없는 도발로 비난받을 태도였다.

이제 슐레스비히-홀슈타인 양 공국을 둘러싸고 세 갈래의 입장이 서로 대치했다. 덴마크는 1863년의 11월 헌법에서 정한 대로 슐레스비히의 편입을 주장했다. 독일 민족주의 운동과 독일 연방에 속한 대다수 국가는 아우구스텐부르크의 주장을 선호했으며 무력 개입을 지원할 준비가 된 상태였다. 프로이센과 오스트리아는 아우구스텐부르크의 주장에 반대하면서 덴마크가(아우구스텐부르크도) 1850년과 1852년에 합의한 약속을 지킬 것을 주장했다. 12월의 연방의회에서 빈틈없는 거래가 이루어진 끝에 런던의정서에 기초하여 이 사태에 개입한다는 결의안이 (단 한 표 차로) 통과되었다. 1863년 12월 23일, 소규모 연방 파견부대가 덴마크 국경을 넘어 아무 저항도 받지 않고 북쪽으로 진격하며 아이더강 남쪽에 있는 홀슈타인의 대부분 지역을 점령했다. 하지만 이를 둘러싸고 곧 연방 내부의 갈등이 표출되기 시작했다. (1만 2천 명밖에 안 되는) 파견대는 무방비 상태의 홀슈타인을 점령하는 데는 충분했지만, 슐레스비히는 상황이 달랐다. 덴마크에서 강력한 방어태세를 갖출 것으로 예상되었기 때문에 작전이 성공하려면 훨씬 더 많은 병력이 필요했다. 프로이센과 오스트리아는 여전히 행동의 일치를 보이며 슐레스비히를 침공할 준비가 되었다고 선언했다. 하지만 유럽 열강의 입장에서는 단지 1851년과 1852년의 조약을 토대로 개입한다는 말이지, 독일 연방의 대표 자격으로 나선 것도 아니고 아우구스텐부르크의 요구를 지지한다는 의미도 아니었다. 1864년 1월, 두 강대국은 공동의 최후통첩을 (연방 내의 다른 국가와 협의하지 않고) 따로따로 덴마크에 보냈다. 그리고 덴마크가 이에 불응하자 양국의 연합군이 아이더강을 건너 슐레스비히로 쳐들어갔다.

놀라운 사태 반전이었다. 1850년대와 1860년대 내내 맞수로 경쟁하던 오스트리아와 프로이센이 달콤한 조화와 협력의 분위기로 가는 길을 닦은 것처럼 보였기 때문이다. 하지만 외견상 일치하는 목표가 서로 다른 기대에 따른 혼란상을 가렸을 뿐이다. 오스트리아의 외무장관인 요한 베른하르트 폰 레히베르크 백작이 볼 때, 이 합동원정은 독일에 대한 오스트리아-프로이센 공동 관리의 기반을 닦고 독일 연방에 대한 초지역적 기관을 활성화시킴으로써 독일 민족주의 운동의 명망을 떨어뜨릴 기회였다. 동시에 베를린이 덴마크(그리고 오스트리아)의 희생을 대가로 (슐레스비히의 합병 같은) 일방적인 중대 이익을 확보하는 것을 막는 길이기도 했다. 레히베르크는 또 하나의 위험한 가능성을 염두에 두고 있었다. 유럽의 말썽꾸러기 역할에 적극 나서기 시작한 나폴레옹 3세가, 프랑스는 프로이센이 북독일의 군소국과 더불어 슐레스비히-홀슈타인을 무조건 합병하는 것을 지지한다고 프로이센에 암시한 것이 꺼림칙했다. 파리가 반오스트리아 전쟁을 획책하는 것이 분명해 보였다. 프로이센은 피에몬테 역할이었던 셈이다. 비스마르크를 통해 이런 움직임을 소상히 전해 들은 레히베르크는 이것이 오스트리아 제국으로서는 감당할 수 없는 전쟁임을 알고 있었다.

비스마르크의 관심사도 별로 다르지 않았다. 그의 계획에서 현 상태 그대로의 독일 연방은 계산에 들어 있지 않았다. 궁극적인 목적은 양 공국을 프로이센에 합병하는 것이었다. 어쩌면 프로이센 총참모장인 헬무트 폰 몰트케가 여기에 가장 큰 영향을 미쳤는지도 모른다. 몰트케는 새로운 독립국이 생기면 합스부르크가의 위성국이 될 여지가 있고 그로 인해 프로이센 북방의 해상방어선에 빈틈이 생긴다는 이유로 슐레스비히-홀슈타인이 독립 공국으로 전환되는 것에 완강히 반대했다. 하지만 비스마르크도 알다시피, 일방적인 합병은 프로이센을 오스트리아와 나머지 연방 회원국, 어쩌면 일부 유럽 열강까지 포함되는 합동 보복에 노출시킬 위험이 있었다. 특히 몰트케가 경고한 대로 만일 덴마크가 해상전투력의 우위를 바탕으로 본토의 병력을 빼내기라도 한다면, 오스트리아의 추가 파견군이 절실하게 필요할지도 모르는 일이었다. 따라서 오스트리아와의 합동작전은 위험성을 줄이고 모든 가능성을 열어놓기 위해 택한 임시조치였다.[21]

덴마크 전쟁은 덴마크가 어쩔 수 없이 강화를 청한 1864년 8월

1일에 끝났다. 이 분쟁에서 눈여겨볼 대목은 세 가지다. 첫째, 프로이센은 오스트리아보다 군사력이 강하지 못했다는 것이다. 그리고 초기에 저지른 실수 중의 하나는 프로이센의 원수인 프리드리히 하인리히 에른스트 폰 브랑겔 백작을 연합군의 총사령관으로 임명한 것이었다. 당시 84세의 브랑겔은 궁정의 보수파로부터 호평을 받았지만 늙은데다 뚜렷한 능력이 없는 평범한 장군에 불과했다. 전투 경험이라곤 1848년 혁명 기간에 민간 반란군을 상대로 한 것밖에 없었다. 브랑겔이 덴마크에서 쉴 새 없이 실수를 저지르는 동안, 오스트리아 부대는 용감하면서도 기술적으로 임무를 완수했다. 1864년 2월 2일에는 오스트리아의 한 여단이 오버젤크에 있는 덴마크 진지를 공격하고 보란 듯이 점령하자 브랑겔이 달려가서 여단장을 껴안고 뺨에 입을 맞추는 바람에 프로이센 지휘관들이 당황해하는 일이 있었다. 4일 후, 오스트리아의 노스티츠 여단이 빈틈없는 방어를 하는 덴마크의 외버제 요새를 돌파하는 동안 그 측면에 있던 프로이센 1개 근위사단은 멍하니 구경만 하고 있었다. 이것은 반세기 동안 전투 경험이 없는 군대로서는 필연적인 결과였다. 이들은 국제 사회뿐 아니라 군사개혁이라는 정치 투쟁을 지켜본 국내의 국민들을 향해 필사적으로 용기를 입증할 필요가 있었지만 맥없이 차질을 빚은 것이다.[22]

분쟁의 두 번째 두드러진 특징은 정치적 리더십이 군의 리더십보다 우위에 있었다는 점이다. 덴마크 전쟁은 프로이센으로서는 민간 정치인이 통제권을 행사한 최초의 군사적 분쟁이었다. 전쟁 내내 비스마르크는 갈등의 전개가 자신의 외교 목표에 확실히 기여하도록 유도했다. 그는 전쟁 초기 몇 주간은 프로이센군이 덴마크군을 유틀란트반도로 밀어붙이지 못하게 했다. 합동원정군이 덴마크 왕국의 영토를 노리고 있지 않다는 것을 유럽 열강이 믿고 안심하도록 하기 위해서였다. 물론 지시를 어기고 2월 중순에 브랑겔이 근위병 선발대를 북쪽 유틀란트 국경으로 보내는 실수를 저지른 것은 확실했다. 비스마르크는 전

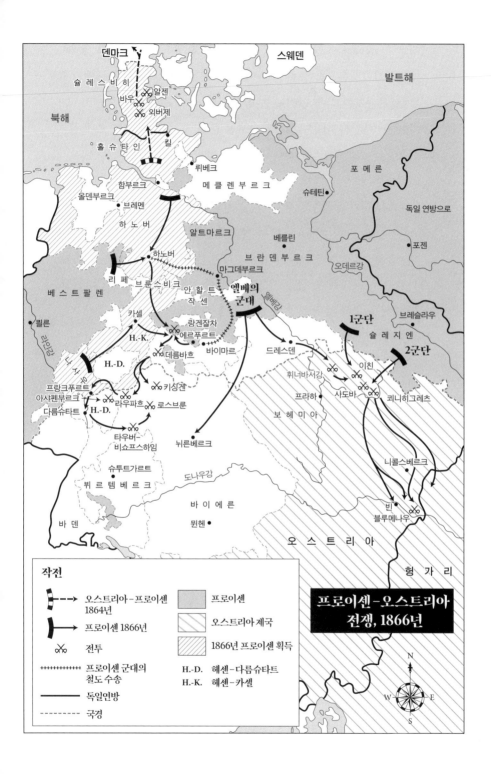

덴마크

스웨덴

발트해

슐레스비히
바우 알젠
외버제
북해
홀슈타인 킬
뤼베크
메클렌부르크
포메른
슈테틴
함부르크
올덴부르크 브레멘
알트마르크
독일 연방으로
하노버
베를린
포젠
브란덴부르크
하노버
오데르강
마그데부르크
리페 브룬스비크
안할트 엘베의
군대
작센
베스트팔렌
엘베강
브레슬라우
1군단
슐레지엔
카셀 랑겐잘차
에르푸르트
쾰른 H.-K. 바이마르 드레스덴 이친 2군단
데름바흐
H.-D. 사도바 쾨니히그레츠
키싱겐 휘너바서강
프랑크푸르트
아샤펜부르크 라우파흐 로스브룬 프라하
다름슈타트 H.-D. 보헤미아
타우버-
비쇼프스하임
뉘른베르크
니콜스베르크
슈투트가르트
뷔르템베르크 도나우강

바덴 바이에른 빈
뮌헨 블루메나우

오스트리아

헝가리

작전

오스트리아-프로이센
1864년

프로이센 1866년

전투

프로이센 군대의
철도 수송

독일연방

국경

프로이센

오스트리아 제국

1866년 프로이센 획득

H.-D. 헤센-다름슈타트
H.-K. 헤센-카셀

프로이센-오스트리아
전쟁, 1866년

N
W E
S

쟁장관을 설득해서 늙은 장군을 강력하게 질책하는 메시지를 보내도록 했고, 브랑겔은 5월 중순 비스마르크의 고집에 굴복했다. 동맹의 틀이 프로이센에 이익을 안겨주는 방향으로 나가도록 빈과의 연락 체계를 감독한 사람도 비스마르크였다. 4월 들어, 덴마크 침공을 오래 끌어 다른 열강과 갈등을 빚기보다 슐레스비히에 있는 덴마크의 뒤펠 요새를 공격하라고 주장한 사람도 비스마르크였다.

뒤펠 요새에 대한 공격 결정은 논란을 불러일으켰다. 이곳의 덴마크 진영은 난공불락의 요새로서 물샐틈없는 방어시설을 갖추었기 때문에 프로이센의 정면 공격이 성공하려면, 많은 사상자를 내는 것은 불가피할 것이 분명했다. "정치적으로 요새를 점령할 필요성이 있다는 거요?" 요새 포위를 담당했던 국왕의 동생 프리드리히 카를 왕자가 물었다. "숱한 인명이 희생되고 엄청난 비용이 들 것이오. 내 보기엔 군사적으로 필수적이진 않은 것 같소만."[23] 뒤펠 요새의 공격 작전은 사실 군사적인 것보다는 정치적인 목적이었다. 전면적인 덴마크 침공은 외교적으로는 바람직하지 않았지만 프로이센군으로서는 눈부신 승리가 절실하게 필요했다. 지휘관들 사이에서는 불평의 목소리가 높았지만, 비스마르크의 의지가 뚜렷했기 때문에 작전은 그대로 진행되었다. 4월 2일, 프로이센군은 새로 제조한 야포를 사용해 덴마크 방어시설에 맹폭을 가하기 시작했다. 4월 18일, 보병은 프리드리히 카를 왕자의 지휘를 받았다. 쉬운 싸움이 아니었다. 덴마크군은 심하게 파괴된 방어시설 뒤에서 맹렬하게 반격을 했고, 다시 언덕을 오르며 프로이센군을 향해 대대적인 공격을 한 다음 참호를 구축했다. 1천 명이 넘는 프로이센군이 전사하거나 부상을 당한 가운데 덴마크군의 사상자는 1,700명이나 되었다.

전쟁 기간 내내 우위를 차지한 비스마르크의 위상은 긴장과 동시에 반감을 두드러지게 유발했다. 지휘관들이 반발하자, 비스마르크는 재빨리 군대는 정치 행위에 간섭할 권리가 없다는 점을 환기시켰다. 이

46 1864년 4월 18일, 뒤펠의 덴마크군 참호로 돌격하는 프로이센군. 당대의 판화.

것은 프로이센의 정세에서 주목할 만한 발언으로서 1848년의 혁명 이후 얼마나 많은 변화가 있었는지를 증명해주는 일이기도 했다. 하지만 군은 전쟁장관 알브레히트 폰 론이 1864년의 각서에서 밝히듯이 비스마르크의 이런 의도를 받아들일 생각이 없었다.

> 어떤 군대도 스스로를 '순수하게' 정치도구나 외교적인 수술을 위한 의료도구로 간주하거나 이해한 적은 없었고 지금도 마찬가지다. […] 정부가 특히 국민의 무장 병력에 의존하는 상황이라면 (지금이 그런 상황인데) 정부가 무엇을 하고 무엇을 하지 말아야 하는지에 대한 군대의 견해는, 아무래도 상관없는 하찮은 문제가 아니다.[24]

이런 언쟁은 승전의 들뜬 기분에 빠르게 잊혔지만, 그 밑에 깔린 문제는 뒤에 가서 더 매섭고 위협적으로 수면 위로 떠올랐다. 사실상 행정의 전 분야를 통제해야 한다는 비스마르크의 주장은 갈등을 얼버무렸지만, 프로이센 최고 지도층에서 빚어진 민군 관계의 구조적인 문제점을 해결하지는 못했다. 1848년의 혁명은 군주정의 무장은 해제시키지 않고 군주정에 의회를 도입한 것이었다. 혁명 이후 자리 잡은 안정 기반의 한복판에, 회피하고 외면해온 결정이 또아리를 틀고 있었다. 이것은 1918년에 호엔촐레른 왕조가 무너질 때까지 프로이센(그리고 독일)의 정치에 붙어 다녔다.

덴마크에서 거둔 프로이센의 승리(뒤펠 전투에 이어 6월 말에는 알스 섬에 대한 육해군 합동상륙작전이 성공을 거두었다)는 국내의 정치 지형까지 바꿔놓았다. 애국적 열기의 여파로 프로이센 자유주의 운동 내부에 잠복해 있던 반목이 밖으로 표출되기에 이르렀다. 슐레스비히-홀슈타인 양 공국의 합병을 요구한 1864년 5월의 아르님-보이첸부르크의 청원은 보수파뿐 아니라 수많은 자유주의자를 포함해 7만 명의 서명을 받았다. 프로이센군의 성공은 동시에 자유주의자들이 그토록 반대한 개혁 강령의 실효성을 보여주는 것 같았기 때문에 자유주의 진영에서 강한 긴장이 맴돌았다. 정부와 화해하려는 욕구가 커지고 있었고, 이런 흐름은 갈등을 질질 끌 경우 자유주의 운동이 여론의 지지를 상실할지도 모른다는 두려움으로 더 뚜렷해졌다.

1864년과 1865년에 비스마르크와 '그의' 장관들은 자유주의자 대다수를 분열시키고 인기를 떨어뜨릴 수 있는 법안을 가지고 대치하면서 의회를 노련하게 다루었다. 예컨대 해군 양성 법안에서 정부는 고작 2천 만 탈러만으로 무장 호위함 두 척을 건조하고 킬에 해군기지를 건설하는 계획을 승인해달라고 요청했다. 독일해군 창설은 무엇보다 해군작전이 눈부신 역할을 한 덴마크 전쟁의 여파로 자유주의 노선의 민족주의 운동에서 집착하는 것이었다. 의원 대다수는 안건을 강력하게 지지하는데도 불구하고 그 법안을 거부할 수밖에 없었다. 법정 예산이 없는 상태에서 의회가 새로운 지출비용을 승인해줄 수는 없다는 것이 이유였다.[25]

수상이 이런 식으로 도박을 할 수 있었던 것은 프로이센 정부의 국고가 넘칠 정도로 가득 찼기 때문이다. 1850년대와 1860년대에 프로이센의 경제는 제1차 세계경제 호황에 따른 효과를 누렸다. 철도 연결망과 철강 제련 및 기계 제작 연관 사업에서 이룩한 급속한 성장은 경이로울 추세로 증가한 화석 연료 추출에 힘입은 것이었다. 1860년대에 프로이센의 라인란트에 있는 루르 지역의 탄광은 연평균 170퍼센트의 성장을 이룩함으로써 이 지역의 역사에서 전례가 없는 경제적·사회적 변화를 불러일으켰다. 이런 성장은 아주 다양한 차원에서 변화가 집중됨으로써 계속 유지되었다. 모든 생산 단계에서 품질 향상이 이루어졌고 운송 기반시설이 개선되어 비용 절감 효과가 발생했다. 지금까지 보았듯이, 과거에 성장을 방해했던 갖가지 규제로부터 프로이센 정부가 발을 뺌으로써 (오스트레일리아와 캘리포니아의 골드러시를 등에 업고) 고도의 유동성을 지닌 자본시장이 형성되었고 무역수지는 바람직한 방향으로 개선되었다.

비록 1857~58년의 '제1차 세계불황'으로 호경기는 어느 정도 둔화되었지만, 1860년대에는 이전 10년보다 더 광범위한 토대 위에서 견실한 성장 궤도로 복귀했다. 성장이 대부분 중공업 분야에 한정된 1850년대와 달리, 1860년대는 중공업과 섬유산업, 농업을 막론하고 더 조화로운 성장을 이루었다. 이렇게 안정적인 성장 구조는 갈수록 고수익을 내는 은행과 합자회사를 통한 꾸준한 투자 확대에 의해 유지되었다.[26]

장기 호황은 1850년대의 재정 및 금융 여건 개선, 그리고 국유탄광의 생산 증가와 맞물려 정부 수입을 예측할 수 있게 해주었다. 1865년 3월, 비스마르크는 가까운 친구에게 덴마크 전쟁은 주로 지난 2년간의 흑자예산으로 충당했다고 털어놓기도 했다. 국고에서 200만 탈러만 지원해도 충분했다는 것이다. 또 가까운 장래에 자금이 바닥날 것 같지도 않았다. 쾰른의 은행가 아브라함 오펜하이머나 베를린의 사업가인 게르존 블라이히뢰더처럼 정부에 협조적인 기업인들은 정부 사업이나 반(半)국영 기업의 정부 소유분을 민영화하라는 달콤한 제안으로 수상에게 공세를 퍼부었다. 비스마르크는 다음과 같은 말을 했다. "금융권에서는 의회의 승인 없이 대출해 가라고 졸라댔지만, 우리는 그러지 않고도 덴마크 전쟁을 두 번은 수행할 수 있을 것이다."[27]

프로이센의 대독일 전쟁

1864년 8월 1일, 덴마크의 크리스티안 왕은 독일 연방과 슐레스비히-홀슈타인 양 공국의 미래와 관련된 결정은 보류한 채 그에 대한 모든 권리를 프로이센과 오스트리아에 양도하고 그 땅을 오스트리아-프로이센 연합군이 관할하도록 했다. 이 모든 결정은 독일 두 강대국의 협력에 기초한 조화로운 2강 지배 체제의 출범처럼 보였다. 이것은 확실히 오스트리아가 노리고 비스마르크가 최선을 다해 오스트리아의 기대를 부추긴 결과였다. 1864년 8월, 빈 주재 프로이센 대사에게 보낸 훈령에서 비스마르크는 다음과 같이 오스트리아의 환심을 사는 견해를 표명했다. "진정한 독일 정책은 오스트리아와 프로이센이 힘을 합쳐 상황을 주도할 때만 가능하다. 국정을 책임지는 관점에서 볼 때, 두 강대국의 긴밀한 유대는 처음부터 우리의 목표였다. […] 프로이센과 오스트리아가 힘을 합치지 않는다면, 정치적으로 독일은 존재하지 않는다."[28] 이것은 속임수에 지나지 않았다. 비스마르크의 목표는 여전히 양 공국을 프로이센에 합병하고 독일 내에서 오스트리아의 영향력을 무력화하는 것이었다. 필요하면 전쟁을 불사하겠다는 계획이었다. 이미 1863년에 비스마르크는 러시아에, 프로이센이 "1756년에 프리드리히 2세 치하에서 했듯이" 오스트리아 제국에 대한 기습공격을 감행할지도 모른다는 암시를 했다.[29] 그의 전술은 공동점령 상태를 그럭저럭 유지함으로써 모든 가능성을 열어놓되 기회가 생길 때마다 오스트리아에 시비를 거는 것이었다.

슐레스비히-홀슈타인의 미래를 놓고 벌어진 외교전에서 오스트리아는 지정학적으로 불리했다. 양 공국은 빈에서 너무도 멀었기에 주둔 부대를 유지하는 것에도 오스트리아의 관심은 미온적이었다. 1864년 가을, 오스트리아는 베를린을 향해 두 가지 방향 중에 하나를 선택하라고 요구했다. 즉 (a) 양 공국을 아우구스텐부르크 왕조가 다스리는 별도의 국가로 인정하든가, (b) 양 공국을 프로이센에 합병하고 그 대가로 슐레지엔 국경에 딸린 땅으로 오스트리아에 보상하든가, 둘 중에 하나를 프로이센이 택하라는 것이었다. 비스마르크는 슐레지엔은 협상 대상이 아닐뿐더러 양 공국에 대해서 베를린은 특권이 있다는 이상한 논리를 덧붙이며 두 가지 제안을 거부했다. 이런 기류는 1865년 2월에도 프로이센이 어떤 형태든 슐레스비히-홀슈타인의 '독립국'을 프로이센의 위성국으로 간주할 의도가 있다는 도발적인 선언으로 이어졌다. 그러는 동안에도 프로이센은 양 공국에 대한 지배권을 계속 확대해나가면서 오스트리아의 격렬한 항의를 유발했다. 오스트리아는 이 문제를 프랑크푸르트 연방의회로 가져가 아우구스텐부르크의 계승을 다시 의제로 올렸다. 여름이 되자 전쟁이 임박한 것처럼 보였다. 그러다가 프란츠 요제프 황제가 빌헬름 왕과 새로운 협상을 하기 위해 특사를 파견함으로써 전쟁의 위기는 한 고비를 넘겼다.

그 결과 1865년 8월 14일에 가슈타인 협정이 조인되었다. 비스마르크의 제안에 기초한 이 협정은 양 공국에서 오스트리아-프로이센의 합동통치를 유지하되, 슐레스비히는 프로이센이 관할하고 홀슈타인은 오스트리아가 관할하도록 했다. 하지만 가슈타인 협정은 비스마르크가 시간을 벌기 위해 짜낸 잠정적인 합의에 지나지 않았다. 프로이센은 홀슈타인에서 계속 도발을 멈추지 않았고 1866년 1월에는 친아우구스텐부르크 민족주의자 모임을 이용해 빈이 협정을 깼다고 비난했다. 2월 28일, 베를린의 추밀원은 두 독일 강대국 사이에 전쟁이 불가피하다는 결론을 내렸다. 여기에 모인 장군과 장관, 고위급 외교관 들은 오스트리아가 가슈타인 협정을 위반했고 프로이센을 계속 경쟁국 및 적국으로 대한다는 데 의견이 일치했다. 비스마르크가 프로이센의 사명은 독일을 앞에서 이끄는 것이며 바로 이 '자연스럽고 정당한' 야망이 오스트리아에 의해 부당하게 방해받았다고 지적하자 참석자 대부분이 이에 동의했다. 비군사적 해결을 옹호하는 사람은 왕세자밖에 없었다.[30]

비스마르크의 다음 행보는 이탈리아와 동맹을 맺는 것이었다. 협상은 추밀원 모임 직후에 시작되었고, 1866년 4월 8일에 대오스트리아 연합군을 위한 조약이 조인되었다. 이제 양국은 차후 3개월 내에 오스트리아와 전쟁이 일어날 경우 상호원조를 약속하기에 이르렀다(비스마르크는 7년전쟁 기간의 프리드리히 대왕이나 1790년대의 프리드리히 빌헬름 2세처럼 헝가리 제5열을 이용하는 유서 깊은 프로이센의 전통을 되살렸지만, 헝가리 혁명 운동 세력과의 접촉에서 가시적인 성과를 올리지는 못했다). 2월

716

28일 추밀원 회의에서 비스마르크는 마찬가지로 자신이 프랑스로부터 '보다 확실한 보장'을 받으려고 파리의 반응을 타진했다는 사실을 알렸다. 이후 일련의 모호한 제안과 역제안이 나왔다. 비스마르크가 나폴레옹에게 정확히 어떤 보장을 해주었는가를 두고서는 많은 논란이 있었지만, 프랑스의 중립 방침은 벨기에와 룩셈부르크, 어쩌면 라인강과 (프로이센의 자를란트와 바이에른의 팔츠를 둘러싼) 모젤강 사이의 지역까지 포함한 일대에서 보상해준다는 약속을 한 대가로 받아낸 것으로 보였다. 오스트리아 역시 아주 비슷한 조건으로 (라인란트에 있는 프랑스의 위성국을 포함해) 프랑스의 중립 약속을 받아냈기 때문에 프로이센-오스트리아 분쟁에서 누가 최종 승자가 되든 상관없이 프랑스는 수혜자가 될 것이라고 믿을 이유가 충분했다.[31]

러시아는 제3세력으로서 프로이센이 계획하는 전략의 성패를 가름할 결정적인 요인이었다. 러시아는 1848~50년에 오스트리아의 운이 되살아나도록 도우면서 프리드리히 빌헬름 4세와 라도비츠의 통일 계획을 저지한 적이 있었다. 하지만 1866년에는 상황이 변했다. 러시아는 근본적인 국내 정치개혁에 갇혀 한눈을 팔 여유가 없었다. 오스트리아와의 관계도 여전히 냉각된 상태였다(러시아의 전략적 관점에서 볼 때 프로이센이 아니라 오스트리아와 영국이 앞으로의 전쟁에서 적국이 될 가능성이 아주 컸다). 크림전쟁 이후 조성된 양 동방제국 사이의 반목은 이미 1859년에 카보우르에게 이익을 가져다주었다. 이탈리아의 위기가 발생했을 때, 마침 프랑크푸르트의 임지를 떠나 상트페테르부르크 주재 프로이센 대사로 가 있던 비스마르크는 이때의 교훈을 잊지 않았다. 비스마르크는 수상에 취임한 이후 러시아와의 관계를 조심스럽게 발전시켜 나갔으므로 러시아의 개입을 두려워할 이유는 별로 없어 보였다.[32]

이 같은 외교적 준비 외에 독일 자유주의 진영을 혼란시키고 독일 연방에 대한 대중의 신뢰를 흔들기 위한 다른 조치들도 이어졌다. 4월 9일, 비스마르크는 남자의 직접보통선거를 통한 독일 국민의회(Nationalparlament)의 창설을 위해 연방회의(Bundesversammlung)를 소집할 것을 전격 제안했다. 연방회의 대표들은 이탈리아의 부대가 이동한다는 소식에 따라 4월 21일에 오스트리아가 부분적인 동원령을 내렸을 때까지도 예상하지 못한 비스마르크의 발의를 놓고 숙고를 거듭했다. 이제 일련의 부대 배치와 대응 조치가 시작되는 가운데 일촉즉발의 위기는 양쪽의 총동원령에서 최고조에 이르렀다.

두 독일 강대국이 전쟁 준비를 하고 있을 때, 독일 연방에 속하는 군소국가는 대부분 오스트리아 편에 설 것이 분명해졌다. 5월 9일, 연방회의에 파견된 대표 대다수는 프로이센의 동원령에 대한 설명을 요구하는 결의안을 통과시켰다. 5월 말, 오스트리아는 공식적으로 양 공국에 대한 책임을 독일 연방에 떠넘겼다. 6월 첫째 주가 지나는 동안, 프로이센 부대가 홀슈타인으로 진격해 들어갔지만 하노버로 철수한 오스트리아군의 반격은 없었다. 6월 11일, 연방회의에 파견된 오스트리아 사절은 프로이센의 홀슈타인 점령이 불법이고 가슈타인 협정을 위반한 것이라고 비난하면서 프로이센에 맞설 독일 연방의 동원령을 요구하는 결의안을 제안했다. 6월 14일, 프랑크푸르트에서 열린 연방회의의 마지막 총회에서 이 결의안이 다수결로 통과되었다. 프로이센 대표는 독일 연방이 와해된 것으로 간주한다고 선언하며 퇴장했다. 5일 후, 이탈리아가 오스트리아에 선전포고를 했다.[33]

러시아와 프랑스의 중립이 사실상 보장된 상황에서 프로이센은 강대국의 반열에 순조롭게 진입한 후 1866년 여름에 오스트리아와의 전쟁에 돌입했다. 하지만 그 결과가 결코 처음부터 정해진 것이라고 할 수는 없다. 해당 사정에 밝은 당대 사람들은 (1859년에 오스트리아와 실제로 전쟁을 벌였던 나폴레옹 3세를 포함해) 대부분 오스트리아의 승리를 점쳤다.[34] 덴마크 전쟁에서 양국 군대가 올린 전과는 이런 견해를 떨쳐 버리는 데 아무런 역할을 하지 못했다. 프로이센이 1859년 이후로 군사 개혁 프로그램에 착수한 것은 사실이지만, 이것은 흔히 주장되는 것과 달리 대단한 효과가 있지는 않았다.[35] 아무튼 오스트리아도 1859년의 재난 이후 자체의 개혁 프로그램으로 대응했다. 오스트리아의 대포는 정교했고 잘 훈련된 포병대가 배치되었다. 프로이센이 전쟁을 판가름할 보헤미아 작전에서 수적으로 약간 우위에 있었던 것은 사실이다. 프로이센군 25만 4천 명이 오스트리아의 북군 24만 5천 명과 맞닥뜨렸다. 아마 이탈리아가 베네치아에서 20만 명 이상의 병력으로 공격을 개시함으로써 오스트리아가 어쩔 수 없이 추가로 10만 명을 남서 전선으로 돌리는 상황이 발생하지 않았다면, 상황은 전혀 달랐을 것이다.

오스트리아에도 중요한 전략적 이점은 있었다. 1866년의 외교전에서 중간 규모의 독일 국가는 대부분 베를린에 맞서 빈을 선택했기 때문이다. 이에 따라 프로이센은 오스트리아뿐 아니라 호전적인 독일 국가들을 상대로 군대를 동원해야 했다. 거기에는 특히 하노버와 작센을 빼놓을 수 없었다. 1866년에 각 지역에 흩어진 채 소집된 연방군의 총수는 약 15만 명이었다. 이것은 다시 프로이센의 참모총장 헬무트 폰 몰트케가 곳곳에 분산된 프로이센의 철도망을 통해 오스트리아와 작센, 하노버 전선으로 신속한 이동이 가능하도록 프로이센군을 네 개 소규모 부대로 분할해야 한다는 것을 의미했다. 반대로 오스트리아는 훨씬 집중된 지형에서 작전을 펼칠 수 있었고 내부 전선의 이점을 안고 있었다.

그렇다면 어떻게 해서 프로이센이 승리를 거두었단 말인가? '피와 강철'이라는 비스마르크의 유명한 호소는 지금까지 흔히 프로이센의 국력을 결집하는 산업의 역할에 대한 언급으로 해석되어왔다. 프로이센 혹은 적어도 프로이센의 일부가 1850년대와 1860년대에 산업 능력에서 극적인 성장을 경험한 것은 분명하다. 하지만 프로이센이 오스트리아에 승리를 거두는 데 이 부분이 기여한 역할은 우리가 생각하는 것보다 미미했다.[36] 직접적으로 비교가 가능한 수치로 확인할 수 없지만, 1866년에 양 교전국을 갈라놓을 만큼 중대한 경제적 격차는 없었다. 오히려 어떤 면에서는 프로이센의 경제가 오스트리아보다 더 낙후되었던 것으로 보인다. 예를 들어 농업 종사자의 비율은 오스트리아보다 프로이센이 더 높았다. 1866년에 중요한 역할을 한 다양한 무기 중에서 가장 정교한 공정을 요하는 것은 포병대의 야포였는데, 여기서도 정밀한 선조포를 보유한 오스트리아가 유리했다. 어쨌든 이것은 산업경제력을 겨루는 전쟁이 아니었다. 이 전쟁은 양측이 미리 비축해둔 무기와 군수품으로 버텨야 할 치열한 단기적 싸움이었다. 몰트케가 철도 활용에 중요한 의미를 부여한 것은 사실이지만, 결과적으로 그가 정성을 들인 계획은 하마터면 프로이센에 참담한 결과를 부를 뻔했다. 프로이센의 보급열차는 쾨니히그레츠 전투에서 이미 승리한 다음에야 전선에 도착했기 때문이다. 그동안에 프로이센군은 프리드리히 대왕의 군대가 그랬던 것과 거의 똑같이 자급자족하거나 자활수단으로 버텼다. 따라서 산업생산력은 정치적·군사적 문화보다 중요하지 않았다.

다만 15만 명 정도의 독일 연방군이 투입되었다고는 해도, 여기서 가공할 전투력이 나올 것으로 기대하기는 어려웠다. 함께 훈련을 받아본 적도 없고 일사불란한 지휘 체계도 갖추지 못했기 때문에 이들을 두고 도저히 제대로 된 군대라고는 할 수 없었다. 이것은 독일 연방 내부의 개별주의가 반세기 동안 지속된 결과였다. 더욱이 중간 규모 국가의 군대는 주도적으로 프로이센에 맞서기를 꺼렸다. 이들은 강제로 이견을 해결하는 것을 금지한 연방헌법 조항을 들먹이면서 프로이센이 공공연히 평화를 깨트릴 때까지 기다리는 작전을 선호했다. 최대의 병력(제7연방군단 6만 5천 명)을 파견한 바이에른을 예로 들면, 1866년 6월 초에 프로이센이 실제로 독일 연방 내 우방국을 침공할 때만 오스트리아는 바이에른의 지원을 기대할 수 있을 것이라고 빈에 통보했다. 이런 이유로 그들은 어떤 형태의 선제적 조치도 달가워하지 않았다.

그 밖에 다른 개별 연방군도 내부의 정치적 불화로 능률이 오르지 않았기 때문에 신속하고 일치된 행동은 사실상 불가능했다. 가령 뷔르템베르크와 바덴, 헤센-다름슈타트로 구성된 제8연방군의 경우, 사령관인 헤센의 알렉산더 왕자는 오스트리아 편에서 개입하기를 좋아하는 친오스트리아파였지만, 참모장은 꽤나 신중한 뷔르템베르크 사람이었다. 그가 본국의 군주로부터 받은 명령은 될 수 있으면 부대의 동진과 배치 속도를 늦추어서, 필요할 경우 뷔르템베르크 자체의 전선을 방어할 수 있도록 하라는 것이었다. 한편 프로이센의 공세에 직면한 하노버군은 바이에른군이나 오스트리아군이 북진해서 자신들과 합류해주리라는 가망 없는 기대를 하면서 남쪽으로 철수했다. 랑겐잘차에서 수적으로 열세의 병력을 상대로 별 의미 없는 승리를 거둔 뒤, 하노버군은 프로이센 증원 병력에 의해 방어진지에서 밀려났고, 6월 29일에는 무료 귀향열차표를 받고 항복하라는 권유를 받았다. 하노버군의 패배 소식은 꼼짝하지 않고 국경을 지키고 있던 남부 독일 연방군의 전의를 떨어뜨렸다. 유일하게 진정한 전투 효과를 올린 것은 그들의 본국 영토를 포기하면서까지 보헤미아에서 오스트리아 북군과 함께 싸운 작센군이었다.

1866년 프로이센 승리의 주역은 참모총장인 헬무트 폰 몰트케였다. 보헤미아에서 몰트케는 덴마크에서보다 훨씬 넓은 범위에서 혁신적인 전략을 펼칠 수 있었다. 오스트리아 전쟁에 임하는 그의 접근법은 프로이센군을 최고 속도로 공격 지점까지 이동할 수 있도록 소규모로 쪼개는 것이었다. 그 목적은 개별 부대를 마지막 순간에 한곳으로 집결하게 해서 적에게 결정적인 일격을 가하는 것이었다. 이 방법의 이점은 비좁은 국도와 단선 철도에 따른 수송 부담을 줄이고 교통체증을 피하는 데 있었다. 야전군의 증가된 진격 속도와 기동력은 적군보다 프로이센군이 결정적인 전투의 시기와 무대를 결정할 수 있는 가능성을 높여주었다. 최신 기반시설 자원을 교묘하게 활용할 것을 요구하는 것은 동원 개념이었다. 특히 철도와 도로, 전신의 활용과 관계된 개념이라고 할 수 있다. 분산된 각 부대가 직접적으로 연락할 수 있는 범위 밖에 있었기 때문에 사령부는 최신 시설을 이용해 엄격하게 통제할 필요가 있었다. 이 접근법의 잠재적 단점은 앞에서 보았듯이 쉽게 차질을 빚을 수 있다는 점이었다. 각 부대가 진로를 이탈하거나 서로 속도를 조절하는 데 실패하면, 적군이 월등한 병력으로 이들을 각개 격파할 수도 있는 위험이 따랐다.

이렇게 공격적인 전략적 접근을 보완한 것은 프로이센 보병을 유럽 최고의 수준으로 끌어올리도록 설계된 일련의 조치였다. 1860년대 중반, 프로이센은 유럽의 강대국 중에서는 유일하게 후장(breech-loading) 소총으로 무장했다. 드라이제 소총(Dreyse Zündgewehr) 혹은 바늘총(Zündnadelgewehr)이라 불리는 무기였다. 이것은 본질적으로 근대식 소총으로서 조그만 원통형 약실에 발사체로 구성된 탄약통이 장전되어 있고 (가늘고 긴 모양 때문에 '바늘'이라고 불리는) 공이치기로 격발되도록 만든 무기였다. 바늘총은 당시 유럽 대부분의 군대에서 사용하는 전통적인 전장총에 비해 결정적인 장점이 있었다. 후장총은 3~5배나 빠른 속도로 재장전해서 다시 발사할 수 있었다. 덤불 뒤에 눕거나 나무 뒤에 서서 재장전할 수 있었기 때문에 후장총을 쓰는 병사는 엄폐물로부터 모습을 드러내지 않은 상태에서 목표물을 겨냥해 발사할 수 있었다. 총구로 탄약과 총알을 투입하고 꽂을대로 쑤실 필요가 없었다. 이 무기는 이전의 접근전에서 사용한 방식보다 보병의 화력을 훨씬 더 유연하고 결정적으로 높여주었다.

바늘총에 딱히 비밀스러운 것도 없었다. 이 기술은 널리 알려진 것이었다. 다만 대부분의 군사기관에서 이것을 일반적인 보병 전투용 무기로 도입하지 않았을 뿐이다. 그럴 만한 이유가 있었다. 초기의 바늘총 원형은 믿을 수 없는 것으로 유명했다. 가스가 완전히 밀폐되지 않을 때가 많아서 약실이 폭발하거나 불붙은 화약이 분출할 때도 있었기 때문에 소총수들에게 인기가 없었다. 초기 바늘총으로 훈련받은 많은 병사는 노리쇠가 뻑뻑해지면 때로 돌멩이로 쳐서 열어주어야 한다는 것을 알고 있었다. 사격이 빈번할 때는 작동하지 않는 경향도 있었다. 또 다른 문제점은 이 정교한 무기를 지급받은 병사는 빠르게 사격을 해서 탄약을 낭비했고 그렇게 해서 총이 쓸모가 없어지면 총을 내버리고 전투 현장을 떠난다는 것이었다. 이와 반대로 발사 속도가 느린 구식 전장총을 사용하는 병사들은 보병의 규율을 잘 지킨다는 말이 있었다. 아마 바늘총을 도입하는 것을 반대한 가장 중요하면서 단순한 이유는, 당시에 '돌격 전술'(Stoßtaktik)로 알려진 전투 방식이 널리 선호되었다는 점을 들 수 있을 것이다. 이것은 심각한 군사적 대치 상황에서 보병의 화력은 결국 이차적인 의미밖에 없다는 (19세기 중반 유럽의 군사 이론가들 사이에서 정통 전법의 일종으로 받아들여진) 생각에 기초한 전술이었다. 고도의 정확성과 집중 발포에 초점을 맞춘 것은 포병이었다. 전선에서 큰 비중을 차지한 것은 쟁탈지에서 적군을 격퇴하는 능력이었고, 이 목표를 달성하려면 착검한 보병이 대규모로 신속하게 돌격하는 것이 최선의 방법이었다.

　프로이센군은 드라이제 소총의 원형을 엄격하게 테스트하고 개조함으로써 신무기에 대한 대부분의 반대를 극복했다. 그 결과 매 단계별로 세부 설계가 꾸준히 개선되었으며 생산 공정과 탄약에 드는 비용은 낮아졌다. 동시에 무기를 사용하는 병사들의 정확한 사격과 사격 군기의 개선에 정책을 집중했다. 오스트리아군이 사격 연습에 드는 비용을 감축하고 대신 돌격 전술에 의존하던 1862~64년에 프로이센군은 광범위한 사격술 제도를 도입했다. 보병은 어느 위치에서나 자신의 무기를 사용할 수 있도록 훈련받았고 탄도를 보완하기 위해 시야를 활용하는 법을 배웠으며 '사격 기록'을 작성해 개인별 적중률을 관리했다. 여기서 군 지휘부는 프로이센의 모범적인 교육제도로부터 보상을 받았다고 할 수 있다. 프로이센 왕국의 이례적일 정도로 낮은 문맹률과 기본적인 계산력이 아니었다면, 이런 형태의 훈련제도는 불가능했을 것이다. 이 모든 것은 일반 병사들에게 19세기 중엽 유럽 군대의 기준보다 월등하게 높은 수준의 자율과 자치를 부여했다는 것을 의미한다. 새롭게 탄생한 프로이센 보병은 (적어도 이론상으로는) 장교의 명령에 따라 적군이 있는 방향으로 모여드는 가축 떼가 아니라 전투의 전문가였다. 개별적이지만 상호의존적인 영역에서 기술 혁신을 이룬 프로이센군의 능력은 무기 개발과 전략 전술의 진화를 융합하는 데 전문화된 참모의 공이 컸다.

이런 변화의 결과 프로이센군과 오스트리아군 사이에는 야전 운영의 차이가 점점 커졌다. 오스트리아군이 '총검 돌격 전술'을 가다듬는 데 초점을 두었다면 (특히 1859년의 재난 이후) 프로이센군은 바늘총에 중점을 둔 '화력 전술'(Feuertaktik)에 초점을 맞추었다. 몰트케는 전투 현장에 질서정연한 보병부대를 방어적인 전술로 배치하는 동시에 대단위 부대는 공격적인 전술로 배치하며 유연성과 속도를 조합하는 능력이 있었다. 이와 달리 오스트리아군은 전략적으로는 방어에, 전술적으로는 공격에 치중하는 경향이 있었다. 단 이런 차이와 프로이센의 승리는 아무런 연관성이 없었다. 무조건 화력 작전이 돌격 작전을 이길 것이라고 볼 이유는 없었다는 말이다. 사실 오스트리아군은 1866년 6월 24일의 쿠스토자 전투에서 이탈리아군을 상대로 돌격 작전을 써서 크게 성공을 거두었으며 프로이센군도 뒤펠 전투에서 참호전을 택한 덴마크군을 상대로 이 작전을 써서 효과를 본 적이 있었다. 또 오스트리아의 관점에서 보면, 방어 전략을 택한 것이 이해된다. 각 부대가 분산되어 보급선이 확대된 상태에서 공격하던 프로이센군이 어느 시점엔가는 오스트리아군의 공격에 노출될 것이라는 가정을 할 수 있으니 말이다. 또 바늘총이 결정적인 이점을 증명하리란 확실한 보장도 없었다. 오스트리아 보병 대다수가 사용한 1854년형 전장총이 사거리가 더 길고 명중률도 더 높은 무기였다.

하지만 최종적으로 보헤미아에서 벌어진 전쟁은 속도의 이점이 사거리의 이점을 능가한다는 것을 보여주었다. 총검을 꽂고 적진으로 돌격하는 보병들은 유리한 위치에서 후장총으로 무장한 보병이 쏘아 대는 연속 사격을 당해낼 재간이 없었다. 오스트리아군은 제1군단 사령관 클람 갈라스 장군이 포돌 마을에 있는 이제라강의 다리 위에서 프로이센 소총수 두 개 중대를 공격한 6월 28일, 일찌감치 화력 전술이 우월하다는 사실을 고통스럽게 확인했다. 처음에 1군단 병력은 어렵지 않게 포돌 시가지를 점령했다. 그런 다음 프로이센의 증원부대가 밀고 들어오자 오스트리아군은 그들을 격퇴하기 위해 총검 공격을 시작했다. 하지만 프로이센군은 물러나기는커녕 조금도 전열을 흐트러뜨리지 않은 채, 각 소대를 전진배치하고 벌 떼처럼 달려드는 오스트리아군을 향해 빠른 속도로 사격을 퍼부었다. 사격은 30분간 이어졌다. 오스트리아군의 공격이 맥없이 동력을 잃었고, 해가 지고 어두워지자 프로이센군은 번쩍하는 총구의 섬광을 통해 계속 연락을 취하면서 시가지를 샅샅이 수색했다.[37] 포돌 전투에 투입된 오스트리아군 3천 명 중에 500명 가까이가 총을 맞고 전사했다. 프로이센의 사상자는 약 130명 정도에 불과했다. 새벽 2시 무렵 오스트리아군은 더 이상 버티지 못하고 퇴각했다.

그 전날, 보헤미아의 나호트 고원에서 프로이센 제2군과 오스트리아 제6군단 소속의 부대가 맞닥뜨렸을 때도 사정은 비슷했다. 프로이센군 1,200명에 오스트리아군 5,700명의 비율로 사상자의 불균형이 발생했다. 이 유혈 대치로 전장에 투입된 오스트리아군의 5분의 1 이상이 사망하거나 부상을 입었다. 프로이센군이 후방에서 공격을 받고 어쩔 수 없이 보헤미아 산속으로 퇴각했던 트라우테나우 전투처럼 오스트리아군이 우세한 상황에서도 바늘총의 압도적인 화력 때문에 사상자는 프로이센군의 1,300명에 비해 4,800명으로 오스트리아군이 훨씬 많았다.[38]

물론 프로이센의 승리를 오로지 바늘총의 위력 덕분으로 돌릴 수만은 없다. 비록 정확한 수치로 효과를 입증하기는 어렵지만, 오스트리아군은 그들이 상대하는 프로이센군에 비해 사기가 떨어져 시달렸다는 증거가 있다. 탈주병이나 부상당하지 않은 상태에서 프로이센군의 포로가 된 병사 중에 폴란드군, 우크라이나군, 루마니아군, 베네치아군이 많다는 것은 비독일인의 전투 의지가 (헝가리인을 제외하고) 오스트리아군보다 훨씬 약했다는 것을 보여주었다. 합스부르크가의 지배를 받는 이탈리아인은 그들의 동포와 싸우기도 하는 전쟁을 반길 이유가 전혀 없었다. 1866년 6월 26일, 휘너바서에서 벌어진 우발적인 전투에 참가한 한 프로이센 장교는 옥수수 밭에서 총격전이 벌어지는 와중에 마을 주변에서 전투를 지켜보는 베네치아 보병 세 명을 우연히 보고는 깜짝 놀랐다. 장교의 말에 따르면, 그들은 다가오는 프로이센군을 보자 총을 집어던지고 그에게 다가와 손에 입을 맞추면서 살려달라고 애원했다고 한다. 그 밖에 오스트리아군은 의사소통에도 문제가 있었다. 오스트리아군은 한 부대 내에서 서로 다른 언어를 사용하는 장병이 많았다. 오스트리아 제1군단 참모장은 뮌헨그레츠 전투를 돌이켜보면서, 폴란드군과 우크라이나군으로 혼합 편성된 제30연대의 경우 어두워질 때까지 용감히 싸웠지만, 날이 어두워지자 장교의 몸짓을 더 이상 볼 수 없어서 고충을 겪었다고 보고했다.[39] 대조적으로 프로이센군에 동원된 폴란드 신병들은 사기가 높고 믿음직한 병사라는 것이 증명되었다.

그 밖에 승패를 가른 요인으로는 오스트리아의 명령 체계를 들 수 있다. 물론 프로이센군에도 오해나 소통장애가 있고 하급지휘관이 명령에 불복종하는 사례가 없었던 것은 아니지만, 오스트리아군은 제도적으로 중복되는 명령 체계 때문에 애를 먹었다. 그 결과 부대 이동은 어울리지 않거나 상반되는 다른 명령으로 차질을 빚을 때가 많았다. 또 상부에서 내려온 명령의 가치를 따지느라 시간을 허비하는 경향도 있었고 장교들은 주어진 임무의 즉각적인 목표와 장기적인 목표에 대한 날카로운 감각이 부족했다. 보급열차가 오지 못할 때가 많았기 때문에 군량이 떨어진 부대는 작전이 예상보다 길어진 경우에는 포기했다. 역량과 응집력을 보여준 프로이센 참모부와 달리 오스트리아군은 참모조직을 가동하는 데 실패했다. 7월 초, 보헤미아의 북군 참모부는 명령 입안자와 전달자의 느슨한 모임으로 전락했다. 끝으로 오스트리아의 야전사령관인 루트비히 베네데크 장군은 숱한 실수를 저질렀다. 그중에서 가장 심각한 것은 7월 초에 오스트리아군을 쾨니히그레츠 요새 부근에 배치한 것이다. 그곳은 엘베강을 등지고 있기 때문에 프로이센군에게 막히면 꼼짝 못 하는 지형이었다.

1866년 7월 3일에 결정적인 전투를 치른 현장도 바로 이곳이었다. 17시간 동안, 50만 명에 가까운 양측의 무장 병력이 쾨니히그레츠 요새와 보헤미아의 사도바 마을 사이에 흐르는 강을 따라 형성된 전선에서 치열한 전투를 벌였다. 이 엄청난 교전은 계획된 것이 아니었다. 베네데크는 처음에 쾨니히그레츠에서 전투를 치를 생각이 없었다. 그는 올뮈츠로 가는 길에 함정에 빠졌다. 처음에는 황제가 프로이센과 강화협상을 벌여 난관에 빠진 자신을 구해주기를 기대했다. 한편 프로이센군은 6월 30일까지도 주력군이 두 군데로 분산되어 있어서 서로 연락을 취하기가 어렵다고 생각했고 오스트리아 북군의 정확한 위치를 놓고서도 프로이센군 지휘관들은 서로 혼선을 빚었다. 7월 3일에 개시된 전투는 부분적으로 볼 때 우연히 발생한 것이었다. 그 전날 저녁에 오스트리아군과 마주친 프로이센 제1군 사령관 프리드리히 카를 왕자는 베네데크가 이동을 멈추고 전투하기로 결심했다고 확신하게 되었다. 이어 그는 총사령관과 의논도 하지 않고 자정이 지난 첫 새벽에 공격을 시작했다. 기습 공격을 뺀 나머지 여건은 고지대에 주둔한 상태에서 참호전에 대한 대비를 충분히 했을 뿐 아니라 결정적으로 중포대의 이점을 안고 있는 오스트리아군에 어전히 유리했다. 하지만 승리는 프로이센이 차지했다. 프로이센 제1군이 오전 내내 오스트리아군과 교전하는 동안, 프리드리히 빌헬름 왕세자가 지휘하는 제2군은 오스트리아군의 측면을 공격하기 위해 이동했다. 프로이센군이 오스트리아군 진지 주변으로 포위망을 서서히 좁혀 오는 상황에서, 베네데크는 적진의 빈틈을 제대로 공략하지 못했다. 그는 또 43개 대대를 슈비프발트로 보내 전투를 치르게 하는 실수를 저질렀다. 그곳은 나무가 빽빽하게 우거진 프로이센군 좌익 진영으로, 프로이센 보병들은 바늘총을 사용해 끝없이 달려드는 오스트리아 부대를 섬멸했다. 오후의 끝자락에 오스트리아군은 어쩔 수 없이 퇴각했다. 프로이센은 전면적인 승리를 거두었다. 북군은 4만 명이 넘는 병력이 전사하거나 부상을 입었다. 오스트리아군에는 전장에서 효과적인 전투를 치를 수 있는 보병이 단 1개 여단도 남아 있지 않았다.

1866년 7월 22일, 프란츠 요제프 황제는 프로이센에 항복했다. 오스트리아-프로이센 전쟁은 발발한 지 꼭 7주 만에 끝났다. 오스트리아 황제는 합병을 면하기는 했지만, 독일 연방을 해체하고 마인강 이북을 대상으로 프로이센이 주도하는 북독일 연방을 창설하는 것에 동의했다. 프로이센은 백지위임장을 받은 것처럼 자유로운 상태에서 북쪽에서 마음대로 합병 계획을 밀고 나갔다. 다만 오스트리아의 충실한 동맹국이라고 할 작센 왕국은 제외되었다. 슐레스비히와 홀슈타인은 헤센-다름슈타트 일부, 하노버 전체, 헤센-카셀, 나사우와 프랑크푸르트 시와 함께 합병되었다. 오스트리아 전쟁 직전에 프로이센에 외교적 굴욕을 안겨준 프랑크푸르트의 운 나쁜 시민들은 징벌배상금 2,500만 굴덴까지 물어야 하는 결정이 내려졌다.

비스마르크는 자신의 독일 내 적들에게 승리를 거두었다. 그는 프로이센의 적들에 대해서도 우월한 지위를 차지하게 되었다. 그에 앞서 1866년 2월 말에는 프로이센의 자유주의자들이 비스마르크 정부의 독재적이고 도발적인 행위에 자극받아 확고하고 단결된 반대파를 중심으로 야권을 형성했다. 당시 전쟁에 대한 열기로 뜨거웠던 오스트리아와 반대로 프로이센의 여론은 전쟁에 반대하는 목소리가 압도적으로 컸다. 전국적으로 전쟁에 반대하는 집회의 물결이 일기 시작하면서 3월 25일에는 라인란트의 공업도시인 졸링겐에서 반전집회가 열렸다. 수없는 청원과 반전 선언문이 봇물을 이루었다. 자유주의자들이 순수한 대중 운동의 세를 결집하는 데 꼭 성공한 것처럼 보였다.

프로이센의 동원령과 승전 소식은 상황을 완전히 뒤집어놓았다. 프로이센이 하노버와 드레스덴, 카셀을 점령하자 곳곳에서 환호성이 울려 퍼졌다. 비스마르크가 공공장소에 모습을 드러낼 때면, 환호하는 군중이 그의 주변으로 몰려들었다. 이에 따른 정치적 영향은 6월 25일, 선거인단을 뽑는 주의회 1차 선거에서 분위기가 보수파 쪽으로 급선회하면서 실감할 수 있었다. 프로이센 부대가 오스트리아의 쾨니히그레츠 진지를 공격한 7월 3일 당일의 선거 결과 보수파 의원 142명이 당선되었다(이전의 28명과 큰 차이를 보이는 결과였다). 비스마르크는 이런 결과를 예견했다. 그는 파리 주재 프로이센 대사인 폰 데어 골츠 백작에게 이렇게 말했다. "결정적인 순간에 대중은 군주제를 원해요."[40]

쾨니히그레츠의 승전 및 그에 따른 오스트리아군의 항복 소식은 구자유주의 계열의 의원단을 견딜 수 없는 상황으로 내몰았다. 그들은 더 이상 군사개혁의 정당성을 내세울 수 없었다. 오스트리아가 물어야 할 배상금 4천만 탈러는 프로이센 정부의 유동성을 회복시켜주었고 의회로부터 비스마르크 정부가 독립해야 할 필요성을 부각시켰다. 더구나 자유주의 진영의 지도적인 인물 다수는 프로이센의 대대적인 승리로 크게 마음이 흔들렸다. 단적인 예가 1848~49년에 프랑크푸르트 국민의회 의원을 지냈던 구스타프 폰 메비센이었다. 운터 덴 린덴 거리에서 펼쳐진 개선행진을 지켜보며 극도의 흥분 상태에 빠진 메비센은 이렇게 당시의 심정을 토로했다. "이때 받은 깊은 인상을 떨칠 수가 없다. 나는 전쟁 예찬론자가 아니다. 내 마음은 미의 여신에게 쏠려 있으며 강력한 전쟁의 신보다 은총의 마리아에게 더 애착을 느끼는 편이다. 하지만 승전 기념행사는 평화의 자녀들에게도 마법적인 매혹을 발산한다. 이 순간 신에게 승리를 찬양하는 끝없는 남자들의 행렬은 [...] 사람의 이목을 끄는 힘이 있다." 또 다른 예로 공장경영자인 베르너 지멘스가 있다. 지멘스에게 오스트리아에 대한 승전 소식은 거대한 변화를 의미하는 순간이었다. 한두 달 지나 그는 회사 설립에 전념하기 위해 정치에서 완전히 발을 빼기 전에, 좌파–자유주의 진영의 친구들과 관계를 끊고 비스마르크와 화해를 추진했다.[41]

많은 자유주의자에게 1866년의 사건은 완전히 새로운 출발점을 안겨준 것이 분명해 보였다. (독일 문제에서 일정한 세력으로서 가톨릭의 패배를 암시하는) 신절대주의 노선의 오스트리아의 패배는 많은 사람에게, 본질적인 면에서 자유주의의 업적으로 보였기 때문이다. 헌법의 토대 위에서 좀 더 구체적인 국가 통합을 이루겠다는 비스마르크의 약속은 깊이 뿌리박은 자유주의적 열망에 응답하는 것이었다. 자유주의자들은 비스마르크가 제안한 조건의 국가 통일을 앞으로 정치적·헌법적 발전 방향의 문을 열어줄 더 합리적인 정치 질서의 토대로 보았다. 이런 낙관적인 전망의 바닥에는 본질적으로 진보적인 프로이센 국가의 특징에 대한 믿음이 깔려 있었고 이 믿음은 다시 새로운 독일에서 프로이센의 지배적인 역할을 정당화해주었다. 여기서 군 지휘부와 의견이 일치하는 공동의 토대가 있었다. 한때 헤겔에게 배운 적이 있는 몰트케도 프로이센을 진보적이고 편견에서 자유로우며 합리적인 국가의 모델로 보았다. 역사 발전의 선두에 섰기 때문에 정치적인 리더십이 생길 수밖에 없는 국가라는 것이다.[42] 근본적으로 진보적이고 미덕을 갖춘 이러한 국가의 성격에 대한 일치된 생각은 (당시 정부가 어떤 설계를 하든 상관없이) 헌법의 위기로 초래된 불화를 치유하는 데 결정적인 역할을 했다.

비스마르크는 프로이센의 정치 체제를 다시 짜 맞출 때가 되었다는 것을 알았다. 자유주의는 너무 중요하고 잠재적으로 결실이 풍부한 정치적 에너지여서 언제까지나 무시할 수는 없었다. 이런 현실을 인정하는 가운데 비스마르크는 1850년대, 혁명 이후의 안정 국면을 다스릴 진정한 정책 집행자로 모습을 드러냈다. 비스마르크가 자신들의 일원이기를 간절히 원했던 골수 보수파들로서는 참으로 원통하게도, 헌법에 대한 강력한 반격은 없었다. 배상청구서가 의회에 제출되었다. 이것은 위기의 기간에 정부가 불법적으로 행동했다는 것을 공개적으로 인정하는 것이나 다름없었다. 그것은 또한 의회의 권위를 재확인하고 헌법이라는 배의 수평을 유지하는 수단을 제공하는 것이기도 했다.[43] 이런저런 방법으로 빈틈없이 준비된 비스마르크의 양보안은 그렇지 않아도 취약한 자유주의 진영의 단합을 흐트러뜨리기에 충분했다. 여전히 비스마르크에 저항하는 의회의 진보 진영에서 이탈하는 흐름이 꾸준히 이어졌다. (불과 4년 전에 군사 내각의 수반과 결투해서 팔에 관통상을 입었던) 카를 트베슈텐 같은 이탈자는 비스마르크에게 따뜻한 환대를 받았다. 비스마르크는 자유주의의 관심사에 대한 추가 양보안을 놓고 정중하게 논의의 자리로 끌어들임으로써 여전히 의혹의 시선을 거두지 않는 사람들을 진정시켰다.[44]

비스마르크와 온건 반대파가 이렇게 화해하는 기류를 형성하자, 헌정의 위기 기간에 뭉쳤던 자유주의 전선은 압박을 받고 마침내 무너졌다. 국가 통일에서 더 합리적인 정치 질서를 찾는 민족주의 자유주의자들과 그보다 헌법 갈등의 쟁점이던 자유와 의회의 권한 문제에 초점을 맞춘 진보주의자들 사이에 틈이 벌어졌다. 정말 흥미롭게도 '새 프로이센 사람들'이 곧 초기의 민족주의 자유주의 운동을 지배하게 되었는데, 이 중에 가장 돋보이는 두 지도자는 모두 하노버 사람으로서 1866년의 합병 이후 선출된 루돌프 폰 베니히젠과 요하네스 미켈이었다(구프로이센 자유주의자 중에 다수는 위기의 기간에 쌓인 반감을 털어내기가 어렵다는 것을 알았다).

보수 진영 안에서도 균열이 생겼다. 많은 보수파들은 오스트리아에 대한 승리를 통해 결국 의회-헌정 시스템을 무시할 수 없다는 기류가 조성되기를 기대하고 있었다. 그런 그들이 배상청구서를 제안하기로 한 비스마르크의 결정을 보고 크게 실망했다. 그 결과 모험적인 수상을 기꺼이 지지하는 '자유보수파'(Freikonservative)와 정치적 양보를 통해 자유주의자들을 회유하려는 시도에 크게 분개하는 '구보수파'(Altkonservative) 사이에 분열이 생겼다. 이러한 정치적 스펙트럼 한복판에 이제 온건 자유주의파와 유연한 친비스마르크 보수파의 혼성 파벌이 출현했다. 이들은 프로이센 의회와 북독일 연방의 새 제국의회(Reichstag) 안에서 정부를 위해 안정적인 토대를 마련하는 데 결정적인 역할을 하게 되었다. 이것은 단순히 비스마르크의 정치력이 빚어낸 결과라고 볼 수는 없었다. 그것은 1850년대의 혁명 이후 시기의 정치적 안정으로 회귀하는 현상이었다. 자유주의 파벌을 단합된 세력권으로 만들어준 것은 헌정의 위기였다. 하지만 일단 압박이 느슨해지자 이들은 근본주의 진영과 현실주의 진영으로 갈렸다. 보수 진영도 마찬가지여서 1866~67년의 분열은 1848~49년의 헌정질서를 받아들인 편과 그렇지 않은 편 사이에 봉합할 수 없는 틈을 벌려놓았다. 여기에 쾨니히그레츠 전투 이후 특별히 프로이센의 국가 정체성에 애착하는 사람들(엘베강 동부의 경건파 지주 상당수를 포함해)과 독일 민족이라는 더 넓은 대의를 포용하려는 사람들 사이의 분열이 중첩되었다.

1866년의 승리로, 독일 각국에 대한 주도권을 놓고 벌인 프로이센과 오스트리아의 긴 경쟁의 역사는 끝이 났다. 단단히 결속된 프로이센 영토는 이제 서쪽으로는 프랑스와 벨기에 사이의 지역으로, 동쪽으로는 러시아령 리투아니아의 평지까지 뻗어 있었다. 프로이센은 새로 창설된 북독일 연방의 인구 중에 5분의 4 이상을 차지했고 베를린을 중심으로 북독일의 23개국이 연방을 구성하게 되었다. 헤센-다름슈타트, 바덴, 뷔르템베르크, 바이에른 등 남독일 국가는 합병을 면했지만 프로이센의 영향권에 들도록 한 동맹협정에 서명해야 했다.

북독일 연방이 어쩌면 조금은 구독일 연방(이 연방의회는 7월 28일,

아우크스부르크에 있는 '드라이 모렌' 호텔의 식당에서 마지못해 자체 해산을 결정했다)의 연장처럼 보일지 모른다. 그러나 실제로는 프로이센의 지배 체제를 숨기려는 눈가림에 지나지 않았다. 프로이센이 군사 및 외교 분야에 대한 통제권을 독점적으로 행사했기 때문이다. 이런 점에서 북독일 연방은 빌헬름 왕 자신이 말했듯, '프로이센의 늘어난 팔'(der verlän-gerte Arm Preußens)이었다. 하지만 동시에 신연방은 1866년에 정착된 권력 정치에 반(半)민주적 정통성을 부여한 측면이 있다. 헌법의 테두리에서 볼 때 프로이센 역사 혹은 독일 역사에서 전례가 없는 실험적인 체제였다. 북독일 연방에는 가맹국의 전체 시민(남자)을 대표하는 의회가 있었고 그 대표자는 1849년의 혁명가들이 기초한 제국선거법의 토대에서 선출되었다. 프로이센의 3계급 선거권을 적용하려는 시도는 일체 없었다. 25세 이상의 남자라면 누구나 보통·평등·비밀투표에 대한 권리가 있었다. 북독일 연방은 이처럼 혁명 이후 통합 국면의 뒤늦은 결실 중 하나였다. 그것은 군주 내각의 구정치적 요소에 국민의회의 대표성에서 나오는 새롭고 전례 없는 논리가 혼합된 형태였다.[45]

대프랑스 전쟁

이미 1866년 8월에 비스마르크는 막역한 사이인 바덴 대공 앞에서, 독일 남부와 북부의 통합은 '시간문제'일 뿐이라는 말을 했다.[46] 하지만 여러 가지 면에서 그런 통합의 조건은 오스트리아와의 전쟁 이후 여전히 조짐이 좋지 않았다. 프로이센의 영향력이 확대되면 최대의 피해를 볼 것 같은 프랑스가 노골적으로 반대했다. 오스트리아는 여전히 1866년의 결과를 뒤집겠다는 희망을 버리지 않았다. 오스트리아의 신임 외무장관인 프리드리히 페르디난트 폰 보이스트는 프로이센에 적대적인 작센 출신으로서 남부 독일 국가들이 (혹시 프랑스와 짜고) 프로이

733

센의 주도권을 끝장내는 지렛대 역할을 해주지나 않을까 은근히 기대하고 있었다. 남부 독일 국가, 특히 뷔르템베르크와 바이에른의 여론은 여전히 긴밀한 통합에 완강히 반대했다. 1867년 3월에는 남부 독일의 각 정부가 프로이센-오스트리아 전쟁이 끝난 뒤에 북독일 연방과 '영구적'인 공수동맹을 맺고 자치권을 양도했다는 사실이 알려지자 이에 분노한 시위가 일어났다. 바이에른과 뷔르템베르크에서는 1869년 총선에서 소독일 통일안에 반대하는 반자유당 파벌이 다수를 차지했다. 특히 바이에른에서는 가톨릭 사제들이 프로이센이 지배하는 북독일 연방과 더 긴밀한 통합을 하는 것에 항의하는 선동을 하고 청원서를 돌리면서 수십만 명의 서명을 받아냈다. 배타적 애국자, 친오스트리아 가톨릭신도, 남부 독일의 민주주의자를 중심으로 반프로이센 전선이 형성되기 시작했다. 정치적 가톨릭 주의가 등장해 통합파의 목표에 만만찮은 내부 장애물이 되었다. 반통합파는 대중을 선동하며 프로이센을 반가톨릭과 권위주의, 억압, 군국주의 세력으로 묘사하며 프로이센이 남부의 경제적 이익을 위협한다고 매도했다.

비스마르크는 평소처럼 언제 어떻게 독일이 통일될 것인가라는 문제에 대해서는 유연한 태도를 유지했다. 그는 통일이 평화적인 융합의 과정을 거쳐서 일어나리라는 당초의 희망은 이미 포기한 상태였다. 한때 그는 바덴과 뷔르템베르크, 바이에른을 묶어 '남부연방'(Südbund)을 창설하는 계획에 관심을 보였지만, 남부 국가들의 (특히 바이에른에 대한) 상호불신 때문에 그에 대한 합의는 불가능했다. 이어 '관세의회'(Zollparlament)를 창설해서 점차적으로 남부 국가를 통합하는 계획도 나왔다. 북독일 연방 외곽의 '관세동맹' 회원국들에게 이 의회에 대표를 파견할 자격을 주자는 것이었다. 하지만 1868년 3월에 이 기구를 위한 남부 독일 투표에서는 긴밀한 통합에 대한 반감의 골이 깊다는 사실만 드러나고 말았다.

비스마르크는 다른 한편으로 프랑스가 야기하는 안보 위협이 통일을 촉진할지도 모른다는 생각을 하고 있었다. 1866년 여름, 그는 "프랑스와 전쟁을 하는 경우, 마인강이라는 장벽은 무너지고 전체 독일이 분쟁에 휘말릴 것"이라는 소문을 들었다.[47] 프랑스가 쾨니히그레츠에서 프로이센이 올린 성과를 강제로 물거품으로 만들려고 할지도 모른다는 당대의 우려가 반영된 것이었다. 하지만 그런 소문은 1820년대부터 늘 프랑스발 안보 위협을 오히려 프로이센의 통일 계획을 촉진하는 원인으로 보는 경향이 있던 프로이센의 정책과 일치하는 것이기도 했다. 국경을 맞댄 이 두 강대국이 마찰을 일으킬 소지는 얼마든지 있었다. 나폴레옹 3세 황제는 1866년에 프로이센이 거둔 어마어마한 성공에 충격을 받고 그것이 프랑스의 이익을 위협할 것이라고 확신했다. 그는 또한 전쟁 전에 비스마르크로부터 애매하기는 해도 푸짐한 약속을 받았음에도 불구하고 프랑스가 전통적인 의미에서 아무런 '보상'도 받지 못한 사실에 분노했다. 1867년 봄, 비스마르크는 룩셈부르크 위기라고 알려진 외교 전략에서 이런 긴장을 활용했다. 룩셈부르크를 통합해서 기대를 충족하라고 은밀하게 나폴레옹 3세를 부추기면서 먼저 독일 신문에 나폴레옹의 계획에 대한 소식을 흘렸다. 이 뉴스가 민족주의적인 분노를 유발할 것이고, 비스마르크 자신은 국민의 뜻을 집행하는 명예와 신념에 따르는 정치가로 부상하리란 것을 알고 있었다. 이 위기는 독립 공국으로서 룩셈부르크의 지위를 보장하는 국제회의를 통해 해결되었지만, 비스마르크가 예상했듯이 간단히 프랑스의 선전포고로 이어질 수 있는 결말이었다.[48] 여기서 다시 비스마르크는 은밀한 공작과 공개적인 언동, 고도의 외교술을 뒤섞을 줄 아는 모호한 태도의 달인임을 드러냈다. 원숙한 기교를 수반한 대중정치 수법이었다.

그러다가 에스파냐 왕위에 대한 호엔촐레른가의 계승 자격을 둘러싸고 다시 프랑스와의 갈등을 이용할 기회가 찾아왔다. 1868년 에스파냐 혁명의 와중에 이사벨라 여왕이 폐위된 뒤, 새로 들어선 마드리드 정부는 레오폴트 폰 호엔촐레른 지크마링겐 대공을 여왕의 적법한 계승자로 지명했다. 남부 독일의 가톨릭신도로서 프로이센 통치 가문의 친척이었던 레오폴트는 포르투갈 사람을 아내로 두었다. 비스마르크는 이 문제가 프랑스와 갈등을 일으키는 데 이용될 수 있음을 즉시 알아차리고 레오폴트 공의 후계자 자격을 열렬히 지지했다. 하지만 왕위 계승 문제는 힘든 싸움이라는 것이 드러났다. 빌헬름 1세와 레오폴트의 아버지가 먼저 강력하게 반대했기 때문이다. 하지만 1870년 여름, 비스마르크는 끈질긴 설득과 술책을 동원해 두 사람의 동의를 받아낼 수 있었다. 7월 들어, 후보가 공식화되었다는 뉴스로 인해 프랑스 내에 민족주의적인 분노가 터져 나오기 시작했다. 경험이 일천한 신임 외무장관 앙투안 아제노 드 그라몽은 프랑스 의회에서 행한 호전적인 연설에서, 레오폴트가 '샤를 5세의 왕위에' 오르는 일을 결코 용납지 않을 것임을 프랑스 국민에게 약속했다. 이는 합스부르크가의 독일왕조가 프랑스를 포위한다고 위협했던 16세기의 고사를 일컫는 말이었다. 이어 프로이센 국왕과 이 문제를 매듭짓기 위해 빌헬름 1세가 여름 휴양 중인 바트 엠스로 베를린 주재 프랑스 대사 뱅상 드 베네데티가 파견되었다.

빌헬름 1세가 베네데티의 항의에 타협적인 반응을 보이고 에스파냐 왕위를 포기해야 한다는 주장을 레오폴트가 수용했기 때문에, 이 문제는 이렇게 간단하게 파리의 외교적 승리로 끝날 수 있었을 것이다. 그런데 그라몽은 심각한 전술적 과오를 범했다. 베네데티는 파리의 황제에게 다시 불려가서, 한 발 더 나아가, 프로이센 왕이 다시는 에스파냐 왕위 계승에 관심을 갖지 않도록 훨씬 광범위한 다짐을 받아내라는 말을 들었던 것이다. 프로이센 군주의 두 손을 영원히 묶어두기 위한 요구는 너무 멀리 나간 것인 데다가 빌헬름은 그 요구를 정중하게 거절했다. 비스마르크가 베네데티와의 면담 결과에 대한 골자를 전하는 ('엠스 전보'라는 이름으로 길이 남을) 왕의 전보를 받았을 때, 그는 도덕적으로 우월한 입장을 버리지 않고도 프랑스를 비난할 기회가 찾아왔다는 것을 직감했다. 7월 13일, 그는 이 전보를 살짝 수정해서(단어 몇 개는 삭제했지만, 덧붙인 것은 없었다) 공개했다. 수정된 내용은 빌헬름 국왕이 무뚝뚝하게 거절하고 프랑스 대사는 뻔뻔한 청원을 했다는 인상을 주었다. 수정된 내용의 프랑스어 번역본도 신문에 흘렸다. 이에 분노한 프랑스 정부는 민족적인 반감이 폭발할 것을 기대하면서 이튿날 동원령으로 응수했다.

이것은 1864년 및 1867년과 마찬가지로 비스마르크를 위해 만들어진 정치적 위기였다. 그는 누구보다 왕조의 메커니즘과 대중 민족주의의 힘 사이의 불안정한 관계를 활용하는 데 능숙한 인물이었다. 비스마르크의 기량과 술책은 탁월하기도 했지만 기만적이기도 했다. 이 상황은 그의 통제에서 벗어나 있었다. 레오폴트의 왕위 계승 문제를 그가 계획한 것은 아니다. 1870년 봄과 여름에 이 문제를 강경하게 밀어붙이기도 했지만, 그는 프로이센 왕이 이 문제를 양보하고 프랑스의 외교적 승리를 기꺼이 인정할 것처럼 보일 때 발을 빼고 물러날 준비를 하기도 했다. 그러니 프랑스가 그의 손에 놀아났다고 말한다면 과장일 것이다. 전쟁도 불사하려는 프랑스의 준비 태세는 비스마르크의 행위에 따른 결과가 아니라 유럽의 국제질서 속에서 특권적 지위가 축소되는 그 어떤 사안에도 원칙적인 반대를 표현하는 것이었다. 1870년에 프랑스가 전쟁을 벌인 것은 그들이 승리할 것(충분히 타당한 근거가 있다)으로 믿었기 때문이다. 따라서 비스마르크가 프랑스와의 전쟁을 '계획했다'고 말하는 것도 과장일 것이다. 비스마르크는 예방 전쟁의 상징 같은 존재가 아니었다. 언젠가 그가 말했듯이, 예방 전쟁은 죽음이 두렵다고 자신의 머리에 총을 쏘는 것과 같은 짓이었다.[49] 다른 한편으로 프랑스와의 전쟁이라는 시나리오는 프랑스가 주도권을 쥐고 먼저 움직인다는 것을 전제로 그가 구상한 정치적 선택지에 올라 있었던 것이 확실하다. 룩셈부르크와 에스파냐의 위기 내내 비스마르크가 운용한 타협의 여지를 남겨둔 정책은, 전쟁의 '가능성'을 염두에 두면서도 남부 독일의 통합을 가속화하거나 프랑스의 주장에 전면 대응하는 것 같은 다른 목표에도 기여하는 것이었다.[50] 엠스의 대사 파견으로 촉발된 사건이 단순히 파리발 갈등과 위협을 일으키는 데 그쳤다면, 남부 독일에 북부와 통일하지 않으면 공격받기 쉽다는 것을 일깨워줌으로써 비스마르크의 목적에도 기여했을 것이다.

동원령이 내려지고 프랑스가 선전포고를 했다는 소식은 프로이센과 다른 독일 국가의 애국적인 분위기가 한껏 고조되는 계기를 만들었다. 바트 엠스에서 기차로 귀환할 때, 빌헬름 1세는 지나치는 역마다 몰려드는 군중의 환호를 받았다. 남부 독일인들조차 프랑스 의회에서 행한 그라몽의 호전적이고 오만한 연설에 모욕을 느꼈고 프로이센 국왕에 대한 그의 무례한 태도에 분노를 터뜨렸다. 외교부와 전쟁부의 분위기가 낙관적인 데는 그럴 만한 충분한 이유가 있었다. 북독일 연방과 동맹을 맺는다는 명시된 조건에 따라 남부 독일 국가들과 합동작전을 펼칠 계획은 이미 마련되어 있었다. 외교적인 환경 역시 길조를 보였다. 빈은 여전히 광범위한 국내 개혁의 여파와 씨름하는 중이었기에 프랑스와의 어떤 합동작전에 나서는 것도 망설였기 때문이다. 1869년의 조약 초안도 조인이 안 된 상태였다. 이탈리아의 경우, 프랑스 군대가 계속 교황령 소유지를 점령하는 상태(이 때문에 로마 및 그 배후지가 이탈리아 왕국에 흡수되는 것을 방해하는 상황)에서 파리를 도와줄 것 같지는 않았다. 영국은 이미 프로이센 주도의 독일 통일이라는 발상을 받아들였다. 크림전쟁 이후 체결된 강화조약의 가장 부담스러운 조건을 개정하려는 상트페테르부르크의 노력을 비스마르크가 지원해준다는 약속을 통해 러시아도 설득할 수 있었다. 이런 배경에서 러시아가 프랑스를 지원하기 위해 개입할 것을 두려워할 이유는 거의 없었다.[51] 크림전쟁으로 만들어진 기회의 창구는 여전히 유효했다.

군사적인 측면에서 프로이센으로서는 승리를 위한 여건이 좋았다. 실제로 대부분의 당대 사람들이 아는 것 이상으로 좋았다. 그들은 (총동원했을 때) 프랑스군보다 더 크고 효율적이며 더 훈련이 잘된 군대

738

를 보유했다. 프로이센군은 전술과 기반시설 측면에서 프랑스군을 능가했다. 오스트리아 전쟁에서처럼 프로이센이 보유한 군사조직상의 우월성은 결정적이었다. 왕에게 직보하는 프로이센-독일의 참모부와 반대로, 프랑스 참모부는 단순한 국방부 산하 조직이었다. 그런 이유로 전략이나 전술 훈련이 문제될 때면 언제나 좌경화한 국민의회의 정치적 압력을 받았다. 1866년의 승전으로 명성이 보증된 프로이센군 참모부는 보헤미아 전쟁의 여파 속에서 계속 수송과 보급의 개선을 이루었다. 그 결과, 적군보다 훨씬 빠른 속도로 군대를 동원했고 라인 강변에 주둔한 프랑스군의 병력이 25만 명밖에 안 되는 상황에서 50만의 군대를 프랑스 접경으로 보낼 수 있었다. 프로이센군은 1866년 오스트리아 포병을 상대로 고전했던 낡은 활강야포를 철거하고 대신 최신 기술이 집약된 선조포(rifled gun)를 설치했다. 그리고 1866년에 프로이센군이 실패했던 지역에서 보병을 지원할 목적으로 포병의 전술적 배치를 개선하는 데 엄청난 노력을 기울였다.

이런 요인 중에 어떤 것도 프로이센 승리의 충분조건이라고 할 수는 없었다. 사실 참모부의 노력에도 불구하고 1870년에 양측의 무기 체계는 이전의 분쟁 때와 비교해 차이가 크지 않았다. 오스트리아를 상대로 누렸던 바늘총의 결정적인 이점도 1870년에는 ('샤스포'[chassepot]로 알려진) 프랑스군의 우수한 보병소총으로 상쇄되었다. 프로이센군을 상대로 가공할 위력을 보여준 초기의 기관총, 즉 '미트라예즈'(mitrailleuse)도 프랑스군의 전력 강화에 한몫했다. 프로이센군은 통상적인 오해와 잘못된 조치로 시달렸다. 슈타인메츠 장군은 참모부의 지시를 가볍게 묵살함으로써 문제를 일으켰다. 또 스피셔렌과 비상부르, 프뢰슈빌레에서 치른 8월의 전투는 계획된 것이 아니라 우발적인 것이었다. 몰트케마저 몇 가지 심각한 과오를 범했는데, 가장 유명한 것으로는 원정 초기에 20만이 넘는 군대를 이끌고 프랑스 전선을 넘어 노상 행군을 함으로써 치명적인 측면 공격에 아군병력을 노출시킨 사건을 들 수 있다. 프랑스군의 바쟁 장군이 이 기회를 포착하지 못한 것은 프로이센군으로서 다행이었다.

　다른 한편으로 프로이센군이 꾸준히 개선되는 포병 기술의 근소한 우위를 활용한 작전은 효과가 있었다. 이들은 야포를 이용해 진격 중인 프로이센 보병으로부터 프랑스의 총구를 돌리게 했다. 어쩌면 가장 중요한 것은 프로이센이 적보다 실수를 덜한 것인지도 모른다. 마르스라투르에서 프랑스군의 라인 방면군 사령관인 바쟁은 공격의 적기를 놓침으로써 전략 거점인 베르됭 요새를 독일군의 진격에 노출시키는 심각한 실수를 저질렀고, 그 결과 손에 들어온 승리를 날려버렸다. 개전 이후 6주가 지난 1870년 9월 초, 프랑스군은 일련의 결정적인 전투에서 패배했고 그와 동시에 둘도 없는 무기고와 장교, 노련한 기간병들을 잃었다. 9월 1일과 2일, 스당에서 파트리스 드 마크마옹 장군이 지휘하는 프랑스군이 참패를 하고 항복한 뒤, 나폴레옹 3세 자신도 10만 4천 명의 병력과 함께 포로가 되었다. '비정규군'(francs-tireurs)이 후방에서 많은 사상자를 내는 동안 독일군이 스트라스부르와 메스를 점령하고 장기적인 파리 포위작전을 위해 접근할 때까지, 전쟁은 이후로도 몇 주 더 이어졌다. 공화파 수상인 아돌프 티에르(1840년 프랑스 합병에 대한 부정확한 이야기로 라인 위기를 촉발한 사람)와 끈질긴 협상 끝에, 2월 말에 잠정적인 강화 조약이 조인되었다. 최종적인 조약은, 프랑스 정부군이 파리 코뮌의 봉기를 진압한 1871년 5월 10일이 되어서야 비로소 쌍방 합의를 보면서 프랑크푸르트에서 체결되었다. 그동안에 비스마르크는 남부 국가들의 반대를 극복하고 통일에 대한 동의를 이끌어냈다. 1871년 1월 18일, 베르사유궁에 있는 거울의 방에서 독일제국이 선포되었다. 프리드리히 1세가 프로이센 국왕으로 즉위하고 정확하게 170년 만에 빌헬름 1세가 독일제국의 황제 칭호를 수락한 것이다.

새로운 유럽

수 세기 동안 유럽 한복판에 있는 독일 지역은 정치적으로 조각조각 분열되고 국력도 미약했다. 대륙은 독일 지역 주변에 있는 국가들이 지배했고 이들의 관심사는 이 중심 지역에서 생겨난 힘의 진공 상태를 유지하는 것이었다. 하지만 이제 처음으로 그 중심 지역이 통일되고 국력도 강력해졌다. 영국 하원의 보수파 야당지도자인 벤저민 디즈레일리는 이 사태를 어느 누구보다 정확하게 간파했다. 그는 하원에 나가 이렇게 설명했다. "이 전쟁은 독일혁명을 보여주는 것이며 프랑스혁명보다 정치적으로 더 큰 사건입니다. 휩쓸려나가지 않은 외교적 전통은 하나도 없습니다"[52] 이런 관점이 얼마나 진실에 부합하는가는 점진적으로 드러날 수밖에 없었다.

(한때 독일 국가들 사이에서 정치적 삶의 구조적 원칙이었던) 오스트리아-프로이센의 이원 체제 시대는 끝났다. 이미 1871년 5월에 오스트리아의 외무장관인 프리드리히 페르디난트 폰 보이스트 백작은 프란츠 요제프 황제에게 봉쇄정책의 무익함을 강조하며 빈은 오스트리아-헝가리와 프로이센-독일 사이에 나타난 모든 현안에 대하여 타협을 추구해야 한다고 조언했다.[53] 보이스트 자신은 새로운 노선을 감독할 만큼 오래 재직하지는 않았지만(그는 1871년 11월에 해임되었다), 그의 후임으로 임명된 언드라시 귤라 백작 역시 전반적으로 전임자와 동일한 노선을 취했다. 이 새로운 노선의 첫 번째 결실은 1873년 10월에 오스트리아-헝가리와 러시아, 독일 사이에 체결된 삼제 동맹(Dreikaiserabkommen)이었다. 이로부터 6년이 지난 1879년에 비스마르크는 더 큰 범위에서 이국 동맹의 협상을 벌이고 오스트리아-헝가리를 독일의 하위 동맹국으로 격하시켰다. 이때부터 오스트리아의 정책은 비록 상호관계에서 종속적인 지위를 의미하는 것이라고 해도, 베를린을 오스트리아-헝가리의 안보 이익에 가능하면 깊이 끌어들이는 것을 목표로 삼았다. 이

47 1871년 1월 18일, 베르사유 궁전 거울의 방에서 프로이센의 왕 빌헬름 1세는 독일제국의 황제로 선포되었다. 안톤 폰 베르너의 그림에 따른 판화.

런 상태에서 두 나라는 1918년까지 상호결속을 유지했다.

1870년의 전쟁은 프랑스와의 관계를 전혀 다른 기반에 올려놓았다. (비스마르크가 강력히 옹호한) 알자스로렌의 합병은 프랑스의 정치 엘리트 계층에 충격을 주었고 프랑스-독일의 관계에 지속적인 부담을 주었다.[54] 알자스로렌은 프랑스에서 번진 '복수' 열기의 성배가 되면서 잇단 국수주의적 소요의 본거지 역할을 했다. 알자스로렌의 합병을 압박한 것은 비스마르크의 정치 경력 중에 '최악의 과오'였는지도 모른다.[55] 그러나 설사 합병이 없었다고 해도 새 독일제국이라는 존재 자체가 프랑스와의 관계를 바꿔놓았을 것이다. 그간 독일의 나약함은 프랑스 안보정책에서 중추 중 하나로 기능했다. 일찍이 1779년에 베르젠 백작은 다음과 같은 기록을 남겼다. "만일 이들의 가공할 힘이 헌법이라는 형태로 제한받지 않을 때, [독일이] 우리에 대하여 어떤 이점을 누리게 될지는 뻔하다. […] 그런 점에서 우리는 상대적 우위와 안보에서 [독일이] 분열한 덕을 보고 있다."[56] 1871년 이후, 프랑스는 가능한 모든 기회를 동원해가며 이 새로운 힘을 동쪽 국경에서 막아내려고 할 수밖에 없었다. 프랑스와 독일의 반목은 (양측에서 친선을 도모하기 위해 간헐적인 노력을 기울였음에도 불구하고) 이런 의미에서 통일전쟁 이후 유럽의 국제체제에서 어느 정도 예정된 것이었다.

이 두 가지 요인(베를린과 오스트리아-헝가리 사이의 긴밀한 유대 그리고 프랑스와의 지속적인 반목)을 통일 이후 수십 년간 유럽 정세의 상수로 본다면, 왜 프로이센-독일이 1914년 이전 수십 년간의 아주 두드러진 특징이라고 할 고립 상황을 피하기 어렵다고 보았는지를 더 쉽게 알게 된다. 파리의 관점에서 볼 때, 이들의 주요 목적은 반독일 동맹을 결성해서 독일을 견제하는 것이 될 수밖에 없었다. 그런 협력 체제를 위해 가장 매력적인 상대는 러시아였다. 베를린은 러시아를 독일의 동맹 체제로 끌어들이기만 하면 그런 프랑스의 의도를 막을 수 있었다. 하지만 러시아와 오스트리아-헝가리 양쪽을 섞는 동맹 체제는 그 어떤 형태라고 해도 불안정할 수밖에 없었다. 독일과 이탈리아로부터 따돌림을 당하자 오스트리아-헝가리의 외교정책은 점점 발칸반도에 초점을 맞췄는데, 이곳은 빈의 이익이 곧장 러시아의 이익과 충돌하는 지역이었다.[57]

1885년에 발칸반도를 둘러싼 긴장 때문에 삼제 동맹이 깨졌다. 비스마르크는 1887년 재보장 조약에 대한 협상을 통해서 독일과 러시아의 관계를 대강 복구하기는 했지만, 1889년에 가서 베를린이 오스트리아-헝가리에 한 약속과 러시아에 대한 의무를 양립시키는 것은 점점 어려워졌다. 1890년, 비스마르크의 후임으로 수상에 오른 레오 폰 카프리비는 재보장 조약의 연장을 포기했다. 이에 프랑스는 즉시 상트페테르부르크에 넉넉한 차관과 군비보조금을 제공하면서 기회를 낚아챘다. 그 결과 1892년에는 프랑스-러시아 군사협정이 맺어졌고 1894년에는 이것이 전면적인 동맹으로 확대되었다. 이 두 차례의 조약 모두 명백히 독일을 미래의 적으로 상정하고 있었다. 이런 부정적인 흐름을 상쇄하기 위해 독일은 1890년대에 터키와의 유대를 더 공고히 했다. 이것은 영국을 (1905년 이후) 다르다넬스 해협과 보스포루스 해협의 보호국 역할에서 벗어나게 해주고 러시아에 대한 유화정책을 추구하게 만들었다.[58] 이제 1914년에 전쟁으로 치닫게 될 유럽의 양극화 여건이 갖추어진 셈이다. 이 말은 1914년 이전 마지막 15년 동안, 그토록 독일의 국제적 평판을 망쳐놓은 엄청난 실수와 태만에 대하여 독일 정치인들을 비난할 것이 없다는 의미가 아니다. 다만 정치적인 도발과 반응이란 측면에서 보면 중대한 고립화의 양상이 부분적으로 설명될 수 있음을 지적하는 것이다. 보다 근본적인 차원에서 보자면, 이는 프로이센에서 1866~71년에 일어난 '독일혁명'으로 야기된 구조적 변화가 전개되는 양상을 드러내는 것이었다.

16

독일로
합병되다

Merged
into Germany

1848년 봄, 혁명의 열기가 넘쳐흐르는 베를린 시가지로 군중이 모여들 때 국왕 프리드리히 빌헬름 4세는 프로이센이 "이제부터 독일로 합병될 것"(Preussen geht fortan in Deutschand auf)이라고 선언했다. 이 말은 때 이른 감이 있기는 해도 그의 선견지명을 보여준 것으로, 프로이센의 입장에서 국가 통일의 양면적인 특징을 암시했다. 독일은 프로이센의 주도로 통일이 되었지만, 대망의 통일 달성으로 해체 과정이 시작된다는 의미였다. 독일이라는 국민-국가의 성립과 더불어 우리가 이 책에서 역사를 추적해온 프로이센은 끝나게 되었다는 말이다. 프로이센은 더이상 국제무대에서 독립적인 역할을 하는 배우가 아니었다. 프로이센은 이제 새 독일이라는 크고 묵직한 몸뚱이에서 존재하는 법을 배워야했다. 독일 국민이어야 한다는 요구로 프로이센의 내적 삶은 복잡해졌다. 불협화음은 고조되었고, 정치적 평형이 깨졌으며, 어떤 연대는 느슨해졌고 다른 연대는 강화되었으며, 여러 정체성들이 확산되는 동시에 그 폭이 협소해졌다.

독일 헌법 속의 프로이센

공식적인 측면에서 볼 때, 새 독일 안에서 프로이센의 위치는 1871년 4월 16일의 제국헌법(Reichsverfassung)에 의해 규정되었다. 이 주목할 만한 문서는 복잡한 역사적 타협의 산물이었다. 독일제국을 세우기 위해 모여든 독립 군주국들의 야망 사이에 균형이 이루어져야 했다는 말이다. 비스마르크 자신은 주로 프로이센의 영향력을 다지고 확대하는 일에 관심을 쏟았지만, 이런 정책은 바덴이나 뷔르템베르크, 바이에른 정부의 호응을 얻지 못했다. 이 결과로 나온 헌법은 유난히 각국에 위임된 성격이 강했다. 사실 그것은 전통적인 의미에서 헌법이라기보다는 독일제국을 세우는 데 합의했던 주권국들 사이의 '조약'이었다.[1] 이런 특징은 다음과 같이 시작되는 헌법 전문에서 아주 분명하게 나타난다.

> 북독일 연방을 대표하는 프로이센 국왕 폐하, 바이에른 국왕 폐하, 뷔르템베르크 국왕 폐하, 바덴 대공 전하, 헤센 공국 및 마인강 이남의 헤센 영토를 대표하는 […] 헤센 대공 전하께서는 연방 영토의 보전과 독일 민족의 권리 및 복지를 보호하기 위해 영구적인 '연방'(Bund) 협약을 체결한다.

새 제국이 통치 영주의 연방, 즉 '영주동맹'(Fürstenbund)이라는 취지에 따라서, 제국의 각 구성국은 그들 자체의 의회 입법부와 헌법을 계속 유지했다. 그리고 직접세를 책정하고 인상하는 권한은 제국이 아니라 전적으로 각 구성국에 있었다. 제국은 주로 간접세에 수입을 의존했다. 즉, 복수의 독일 왕위와 궁정이 그대로 남은 상태에서 각국은 여전히 다양한 특권과 전통적인 위세를 떨쳤다. 규모가 큰 독일 국가는 구독일 연방에서 했듯이 서로 대사를 교환하기까지 했다. 같은 논리로 외국 역시 베를린뿐 아니라 드레스덴과 뮌헨으로 외교 사절을 파견하기도 했다. 비록 헌법은 연방국가의 의무를 지우면서 새 제국의 모든 구성국이 동등한 시민권을 인정하도록 했지만, 독일 국민(Deutsche Nation)이라는 언급은 없었고 아직 공식적인 독일 국적(Deutsche Staatsangehörigkeit)도 없었다.[2]

아마 새로 생긴 정치적 질서에서 (헌법이 규정하는) 가장 두드러진 면모는 중앙 정부의 힘이 약하다는 점이었을 것이다. 이런 면모는 1848~49년에 프랑크푸르트 국민의회에서의 자유주의 성향의 법률가들이 준비했다가 폐기된 제국헌법과 비교하면 더욱 뚜렷하게 드러난다. 프랑크푸르트 국민의회의 헌법은 모든 개별 국가가 참여하는 정부의 단일한 정치 원칙을 규정했으나 새 제국의 헌법은 그렇지 않았다. 프랑크푸르트 헌법이 각 구성국의 위상과 구별되는 '제국의 권능'(Reichsgewalt)을 세우기로 한 데 비해, 1871년 4월 16일의 헌법은 독일의 통치기관이 '연방 구성국의 대표로' 구성되는 연방상원(Bundesrat)이라고 규정했다.[3] 상원은 어떤 법안을 제국의회에 올려야 할지를 결정했다. 법안이 법으로 확정되기 전에 상원의 동의를 거쳐야 했다. 상원은 제국의 입법 활동을 감독할 책임이 있었다. 연방의 모든 구성국은 법안을 제출하고 상원에서 그와 관련한 토론을 벌일 권리가 있었다. 또한 1871년의 헌법에는 연방상원이 외교와 군대 및 국방요새, 해군 문제를 포함해 다양한 분야를 책임지는 일련의 '상임위원회'를 자체의 위원으로 꾸릴 수 있다(제8조)는 조항도 있었다. 헌법에 관해 사전 지식이 없는 사람이 보면, 연방상원이 독일제국의 통치권뿐만 아니라 정치적인 권력까지 거머쥔 자리라는 결론을 내릴 수도 있을 것이다. 이렇게 세심하게 연방의 권한을 조절한 것은 프로이센이 주도권을 행사할 여지를 주지 않으려는 것처럼 보였다.

하지만 헌법은 정치 현실과 무관할 때가 많다. 1945년 이후 소비에트 연방 국가들의 '헌법'이 실현 가능성 없는 언론과 표현의 자유를 언급한 것을 생각해보라. 1871년의 '제국헌법'도 예외가 아니었다. 이후 수십 년간 독일 정치는 연방상원에 부여된 권위를 훼손하는 방향으로 전개되어갔다. 비록 비스마르크 수상은 언제까지나 독일이 '영주동맹'으로 남을 거라고 주장했지만, 헌법에서 보장한 연방상원의 권한은 결코 충족되지 못했다. 그렇지 못한 가장 큰 이유는 단순히 군사적으로나 영토의 크기로나 프로이센의 위상이 지나치게 앞선다는 현실이었다. 연방 전체에서 영토 면적으로 65퍼센트를, 인구로는 62퍼센트를 차지하는 프로이센이 사실상 연방의 주도권을 행사했다. 프로이센군에 비하면 남부 독일의 군사시설은 왜소해 보였다. 헌법 제63조에 따라 독일 황제를 겸하는 프로이센 국왕은 또한 제국 군대의 최고사령관이었다. 그리고 제61조는 '전체 프로이센 군법'이 지체 없이 제국 전체에 도입되어야 한다고 규정해놓았다.

이것은 '상임위원회'를 통해 군사 업무를 규제토록 한다는 연방의 요구를 비웃는 조항이었다. 프로이센의 지배적인 위치는 연방상원 안에서도 위력을 떨쳤다. 함부르크와 뤼베크, 브레멘 같은 한자동맹 도시를 빼고, 중북부 독일의 소규모 도시국가들은 프로이센의 보호를 받기 때문에 여차하면 언제나 압박을 받을 수 있는 지위였다. 프로이센 자체로는 상원의 의결권 총 58석 중 17석밖에 없었다. 이것은 영토 규모에 비해 낮은 비율이긴 했지만, 법안 거부권을 행사하는 데는 14표만 있으면 되었기 때문에 프로이센은 다른 국가가 달갑잖은 주도권을 행사하는 것을 막을 수 있는 위치에 있었다. 프로이센 수상 겸 프로이센 외무장관이자 제국 수상으로서 비스마르크는 헌법 제8조의 규정에도 불구하고 연방외교위원회가 사문화된 기구임을 분명히 했다. 그 결과 프로이센 외무부가 사실상 제국의 외무부가 되었다. 국내 정치 영역에서 보면, 연방상원에는 법안 작성에 필요한 관료기구가 없었다. 이 때문에 상원은 규모가 크고 잘 훈련된 프로이센 관료조직에 의존하게 되었으며, 이 결과로 상원은 점점 프로이센 수상청에서 다듬고 논의된 법안을 검토하는 기구의 기능을 맡게 되었다. 연방상원의 종속적인 역할은 베를린 정치기구의 건물에서도 드러났다. 청사가 없어서 연방상원은 제국 수상청 건물 일부를 얻어 썼다.

프로이센의 독보적인 지위는 다시 제국 행정기관의 상대적인 부실함으로도 나타났다. 신통찮은 제국 행정부는 폭증하는 업무를 담당하기 위해 새 부처가 세워진 1870년대에 등장했지만 계속 프로이센 행정조직에 의존했다. 제국 관청(외무, 내무, 법무, 체신, 철도, 재무)의 각부 수장은 정확하게 말하면 장관이 아니라 제국 수상에게 직보하는 낮은 직급의 차관(Staatssekretär)이었다. 프로이센의 관료기구는 제국의 조직보다 규모가 컸으며 이 상태는 제1차 세계대전이 발발할 때까지 그대로 유지되었다. 제국 행정부에 고용된 관리는 대부분 프로이센 사람이었지만, 그렇다고 프로이센 사람들이 새 독일 국가의 고위직에 몰려드는 일방적인 과정은 아니었다. 프로이센과 독일의 국가기구는 하부조직이 뒤섞이는 가운데 함께 발전했다고 말하는 것이 더 사실에 가까울 것이다. 예를 들어, 비(非)프로이센 사람이 제국 관리나 프로이센 장관으로 근무하는 것은 차츰 상식이 되었다. 프로이센 정부 부처와 제국 사무국의 직원은 갈수록 뒤섞였다.[4] 1914년 무렵, '프로이센' 장교의 약 25퍼센트는 프로이센 시민권이 없었다.[5]

그러나 프로이센과 다른 독일 국가 사이를 차단하던 얇은 막이 점차 엷어지는 와중에도 독일 체제에 남아 있던 연방주의의 잔재 덕에 프로이센은 독특한 정치제도를 유지할 수 있었다. 헌법의 테두리에서 볼 때, 그중 가장 중요한 잔재는 프로이센의 양원제 입법부였다. 독일제국의회는 보편적인 남성의 선거권을 토대로 구성되었다. 반대로 프로이센 주의회의 하원은 앞에서 본 대로 3계급 선거권을 토대로 구성되었다. 이것은 재력가를 위한 무척 불평등한 제도로서 보수파와 자유주의 우파 세력에 유리했다. 전국의회의 선거가 직접·비밀 투표에 기초하는데 비해, 프로이센 주의회는 공개·간접 투표(유권자가 선거인단을 선출하고 이 선거인단이 다시 의원을 선출한다) 시스템을 통해 구성되었다.

이 제도는 1848년 혁명의 여파 속에서 행정부가 당면한 문제에 대한 충분히 합리적인 대응인 것처럼 보였다. 헌법이 위기에 빠진 1860년 대에 자유주의자들이 비스마르크에 맞서 어마어마한 운동을 벌이는 데 방해가 되지도 않았다. 하지만 통일 이후 수십 년간, 이 제도는 갈수록 문제가 드러나기 시작했다. 무엇보다 3계급 시스템은 조작의 여지가 있는 것으로 악명이 높았다. 공개 투표를 하는 선거인단은 일반인보다 훨씬 속을 잘 드러내고 다루기도 쉬웠기 때문이다.[6] 1870년대에 자유주의 지방 고관들은 이 시스템을 노련하게 활용했다. 자신들의 영향력을 이용해 농촌 선거구에서 자유주의 의원을 배출하도록 만든 것이다. 하지만 이런 상황은 비스마르크 행정부가 보수파 후보를 위해 체계적으로 선거 과정을 조작하기 시작한 1870년대 후반 들어 바뀌었다. 지방 행정에서 정치적으로 믿을 수 없는 요인은 일소되었고 보수파 후보들에게는 친정부 활동에 적극적인 역할을 할 길이 열렸다. 또 보수파의 다수표 확보에 유리한 방향으로 선거구를 멋대로 획정했고 판세가 엎치락뒤치락하는 선거구의 경우에는 투표소를 옮기기까지 해서 야당 우세 지역의 유권자는 투표를 하기 위해 수 킬로미터씩 시골길을 걸어가야 하는 경우도 있었다.

보수파는 또 1870년대 중반의 불황으로 움츠러든 시골 유권자들이 정치 노선을 바꾸는 바람에 득을 보기도 했다. 그들은 자유주의를 포기하고 보호무역과 농업 친화적인 정치를 받아들였다. 그 때문에 시골 지역에서는 보수적인 지주 엘리트와 프로이센 관료층, 주의회의 보수당 의원들이 거의 한 몸처럼 움직였다. 이 네트워크의 결속력은 다시 보수파 일색인 프로이센 상원에 의해 더욱 탄탄해졌다. 이곳은 세습귀족과 지주 대표, 직권으로 나온 도시와 교회, 대학 대표 등으로 구성되었다. 1854년에 프리드리히 빌헬름 4세가 신헌법의 신분제 요소를 강화할 생각으로 (영국 상원을 모델로 해서) 세운 상원은 '새 시대'(Neue Ära, 여러 개혁정책이 추진된 1858년 가을에서 1862년 봄까지를 말한다 — 옮긴이) 기간에 자유주의 법안을 막는 데 도움을 주었다. 그 이후에는 (1918년에 해산할 때까지) 체제 내에서 보수파의 중요한 '무게 추' 역할을 했다.[7]

이같이 보수당의 관심사와 정부 및 대의 기관이 부분적으로 병합되는 효과가 시골 지역에서 널리 퍼졌다. 프로이센의 선거제도는 강력한 농업 로비가 뿌리내리는 데 유리했다. 이것은 또 선거구 절대 다수의 요구를 대변하는 농촌 인구의 상당수가 3계급 시스템을 농촌 이익을 보장하는 최선의 제도로 보았음을 의미했다. 프로이센에 도입된 직접·비밀·보통 선거제도가 보수당과 국민자유당(Nationalliberale)의 기반을 잠식하고, 특혜세율과 수입 식품에 대한 보호관세로 혜택을 보는 농업 분야의 재정적인 특권을 위태롭게 했다고 보는 데는 타당한 근거가 있었다. 사회민주당(die Sozialdemokraten, 사민당)이 독일 제국의회 선거에서 다수당이 된 1890년 이후, 3계급 시스템이 혁명적인 사회주의에 맞서 프로이센을 지키고 프로이센의 제도와 전통을 보호하는 유일한 보루라고 주장하는 것이 가능해졌다. 이것은 비단 보수파뿐만 아니라 많은 자유주의 우파와 일부 시골의 가톨릭 신도까지 설득력이 있다고 보는 주장이었다.[8] 이리하여 3계급 선거제도는 시골에서 보수파가 영향력을 강화하는 부정적인 효과를 낳았다. 광범위한 제도개혁을 불가능하게 할 정도였다. 농촌 분야의 특권을 폐지하려고 하는 수상들은 (심지어 황제마저도) 시끄럽고 잘 단합된 농촌 '프롱드 당'(fronde)의 완강한 반대를 각오해야 했다. 이 교훈을 배우느라 수상이 두 명(카프리비와 뷜로)이나 바뀌었다.[9]

프로이센 체제는 스스로 발목을 잡았다. 헌법 측면에서 볼 때, 그것은 바로 비스마르크가 의도했던 대로 독일이라는 체제 안에 있는 보수파의 닻이 되었다.[10] 지주계급의 이기적인 정치는 특별히 나쁠 것이 없었다. 자유당 좌파가 친기업적 저세율 정책을 노골적으로 선호하는 것이나 사민당이 오로지 (당이 여전히 선호하는 마르크스주의의 다듬어지지 않은 수사법으로) 미래의 '독재'가 보장된 독일 '프롤레타리아'를 대변하는 주장을 하는 것이나 마찬가지였다. 하지만 자신들의 관심사와 정치문화까지 어느 정도 체제 자체에 각인시키는 데 성공한 것은 지주와 그들의 보수파 동맹 세력이었다. 그들은 자신들이야 말로 독특하고 독립적인 프로이센이라는 바로 그 생각의 소유자라고 주장했다. 1899년부터 1911년까지 거의 모든 독일 영토(메클렌부르크와 미니 공국인 발데크는 제외)에서 실질적인 선거개혁이 이루어지는 동안, 프로이센은 여전히 시대착오적인 선거방식에 묶여 있었다.[11] 제1차 세계대전 직전까지도 프로이센 시민들에게는 평등·직접·비밀 선거의 기회가 차단되어 있었다. 그러다가 1917년 여름에 가서 전쟁의 압박을 받고 국내의 반대여론이 커지자 프로이센 정부는 구선거제도에 대한 방침을 포기하기에 이르렀다. 그러나 좀 더 진보적인 선거방식하에서 군주제를 유지하는 방법을 찾아내기 전에, 1918년의 패전과 혁명의 소용돌이 속으로 그 의제는 빨려 들어가고 말았다.

정치적·문화적 변화

프로이센의 헌법은 시간의 변화를 좇아가지 못했지만, 프로이센의 정치문화는 그렇지 않았다. 보수당의 주도권은 인상적이었으나 동시에 중요한 측면에서는 한계가 있는 것이기도 했다. 제국의회의 의원들(이들은 다수가 사회당이거나 자유당 좌파였다)이 포진한 프로이센과 주의회 의원들이 지배하는 시골의 프로이센은 양극단으로 갈렸다. 제국의회 선거 투표율은 1898년의 67.7퍼센트에서 사민당이 독일 총투표수의 3분의 1 이상을 차지한 1912년의 종전 이전 마지막 선거에서는 84.5퍼센트로 급격하게 올라갔다. 반대로 빈곤 계층에 속하는 프로이센 유권자들은 프로이센 총선에서 단순히 기권함으로써 3계급 투표 시스템을 경멸하는 태도를 보였다. 사실상 투표하길 꺼렸던 (인구의 압도적 다수를 차지하는) 제3계급 유권자의 1893년 총선 투표율은 15.2퍼센트에 불과했다.

프로이센 땅에서 벌어진 극단적인 지역적 차이는 보수 정치의 범위를 제한했다. 제1차 세계대전 직전에 프로이센의 보수적 경향은 거의 엘베강 동부에만 해당하는 현상이었다. 1913년에 프로이센 주의회에서 보수당 의원 147명 중 124명이 구프로이센 지역 출신이었다. 한 명의 보수당 의원만이 라인란트 지역구였다.[12] 이런 점에서 3계급 시스템은 정치적으로 진보적이며, 산업과 상업이 번창한 도시 중심의 그리고 본질적으로 가톨릭이 지배하는 서부와 프로이센의 '아시아 초원지대'라고 할 엘베강 동부 사이의 정서적인 거리를 벌려놓으면서 동서 분열을 두드러지게 했다.[13] 이러한 사회–지리적 분리 상태는 다시 부르주아와 귀족으로 구성된 '통합 엘리트'(Gesamtelite)의 출현을 억제했다. 남부 독일 국가의 기조를 만든 이런 형태의 엘리트 계층이 프로이센에서는 취약했고, 이는 융커 중심의 정치를 비타협적이고 극단론으로 치우치게 만들었다.[14]

하지만 보수파 일색의 중심지 바깥에서, 특히 서부 지방과 다수의 도시에서는 왕성한 중산층의 정치문화가 두드러지게 융성했다. 많은 대도시에서는, 제한적인 도시 선거 덕에 유지된 자유당 과두 체제가 기반시설의 합리화나 사회복지 같은 정책을 주관했다.[15] 특히 1890년 이후 수년간, 프로이센 전체 도시에서 다양한 신문이 발행되고, 신문의 대중적 소비가 극적으로 증가함으로써 엄청난 비판적 에너지가 방출되었다. 이 때문에 후속 정부는 이미지 문제에 직면했는데, 해결이 불가능하다고 여겼다. 1893년에 한 원로 정치가는 이 당시를 다음과 같이 표현했다. "지금은 무한한 홍보의 시대다. 셀 수 없이 많은 끈이 이리저리 늘어져 있지만, 일치된 의견이 정해지지 않으면 종은 울리지 않는다."[16]

1890년대는 점점 커지는 루르 지역 도시 주변의 산업단지와 베를린을 가장 중요한 본거지로 둔 사민당에게도 전환기였다. 1890년의 선거에서 사민당은 극심한 탄압을 받으면서도 최다득표를 한 독일 정당이 되었다. 이후 산업 노동자나 인부, 상인, 저임금 고용인 등이 모이는 특별 클럽이나 만남의 공간 등에서 사회주의 하위문화가 발전하게 되었다. 20세기로 바뀔 무렵, 프로이센은 유럽에서 가장 크고 잘 조직된 사회주의 운동의 구심점이었는데, 이는 프로이센 출신의 사회주의 원조인 카를 마르크스와 프리드리히 엥겔스에 대한 적절한 존경의 표현이라고 할 수 있었다.

'세기말' 유럽 문화생활의 특징이라고 할 갈등과 양극화는 프로이센에서도 그 흔적을 남겼다. 이 분야도 보수 엘리트의 통제를 재빨리 벗어나는 세계였다. 1890년대 초, 베를린 최대의 연극 소동은 게르하르트 하우프트만의 「직조공」(Die Weber) 때문에 일어났다. 「직조공」은 1844년 슐레지엔 직조공의 봉기에 공감해서 쓴 하우프트만의 희곡을 무대에 올린 작품이었다. 보수 진영에서는 사회주의 선언이나 마찬가지라며 정치적인 이유로 이 작품을 비난했다. 또 연극의 기본적인 가치를 무시하는 것 같은 철저한 자연주의 언어에 대경실색했다. 베를린의 내무부에서는 이 연극의 공연을 금지했지만, 열광적인 관중이 자유무대(Freie Bühne)나 신자유 민중무대(Neue Freie Volksbühne)처럼 대형 사설 공간에 몰려드는 것까지 막을 수는 없었다. 민중무대는 사민당 계열의 극장이었다. 이후로도 프로이센 곳곳에서 공연을 금지했지만,「직조공」의 흥행 가도를 막지는 못했다. 정부는 한층 더 곤혹스러워졌다. 프로이센 주의회 하원에서 이 금지 조치를 놓고 논의를 벌였는데, 국가에서 연극을 검열하는 전통이 과연 '예술의 자유' 시대에도 여전히 정당한가 하는 문제를 둘러싼 극심한 분열만 노출했을 뿐이었다. 내무부의 많은 직원조차 장관의 강경한 조치가 현명했는지 의심하는 분위기였다.[17]

공식적인 궁정문화와 갈수록 세분화되는 문화 영역에서 표출된 실험 정신과 반전통주의 사이에 틈이 벌어졌다. 예컨대 궁정의 무용과 대중적인 춤은 문화적 차이를 드러냈다. 세기 전환기에 북아메리카와 아르헨티나의 새로운 스텝이 대도시의 무도장에 유입되었다. 케이크워크나 투스텝, 버니 허그, 주디 워크, 터키, 그리즐리 베어 같은 춤이 돈 많은 귀공자들에게 차례로 인기를 끌었고 개별 스타일이 유행을 타는 기간은 갈수록 짧아졌다. 하지만 대중이 점점 더 대서양을 건너온 이런 수입문화에 길드는 동안, 빌헬름 2세의 궁정은 화려한 구세계의 복고풍 문화를 즐겼다. 그리고 모든 궁정무도회는 왕실 구성원이 받아야 할 관심을 방해하지 않도록 꾸며졌다. 가령 1900년의 『바자르』(Bazar) 기사를 보면, "만일 공주 한 명이 무도회에 참석했다면, 공주가 속한 쌍을 제외하고 두 쌍만이 동시에 춤을 출 수 있다"라고 쓰여 있다. 빌헬름 2세는 군 장교들이 공공연히 새 춤을 추는 것을 분명하게 금지했다. "육·해군의 장교들이 제복을 입고 탱고나 원스텝, 투스텝 같은 춤을 추어서는 안 될 것이며 그런 춤을 추는 가정을 방문해도 안 될 것이오."[18]

이와 똑같이 넓게 벌어진 문화적 간격은 건축이나 시각예술에서도 엿볼 수 있었다. 예를 들어 10년간의 공사 끝에 1905년 새로 지은 베를린 대성당(Berliner Dom)에서 풍기는 육중한 네오바로크식 과대망상과 신세대 건축가들의 우아하면서도 간소한 원모더니즘(Protomodernismus) 사이의 대조적인 특징을 떠올려보라. 특히 1896~1912년에 집중적인 활동을 한 알프레트 메셀과 한스 푈치히, 페터 베렌스 같은 건축가의 건물은 프로이센 관료 사회에서 선호하는 절충주의적 '역사적 양식'을 단호히 배격했다.[19] 대중의 기호에 대한 심판 역할을 하는 사람들(황제 빌헬름 2세부터 국립대학교의 총장이나 교수에 이르기까지)은 미술은 옛 현인들의 영원한 규범에 충실하면서 중세의 전설이나 신화, 감동적인 역사적 일화에서 따온 주제로 대중을 교화해야 한다고 생각했다. 그러나 1892년에 들어서자 베를린에서는 공식 화랑의 비난에서 벗어나려는 미술가 11인의 전람회를 두고 극심한 논란이 벌어졌다. 막스 리버만과 발터 라이스티코를 비롯해 이들의 동료들이 선보인 '황폐하고 사나운 자연주의'(이에 분노한 한 비평가의 표현)는 공식적으로 허용된 관행적인 미술에 직접 반기를 들었다. 1898년에는 이런 반항적인 풍조가 널리 퍼지고 다양해지면서 '베를린 분리파'를 낳았다. 1898년에 열린 베를린 분리파의 1차 전시회는 비공식적 미술계 안에서 형성된 광범위한 양식과 시각을 보여주며 엄청난 성공을 거두었다.

분리파와 관련해 주목해야 할 것은 단순히 공식적인 문화에 대한 이들의 반항적인 태도뿐 아니라 특별히 작품에 담긴 프로이센 및 지역과 관계된 주제였다. 서프로이센의 브롬베르크 출신인 발터 라이스티코는 마르크 브란덴부르크의 매혹적인 풍경화로 유명했다. 호숫가에 그늘을 드리운 숲이나 고요히 빛을 반사하는 수면이 보이는 평지의 풍경 등 베를린 교외 숲의 호수 풍경을 어두운 분위기로 담은 그의 작품 「그루네발트제」는 1898년의 베를린 공식 전람회에서 전시를 거부당했다. 이 일로 이듬해 분리파는 서둘러 자신들의 화랑을 마련했다. 라이스티코의 회화나 동판화가 당대의 감수성을 휘저은 것은 새로우면서도 잠재된 전복적인 감수성으로 브란덴부르크의 풍경을 담았기 때문이다. 라이스티코의 작품에 질색한 빌헬름 2세는 자신이 생각하는 '그루네발트를 온통 파괴했다'고 불평하면서("그자가 그루네발트 전체를 완전히 망쳐놓았어") 다른 정서를 드러냈다.[20] 케테 콜비츠는 특별히 다른 감각으로 프로이센의 전통에 대한 권리를 주장했다. 하우프트만의 연극에 영감을 받은 콜비츠는 1844년 슐레지엔 직조공의 봉기를 다시 부각시킨 판화 연작을 발표해 널리 찬사를 받았다. 극심한 갈등과 처절한 고통을 묘사한 작품들이었다. 여기서 역사화의 서사적 캔버스는 과거를 사회주의적으로 바라보는 시선으로 전복되었다. 원모더니스트라고 할 메셀과 묄치히, 베렌스조차 프로이센 전통과의 대립 구도 속에서 작품을 발표했다. 이들의 섬세하고 기술적으로 획기적인 건축 디자인은 여러 가지 면에서 길리 및 싱켈과 연관된 '프로이센 양식'의 검소한 신고전주의에 대한 반응으로 나온 것이었다.[21]

전쟁이 일어나기 직전 수십 년 동안에는 공공 기념비와 동상 건립이 급증했다. 유럽 곳곳에서 그랬듯이 프로이센에서도 이 시대의 공공

조각상은 육중하고 큰 규모를 추구하는 경향이 있었다. 또 애국적인 주제가 크게 부각되었다. 1904년에 나온 한 연구서는 그즈음 몇 년간 빌헬름 1세 황제 치하에서만 372기의 기념비가 세워졌으며 대부분은 프로이센 지역에 있다는 사실을 확인했다. 이들 중 일부는 국가예산으로 세워졌지만, 많은 지역에서 현지의 '기념비 건립위원회'가 승인 절차를 거쳐 기부금을 걷으며 중요한 역할을 했다. 하지만 세기 전환기에 이런 기념물에 대한 여론의 반응은 양면적이었다. 단적인 예가 1901년 개통해 수도의 교통축이 된 750미터 길이의 '지게스알레'(Siegesallee, 개선로)에 늘어선 기념물들이었다. 지게스알레 양옆으로는 돌난간을 두른 우묵하게 들어간 널찍한 공간마다 우뚝 솟은 기단에 브란덴부르크 통치 가문의 인물들이 서 있었고 양 측면엔 재위 당시의 장군과 원로정치인 형상이 통치자를 보좌하는 모양새로 배치되어 있었다. 이미 개통 당시에 이 거대한 프로젝트는 시대에 뒤처진 것처럼 보였다. 도로를 예정대로 완성하기 위해 서두른 빌헬름 2세 황제는 다양한 재능을 가진 조각가들에게 조각상 제작을 맡겼다. 이들은 모두 틀에 박힌 솜씨인 데다가 허풍을 떨기까지 했으며 기술이 서툴거나 시시한 사람도 많았다. 값비싼 대가를 치른 결과는 과장되고 단조로운 작품뿐이었다. 불경스러운 언사에 익숙한 베를린 시민들은 지게스알레에 '푸펜알레'(Puppenallee, 인형로)란 이름을 붙여주었고 당대의 많은 풍자적인 작품은 이 프로젝트를 황제의 과대망상에서 나온 어리석은 짓이라고 조롱했다. 그중에서 압권은 1903년에 나온 오돌(Odol)이라는 구강세정제 브랜드의 광고로 거대한 오돌 병이 이 지게스알레에 줄지어 서 있었다.

공식적인 정치문화와 이에 반대하는 정치문화가 갈수록 양극화되는 것은 (독일의 문맥에서 보면) 유난히 프로이센적인 현상이었다. 진보계열의 연정이 개헌을 밀어붙이는 데 성공한 남부 독일 국가에서는 이런 현상이 훨씬 덜했다. '정부 편' 정당들과 사민당의 관계도 남부에서는 덜 심각했다. 남부에서는 기존 정파가 좌파와의 협력에 더 개방적이

48 베를린의 지게스알레

49 오돌 구강세정제 광고

었고, 남부 독일의 사회주의 정당이 프로이센의 사회주의 정당보다 더 온건하고 덜 대립적이기 때문이었다. 고급문화의 영역에서도 양극화 문제는 덜 심각했다. 모든 종류의 문화적 모더니즘을 공공연히 비난한 빌헬름 2세 황제와는 대조적으로, 에른스트 루트비히 폰 헤센 대공 같은 사람은 근대미술과 조각의 전문가이자 후원자로 알려졌다. 이 작은 연방 국가에서 궁정은 여전히 문화 혁신의 중요한 거점이었다.

문화 전쟁

1878년 말에 프로이센의 가톨릭 주교 중 절반 이상이 망명을 하거나 투옥되었다. 1,800명이 넘는 사제가 감금되거나 망명했으며 1,600만 마르크의 가치가 넘는 교회 재산이 압류되었다. 1875년 들어 첫 4개월 동안에만, 사제 241명과 가톨릭 신문사 편집장 136명, 가톨릭 평신도 210명이 벌금을 물거나 투옥되었으며 신문사 20곳이 몰수되었다. 또 가톨릭 건물 74개 동이 수색당했고 가톨릭 정치 활동가 103명이 추방되거나 억류되었으며 가톨릭 협회와 클럽 55개가 폐쇄되었다. 1881년에 가서는 프로이센의 전체 교구 중에 사제가 없는 곳이 4분의 1이나 되었다. 이것이 수 세대 동안 독일의 정치와 공공생활의 골격을 형성한 '문화투쟁'(Kulturkampf)이 절정에 올랐을 때의 프로이센 모습이었다.[22]

이 시대에 유럽에서 종파 문제로 갈등을 겪은 국가가 프로이센만은 아니었다. 1870년대와 1880년대에 유럽 대륙 전역에 걸쳐서 가톨릭과 세속 자유주의 운동 사이에 갈등이 고조되었다. 그런데 프로이센의 경우는 유별났다. 다른 어디에서도 가톨릭 기관과 구성원들을 그토록 체계적으로 억압한 곳은 없었다. 종파 차별의 두 가지 주요 도구는 행정개혁과 법이었다. 1871년에 정부는 종교를 담당하는 프로이센 문화부에서 '가톨릭과'를 폐지하고 행정부 최고기구에 참석하는 가톨릭의 대표 자격을 박탈했다. 형법은 당국이 '정치적 목적'으로 제단을 이용하는 사제를 기소할 수 있도록 개정되었다. 1872년, 정부는 추가로 학교 교육과정이나 장학 활동의 계획과 수행에 대한 성직자의 영향력을 차단했다. 종교계 인사들은 국립학교에서 가르치는 것이 금지되었고 예수회는 독일제국에서 추방되었다. 1873년 5월의 법에 따라 프로이센의 성직자 훈련과 임명은 국가의 감독을 받게 되었다. 1874년, 프로이센 정부는 의무적인 법률혼(Zivilehe, 민사혼) 제도를 도입했고 이 조치는 1년 후 독일제국 전체로 확대되었다. 1875년에는 추가 입법을 통해, 이른바 의심스러운 여러 종교적 규정을 폐지하고 교회에 대한 국가보조금을 중단했으며 프로이센 헌법에서 종교적으로 보장된 권리를 삭제했다. 가톨릭 종교 인사들이 추방, 투옥되고 지하로 숨어드는 가운데, 당국은 법령을 통해 정부에서 승인한 대리인이 공석이 된 주교구를 담당하도록 했다.

비스마르크는 전례가 없는 이런 조직적인 사회운동을 배후에서 밀어붙였다. 왜 그는 이런 일에 착수했을까? 이에 대한 대답은 부분적으로 독일의 국사에 대하여 고도로 종파적인 그의 견해에서 찾을 수 있다. 1850년대에 프랑크푸르트 연방의회에 프로이센 대표로 파견된 기간에 비스마르크는 정치적 가톨릭 신앙이 남부 독일에서 가장 큰 '프로이센의 적'이라고 믿게 되었다. 세기 중엽의 가톨릭이 점점 로마 중심으로 전개되는 흐름에서, 가톨릭의 복고적인 경건주의와 보란 듯이 자행되는 성지순례, 공개적인 축제의 광경을 목도하며 그는 극도의 혐오감을 품었다. 실제로 그는 이런 모습이 "지극히 혐오스럽고 교활하며 우상을 숭배하는 위선적인 가톨릭 신앙"으로서 "주제넘은 교리를 하느님의 계시로 왜곡하고 우상숭배를 속세를 지배하기 위한 기반으로 가르치는" 것이 아닌지 의심했다.[23] 이런 의혹에는 다양한 시각이 뒤섞여 있었다. 가톨릭 복고 특유의 현상에 대한 (비스마르크의 경건주의적인 영성으로 두드러진) 프로테스탄트적인 경멸, 일종의 어중간한 독일 관념론,

그리고 심리를 조종하고 대중을 동원하는 교회의 능력에 대한 (거의 편집증과 구분이 안 되는) 정치적 불안 등등.

이런 반감은 독일 통일의 와중에 불거진 갈등 때문에 뿌리가 깊어졌다. 독일 가톨릭은 전통적으로 독일 문제의 주도권이 오스트리아에 있다고 보았으며, 600만 명의 오스트리아 독일인(주로 가톨릭 신도)을 배제하는 프로이센 주도의 '소독일안'에 냉담한 반응을 보였다. 1866년 프로이센의 승전 소식으로 남부에서 가톨릭의 소요가 발생하자, 프로이센 주의회 내의 가톨릭 집단은 상징적인 의미가 있는 수많은 핵심 조치에 반대했다. 그중에는 배상금 청구나 프로이센의 합병 프로그램, 비스마르크와 프로이센의 장군들에게 승전의 공로를 치하하기 위한 포상 제안 같은 것들도 있었다. 1867~68년에 프로이센 수상(이제는 북독일 연방의 수상을 겸임)은 북독일과 더 긴밀하게 통합하는 것에 남부 가톨릭이 강력히 반발하자 격노했다. 특히 우려스러운 것은 1869년에 자유주의 뮌헨 정부의 친프로이센 정책에 바이에른이 반대 운동을 벌인 것이었다. 성직자들은 선동을 벌여 청원서에 수십 만 명의 서명을 받아내면서 가톨릭의 배타적인 반대 강령에 대한 지지자를 규합하는 데 핵심 역할을 했다.[24] 1871년 이후 가톨릭을 정치적으로 신뢰할 수 있는가 하는 의문은, 제국의회에서 야당에 포진한 3대 소수 민족(폴란드인, 알자스인, 덴마크인) 중 두 개 민족 대표들 대부분이 가톨릭 신도라는 사실 때문에 더 깊어졌다. 비스마르크는 동프로이센의 폴란드인 가톨릭 신도 250만 명의 정치적 '불충'을 의심하지 않았다. 또한 교회와 교회의 네트워크가 폴란드 민족주의 운동에 깊이 연루되었다고 의심했다.

이 같은 우려는 새로운 국민-국가 내에서 전보다 더 파괴적인 요인으로 잠재해 있었다. 비스마르크가 새롭게 일군 제국은 어떤 의미에서도 '유기적'이거나 역사적으로 진화한 통일 국가가 아니라 4년간 외교 전쟁 끝에 나온 고도로 인위적인 산물이었다.[25] 프로이센의 역사에서 종종 그랬듯, 군주제의 성공은 인상적인 모습 못지않게 취약한 구조를 안고 있었다. 너무 빠른 시간에 합쳐진 신생 제국은 쉽게 흩어질 수 있으며, 내부로부터의 분열을 막아줄 정치적·문화적 응집력을 결코 얻지 못할 것이라는 불안감이 있었다. 오늘날의 우리에게 이런 불안이 과장된 것으로 보일지 모르지만, 당시의 많은 사람들은 실감하는 것이었다. 이런 풍토에서 가톨릭을 국가적 단합을 방해할 가장 무서운 국내 요인으로 간주하는 것은 그럴듯해 보였다.

가톨릭을 비난하는 가운데 비스마르크는 국민자유당으로부터 열광적인 지지를 기대할 수 있다는 것을 계산했다. 그들은 신제국의회와 프로이센 하원에서 차지하는 막강한 힘 때문에 반드시 필요한 정치적 우군이었다. 독일의 많은 지역에서처럼 (그리고 유럽에서도) 프로이센에서는 반가톨릭주의가 19세기 후반의 자유주의를 규정하는 결정적인 요인 가운데 하나였다. 자유주의자들은 가톨릭이 자신들의 세계관과 정반대라고 생각했다. 그들은 '절대주의'와 1870년 바티칸 공의회에서 채택한 교황무오류설(교황이 '직권으로'[ex cathedra] 신앙이나 윤리에 관해 말할 때는 문제 삼을 수 없다)의 '노예근성'을 비난했다. 자유주의 노선의 신문과 잡지는 가톨릭 신도들을 (자유로운 양심을 가진 남성 납세자의 가치관에 기반을 둔 사회적 자유주의 세계와 반대되는) 비굴한 꼭두각시 집단으로 묘사했다. 이뿐만 아니라 정형화된 반교권적 이미지로 가득한 동물우화집이 나올 정도였다! 자유주의 잡지에 실린 풍자화 중에는 교활하고 마른 예수회원과 호색하고 살찐 사제들 그림이 많았다(성직자의 새까만 옷은 만화가들이 기교를 부리기 쉬운 대상이었다). 이런 그림은 교구 사제가 고해 성사를 맡는 걸 비난하거나 수녀들의 성적 예의범절을 의문시함으로써 가부장적 핵가족을 신성시하는 자유주의의 믿음을 표현했다. 새로운 가톨릭 질서의 여러 분야에서 여성이 맡은 중요한 지위에 대한 신경질적인 반응과 사제의 독신(혹은 비독신) 생활에 대한 그들의 호색적인 관심을 통해서, 자유주의자들은 반가톨릭 운동의 형성에 결정적이라고 할 '남성성'에 대한 (늘 분명한 것은 아니지만) 뿌리 깊은 집착을 드러냈다.[26] 그러므로 자유주의자들에게 반교회 운동은 다름 아닌 '문화투쟁' 바로 그것이었다. 이 말은 자유주의 성향의 프로테스탄트 병리학자인 루돌프 피르호가 1872년 2월에 프로이센 하원의 연설에서 처음 사용한 표현이었다.[27]

프로이센 가톨릭에 대한 비스마르크의 반대 운동은 실패했다. 그는 반가톨릭 십자군이 진보와 보수를 아우르는 광범위한 프로테스탄트 압력단체를 만드는 데 도움을 주고 이를 토대로 새 제국의 기반을 굳히는 법안을 통과시킬 수 있기를 희망했다. 그러나 이 운동의 통합 효과는 그가 예상했던 것보다 수명이 짧고 미미했다. 반가톨릭 운동은 프로이센에서도 제국에서도 정부의 정책을 지속적으로 떠받치는 기반이 되지 못했다. 이 문제에는 여러 가지 측면이 있었다. 비스마르크 자신은 그의 정책에 자극을 받아 열광적인 반응을 보이는 많은 사람과 달리 극단주의자가 아니었다. 그는 자신이 국가를 경영하는 데 신이 이끌어주기를 고대하는 종교적인 사람이었다(그리고 자유주의 좌파인 루트비히 밤베르거가 냉소적으로 기록했듯이, 대개 신의 뜻이 자신의 생각과 일치한다고 믿었다).[28] (경건파의 전통을 따르는) 비스마르크의 종교는 비분파적이고 세계교회적(에큐메니칼)이었다. 그는 자유주의자들이 추구하는 완전한 정교 분리에 반대했으며 종교가 순전히 사적인 문제라고 생각하지 않았다. 비스마르크는 궁극적으로 종교의 사회적인 힘은 소멸할 것이라는 자유주의 좌파의 희망을 받아들이지 않았다. 그는 '문화투쟁'으로 발산된 반성직자 문화와 세속화하는 에너지를 불안해했다.

반가톨릭 운동이 실패한 것은 종파 분열이 프로이센의 정치 풍토에서 발생한 다른 단층선과 충돌했기 때문이다. '문화투쟁'에서 드러났듯이, 자유주의 좌파와 자유주의 우파 사이의 간극은 어떤 면에서 자유주의와 가톨릭 사이의 틈보다 골이 더 깊었다. 1870년대 중반에 가서, 자유주의 좌파는 기본권을 침해한다는 이유로 이 운동에 반대하기 시작했다. 갈수록 급진적인 반교회 운동의 조치는 독일 보수주의에서

'성직자' 분파를 형성한 많은 프로테스탄트에게 불안감을 심어주었다. 이들은 '문화투쟁'의 진정한 희생자는 가톨릭 교회나 가톨릭 정치가 아니라 종교 자체라고 생각하게 되었다. 이런 보수적인 윤리관의 대표자로서 가장 유명한 인물은 구프로이센의 경건주의 풍토에서 성장한 에른스트 루트비히 폰 게를라흐와 한스 폰 클라이스트였다.

비스마르크의 정책이 더 확고한 지지를 받았다고 하더라도 그가 헌법과 법률을 통해 국가에 적용할 수 있는 모종의 수단으로 가톨릭이라는 반대 세력을 무력화하는 데 성공할 수 있었을지는 지극히 의문스럽다. 사실 비스마르크는 자신이 20대였던 1837년에 프로이센의 라인란트에서 이교 간 결혼을 둘러싼 분쟁이 벌어진 것을 알고 있었다. 당시 지역의 가톨릭 신도는 주교구의 도덕적 권위를 높이기 위한 싸움에 동원되었다. 그는 슐레지엔의 '구루터파'에게 프로이센 연합교회를 강제로 받아들이도록 한 프로이센 정부의 노력이 물거품이 된 것을 기억해야 했다. 이 역시 소수 종파에 법적 조치를 강제해봐야 무익하다는 것을 생생하게 보여주는 사례였다. 하지만 여전히 비스마르크 일파는 국가의 힘을 과대평가하고 상대의 결심을 과소평가하는 과거의 잘못을 되풀이했다. 많은 지역의 가톨릭 성직자들은 아무튼 새로운 법을 주목하지 않았다.[29] 정부에서는 새로 사제서품을 받으려는 젊은이들에게 '문화시험'(Kulturexamen)을 부과했지만, 사제 후보생들은 응시하지 않았다. 새로 성직에 임명되는 데 필요한 정부의 승인을 굳이 받으려고 하지 않은 것이다.

이런 법안들을 통과시키고 그것을 어떻게 준수하도록 만들 것인지 별로 생각하지 않았던 프로이센 당국은 이 같은 시민불복종에 대하여 (1830년대의 당국자들이 했던 것처럼) 다양한 액수의 벌금에서 투옥이나 국외추방에 이르기까지 즉시 제재를 가하는 식으로 대응했다. 하지만 이런 조치는 사실상 별 효과를 보지 못했다. 교회는 '불법적인' 임명을 계속 강행했고 정부 당국이 부과한 벌금은 계속 쌓여만 갔다. 일

50 반교권적 문화의 전형들, 풍자지 『클라데라다치』에 실린 만화,
루트비히 슈투츠 작, 베를린 1900년 12월.

례로 1874년 초에 그네젠-포젠 주교에게 부과된 벌금은 총 2만 9,700탈러로 주교 연봉의 두 배가 넘었다. 또 쾰른의 주교에게는 2만 9,500탈러의 벌금이 나왔다. 벌금을 계속 납부하지 않자 지역 당국은 주교의 재산을 압류해 공매에 내놓았다. 하지만 이 역시 역효과를 낳았다. 충성스러운 신도들이 경매에 대응하기 위해 모여 해당 매물이 최저가에 낙찰되도록 손을 썼고, 그것을 빼앗긴 성직자에게 돌려주었기 때문이다.

투옥도 쓸모가 없었다. 주교나 대주교 등 고위 성직자들은 감금된 동안 집에 있을 때와 다름없이 관대한 대접을 받았다. 그들은 주교궁에 딸린 스위트룸을 사용하는 것이 허용되었고 식사도 주교궁 주방에서 요리한 것을 먹었다. 쿨름(서프로이센)의 나이 든 주교인 요하네스 폰 데어 마르비츠의 경우, 지역 재판소가 그에게 내린 감금 처분에 대해 지역 교도소의 계단이 노인이 오르기에는 너무 가파르다는 이유로 거부권을 행사했다. 당국은 일반 교구 사제들에게 더 가혹하게 대했지만 이역시 효과가 없었다. 그런 조치는 충실한 신자들과 곤경에 처한 사제들과의 연대를 더 강화할 뿐이었고 사제들의 저항 의지를 더욱 북돋워주었기 때문이다. 짧은 형기가 끝난 뒤에 사제들은 마치 영웅처럼 본인의 교구로 귀환했다.

정부는 1874년 5월에 이 문제를 해결하기 위해 한데 뭉뚱그려 추방법(Expatriierungsgesetz)이라고 알려진 새로운 규정을 도입하고 반정부적인 주교 및 성직자를 외딴 곳(단골 유배지는 발트해의 뤼겐섬이었다)으로 유배 보내는 방법을 썼다. 1875~79년의 4년 사이에 이 규정에 따라 체포되거나 추방된 사제는 수백 명에 달했다. 하지만 이런 조치는 문제를 해결하기보다 더 큰 문제를 만들었다. 과연 누가 추방명령이 집행되는지 감독할 것인가? 이론상으로 이에 대한 책임은 군수가 져야 했지만, 200제곱킬로미터가 넘는 지역에 흩어진 5만 명의 인구를 공식적으로 감독하며 각 교구에서 벌어지는 상황을 점검한다는 것은 있을 수 없는 일이었다. 추방명령을 받은 사제가 슬며시 담당 교구로 돌아가 다시 성직을 수행하는 일도 드물지 않았다. 추방명령을 받고 자신의 교구에서 2년 동안 계속 근무한 뒤에야 당국에 적발된 사제도 있었다. 이때는 이미 그에게 내려진 추방령의 기간이 만료된 상태였다.[30] 쫓겨난 사제 자리에 정치적으로 믿을 수 있는 후임자를 임명하는 것도 지극히 어렵다는 사실이 드러났다. 성직자가 쫓겨난 자리를 국가에서 임명한 사람으로 보충하는 것은 참담한 실패로 끝났다. 그들은 가톨릭 교구민들에게 비난받고 멸시당했기 때문이다. 많은 경우 지방 당국은 순종을 받아내는 유일한 길이 군영 안에서 강제로 예배를 치르는 것임을 발견했다.

하지만 비스마르크의 운동은 정치사회적 세력으로서 가톨릭을 무력화하기는커녕 오히려 가톨릭 세력을 키워주었다. 비스마르크는 (교황의 권위를 상징하는) 교황권지상주의를 무시하고 나머지 교회를 국가에 순종하는 동업자로 변화시키는 와중에 새로운 법을 적용하면 가톨릭 세력이 분열할 것으로 판단했다. 그러나 실제로는 반대 현상이 벌어졌다. 국가의 조치는 오히려 가톨릭 내부에서 자유주의나 국가주의 분파를 위축시키는 결과를 낳았다. 1870년에 교황무오류설 선언으로 많은 가톨릭 지역 사회에서 야기된 논란은 잠잠해졌다. 무오류설의 비판자들조차 교황의 절대주의보다 세속 국가의 절대주의가 더 큰 악덕이라고 보았기 때문이다. 교황무오류설에 반대하는, 대부분 학자들로 이루어진 소규모 집단이 "로마에서 벗어나자"(los von Rom)라는 1840년대의 구호 아래 뒤늦게 급진적인 '독일 가톨릭'을 호소했지만, 이들은 결코 뚜렷한 사회적 기반을 쌓지는 못했다.

아마 비스마르크의 실패를 보여주는 가장 확실한 증거는 프로이센의 (그리고 많은 독일 지역의) 가톨릭 정당이라고 할 가톨릭중앙당(Zentrumspartei)의 눈부신 성장일 것이다. 물론 비스마르크는 프로이센 의회 내에서 이들을 고립시키는 데는 (적어도 일시적으로는) 성공했지만 제국의회 선거에서 독일 유권자의 가톨릭중앙당 지지가 늘어나는 것을 막을 수는 없었다. 1871년에 프로이센 가톨릭 신도들은 23퍼센트만 중앙당을 지지했지만, 1874년에는 이 비율이 45퍼센트로 늘어났다. 비스마르크의 '문화투쟁'이 빚은 참화에 상당 부분 덕을 본 중앙당은 사회 환경에 깊이 뿌리박은 상태에서 이때까지 정치적인 활동을 하지 않았던 가톨릭 신도들을 동원하고 당파 정치의 전선을 확대하면서 "일찌감치 세력을 떨쳤다".[31] 다른 정당은 비가톨릭 진영에 포진한 그들의 지지자들을 규합하면서 점점 중앙당을 따라 했지만, 1912년에 가서야 이들은 중앙당의 대도약을 따라 잡을 수 있었다. 이때도 중앙당은 사민당 다음으로 제국의회에서 세력이 막강했다. 이런 상황에서 자유당과 보수당 소속의 의원 대다수는 여전히 사민당과 손을 잡는 데 신중했기 때문에 중앙당은 가장 강력한 원내 세력이 되었다. 이런 결과는 비스마르크가 1871년에 문화투쟁을 전개했을 때 의도했던 것이 아니었다.

프로이센이 종파 분쟁에 따른 긴장에 익숙하다고는 해도 비스마르크가 벌인 반가톨릭 운동의 규모와 잔인함은 이 나라의 역사에서 전례가 없는 것이었다. 1830년대 후반에 이교혼을 둘러싸고 극적인 논쟁이 벌어졌던 것은 부분적으로 이 문제의 정서적 특성 때문이었지만, 그것은 본질적으로 교회와 국가 사이의 제도적 갈등이었다. 이 경우엔 행정적 회색 지대 내 권한의 경계를 설정하는 게 관건이었다. 이와 반대로 '문화투쟁'은 '문화적인 전쟁'으로서 새로운 국가의 정체성이 위태로워 보이는 그런 싸움이었다. 국가와 교회 사이의 갈등이 이런 식으로 공공 생활 전체를 집어삼킬 만큼 확대될 수밖에 없었던 것은 프로이센의 종파적 긴장과 불안정한 상호작용에 따른 결과였다. 비스마르크의 무자비한 조치와 독일 국민의 이의 제기가 부딪친 결과이기도 했다. 가톨릭 교회를 정치 영역에서 몰아내려던 비스마르크는 독일이라는 목표에 도달하기 위해 프로이센이라는 수단을 사용했다. 그는 1881년 제국의회에서 행한 연설을 통해 이렇게 말했다. "제가 실수를 범했다는 것을 여러분이 입증할지 몰라도 단 한순간도 국가 목표를 놓친 적이 있다는 것을 증명하지는 못할 것입니다."[32] 문화투쟁만큼 독일 통일이 프로이센 정치에 미친 영향을 생생하게 보여주는 정치적 갈등은 없을 것이다.

폴란드인, 유대인 그리고 그 밖의 프로이센인

1870년 2월, 한 폴란드계 의원은 북독일 연방 제국의회에서 다음과 같은 발언을 했다.

> 이번 회기 내내 우리는 독일의 과거, 독일의 관습이나 풍습, 독일 민족의 복지 같은 말을 귀가 따갑도록 듣는 묘한 처지에 있습니다. 독일 민족의 복지를 시샘하는 것도 아니고 그들의 미래를 방해하자는 것도 아닙니다. 다만 여러분에게 공동의 유대가 될 수 있는 것, 즉 과거, 풍습과 관행, 미래가 여러분 앞에 있는 우리에게는 오히려 분열의 요인이라는 것입니다.[33]

동프로이센의 폴란드인들은 독일 여러 국가의 정치적 통일을 불길한 예감을 가지고 대했다. 프로이센 군주국의 폴란드계 국민(subject)이 되는 것도 무척 곤란할 수 있는 일이었지만, 폴란드계 독일인은 용어상으로 모순이었다. 국민이라는 주체성(Subjecthood)과 국적(nationality)은 상호보완적인 개념이었다. 폴란드인은 프로이센 국가와 (적어도 대외적으로는) 평화롭게 사는 법을 배우고 프로이센의 가치를 존중하게 될 수는 있었을 것이다. 하지만 (폴란드인으로서) 독일이라는 국가 안에서 어떻게 살아갈 수 있을까? 정체성의 모색과 정치적 행위를 위한 핵심적인 근거로서 민족(nation)의 융성은 프로이센 땅에 사는 폴란드인들에게 엄청난 중요성을 띨 수밖에 없었다.

1861년을 기준으로 프로이센 인구 1,850만 명 중에 폴란드인은

225만 명으로서, 주로 포젠과 서프로이센 지방에 모여 살았고(각각 폴란드인의 55퍼센트와 32퍼센트) 나머지는 슐레지엔의 남동 지구에 살았다. 프로이센 땅에서 가장 규모가 큰 이 소수민족에 대한 프로이센의 정책은 언제나 관용과 억압 사이를 오갔다. 1815년 이후, 정부는 호엔촐레른 왕권하에서 폴란드인에게도 국적을 허용함으로써 프로이센을 조국으로 부를 수 있게 해주었다. 물론 폴란드인이 프로이센에 충성하는 국민으로 남아 있어야 한다는 조건이 붙었다. 그러다가 1830년에 폴란드인의 봉기가 폴란드 민족주의의 위험성에 대한 관심을 불러일으키자, 정부는 문화적 억압정책으로 전환하고 학교 및 일상에서 독일어를 사용하도록 했다. 하지만 이 정책은 프리드리히 빌헬름 4세가 즉위한 1840년에 취소되었다. 그러다가 포젠 대공국에서 폴란드인의 반란이 실패로 끝난 1846년에 가서 다시 방침이 바뀌었다. 반란의 배후세력은 포젠 시에 근거를 둔 '노동계급연합'이었는데, 이들의 목표는 프로이센 정부와 폴란드인 지주 귀족 양쪽 세력을 모두 격파하는 것이었다. 하지만 불안해진 폴란드 귀족들이 반란을 계획한 지도부를 배신하고 사전에 프로이센 경찰에 밀고하는 바람에 거사는 실패로 돌아갔다. 이어서 검거 열풍이 불었고 음모에 가담한 죄로 254명의 폴란드인이 베를린에서 재판을 받았다. 경찰은 지방의 소도시들을 이 잡듯이 뒤졌고 용의선상에 오른 신문사는 탄압을 받거나 폐간되었다.

이렇게 일관성이 없이 흔들리는 정책은 본질적으로 실용적이면서 반사적인 것이었다. 그 목표는 폴란드인이 사는 지역의 정치적 안정을 확보하는 것이었다. 민족주의자나 분리주의자의 열망을 반영하지 않는 한 폴란드인의 독특한 문화적 환경을 육성하는 것을 정부는 받아들일 수 있었다. 그러나 1848년에 혁명이 일어난 뒤로 상황이 조금 변했다. 처음에 혁명은 폴란드인들에게 반가운 소식을 가져다줄 것처럼 보였다. 프로이센의 자유주의 여론은 압도적으로 폴란드인에게 우호적이었기 때문이다. 1848년 3월에 1846년의 봉기로 투옥된 급진파들이 석방되어 열렬한 환호를 받으며 베를린에서 시가행진을 했다. 새로 구성된 '3월 내각'은 잠재적인 러시아의 공격에 대한 완충 지대로 기능할 수 있으리라 보고 잃어버린 폴란드의 영토를 되찾는 것을 지지했다. 4월 2일, 새로 소집된 프로이센 통합주의회는 폴란드 회복에 유리한 동의안을 가결했다. 폴란드인의 자유가 눈앞에 다가온 것처럼 보인 것은 이때가 처음도 아니고 마지막도 아니었다. 군사전략가로서 1846년 봉기의 지도자 중 한 사람인 루드비크 미에로스와프스키는 서둘러 포젠으로 가서 폴란드 군대를 소집했다.[34] 포젠 대공국의 폴란드인이 압도적으로 많이 사는 지역에서 지역 귀족들이 직접 행동에 나서면서 프로이센 정부 당국은 철수했다. 귀족들은 미에로스와프스키를 위해 전투원을 모집하고 기금을 거두었다. 이것은 왕국의 동부 변경에서 프로이센의 통치권이 얼마나 미약한지를 보여주는 심각한 사건이었다.

하지만 동시에 혁명은 포젠 대공국에서 민족적인 양극화 과정을 유발했다. 포젠의 폴란드 국민위원회가 독일인 회원의 가입을 거절하자, 독일인들은 자체로 독일위원회를 결성했고, 이것은 곧 민족주의자의 영향권으로 흡수되었다. 폴란드인이 압도적인 다수를 차지하는 지역의 많은 독일인은 의지할 수 있는 독일 지구로 피했다. 그곳은 아직 프로이센 지방 정부가 기능을 하고 있었기 때문이다. 4월 9일, 브롬베르크의 활동가들이 포젠 대공국에서 프로이센인과 독일인의 이익을 증진하기 위해 (적어도 '프로이센인'과 '독일인'을 대등하게 말하는 환경을 위해) 네체 지구 중앙시민위원회를 설립했다.[35] 타협을 위한 여러 가지 시도가 실패한 5월, 프로이센군이 공국으로 진입하고 일련의 잔인한 군사작전을 전개한 끝에 미에로스와프스키 부대를 격파했다. 프로이센 관리들이 임지로 귀환했다. 베를린의 프로이센 국민의회는 계속해서 프로이센 통치하에서 폴란드인에 대한 민족적인 평등정책을 주장했지만 1848년 11월의 쿠데타로 해산되고 말았다.

1848~50년에 나온 프로이센의 새 헌법에는 폴란드인에게 소수민

족으로서의 권리를 주는 방안에 대한 언급이 없었고 포젠이나 그 밖의 폴란드인 지구가 특별한 지위를 누린다는 암시도 없었다. 프로이센 군주의 관용정책을 통해 폴란드인의 충성을 확보한다는 발상은 고위 관리들에게 이제 시효가 지난 것처럼 보였다. 폴란드인에게는 그런 호소가 통하지 않는다는 것이었다.[36] 포젠에서 폴란드 민족 운동과 화해하는 것은 불가능했기 때문에 프로이센 정부로서는 "그것을 적당한 종속적 지위로 강력하게 제한하는 것" 말고는 달리 선택의 여지가 없었다.[37] '독일화'(Germanisierung)라는 용어가 공문서에서 점점 빈번하게 나타나기 시작했다.

다만 프로이센 정부는 구체적인 정책 차원에서 '독일화'라는 아이디어를 채택하는 데는 별로 관심을 보이지 않았다. 포젠의 독일인들이 소수민족으로서 독일인에 대한 정부의 지원을 요청한 것에 대해서는 아무 대답이 없었다. 오토 폰 만토이펠 수상은 독일 사람으로서 국가의 개입 없이 독일적 요소가 지속되지 못한다면 그들에게 미래가 없다고 생각했다. 당국은 민족주의 활동을 밀착 감시했지만, 폴란드인은 프로이센 헌법이 허용하는 시민의 자유를 계속 누렸다. 거기에는 주의회에 나갈 폴란드계 의원을 위해 선거 운동을 할 권리도 포함되었다. 더욱이 포젠의 프로이센 법원은 폴란드어가 행정이나 초등학교에서 사용하는 언어의 지위를 유지하도록 세심하게 배려했다.[38]

1860년대 들어서 정부의 독일화 조치에 대하여 주기적인 요구가 있었지만, 정부는 행동에 나서기를 꺼렸다. 시장의 힘이 궁극적으로 독일인의 정착을 반길 것이라고 생각했고, 또 (1866~69년에) 폴란드인 성직자들이 남부 국가의 독일 가톨릭의 처지를 외면해서 통일을 위태롭게 하는 일이 없도록 비스마르크가 그들을 달래려고 했기 때문이다. 비스마르크는 이 기간에 폴란드인 성직자들과 우호적인 관계를 유지하려고 단단히 결심했기 때문에 카를 폰 호른 주지사가 포젠-그네젠의 레도호프스키 대주교와 반목하자 1869년에 주지사를 해임하기까지 했다.[39]

독일이 정치적 통일이라는 성과를 올림에 따라, 정부의 폴란드인 대처에 패러다임의 변화가 생겼다. 1870년 여름, 동부의 프로이센 당국은 거리낌 없는 친프랑스 성향의 흐름이 조성되자 불안해졌다. 폴란드인 신병들에게는 소속 프로이센 연대에서 빠져나오라는 요구가 빗발쳤고(실제로는 아무도 이 요구에 응하지 않았다), 프로이센-독일이 승전했다는 소식에 성난 군중의 시위가 있었다. 프랑스와 분쟁에 휩싸인 기간에 포젠에서는 폭발 직전의 상황이 연출된 나머지 질서 유지를 위해 예비부대가 해당 지역에 주둔할 정도였다.[40] 이 같은 반란 행위는 복수심에 불타는 비스마르크의 분노를 유발했다. 1871년 가을에 그는 프로이센 각료회의에서 이렇게 말했다. "우리는 슬라브족과 알프스 이남 세력, 러시아 국경에서 대서양에 이르는 반동 세력의 연합 전선과 대치하고 있습니다. 우리는 그러한 적대적 행위에 맞서 떳떳하게 우리의 국익과 언어를 지킬 필요가 있습니다."[41] 슬라브-라틴 세력의 포위라는 가정에 기반을 둔, 피해망상에 이를 정도로 과장된 이런 시나리오는 새로 세워진 프로이센-독일이라는 국민-국가에 대한 비스마르크의 불안이 얼마나 깊은지를 보여주었다. 권력이 강화되는 단계마다 프로이센 국가를 괴롭힌 취약성과 고립에 대한 역설적인 감각이 여기서도 모습을 드러냈다.

비스마르크의 1차 공격 목표는 자신이 한동안 보호해준 폴란드인 성직자들이었다. 1872년 3월 11일에 반포된 학교감독법의 주목적은 지방의 2,480개 가톨릭 학교를 전통적으로 감독해온 고위 성직자들을 국가에서 급료를 받는 전문적인 상근 감독관으로 교체하는 것이었다. 이리하여 폴란드는 가톨릭교회를 겨냥한 프로이센 '문화투쟁'의 발판이 되었다. 아울러 성직자와 실용적으로 협력하던 구프로이센의 정책은 폐지되었다. 그 결과로, 충분히 예상된 일이지만, 폴란드인의 민족투쟁에서 성직자의 리더십이 다시 강화될 수밖에 없었다. 많은 지역에서 폴란드 성직자를 겨냥해 '문화투쟁'의 법을 집행하려는 노력은 즉각적인 반발로 이어졌다. 지역 사회는 그들의 사제가 체포되는 것을 온몸으로 막았다. 투옥되거나 추방된 성직자들을 대체하기 위해 파견된 '국가 소속의 성직자들'은 신도들에게 외면당하거나 심지어 구타당하기까지 했다. 독일 사제로서 1877년에 정부에 의해 포비츠 교구에 임명된 뫼리케 신부의 경우, 임지로 가보니 교회가 텅 비고 조용했다. 알고 보니 교구 신도들이 근처 마을에서 폴란드 신부가 집전하는 미사에 참석한 것이었다. 뫼리케는 1882년의 죽음으로도 오명을 씻지 못했다. 마을 주민들이 그의 관을 파내어 호수에 던졌기 때문이다.[42]

1872~73년, 베를린에서 잇따라 나온 왕령은 동부 지역의 학교에서 독일어 외의 언어 사용을 금지하는 것이었다. 이 정책의 2차 피해자 중에는 어떤 위법 행위도 저지르지 않은 프로이센령 리투아니아인과 가톨릭 신도도 아니었고 폴란드의 회복을 열렬히 지지하지도 않았으나 폴란드어를 사용하는 동프로이센의 마주르인이 있었다.[43] 1876년에 나온 법령은 독일어를 모든 프로이센 정부기관과 정치단체의 공식 업무에서 사용하는 유일한 언어로 지정했다. 다른 언어를 일부 지방기관에서 쓸 수 있었지만, 이것도 최대 20년을 기한으로 폐지된다는 것이었다. 폴란드인의 전체 거주 지역에서 새로운 언어정책에 대한 저항 운동이 일어난 데는 하급 성직자들의 공이 컸다. 교구 사제들은 프로이센 당국을 비난하는 탄원서의 수집과 발송을 도왔는데, 그중에는 무려 30만 명의 서명을 받은 것도 있었다.[44]

이 시점 이후로, 독일화는 언어 선택의 기준이 되었고 폴란드인 거주 지역에서 지속된 프로이센 정부의 방침을 규정하는 원칙으로 남았다. 프로이센 정부는 1885년에 가장 악명 높은 강경책을 천명하면서, 귀화하지 않은 폴란드인과 유대인 3만 2천 명을 베를린과 동부 지방에서 추방했다. 그들이 독일법이나 프로이센법을 어긴 것이 전혀 없는데도 불구하고 그랬다. 1886년 궁핍한 동부의 농업 지역에서 급속히 산업화된 서부로 빠져나가는 독일인의 숫자가 증가하자 불안해진 나머지, 프로이센 주의회의 다수를 차지한 보수적인 국민자유당은 왕립 프로이센 식민위원회의 설립을 승인했다. 포젠 시에 본부를 두고 자본금 1억 마르크로 출범한 식민위원회의 목적은 황폐한 폴란드인의 땅을 매입해서 그것을 분할한 다음 이주해 들어오는 독일 농민들에게 나눠 주는 것이었다. 비스마르크는 (다수의 보수파와 더불어) 처음에는 분할 계획에 반대했다. 그것이 융커 계급의 이익에 반한다고 생각했기 때문이다. 식민지 건설 프로그램이 성공을 거둔 것은 오로지 분할을 주장한 국민자유당의 지지가 있었기 때문이다.

식민지화 정책에 대해 비스마르크가 타협을 내비친 1880년대 후반, 폴란드인 거주 지역에서 프로이센의 정책은 광범위하게 전개된 국내의 정치적 압력을 고려해야만 했다. 이런 추세는 폴란드 문제에 특별한 관심을 보이는 다수의 강력한 로비 단체가 1890년대에 출현하면서 더 심해졌다. 이들 중에 가장 중요한 단체는 1891년에 설립되어 독일 극렬 민족주의자의 목소리를 대변하는 '전독일연맹'(Alldeutscher Verband)과 이름 그 자체가 강령인 '동부변경 독일진흥연합'(1899년에 '동부변경연합'[Ostmarkenverein]으로 알려졌다)이었다. 이들 기구는 폴란드 정책 분야에서 곧 그들의 존재를 확실하게 각인시켰다. 전독일연맹은 1894년에 비스마르크의 후임 수상인 레오 폰 카프리비에 반대하는 떠들썩한 대중 캠페인을 통해 처음으로 경험을 쌓았다. 카프리비는 폴란드인 거주 지역에서 독일화의 속도를 늦춘다고 비난받았다. 동부변경연합 또한 잡지 『디 오스트마르크』(Die Ostmark)를 통해 열심히 선전 활동을 했고 공청회를 열며 우호적인 의원들을 대상으로 로비 활동을 벌였다. 이런 기구는 정부와 시민 사회 사이에서 독특한 위치를 차지했다. 어떤 의미에서 그들은 기부금과 회비, 출판물 판매를 통해 자금을 조달하는 독립적인 단체였지만 동시에 정부기관과 연계된 조직이기도 했다. 전독일연맹의 설립자인 알프레트 후겐베르크는 왕립 식민위원회 소속의 지방 관리로 포젠에 오게 되었다. 1900년 무렵에 2만 명에 이른 동부변경연합의 회원에는 하급 국가공무원과 교사들이 상당수 포함되었다. 아마 이 사람들은 국익에 반하는 목표를 둔 조직이라면 떠났을 것이다. 하지만 1895년에 주의회에서 정치적 논쟁이 벌어지는 동안, 프로이센 내무장관이 동부변경연합의 '국방 분야의 업적'을 인정하자 그런 의심은 가라앉았다.

보수적-민족주의적 농촌에서 개별 문제(가령 대규모 농장에서 점점 늘어나는 폴란드인 뜨내기 노동자 문제)를 놓고 발생하는 차이에도 불구하고 독일화는 계속 정부정책의 원칙으로 남았다. 1900년에 들어와 베른하르트 폰 뷜로 수상 치하에서 폴란드어 사용을 배제하기 위한 새로운 조치가 추가로 도입되었다. 학교 교육에서 폴란드어를 사용할 수 있는 전통적 피난처였던 종교 지도 시간에도 초등 이상의 학교에서는 독일어를 쓰라는 것이었다. 1904년, 프로이센 주의회는 식민지화 프로그램에 방해가 되는 경우, 지방의 관리들이 건축허가를 보류할 수 있도록 하는 법안을 통과시켰다. 이 법의 취지는 폴란드인이 독일 농장을 매입하고 분할해서 그것을 다시 폴란드인 소규모 자작농에게 파는 것을 막기 위해서였다. 또 독일 농민의 부채 부담을 줄여주기 위한 기관이라고 할 중산층 은행을 위한 국가의 재정 지원도 있었다. 이런 조치는 각 지방 정부의 채용 차별 관행과 병행되었다. 가령 1907~9년에 포젠의 우편 및 철도 당국이 채용한 3,995명의 신입 직원 중에 폴란드인은 겨우 795명밖에 안 되었고 나머지는 전부 독일인이었다. 폴란드어로 된 지역 명칭도 지도상에서 지워지기 시작했다(당연히 폴란드인의 기억 속에서는 생생하게 남아 있었다).[45] '독일화' 최절정(정확히 말하면 최악)의 시점은 폴란드인에게 적대적인 1908년 3월 20일의 몰수법과 함께 찾아왔다. 이 법은 독일인 식민이라는 목적을 위해 폴란드인 지주를 (재정적인 보상을 해주면서) 강제 이전시키는 길을 열어놓았다. 누구나 알다시피 보수파는 토지 몰수에 대한 고민을 하지 않을 수 없었다. 하지만 그들은 독일인과 슬라브인 사이의 민족적 다툼이 합법적인 재산권이라는 명분보다 더 중요하다는 결론을 내리고 토지 몰수를 지지했다.

독일화 프로그램은 헛수고에 그쳤다. 그 정책은 동부 폴란드인의 인구 증가가 독일인의 수를 넘어서는 것을 막지 못했다. 독일인 농장의 분할은 부분적으로 프로이센 규정의 허점을 교묘히 이용하는 폴란드계 은행의 재정 지원을 받으며 계속되었다. 학교에서 독일어만 사용하게 하는 독일어 전용정책도 반복되는 학교 파업과 지속적인 시민불복종으로 취소되었다. 몰수법도 무시무시한 약속을 내걸었지만 결코 목표를 달성하지 못했다. 법이 발효되자마자 (실용적이고 정치적인 이유로) 폴란드인이 거주하는 광활한 지역의 몰수를 면제해주는 내부 지침에 따라 효과가 사라졌기 때문이다. 1912년 10월에 가서야 비로소 프로이센 정부는 실질적인 몰수를 단행한다는 발표를 했다. 하지만 이때도 대상 지역은 소규모(토지 소유의 경제적 가치가 없는 네 개 구역을 포함해 고작 1,700헥타르)였고 폴란드인 거주 지역이 공개적으로 극렬하게 반발하자 정부는 더 이상의 몰수를 중단하기로 결정했다.[46]

따라서 독일화 프로그램의 진정한 의미는 엘베강 동부의 민족적인 경계에 미친 미미한 영향에 있는 것이 아니라, 프로이센의 변화무쌍한 정치 풍토에 미칠 영향에 담겨 있었다. 프로이센 왕실의 전통적인 관점은 폴란드인이 (독일어를 사용하는 브란덴부르크 사람이나 포메른 사람 그리고 동프로이센의 리투아니아 사람처럼) 프로이센 군주의 기독교 백성이라는 것이었다. 하지만 1780년 이후로 프로이센 정부는 이런 관점에서 벗어났고 그 와중에 정부 밖에서 활동하는 기구의 주장에 귀를 기울였다. 이들 기구의 주장과 구호는 독일 극렬 민족주의의 수사로 가득차 있었다. 이런 관계 속에서 악순환이 거듭되었다. 그런 주장이 얼마나 여론의 지지를 받는지 불확실한 가운데, 정부는 민족주의자의 로비 활동을 승인했고 이들은 다시 정부의 승인을 토대로 (암시적이든 노골적이든) 그들의 권위를 내세웠기 때문이다.

이 과정에서 국가는 역사적 존재로서의 기본 명제, 즉 프로이센의 정체성은 모든 국민에게 햇빛을 골고루 비춰주는(비록 그 온기는 다르지만) 왕조의 통치에서 나온다는 전제를 위기에 빠트렸다. 19세기 초반에서 중반에 걸쳐 프로이센 정부는 독일 민족주의에 이 왕조의 원칙을 뒷받침하는 수단이 있다는 것을 인지했다. 세기 전환기가 되자 민족주의 패러다임의 지배력은 이론의 여지가 없었다. 민족주의 역사가들은 독일 영토를 동쪽으로 열심히 확장하는 내용으로 프로이센의 역사를 새로 쓰기 바빴다. 베른하르트 폰 뷜로 수상(프로이센 토박이가 아니라 메클렌부르크 출신)은 프로이센 주의회에 나가 프로이센이 지금까지 그랬듯이 앞으로도 언제나 독일 '민족주의 국가'일 것이라는 이유로 거리낌 없이 폴란드인 적대정책을 정당화했다.[47]

프로이센의 유대인 또한 이런 흐름을 민감하게 받아들였다. 물론 유대인의 경우에는 문화적 동화정책의 속도를 높이는 것은 (프로이센 유대인 대다수가 이미 열렬히 포용한 목표였으므로) 문제가 되지 않았고 분리 및 정치적 독립에 대한 의지를 억압하는 것도 상관없었다. 19세기 독일 유대인 공동체에서 가장 중요한 것은, 그들의 오랜 법적 무자격 신분에서 벗어나는 것이었다. 이것은 이미 정치적 통일 직전에 성취되었다. (북독일 연방 전역에 효력을 미치는) 1869년 7월 3일의 연방법은 이후로 종교적 신앙의 차이에서 오는 모든 시민권 및 시민의 자격에 대한 제한은 폐지된다고 명백히 선언했기 때문이다. 이로써 1812년의 하르덴베르크 칙령으로 시작된 법적 해방을 위한 긴 여행은 마침내 종료된 것처럼 보였다.

다만 한 가지 중요한 의문이 남는다. 프로이센 정부는 유대인의 공직 응모에 대한 차별정책을 지속했다. 예를 들어 변호사나 법정서기, 판사보의 유대인 비율이 무척 높고 유대인 응시생이 주요 국가시험에서 우수한 성적을 거두었음에도, 그들은 사법부의 고위직으로 승진하는 것을 무척 힘들다고 생각했다. 초·중등학교와 대학교처럼 중대한 문화적 의미가 있는 국가시설과 고위 공무직 등에도 마찬가지 원리가 적용되었다. 게다가 1885년부터 제1차 세계대전이 발발하기까지, 프로이센이나 군사적으로 프로이센군에 종속된 다른 독일 국가(바이에른의 경우, 군사적으로 자율적이었고 진급정책이 좀 더 개방적이었다)에서 유대인이 예비역 장교 지위로 진급한 사례는 없었다.[48]

정부 당국의 차별은 프로이센의 정치 풍토에서 이례적이었고, 그래서 한층 더 눈에 띄었다. 사실 프로이센의 많은 대도시에서 고액납세자로서 제한적인 특권을 누리는 경우, 유대인이 정치적·행정적으로 중요한 자리에 선출되는 데에는 어려움이 없었다. 브레슬라우 시의회의 경우, 유대인 의원은 (4분의 1이나 될 만큼) 상당한 비율을 차지했고 시장과 베를린 중앙 정부에서 임명하는 대표를 제외하고는 시 정부의 어떤 지위에도 오를 수 있었다.[49] 쾨니히스베르크의 경우, 유대인 거주 지역에서는 상호소통이 원활했고 '문화적 다원주의'가 번성했다. 프로이센의 많은 대도시에서 유대인은 도시 '시민계급'(Bürgertum)의 핵심 구성원이 되었다.[50]

다만 국가의 공직 임명에서 불공평한 대우가 정치적으로 깨어 있고 활동적인 프로이센 유대인 사이에서 극심한 불만을 유발했다.[51] 신분 해방의 과정은 언제나 국가와 밀접한 관계가 있었다. 신분 해방이 된다는 것은, 크리스티안 빌헬름 폰 돔이 1781년에 큰 주목을 받은 논문에서 말한 대로, "국가의 삶이라는 테두리 안으로 진입하는 것"이었다. 더욱이 헌법상의 지위는 명확했다. 제국법은 종교에 따른 그 어떤 차별도 불법이라고 명기해놓았기 때문이다. 프로이센 헌법에서는 모든 프로이센인이 법 앞에 평등하고(제12조) 공직은 똑같은 자격을 가진 모든 사람에게 동등하게 기회가 주어진다(제4조)고 되어 있었다. 단 종교의식이 업무에 포함된 공직의 경우에만 기독교도 응모자를 선호했다. 소수민족으로서 유대인이 그들의 권리를 보호받는 가장 확실한 방법은 정부 당국이 법을 있는 그대로 지키도록 하는 것이었다.[52]

자유당 좌파 의원들로부터 해명하라는 압력을 받은 프로이센 장관들은 그런 차별이 있다는 것을 부인하거나 차별을 정당화했다. 예컨 대 그들은 민감한 공직을 임명할 때 여론의 분위기를 고려하지 않을 수 없다고 주장했다. 1901년에 주의회에서 법무직 임명을 놓고 논쟁할 때, 프로이센 법무장관 카를 하인리히 폰 쉔슈테트는 다음과 같이 말했다. "나는 유대인 변호사를 공증인으로 임명할 때 기독교인과 똑같은 기준을 적용할 수 없다. 유대인 공증인에게 업무를 맡기고 싶어 하지 않는 사람이 너무 많기 때문이다."[53] 폰 헤링겐 프로이센 전쟁장관은 1910년 2월 예비역 장교의 진급에서 유대인 후보를 배제하는 것에 관한 제국의회의 문의에 대하여 같은 논리로 호소했다. 그는 지휘관을 임명할 때 군은 단순한 능력이나 지식, 성격 그 이상의 것을 살펴야 한다고 답변했다. 그 밖의 '사소한' 요인도 고려해야 한다면서 다음과 같이 덧붙였다.

> 전반적인 인격과 관련해 한 남자가 군대에 복무하는 자세는 존경을 받아야 합니다. 그렇다고 이 자리에서 이런 요소가 우리의 유대인 동료 시민들에게 부족하다고 [...] 말하려는 것은 아닙니다. 하지만 다른 한편으로 하층민들 사이에서 다른 견해가 있다는 것을 부인할 수도 없습니다.[54]

'여론'을 기꺼이 수용하려는 이런 자세는 다른 분야에서도 흔적을 남겼다. 가령 1880년대 초반, 프로이센 내무부는 반유대주의 대학생연합을 지원하는 일에 개입해, 이들을 억압하는 자유주의 대학 행정을 약화시켰다.[55] 동시에 프로이센 정부는 외국계 유대인의 귀화정책을 밀어붙이기 시작했다. 이것이 1885년에 일어난, 귀화하지 않는 3만 명 이상의 폴란드인과 유대인에 대한 터무니없는 추방의 배경이었다.

반유대주의 시위와 청원에 압력을 받은 프로이센 정부는 1890년대 들어서 유대인 시민이 기독교식 성(姓)을 채택하는 것까지 막기 시작했다. 반유대주의자들은 누가 유대인인지 아닌지 혼란을 일으킨다는 인종주의적 이유로 유대인의 성씨 개명을 반대했다. 프로이센 정부 당국(특히 보수적인 내무장관 보토 폰 오일렌부르크)은 기존의 방침에서 벗어나 특별히 유대인 지원자를 차별하기 위해 반유대주의 기조를 따랐다.[56] 1916년 10월, 얼마나 많은 유대인이 전방에서 현역에 복무하는지를 판단할 목적으로 프로이센 전쟁장관이 실시한 '유대인 통계조사'도 같은 이치에서 나온 것이었다.[57] '제국망치연맹'(Reichhammerbund, 1912년 설립) 같은 전국적인 반유대주의 조직은 오래전부터 독일 유대인은 조국 수호에 자신의 몫을 다하지 않고 전쟁으로 이득을 보는 자들이라는 주장을 펼쳐왔다. 이들은 전쟁 발발 이후, 특히 1915년 말부터 익명의 비난과 불만 제기로 프로이센 전쟁부를 맹공격했다.

한동안 이런 반발을 무시하던 프로이센 전쟁장관 빌트 폰 호엔보른은 군대 내의 유대인에 대한 통계조사를 실시하기로 결심했다. 1916년 10월 11일, 조사를 발표하는 포고령에서 장관은 복무 중인 유대인 다수가 전방에서 한참 떨어진 구역을 꿰차고 앉아 전투를 회피해왔다고 주장하기에 이르렀다. 조사 결과 유대인이 전방에 골고루 배치되어 있다는 것이 확인되었지만, 포고령은 당시의 유대인, 특히 독일 참호에서 전투 중이었던 친척이나 전우를 둔 유대인을 실망시켰다. 한 유대인 작가가 전쟁 말기에 회고했듯이, "그것은 우리 유대인 공동체가 시민권을 부여받은 이래 지울 수 없는 가장 수치스러운 모욕"이었다.[58]

물론 반유대주의에 대한 정부의 관용에는 한계가 있었다. 1900년, 서프로이센의 소도시 코니츠의 유대인 정육점 부근에서 처참하게 토막 난 시체가 발견되자, 반유대주의 폭동이 일어났다. (주로 베를린 지역의) 반유대주의 기자들은 즉시 정육점 주인이 인신공양을 위해 살인을 저질렀다고 비난을 퍼부었고, 이 말을 쉽게 믿은 주민들, 대개 폴란드인들이 비난의 대열에 합류했다. 하지만 프로이센 재판관이나 이 사건을 수사한 경찰 중에 누구도 그런 주장에 신빙성을 부여하지 않았다. 그리고 당국은 지체 없이 소요를 진압하고 주동자들을 처벌했다.[59] 유대인의 신분 해방은 정부 관리들에 의해 기정사실로 받아들여졌고 상당 부분 반유대주의가 부추긴 소문, 즉 유대인을 법적으로 차별하던 시대로 회귀할 것이라는 주장을 진지하게 여기는 사람은 없었다. 유대인은 프로이센의 공공생활에서 기자, 사업가, 극장장, 시 공무원, 황제의 측근, 심지어 장관이나 프로이센 주의회의 상원의원 등으로 계속 중요한 역할을 수행했다.

하지만 국가가 헌법 조문을 더 강력하게 집행하기를 주저하는 것을 불안한 시선으로 바라보는 유대인의 태도에도 확실히 근거가 있었다. 한편으로, 프로테스탄트 농촌 지배층은 정부 관직 임명권 가운데 자신들의 몫에 대단히 집착했고, 다른 한편으로 더 나쁘게 정부 당국이 '주민들의 분위기' 운운하며 헌법 이행이나 평등한 행정 원칙에서 벗어났다. 그렇게 하면서 정부 당국은 반유대주의 논란에 빌미를 제공했다. 유대인이 국가와 가장 가까운 우호세력인 데 비해, 반유대주의는 의문의 여지 없이 가장 화해하기 어려운 국가의 적이라는 점에서 아이러니였다. 반유대주의자들에게는 '국가'(Staat)라는 말 자체가 인공물이나 기계 같은 비인간성을 함축하는 의미라면, 반대로 '민족'(Volk)은 유기적이고 자연스러운 속성을 지닌 말이었다. 그들이 국가라는 조직을 받아들일 수 있는 유일한 형태는 국가기구가 (정치적이 아니라 종족적인 통일체로서) '민족'의 자율적 권한을 위한 도구로 강등되는 것이었다.[60] 여기에 폴란드인에 대한 정책과의 유사성이 있다. 폴란드인과 유대인은 생각할 수 있는 거의 모든 점에서 근본적으로 다른 사회 집단이기는 했지만, 양 집단 모두 프로이센을 경영하는 보수 엘리트들의 정책 영역이었다는 점에서는 같았다. 차별 없는 법적 권한의 영역으로 받아들여지는 근대 국가의 정치 논리가 민족이라는 종족 논리와 충돌했다. 여기서 한 발 양보하는 쪽이 (프로이센) 국가의 생각이라면 큰 목소리를 내는 쪽이 (독일) 민족의 이데올로기였다.

프로이센 왕과 독일 황제

독일제국을 건설한 이후 호엔촐레른 왕조는 복잡한 적응 과정을 극복해야 했다. 프로이센 왕은 이제 독일 황제이기도 했다. 실제로 이것이 정확하게 무엇을 의미하는지는 통일 이후 처음 몇 년간 불확실한 채로 있었다. 신독일헌법은 황제의 역할에 대해서 별 언급이 없었다. 1848년의 자유주의적이며 민족주의적인 프랑크푸르트 헌법에는 황제 직위만을 다룬 '국가원수'(Reichsoberhaupt)라는 항목이 있었다. 하지만 1871년의 독일헌법에는 이런 항목이 없었다. 황제의 권한은 제4조의 연방상원(Bundesrat)의 '의장'(Präsidium)이라는 겸손한 항목에서 규정되어 있었다. 헌법 조문에 나오는 이런저런 구절을 종합해보면, 황제는 여러 명의 독일군주 중 한 명에 불과한 존재라는 것이 분명했다. 즉 제국의 영토를 직접 지배한다는 주장보다 연방체 내에서 각각의 특수한 지위를 차지하는 '동료들 중 제1인자'라는 의미가 강했다. 게다가 그의 공식 호칭은 빌헬름 1세 황제가 선호한 '독일의 황제'(Kaiser von Deutschland)가 아니라 '독일인 황제'(Deutscher Kaiser)였다. 여기에는 '프로이센 안에 있는 왕'(König in Preußen)이라는 18세기의 호칭처럼 뭔가 제한적인 통치자라는 암시가 깔려 있었다. 오늘날처럼 당시에도 권한의 범위가 새 지위와 중복되는 다른 통치자들을 고려해야 했다.

수상과 황제 겸 왕의 관계에서 주도권을 쥔 사람은 보통 비스마르크였다. 물론 빌헬름 1세는 '허수아비 황제'가 아니고 때때로 자신의 주장을 내세웠지만, 중요한 문제에서는 압력을 받거나 들볶이거나 위협 혹은 감언이설에 넘어가 비스마르크의 의견에 동의하는 것이 보통이었다. 빌헬름 1세는 오스트리아와의 전쟁을 원하지도 않았고 가톨릭에 적대적인 수상의 정치 캠페인을 승인하지도 않았다. 두 사람의 의견이 다를 때, 비스마르크는 개성이 강한 기질을 한껏 동원해가며 자신의 주장을 귀 따갑게 늘어놓았다. 눈물과 분노를 쏟아내고 사임하겠다는 협박도 서슴지 않으며 빌헬름 1세를 몰아붙였다. 참다못한 황제가 "비스마르크 치하에서 황제 노릇하기가 힘들다"라는 유명한 발언을 한 것도 이런 상황에서였다. 또 다른 자리에서 "비스마르크가 짐보다 더 중요하다"[61]라고 말한 황제의 발언에서도 짐짓 꾸민 겸손은 느껴지지 않는다.

정치적 관리자 겸 국가의 수장으로 군림하는 비스마르크의 위력은 프로이센의 왕권이 황제의 역할로 확대되는 것을 방해하는 결과를 낳았다. 빌헬름 1세는 아주 훌륭하고 널리 존경을 받았으며 엄숙하게 구레나룻을 기르고 성서의 가부장적인 분위기가 풍기는 인물이었다. 하지만 제국이 선포되었을 때 이미 70대였고, 1888년 90세에 사망할 때까지 사실상 프로이센의 왕으로 남아 있었다. 그는 대중 앞에서 발언하는 일이 드물었고 좀체 자신의 왕국 영토 밖으로 나가지도 않았다. 그는 엘베강 동부의 융커처럼 검소한 습관을 유지했다. 예컨대 그는 비용 문제로 베를린의 궁에 더운 물이 나오는 목욕시설 설치에 반대했다. 대신 일주일에 한 번 받침대 위에 방수 가죽주머니를 걸어놓고 목욕을 했다. 가죽주머니는 인근 호텔에서 가져와야 했다. 그는 또 궁정의 시종들이 몰래 마시는 것을 방지하기 위해 술병에 남은 양을 표시해놓았다. 그는 낡은 제복도 오래 입었다. 빌헬름 1세는 문서에 서명을 한 뒤에 잉크로 젖은 펜 끝을 짙은 파란색 상의 소매에 닦아냈다. 고무 타이어가 달린 마차는 필요 이상의 사치라는 이유로 으레 피했다. 이 모든 행위에 그의 자의식이 실려 있었다. 왕은 프로이센의 순박함과 자제력, 검약의 화신이기를 열망했던 것이다. 그는 매일 정확한 시각에 서재의 모퉁이 창가에 모습을 비추고는 위병교대식을 지켜보았는데, 구프로이센 전통을 되살린 이 의식은 베를린을 찾는 여행자들에게 최대의 매력적인 관광 코스 중 하나가 되었다.[62]

빌헬름 1세의 아들이자 후계자인 프리드리히 3세는 카리스마가 있는 남자로서 독일 자유주의 운동과 강력한 유대를 맺었다. 그 역시 통일전쟁에서 보여준 중요한 지도자 역할로 존경을 받았다. 기회만 있었다면 아마 그는 그야말로 민족적인 제국의 제왕이 될 수 있었을 것이다. 하지만 1888년 3월 즉위할 무렵에 프리드리히는 이미 식도암에 걸려 불과 3개월밖에 살 수 없는 운명이었다. 그는 짧막한 재위 기간에 거의 누워서 지냈으며 병 때문에 왕실 가족이나 보좌진과의 의사소통도 필담으로 하는 형편이었다.

그러다가 1888년에 빌헬름 2세가 즉위했을 때, 황제의 집무실 건물은 한 번도 사용된 적 없는 방으로 가득한 집 같았다. 그가 즉위하면서 독일 황실의 통치 방식에 혁명적인 변화가 찾아왔다. 처음부터 빌헬름 2세는 자신을 공인으로 인식했다. 그는 자신의 외모에 까다로울 정도로 신경을 썼고 제복을 비롯한 각종 의상을 특정 행사에 맞춰 자주 갈아입었으며 콧수염은 특수 왁스를 사용해 뻣뻣한 형태로 떨리도록 길렀다. 이런 모습으로 그가 공식 행사에 참석할 때는 근엄하고 진지한 분위기가 연출되었다. 외모에 대한 집착은 황후도 예외가 아니었다. 황후는 슐레스비히-홀슈타인-아우구스텐부르크의 공녀였던 아우구스테-빅토리아였다. 빌헬름은 아내의 의상과 특이한 보석, 사치스러운 모자 등을 디자인해주었을 뿐 아니라 다이어트와 약물, 코르셋 등의 방법으로 황후가 날씬한 허리를 유지하도록 강요했다.[63] 그는 사진사를 곁에 두고 생활한 최초의 독일 군주였다. 카메라맨과 공생 관계에 있었다고 말할 수도 있을 것이다. 그들은 공식적인 외출이나 황실 행사에 나가는 황제의 모습을 촬영했고 기동훈련이나 말을 타고 사냥하러 나갈 때도 빠짐없이 따라다녔다. 심지어 황제 전용 요트를 탈 때도 곁에 있었다. 당시 그의 동정을 촬영한 영상은 늘 무비 카메라에 둘러싸인 황제의 모습을 보여준다.

바꿔 말하면, 빌헬름 2세는 미디어 군주였다. 아마 진정으로 이런 별칭을 들을 만한 최초의 유럽 군주였을 것이다. 어떤 선대왕보다, 사실상 당대의 어떤 군주보다 그는 대중의 주목을 받고 싶어 했다. 물론 이 황제가 지극히 자기도취적인 사람이기는 했지만, 그의 목적은 단순히 자신에게 관심이 쏠리게 하는 것뿐 아니라 황제로서 국가 및 제국의 약속을 이행하는 것이기도 했다. 가령 그는 기금 모금 운동을 지원하고 매년 킬에서 열리는 대대적인 관함식을 주재하면서 프로이센이 지배하는 육군에 대한 진정한 국가적 대안으로 독일 해군을 육성했다. 결과가 엇갈리기는 했지만, 그는 제국의 건국자인 조부 빌헬름 대제에 대한 전국적인 숭배 문화를 육성하려고 했다. 그는 제국 일대를 돌아보며 병원을 개설하고 선박을 명명했으며 공장을 방문하고 열병식을 지켜보았다. 그리고 무엇보다 연설을 많이 했다.

호엔촐레른가의 어떤 군주도 빌헬름 2세만큼 그렇게 자주, 그렇게 많은 청중을 상대로 연설한 사람은 없다. 그는 독일인들에게 막힘없는 대중연설을 실컷 맛보도록 했다. 예를 들어 1897년 1월부터 1902년 12월까지 6년 동안, 그는 크고 작은 독일 도시 123곳을 적어도 233번 방문하면서 대부분 연설을 했는데, 이는 지방지와 전국지의 신문을 통해 발표되고 토론의 주제가 되었다. 빌헬름 황제의 연설은 적어도 1908년까지는, 그를 위해 전문 필진이 준비해주는 형태가 아니었다. 문민 내각의 관리들은 특정 장소와 행사에 맞는 문안을 조사하고 작성하느라 바빴고 때로는 황제의 도착에 맞춰 인쇄본을 나무로 만든 독서대에 붙여 올리기도 했지만 대개는 헛수고였다. 빌헬름 황제는 다른 사람의 도움 없이 스스로 연설하는 것을 좋아했기 때문이다. 황태자 시절에 항상 사전에 문안을 작성해서 "끊임없이 고쳐 쓴" 선친과는 반대로, 빌헬름은 연설을 미리 준비하는 일이 드물었다.[64] 그런 연설문은 의식적으로 즉흥적인 생각에서 나온 것이었기 때문에 중재 절차가 없는 소통 행위라고 할 수 있었다.

몹시 화려한 황제의 퍼포먼스는 꼭 19세기 역사화 같았다. 사위가 온통 어두운 가운데 구원의 빛이 떨어지며 폭풍이 걷히고, 소소한 다툼이 일어난 일상적 풍경 위에 고귀한 얼굴들(그의 왕조 사람들)이 떠올라 있는, 고압적이면서 상징적인 이미지로 가득한 그런 그림 말이다. 군

51 비교적 검소한 제2근위연대 제복을 입은 빌헬름 2세 황제가 가족들과 함께
상수시 궁의 경내를 거닐고 있다. 빌헬름 프리드리히 게오르크 파페 그림, 1891년.

주에게 카리스마를 부여하고, 황제가 백성을 통치해야 한다는 초월적이고 지상(至上)의 관점을 환기하는 것이 그 목적이었다.[65] 그리고 제국 통합의 궁극적인 보증인으로서 황제의 역할을 강조했으며, 그것은 바로 "역사적·종파적·경제적 반대 진영이 서로 화해하는" 지점에서 이루어진다는 것이었다.[66] 결국 군주국가에 대한 하늘의 섭리가 그가 재위 시에 행한 모든 연설을 관통하는 라이트모티프였다. 하늘은 독일 민족을 위한 신의 뜻을 완수하기 위해 그에게 이런 숭고한 임무를 맡긴 것이었다. 바로 1907년 9월, 메멜 시청에서 행한 독특한 연설을 통해 그는 청중에게 '하늘의 신성한 섭리'가 독일 민족의 위대한 역사적 과업 안에서 작용하고 있는 것을 기억하라고 촉구하면서 말했다. "만일 우리 하느님께서 이 세상의 위대한 것을 우리에게 예비해놓지 않으셨다면, 이렇게 엄청난 특질과 능력을 우리 민족에게 내려주지도 않으셨을 겁니다."[67]

빌헬름의 연설에 대한 대중의 반응은 제각각이었다. 한 가지 중요한 것은 그의 말을 들은 사람과 그것을 문자로 읽은 사람의 반응이 동일하지 않았다는 점이다. 현장에서 직접 들은 청중은 쉽게 감동을 받았다. 하지만 브란덴부르크 융커의 연설이 시골의 청중에게 그럴듯하거나 감동적으로 들려도, 뮌헨이나 슈투트가르트 같은 대도시의 신문을 통해 문자로 읽을 때는 효과가 떨어지는 법이다. 1891년 초에 빌헬름 황제는 뒤셀도르프에 모인 라인 공업도시의 청중에게 "제국의 지도자는 한 명뿐이고 짐이 바로 그 한 명입니다!"라는 말을 했다. 이런 언급은 수상에서 물러난 뒤에 신문지상에서 황제를 저격하기 시작한 비스마르크를 겨눈 비수 같은 말이었다. 비스마르크는 라인 공업지대에서 대중에게 인기가 있는 것으로 알려져 있었다. 하지만 그 말은 동시에 의도와 상관없이 비(非)프로이센 독일 지역에 대한 공격으로 받아들여졌다. 연방 소속의 다른 군주들은 그 말을 모욕으로 느꼈다. 아무튼 그들 역시 '제국의 통치자'였기 때문이다.[68]

사실 빌헬름 2세의 공식적인 지위는 구별되는 정체성들의 어설픈 조합이라는 문제가 있었다. 특별히 그가 좋아하는 행사 중에 브란덴부르크 의회의 연례 만찬이 있었는데, 여기서 연설할 때면 그는 자신의 왕조와 왕조가 출범한 지방의 독특한 역사적 유대를 부각시키기 위해 스스로를 '변경백'(Markgraf)이라고 자칭하는 습관이 있었다.[69] 어딘가 여봐란 듯이 자신을 드러내는 이런 태도는 악의가 없는 것으로서 보수적인 브란덴부르크 의회 의원들은 좋아했지만, 이튿날 신문에 실린 연설문을 꼼꼼히 읽어본 남부 독일인들의 입에는 전혀 맞지 않는 음식 같은 것이었다. 황제의 가까운 친구이자 보좌관으로서 뮌헨 주재 프로이센 특사로 임명된 필리프 추 오일렌부르크는 이 문제를 1892년 3월에 쓴 편지에서 다음과 같이 설명했다.

> 폐하의 대단한 달변과 태도, 말씨는 (폐하의 연설이 끝난 뒤에 브란덴부르크 사람들의 분위기에서 입증되었듯이) 청중과 참석자들에게 매혹적인 영향력을 행사한다. 하지만 연설 내용을 냉정하게 평가하는 독일 교수로부터는 다른 반응이 나온다. […] 이곳 바이에른에서는 폐하가 '변경백'이라는 말을 할 때나 제국 관보에 '변경백의 말'이 황제의 칙어처럼 실린 것을 볼 때, 사람들이 흥분한 나머지 이성을 잃는다. 제국의 구성원들은 제국 관보에서 제국의 말씀을 듣기를 기대한다. 그들은 프리드리히 대왕(그가 바이에른을 가리켜 "동물들이 사는 낙원"이라고 말했다는 것을 이들은 익히 알고 있다)에게는 일체 관심이 없고 로스바흐 전투나 로이텐 전투도 이들의 안중에 없다.[70]

황제와 바이에른 국가의 관계는 끝없는 긴장의 원천이었다. 1891년 11월, 뮌헨 방문 기간에 빌헬름 2세는 뮌헨 시의 방명록에 서명해달라는 요청을 받았다. 이유는 명확하지 않지만 그는 "통치자의 뜻이 최고의 법이다"(suprema lex regis voluntas)라고 썼다. 이 문장은 어쩌면 황제가 서명을 요청받았을 때 나누던 대화와 관계가 있을지도 모른다. 하지만 이것은 곧 예기치 못한 악평을 들었다. 이번에도 실수를 지적한 사람은 오일렌부르크였다.

> 폐하께서 왜 이런 글을 쓰셨는지 묻는 것은 내 소임은 아니지만, 폐하께서 잘 지켜보도록 나에게 명하신 남부 독일에서 악영향이 발생한 것에 대해 내가 글을 쓰지 않는다면, 비겁하게 불충을 저지르는 결과가 될 것이다. […] 이곳 사람들은 위 말씀에서 황제 개인의 뜻과 바이에른의 뜻을 잘 분간한다. 예외 없이 모든 관계자는 폐하의 말씀에 기분이 상했다. 그리고 이런 기류는 지극히 불손한 방법으로 폐하를 공격하는 데 완벽하게 이용될 것 같다.[71]

남부 독일의 만화가들이 황제의 제왕적인 허세를 비방하려고 할 때면 그들은 거의 변함없이 그를 프로이센 사람다운 구제불능의 완고한 모습으로 그리는 방법을 사용했다. 뮌헨에서 활동하는 만화가 올라프 굴브란손이 1909년 『짐플리치시무스』(Simplicissimus)에 게재한 뛰어난 그림은 황제가 주관하는 연례 기동훈련에서 빌헬름 2세가 바이에른 섭정과 대화하는 모습을 묘사했다. 프로이센이 주도한 제국 군대와 바이에른 군대의 관계는 뮌헨에서 매우 민감한 문제였기 때문에 배경 자체가 중요한 의미를 담고 있었다. 그림 설명은 "폐하께서 바이에른의 루트비히 공에게 적의 위치를 설명하신다"라고 되어 있다. 틀에 박힌 듯이 사용되는 프로이센과 바이에른의 대조적인 특징은 두 인물의 자세와 옷차림을 통해 절묘하게 포착되어 있다. 빌헬름 황제가 티 없이 깔끔한 제복 차림에 뾰족한 창이 달린 투구, 매끈한 흑단처럼 반짝이는 기마용 장화를 착용한 모습으로 꼿꼿이 선 자세인 데 비해, 루트비히 공은 사람 형상을 한 공기주머니를 닮은 모습이다. 헐렁한 바지는 볼품없이 구

52 '황제가 주관하는 기동훈련'.
올라프 굴브란손이 그린
『짐플리치시무스』의 만화,
1909년 9월 20일.

겨지고 수염이 덥수룩한 얼굴은 코안경 너머로 어리둥절한 표정을 짓고 있다. 프로이센 사람은 모든 것이 꼿꼿하고 활기찬 모습인 데 비해 바이에른 사람은 반대로 축 늘어진 모습이다.[72]

　여기서 꼭 해야 할 말은, 빌헬름 2세가 자신의 직무와 관련한 의사소통에는 매우 부적합했다는 것이다. 그는 정치적인 식견이 있는 대중이 그에게 분명하게 기대하는 것, 즉 냉정하고 침착한 말씨로 자신을 표현하는 것을 불가능하다고 생각했다. 그가 하는 연설의 문안은 쉽게 그를 조롱하는 표적이 되었다. 그의 말투는 과장되고 거만하며 과대망상적인 것처럼 보였다. 정부의 한 고위 인사가 말한 대로, 그의 말은 "표적을 벗어난 것"이었다.[73] 연설의 이미지와 구절은 종종 풍자 신문에서 그를 비난하는 소재로 이용되었다. 빌헬름 1세나 비스마르크는 그렇게 심하게 조롱당한 적이 없었다(비록 1848년 혁명 무렵에 프리드리히 빌헬름 4세의 불법적인 행위와 관련한 묘사에서는 더 심한 경우가 있지만). 발간된 신문을 압수하든가, 기자나 편집자를 기소하거나 구금하는 것과 같이 '불경죄'에 대하여 합법적인 제재를 가할 수 있는 방법이 있고 또 광범위하게 적용되었지만, 그런 조치는 역효과를 낳았다. 대개 발행부수를 늘려주거나 핍박을 받는 기자들을 전국적인 유명인사로 만들어주는 결과로 이어졌기 때문이다.[74] 황제의 발언이 광범위한 대중에게 전파되는 방식을 통제하려는 노력도 소용없다는 것이 드러났다.[75] 빌헬름 2세는 아주 다양한 지역에서 다양한 내용을 말하는 일이 흔했기 때문에, 그의 발언이 전파되는 것을 통제하기란 사실상 불가능했다. 1900년 7월 27일에 브레머하펜에서 행한 황제의 악명 높은 '훈족 연설'이 단적인 예라고 할 수 있다. 이때 그는 중국으로 출발하려는 부대 앞에서 즉흥적으로 멋없는 연설을 했다. 현장의 관리들이 끈질기게 단속했음에도 불구하고 이 연설의 천박한 표현이 활자화되는 바람에 신문과 의회에서 아주 큰 소동이 일어났다.[76] 황제는 (현대의 많은 유명인사처럼) 언론의 환심을 사는 법은 배웠어도 언론을 다스리는 법은 배우지 못했던 것이다.

앞에서 확인한 대로 황제의 임무에 대해서는 독일 헌법에 확실한 근거가 없었다. 게다가 그와 관련한 정치적인 전통도 없었다. 가장 분명한 것은 황제 대관식이 열린 적이 없었다는 것이다. 빌헬름 2세도 이런 약점을 알았다. 그는 프로이센의 왕위 자체가 독일제국의 공적 생활에서 참조점으로 자리 잡는 데 철저히 실패해왔다는 것을 선왕들보다 더 확실하게 깨달았다. 그는 즉위하면서 자신의 직무를 황제의 위상에 맞게 격상시키기로 단단히 결심했다. 그는 끊임없이 여러 독일 국가를 여행했고, 독일 국민에게 새로운 집을 지어준 성스러운 전사로서 조부를 찬양했다. 그리고 새로운 경축일과 기념일을 도입했다. 말하자면, 프로이센 왕위의 헌법적·문화적 벌거숭이 상태를 국가의 역사라는 외투로 가리려고 한 것이다. 그는 독일 대중에게 자신이 '제국 개념'(Reichsidee)의 화신으로 비쳐지게 했다. 이렇게 독일인의 마음에 황제 지위가 정치적·상징적인 현실로 자리 잡도록 끊임없이 노력하는 와중에 결정적인 역할을 한 것이 연설이었다. 연설은 독일인의 공공생활에서 황제와 왕에게 독특한 위상을 부여하는 '수사학적 동원'의 도구였다.[77] 빌헬름 개인에게 연설은 그가 종종 자각하는 정치적 압박과 무기력한 상황에 대한 보상이었다. 이 군주에 대한 매우 통찰력이 있는 평전을 쓴 발터 라테나우가 1919년에 말한 대로, 연설은 실제로 단일 수단으로는 그의 황제 통치권에 가장 효과적인 도구였다.[78]

빌헬름이 얼마나 목적 달성에 성공했는가는 별개의 문제다. 한편 더욱 눈에 띄는 일탈 행동 때문에 신문에서는 적대적인 논평이 이어졌다. 독립적인 통치자임을 가장 잘 보여주는(혹은 가장 잘 들려주는) 징표로서 일탈 행동은 '개인적인 통치'라는 정치적 비판의 초점이 되었다.[79] 장기적인 측면에서 그런 행동은 황제 발언의 정치적 위상을 차츰 침식했다. 특히 1908년 이후, 황제의 발언이 구속력과 실용성이 있는 것이 아니라 단순히 군주 개인의 의견을 피력한 것이라는 이유로 정부가 빌헬름의 달갑지 않은 연설과 완전히 거리를 두는 일이 점점 흔해졌다. 황제의 정치적 견해는 정치적으로 큰 의미가 없다는 것을 암시하는 거부반응이었다.[80] 『프랑크푸르터 차이퉁』(Frankfurter Zeitung)의 빈 특파원이 1910년에 제대로 보았듯이, 빌헬름 2세와 오스트리아의 프란츠 요제프 황제를 비교하면, 빌헬름의 지나친 공개적 발언이 얼마나 많은 역효과를 낳았는지 드러났다. 합스부르크의 군주는 자신의 개인적인 위치와 공적인 위치를 언제나 구분하는 '침묵의 황제'로서 공적인 논단에서 어떤 형태든 개인적인 발언을 하는 일이 결코 없다는 것이었다. 하지만 "독일 어디에서나 들리는 것처럼 오스트리아에서 황제 얘길 꺼내는 사람은 누구든 심각한 곤란에 처할 것이다"라고 덧붙였다.[81]

다른 한편으로 여론을 측정한다는 것은 무척이나 힘든 일이다. 우리는 신문의 논평에만 의거한 판단을 경계해야 한다. '발표된 의견'과 '여론'은 같은 것이 아니다. 1908년 가을, 빌헬름 2세가 런던 『데일리 텔레그래프』(Daily Telegraph)에 공개된 요령 없는 발언을 둘러싸고 추문에 휩쓸렸을 때, 한 외국인 관찰자는 황제가 "비판을 초월하는 통치권자의 기운"을 상실했는지도 모른다고 말하며 덧붙였다. "하지만 그가 가지고 있는 모든 개인적인 매력으로 황제는 언제나 그가 다스리는 백성 앞에서 엄청난 위엄을 갖추게 될 것이다."[82] 빌헬름이 신의 섭리를 들먹이는 것은 유력 신문의 관점에서는 웃음거리에 지나지 않았지만, 독일 하층민의 평범한 신학적 취향으로 볼 때는 공감을 살 만했다. 같은 이유로, 아방가르드 예술에 대한 그의 노골적인 비난도 문화 인텔리겐치아에게는 우스꽝스럽고 시대에 역행하는 것처럼 보였지만, 예술은 현실도피와 교화의 기회를 제공해야 한다고 믿는 다수의 문화 소비자는 그것을 이해했다.[83] 바이에른에서 열린 '황제숭배' 의식(1913년의 축하 행진과 기념비 제막식, 기념행사 등)은 단순히 중산층뿐만 아니라 농부나 상인들까지 끌어들였다.[84] 공업 지역의 사민당 안에서도 사민당 엘리트의 비판적인 시각과 황제를 '신의 섭리와 가부장의 원리'가 구현된 인격체로 인식하는 사민당 지지 대중의 시각 사이에 틈이 있었던 것으로 보인다.[85] 함부르크 노동계급이 사는 구역의 주점에서 경찰정보원이 기록한 대화를 보면 깔보는 것 같은 내용도 있지만 황제를 지지하거나 심지어 '우리 빌헬름'처럼 애정을 가진 표현도 많다.[86] 독일 사회에는 황실 및 왕조의 적잖은 자산이 (정확하게 수량화할 수는 없지만) 축적되어 있었다. 그것이 완전히 소진되는 데는 세계대전이라는 사회적 변화와 정치적 격랑이 필요했다.

군인과 민간인

1906년 10월 16일, 프리드리히 빌헬름 포이크트라는 부랑자가 베를린에서 이상한 강도 행각을 벌였다. 포이크트는 생애 대부분을 교도소에서 보낸 인물이었다. 14세 때 절도로 유죄를 선고받고 학교를 그만둔 뒤 프로이센 동부 변경의 틸지트에서 구두수선공 아버지에게 일을 배웠다. 1864년부터 1891년까지 여섯 건의 절도와 강도, 문서 위조로 도합 29년간 감옥살이를 했다. 1906년 2월, 강도죄로 15년을 복역한 그는 다시 자유의 몸이 되었다. 베를린 경찰 당국으로부터 거주 허가를 받지 못한 그는 불법으로 슐레지시 기차역 부근의 셋방 하나를 찾아냈다. 거기서 그는 '야간 동숙자'로 들어갈 수 있었는데 야간조로 근무하는 공장 노동자의 침대를 밤에 사용하는 조건이었다.

1906년 10월 둘째 주에 포이크트는 포츠담과 베를린의 중고시장을 돌아다니며 제1근위보병연대 대위의 복장과 장비를 장만했다. 10월 16일 아침, 그는 보이셀슈트라세의 수하물보관소에 맡겨둔 군복과 장비를 찾은 다음 융퍼른하이덴 공원으로 가서 갈아입었다. 대위 복장을 한 포이크트는 전차를 타고 시내로 향했다. 정오 무렵, 시 전체의 경비대가 교대할 때 그는 부사관 한 명과 사병 네 명으로 구성된 경계근무 팀을 불러 세웠다. 그들은 플뢰첸제의 군 수영장에서 경계근무를 마치고 병영으로 돌아가는 중이었다. 포이크트가 왕의 명령으로 지휘권을 인수했다고 말하자, 부사관은 병사들을 세워 주목하게 했다. 부사관을 돌려보낸 포이크트는 다시 인근 사격장에서 근무를 마치고 돌아오는 경비병 여섯 명을 추가로 불러 모았다. 그리고 이 부대를 이끌고 푸트리츠슈트라세역으로 가서 쾨페니크로 가는 열차에 올랐다. 도중에 그는 역 구내매점에서 병사들에게 맥주를 돌렸다.

쾨페니크 시청 회의실에 도착한 포이크트는 정문에 보초를 세우고 나머지 병사들을 데리고 인솔하며 행정실 몇 군데를 돌아다녔다. 그는 시청 선임국장 로젠크란츠와 시장인 게오르크 랑거한스 박사를 체포했다. 예비역 중위인 랑거한스는 포이크트의 계급장을 보고 벌떡 일어났으며 감시하에 베를린으로 호송된다는 말을 들었을 때도 저항하지 않았다. 시의회에 파견된 경감은 자신의 방에서 코를 골며 자고 있다가(조용한 교외의 포근한 가을 오후라서 졸린 날씨였다) 포이크트에게 호된 질책을 받았다. 시 재무과장 폰 빌트베르크는 지시에 따라 금고를 열고 안에 있는 돈 전부(4천 마르크 70페니히)를 포이크트에게 넘기고 그로부터 압류한 금액에 대한 영수증을 받았다. 포이크트는 데리고 온 병사들에게 기차를 타고 체포된 관리들을 베를린으로 호송한 다음, 운터 덴 린덴 거리에 있는 노이에 바헤(Neue Wache) 경비대에 보고하라고 명령했다. 수분 뒤에 그는 밖으로 나가 쾨페니크역 방향으로 가는 것이 목격된 뒤에 어디론가 사라졌다고 한다. 훗날 그의 진술에 따르면, 그는 베를린으로 돌아가서 군복을 벗고 노이에 바헤가 보이는 시내 카페에 앉아 있었다고 한다. 카페에 앉아서 그는 경비병들이 어리둥절한 죄수들과 함께 도착한 뒤에 전개되는 혼란상을 쭉 지켜보았다. 1906년 12월 1일, 사건이 일어나고 약 6주 뒤에 포이크트는 체포되어 징역 4년의 실형을 언도받았다.

포이크트의 범행은 당대에 엄청난 주목을 받았다. 며칠 지나지 않아 메트로폴 극장에서는 이 사건을 풍자하는 연극이 공연되었고 전 세계 신문에서 이 사건을 잇따라 보도했다. 대위 복장을 하고 쾨페니크 시청의 금고를 강탈한 다음 사라진 사기꾼의 이야기는 곧 그 자체로 근대 프로이센에서 오랫동안 큰 인기를 끈 이야기의 하나가 되었다. 이 이야기를 연극으로 만든 작품이 수없이 쏟아져 나왔으며 그중에 가장 유명한 것은 1931년에 나온 카를 추크마이어의 「쾨페니크 대위」(Hauptmann von Köpenick)였다. 이 작품은 훗날 동명의 제목이 붙은 영화로 만들어지기도 했는데, 호감을 주는 하인츠 루만이 주연을 맡고 재치가 넘치는 분위기로 호평을 받았다. 이 이야기로 이익을 본 사람 중에는 범인 자신도 있었다. 포이크트는 빌헬름 2세의 사면 덕분에 테겔 교도소에서 형기의 절반도 채우지 않고 석방되었다. 석방되고 4일도 지나지 않아 그는 베를린 중심가인 프리드리히슈트라세와 베렌슈트라세 모퉁이에 있는 길거리 전시장에서 대중 앞에 모습을 드러냈다. 프로이센 당국이 그런 식의 출현을 금지하자 그는 드레스덴과 빈, 부다페스트 등지로 마음껏 돌아다니며 단단히 유명세를 누렸다. 이후 2년간 포이크트는 나이트클럽이나 레스토랑, 시장 등에 나타나 군중에게 자신의 얘기를 들려주며 '쾨페니크의 대위'라는 이름으로 나온 자신의 사진에 서명을 해주었다. 1910년에는 독일뿐 아니라 영국, 미국, 캐나다 등지를 계속 여행했다. 런던의 마담 투소 밀랍인형 박물관에서 모델을 할 정도로 유명해졌다. 1909년 라이프치히에서 출간한 회고록『나는 어떻게 쾨페니크 대위가 되었는가』(*Wie ich Hauptmann von Köpenick wurde*)로 돈을 번 포이크트는 룩셈부르크에서 집을 구입하고 1910년에는 그곳에 완전히 정착했다. 그는 제1차 세계대전 내내 룩셈부르크에서 지냈으며 1922년에 사망했다.[87]

어떤 면에서 볼 때, 이 이야기는 프로이센의 제복에서 나오는 힘에 관한 우화라고 할 수 있다. 포이크트는 가난에 찌들고 감옥을 드나든 삶의 온갖 자취가 풍기는 얼굴로 전혀 인상적이지 않았다. 목격자 진술을 토대로 작성된 경찰보고서는 이 사기꾼을 '야윈', '창백한', '늙수그레한', '구부정한', '옆으로 휜', '밭장다리' 등의 어휘로 묘사했다. 어느 기자의 말대로, 그가 사기행각을 벌일 수 있었던 것은 햇볕에 그을린 얼굴이 아니라 장교 제복 때문이었다. 이 점에서 볼 때, 포이크트의 이야기는 군대에 굽실거리는 사회 분위기를 반영한다. 이 메시지를 동시대 사람들은 놓치지 않았다. 예를 들어 프랑스 기자들은 이것이 프로이센 사람들 특유의 맹목적이고 기계적인 복종을 보여주는 또 하나의 증거라고 보았다.『타임스』지는 거드름을 피우며, 이것은 오직 독일에서만 일어날 수 있는 사건이라고 논평했다.[88] 이런 기사가 나간 뒤로 대위의 이야기는 프로이센 군국주의를 집중적으로 알리는 기폭제가 되었다.

하지만 이 일화의 매력은 그 양면성에 있는 것이 분명하다. 포이크트의 묘기는 명령복종으로 시작하지만, 끝에 가서는 한바탕 웃음을 안겨준다.[89] 그가 현금을 쥐고 사라지자마자 그의 범죄는 언론에서 주목하는 사건이 되었다. 베를린 안팎의 신문들은 이 사건을 '전례 없는 사기행각', '소설처럼 모험과 낭만이 넘치는 강도 이야기'라고 묘사하며 웃음 없이는 들을 수 없는 이야기라고 했다. 그러면서 포이크트를 '뻔뻔한', '배짱이 두둑한', '영리한', '책략이 풍부한' 사람으로 묘사했다. 사민당 기관지인 『돌격!』은 이 "영웅적 행위가 장안의 화젯거리다"라고 보도했다. 식당이나 전차, 열차에서 사람들은 이 '영웅적 범행'으로 이야기꽃을 피운다는 것이다. 사람들은 쾨페니크 시청의 금고를 턴 강도 행각에 대하여 분노를 표하는 것이 아니라 뭔가 조롱하거나 비꼬는 분위기였다. 쾨페니크에서 일어난 기발한 장난을 놓고 어디서나 남의 불행을 고소해하는 심리가 거리낌 없이 표출되었다.[90] 약삭빠른 사업가들은 구두수선공과 대위로서의 모습을 담은 포이크트에 대한 '동정 엽서'를 대량 제작해서 팔았다. 엽서를 구매하는 사람들에게는 판매소득의 일정 몫이 재소자들의 복지를 위해 지역 사회로 가거나 포이크트에게까지 간다고 알렸다.[91] 포이크트가 자신의 회고록과 무대 공연에서 재치 넘치게 보여준 것은 바로 이 이야기의 희극적이고 파격적인 요소였다. 언론의 주목을 끈 사건으로서 대위의 활약은 프로이센군으로서는 재앙이나 다름없었다. 그것은 사회주의자로서 기자이자 역사가인 프란츠 메링이 말했듯이, '제2의 예나'에 해당하는 사건이었다.[92]

사람들이 고소해하는 대상을 찾는 것은 쉬웠다. 조롱의 대상은 프로이센의 '군국주의'였다. 하지만 이 말은 정확하게 무슨 뜻이었을까? 처음에 이 말은 1860년대 초반의 헌법투쟁 기간에 절대주의에 반대하는 구호로 널리 유포되었다. 그리고 이런 자유주의적 함의에서 결코 벗어난 적이 없었다. 남부 독일 국가에서는 '군국주의'라는 용어가 1860년대 후반에 널리 쓰였는데, 거의 언제나 프로이센을 비난하는 목소리가 실려 있었다.[93] '군국주의'는 프로이센의 국민개병제(부유층이 복무면제 자격을 돈으로 살 수 있는 남부에서 여전히 운용 중인 제도와는 반대였다)나 군대 양성을 위한 기금 납부, 혹은 남부 국가에 대한 프로이센의 주도권 강화를 의미했다. 자유당 좌파에게는 군국주의가 고율의 세금과 잠재적으로 통제되지 않는 국가 지출을 의미할 수 있었다. 또 일부 국민자유당원에게는 반군국주의가 나폴레옹 시대에 개혁의 주도 세력이었던 군사적 낭만주의를 반영한 것이기도 했다. 사민주의 운동을 하는 마르크스주의 분석가들에게 군국주의는 자본주의 속에 잠재된 폭력과 억압의 표현이었다. 바로 그 개념이 여러 조합의 복합적인 선입견을 전달해주기 때문에, '군국주의'는 근대 독일의 정치문화에서 가장 중요한 '의미론의 집결지' 중 하나가 되었다.[94] 어떤 의미에서든 이 말이 사용되면서 그것은 군대와 군대가 자리 잡은 광범위한 사회적·정치적 시스템 사이의 구조적 관계를 주목하게 만들었다.

군부가 1871년 이후 프로이센의 생활에서 핵심적인 국가기관의 하나라는 것은 의심할 여지가 없다. 19세기에 오랫동안 위상이 낮았던 군대는 통일전쟁을 통해서 영광스러운 조명을 받으며 급부상했다. 제국으로 바뀌고 나서, 새 독일 건국에서 맡은 군대의 역할은 해마다 프랑스에 대한 승리를 축하하는 스당(Sedan) 경축일이 되면 기념되었다. 군부 체제는 대중으로부터 새로운 형태의 지지를 얻었다. 군대의 위용은 연대의 행정과 부대 배치를 위해 수비대 주둔 도시에 세워지는 당당한 건물로 표현되었다. 군사 퍼레이드나 군악대 행진, 기동훈련같이 공을 들인 군대 전시문화가 생겨났다. 군인들은 사실상 모든 공식 축하행사에서 가장 눈에 띄는 자리를 차지했다.[95] 그리고 군대의 이미지와 상징이 확산되어 사생활 영역에까지 파고들었다. 군복을 입고 찍은 사진은 가보처럼 간직되었고, 특히 가난한 농가 출신 신병의 경우에는 그런 사진이 여전히 귀중품이었다. 군복은 휴일에도 자랑스럽게 입는 옷이었으며 군대의 휘장과 훈장은 고인이 된 남자 친족의 기념품으로 소중하게 간직했다. 프로이센 예비역 장교(1914년에 약 12만 명)는 시민 사회에서 인기 있는 지위의 상징이었다(그래서 유대인 의용군 출신들이 군대에 편입되려고 애썼다). 수비대가 주둔한 도시에서는 학교 아이들이 군가를 부르며 운동장을 향해 행진했다. 엄청난 예비역들이 급속히 확대되는 참전용사협회나 군인 클럽에 가입했다. 1913년에 독일의 핵심 참전용사 클럽인 키프호이저 연맹(Kyffhäuserbund)은 회원 수가 290만 명이나 되었다.[96]

바꿔 말하면 군대문화는 1871년 이후 일상생활의 조직 속으로 더 깊이 스며들었다. 이런 사실이 얼마나 중요한 것인지를 정확하게 평가하는 것은 결코 쉬운 일이 아니다. 한 권위 있는 견해에 따르면, 프로이센-독일제국의 군국화는 시민 사회의 비판적이고 자유주의적인 에너지를 억압하고 사회관계를 계급적으로 접근하는 방식을 영속화하는 동시에 수많은 독일인에게 반동적·국수주의적·초민족주의적 시각을 주입하면서 독일과 서유럽국가 간의 틈을 더 벌려놓았다.[97] 그렇다면 과연 프로이센의 경우만 그렇게 이례적인 것이었을까? 사실 제1차 세계대전 직전 40년 동안 군사문화가 팽창한 곳은 프로이센뿐만이 아니었다. 프랑스에서도 참전용사와 재향군인이 떼를 지어 군인 클럽과 연맹으로 몰려들었으며 수적으로도 프로이센-독일에 뒤지지 않았다. 1871년 이후 프랑스와 프로이센-독일에서 벌어진 전국적으로 기념할 만한 군국화 현상을 비교하면 매우 비슷하다는 사실이 드러난다.[98]

정치문화의 민간적 특징에 자부심을 느낀 해군 강국 영국에서조차 국민병역연맹에 약 10만 명의 회원이 가입했으며, 그중에는 하원의원 177명도 포함되었다. 이 연맹의 선전에는 국가안보 문제에서 영국 종족의 우월성을 바탕으로 인종차별적 억측을 하는 편집증적 시각이 깔려 있었다.[99] 독일과 마찬가지로 영국에서는 후기 빅토리아 시대에 제국적 의식이 대대적으로 전개되었다. 영국 사회의 '민본주의'(civility)와 반군국주의는 아마 현실의 충실한 반영이라기보다 자기인식의 문제였을 것이다.[100] 또한 독일의 평화 운동은 다른 어느 나라에서도 유례를 찾아볼 수 없을 정도로 규모가 컸다는 것을 주목할 필요가 있다. 1911년 8월 20일 일요일, 베를린의 평화 집회에 10만 명이 모여 모로코 위기에 대한 열강의 벼랑 끝 정책을 규탄하는 시위를 벌였다. 비슷한 시위는 할레와 엘버펠트, 바르멘, 예나, 에센을 비롯해 그 밖의 도시에서 늦여름 내내 열렸고, 9월 3일 트레프토어 공원에 25만 명의 군중이 모인 베를린의 대대적인 평화 집회에서 절정을 이루었다. 그러다가 1912~13년에는 어느 정도 잠잠해졌지만, 전쟁이 바로 눈앞에 다가온 1914년 7월 말, 다시 엄청난 규모의 평화 집회가 뒤셀도르프와 베를린에서 있었다. 전쟁 소식에 대한 독일 민중의 반응은 흔히 주장하는 것과 달리 어디서나 열광적이었던 것은 아니다. 오히려 반대로 1914년 8월 초 며칠간은 침묵하거나 양면적인 분위기였으며 일부에서는 두려워하는 반응을 보이기까지 했다.[101]

더욱이 '군국주의'는 널리 퍼졌다고 해도 내부적으로는 틈이 벌어진 현상이었다. 본질적으로 귀족적이고 보수적인 프로이센 장교의 기풍과 '일반 서민의 군국주의'에 포함된 전혀 다른 정체성이나 애착은 구분해야 할 것이다. 프로이센 장교 계급의 터무니없는 오만함, 그리고 시민적 가치 및 기준에 대한 그들의 경멸은 엘베강 동부의 귀족 혈통에 깃든 오랜 배타적인 정신의 결정체였다. 그런 배타성은 전통적으로 우월한 지위를 포기하기를 완강하게 거부하는 방어적 태도나 편집증과 뒤섞여 있었다. 그와 대조적으로 많은 참전용사 클럽의 기풍은 서민적이고 평등주의적이었다. 1871~1914년에 군인 클럽에 가입한, 프로이센 병합 지구 헤센-나사우 지역 출신 병사에 대한 연구는 이들 중 다수가 토지 없는 시골 노동자와 장인, 가난한 소규모 자작농 출신이라는 것을 보여주었다. 그들이 클럽에 가입한 것은 군대에 열광해서가 아니라 회원이 되면 그들의 지역 사회를 지배하며 자급자족하는 대농 앞에서 자신의 가치와 지위, 권리를 내세울 수 있었기 때문이다. 따라서 참전용사 클럽의 회원은 '참여의 수단'이었다. '밑에서' 볼 때, 군대에서 중요한 것은 계급 간 존중의 강요가 아니라 함께 복무한 사람들 사이의 평등이었다.[102]

아무튼 독일이라는 국가의 위상 강화에 열광적인 반응을 이끌어낸 것은 프로이센 육군이라기보다 독일 해군이었다. 황제 빌헬름 2세는 1890년대 후반부터 자신의 대대적인 해군 증강 계획을 통해서 진정한 국민의 그리고 독일제국의 통치자로 이름을 날리기 위해 노력했다. 독일 해군 증강 계획은 곧 국민의 엄청난 지지를 이끌어냈다. 1914년에 '독일해군연맹'의 회원은 100만 명이 넘었으며 대다수가 중산층 및 하위 중산층 출신이었다. 해군은 특정 지역의 연고를 따지지 않는 데다가 비교적 실력에 따른 신병 모집과 진급 방식을 따랐기 때문에 순수한 국민병역이라는 인식이 퍼져 나갔다. 세기 전환기에 함대 건조 방식을 바꾼 기술혁신의 물결도 관심을 끌었다. 선박은 독일의 과학과 산업이 이룰 수 있는 최첨단 기술이 동원된 것이어서 국민의 환호를 받았다. 또한 함대는 '세계정책'(Weltpolitik)이라는 기치 아래 더 웅대한 독일의 세계적인 정책에 대한 약속을 수행했다.

이와 반대로 육군은 프로이센 특유의 권력 구조에 뒤얽힌 부담을 안고 있었다. 전전 시절에 인기를 끌던 군국주의 기구 중에서 가장 과격한 '육군연맹'은 1914년 무렵 회원 수가 약 10만 명쯤 되었는데, 프로이센 엘리트 계층의 '보수적' 군국주의를 신랄하게 비판했다. 반동적이고 무기력한 데다 편협하고 쓸데없는 계급 구분으로 불구가 되었다는 것이다. 이런 비판에는 일리가 있었다. 가령 1913년까지 프로이센군 지휘부 일각에서는 육군의 확대를 반대했다. 이유는 포부가 큰 중산층 출신을 상류층에 대거 추가함으로써 귀족적인 장교 계급의 '단결심'(esprit de corps)을 희석시킨다는 것이었다.[103]

군대와 국가

1848~50년에 나온 프로이센 헌법에서 결정적인 흠 가운데 하나는 민간 부문과 군사 부문의 권한을 통합하는 데 실패한 것이었다. 우리가

보았듯이, 1848년의 혁명은 프로이센 왕정 체제에서 군사적 요소를 제거하지 않은 채 프로이센 정치를 합법화했다. 이것은 신독일제국이 구프로이센 국가로부터 물려받은 결함이었다. 그리하여 군비 통제에 대한 문제가 미결 상태로 남게 되었다. 1871년의 헌법은 한편으로 "황제는 제국 군대의 효과적인 병력과 분할, 편성을 결정한다"(제63조)라고 규정하고 다른 한편으로는 "평시의 효율적인 군사력은 제국의회의 입법에 의해 결정된다"(제60조)라고 규정했다.[104] 이같이 불확실한 규정은 행정부와 입법부 사이에 주기적으로 갈등이 발생하는 원인이 되었다. 제국이 존속한 동안에 있었던 제국의회를 해산시킨 네 차례 칙령(1878, 1887, 1893, 1907년) 중에 세 번은 군비 통제와 관련한 이유로 나온 것이었다.[105]

프로이센 육군은 주로 의회의 감시로부터 왕을 보호하는 국왕 직할 친위대로 남았다. 그리고 독일군의 집행조직은 결국 구프로이센 국가의 통치기관에 뿌리박힌 상태를 그대로 유지했다. 예를 들어 제국의 전쟁장관은 없었으며 단지 제국의 군무를 책임지는 프로이센 전쟁장관만 있었다. 프로이센 전쟁장관은 (프로이센 국왕 자격으로) 황제가 임명했으며 제국이 아니라 프로이센 헌법에 충성맹세를 했다. 그는 대부분의 문제에 대해서 황제에게 충성했지만 예산 문제만은 제국의회에 답할 책임이 있었다. 그는 제국의회를 프로이센 전쟁장관으로서 상대하는 것이 아니라 (그의 직위는 제국의 입법기관과 무관하기 때문에) 연방상원에 대한 프로이센 전권위원이라는 보완적인 역할로 상대하는 것이었다.

평화시와 전시에 육군을 관리하는 기관들은 민간 정부의 권력 구조에서 완전히 독립된 기구였다. 인사관리(임명과 승진)를 담당하는 군사내각은 공식적으로 전시 야전군의 작전을 지휘한 총참모부가 그랬듯이 1883년에 프로이센 전쟁부와 분리되었다.[106] 이후로 두 기구는 국왕에게 직접 보고했다. 빌헬름 2세는 권위가 있는 중앙 군사관리기관을 설립하기보다 지휘 구조를 쪼갰다. 가령 그는 즉위하고 몇 주 지나지 않아 '황제 겸 국왕 폐하 본부'라는 거창한 이름의 군사기구를 새로 세웠다.[107] 그는 또 황제에게 직보하는 육·해군의 지휘관 수를 늘렸다.[108] 이 모두가 군주가 지휘권을 무제한으로 행사하게 하려는 의도적인 전략의 일환이었다.[109] 이처럼 프로이센-독일의 군사 시스템은 독일 헌법에서 이질적인 요소로 남았다. 그것은 제도적으로 민간 정부기관과 격리된 상태에서 궁극적으로 황제에게만 책임지는 구조였다. 이런 배경에서 1900년 무렵, 황제의 일반적인 호칭은 '군 최고사령관'(Oberster Kriegsherr)이었다.[110] 이 결과 민간과 군 당국에서 내리는 명령의 경계가 불확실하다는 고질적인 문제가 발생했다. 그것은 프로이센이 새로운 독일에 물려준 것 중에서 가장 운명적인 유산이었다.

1914년 이전, 제국의 정치조직 핵심에서 명령의 경계가 불명확해서 생긴 위험은 독일령 남서아프리카(현재의 나미비아)에서 1904~7년에 일어난 전쟁에서 가장 불안하게 노출되었다. 바로 여기서 1904년 1월에 반란이 일어났다. 1월 중순, 헤레로족의 무장집단이 식민지 중서부의 거주지인 오카한자를 포위한 채 농장과 경찰서를 약탈하고 수많은 정착민을 죽이며 행정수도인 빈트후크로 통하는 전신시설과 철로를 끊었다. 식민지의 질서유지를 책임진 사람은 바덴 대공국의 슈트림펠브론 출신인 테오도르 고트힐프 폰 로이트바인 총독이었다. 로이트바인은 1893년부터 식민지에서 군복무를 했고 1898년부터 총독을 맡고 있었다. 지역의 소규모 병력으로는 반란을 진압하는 것이 불가능하다고 판단한(독일제국의 1.5배 크기인 식민지 땅에서 병력은 800명도 채 안 되었다) 로이트바인은 베를린에 시급히 증원부대와 군사작전을 위해 노련한 지휘관을 파견해달라고 요청했다.[111] 황제는 이에 로타르 폰 트로타 중장을 파견했다. 그는 마그데부르크 군벌 자손으로서 이미 해외에서 많은 경력을 쌓은 군인이었다.

총독과 중장은 비록 똑같은 직업군인이기는 했지만, 프로이센-독일의 정치 구조에서 차지하는 위치가 전혀 달랐다. 로이트바인은 총독으로서 식민지 최고위 민간 관리였고 프로이센 외무부 식민지국에 보고를 했다. 식민지국은 다시 프로이센 및 제국 수상인 베른하르트 폰 뷜로의 지휘를 받았다. 이에 비해 트로타는 순전히 군사적 역할을 맡기 위해 식민지로 들어갔다. 그가 직접 책임을 지는 곳은 정부 당국이 아니라 총참모부였으며 총참모부가 다시 황제에게 직접 보고하는 체계였다. 바꿔 말해, 로이트바인과 트로타는 두 개의 전혀 다른 지휘 체계 안에 갇혀 있었다. 두 사람은 어떤 의미에서 프로이센 헌법에 깔려 있는 민-군 경계선을 상징적으로 드러냈다.

총독과 장군은 곧 반란을 어떻게 진압할 것인지를 놓고 다투는 처지가 되었다. 로이트바인의 의도는 언제나 군사적 수단으로 헤레로족을 압박하되 협상을 통해 항복을 받아낼 수 있는 상황으로 유도하는 것이었다. 가장 결정적인 세력을 고립시킴으로써 반란군의 힘을 약화시킨 다음 다른 헤레로족과 강화 협상을 하는 것에 초점이 맞춰져 있었다. 그러나 트로타 장군은 다른 접근법을 선호했다. 1904년 8월 11~12일, 그는 바터베르크 접전에서 헤레로족의 대규모 병력을 포위하고 소탕하는 데 실패하자 대량학살 전술로 바꿨다. 10월 2일, 장군은 식민지 전역에 게시된 공식선언을 통해 독일군 부대에 이런 자신의 의도를 알렸다. 카를 마이의 서부 개척시대식 소설에서는 그의 선언이 다음과 같이 노골적인 협박으로 묘사되어 있다.

헤레로족은 이 나라를 떠나야 한다. 만일 떠나지 않을 경우, 본관은 대포를 사용해 그들을 쫓아낼 것이다. 독일 국경 안에 있는 모든 헤레로족 남자는 무기가 있든 없든, 가축이 있든 없든 총격을 받을 것이다. 여자나 아이들도 더 이상 데려가지 않을 것이다. 그들을 부족에게 돌려보내거나 그들에게도 총을 쏘도록 할 것이다. 이것이 본관이 헤레로족에게 들려주는 말이다. [서명] 강력한 독일 황제의 대장군.[112]

이것은 단순히 심리전을 수행하는 방식이 아니었다. 이틀 뒤에 총참모부에 있는 상관에게 보내는 편지에서 트로타는 자신의 행위를 설명했다. 그는 "헤레로족은 그 자체로 궤멸시켜야 할 대상"이며, 이것이 여의치 않을 때는 "영토 밖으로 추방해야" 한다고 주장했다. 직접적인 군사작전을 통한 승리가 불가능해 보이자 트로타는 포로로 잡힌 모든 헤레로족 남자를 집단 처형하고 여자와 아이 들은 탈수나 기아, 질병으로 죽을 것이 확실한 식민지 영토 밖의 사막으로 쫓아내자고 제안했다. 그는 헤레로족 여자와 아이 들에게 예외를 둘 필요가 없다면서, 그들이 독일군에게 질병을 전염시킬 수 있고 그대로 두면 물과 식량의 수요만 늘어나기 때문이라고 썼다. 그러면서 트로타는 이번의 반란이 "인종싸움의 시작"이라는 결론을 내렸다.[113]

10월 말, 프로이센 외무부 식민지국(즉 베를린의 민간 식민지 관리 당국)으로 보내는 편지에서 로이트바인 총독은 상황을 다르게 판단한 자신의 생각을 옹호했다. 그가 볼 때, 트로타는 분쟁을 끝내기 위한 로이트바인 부하들의 협상 노력에 찬물을 끼얹음으로써 갈등을 악화시켰다. 로이트바인은 협상이 계속 진행되었다면 반란은 이미 진압되었을 것이라고 주장했다. 위기의 중심에 경계 설정의 문제가 있었다. 공공연히 무차별 살육과 추방정책을 밀어붙임으로써 트로타는 군지휘관으로서의 권한을 벗어났다는 말이다.

본관은 총독으로서의 권한을 침해당했다고 생각합니다. 한 종족을 전멸시킬 것이냐 아니면 국경 밖으로 몰아낼 것이냐에 대한 결정은 군사적인 문제가 아니라 정치적이고 경제적인 문제입니다.[114]

1904년 10월 23일에 보낸 격앙된 전문에서 로이트바인은 "총독의 수중에 정치적 권한과 책임이 얼마나 남아 있는지 설명해줄 것"을 요구하기까지 했다.[115]

총리 겸 프로이센 수상인 베른하르트 폰 뷜로는 트로타의 극단적인 조치에 대한 로이트바인의 우려에 공감했다. 뷜로는 헤레로족에 대한 '포괄적이고 조직적인 멸족' 방침은 기독교와 인도적인 원리에 역행하는 것이며 경제적인 파멸을 부를 뿐만 아니라 독일의 국제적인 명성을 해치는 행위라고 황제에게 보고했다. 그는 여전히 프로이센과 독일 제국에서 최고위급 정치지도자였지만, 트로타 장군이나 프로이센 총참모부에 있는 트로타의 상관들을 지휘할 권한은 없었다. 그러므로 직접 개입해서 식민지의 위기상황을 타개할 방법은 그에게 없었다. 민과 군의 지휘사슬은 오로지 황제 개인에게만 집중되었기 때문이다. 자신의 목적을 달성하기 위해 뷜로는 황제를 통해 10월 2일 트로타가 내린 발포 명령을 취소하도록 하는 수밖에 없었다. 총참모부와 여러 기술적인 세부사항을 놓고 줄다리기를 한 끝에 이 목적은 달성되었다. 그리고 1904년 12월 8일에 새로운 황제의 명령이 식민지에 내려갔다. 하지만 헤레로족으로서는 이미 때가 늦었다. 사격과 강제 추방을 중단하라는 명령이 도착했을 무렵, 원주민의 상당 부분은 죽었거나, 대부분 물도 없는 식민지 영토 동부의 오마헤케 지역으로 쫓겨났기 때문이다.[116]

민간과 (프로이센의) 군 당국 사이에 벌어진 헌법상의 간격은 독일 제국이 존속하는 내내 그대로 유지되었다. 이것은 민간 행정부와 군지휘관들이 갖가지 문제로 충돌한 알자스로렌 지역의 상황을 악화시켰다. 그중에 가장 유명한 것은 1913년 10월에 한 젊은 장교의 모욕적인 언사로 지역 주민들과 일련의 사소한 충돌이 빚어지며 발생한 차베른(Zabern) 사건이다. 이 사건은 군이 약 20명의 시민을 불법으로 체포하면서 극에 달했다. 군대가 그들의 권한을 한참 벗어난 행동을 했기 때문에 민간 당국은 거세게 반발했다. 하지만 '자신이 거느리는' 군대의 위신이 위기에 처했다고 생각한 황제는 민간 당국에 맞서는 군인들을 공공연히 편들었다. 이 사건을 두고 독일 전국이 동요했다. 결국 수상이 힘들게 황제를 설득해 군대의 주요 관련자들을 징계하도록 만들었다.[117]

1914년 8월에 발발한 전쟁(제1차 세계대전)에 특별히 프로이센적인 특징이 있었는가? 유럽 열강의 공조로 포위가 이루어진 두 개 전선의 전쟁, 이런 양상은 전통적으로 작센이나 바덴, 바이에른 사람이 아니라 프로이센 사람의 악몽이었다. 19세기의 전체 독일어권 국가 중에서, 오직 프로이센만이 동서 열강의 영토에 인접한 상황에서 양쪽 전선에 노출되는 시련에 대처해야 했다. 이런 점에서 신중하게 동부와 서부에 선봉군을 배치한 슐리펜 계획은 전형적인 프로이센의 전략이었다. 게다가 당대의 많은 사람이 볼 때, 1914년의 동원령은 과거 1756년, 1813년, 1870년에 이어지는 프로이센의 '운명과의 만남'에 속하는 것이 분명해 보였다. 이런 선례에 대한 언급은 1914년의 전쟁 소식을 반기며 사람들이 모여 토론을 벌이는 곳이면 어디에서나 등장했다. 사람들은 이런 연속성을 지적하면서도 1914년의 정세가 독일 통일에 따른 근본적인 변화의 산물이라는 사실은 숨겼다. 이것은 프로이센 왕국이 아니라 독일 제국의 전쟁이었다. 당대 사람들은 과거 프로이센의 전쟁에 대한 '기억'을 떠올리며, 실제로는 1914년의 민족주의적 선입견을 프로이센의 과거에 투사하고 있었다. 1813년은 (근거도 없이) 프랑스에 맞선 독일 국민의 봉기로 기억되었고, 1756년에 있었던 프리드리히 대왕의 선제 공격은 '독일의, 나아가 범독일의' 영웅적 행위로 변용되었다.[118]

　　이렇게 과거의 프로이센과 독일을 융합하는 것은 전혀 새로운 것이 아니었다. 나폴레옹 전쟁 이후의 세기는 철십자훈장에서 프리드리히 대왕과 루이제 왕비에 이르기까지, 프로이센의 세력을 나타내는 것 중에서 가장 상징적인 것을 점차 민족의 자산으로 만들어온 과정이었기 때문이다. 이런 관점에서 볼 때, 브란덴부르크-프로이센의 역사는 장대한 독일의 역사에서 하나의 에피소드에 불과한 것이었다. 그 이전 장에서 「니벨룽의 노래」(Niebelungenslied)의 고대 운율이나 케루스키 부족의 헤르만이 로마군을 무찌른 토이토부르거발트의 뒤틀린 오크나무 등이 나오는 독일 역사 말이다. 예를 들면, 8월 26~31일에 러시아

제2군을 포위해서 대승을 거두자, 동부에서 거둔 독일군의 첫 승리에는 실제로 전투가 일어났던 동프로이센의 이름 없는 장소(그륀플리스, 오물레포펜, 쿠르켄)가 아니라 서쪽으로 30킬로미터나 떨어진 타넨베르크의 지명을 따서 이름이 붙었다. 이 명칭은 1410년 '첫' 타넨베르크 전투에서 폴란드와 리투아니아 군대가 독일(튜턴)기사단에게 입힌 패배에 대한 보복으로 이 전투를 표현하기 위해 신중하게 선택한 것이었다. 이 일은 프로이센 왕국이 존재하기 전에 일어났지만, 의도적으로 중세의 동부 식민지 건설 시대를 떠올린 것이다.

전쟁 체험은 프로이센의 독특한 국가적 정체성을 굳히기는커녕 분열만 일으켰다. 독일 민족의 싸움이라는 원칙이 강조되면서 동시에 합병된 지 얼마 안 된 지방에서는 반프로이센 감정만 키워준 꼴이 되었기 때문이다. 대신 전쟁은 전 지역에서 새롭고 강력한 권위를 만들고 경제적 통합을 가속화하면서 제국 행정의 힘줄을 단단하게 키웠다. 전쟁은 또한 새로운 상호의존 관계를 만들어냄으로써 연대 공동체로서의 국가에 대한 인식을 고조시켰다. 예컨대 러시아에 짧게 점령당한 기간에 동프로이센이 입은 손실과 혼란을 만회하기 위해 제국 전역에서 엄청난 자선기부의 물결이 일어났다. 군인 숙소용으로 민가를 제공하거나 병역을 지원하고 전국적으로 조직된 구호 및 사회복지 활동이 증가해, 모든 독일인이 마음에 품은 공동체로서의 일체감을 키워주었다. 호엔촐레른 국가에 대한 애착이 전통적으로 강했던 마주렌에서조차, "국가 이전의 프로이센 정체성의 마지막 흔적이 독일 전체의 애국심이라는 격랑에 빨려 들어갔다".[119]

한편으로 전쟁은 현역 복무 중인 부대 사이에서 지역주의 감정을 자극했다. 전선의 병사가 보낸 편지를 감시하는 과정에서 라인 지방이나 하노버, 헤센, 심지어 슐레지엔 부대의 병사들 사이에서도 '프로이센 병사'에 대한 멸시가 일반화되었다는 사실이 드러났다. 바이에른 부대에서는 훨씬 정도가 심했다. 전쟁이 벌어지는 와중에 이들은 프로이센군에 대한 분노를 자주 터트리며 절망했다. 프로이센 사람의 오만과 '과대망상'이 전쟁을 길게 끌고 간다고 본 것이다. 한 바이에른 경찰정보원은 휴가차 전선에서 돌아오는 바이에른 병사들의 태도를 다음과 같이 단적으로 보여주었다. "전쟁이 끝나면 차라리 프랑스인들과 어울려야지, 프로이센 놈들보다 나으니까. 프로이센 놈들이라면 완전히 질렸어." 1917년에 나온 또 다른 보고서는 남부의 민간인들 사이에서 '프로이센에 대한 혐오'가 깊어졌음을 경고하기도 했다.[120]

프로이센이 전시 독일에 남겨준 유산 중에 가장 중요한 것은 군법과 관계가 있었다. 독일의 군법 문제는 전쟁 발발 이후에 한층 더 민감해졌다. 동원령이 내려진 날, 제국 전역에 1851년 6월 4일에 제정된 프로이센의 계엄법이 발효되었다. 이 오랜 법령 아래에서 24개 군단 지구는 독재에 가까운 권력을 부여받고 지휘권을 행사하는 각 군단 사령관의 수중으로 넘어갔다. 1914년 이전에 알자스로렌 지방에서 긴장을 불러일으키고 남서아프리카에서 무차별적인 폭력을 불렀던 민-군 지휘 계통의 병렬 구조는 이제 제국 전역으로 확대되었다. 그 결과 독일 전역의 민간 행정부와 끝까지 싸운 '20여 개 그림자정부'가 보여주듯, (지구사령부가 바이에른 국방 당국에 종속된 바이에른은 제외하고) 비능률과 낭비, 무질서가 난무했다.[121]

독일 국가 최고위층에서도 군 지휘부가 프로이센 특유의 시스템상의 결함을 이용해 민간 행정부의 권한을 찬탈했다. 그런 도발의 배후에 있는 핵심적인 인물은 프로이센 군사 체제의 전형적인 산물이라고 할 두 명의 장군이었다. 파울 폰 힌덴부르크 운트 베네켄도르프(1847년생)는 포젠 지방의 융커 장교가문 출신으로 발슈타트와 베를린에서 사관학교를 다녔다. 에리히 루덴도르프(1865년생)는 같은 지방의 지주 아들로서 홀슈타인의 플뢴 왕립 프로이센 사관학교와 베를린 근교의 그로스-리히터펠데 사관학교에서 교육을 받았다. 루덴도르프는 흥분을 잘하고 신경질적이며 일 중독증에다 감정의 기복이 심한 사람이었다.

반대로 힌덴부르크는 거의 사각형에 가까운 얼굴에 덥수룩한 수염이 있고 카리스마 넘치는 인물이었다. 그는 항상 침착하고 자신감에 차 있었다. 루덴도르프는 전술·전략에서 더 뛰어났으며, 힌덴부르크는 타고난 소통 능력이 있었다. 두 사람의 이런 기질은 전시 협력 체제를 위해서는 효과 만점이었다.[122] 힌덴부르크는 이미 1911년에 64세의 나이로 군에서 퇴역했지만, 전쟁이 발발하자 재소환되어 동프로이센으로 가서 러시아군을 상대하는 독일 제8군을 지휘하게 되었다. 잠시 벨기에에서 복무한 뒤에 루덴도르프는 동프로이센에 파견되어 힌덴부르크의 참모장으로 복무했다. 타넨베르크 전투와 마주렌 호수 전투(1914년 8월 26~30일, 9월 6~15일)에서 러시아 제1군과 제2군을 상대로 두 차례의 본격적인 승리를 거둔 뒤에 힌덴부르크는 동부전선 독일군 최고사령관에 임명되었다.

1914년 겨울에 접어들자, 독일군 지휘부에 의견 차이로 틈이 벌어졌다. 황제의 총애를 받은 참모총장 에리히 폰 팔켄하인은 궁극적인 승리의 열쇠가 서부전선에 달려 있다고 주장하며 독일 자원의 대부분을 그쪽에 투입하기로 결심했다. 이와 반대로 러시아군에 대한 본격적인 승리로 용기가 생긴 힌덴부르크와 루덴도르프는 독일 승전의 열쇠는 동부에 있는 러시아군의 완전한 궤멸에 달려 있다고 생각했다. 1915년 1월 11일, 힌덴부르크는 팔켄하인을 해임하지 않으면 자신이 사임하겠다고 위협했다. 프로이센군의 역사상 전례 없는 행동이었다. 해임 요구는 받아들여지지 않고 팔켄하인은 참모총장 직위를 유지했지만, 동부전선의 두 지휘관은 빌헬름 2세에게 동부전선의 지휘 체계를 개혁하도록 압박했고 그로 인해 참모총장의 지위를 실질적으로 격하시키도록 함으로써 차츰 황제의 권위를 훼손했다. 1916년 여름에 빌헬름 황제는 마침내 불가피한 일이라고 판단하고 팔켄하인을 해임하고 힌덴부르크를 참모총장에, 루덴도르프를 그의 병참감에 임명했다.

이렇게 군 지휘부에 주도권이 넘어간 배경에는 국민의 인기가 작용했다. 땅딸막한 장군을 중심으로 숭배 분위기가 퍼져나갔기 때문이다. 네모 난 그의 얼굴은 끝없이 복제되어 공공장소에 전시되었다. 시내 광장에는 목재로 만든 거대한 '힌덴부르크 조각상'이 들어섰다. 사람들은 여기에 적십자사에 기부금을 내고 구입한 헌정 못을 박았으며, 이런 조각이 독일 전역에 세워졌다. 일부 사람들에게는 힌덴부르크가 전쟁 기간의 지도자를 염원한 민심에 대한 대답처럼 보였다. 그들에게 비친 것은 적과 동지를 가리지 않고 절대적이면서 희석되지 않는 권위와 힘을 가진 지도자의 모습이었다. 한 유명한 실업가의 말을 빌리자면, 가장 암울한 시기에 독일에 필요한 것은 "유일하게 우리를 나락에서 구할 수 있는 강력한 인물"이었다.[123] 빌헬름 2세 황제나 베트만 홀베크 수상이 이런 역할을 할 자질이 없다는 것은 말할 나위도 없었다.

위협과 반항이라는 수법으로 제국에서 가장 강력한 군권을 거머쥔 힌덴부르크와 루덴도르프는 이제 민간 지도자의 권위를 계속 훼손했다. 그들은 단계적으로 황제에게 강요해서 그들의 목표에 반감을 품은 장관이나 고위 보좌관을 해임하게 만들었다. 1917년 7월 초, 수상이 프로이센의 선거제 개혁을 준비하고 있다는 것을 알게 된 두 사람은 기차를 타고 베를린의 황제를 찾아가 베트만 홀베크 수상의 해임을 요구했다. 처음에 황제는 물러서지 않았다. 베트만은 수상 자리를 지켰고 선거제 개혁은 7월 11일에 예정대로 발표되었다. 이튿날 다시 격렬하게 반발한 힌덴부르크와 루덴도르프는 자신들은 더 이상 수상과 일을 할 수 없다고 주장하면서 베를린에 자신들의 사임을 전화로 알렸다. 이틀 뒤에 베트만이 황제의 고민을 덜어주기 위해 자리에서 물러났다. 그의 사임은 제국 정치사에서 새로운 획을 긋는 일대 사건이었다. 이후 황제는 대부분 이 '샴쌍둥이'의 처분에 맡겨진 꼴이 되었다. 군 지휘부는 새로운 노동 규정을 도입하고 전면전을 위해 경제자원을 동원하면서 민간인의 생활에 광범위하게 개입했다. 독일은 전쟁이 끝나는 날까지 사실상 군부독재 체제였다.

왕은 떠나고 국가는 남고

프로이센 왕조의 마지막 며칠간은 비극적이라기보다 차라리 우스꽝스럽다고 해야 할 것이다. 빌헬름 2세는 측근들이 숨기는 바람에 1918년 독일의 공세가 실패로 돌아갔다는 최악의 뉴스를 모르고 있었다. 그는 9월 29일 루덴도르프로부터 패전이 불가피할 뿐만 아니라 바로 눈앞에 와 있다는 말을 듣고 더 큰 충격을 받았다. 이제 통치자로서 빌헬름의 미래가 경각에 달렸기 때문이다. 이 문제는 종전이 임박한 몇 주간, 특히 10월 중순 검열이 완화되고 나서 폭넓게 논의되었다. 그것은 10월 14일 독일 정부에 보낸 미국 각서의 표현으로 볼 때 매우 절박한 문제였다. 각서에서 윌슨 대통령은 "세계평화를 […] 해칠 수 있는 모든 독재 권력의 파괴"라는 언급을 하고 기분 나쁘게 덧붙였다. "지금까지 독일 국민을 다스려온 권력은 여기서 기술된 바와 같다. 그것을 바꾸는 것은 독일 국민의 선택지에 들어 있다."[124] 많은 독일인은 이 성명을 듣고 프로이센-독일 군주 체제를 버려야만 미국인들을 만족시킬 것이라고 추측했다. 일제히 황제의 퇴위를 요구하는 거대한 함성이 울려 퍼졌고 베를린에서는 황제의 안위조차 보장할 수 없는 분위기가 조성되었다. 10월 29일, 빌헬름은 수도를 떠나 스파에 있는 독일군 총사령부로 갔다. 측근들 중에는 이것이 퇴위를 피하는 유일한 길이라고 주장하는 사람들이 있었다. 심지어 그가 총사령부에 머무르면, 전선의 독일군 사기가 되살아날 것이고 독일의 운명을 반전시킬 기회를 잡을 것이라고 주장하기까지 했다.[125] 하지만 현실적으로는 바렌으로 운명적인 도주를 하다가 사로잡힌 루이 16세처럼 스파로 이동한 것은 황제로서 빌헬름의 위신에 결정적인 타격을 가했다.

황제의 재위 기간 마지막 주에 황실 측근들은 현실 감각을 상실했다. 터무니없는 계획들이 진지한 주목을 받았으며, 그중에는 황제 스스로 적진을 향해 자살공격을 감행하는 희생정신을 발휘해서 황제의 위

53 "전쟁채권을 매입하자!
시절은 힘들어도 승전은 확실하다!"
브루노 파울이 디자인한 포스터, 1917.

엄을 되찾아야 한다는 주장도 있었다. 황제 겸 국왕은 '자신의 군대' 맨
앞에서 행군하며 베를린으로 돌아가자고 말했다. 하지만 군에서는 육
군이 더 이상 그의 지휘를 받지 않는다는 말을 왕에게 전했다. 그는 퇴
위와 관련된 여러 가지 시나리오를 만지작거렸다. 혹시 황제에서는 물
러나도 프로이센의 왕 노릇은 계속하겠다는 생각은 아니었을까? 하지
만 독일의 각 도시에서 혁명적인 변화가 번져나가는 와중에, 제국 선언
이후 절망적으로 꼬여버린 두 지위의 매듭을 풀려고 하는 이런 비현실
적인 시도에서 얻을 수 있는 이익은 없었다. 정치적인 사건들은 스파에
서 번민 속에 숙의한 것들을 앞서가거나 소용없게 만들었다. 11월 9일
오후 2시에 그가 프로이센 왕이 아닌 황제로서 퇴위에 관한 성명서에
막 서명하려고 할 때, 신임 제국총리인 막스 폰 바덴이 이미 한 시간 전
에 황제가 두 개의 직위에서 퇴위했다고 발표했으며 정부는 사회민주
당 소속인 필리프 샤이데만의 수중에 넘어갔다는 소식이 사령부로 들
어왔다. 이 중대한 뉴스의 충격에서 헤어나느라 몇 시간을 보낸 뒤, 빌

헬름은 퇴위문서에 서명을 하지 않은 채로 독일로 가는 황실 열차에 올랐다(그는 결국 11월 28일에 두 지위의 퇴위와 관련한 서명을 했다). 독일로 귀환하는 것이 불가능하다는 사실이 명백해지자, 황실 열차는 네덜란드로 행선지를 바꿨다. 국경의 철도 일부가 '혁명 세력'의 수중에 떨어졌다는 말을 들은 황실 일행은 소규모 호위대가 운행하는 자동차로 옮겨 탔다. 1918년 11월 10일 이른 시간에 빌헬름은 네덜란드 국경을 넘은 뒤 다시는 조국으로 돌아오지 못했다.

장기적인 측면에서 보면, 이렇게 냉정하게 네덜란드행으로 결론을 내린 것은 호엔촐레른 왕조 입장에서 쓰라린 회한으로 남았다. 선제후 요한 지기스문트가 1613년에 칼뱅파로 개종한 것은 네덜란드 공화국의 안정적인 정치·군사 문화에 대한 경의의 표현이었다. 그 암울한 30년전쟁 기간에 젊은 프리드리히 빌헬름이 안전한 피난처를 찾은 곳도 바로 네덜란드에서였고, 그의 아내도 칼뱅파가 통치하는 이곳의 오라녜 왕조 사람이었다. 말년에 대선제후는 자신의 세습 재산을 이 공화국의 모범에 따라 재분류하려고 했다. 두 왕조 사이의 연결고리는 주기적으로 갱신되었는데 특히 1767년에 오라녜의 빌럼 5세와 프리드리히 대왕의 질녀이자 프리드리히 빌헬름 2세의 누이인 프로이센의 빌헬미나 공주가 혼인했을 때 두드러졌다. 두 가문의 탄탄한 유대는 1787년, 프랑스의 지원을 받는 '애국 운동'의 음모에 맞서 프리드리히 빌헬름 2세가 오라녜 왕조의 권위를 보호하기 위해 소규모의 군대를 이끌고 네덜란드로 침입해 들어갈 때 프로이센이 네덜란드에 간섭하는 구실로 이용되었다. 1830~31년에는 벨기에의 네덜란드 연방 이탈을 막으려는 네덜란드 왕을 프로이센이 지원했다(성공하진 못했다). 그리고 마침내 제1차 세계대전 막바지에 프로이센의 마지막 왕이 네덜란드에서 망명지를 구한 것이다.

이것은 이제 유럽 최고의 지명수배자가 된 황제 겸 왕으로서는 생사가 달린 문제였다. 네덜란드 출신의 빌헬미나 황후는 전범재판을 받도록 황제를 인도하라는 연합군의 요구(군주의 교수형으로 끝날 가능성이 있는 절차)를 일관되게 일축했다. 빌헬름과 황후, 남아 있는 수행원은 한 네덜란드 귀족의 빈객으로 잠시 머물다가 도른의 우아한 시골저택에 자리를 잡았다. 이 '하위스 도른'(Huis Doorn)은 제2차 세계대전이 끝난 뒤에 네덜란드 정부에 의해 국유화되었고 오늘날에는 일반에 개방되고 있다. 이 저택은 지금도 비좁은 공간에 진하게 배어 있는 당시의 비현실적 분위기를 전해준다. 황실의 주요 사건, 남아 있는 가구, 황실 사람들의 초상, 지지자들이 보낸 엽서 등이 전시된 방에서 지금은 사라진 프로이센-독일 왕조의 호칭과 의식을 자세하게 관찰할 수 있다. 여기서 빌헬름 2세는 튼튼한 팔로 나무를 베며 독서와 글쓰기를 하거나 차를 마시고 담소를 하며 여생을 보냈다(그는 1941년 6월 4일에 사망했다).

"프로이센 사람으로서 나는 배신당하고 팔려나간 느낌입니다!" 독일보수당 당수인 에른스트 폰 하이데브란트 운트 데어 라자는 1917년 12월, 프로이센 주의회 하원에 나가 이렇게 외쳤다. 그는 새로 임명된 총리 겸 프로이센 수상인 게오르크 폰 헤르딩 백작이 바이에른 사람인 데 비해, 그를 대리하는 부총리 프리드리히 파이어가 뷔르템베르크 출신의 자유주의 좌파라는 사실을 언급했다. 제국의 차관들이 이제 일상적으로 프로이센 각료회의에 참석한다는 것은 독일의 국가 시스템에서 프로이센의 자율성이 축소되고 있다는 또 다른 신호였다. "우리 프로이센은 어디로 향하고 있는가?"[126] 이것은 자신의 시대가 끝나가는 것을 아는 한 남자의 말이었다. 보수당의 주도권을 뒷받침해주는 생명유지 장치라고 할 3계급 선거권은 이미 폐기를 위한 시험대에 올랐다. 그 밖에 보수파 체제의 버팀목이라고 할 것들(상원, 황실과 그 족벌 체제)은 패전과 1918~19년 혁명의 와중에 한꺼번에 쓸려나갔다. 시골 귀족의 세계와 장교클럽, 내각 부처를 연결해주는 네트워크 기능을 했던 보수파-농촌의 공동기반은 국가 구조에서 의지할 공식적인 발판을 상실했다.

뭔가가 종말을 향해 가고 있었다. 물론 외부세계도 아니고 프로이센도 아니었다. 그것은 특별한 프로이센의 세계 혹은 달리 표현해 프로이센 배타주의 세계였다. '구프로이센'은 오래전부터 수세에 몰렸다. 그 옹호자들은 변화라는 위기에 직면해서도 프로이센만의 관습적 도덕과 고유한 제도를 주장했다. 그러나 그들의 프로이센 옹호는 언제나 편파적이었다. 그들은 사회주의적인 가톨릭교도들의 공업도시인 프로이센이 아니라 시골 귀족의 프로테스탄트적인 프로이센을 옹호했다. 그들은 특별한 계급의 집단 윤리와 이상화된 엘베강 동부 지역의 연대를 존중하는 가운데 거기에서 프로이센 정체성의 정수를 보았다.

그러나 보수파가 때때로 생각한 것과 달리 그들만이 프로이센에 충성한 것은 아니다. 역사적으로 특수하게 '성장해온' 공동체의 독특한 성격이 아니라 비인격적이고 초역사적인 변화의 도구로서 국가에 애착을 가진 (기질상 배타적이기보다 보편적인) 대안의 전통이 언제나 있었기 때문이다. 바로 이것이 통일 이후 역사관을 확산시킨 '프로이센 학파'가 첫 개화기에 찬양한 프로이센이었다. '보루시아'(Borussia, 프로이센을 뜻하는 라틴어) 역사가들의 웅장한 서술 속에서 국가는 상석을 차지했다. 그것은 신성로마제국의 산만한 구조에 대한 프로테스탄트의 치밀한 답변이었다. 그것은 혼미하고 편협한 지방주의에 대한 대응책이자 그곳을 다스린 자들의 권위에 대한 균형추이기도 했다. 빅토리아 시대 영국의 역사 서술이, 모든 역사는 왕조 국가와 대조적으로 자유의 매개체로서 시민 사회의 융성이라는 휘그당의 목적론적 인상을 전한 데 비해, 프로이센에서는 그 명제가 반대였다. 여기서는 국가가 구귀족의 자의적이고 개인화된 정권을 대신하여 점점 합리적인 질서를 전개하면서 융성하기 시작했다.

이렇게 국가를 진보의 매개물로 찬양하는 것은 19세기의 산물이 아니었다. 그것은 예를 들어 홉스 철학의 정치이론가이자 한때 브란덴부르크 궁정 사료편찬 위원이었던 자무엘 푸펜도르프의 논문이나 서술로 거슬러 올라갈 수도 있기 때문이다. 하지만 국가라는 개념에 강력한 카리스마가 씌워진 것은, 국가의 삶과 국민의 삶을 통합한다든가 해방과 계몽, 시민권의 도구로서 국가가 발전한다는 말을 할 수 있게 된 슈타인-하르덴베르크 시대에 들어와서였다. 보았다시피 슈바벤의 철학자인 헤겔보다 국가를 더 달콤하게 찬양한 사람은 없다. 1818년 10월부터 1831년에 사망할 때까지 베를린 대학에서 강의를 한 헤겔은 언젠가 브란덴부르크의 특징 없는 모래밭이 낭만주의 풍조가 만연한 자신의 고향보다 철학적 사유에 더 적합하다는 말을 한 적이 있다. 1820년대 들어 학자로서 유명해진 헤겔은 베를린 대학교 학생들에게 (독일 정치문화의 성배라고 할) 특수성과 보편성의 화해는 자신의 시대에 와서 개혁이 이루어진 프로이센에서 실현되었다고 가르쳤다.[127]

이렇게 고양된 국가 개념은 너무도 광범위하게 영향을 미치며 프로이센의 정치 및 사회사상에 유난히 뚜렷한 자취를 남겨놓았다. 재능이 뛰어난 헤겔의 제자 중 한 명인 로렌츠 슈타인은 저서 『프롤레타리아와 사회』(*Proletariat und Gesellschaft*, 1848)에서, 프로이센은 프랑스나 영국과 달리 시민 사회의 이익충돌에 개입할 만큼 충분히 독립적이고 권위가 있는 국가를 소유한다는 견해를 보여준다고 했다. 프로이센에서는 국가가 혁명을 막아주고 어느 한 '독재권력'의 이익으로부터 사회의 모든 구성원을 보호해준다는 것이다. 따라서 '사회개혁의 군주국'으로서 사명을 이행하는 것은 프로이센의 의무였다. 영향력이 있던 보수적 '국가사회주의자'(Staatssozialist, 국가사회주의는 국가를 사회주의 실현을 위한 지원수단 혹은 과정으로 이용한다는 점에서 민족주의 및 반공주의와 결합한 나치즘[Nationalsozialismus]과는 다르다 — 옮긴이) 카를 로트베르투스의 견해는 이와 아주 유사한 입장을 보였다. 로트베르투스는 1830년대와 1840년대에 재산이란 원칙에 기초한 사회는 언제나 무산계급을 진정한 구성원에서 배제하게 된다고 주장했다. 그러면서 오로지 집단화된 권위주의 국가만이 사회구성원을 포괄적이고 의미심장한 전체로 통합할 수 있을 것이라고 했다.[128] 로트베르투스의 주장은 다시 (1면에 검은색의 커다란 철십자를 배치해서 '크로이츠차이퉁'[Kreuzzeitung]으로 알려진) 극렬 보수지 『노이에 프로이셰 차이퉁』의 편집인인 헤르만 바게너의 사상에 영향을 주었다. 보수파 중에서 몹시 낭만적인 루트비히 폰 게를라흐조차 국가를 대중에게 목적의식과 정체성의 감각을 줄 수 있는 유일한 기관으로 보았다.[129]

이런 전통 사회의 많은 주역에게 피통치자의 물질적 부에 대하여 국가가 다소 제한적인 책임을 져야 하는 것은 당연한 것으로 보였다. 19세기 후반의 로렌츠 슈타인의 독자로서 가장 영향력이 큰 사람으로 꼽히는 역사학자 구스타프 슈몰러는 사회에서 가장 취약한 계층을 지원하는 일에 국가가 개입할 권리와 의무를 전달하기 위해서 '사회정책'(Sozialpolitik)이란 말을 만들어냈다. 슈몰러는 사회가 그 자체의 일을 규제하도록 방치하면 혼돈을 부르게 될 것이라고 주장했다.[130] 슈몰러는 1870년에 베를린 대학교의 교수가 된 경제학자이자 '국가사회주의자'인 아돌프 바그너와 아주 가까운 사이였다. 로트베르투스의 저술에 아주 관심이 많았던 바그너는 1872년에 세워진, 국가의 사회적 의무를 다루는 중요한 논단 기능을 한 사회정책연맹의 창립 회원 중 한 명이었다. 바그너와 슈몰러는 헤겔 철학의 프로이센 전통이라는 토양에서 번창한 '청년 역사학파'의 견해를 모범적으로 제시했다.[131] 국가의 사회구제라는 사명에 대한 이들의 믿음은, 자유방임주의의 자유주의적 주장이 신뢰받지 못하는 가운데 1873년부터 시작된 경기불황의 고통에 시달리며 대안을 찾는 정치 환경에서 폭넓은 공감을 받았다. 사회정책의 지적 흡인력이 너무 강해서 그들의 주장은 아주 다양한 지지계층을 끌어들였다. 거기에는 국민자유당원도 있었고 가톨릭중앙당 지도자들, 국가사회주의자들, 비스마르크와 가까운 보수파 인사들 그리고 1860년대와 1870년대에 사회 문제에 관하여 비스마르크에게 조언을 해준 『크로이츠차이퉁』의 편집인 헤르만 바게너도 있었다.[132]

이런 토양은 1880년대 들어 선구적인 비스마르크의 사회 입법이 나오기 훨씬 전에 기반이 다져졌다. 1883년 6월 15일의 의료보험법은 노동자와 고용주의 보험료를 합산해서 나온 소득으로 기금을 분배하는 지역 보험사 네트워크를 만들어냈다. 1884년의 상해보험법은 질병 및 직업과 관련한 상해를 다루는 보험 행정의 길을 마련했다. 독일 사회 입법의 토대가 되는 마지막 3대 지주는 1889년에 노령 및 취업 불능 보험법과 더불어 세워졌다. 이런 규정들은 오늘날의 기준으로 보면 양적으로 미미했고, 지급되는 액수도 극히 적었으며, 수혜 범위도 아주 좁았다. 예컨대 1883년 법의 경우, 시골 노동자들은 해당되지 않았다. 제국의 사회 입법은 프로이센 및 독일 사회에서 경제적 불평등의 추세가 심화되는 것을 뒤집을 만한 수준이 되지 못했다. 게다가 비스마르크의 의도가 실용적이면서 조금은 기만적이었다는 것은 분명하다. 그의 주요 관심은 노동계급을 프로이센-독일의 '사회적 왕정 체제'에 대한 지지 세력으로 끌어안고 이를 통해 세력이 커가는 사회민주주의 운동을 무력화하는 것이었다.

그러나 이 문제를 개인적인 범위로 제한해서 보면 핵심을 놓치는 결과가 될 것이다. 비스마르크의 사회보험 지지는 그저 깊은 문화적·역사적 뿌리가 있는 광범한 '담론 제휴'(discourse coalition)의 한 가지 표현에 지나지 않았다. 이런 이념적인 틀에서 국가의 보험 관련 법으로 적용할 수 있는 규정은 노동자의 복지에 두드러진 영향을 줄 정도로, 또 비스마르크가 희망했듯이 어쩌면 그들의 정치 행위에 대한 진정 효과를 줄 수 있을 정도로 빠르게 확산되었다.[133] 개혁의 동력은 1890년대 초반까지 지속되어 빌헬름 2세와 카프리비 수상이 이끄는 정부는 산업안전과 노동조건, 청소년 보호 및 중재의 분야에서 진전을 이룬 노동법을 제정했다. 이들이 구현한, 이른바 "기업가의 힘은 국가에서 승인한 모든 집단의 이익을 존중해야 한다"는 원칙은 이후 수십 년간 독일제국 및 프로이센의 지배적인 명제가 되었다.[134]

제1차 세계대전 직전에 프로이센은 대국이었다. 1880년대부터 1913년까지 국가기관에 고용되어 근무하는 관리는 100만 명이 넘었다. 1913년에 발표된 평가 자료에 따르면, 프로이센 공공사업부는 '세계 최대의 고용주'였다. 프로이센 철도행정에서만 31만 명의 노동자를 고용했으며, 국영 광산 부문에 고용된 사람이 18만 명이었다. 실업보험과 상해보험, 의료보호 제도를 포함해 프로이센은 전 분야에서 최첨단 사회복지를 제공했다. 사관 및 참모장교 출신으로서 프로이센 공공사업부 장관인 헤르만 프리드리히 폰 부데는 1904년에 프로이센 하원에서 행한 연설을 통해, 자신의 업무는 대부분 노동자의 복지와 관련된 것이라고 설명하기도 했다. 그러면서 그는 프로이센에서 공공 부문 고용주의 궁극적인 목적은 "사회복지(Fürsorge) 수단으로 사회적 문제를 해결하는 것"이라고 덧붙였다.[135] 바로 여기서 호엔촐레른 왕조의 몰락과 상관없이 얼마든지 살아남을 수 있는 프로이센의 모습이 부각된다.

17

종말

Endings

프로이센 혁명

1918년 10월 말, 킬 항구의 (슐레스비히-홀슈타인) 수병들은 영국의 대함
대에 대한 쓸모없는 공격을 위해 출항하라는 명령을 받자 반란을 일으
켰다. 수병들이 해군기지를 장악하자 사령관인 프로이센의 하인리히
왕자는 할 수 없이 변장을 하고 도피했다. 파업과 군사반란의 파도가
모든 주요 도시를 집어삼키며 전국으로 퍼져나갔다. 혁명은 이전엔 없
었던 자체의 정치기구를 신속하게 만들어냈다. 전국의 노동자와 병사
들이 지역별로 선출한 이른바 '평의회'(Räte)는 왕정 체제와 파멸로 끝
난 전쟁으로부터 충성을 접은 광범위한 대중의 요구를 내세웠다. 당시
의 관측자들이 본 대로, 이것은 수도에서 지방으로 혁명이 번져나간 프
랑스식의 격변 상황과는 달랐다. 그보다 '기름 조각처럼' 해안에서 내륙
으로 퍼지는 바이킹의 침입 같았다.[1] 각 지역의 프로이센 행정부는 잇
따라 고분고분하게 반란군에게 항복했다.

    11월 9일 토요일 오후 2시 무렵, 막 임시정부를 수립한 사민당을
대변한 필리프 샤이데만은 제국의회 발코니에서 환호하는 군중을 향

해 "낡고 부패한 질서, 왕정은 무너졌습니다. 새 정부 만세! 독일공화국 만세!"를 외쳤다. 11월 9일 저녁에 제국의회 건물로 들어가던 미술평론가이자 일기 작가인 하리 케슬러는 갖가지 소동이 이는 것을 목격했다. 수병과 무장 민간인, 여자들, 육군 병사들이 떼를 지어 계단을 오르내렸다. 서 있는 사람, 두툼한 붉은 카펫 위에 누워 있는 사람, 벽에 늘어선 벤치에서 잠자는 사람 등이 커다란 홀 주변에 흩어져 있었다. 그것은 마치 러시아혁명을 묘사한 영화의 한 장면 같았다고 케슬러는 회고했다.[2] 모든 혁명이 그렇듯이, 여기서도 동원된 대중은 과거에 특권을 누린 공간을 축제를 벌이듯 강탈함으로써 역량을 과시했다. 위그노파 이민자의 후손으로서 프로이센 공무원인 헤르베르트 메스닐은 일단의 반란군이 코블렌츠에 있는 자신의 클럽으로 쳐들어온 11월 8일 저녁에 그와 비슷하게 낯선 상황이 벌어지자 당황했다. 말을 탄 반란군 대장이 딸가닥거리며 설비가 깔끔한 클럽의 1층 객실을 돌아다니는 동안, 손님들이 놀라서 그 광경을 바라보았는데 그들은 대부분 시내에 주둔한 프로이센 예비연대의 장교였다.[3]

처음에는 프로이센 주(Staat, 바이마르 공화국에서 프로이센은 독립된 국가와 같은 위상을 가진 자유주[Freistaat]였다. — 옮긴이)가 이 반란의 파도를 견디낼 수 없을 것으로 보였다. 프로이센 곳곳의 세습영지에서 구심점 역할을 해줄 프로이센의 군주는 더 이상 프로이센에 없었다. 더구나 라인란트에서는 베를린에서 분리되어야 한다는 요구가 가톨릭 신문들에서 나왔다.[4] 1918년 12월, 영토별 자치를 요구하는 독일-하노버당의 성명서에 서명한 지지자는 60만 명이나 되었다.[5] 1918년 박싱 데이(Boxing Day)에 동부에서는 국권 회복을 요구하는 폴란드인들이 포젠 지방 전역에서 독일 정부에 맞서는 반란을 일으켰고 이곳의 분쟁은 곧 전면적인 게릴라전으로 확대되었다.[6] 프로이센이 없으면 새 독일이 더 잘나갈 것이라고 생각할 이유는 얼마든지 있었다. 하지만 베르사유 조약에서 부과한 영토 합병조치 이후에도[7] 프로이센은 월등히 큰 독일

주로 남았다. 구제국에서 프로이센이 지배적인 위치에 있었던 것을 감안하면, 주별로 균형이 맞지 않는 규모는 신생 독일 공화국에 부담으로 작용할 것이 분명했다. 1918년 12월, 자유주의 법학자 후고 프로이스의 지도하에 작성된 보고서는 독일 내의 기존 국경선을 유지하는 것이 의미가 없다고 보았다. 그것은 지리적인 근거나 편의성이 없이 '단순히 왕조 정책의 우연한 산물'이기 때문이라는 것이었다. 그러면서 보고서는 독일에 대하여 프로이센이 행사하는 주도권의 종식은 프로이센의 분할을 의미해야 한다는 결론을 내렸다.[8]

그래도 프로이센 주는 살아남았다. 온건 노선의 사민당 지도부가 정책적으로 연속성과 안정에 치중했기 때문이다. 이것은 무엇보다 통일 공화국에 약속한 정책을 제쳐놓고 여전히 멀쩡한 프로이센 정부의 기능을 유지하겠다는 의미였다. 1918년 11월 12일, 대(大)베를린 노동자 및 병사 평의회는 지방자치단체 및 국가 단위의 모든 행정관청은 기능을 계속 유지하라는 명령을 내렸다. 이튿날 평의회는 「프로이센 인민에게!」(An das preußische Volk!)라는 제목의 성명을 발표하면서 "철저하게 반동적인 과거의 프로이센을 […] 완벽하게 민주적인 인민공화국(Volksrepublik)"으로 바꿀 것이라고 선언했다. 이어서 11월 14일, 사회민주당(Sozialdemokratische Partei Deutschlands, 이하 사민당)과 더 좌파 색을 띠는 독립사회민주당(Unabhängige Sozialdemokratische Partei Deutschlands, 이하 독립사민)의 의원들로 구성된 프로이센 연립정부가 수립되었다. 공무원들은 그들의 충성이 소멸한 왕정이 아니라 혁명위원회가 관할하는 현재의 프로이센 주를 향한 것임을 '노동자 및 병사 평의회'에 확실하게 다짐하면서 변화를 이끌었다.[9]

전국 혁명지도부는 프로이센 주가 지속되는 것에 원칙적으로 반대하지 않았다.[10] 좀 더 엄정하게 중앙집권화된 구조를 위해 프로이센을 분할해야 한다는 후고 프로이스의 제안은 별 지지를 받지 못했다. 이제 프로이센에 대한 공동통치를 담당한 사민당과 독립사민당 소속

장관들이 이내 주에 대한 소유권을 의식하면서 중앙집권화에 강력히 반대한 것은 놀랄 일이 아니었다. 인민대표평의회(Rat der Volksbeauf-tragten)조차 프로이스의 견해를 거부했다(바덴 출신의 지도자로서 이후 대통령이 된 프리드리히 에버트는 예외).[11] 사민당원들은 프로이센의 통합 상태를 유지하는 것이 라인란트에서 번지는 분리주의 투쟁에 대한 최선의 대응이라고 보았다. 그들은 프로이센의 분할이 궁극적으로 독일 자체의 분할로 이어질 것을 두려워했다. 서부에서 프랑스의 계획이나 동부에서 폴란드의 합병 의도를 감안할 때 자치제 실험은 오직 독일 적들의 손에 놀아나는 결과가 될 것이라고 주장했다. 즉, 연방국가로서 독일의 안보와 단결은 프로이센의 통합에 달려 있다는 것이었다. 이렇게 전통적으로 중앙집권 체제를 주장하는 독일 좌파의 노선과 단절함으로써 프로이센 주의 존속에 커다란 위협 하나가 제거되었다.

물론 이것은 프로이센이 한때 구제국 내에서 차지했던 주도적인 지위를 되찾을 수 있다는 의미는 전혀 아니었다. 아무튼 프로이센 정부가 여전히 독일에서 가장 규모가 큰 것은 확실했다. 프로이센의 학교 시스템은 전체 독일 국가에 대한 모범적인 역할을 유지했고, 프로이센 경찰력은 국가방위군(Reichswehr) 다음으로 바이마르 공화국에서 가장 중요한 권력기관이었다. 국가 차원의 입법도 프로이센 주나 지방 및 지역별 관료기구의 협조 없이는 실현될 수 없었다.[12] 하지만 프로이센이 직접 다른 독일 주에 영향력을 행사할 수단은 더 이상 없었다. 이제 프로이센 정부에서 완전히 분리된 전국적인 독일의 행정부가 들어섰다. 제국시대에 프로이센이 영향력을 행사하는 데 결정적인 의미가 있었던 독일 총리와 프로이센 수상의 겸직은 과거사가 되었다. 더욱이 독일은 사상 최초로 프로이센의 통제에서 독립된 행정부처와 함께 (베르사유 조약에 의거해 규모가 제한된) 순수한 국군(Nationalheer)을 보유하게 되었다. 회원국이 직접세를 독점적으로 관리하고 분담금 등록 제도를 통해 제국에 재정 지원을 하던 구제국의 이원적인 세무 행정도 폐지되었다. 그 대신 세무 당국은 전국 정부로 일원화되고 세입은 각 주의 필요에 따라 분배되었다. 다른 독일 주와 마찬가지로 프로이센은 재정의 자율권을 상실했다.[13]

1918년 겨울에 접어들자, 혁명 운동은 계속 불안정한 흐름을 보이며 내부적으로 분열되었다. 좌파에는 본질적으로 3대 주요 정파가 있었다. 전시에 다수의 사민당원으로 구성된 다수파 사민당(Deutsche Demokratische Partei)이 최대의 진영이었고 그보다 조금 더 왼쪽에 독립사민당이 포진했는데, 이들은 구사민당 지도부의 온건개혁 노선에 반발하고 1917년에 모당에서 탈당한 급진좌파였다. 그리고 극좌파로서 1918년 12월에 공산당을 창건한 스파르타쿠스단이 있었다. 스파르타쿠스단의 목표는 전면적인 계급투쟁을 전개하고 볼셰비키 모델에 따라 독일에 소비에트 체제를 구축하는 것이었다. 혁명 초기에 사민당과 독립사민당은 새 질서를 안정시키기 위해 긴밀하게 협력했다. 독일 정부와 프로이센 정부 모두 사민당과 독립사민당의 연립정부로 운영되었다. 하지만 실제로 이들의 협력은 힘들었다. 부분적으로는 정치적 정체성이 여전히 유동적이었던 독립사민당이 대단히 불안정했던 것이 문제였다. 혁명이 일어나고 몇 주 지나지 않아, 사민당과 독립사민당의 협력 체제는 장차 프로이센–독일군의 위상을 놓고 논쟁을 벌이면서 한계점에 다다랐다.

사회주의 임시 지도부와 군 지휘부 사이의 관계는 새 공화국이 수립된 첫날에 토대가 마련되었다. 11월 9일 저녁, 인민대표평의회 의장인 프리드리히 에버트는 (10월 26일에 황제에 의해 해임된) 참모차장인 빌헬름 그뢰너 장군과 전화 통화를 했다. 그때 두 사람은 독일의 질서를 회복하는 데에 협력하기로 합의했다. 그뢰너는 원활하고 신속한 동원 해제를 실시했다. 대신 그는 에버트에게 정부가 공급원을 확보하고, 군대의 규율 유지를 지원하며, 철도 연결망이 와해되는 것을 방지하며, 군 지휘 체계의 자율성을 전반적으로 인정해달라고 요청했다. 그뢰너는 또 군대의 주요 목표가 독일의 볼셰비키 혁명을 막는 것이며 에버트가 이런 목표를 추구하는 자신을 지원해주기를 기대한다는 점을 분명히 했다.

에버트-그뢰너 협정은 양날의 칼이었다. 그것은 사회주의 공화국 당국이 영을 세우고 더 이상의 반란이 일어나지 못하도록 정부를 보호하는 수단이 되었다. 이렇다 할 자체 군사력이나 헌법상의 권한이 없었던 행정조직으로서는 혁명 자체의 힘으로 주어지는 강탈 수단을 사용하지 않아도 된다는 점에서 중요한 진전이었다. 이런 측면에서 볼 때 에버트-그뢰너 협정은 빈틈이 없었고 실용적이었으며, 어쨌든 그럴듯한 대안이 없다는 점에서 필요한 것이었다. 그러나 군대의 정치적 상황은, 동원 해제처럼 자체의 관할하에 있는 시급한 업무를 이행하는데도 뭔가 불길한 기운이 감돌았다. 여기서 문제는 그뢰너가 요구한 내용이 아니다. 이는 충분히 합리적이었다. 문제는 민간 당국을 대등한 자격으로 대하겠다는 군부의 공식적인 월권이었다.[14]

에버트가 군 지휘부와 혁명 병사 평의회 사이에 다리를 놓으려고 선의의 노력을 기울였음에도 불구하고 군부와 혁명 운동의 좌파 구성원들 사이에는 깊은 불신이 있었다. 레크비스 장군이 10개 사단 병력을 인솔하고 베를린 교외에 도착한 12월 8일, 집행위원회(노동자 및 병사 평의회)와 임시정부 내의 독립사민당 장관들은 장군의 수도 입성을 허용하지 않았다. 에버트는 간신히 그들을 설득해서 레크비스 부대에게 성문을 열어주었다. 이들 군인의 다수는 필사적으로 집으로 돌아가려는 베를린 사람들이었다.[15] 그러다가 노동자 및 병사 평의회 제1차 총회에서 군대의 혁명적인 탈바꿈을 요구하는 결의안이 통과된 12월 16일 다시 긴장이 높아졌다. 힌덴부르크를 참모총장에서 해임하고 구프로이센 사관학교제도를 폐지할 것이며 모든 계급장을 없애라는 내용이었다. 이후로 장교는 그들의 부대에 의해 그리고 정규군과 함께 창설되는 '민병대'(Volkswehr)에 의해 선출될 것이라고 했다. 힌덴부르크는 즉석에서 이 제안을 거절하면서 그것을 행동으로 옮기려는 어떤 시도라도 있으면 그들 사이의 합의가 무효라는 것을 에버트에게 알리도록 그뢰너에게 명령했다. 내각과 집행위원회 합동회의에서 에버트가[16] 12월 16일의 제안은 이행되지 않을 것이라고 말하자 독립사민당 의원들 사이에서는 당황하는 분위기가 역력했다. 이미 이들은 베를린 전역에서 그들의 급진 추종자들을 동원하기 시작했기 때문이다.

정치 풍토는 전례 없이 변덕스러웠다. 사민당과 독립사민당 사이도 매우 긴장된 관계였다. 베를린은 무장 노동자와 과격한 병사들의 부대로 붐볐다. 이들 중에 가장 난폭한 집단은 인민해군사단(Volksmarinedivision)이었으며, 이들의 본부는 궁정 광장 동쪽에 당당하게 자리한 신바로크 건물인 마르슈탈에 있었다. 극좌파의 모임에서는 무장봉기를 하자는 말이 나왔다. 스파르타쿠스단의 지도자이자 이론가인 로자 룩셈부르크는 대베를린 독립사민당 총회에서 독립사민당의 타협정책을 비난하며 에버트 정부에 대한 충성을 거둘 것을 요구했다. 그녀는 사회주의를 도입할지 말지를 두고 '융커 및 부르주아지'와 논쟁하는 것은 의미가 없다고 주장하며 다음과 같이 덧붙였다.

사회주의는 의회에 모여 법안을 통과시키는 것을 의미하지 않는다. 우리에게 사회주의란 프롤레타리아가 그 투쟁에 투입될 수 있을 만큼 아주 무자비하게 지배계급을 타도하는 것을 말한다.[17]

12월 23일이 되자 일촉즉발의 위기가 발생했다. '붉은 수병'(rote Matrose)의 약탈과 파괴에 대한 보고를 받은 이날, 임시정부는 인민해군사단에 마르슈탈을 비우고 수도를 떠나라고 명령했다. 하지만 수병들은 명령을 따르지 않고, 베를린 시 사령관 오토 벨스를 납치해서 학대하는 한편, 정부청사(사민당과 독립사민당 연립정부의 청사)를 포위한 뒤 중앙 전화교환국을 점령하고 청사와 외부를 연결하는 전화선을 차단했다.

에버트는 수상 집무실의 비밀 핫라인을 사용해서 카셀에 있는 군 최고 사령부에 지원을 요청했다. 레크비스 장군은 포츠담으로부터 질서를 회복해달라는 요청을 받았다. 하지만 그의 활동은 신뢰받을 만하지 못했다. 1918년 성탄절 아침에 그의 부대는 '붉은 수병'을 정부청사에서 몰아내고 두 시간 동안 마르슈탈을 포격했다. 이 포격은 반란을 일으킨 수병들의 항복을 받아내기에는 충분했으나 소문이 퍼지면서 분노한 스파르타쿠스단과 독립사민당원, 좌파 동조자 무리가 순식간에 몰려들어 레크비스 부대는 즉시 그 자리를 떴다.

1918년 성탄절에 군대가 밀려난 것은 정치 기류에 양극단의 효과를 불러왔다. 그것은 극좌파에게는 더 단호한 파업을 하면 충분히 에버트-샤이데만 정부의 권위를 무너뜨릴 수 있을 것이라는 믿음을 심어주었다. 동시에 사민당과 12월 29일에 임시국민정부를 떠난 독립사민당 사이에 더 이상의 연정이 불가능하다는 신호이기도 했다. 1월 3일에는 프로이센 연립정부에서도 독립사민당이 빠져나갔다. 이제 사민당 다수파 홀로 국가를 다스리는 처지가 되었다.[18] 그뢰너는 의용군 부대, 즉 1813년의 감동적인 신화를 떠올리게 하는 '자유군단'(Freikorps)의 편성을 요구함으로써 긴장을 키웠다. 이미 베스트팔렌에서는 루트비히 메르커 장군 휘하에 자유군단 하나가 편성되었고, 곧 다른 곳에서도 뒤를 이었다. 근위장교 출신의 빌헬름 라인하르트 대령이 지휘하는 라인하르트 자유군단은 성탄절 다음 날인 복싱 데이에 조직을 완료했고, 포츠담에서는 슈테파니 소령의 지휘 아래 전역 장교들과 제1보병근위연대 및 포츠담 황실연대 출신 병사들로 구성된 또 다른 자유군단이 모습을 드러냈다. 자유군단의 신병들은 복잡하게 뒤얽힌 극렬 민족주의와 독일 패전에 대한 굴욕감을 보상받으려는 욕구, 좌파에 대한 증오와 볼셰비키 폭동에 대한 본능적인 공포에 자극을 받아 모여들었다. 모든 자유군단은 슐레지엔의 직업군인인 발터 폰 뤼트비츠 장군의 지휘를 받았다.

군부와 민간 정부 사이에 조화로운 관계를 굳히기 위해 에버트는 사민당 사람인 구스타프 노스케를 국방장관에 임명했다. 직조공 겸 공장 노동자의 아들인 노스케는 브란덴부르크 출신으로서 바구니 제조 도제로 일하다가 사민당에 들어갔고 당내에서는 사민주의 신문을 발행하며 두각을 나타냈다. 1906년에 그는 사민당 의원으로 제국의회에 진출했으며 거기서 에버트 주변의 당내 우파 지도부와 가깝게 지냈다. 노스케는 오랫동안 군부에 우호적인 태도를 보인 것으로 알려졌다. 그는 독립사민당이 연립정부에서 발을 뺀 12월 29일에 임시정부에 합류했다. 베를린의 좌파 혁명가들에 대한 임시정부의 대응책을 감독해달라는 요청을 받았을 때, 노스케는 이렇게 대답했다고 한다. "좋아요. 누군가 잔인한 사냥개 역할을 맡아야 한다면 그 책임을 피하지 않겠습니다."[19]

오래지 않아 또 다른 폭동이 일어났다. 1월 4일, 베를린 임시정부는 베를린 경찰청장 에밀 아이히호른을 해임했다. 아이히호른은 독립사민당 좌파로서 '성탄절 전투' 기간에 정부에 지원하기를 거부했던 인물이다. 그는 사임하지 않고, 극좌파 병력에게 경찰청 무기고의 무기를 나누어주면서 자신의 직위를 지키려고 했다. 그는 독립사민당 지도부의 승인도 없이 전면적인 반란을 지시했고 이는 극좌파로부터 적극적인 호응을 이끌어냈다. 1월 5일과 6일, 공산주의자들은 베를린의 권력을 장악하기 위해 최초로 결연한 시도를 했다. 그들은 무기고를 약탈하여 과격한 노동자들을 무장시키고 시내 주요 건물과 요처를 점령했다. 다시 한번 사민당 임시정부는 소요를 가라앉히기 위해 군부대의 투입을 요청했다.

머칠간 시내는 다다이스트의 악몽을 꾸는 듯 소름 끼치는 정글로 변했다. 거리 곳곳에서 총격전이 벌어졌고 누가 누구에게 총을 쏘는지도 분명치 않았다. 서로 대치하는 세력들이 따로따로 거리를 점령했고 지붕과 지하실에서도 처절한 전투가 벌어졌다. 기관총이 아무데나 대고 갑자기 불을 뿜으면 다시 조용해졌다. 그런 다음이면 조용해진 광장과 거리는 달리는 행인과 울부짖는 부상자, 시체로 가득했다.[20]

1월 7일, 하리 케슬러가 증언한 베를린 하펜 광장의 전투 장면은 다음과 같았다. 정부군은 좌파가 점령한 철도 관리본부를 장악하기 위해 애썼다. 소총과 기관총 소리가 귀청이 터질 듯이 요란하게 울렸다. 한창 전투가 벌어지는 와중에 시내의 통근자들을 가득 태우고 광장 위의 고가궤도를 달리는 열차는 밑에서 맹렬하게 벌어지는 총격전을 모르는 것 같았다. 케슬러는 "비명이 끊이지 않았다"고 기록했다. 베를린은 온갖 힘과 이념이 소용돌이치며 서로 부딪치면서 "부글부글 끓는 마녀들의 가마솥"이었다.[21] 1월 15일, 대대적인 수색 끝에 공산주의 지도자 로자 룩셈부르크와 카를 리프크네히트가 체포되었다. 이들은 그 뒤 베를린 중심가의 에덴 호텔에 주둔한 근위사단 기병대에게 맞아죽었다.

이제 불만이 팽배한 공산주의자들은 사민당에 대한 억누를 수 없는 증오를 품었다. 1919년 3월, 그들이 총파업을 요구하면서 베를린에서는 다시 전투가 벌어졌다. 약 1만 5천 명에 이르는 무장 공산주의자들과 동조자들은 경찰서와 각 철도 터미널을 점령했다. 무슨 수를 써서라도 극좌파 세력을 타파하기로 결심한 구스타프 노스케는 4만 명의 정부군과 자유군단을 동원했다. 이들은 기관총과 야포, 박격포, 화염방사기를 사용했고 심지어 반란을 진압하기 위해 공중폭격과 기총소사도 불사했다. 3월 16일 베를린의 전투가 끝났을 때 사망자는 1,200명에 이르렀다. 1월과 3월 봉기의 폭력적인 진압 그리고 지식층 지도부에 대한 살육은 극좌파에게 일대 타격을 주었고 극좌파로서는 도저히 사민당을 용서할 수 없을 만큼 한이 맺혔다. 그들의 눈에 사민당은 독일 노동계급을 배신하고 프로이센 군국주의와 '악마의 계약'을 맺은 것으로 보였다.[22]

이 같은 일련의 사건을 베를린의 화가 게오르게 그로스만큼 시각

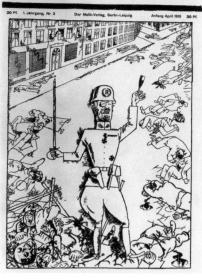

54 「노스케 건배! 프롤레타리아는
무장해제 되었어!」, 좌익 풍자지
『디 플라이테』에 실린
게오르게 그로스의 그림,
1919년 4월.

적으로 명확하게 표현한 사람은 없다. 베를린 다다이스트 운동의 초
기 참여자인 그로스는 정신적인 이유로 군복무를 면제받았고 전쟁 말
기를 베를린에서 보냈다. 1918년 12월, 그는 1세대 공산당원으로서 로
자 룩셈부르크로부터 직접 당원증을 받았다. 그는 3월 봉기가 벌어졌
을 때 베를린에 있는 미래의 장모 집에서 숨어서 지냈다. 1919년 4월 초
에 발표하여 극심한 논란을 빚은 그림에서 그로스는 피로 얼룩진 시체
들이 흩어져 있는 거리를 묘사했다. 내장이 삐져나온 시체가 보이고,
오른쪽 밑에는 부풀어오른 시체가 그림 안쪽으로 튀어나와 있는데 바
지가 밑으로 내려가서 훼손된 성기가 드러났다. 희화화된 프로이센 장
교는 앞쪽 중앙에서 부츠 장화 뒤축으로 시체의 배를 누른 채 서 있는
모습이다. 외알 안경을 얼굴로 힘껏 눌러 쓴 장교는 잔뜩 찌푸린 입가
로 이를 드러낸 채 대쪽같이 꼿꼿한 자세로 오른손으로는 피투성이 검
을 들고 왼손에는 샴페인 잔을 치켜들고 있다. 그림을 설명한 제목에는

837

"노스케 건배! 프롤레타리아는 무장해제 되었어!"라는 글이 적혀 있다.[23]

스파르타쿠스단 참여에 동조하지 않는 사람들에게도 그로스의 「노스케 건배!」는 1919년 초의 사건들에 대하여 뭔가 충격적인 것을 포착한 것으로 비쳤다. 폭동을 진압하기 위해 극단적인 폭력을 사용한 것은 그 자체로 불안감을 조성했다. 자유군단은 도시의 반란 세력에 대해 폭력을 서슴지 않는 새로운 테러리스트 집단으로 부각되었다. 그들은 숨거나 도망치는 좌파를 색출한 다음 잔인하게 다루면서 즉결처분을 했다. 베를린 언론은 자유군단 임시재판소에 의해 30명이 동시에 처형된 사건을 보도했다. 하리 케슬러는 그 처참한 장면을 목도하면서 이제까지 알려지지 않은 '피의 보복'(Blutrache) 정신이 베를린에 입성했다고 전했다. 여기서(비단 여기뿐만은 아니지만[24]) 전쟁의 잔혹한 결과와 이어지는 패배, 군대의 반민간 풍조, 심대한 동요를 불러일으킨 1917년 러시아 10월혁명의 이념적 충격파를 볼 수 있다.

1919년의 갈등 구조가 보여주는 또 다른 불길한 특징은 군부에 대한 새 정치지도부의 의존이 심화되었다는 것이다. 하지만 새로 출현하는 독일공화국에 대한 군부의 지지는 미심쩍은 수준이었다. 정확하게 얼마나 미심쩍은가는 다수의 고급 장교가 베르사유 조약의 이행을 전면적으로 거부한 1920년 1월에 명확해졌다. 이 반란을 이끄는 사람은 다름 아닌, 베를린에서 1월과 3월 반란의 진압을 지휘했던 발터 폰 뤼트비츠 장군이었다. 노스케 국방장관이 헤르만 에르하르트 대위가 이끄는 엘리트 해군 여단의 해산을 명령했을 때 뤼트비츠는 즉석에서 명령을 거부하며 새로운 선거를 실시할 것을 요구하고 자신이 독일군 전체의 총사령관을 맡겠다고 주장했다. 이는 힌덴부르크와 루덴도르프가 제1차 세계대전 기간에 정부를 협박한 이래 구독일군 지휘부에 자리를 잡아가던 이기적인 불복종 정신의 또 다른 예이다.

1920년 3월 10일, 뤼트비츠가 마침내 현직에서 해임되었다. 그는 이틀 뒤에 보수적인 극렬 민족주의 활동가 볼프강 카프와 손을 잡고 정부를 상대로 반란을 일으켰다. 카프는 1917년에 베트만 홀베크 총리의 사임 파동에 개입한 정치 음모꾼이었다. 이들의 목표는 공화국 정부를 무너뜨리고 군부 독재 정권을 세우는 것이었다. 3월 13일, 뤼트비츠와 에르하르트 여단이 수도를 장악하자 정부는 드레스덴을 거쳐 슈투트가르트로 도피했다. 카프는 스스로 제국 총리 겸 프로이센 수상에 오르고 뤼트비츠를 국방장관 겸 군 최고사령관에 임명했다. 그 순간 신생 공화국의 역사는 이미 끝난 것처럼 보였다. 하지만 카프-뤼트비츠의 반란은 4일 만에 끝장나고 말았다. 충분한 계획도 없이 반란을 일으킨 데다가 사민당이 주도해 독일 산업과 관청 공무를 마비시킨 총파업에 대처할 방법이 없었기 때문이다. 카프는 3월 17일 자신의 '사임'을 발표하고 신속하게 스웨덴으로 도피했다. 뤼트비츠도 같은 날 저녁에 사임했으며 이후 오스트리아에서 다시 모습을 드러냈다.

군부와 공화국 정부의 관계에 내재한 문제점은 카프-뤼트비츠 반란이 실패로 돌아간 뒤에도 해소되지 않았다. 1920년 3월 이후로 군 최고지도자는 한스 폰 제크트였다. 슐레스비히-홀슈타인 출신의 프로이센 직업군인인 제크트는 처음에 카프-뤼트비츠의 반란 진압을 거부하다가 일단 그들의 반란이 실패하자 여봐란 듯이 정부 편을 들었다. 그의 빈틈없는 지휘 아래 군 지휘부는 베르사유 조약에 의거한 범위 내에서 강군 육성에 초점을 맞추고 눈에 띄는 정치적 개입을 자제했다. 그럼에도 군대는 여러 가지 면에서 공화국 조직 내의 이질적인 기구로 남았다. 군부의 충성은 기존의 정부 당국이 아니라 '영구불멸'하는 실체로서 독일제국을 향한 것이었다.[25] 1928년 제크트는 공화국 내에서 군대의 지위에 관한 자신의 견해를 피력하는 글을 통해, '국가 최고지휘부'가 군대를 통제해야 한다는 것은 인정하지만, 동시에 어떤 의미로든 "군은 국가의 존립에서 상당한 지분을 요구할 권리가 있다"고 주장했다.

군대의 지위에 대한 제크트의 확대된 개념은 '국내외의 정책에서 군대로 대변되는 군사적 이익을 최대한 고려해야 한다'든가 군대의 '특수한 생활 방식'은 존중되어야 마땅하다는 주장에서 확인된다. 군대는 '국가기구의 분리된 부분'이 아니라 '전체로서의 국가'에만 종속된다는 그의 견해는 훨씬 많은 것을 시사한다. 전체로서의 국가를 구현하는 것이 누구 혹은 무엇인지에 대한 의문은 미결 상태로 남았다. 물론 이 말이 궁극적으로 국가가 아니라 지나간 황제–왕의 비어 있는 권좌에 초점을 맞춘, 군주제에 대한 은밀한 바람을 의미하는 것이라고 해석하고 싶은 유혹이 없는 것은 아니다. 바꿔 말해, 군대의 정당성을 기존의 정치 질서 밖에서 찾는 것이었고 질서를 유지하겠다는 약속은 조건부로 남아 있었다.[26] 이것은 군대가 군주에게 충성맹세를 하며 민간 정부의 조직과는 별개로 존재해온 프로이센의 법적 전통이 남겨준 골치 아픈 유산이었다.

프로이센 민주주의

마치 세상이 뒤집힌 것 같았다. 프로이센은 패전과 혁명을 거치면서 정치 시스템의 양극단이 반대로 바뀌었다. 이렇게 뒤바뀐 세상에서 사민당의 장관들은 좌파 노동자들이 주도한 파업을 저지하기 위해 군대를 파견했다. 이 와중에 새로운 정치 엘리트 계층이 등장했다. 전직 열쇠공 도제와 사무원, 바구니 제조공이 프로이센 각 부처 사무실에 앉아 자리를 차지했다. 1920년 11월 30일에 나온 프로이센 헌법에 따르면, 새 프로이센의 주권은 '국민 전체'의 손에 있었다. 프로이센 의회는 더 이상 상급기관에 의해 소집되거나 해산되지 않고 헌법이 정한 법률에 따라 자체적으로 소집했다. 독일 대통령 한 사람에게 엄청난 권력이 집중된 바이마르 (국가) 헌법과는 대조적으로, 프로이센 체제에는 대통령이 없었다. 이런 점에서 프로이센은 바이마르 공화국 자체보다 민주적인 요소는 더 철저하고 권위주의적인 요소는 더 약했다. 1920~32년 내내 (몇 차례 아주 짧은 단절은 있었지만), 사민당이 주도하는 공화국 연립정부(사민당 외에 가톨릭중앙당[Deutsche Zentrumspartei], 자유주의 좌파인 독일민주당[Deutsche Demokratische Partei], 후에는 자유주의 우파인 독일인민당[Deutsche Volkspartei]까지 합류한 연정으로)는 프로이센 주의회에서도 사민당이 다수를 차지한 가운데 정부를 이끌었다. 프로이센은 독일에서 '민주주의의 보루'이자 바이마르 공화국 내에서 정치적 안정의 주요 거점이 되었다. 바이마르의 정치가 전국적인 차원에서 극단주의와 갈등, 정부의 빠른 교체 같은 특징을 보인 데 비해, 프로이센의 대연정은 흔들리지 않고 꾸준히 온건개혁의 길로 나아갔다. 바이마르 시대의 독일 국회(Reichstag)가 정치적 위기와 빈번한 해산으로 주기적으로 중단된 데 비해, 프로이센 주의회는 (마지막을 제외하고는) 완전히 임기를 채울 수 있었다.

이렇게 놀랍도록 안정적인 정치 시스템을 관장한 인물은 '프로이센의 빨갱이 차르'라고 불리는 오토 브라운 프로이센 수상이었다. 쾨니히스베르크 철도국 서기의 아들로 태어난 브라운은 어린 시절에 석판 인쇄공 교육을 받았고, 1888년 16세에 사민당에 입당하고 나서 곧 동프로이센 노동자 사이에 퍼진 사회주의 운동의 지도자로 유명해졌다. 그는 1911년에 당 집행위원이 되었고, 2년 후에는 구프로이센 주의회에서 사민당 소속으로 하원의원이 되었다. 그의 절제된 태도와 실용주의, 온건 노선은 독일 연방 최대의 영토에서 조화로운 정부를 위한 틀을 세우는 데 도움이 되었다. 그와 동세대인 다른 사민당원 다수가 그렇듯이, 브라운은 프로이센에 대한 깊은 애착과 프로이센 주 고유의 미덕과 권위에 대한 존경심을 표했다. 이는 모든 연정 파트너가 어느 정도 공유하는 태도였다. 가톨릭중앙당조차 한때 그토록 심하게 가톨릭을 박해한 국가와 화해할 정도였다. 이들의 화해는 1929년 6월 14일 프로이센

주와 바티칸 사이에 맺은 협정에서 절정을 이루었다.[27] 1932년 브라운은 제1차 세계대전이 끝난 이후 성취한 것을 돌아보며 만족감을 느낄 수 있었다. 그는 1932년에 사민당 기관지 『인민의 깃발』(*Volksbanner*)에 게재한 논설에서 다음과 같이 선언했다. "12년 만에 프로이센은 가장 무지막지한 계급이 지배하는, 노동계급을 정치적으로 박탈하는 국가, 수백 년 묵은 봉건 융커계급이 주도권을 행사하는 국가에서 공화국 인민의 국가로 변했다."[28]

하지만 그 변화의 깊이는 얼마나 될까? 새 정치 엘리트 계층은 구 프로이센 주의 조직을 얼마나 깊이 뚫고 들어간 것일까? 이에 대한 대답은 어디를 바라보는가에 달려 있다. 우리가 사법제도에 초점을 맞춘다면 새 집권층의 업적은 대수로울 것이 없다. 이 분리된 영역에서 조금씩 개선이 이루어진 것(교도소 개혁과 산업분쟁 조정, 행정 합리화 등)은 분명하지만 사법조직의 상위 계층, 특히 새로운 질서의 합법성에 여전히 회의적인 판사들 사이에서 친공화주의적 풍조를 굳히기 위해 이루어진 것은 거의 없었다. 많은 판사가 왕과 왕관의 상실을 한탄했다. 가령 독일 판사연합회장은 1919년의 유명한 발언을 통해 "모든 위엄이 무너졌다. 법의 위엄도 마찬가지다"라고 선언했다. 판사 대부분이 좌익 정치범에게 강경하고 극우 범죄에 관대하다는 것은 비밀도 아니었다.[29] 이 분야에서 국가가 급진적 행동을 취하는 데 장애가 되는 것은 판사의 기능적·개인적 독립에 대한 깊은 존중이었다(특히 자유주의자와 가톨릭 중앙당 연정 파트너 사이에서). 판사의 자율성(정치적 보복과 영향력 행사로부터 판사의 자유)은 사법 절차의 진실성에 결정적인 요인으로 간주되었다. 일단 1920년에 이 원칙이 프로이센의 헌법에 소중하게 반영된 이상, 사법부의 반공화주의적 요소를 완전히 제거하는 것은 불가능해졌다. 신임 판사를 임명하는 절차를 바꾸고 정년제를 도입함으로써 미래를 위한 개선을 약속했지만, 1920년에 도입한 제도는 효과를 볼 만큼 오래 가지 못했다. 1932년 베를린 헌법재판소의 한 재판관은 프로이센 판사 중에 공화주의자가 5퍼센트 정도밖에 안 되는 것으로 평가했다.

사민당이 이끄는 정부는 또한 제국시대에 사회화되고 교육받고 모집되고 훈련받은 공무원까지 물려받았다. 그만큼 공화국에 대한 이들의 충성도는 낮았다. 충성도가 얼마나 낮은지는 1920년 3월 카프-뤼트비츠의 반란 기간에 수많은 지역의 관리가 자신의 자리에서 업무를 계속하면서 권력찬탈자들의 권위를 은연중에 받아들였을 때 여지없이 드러났다. 그런 상황은 고위 관료층 전체가 카프-뤼트비츠 '정부'를 인정한 동프로이센 지방에서 가장 심각했다.[30]

이 문제에 열정을 가지고 매달린 최초의 관리는 사민당 소속의 신임 내무장관인 카를 제버링이었다. 빌레펠트의 열쇠공 출신인 제버링은 기자와 편집인 활동으로 사민당에서 두각을 나타냈고 그 덕에 제국의회 의원을 역임했다. '제버링 체제'에서 지나치게 타협적인 관리들은 해임되었고 여당에서는 '정치적' (고위) 공직에 임명되는 모든 후보자를 검증했다. 오래지 않아 이런 관행은 고위급 인사의 정치적 위상에 심대한 영향을 미쳤다. 1929년에 프로이센 정무직 공무원 540명 중에 291명이 사민당과 가톨릭중앙당, 독일민주당 등 확고한 공화국 연정을 구성하는 정당원들이었다. 주지사(Oberpräsident) 11명 중에 9명, 지방자치단체장(Regierungspräsident) 32명 중에 21명이 연정을 구성하는 정당원이었다. 이 와중에 정치 엘리트 계층의 구성원에 변화가 생겼다. 1918년에는 주지사 12명 중에 11명이 귀족이었던 데 비해, 1920~32년에 이 직위에 오른 관리들 중에는 단지 두 명만이 귀족 혈통이었다. 국가 기능이 훼손되지 않은 상태에서 이런 구조 전환이 이루어진 것은 놀라운 성과였다.

또 하나의 중요한 분야는 경찰 시스템이었다. 프로이센 경찰력은 전국에서 단연 최대 규모였다. 하지만 프로이센 경찰 행정이 정부에 대한 충성을 입증하는 데 명백히 실패한 카프-뤼트비츠 반란 이후, 정치적 충성을 놓고 끊임없는 의심을 받았다. 1920년 3월 30일, 반란이 진압되고 겨우 2주가 지났을 때 오토 브라운은 프로이센 치안기관의 '철저한 조직 변화'를 실시할 계획이라고 발표했다.[31] 이 분야의 인적 혁신은 특별히 문제될 것이 없었다. 1932년까지 일시적인 단절을 빼고는 임면권이 전적으로 사민당의 통제를 받는 내무장관의 손에 있었기 때문이다. 경찰 인사관리의 책임은 (1923년부터) 확고한 공화주의자인 경찰총장 빌헬름 아베크에게 넘어갔다. 그는 모든 핵심 부서에 공화주의 정당의 지지자들이 임명되도록 애를 썼다. 1920년대 후반에 경찰의 고위직은 대체로 공화주의자로 교체되었다. 1928년 1월을 기준으로 볼 때 프로이센 경찰청장 30명 중에 15명이 사민당, 다섯 명이 가톨릭중앙당, 네 명이 독일민주당 당원이고 세 명이 독일인민당 소속이었다. 나머지 세 명은 소속 정당이 없었다. 경찰 업무의 모든 분야에서 기본적인 채용 기준은 정신적·신체적 자질뿐 아니라 "국가를 위해 긍정적인 자세로 근무한다는 것을 보장하는 과거의 행동"이었고, 이것이 입증된 후보자만 선발한다는 것이었다.[32]

그래도 경찰력의 정치적 신뢰성에 대해서는 여전히 의문이 남았다. 공무원의 대다수는 군대 시절의 예절과 태도를 그대로 지닌 군인 출신이었다. 경찰 고위 간부들 사이에서는 다양한 우익조직과 비공식적인 연결고리를 가지고 있는 구프로이센 예비역 장교의 잔재가 여전히 강하게 있었다. 경찰조직 내의 분위기는 대체로 공화주의를 딱히 선호한다기보다 반공주의적이고 보수적이었다. 그들은 극우파를 지지하지는 않아도 너그럽게 봐주었고 극우파보다 좌파(여당인 사민당 내의 좌파를 포함해) 가운데 국가의 적이 있다고 보았다. 공개적으로 친공화파적인 충성심을 다짐하는 경찰관은 아웃사이더가 되기 십상이었다. 예를 들어 가톨릭중앙당의 간부인 마르쿠스 하이만스베르크는 이렇다 할 경력은 없었지만 사민당 소속의 내무장관 카를 제버링의 후원 아래 고속 승진을 했다. 하지만 그는 정치적 임명이라는 눈총을 받으며 동료 간부들로부터 시샘을 받고 고립되었다. 특별히 보호해줄 사람이 없는 다른 공화파 경찰은 동료들의 차별을 견뎌야 했고 승진에서 누락될 공산이 컸으며, 퇴근 후 단골 주점에서 어울리는 패거리로부터 따돌림을 받았다.[33]

궁극적으로 프로이센 정부의 기록은 그 상황에서 무엇이 현실적으로 가능한가의 관점에서 판단해야 한다. 구사법부의 정화는 가톨릭 중앙당이나 자유주의 정당은 물론 사민당 우파로서도 관철하기가 쉽지 않았다. 그들 모두가 판사는 정치적 간섭으로부터 자유롭다는 '법치 국가'의 원칙을 존중했기 때문이다. 프로이센의 일부 우익 판사들이 정치적인 사건에서 편파적인 판결을 내린 것은 틀림없는 사실이지만, 정치범에 대한 사면이 빈번하게 이루어졌다는 점에서 영향이 크지 않았다. 아마 바이마르 공화국의 '정치 재판' 관련 문헌에 나오는 판결도 의미가 과장되었을 것이다.[34] 장기적인 측면에서, 새로 도입한 정년과 판사 임명에 대한 정부의 새로운 지침은 전반적으로 공화주의 사법부의 형성을 촉진했다. 공무원에 관한 한, 정부 인력의 전반적인 퇴출은 자격이 있는 공화파 대체 인력이 부족했고 프로이센 연립정부의 노선이 온건했음을 감안할 때 불가능했다. 경찰의 경우, 조직이 불안정했던 공화국 초기 몇 년 동안 지도부에는 친공화국 인사를 앉히고 나머지는 대부분 구정권의 인물들로 채우는 것이 경찰 운영의 안정과 효율성을 확보하는 최선의 방법처럼 보였다. 이리하여 연립정부는 점진적으로 공화국화를 추진하는 길로 나아갔다. 다만 그들은 이런 정책이 완벽한 효과를 내기 전에 독일 공화국이 소멸될 것이라는 점은 알지 못했다. 아무튼 프로이센의 존립에 대한 진정한 위협은 국가공무원 조직이 아니라 국가 조직 바깥의 강력한 이익집단에서 발생했고, 이는 결국 공화국의 몰락에 기여하게 되었다. 스파르타쿠스단의 반란 위협은 1919~20년에 진압되었지만, 극좌파는 선거에서 꾸준히 적지 않은 지지를 받았다. 실제로 공산당은 1921년의 7.4퍼센트에서 1933년의 13.2퍼센트까지 프로이센의 선거 때마다 지지 세력이 늘어난 유일한 정당이었다. 우익 세력은 이들과 이념적으로는 다르다고 해도 과격하고 단호한 점에서는 마찬가지였고 수적으로는 훨씬 많았다. 바이마르 공화국 시대에 프로이센의 (독일 전체에서 일반화된) 정책에서 두드러진 특징 중 하나는, '보수적 환경'이 새 공화국의 정치문화에 전혀 수용되지 못했다는 점이다. 전후에 등장한 지리멸렬하지만 규모가 큰 야당 극우 세력은 새로운 질서의 합법성을 받아들이기를 거부했다.

1930년 이전 바이마르 공화국 시대에 프로이센에서 가장 중요한 우파 정치조직은 독일국가인민당(Deutschnationale Volkspartei, 이하 국가인민당)이었다. 1918년 11월 29일에 창당된 국가인민당은 공식적으로 전전 시대의 프로이센 보수정당을 계승하는 조직이었다. 국가인민당의 최초 강령은 1918년 11월 24일, 1848년 혁명 기간에 베를린에서 창간된 보수파 기관지『크로이츠차이퉁』(Kreuzzeitung)을 통해 공개되었다. 하지만 전반적으로 볼 때, 국가인민당은 프로이센 정치에서 새로운 세력을 대변했다고 볼 수 있다. 엘베강 동부 지역의 지주 계층은 이제 이들의 지지 그룹에서 결정적인 역할을 하지 못했다. 사무원, 비서, 사무 보조원에서 중간 및 고위급 관리자에 이르기까지 도시의 화이트칼라 직장인 다수가 똑같이 이 당에서 관리해야 할 유권자였기 때문이다. 1919년 1월 26일의 프로이센 제헌의회에서 선출된 49명의 국가인민당 소속 의원 중에 1918년 이전의 프로이센 주의회에서 활동했던 사람은 14명밖에 안 되었다. 이 당은 실용적인 온건 보수주의자(소수파)에서 열광적인 왕정복고파, 극렬 민족주의자, '보수적 혁명가', 인종차별적인 '민족적' 급진주의 옹호자 등 잡다한 정파가 뒤섞인 연대였다. 이 점에서 국가인민당은 '구'프로이센 보수주의와 독일 '뉴라이트' 극단주의 사이의 어중간한 위치에서 불안한 상태를 유지했다.[35]

옛 엘베강 동부 지역의 보수주의라는 정치·문화적 기반은 더 이상 존재하지 않았다. 그것은 이미 1890년대부터 변화의 조짐을 보이다가 1918년 이후 완전히 해체되었다. 보수 네트워크가 최초로 피해를 입은 것은 1918~19년 혁명에 의해서였다. 사실상 농업의 정치적 로비를 도맡았던 전면적인 특권조직이 사라진 것이다. 황제가 퇴위하고 공화국이 선포됨으로써 지주 귀족의 영향력을 위해 비할 데 없는 지렛대 역할을 해온 특권과 후원으로 이루어진 구시스템이 관료 사회에서 허물어졌다. 그리고 3계급 선거권의 폐지는 보수파의 정치적 주도권을 위한 선거 기반을 단번에 무너뜨렸다. 각 지방과 지역에서조차 구세력의 주지사와 지자체장이 공화파 후계자로 대체되는 흐름 속에서 사민당이 이끄는 새 정부의 채용정책도 변하기 시작했다.

이 모든 것이 전례 없는 경제적 혼란기에 찾아왔다. 농장 노동자의 파업 및 단체협상에 대한 제한 철폐와 하인 고용 규정의 폐지는 농업 분야의 임금 문제에 압박을 가했다. 세제개혁은 언제나 프로이센 농업의 구조적 특징이 되어온 면세제도를 폐지했다. 신설 공화국은 농민들의 보호주의적 주장에 대하여 과거 제국주의 정권보다 훨씬 더 까다롭게 대했다. 공업생산품의 수출을 촉진하기 위하여 곡물 관세의 장벽을 낮추었고, 이로써 식량 수입이 극적으로 늘어났다. 1925년에 다시 관세를 인하한 뒤에 식량 수입은 또 늘어났다. 세금과 금리 인상의 여파로 부채가 급증하고 임금 압박을 받는 데다가 인플레이션 기간에 투자 혼선까지 겹치면서 많은 식량 생산자가 (특히 대단위 농장에서) 파산했다.[36] 이런 압박요인들은 1924년에 통화가 안정된 이후에도 수그러들지 않았다. 오히려 반대로 바이마르 공화국 후반에 가서는 예측할 수 없는 물가 변동과 불경기, 농업 분야의 위기가 있었다.[37]

과거 보수적인 환경의 잔재가 해체되는 과정에는 종교적 요인도 있었다. 엘베강 동부 지역의 주민 다수를 구성하는 프로이센 연합교회의 프로테스탄트에게, 국왕을 잃었다는 것은 단순한 정치적 사건 이상의 의미가 있었다. 연합교회는 언제나 특별한 의미를 띠는 왕실기관이었기 때문이다. 프로이센 국왕은 '직권상' 연합교회 최고의 감독이자 후원자로서 종교 생활에서 광범위한 영향력을 행사하는 특별한 지위에 있었다. 특히 빌헬름 2세의 경우, 실제로 자신의 교회 관리 역할을 매우 진지하게 받아들였다.[38] 제도로서 군주제의 종말은 프로이센의 프로테스탄트에게 제도에 대한 방향을 잃게 했고, 이런 상실감은 서프로이센과 예전 포젠 지방의 적잖은 프로테스탄트 지역을 잃어버림으로써 그리고 일부 유명 공화파 정치인의 공공연한 세속적이고 반기독교적인 태도에 의해 (프로이센과 독일에서) 심화되었다.[39] 가톨릭중앙당이 새로운 시스템 한복판에서 영향력을 확보하게 된 것도 또 다른 자극이었다.

프로이센의 많은 프로테스탄트는 이런 흐름에 대하여 공화국에 등을 돌리고 대대적으로 국가인민당을 지지하는 식으로 반응했다. 국가인민당은 초기에는 가톨릭 유권자에게 접근했지만 철저하게 프로테스탄트 정당으로 남았기 때문이다. 1930년에 한 원로 목사는 "우리가 처한 특별한 난관은 우리 교회에 가장 충성스러운 신도들이 기존의 정부 형태에 반대한다는 사실에 있다"라는 견해를 피력했다.[40] 종교 영역에서 분열과 과격화 현상은 점점 가속화되었다. 1918년 이후 민족적·인종적인 독일인의 소명의식에 호소하는 방법으로 복음주의 교회의 정통성을 합리화하는 흐름이 유행했다. 1921년에 베를린 소재 프랑스 김나지움의 프로테스탄트 교사인 요아힘 쿠르트 니들리히가 설립한 독일교회연맹은 바이마르 공화국 초기에 많이 세워진 '민족적-종교적' 집단의 하나였다. 니들리히는 인종차별적인 기독교 신앙을 옹호하는 사람으로 잘 알려졌는데 그의 세계관은 예수가 북유럽 혈통이며 영웅적 전사로서 신을 탐구하는 사람이라는 믿음에 뿌리를 내리고 있었다. 1925년에 이 연맹은 새로 설립된 '독일 기독교노동공동체'와 통합되었다. 이들의 공동강령에는 독일 국교교회(Nationalkirche), 독일의 도덕적 특징을 반영하는 '독일 성서', 독일 내 인종 위생 장려 등에 대한 요구가 포함되었다.[41]

극렬 민족주의와 자민족 중심 사고의 영향은 비단 교회 생활 주변으로 제한되지 않았다. 1918년 이후, 새롭게 폴란드 공화국으로 변한 땅에서 고립된 독일 프로테스탄트 사회를 건사하는 것은 매우 상징적인 의미를 갖게 되었다. 많은 프로테스탄트, 특히 프로이센의 프로테스탄트는 교회의 고난을 독일 민족 전체의 상황과 동일시했다. '민족과 조국'(Volk und Vaterland)은 1917년에 쾨니히스베르크에서 열린 제2차 독일개신교회의 날의 공식 주제였다.

이런 무게 중심의 이동과 갈수록 격화되는 반유대주의 흐름이 긴밀하게 맞물렸다. 독일교회연맹이 1927년에 발표한 성명서는 그리스도는 궁극적으로 "유대인-사탄이라는 뱀의 목을 쇠주먹으로 꺾어버릴" 지그프리트가 신의 모습으로 변용된 것이라고 선언했다.[42] 1920년대에는 일단의 기독교 집단이 유대인 선교의 공식적인 모금을 끝내기 위해 소란을 일으켰다. 1930년 3월에는 구프로이센 연합교회 총회에서 유대인 선교는 교회기금을 공식적으로 사용할 수 있는 대상이 아니라는 안건을 가결했다.[43] 이 결정에 당황한 베를린 선교회장은 프로이센 연합교회 안에 반유대주의에 굴복한 성직자의 수가 '놀랍고 무서울 정도로' 많다고 보면서 프로이센 주직할교회(Staatskirche) 총회와 지역별 협의회를 대상으로 방심할 수 없는 반유대주의의 영향을 경고하는 회람장을 작성했다.[44] 프로이센 신학부에서 중요 직책을 맡은 학자들 중에는 유대인 소수민족 안에 독일 '민족성'을 위협하는 요인이 있다고 보는 사람들이 있었다. 그리고 1918~33년에 프로테스탄트 일요신문사에서 조사한 바에 따르면, 프로테스탄트 진영에 극렬 민족주의와 반유대주의 정서가 강하다는 것이 드러난다.[45] 나치가 엘베강 동부 지역 프로테스탄트 환경에서 뿌리내리는 것이 쉽다고 본 것은 부분적으로 이런 방향 전환과 과격화의 결과로 나온 것이었다.[46]

그러면 한때 엘베강 동부 지역을 좌지우지했던 구프로이센 엘리트 계층, 즉 융커는 어떻게 되었는가? 이들은 패전과 혁명으로 촉발된 변혁에 가장 많이 노출된 사회 집단이었다. 프로이센 군부 귀족 중에 나이가 좀 든 세대에게 패전과 혁명은 충격적인 상실감을 안겨주었다. 1918년 12월 21일, 울란 제3근위연대 지휘관이자 전 황제 전속 부관인 폰 치르슈키 장군은 휘하 연대에게 포츠담에서 마지막 가두행진을 하라고 명령했다. "와인을 좋아하는 늙은 전사로서 멋진 빌헬름 황제식 수염을 한 그가 시끌시끌한 보른슈테트 들판 위에 서서 우렁찬 목소리로 말할 때 그의 텁수룩한 뺨 위로는 눈물이 흘러내렸다."[47] 이런 유형의 행사(많이 열렸다)는 포기와 퇴장의 역사적 의식(儀式)이자 구세계가 사라진다는 인식이었다. 제1근위연대 마지막 지휘관인 요아힘 쿠르트 니들리히 백작도 1918년 겨울, '쥐 죽은 듯이 고요한' 포츠담 근위대 교회에서 열린 '고별 행사'에서 종말을 맞은 감각을 표명했다. 한 참석자의 전언에 따르면, '구질서는 무너지고 더 이상 미래는 없다'는 공유된 인식이 있었다고 한다.[48]

그러나 이렇게 우아한 행사가 프로이센 귀족가문 내의 일반적인 분위기를 상징하는 것은 아니었다. 비록 일부 귀족(특히 구세대)은 움츠러드는 체념의 정신에서 나온 말들을 받아들였지만, 나머지(특히 젊은 세대)는 여전히 상황을 통제하며 선대의 주도권을 되찾아올 것이라는 단호한 자세를 보여주었다. 엘베강 동쪽의 많은 지역에서 농민 동맹에 뿌리 내린 귀족은 지역의 혁명조직에 침투하여 좌파의 재분배 목표에 반대하고 구정권의 농촌정책으로 돌아가도록 영향력을 행사하는 데 놀랄 정도로 성공을 거두었다. 예컨대 극렬 민족주의와 반민주주의 정책 목표를 가진 농촌 집단인 동프로이센 향촌 동맹(Heimatbund)을 지배한 것은 귀족들이었다.[49] 많은 젊은 귀족, 특히 중하위 가문 출신들은 공화국 초기 수개월 동안 극좌파를 격파하는 자유군단 편성에 두드러진 역할을 했다. 이런 사람들은 1918~19년에 벌어진 일련의 사건에 수반된 상실감과 급격한 쇠퇴 현상에서 벗어나 해방감에 도취되어 폭력의 과잉을 경험했다. 공화국 초기 수년간 출간된 자유군단 귀족 활동가들의 회상록을 보면, 이들이 얼마나 전통적인 기사도 정신을 저버리고

850

잔인하고 노골적이며 반공화국적인 태도로 남성성을 과잉 분출하면서 이념적으로 규정된 적에게 지극히 살인적이고 무차별적인 폭력을 가할 준비가 되었는지가 드러난다.[50]

프로이센 군주제가 단절된 것은 아마 다른 어떤 사회 집단보다 엘베강 동부 지역의 귀족 계층에게 존재를 위협하는 충격이었을 것이다. 1919년 1월, 마지막 프로이센 상원의장인 아르님-보이첸부르크 백작은 "황제와 국왕이 없이는 더 이상 살 수 없을 것 같은 느낌이다"라고 썼다.[51] 하지만 대부분의 귀족은 망명을 떠난 왕과 왕실 사람들에게 양면적인 태도를 보였다. 국왕의 피신이라는 수치스러운 상황, 특히 전투에서 자신을 희생시킴으로써 제왕의 위신을 지키는 길을 마다한 것은 많은 귀족이 프로이센의 마지막 왕위에 앉았던 인물과 진정한 일체감을 갖는 것을 방해했다. 이리하여 군주제는 보수적인 귀족들에게 일관되고 안정된 정치적 관점을 심어줄 수 있는 이념으로 승화되지 못했다. 젊은 귀족 세대는 아버지와 할아버지 세대가 혈육의 정으로 뭉쳤던 군주제로부터 벗어나 카리스마와 자연스러운 권위를 가진 '지도자'(Führer)가 국왕의 망명으로 생긴 권력의 공백을 채우리라고 생각했다.[52] 이런 동경에 대한 노골적인 표현은 프로이센 왕실에 분명한 충성을 바친 가문의 후손인 안드레아스 폰 베른슈토프 백작의 일기에서 발견된다. "이제는 오직 독재자만이 우리를 도울 수 있을 것이다. 독재자만이 세계적인 기생충 쓰레기를 강철 빗자루로 쓸어낼 것이다. 우리도 이탈리아인들처럼 무솔리니 같은 독재자가 있다면 좋을 것을!"[53] 요컨대 바이마르 시대는 엘베강 동부 지역의 보수적인 환경 전체가 그렇듯이 프로이센 귀족 계층 안에서 정치적 기대감이 극적으로 과격해졌다는 것을 보여주었다.

1920년대 후반에 위기를 반복적으로 경험함에 따라 농촌의 정치 풍토는 갈수록 특별한 이익집단과 과격한 저항 운동을 양산하는 가운데 분열되었다. 이런 불확실성에서 이익을 본 집단이 나치당이었다. 그들은 1930년의 당 강령에서 관세와 물가를 통제함으로써 전체 농촌 부문을 특권적 지위에 올려놓겠다고 약속했다. 농민들은 농촌에 혜택을 안겨주는 데 실패한 국가인민당에 환멸을 느끼고 좀 더 급진적인 대안을 찾기 위해 지지 정당을 바꾸었다. 전체적으로 1928년의 총선에서 유권자의 3분의 1이 국가인민당을 지지했으나, 1930년 총선에서는 나치당으로 지지 대상이 바뀌었다.[54] 당의 반공화국적인 노선을 강화함으로써 이탈자의 마음을 되돌리려는 민족주의 지도부의 노력은 수포로 돌아갔다. 민족사회주의 운동(Die nationalsozialistische Bewegung, 국가사회주의, 민족사회주의, 국민사회주의 등으로 옮기는 나치즘은 반공주의, 인종주의, 반유대주의와 결합했다는 점에서 앞에 나온 국가사회주의[Staatssozialismus]와는 전혀 다르며, 이와 구분하기 위해 이 책에서는 민족사회주의 혹은 나치즘으로 표기한다 — 옮긴이)에 휘말려든 사람들 가운데 많은 수가 엘베강 동부의 귀족 출신이었다. 특히 눈에 띄는 경우는 구포메른의 군벌인 베델 가문이었다. 이들의 조상은 왕국이 창건된 이래 프로이센의 모든 전쟁에서 혁혁한 공훈을 세웠다. 베델 가문은 민족사회주의독일노동자당(Nationalsozialistische Deutsche Arbeiterpartei, 이하 나치당)에 입당한 사람이 77명이나 될 정도로 독일의 어떤 귀족가문보다 더 큰 집단을 형성했다.[55]

선거에서 동프로이센 남부의 마주렌 지역보다 나치당을 더 열렬히 지지한 지역은 없었다. 이곳은 1932년 여름의 선거 운동 과정에서 폴란드어로 민족사회주의 정치집회를 여는 기괴한 광경을 연출했다. 1932년 7월, 리크의 마주렌 지구 유권자의 70.6퍼센트가 민족사회주의 정당을 지지함으로써 전국 어느 곳보다 더 높은 친나치 열기를 보여주었다. 인접한 나이덴부르크와 요하니스부르크의 지지율도 조금 낮았을 뿐이다. 1933년 3월 선거에서 마주렌 지역은 나이덴부르크 81퍼센트, 리크 80.38퍼센트 그리고 프리드리히 빌헬름 3세가 프랑스군을 피해 루이제 왕비와 쉬어 갔던 오르텔스부르크에서 76.6퍼센트 등 다시

프로이센의 해체

1930년 9월에 치른 독일 총선에서 나치당은 선거에서 처음 성공을 거두었다. 그에 앞선 1928년 5월 선거에서는 겨우 2.6퍼센트의 득표로 군소정당 신세를 면치 못했었다(현행 독일 연방공화국의 헌법에서라면 그들은 원내로 진입할 기회가 전혀 주어지지 않았을 것이다). 그리고 1928년의 국회가 때 이르게 해산되지 않았다면, 그런 상황은 1932년까지도 변하지 않았을 것이다. 그러나 1930년 9월에는 독일공화국 대통령 파울 폰 힌덴부르크가 대통령에게 주어진 권한에 따라 국회에 대한 해산명령을 내리는 바람에 나치당은 18.3퍼센트의 득표로 당당히 복귀했다. 나치당을 지지한 유권자는 81만 명에서 640만 명으로 늘었고 원내의석도 12석에서 107석으로 비약적인 상승을 했다. 이것은 독일 총선 사상 한 정당이 한 임기 동안에 이룩한 성장 중에서 최고 수치였다. 그 결과는 독일의 정치 풍토를 완전히 바꿔놓았다.

이해에는 지방선거가 없었기 때문에 프로이센 정부는 이런 격변 상황으로부터 안전했다. 1928년 프로이센 주의회는 회기를 이어갔고 이전의 프로이센 의회가 모두 그랬듯이 4년의 임기를 채울 수 있었다. 주의회 차원에서 나치당은 여전히 군소정당이었다. 하지만 위험을 알리는 조짐은 많았다. 가장 큰 문제는 극우파의 위협에 대처하기 위해 프로이센 주정부와 독일 중앙 정부가 협력하는 것이 불가능했다는 점이었다. 사민당이 이끄는 헤르만 뮐러(1928~30) 정권 아래에서 독일과 프로이센 주정부는 민족사회주의 운동의 위협에 대처하기 위해 협력해야 한다는 데 의견이 일치했다. 그렇게 할 수 있는 수단은 바이마르 헌법에서 나왔다. 헌법은 공무원들이 어떤 형태든 반헌법적으로 간주되는 집단을 위해 정치 행위에 가담하는 것을 명시적으로 금지하고 있었다. 1930년 5월 25일, 프로이센 정부는 프로이센 공무원들이 나치당이나 독일공산당(Kommunistische Partei Deutschlands, 이하 공산당)에 가입하는 것을 불법화하는 명령을 내렸다. 브라운은 중앙 정부에 있는 동료들을 설득해서 연방 차원에서 이 금지 조치를 따라줄 것을 강력히 당부했다. 사민당 소속의 내무장관 카를 제버링은 이에 동의했고 반헌법 조직으로서 나치당의 활동을 금지하기 위한 준비에 돌입했다. 이런 조치가 성공했다면 내각은 정식 당원증을 가진 나치가 국가방위군을 포함해 정부기구에 침투하는 것을 충분히 막았을 것이다. 또 민족사회주의자인 하인리히 프리크를 내무장관에 임명함으로써 나치가 관료 사회에 신속하게 진입하도록 문을 연 주정부의 조치도 막을 구실이 생겼을 것이다.[57]

이런 상황은 9월 총선 이후 변했다. 뮐러의 후임으로 총리에 오른 하인리히 브뤼닝은 나치당을 공산당 못지않은 위협으로 간주하는 것은 치명적인 실수가 될 것이라고 공언하며 이전의 나치 활동 금지 조치를 취소했다. 그는 1931년에 나치 돌격대(SA) 지도자의 문서 한 통이 발견된 이후로도 계속해서 나치의 위협을 대수롭지 않게 보았다. 거기에는 바이마르 정권을 폭력적으로 전복시킬 계획은 물론이고, 전복 이후 처단할 인물들을 정리한 살생부까지 있는데도 그랬다. 브뤼닝의 장기적인 목표는 바이마르 헌법을 구제국헌법에 더 가까운 것으로 대체하는 것이었다. 이 목표는 좌파가 힘을 잃고 정계에서 퇴출될 때만 달성할 수 있는 것이었다. 브뤼닝은 프로이센 수상 집무실을 독일 총리 집무실과 통합함으로써 사민당을 프로이센 본거지에서 몰아낼 계획을 세웠다. 1871년의 비스마르크식 통치로 회귀하려는 의도였다. 동시에 브뤼닝은 나치가 종속적인 역할을 맡는 우파의 통합 세력권을 형성해서 사민당을 일체의 권력 행사에서 배제하려고 했다.

이런 목표를 추구하는 과정에서 브뤼닝 정부는 나치 운동을 억제하려는 프로이센 정부의 노력을 노골적으로 방해했다. 1931년 12월, 전임 프로이센 내무장관으로서 베를린 경찰청장이자 과격파에 맞서는 가장 열렬한 민주주의 옹호자의 한 명인 알베르트 그르체진스키는 아돌프 히틀러를 체포하도록 오토 브라운을 설득했다. 하지만 브뤼닝이 이 계획의 승인을 거부했다. 체포 계획을 밀어붙일 경우 힌덴부르크 대통령이 긴급명령권을 발동해 체포 명령을 취소할 것이란 말이 들려왔다. 1932년 3월 2일, 프로이센 수상 오토 브라운은 나치당의 활동을 자세히 분석하면서 이 당이 헌법을 훼손하고 공화국을 전복하는 일에 얼마나 열심인지 보여주는 200쪽짜리 사건 기록을 하인리히 브뤼닝에게 보냈다. 이 서류에는 프로이센 전역에서 나치 돌격대의 활동을 금지해야 할 시점이 임박했음을 총리에게 알리는 편지 한 통이 동봉되었다. 이때서야 브뤼닝은 어쩔 수 없이 반응을 보이고 힌덴부르크 대통령에게 전국적인 반나치 활동을 지원해달라고 설득했다. 이 결과 1932년 4월 13일, 전국에 민족사회주의자들의 준군사 조직을 금지하는 긴급명령이 발동되었다.

이것은 어쨌든 진전된 결과였다. 제한적이기는 했지만 프로이센 주는 바이마르 공화국에서 민주주의 보루로서의 약속을 이행하고 있었다. 그러나 공화주의 연정의 입지는 지극히 취약했다. 1930년 9월 총선에서 나치에게 투표한 수백만 유권자가 1932년의 다음 프로이센 선거에서도 그들을 지지할 것이라고 추정하는 것은 이치에 맞는 것처럼 보였다. 문제의 심각성은 1931년 2월에 독일국가인민당과 나치당을 포함한 우익 정당의 느슨한 연합이 프로이센 주의회의 해산을 제안하는 국민투표 도입에 성공했을 때 분명해졌다. 1931년 8월 국민투표가 실시되었을 때, 동부 농업 지대에서 찬성률이 집중된 가운데 무려 980만 명에 이르는 프로이센인이 해산안에 찬성표를 던졌다. 해산 기준에는 미치지 못했지만 우려되는 결과였다.[58] 또한 정부의 활동 금지 조치에도 불구하고 여전히 많은 지역에서 나치 돌격대 지원자가 몰려들었다. 오버슐레지엔과 니더슐레지엔의 경우, (이제 지하활동으로 바뀐) 돌격대원의 수는 1931년 12월 1만 7,500명에서 1932년 7월에는 3만 4,500명으로 늘어났다.[59] 나치와 공산주의자, 경찰, 국기단(Reichsbanner), 공화국 민병대 등이 곤봉이나 금속무기, 소형화기로 치열한 시가전을 벌이는 상황에서 거리 폭력은 여전히 심각한 문제였다.[60]

1932년 봄, 주의회 선거가 준비되고 있을 때 차기 프로이센 정부는 민주적 다수결을 기대할 수 없으리라는 것이 분명해졌다. 1932년 4월 24일의 선거 결과는 사면초가에 몰린 공화파에게 최악의 공포가 현실이 되었다는 것을 확인해주었다. 이례적일 정도로 높은 투표율(81퍼센트)을 보인 이 선거에서 나치당은 전체 유효표의 36.3퍼센트를 획득했다. 크게 피해를 본 것은 (득표율이 6.9퍼센트로 줄어든) 국가인민당과 각각 1.5퍼센트의 득표로 군소정당으로 전락한 자유주의 노선의 독일민주당과 독일인민당이었다. 공산당은 12.8퍼센트의 득표로 그때까지 거둔 성적 중에 가장 좋은 결과를 기록했다. 이에 따라 특이한 정치공백기가 뒤따랐다. 프로이센 주의회의 개정된 규정에 따르면 우익 진영의 반공화파 야당은 다수파를 형성할 수 없어서 정권을 잡을 수 없는 처지였다. 또 공산당과 이들의 연정은 생각할 수 없었다. 그리하여 사민당의 오토 브라운이 이끄는 연립정부는 비록 다수파가 못되고 긴급명령에 의존하는 처지이긴 했지만 명목상으로나마 계속 정권을 유지했다. 그러다가 1932년 7월 14일, 연간 주 예산을 긴급명령으로 통과시킬 수밖에 없는 형편이 되었다. 프로이센의 민주주의는 선거를 통해 위임된 권한을 잃어버렸다.

중앙 정부 차원에서도 정치적으로 프로이센주에 광범위한 영향을 미칠 만큼 불길한 조짐이 있었다. 1932년 봄, 힌덴부르크 대통령 주변의 보수파들이 (대통령 자신을 포함해) 브뤼닝에 대한 신뢰를 거둔 것이다. 브뤼닝은 사민주의자들을 압박하는 정책에 별 진전을 이루지 못했고, 우익 중심으로 보수파 진영을 통합시키고 좌파를 정치권에서 몰아내기 위해 한 일이 아무것도 없었다. 1932년 4월 10일의 대통령 선거에서 우익 정당이 모두 자체의 후보를 내세우는 바람에 힌덴부르크는 실망이 컸다. 84세의 현직 대통령은 재선을 위해 가톨릭중앙당과 사민당에 의존해야 했다. 한때 민족주의 우파의 유명 지도자였던 힌덴부르크가 사회주의자와 가톨릭의 지지를 받는 후보가 된 것이다.[61] 보수파부흥을 준비하기 위한 브뤼닝의 계획이 실패하는 광경을 이보다 더 생생하게 보여준 사건은 없었다. 힌덴부르크는 브뤼닝 정부가 경제적으로 쓸모없는 엘베강 동쪽의 토지를 분할해서 실업자를 위한 소규모 농지로 분배하는 입법을 준비하는 것을 알고 나서 기분이 언짢았다. 지주로서 수많은 융커와 연결고리를 갖고 있는 힌덴부르크는 브뤼닝의 계획이 농업 볼셰비즘이나 다름없다고 보았다.[62] 국회에서 다수파가 못되는 브뤼닝은 결국 대통령의 지지를 상실했다. 1932년 5월 30일, 브뤼닝은 전도가 암담하다고 생각하고 사임했다.

브뤼닝이 이탈함으로써 근근이 유지되던 바이마르 민주주의는 마지막 외형마저 무너졌다. 브뤼닝의 자리를 채운 것은 추호의 망설임도 없이 공화 체제를 해체한 극보수주의 내각이었다. 1932년 6월 1일, 힌덴부르크는 신임 총리로 프란츠 폰 파펜을 임명했다. 베스트팔렌의 귀족 지주 출신으로 대통령의 옛 친구이기도 한 파펜은 진정으로 반동적인 본능을 가진 남자였다. 대통령에게 파펜을 임명하도록 설득한 사람은 노련한 모사가로서 내각에서 가장 영향력이 큰 국방장관 쿠르트폰 슐라이허였다. 핵심 역할을 한 또 다른 인물은 내무장관인 빌헬름폰 가일이었다. 가일과 파펜, 슐라이허 세 사람은 숱한 전술적인 문제에서는 의견이 달랐지만, 모두 정당을 해산하고 곳곳에서 선출된 의회권력을 억누르고 보수적인 '새 나라'를 건설하자고 열광적으로 주창했다. 또한 그들은 공화제를 끌어내릴 때가 되었다는 데 의견이 일치했다.

첫 단계는 나치를 달래고 보수파가 받아들일 수 있는 한도에서 그들의 협조를 이끌어내는 것이었다. 히틀러는 이미 오래전부터 국회를 다시 해산할 것을 요구했는데, 폰 파펜은 6월 4일 총리에 임명되고 불과 3일 만에 의회 해산에 대한 대통령의 긴급명령을 받아냈다. 이로부터 열흘 뒤에 그는 나치 친위대(SS)와 나치 돌격대에 대한 전국적인 금지령을 보류했다. 원내에서 나치당이 그의 총리직 잔류와 긴급명령에 반대하지 않을 것이라는 히틀러의 약속에 대한 답례 차원에서 내린 조치였다.[63] 이리하여 '우파 통합'이 시작되었다.

그 다음은 프로이센 차례였다. 파울 폰 힌덴부르크 공화국 대통령의 측근으로 비선실세였던 쿠르트 폰 슐라이허는 오래전부터 대통령의 긴급명령권을 발동해서 프로이센 정부를 해산하고 그 임무를 중앙 정부에 넘기는 방안을 선호했다.[64] 1932년 7월 11일의 각료회의에서 신임 내무장관 빌헬름 폰 가일은, 그가 프로이센 문제의 '최종해결책'(Endlösung)이라고 명명한 정책을 요구하며 다음과 같이 발언했다.

최근 아돌프 히틀러 중심으로 지지세를 넓혀가는 운동은, 국민개조라는 유용한 방향으로 국력을 돌리기 위해 브뤼닝과 제버링이 씌워놓은 사슬에서 벗어나야 하며, 국제 공산주의와 맞선 승리할 싸움이라는 점에서 지지를 받아 마땅합니다. […] 이런 임무로 나아가는 길을 열기 위해 또 프로이센의 사회주의-가톨릭 연정을 격파하기 위해, 제국과 프로이센의 이원 구조는 프로이센 정부의 해체를 통해 일거에 제거해야 마땅합니다.[65]

이런 의견은 이미 파펜이나 슐라이허와의 별도 회동에서 가일이 동의했던 것이므로 그의 제안에 이론이 있을 수 없었다. 5일이 지난 7월 16일, 파펜은 각료들에게 공화국 대통령으로부터 프로이센 문제에 대한 '자유 재량권'을 위임받았다는 사실을 전했다.[66]

대통령 측근들의 계획이 진행되는 동안, 나치당은 파펜이 나치 친위대와 나치 돌격대에 대한 활동 금지 조치를 유예함으로써 얻은 기회를 최대한 활용했다. 6월 12일부터 나치 돌격대는 공산주의자들과 결판을 짓기 위해 거리를 휩쓸고 다녔다. 거리에서는 매일 폭력사태가 끊이지 않았다. 무차별 폭력은 함부르크 인근의 붐비는 항구이자 공업도시인 알토나에서 가장 심했다. 알토나는 당시 함부르크에서 독립해서 슐레스비히-홀슈타인 지방에 속한 도시였다. 1932년 7월 17일 '알토나의 피의 일요일'(Altonaer Blutsonntag)에 나치는 (주로 공산주의자가 많은) 노동계급 거주 지구를 행진하며 도발했다. 이에 따른 혼전의 와중에 (경찰의 발포로) 18명이 피살되고 100여 명이 부상을 당했다. 파펜과 각료들은 때를 놓치지 않았다. 프로이센 정부가 법질서 수호의 의무를 다하지 못했다고 주장하면서(이 준군사조직의 활동 금지를 풀어준 사람이 파펜 자신이라는 사실을 감안할 때 기막히게 어이없는 혐의였다) 총리는 1932년 7월 20일, 힌덴부르크 대통령을 설득해서 긴급명령권을 발동해 오트 브라운 프로이센 수상이 이끄는 정부를 해산시키도록 했다. 프로이센의 장관들은 '판무관'(Reichskommissar)으로 대체되었다.[67] 알베르트 그르체진스키 베를린 경찰청장과 부청장 베른하르트 바이스, 그리고 가톨릭중앙당 인물로서 경찰 고위직으로 승진한 마르쿠스 하이만스베르크는 모두 투옥되었으며 고분고분하게 그들의 직위에서 물러나고 나서야 석방되었다. 베를린에는 비상사태가 선포되었다.

사민당 지도부는 이렇게 터무니없는 불법 행위에 지극히 소극적이고 체념하는 반응을 보였다. 이미 몇 주 전부터 해산 조치가 준비되고 있다는 사실이 알려졌지만, 이것을 막기 위한 어떤 계획이나 조직적인 대책도 내놓지 않았다. 1931년 12월, 사민당은 '강철전선'(Eiserne Front)이라 불리는 수비대를 결성했다. '국기단'이라 불리는 민병대로 구성된 이 기구는 다양한 노동조합과 노동자 스포츠클럽 네트워크가 연합한 형태였는데, 사민당 지도부는 이들을 동원하지도 않았고 경계 태세를 내리지도 않았다. 7월 17일의 알토나 사건 이후, 쿠데타가 임박했다는 것을 눈치챘을 때도 베를린의 사민당은 아무런 조치를 취하지 않았다. 오히려 반대로 '피의 일요일' 이튿날에 열린 회의에서 당 지도부는 총파업 선언에 동의하지도 않았고 무력 저항을 승인하지도 않았다. 이런 반응은 적어도 파펜과 그 공모자들에게는 고무적인 것이었다. 이들은 본격적인 저항 없이 확실하게 쿠데타에 성공할 수 있을 것으로 보았다.

이처럼 사민당 지도부가 후회 막심할 정도로 무기력한 반응을 보인 이유를 짐작하는 것은 어렵지 않다. 프로이센의 사민당과 그들의 연정 파트너는 1932년 4월 지방의회 선거에서 주의회의 다수 의석을 확보하는 데 실패한 뒤로 이미 사기가 떨어져 있었다. 무엇보다 원칙에 충실한 민주주의자로서 그들은 유권자의 심판에 의해 정치적으로 힘을 잃었다는 것을 알았다. 오토 브라운처럼 준법적인 사고를 하는 사람에게 관료 집단이 반란을 감행하는 것이 내킬 리 없었다. 그는 자신의 비서에게 "40년간 민주주의를 신봉해온 내가 반란군의 수괴가 될 수는 없지"라고 말했다.[68] 브라운과 그의 수많은 동료는 긴 안목으로 볼 때 국가의 중앙집권화와 프로이센의 분할이 불가피하다고 생각했다. 혹시 이 때문에 쿠데타 세력의 정치적 책략에 의해 섬뜩한 일을 당하더라도 국가권력이란 사안을 위협하는 일은 그들로서는 내키지 않았을 것이다.[69] 아무튼 권력의 균형추는 프로이센 정부의 반대편으로 기울었다. 1932년의 높은 실업률을 감안할 때 (1920년에 카프와 뤼트비츠를 몰락시켰던) 총파업은 아마 효과가 없었을 것이다.

프로이센 정부 부처와 베를린의 국방부 사이에는 항상 마찰이 있었기 때문에 국가방위군 지휘부가 프로이센의 해체에 반대하지 않으리라는 것은 분명했다. 쿠데타에 저항한다는 것은 프로이센 경찰과 독일군 간의 전투를 의미할 수도 있으며, 각 경찰부대가 어떤 반응을 보일지도 불확실했다. 나치는 일부 지역에서 큰 성공을 거두며 경찰 조직망에 침투해 있었다. 물론 1930년 6월 25일의 긴급명령으로 경찰관이 나치 조직에 가담하는 것은 금지되었지만, 나치는 전직 경찰관연합 안에 요원을 심어둠으로써 이 문턱을 넘었다. 이 연합은 공화국에 대한 나치의 비판을 수용하고 현직 경찰관과 다양한 연결고리를 확보한 보수단체였다.[70] 이들이 세력을 규합한다면 공화파의 준군사조직인 국기단 20만 병력은 70만이 넘는 나치 및 보수파 군사조직과 맞닥뜨렸을 것이다. 끝으로 중요한 사실은 사민당 소속의 오토 브라운 수상이 신체적으로 병이 들었을 뿐 아니라 정신적으로 탈진했다는 것이다.

프로이센 연정 지도자들은 라이프치히의 독일 헌법재판소를 바라보며 거기서 쿠데타를 불법으로 선언해주기를 기대했다. 또 다가오는 총선에 터무니없는 기대를 했다. 좋은 평판을 받는 공화국 제도를 파괴한 대가로 파펜 주변의 보수파가 몰락할 것이라고 믿은 것이다. 하지만 이 두 가지 기대는 모두 물거품이 되었다. 1932년 7월 31일의 총선에서 나치당은 전체 유효표의 37.4퍼센트의 지지를 받음으로써 전국 최대 정당으로 부상했다. 그때까지 자유선거에서 나치당이 거둔 최대의 성과였다. 헌법재판소는 판결문을 통해 명확한 입장을 밝히면서 프로이센 당국이 임무를 소홀히 했다는 주장은 배격했지만, 민주 진영의 간절한 기대와는 달리 쿠데타에 대한 노골적인 비난도 삼갔다. 공화국을 수호하기 위한 마지막 기회마저 사라진 것이다. 나치의 선전 책임자 요제프 괴벨스는 흡족한 기분으로 7월 20일 자 일기에 이렇게 적었다. "빨갱이에게는 이빨을 드러내기만 하면 된다. 그러면 무릎을 꿇게 되어 있다." 다음 날 그는 다시 이렇게 적었다. "빨갱이는 끝났다. [그들은] 기회를 놓쳤고 그것은 다시 오지 않을 것이다."[71]

프로이센의 쿠데타는 바이마르 공화국의 종말을 알렸다. 전국의 독일 대중에게 사실상 알려지지 않은 귀족 혈통의 보수파 테크노크라트 팀이라고 할 파펜과 슐라이허 그리고 '남작들의 내각'(Kabinett der Barone)은 고삐를 조이기 시작했다. 온건 노선의 사민당 기관지『돌격!』은 다시 발행이 금지되고 자유주의 좌파 신문인『베를리너 폴크스차이퉁』(Berliner Volkszeitung)은 공개적인 경고를 받았다.[72] 프로이센의 법

집행 관행에 작지만 중대한 변화가 발생했다. 하노버 지방과 쾰른 법원 관할구에서는 사형 집행에 여전히 단두대가 사용되고 있었다. 하지만 프로이센 행정관으로서 파펜은 1932년 10월 5일 단두대(프랑스혁명의 흔적이 담긴 장치) 사용을 중단하도록 명령했다. 그 대신 사형집행관들은 과거의 게르만적인 프로이센의 '손도끼'를 사용하라고 했다. 여기서 사민당이 이념적으로 계승한 프랑스혁명을 '뒤로 돌리고' 그 역사적 결과를 지워버리려는 파펜의 의도가 분명히 드러났다.[73] 나치 지도부 일각에서 파펜 정부를 바라보며 "우리가 손댈 여지도 없이 너무 앞서나가지 않을까" 두려워한 것도 놀랄 일은 아니었다.[74]

파펜이 정부에서 보낼 날도 이제 얼마 남지 않았다. 하인리히 브뤼닝의 총리 재임 기간에 사민당은 나치의 도전에 맞서 체제를 보호하기 위해 총리의 행동을 눈감아주었다. 하지만 프로이센을 뒤엎는 쿠데타가 발생한 마당에 파펜은 사민당으로부터 어떤 지원도 기대할 수 없게 되었다. 파펜 일파의 음모에 크게 실망한 나치당도 공공연히 적대적인 태도를 보였다. 이제 총리가 과반수 지지를 확보한다는 것을 기대할 수는 없었다. 1932년 9월 12일, 새로 출범한 국회는 의원 512명의 찬성으로 총리 불신임안을 가결했다. 파펜을 지지한 의원은 42명에 지나지 않았고 기권은 다섯 표였다. 도저히 의회 기능을 기대할 수 없는 구조였다.

이제 두 가지 방법이 있었다. 파펜 정부는 다시 한번 국회 해산을 선언하고 새로 총선을 실시할 수 있었다. 이 경우, 적어도 선거까지 60일, 새 의회가 구성될 때까지 30일, 도합 3개월의 시간이 주어진다. 의회가 다시 시작되기 전 90일의 유예를 얻는 것이다. 이렇게 독일 민주주의는 위축되어 있었다. 공화국 한복판에서 기계적인 조건반사처럼 반복되는 선거는 시스템을 해체하는 주기적인 발작이나 다름없었다. 하지만 대안이 있었다. 선거를 치르지 않고 국회를 해산하는 것이다. 프로이센 역사에서 전례가 없는 방식인 것도 아니다. 1862년 헌법의 위기

기간에 비스마르크가 프로이센 의회와 공개적으로 결별한 예가 있었다. 당시 비스마르크는 헌법을 무시하고 의회를 배제한 통치를 통해 교착 국면을 극복하는 데 성공했다. 바로 이 대안을 선택할 길이 파펜과 힌덴부르크에게 열려 있었다. 힌덴부르크 공화국 대통령은 1860년대의 위기를 충분히 경험했을 정도로 나이가 든(1847년 생!) 노인이었다. 또한 그는 비스마르크와 같은 계층으로서 비슷한 사회 배경을 가졌기 때문에 그의 가문은 당시의 과정을 큰 관심을 갖고 지켜보았을 것이 틀림없었다.

파펜은 비스마르크 방식의 쿠데타 방안을 고려했지만 결국에는 거절했다. 쿠데타가 중대한 위험을 초래할 것이 분명했기 때문이다. 어쩌면 내전으로 이어질지도 몰랐다. 국회에서는 이런 가능성에 대한 논의가 있었다. 총리의 경쟁자로 부상한 쿠르트 폰 슐라이허를 정치적 대변인으로 둔 국가방위군의 태도도 불확실하기는 마찬가지였다. 이리하여 파펜은 다시 1932년 11월 6일의 총선을 요구하는 쪽을 택했다. 하지만 나치당이 근소하게 지지율이 하락하기는 했어도 여전히 다수당의 지위를 유지한 선거 결과로 볼 때 새로 구성될 국회가 이전 의회와 달리 파펜 총리에게 고분고분 참아주지 않으리라는 것은 분명했다. 새로 구성될 국회가 첫 회기에 불신임안을 가결할 것이 확실했다. 파펜은 포기했다. 1932년 12월 1일, 파펜의 옛 친구 쿠르트 폰 슐라이허가 총리를 겸임했다. 총리로서 슐라이허의 첫 과제는 성탄절이 끝날 때까지 회의를 열지 않도록 국회를 설득하는 것이었다. 성탄절에 선거를 치르는 것은, 그것도 한 해에 세 번씩이나 하는 것은 독일 사람들(Volks)에게 지나친 것이 분명했다. 국회 원로회의는 1933년 1월 말까지 의회를 개회하지 않는다는 데 합의했다.

그러는 사이에 프란츠 폰 파펜은 히틀러를 총리에 임명하도록 옛 친구 힌덴부르크를 설득했다. 지루한 막후 협상 끝에 파펜은 힌덴부르크가 거절할 수 없는 제안을 했다. 히틀러가 총리에 임명되면 나치 당원은 두 명만 입각시키겠다고 약속한 것이다. 나머지 장관 일곱 명은 보수파가 될 것이고 파펜 자신이 부총리를 맡을 것이므로 이렇게 보수파에 둘러싸인 상황에서는 히틀러가 보수 진영의 입장을 고려할 수밖에 없을 것이라는 말이었다.[75] "두 달이면 우리는 히틀러를 옴짝달싹 못 하게 구석으로 몰아붙일 수 있을 것입니다"라고 파펜은 의기양양하게 말했다.[76]

이렇게 해서 히틀러는, 앨런 벌록이 예전에 지적했듯이 "은밀한 뒷거래에 의해 공직에 오르게 되었다".[77] 하지만 나치의 권력 장악은 이것으로 끝이 아니었다. 그것은 시작에 불과했다. 나치로서는 몇 가지 중요한 카드를 손에 쥐고 있었다. 1932년 7월 20일 파펜이 일으킨 반란 덕분에 선거 결과에 따라 구성된 프로이센 주정부는 프로이센 국가판무관부(Reichskommissariat)로 대체되었다. 무엇보다 이것은 헤르만 괴링이 내각의 각료 지위가 없는 상태에서 장관 자리를 차지할 수 있으며, 동시에 독일 최대의 경찰력을 지휘하는 프로이센 내무장관의 역할을 할 수 있다는 의미였다. 1933년 봄에 괴링은 자신에게 주어진 프로이센 경찰력을 인정사정 볼 것 없이 최대한 활용했다. 이런 식으로(비단 이런 식으로만 전개되지는 않았지만) 1933년 1월 이전에, 대통령 주변의 보수파가 저지른 무분별한 조치는 나치의 권력 독점을 위한 길을 열어주었다.

나치에 권력을 헌납한 음모의 타래는 프로이센의 유산에서 삐져나온 실가닥으로 두툼하게 짜였다. 이것은 1930년 이후 공화국과 냉정한 거리를 유지하며 상황을 지켜보다가 직접 개입한 군부의 태도를 보면 알 수 있다. 그런 술수는 엘베강 동부 지역 지주의 이익에 민감한 힌덴부르크 대통령에게서도 엿볼 수 있다. 브뤼닝 총리와 슐라이허 두 사람은 엘베강 동부 지역의 분할이 포함된 토지개혁 운동을 지지한 직후에 대통령의 신임을 잃었다. 구프로이센 지역에서 보수파가 주도권을 행사했던 시절의 생생한 기억은 공화국을 무력하게 만드는 데 일조한 반동 세력의 정치적 환상에 생명을 불어넣었다.[78] 프로이센 귀족이라는 오만함과 주도권을 쥐려는 태도는 무엇보다 자신과 '남작들의 내각'이 히틀러를 '고용했다'라고 허풍을 떠는 프란츠 폰 파펜의 태도에서 가장 극명하게 드러났다. 마치 나치 지도자가 시간제로 근무하는 정원사나 거리를 떠도는 음유시인이라도 된다는 투였다. 힌덴부르크에게도 지위와 위엄의 차이에 따른 엄청난 거리감이 있었다. 프로이센군의 원수인 그 자신과 오스트리아의 일개 병장 출신인 히틀러 사이에 놓인 격차는 히틀러의 진정한 면모를 보지 못하게 만들었다. 그 차이는 히틀러가 얼마나 위협적인 존재인지, 그가 얼마나 쉽게 전통과 정치 질서를 뒤집어엎을 수 있는지 이해하지 못할 정도로 컸다.

하지만 주정부의 민주주의자와 공화주의자는 비록 전혀 다른 사회 배경을 가지고 있다고 해도 똑같은 프로이센 사람이었다. 정열적인 활동가인 알베르트 그르체진스키는 포메른의 트렙토 부근의 톨렌제 출신이었다. 베를린에서 하녀의 사생아로 태어난 그는 판금 기술자 과정을 마친 다음 노조 간부와 정치활동가로 경력을 쌓았다. 혁명 이후 그르체진스키는 독일 정부에 입각할 기회가 있었다. 그는 1920년에 독일 국방부의 직책을 제안받았지만, 그 대신 프로이센 주정부를 선택하고 베를린 경찰청장(1925~26, 1930~32)과 프로이센 내무장관(1926~30)을 역임했다. 이 두 자리에 있는 동안, 그는 공화주의 인사정책을 강력하게 추진했다. 1927년에는 농촌 지역의 특별 경찰관할권을 폐지하는 법안 작성을 감독했고 융커에게 남은 봉건적 특권의 마지막 잔재를 제거하면서 국가 행정조직의 빈틈을 메웠다. 그는 나폴레옹 시대의 개혁파가 하던 과업을 마무리하면서 우파로부터는 계속 미움을 받게 되었다. 확고한 반나치파였던 그르체진스키는 괴벨스가 장악한 신문이 대단히 싫어하는 인물이었다. 이 신문은 반복해서 (사실과 다르게) 그를 '유대인 공화국의 유대인'이라고 비난했다.[79] 1931년 12월 그는 히틀러를 프로이센에서 쫓아내는 추방 명령을 내렸지만 브뤼닝이 주도하는 국회의 방해로 뜻을 이루지는 못했다. 1932년 초 라이프치히에서 행한 유명한 연설을 통해 그르체진스키는 "외국인인 히틀러를 개 채찍을 휘둘러 쫓아내지 못하고 공화국 정부와 협상할 기회를 주어야 한다는 것은 통탄할 일"이라고 한탄했다. 히틀러는 이 말을 잊지 않았고 용서하지도 않았다. 1933년 그르체진스키는 현명하게 독일을 떠나 처음에는 프랑스로, 이어 뉴욕으로 도피했고, 뉴욕에서 다시 판금 기술자로 생계를 꾸렸다.[80] 그의 삶은 민주주의 자체를 위해서뿐만 아니라 프로이센 및 그 제도의 역사적 소명을 위한 열정적인 헌신으로 점철되었다.

1932년까지 수상으로 일하며 프로이센 주의 지도층에 있었던 오토 브라운도 비슷한 경우다. 쾨니히스베르크에서 하급 철도 고용원의 아들로 태어난 브라운은 1888년에 사회민주당에 입당했다. 비스마르크가 통치하던 당시의 프로이센에서 사민당 활동은 불법이었다. 그는 토지가 없는 엘베강 동부 지역의 시골 노동자들 사이에서 뛰어난 활동을 하며 날카로운 신문 편집 능력으로 주목과 존경을 받았다. 그는 3계급 선거권이라는 장벽을 뚫고 소수파 사민당 의원단의 한 명으로서 구프로이센 주의회에 진출할 수 있었다. 시골 프롤레타리아의 옹호자로서 브라운은 구프로이센의 농촌 엘리트와는 대조적이었으며 1918~19년에 이들의 정치적 주도권을 무너뜨리는 데 일조했다. 하지만 그는 그들 못지않게 단호하고 이론의 여지가 없는 프로이센 사람이었다. 그의 일에 대한 끝없는 욕구, 끝없이 세부적인 것에 집중하는 태도, 가식에 대한 혐오 그리고 공직의 고귀함에 대한 심오한 감각은 모두가 프로이센의 미덕이라는 전통적인 목록에서 나온 속성들이었다. 심지어 그에게 '프로이센의 빨갱이 차르'라는 별명을 붙여준 그의 권위주의적인 운영 방식조차 조상 대대로 내려오는 프로이센의 특성으로 이해할 수 있다. 보수파 기자인 빌헬름 슈타펠은 1932년에 다음과 같이 썼다. "오토 브라운 같은 사민주의자는 비록 사민당의 노선이 온통 반프로이센주의를 보여주기는 하지만, 독일인이라기보다 프로이센인이다.

그의 업무 태도는 은혜를 모르는 왕을 방치하고 '자신의 배추를 키우
는' 융커의 모습이다."[81] 브라운은 또한 사냥에 열정을 쏟기도 했는데,
이것은 그가 공화국 대통령인 파울 폰 힌덴부르크와 공유한 취미이기
도 했다. 두 사람은 사냥철이면 인근 지역에서 사냥을 했고 이를 계기
로 마음 편하게 두터운 교분을 쌓으며 당대의 핵심적인 정치 이슈에 대
한 의견을 교환했다.[82] 여기서 다시 사민당 엘리트와 한때 적이었다고
할 프로이센 지역 사이에 특이한 친화력이 조성되었다는 것이 입증된
다. 이 시기의 사민당 지도부가 국가를 경영하면서 책임을 지고 위험을
감수하는 일이 독일보다 프로이센에서 훨씬 쉽다고 생각했다는 것은
놀랍기만 하다.

어떤 면에서는 1932년 7월 20일 반란이 일어난 날, 구프로이센이
신프로이센을 무너뜨렸다고 말할 수도 있다. 좀 더 정확하게 말하자
면, 배타적인 농업 중심의 프로이센이 바이마르 연정이라는 국가 중심
의 프로이센을 쳐냈다고 할 수 있다. 전통 사회가 끝내 근대화된 국가
를 이겼다고 말할 수도 있다. 폰 데어 마르비츠(중세부터 내려오는 브란덴
부르크의 귀족가문 — 옮긴이)의 후예가 헤겔 정신에 승리를 거둔 것이다.

하지만 이런 은유적 이율배반은, 비록 1932년 여름에 발생한 사건의 의미를 일부분 포착하는 것이 분명하더라도, 너무 단순화한 시각이다. 프로이센을 상대로 반란을 일으킨 자들을 전형적인 융커라고 보기는 어렵다. 파펜은 베스트팔렌의 가톨릭 신도였고 빌헬름 폰 가일은 라인란트 출신이라는 점에서 두 사람은 '변두리 프로이센인'이라고 할 수 있다.[83] 쿠르트 폰 슐라이허마저는 슐레지엔 장교의 아들이라고는 하나 외부 지주계급 출신의 정치적 모사꾼이었고 권위주의적인 협동조합주의와 입헌주의가 뒤섞였다는 점에서 여전히 분류하기가 힘들다.[84] 이 세 사람이 추구한 것은 국가적 정책이었지 주나 지방으로서의 프로이센 정책은 아니었다.

1932년 사건의 중심에 있었던 힌덴부르크는 상황이 복잡하다. 엘베강 동부 지역의 지주이자 유명한 군지휘관 출신인 힌덴부르크는 프로이센의 전통을 구현한 인물로 보였다. 하지만 그의 삶은 독일제국을 통일한 세력에 의해 골격이 잡혔다. 1866년 오스트리아와의 전쟁 중 쾨니히그레츠 전투에서 싸울 때 그는 18세였다. 힌덴부르크는 독일인과 폴란드인 사이에 민족적 대립이 고조된 포젠 지방 출신이었다. 퇴역했다가 제1차 세계대전 초기에 군에 복귀한 그는 동부전선에서 독일군 최고지휘부를 이끄는 동안 프로이센–독일의 민간 정부에 도전했고 이를 무력화했다. 그는 스스로 열렬한 충성을 맹세한 황제를 압박해 자신의 프로젝트를 승인하게 만들었는데 그중에는 무제한 잠수함전(unein-geschränkter U-Boot-Krieg)이라는 재앙에 가까운 정책도 있었다. 이것은 미국을 전쟁에 끌어들이고 독일의 운명을 적군의 손에 넘긴 도발적이고 부질없는 작전이었다. 그는 황제의 측근을 한 사람씩 격리시키고(이 중에 테오발트 폰 베트만 홀베크 총리도 있었다) 정치권에서 몰아냈다. 이것은 순양함 자이들리츠(Seydlitz)호나 요르크(Yorck)호에서 보듯 양심에 따른 일회적인 거부가 아니라 거대한 야심에서 나온, 그리고 자신이 지배하는 군대의 이익이나 권위가 아니면 철저히 무시하는 체계적인 반항에서 나온 태도였다. 동시에 힌덴부르크는 갈수록 황제의 위엄을 깎아내리는 불굴의 게르만 전사 이미지를 투사하면서 의도적으로 자신에 대한 전국적인 숭배 열기를 조장했다.

물론 힌덴부르크도 1918년 11월에 빌헬름 2세에게 퇴위하고 네덜란드로 망명하라고 설득하기는 했지만, 원칙적으로는 군주제를 지지한다는 주장을 계속하며 본심을 감추었다. 훗날 다시(1925년 공화국 대통령에 당선되고 이어 1932년에 재선되었을 때), 그는 자신의 군주제 신념을 저버리고 독일제국의 공화제 헌법에 엄숙한 맹세를 했다. 1918년 9월 말, 며칠간 힌덴부르크는 휴전 협상을 개시하도록 독일 민간 정부를 다급하게 압박했지만, 뒤에 가서는 그 결과를 완전히 모른 척하고 민간인들에게 평화에 따른 책임과 굴욕을 떠넘겼다. 1919년 6월 17일, 프리드리히 에버트 정부가 베르사유 조약의 조건을 수락할 것인지를 놓고 숙고를 거듭할 때 힌덴부르크는 서면으로 더 이상의 군사적 저항은 희망이 없다는 것을 인정했다. 그럼에도 1주일 뒤에 에버트 대통령이 최고사령부로 전화해 조약 수락에 대하여 공식적으로 지지한다는 분명한 결정을 요구했을 때, 힌덴부르크 원수는 전화기가 있는 방에 없었던 것으로 하고 참모차장인 빌헬름 그뢰너에게 '끔찍한 결정'(bete noire, 힌덴부르크의 표현)을 떠넘겼다.[85] 이에 그치지 않고 힌덴부르크는 한 발 더 나갔다. 1919년의 조사위원회에서 그가 독일이 패배한 원인을 주장한 순간은 어쩌면 신화로 가득한 그의 경력 중에서 가장 신화적인 것일지도 모른다. 독일군이 야전에서 패배한 것은 적군의 군사력 때문이 아니라 국내의 비겁한 음모, 즉 '등 뒤에서 찌른 칼' 때문이라고 주장한 것이다. 이로 인해 새 정치지도부는 조국을 배신했다는 비난에서 벗어나지 못했다.

1925년 이후 공화국 대통령으로서 힌덴부르크는 (출신 환경의 큰 차이에도 불구하고) 사민당 소속의 양심적인 오토 브라운 프로이센 수상과 두터운 교분을 나누었다. 1932년 힌덴부르크가 재선에 입후보했을 때 브라운은 "침착하고 지조가 있는 인물로서 남자다운 충성심으로 전 국민에게 의무를 다할 것"이라고 이 노인을 찬양하며 호의적인 지원을 했다.[86] 하지만 1932년 보수파 일당의 음모를 접했을 때 힌덴부르크는 조금도 개의치 않고 옛 친구를 저버렸다. 그는 1925년과 1932년에 헌법에 대고 맹세한 엄숙한 선서에서 발을 빼고 공화국에는 불구대천의 원수라고 할 적들과 손을 잡았다. 그러고 나서 자신은 히틀러를 우정장관 이상의 직급에 임명하는 데 절대 동의하지 않을 것이라고 공언했음에도 불구하고 1933년 1월에 이 오스트리아의 나치 지도자를 독일 총리에 앉혔다. 힌덴부르크는 자신의 역량을 과대평가했으며 자신이 프로이센의 이타적인 복무 '전통'을 구현한다는 것을 추호도 의심하지 않았다. 하지만 진정한 의미에서 그는 전통적인 남자가 아니었다. 결정적으로 그는 구프로이센에서 배출한 인물이라기보다 새 독일을 형성한 유연한 권력 정치의 산물이었다. 힌덴부르크는 군 사령관으로서 그리고 이후 독일의 국가원수로서 실제로 그가 가담한 모든 유대 관계를 깨트렸다. 그는 끈기 있고 성실하게 봉직한 남자가 아니라 이미지와 조작, 배신의 남자였다.

프로이센과 제3제국

1933년 3월 21일, 포츠담의 위수교회(Garnisonkirche)는 아돌프 히틀러가 '새로운 독일'을 선포하는 행사의 무대가 되었다. 1933년 3월 5일의 총선에 이은 새 국회의 개회가 계기였다. 그것은 보통 축하행사는 국회의사당 건물에서 열렸지만, 2월 27일 네덜란드의 좌파 청년 마리우스 판 데어 루베의 방화 사건으로 본회의장이 시커먼 폐허로 변했기 때문에 의사당은 사용할 수 없었다. 1735년에 프리드리히 빌헬름 1세가 세운 위수교회는 프로이센군의 역사를 대변하는 당당한 기념비 같은 건물이었다. 교회 탑 위로 솟구친 풍향계는 FWR이라는 머리글자와 금빛 태양을 향해 날개를 펼친 프로이센 독수리의 강철 실루엣으로 장식되어 있었다. 내부의 제단 둘레의 돌에는 천사나 성서의 인물들 대신에 나팔과 깃발, 대포를 묘사한 조각이 새겨져 있었다. 지하실에는 '군인왕' 프리드리히 빌헬름 1세와 역사에 빛나는 그의 아들 프리드리히 대왕의 무덤이 나란히 있었다.[87] 이 역사적인 무대의 상징적인 잠재력을 즉각 알아차린 나치 선전 책임자 요제프 괴벨스는 이날의 행사가 선전용 스펙터클이 되도록 세심하게 공을 들여 계획하며 준비 과정을 직접 점검했다. 무엇보다 그가 1933년 3월 16일 자 일기에 기록했듯이, 이날은 히틀러의 총리 취임으로 출범한 "새로운 국가가 처음 상징적으로 표현되는" 순간이었기 때문이다.[88]

'포츠담의 날'로 알려진 이날의 행사는 정치 선전에 치중되었다. 구프로이센과 새 독일 사이의 통합 이미지, 나아가 신비로운 결합의 이미지를 제공하는 행사였다.[89] 통일전쟁의 참전용사들은 축하행사에 참석하기 위해 배를 타고 시내로 이동했다. 가장 존경받는 프로이센 연대의 깃발들이 (전통적으로 위수교회의 아치 밑에서 맹세를 하는 유명한 제9보병연대를 포함해) 눈에 잘 띄는 자리에 꽂혀 있었다. 그리고 시가지는 독일제국과 프로이센의 기, 나치의 하켄크로이츠(갈고리십자) 깃발로 장식되었다. 바이마르 공화국의 검은색-빨간색-금색 삼색기는 눈을 씻고 봐도 없었다. 이날의 날짜도 의미심장했다. 괴벨스가 선택한 3월 21일은 공식적으로 봄의 시작을 알리는 날일 뿐만 아니라 1871년 1월에 독일제국이 선포된 뒤 첫 국회가 열린 날이었다. 행사 중심에는 힌덴부르크 공화국 대통령이 있었다. 갖가지 크기와 모양의 훈장으로 번쩍이는 제복 정장 차림에 오른손에는 원수 지휘봉을 꼭 잡은 힌덴부르크는 수많은 국가방위군 병사와 준군사조직인 갈색셔츠단(Braunhemden)이 팔을 들어 경례를 하는 동안 위풍당당한 모습으로 구시가지 거리를 걸었다. 그는 제단 중앙에 마련된 자리에 앉기 전에 돌아서서 원수 지휘봉으로,

56 1933년 3월 21일 포츠담의 날. 히틀러와 힌덴부르크가
포츠담 위수교회 앞에서 악수를 하고 있다.

이제는 네덜란드로 망명한 빌헬름 2세 전 국왕 겸 황제의 빈 옥좌를 가리켰다. 이 짓궂은 행위는 그 자리에 참석한 호엔촐레른가의 왕자 두 명에게 의도적으로 보여주기 위한 것이었다. 한 사람은 전통적인 해골 문양의 경기병 제복을 입었고, 또 한 사람은 나치 돌격대의 갈색 복장 차림이었다.

힌덴부르크는 모여든 내빈들을 상대로 한 연설에서 '이 역사적인 명소의 옛 정신'이 독일의 새 세대에게 영감을 안겨줄 것이라는 희망을 피력했다. 그러면서 '불굴의 용기와 조국애'를 통해 프로이센이 위대해졌다면, 새로운 독일에도 같은 말을 할 수 있을 것이라고 했다. 당원복 대신 검은색 맞춤 정장을 입은 히틀러는 답사에서 힌덴부르크에 대해 깊은 존경을 표하면서 독일 재건을 위한 새 운동의 선두에 불굴의 군 지도자를 세워준 '섭리'에 감사했다. 그는 행사의 선전 기능을 요약하는 말로 발언을 마무리하면서 덧붙였다. "동시에 가장 위대한 왕들의 무덤에서 우리 민족의 자유와 위대함을 위한 투쟁의 영감을 받는 우리에게도 하늘의 섭리가 용기와 의지를 내려주시기를 기원합니다."[90] 밖에서는 국가방위군 포병대가 예포를 쏘고 안에서는 합창대가 웅장하게 「로이텐 찬가」(Choral von Leuthen)를 부르는 동안 두 사람은 군중 앞에서 악수를 하고 프로이센 왕들의 두 무덤에 화환을 바쳤다. 이어 시가지에서는 열병식이 열렸다. 괴벨스는 이 순간을 기억하며 과장 어법으로 일기를 썼다.

원수의 지휘봉을 손에 쥔 공화국 대통령은 높은 연단에 서서, 경례를 붙이며 지나가는 군대와 돌격대, 친위대, 철모단에게 답례를 했다. 선 채로 손을 흔들었다. 전체적인 광경 위로 영원한 태양이 빛나고 눈에 보이지 않는 신은 두 손으로 프로이센의 위대함과 의무를 나타내는 회색 도시 위로 축복을 내렸다.[91]

'프로이센 정신'(Preußentum)에 대한 찬양은 나치 이데올로기와 선전에서 일관된 것이었다. 1923년에 우파 이론가이자 '제3제국'이란 아이디어를 창안한 아르투르 묄러 판 덴 브루크는 신생 독일은 프로이센의 '남성적'인 정신과 독일의 '여성적'인 영혼의 조합이 될 것이라는 예언을 했다.[92] 이로부터 2년 후에 출간된 『나의 투쟁』(Mein Kampf)에서 히틀러는 "독일제국의 생식 세포"라는 표현으로 구프로이센에 호감을 드러냈다. 독일제국의 존재는 "눈부신 영웅적 행동"과 "죽음도 불사하는 병사들의 용기"에 빚지고 있으며, 독일의 역사는 "물질적인 바탕이 아니라 놀라우리만치 이상적인 미덕만으로도 국가를 세울 수 있다는 것"을 보여주었다는 것이다.[93] 발트해 연안지방 출신의 나치 이론가인 알프레트 로젠베르크는 1930년에 "지금도 페르벨린의 나팔소리와 독일의 부활 및 구원, 재출발을 가져다준 프리드리히 대왕의 목소리가 귀에 쟁쟁하다"라고 쓰고는 이렇게 덧붙였다. "프로이센에 대해 무엇을 비판해도 좋지만, 게르만 정신을 결정적으로 구원한 것만은 영원히 빛나는 프로이센의 위업으로 남을 것이다." 프로이센이 없다면 독일 문화도, 독일 민족의 자취도 없었다는 것이다.[94]

요제프 괴벨스만큼 프로이센이라는 주제를 지속적으로 떠벌인 사람도 없다. 그는 1926년 9월에 상수시 궁을 방문했을 때, 처음으로 그곳에 선전을 위한 잠재력이 있음을 알아보았다. 이후 프로이센은 괴벨스의 홍보 프로젝트에서 단골 주제의 하나가 되었다. 그는 1932년 4월의 선거 유세에서 다음과 같이 주장했다. "민족사회주의는 당당하게 프로이센 정신에 대한 권리를 주장할 수 있습니다. 우리 나치가 어디에 있든 상관없이 독일 방방곡곡에서 우리는 프로이센인입니다. 우리가 품은 사상은 프로이센의 것입니다. 우리가 투쟁하며 가슴에 품은 신조도 프로이센 정신으로 채워져 있습니다. 그리고 우리가 달성하고 싶은 목표는 프리드리히 빌헬름 1세와 프리드리히 대왕, 비스마르크가 실현하려고 애쓴 이상의 새로운 형태라고 할 수 있습니다."[95]

57 '힌덴부르크석', 암석 밑동을 파낸 후 휴식하는 인부들, 1930년대 사진.

58 힌덴부르크의 관이 타넨베르크 기념 구조물의 흉벽 밑에서 그의 능묘로
운구되고 있다. 사진 마티아스 브로인리히, 1935.

프로이센의 과거와 민족사회주의의 현재 사이에 연속성이 있다는 주장은 1933년 이후 정권의 문화정책에서 다방면으로 제기되었다. 한 유명한 정치 포스터를 보면, 프리드리히 대왕에서 비스마르크를 거쳐 힌덴부르크로 이어지는 독일 정치가의 계보에서 히틀러가 최종 계승자로 묘사되어 있다. '포츠담의 날' 직후, 히틀러와 괴벨스는 이런 주제에 대한 대중의 인식을 '타넨베르크 승전기념일'로 보강했다. 이것은 1933년 8월 27일의 국경일 제정을 중심으로 하는 대대적인 선전용 스펙터클이었다. 거대한 벽과 높이 솟구친 탑들로 이루어진 타넨베르크 기념 건조물은 1410년 독일기사단이 러시아군에게 패배한 사건과 1914년 독일군이 그 옛날의 러시아 적들에게 '보복'한 사건, 이 두 가지 역사를 떠올리는 시설이었다. 그것은 동프로이센이 언제나 동부의 슬라브족에 맞선 '독일 정신'의 보루였다는 (역사와 전혀 상관없는) 생각을 보여주었다. 87세의 힌덴부르크가 '타넨베르크 전투의 승자'로서 다시 한번 대중 앞에 모습을 드러냈다. 이제는 완전히 나치화된 독일의 명예를 완성하기 위해서였다. 1943년 힌덴부르크가 사망하자 그의 시신이 (아내의 시신과 나란히) 타넨베르크 기념시설의 한 탑에 안치된 것이다. '동프로이센 산의 커다란 돌 아래' 묻으라는 고인의 소원에 따라서, 무덤 입구에는 거대한 화강암(힌덴부르크석)을 올려놓았다. 동프로이센 북부의 평지에 있는 코예넨 부근에서 파낸 이 돌은 독일 지질학자들에게는 이 일대에서 보기 드물게 큰 암석 중 하나로 알려져 있었다. 촉박한 기일에 쫓기던 석공과 광산전문가로 구성된 작업팀이 화강암 무더기로 된 일대를 파헤치고 폭약과 도구를 이용해 거대한 사각형 석판을 잘라낸 다음 이를 운송하기 위해 전용 철로를 깔고 가져온 것이었다.[96]

제3제국의 공식 건축물에서 프로이센의 문화적 유산은 뚜렷하게 드러났다. 예컨대 미래의 당 간부 엘리트 교육을 위해 크뢰신제와 포겔장, 존트호펜 세 군데에 세워진 '오르덴스부르겐'(Ordensburgen)에서 그 자취를 볼 수 있다. 치솟은 탑과 날아오르는 처마 등 이 기념건축들은 한때 '독일 동부'를 정복하고 발트해 연안에 프로이센 공국을 세웠던 독일기사단의 성들을 연상케 했다. 또 다른 프로이센의 건축 유산은 나치 정권이 민족사회주의적으로 독일의 도시 공간을 개조하기 위해 의뢰한 신고전주의 양식의 공공건물에 살아남았다. 히틀러의 총애를 받은 건축가인 파울 루트비히 트로스트는 '프로이센 건축 양식'을 대표하는 싱켈(1781~1841)의 제자였다. 1933~37년에 뮌헨의 잉글리시 가든 남쪽 모퉁이에 세워진 트로스트의 예술의 집(Haus der Kunst)은 흔히 싱켈이 건립한 베를린 구박물관(Altes Museum)의 검소한 신고전주의를 20세기풍으로 모방한 것으로 간주된다.

1931년에 입당한 알베르트 슈페어도 마찬가지로 싱켈을 숭배한 사람으로서 1934년에 트로스트가 급사한 뒤에 히틀러의 궁정 건축가가 되었다. 슈페어는 건축가의 전통으로 유서 깊은 가문 출신이었다. 그의 조부는 베를린 건축아카데미에서 싱켈의 지도를 받았으며, 베를린-샬로텐부르크 공과대학에서 슈페어에게 가장 큰 영향을 준 스승은 하인리히 테세노였다. 테세노는 싱켈이 운터 덴 린덴 거리에 세운 '노이에 바헤'를 제1차 세계대전 전몰자 추모관으로 바꾼 것으로 유명하다. 1938년 초에 히틀러의 의뢰로 시작되어 12개월 동안 광란의 공사 끝에 1939년 1월 12일에 완공된 신제국 수상청 건물의 전면과 중정은 의도적으로 싱켈의 유명한 건물들을 상당 부분 차용한 것이다. 두 건축의 연속성을 드러낸 메시지는 1943년 제국건축원의 후원 아래 간행된 호화로운 작품집에 확연하게 나타나 있다.『카를 프리드리히 싱켈: 새 독일 건축이념의 선구자』(Karl Friedrich Schinkel: Der Vorläufer neuer deutscher Baugesinnung)라는 제목이 붙은 이 책은 프로이센 신고전주의 전통의 틀에서 특별히 나치 건물의 업적을 내세우고 있다.[97]

프로이센이라는 주제는 또한 나치 집권 이후 독일 영화 제작사들이 내놓은 이념 편향적인 작품들에서 특징적으로 드러났다. 바이마르 공화국 기간에 자리 잡은 추세를 이용해 괴벨스는 프로이센을 이데올로기 동원의 수단으로 활용했다.[98] 예전 제작물의 현실도피와 과거 동경은 사라지고 당대의 확실한 공감을 사는 극적 요소가 등장했다. 예를 들어 1935년에 개봉한 「늙은 왕과 젊은 왕」(Der alte und der junge König)은 미래의 프리드리히 대왕과 그의 아버지 프리드리히 빌헬름 1세의 관계가 틀어진 일을 괴이하게 왜곡해서 묘사했다. 부자간의 오해에서 빚어진 문제를 영국 외교관의 음모로 비난한 것이다. 그리고 부왕의 명령으로 왕세자의 프랑스어 책을 쌓아놓고 불을 지르는 장면이 있는데 이것은 관객이 모를 리 없는 당대의 사건을 암시한 것이다. 카테의 처형은 왕의 의지를 합법적으로 실현하는 것으로 묘사된다. 대사는 다음처럼 시대착오의 정수를 보여주기도 한다. "짐은 프로이센을 건강하게 만들고 싶다. 누구든 짐을 막는 자는 악당이야"(프리드리히 빌헬름), "왕은 살인을 하지 않아. 그의 의지가 법이니까. 무엇이든 왕에게 복종하지 않는 것은 없애야 한다고"(카테의 사형선고에 대한 한 장교의 언급).[99]

다른 주요 작품들은 프리드리히 대왕의 삶에 나오는 일화를 보여주었다. 줄거리는 7년전쟁이나 나폴레옹에게 패배한 1806~7년처럼 역사적 위기 상황이 배경이었다. 즐겨 다루는 주제는 (특히 전쟁 기간에 조국이나 지도자에 대한) 큰 미덕으로 불리는 자기희생에 뒤따르는 구원과 비열한 배신 사이의 극적 상호작용이었다.[100] 제3제국의 마지막 대작이라고 할 「콜베르크」(Kolberg, 1945)만큼 이런 주제가 날카롭게 표현된 영화는 없다. 동명의 요새를 배경으로 한 이 작품은 그나이제나우와 실이 민간 시당국과 합세해서 수적으로 우세한 프랑스군을 저지한 서사적 시대극이다. (역사기록과는 반대로) 온갖 역경을 딛고 프랑스군은 어쩔 수 없이 퇴각하고 마을은 예기치 않게 강화조약으로 위기를 벗어난다. 여기서 프로이센의 이미지는 불굴의 용기만으로 버티는 순수한 의지의 왕국으로 부각된다. 이 영화의 목적은 뻔했다. 그것은 독일 주변으로 몰려드는 적군에 맞서 모든 자원을 총동원하자는 호소였다. 바이트 하를란 감독이 말했듯이, 그것은 '오늘을 위해, 또 우리 자신이 투쟁할 시간을 위해' 관객에게 힘을 실어줘야 할 '현재의 상징'이었다. 이런 목적이 달성되었는지는 의문이다. 이런 기능을 위해 당시 일반에 공개하기 적합한 영화는 거의 없었기 때문이다. 관객이 있다고 해도, 체념의 분위기에서 침울한 반응뿐이었다. 1945년 봄의 폐허와 대혼란 한가운데서, 애국적인 노력으로 독일이 구제받을 것이라고 믿는 독일인은 거의 없었다.

이 모든 것을 순전히 냉소적인 조작으로 본다면 잘못일 것이다. 괴벨스는 자신의 거짓말을 믿는 놀라운 재능이 있었다. 생의 말년을 보낸 베를린 거리 16미터 지하에 차린 총통 벙커의 유일한 장식물이 안톤 그라프가 그린 프리드리히 대왕 초상화일 정도로 히틀러는 프리드리히 대왕과 자신을 동일시하는 경향이 강했다. 전쟁 기간 내내 히틀러는 반복해서 자신을 프리드리히 대왕에 비유했다. 프로이센의 당당한 역사를 누리게 해준 '영웅적 행위'의 주인공인 대왕에 자신을 견준 것이다.[101] 히틀러는 1945년 2월 말, 전차부대 사령관인 하인츠 구데리안 장군에게 "새로운 위협이 목을 조를 때면 나는 이 그림을 보며 늘 새로운 힘을 얻었다"라고 말했다. 비현실적으로 격리된 지하 벙커에서 프로이센의 역사가 제3제국의 서사적 드라마에서 스스로 재현되고 있다고 믿기는 쉬웠다. 괴벨스는 1945년 초 수개월간 칼라일이 쓴 『프리드리히 대왕의 삶』(Life of Frederick the Great)을 읽어줌으로써 히틀러의 사기를 높여주었다. 특히 7년전쟁의 패색이 짙어 암담했던 1762년 2월에 프로이센이 러시아 엘리자베타 여제의 죽음으로 인해 파멸 직전에 구원받은 것을 묘사한 대목이 효과적이었다.[102] 히틀러는 1945년 4월 초에 4일간 무솔리니의 결심을 독려하려고 애를 쓸 때도 바로 이 역사적 주제를 인용했다. 전쟁에 염증을 느낀 무솔리니가 옆에 있는 자리에서 히틀러가 중얼거린 독백에는 프로이센의 역사에 대한 긴 논문에서 따온 것도 있었다.[103] 괴벨스의 마음속에 자리 잡은 이런 역사적 모험담에 대한 애착은 너무도 강해서 이 선전장관은 1945년 4월 12일 프랭클린 루스벨트 대통령의 사망 소식에 의기양양한 반응을 보이며 승리감에 도취하기도 했다. 그는 1945년이 제3제국에 '기적의 해'가 될 것으로 믿었다. 괴벨스는 사무실에 샴페인을 준비하라고 지시하고는 즉시 히틀러의 숙소로 전화를 연결하도록 했다. "총통 각하, 루스벨트가 죽었습니다! 하늘이 각하의 가장 막강한 적을 쓰러트린 겁니다. 우리를 저버리지 않았어요."[104]

하지만 이런 것을 '프로이센 전통'의 활력이 계속 넘치는 증거라고 볼 수는 없는 노릇이었다. 현재의 권력 욕구를 정당화하는 사람들은 종종 전통이라는 발상에 의존할 때가 있다. 그런 사람은 전통에 담긴 문화적 권위로 자신을 치장하지만, 자신을 전통의 상속자라 칭하는 이가 역사의 기록과 대등하게 만나는 일은 좀처럼 일어나지 않는다. 나치의 프로이센 과거 읽기는 기회주의적이고 왜곡되었으며 선별적이었다. 그리하여 프로이센주의 전체 역사는 인종차별적 사고에 물든 민족적인 독일 역사의 패러다임으로 빨려 들어갔다. 나치는 '군인왕'의 군사적 국가 건설에는 감탄했지만, 역대 왕들이 윤리적으로 행동할 수 있는 토대를 제공했고 각 왕의 치세에 깊은 흔적을 남긴 사상인 경건주의의 영적 세계를 이해하는 데는 관심이 없었다. 가령 1933년 3월 위수교회의 행사에서 기독교 의식을 거의 완벽하게 배제한 것이 그 예라고할 수 있다. 나치의 선전물에 나오는 프리드리히 대왕은 역사적인 사실을 심하게 훼손한 상태로 묘사되었다. 프랑스어를 문화어로서 선호한대왕의 일관된 태도나 독일 문화에 대한 경멸, 대왕의 동성애적 경향은깡그리 무시했다. 호엔촐레른가의 다른 군주들에 대해서는 별 관심이없었다. 예외가 있다면, 1871년에 독일제국을 창건한 빌헬름 1세 정도였다. 프리드리히 빌헬름 2세나 '왕위에 오른 낭만주의자'라는 말을 들을정도로 뛰어난 감수성과 예술적 재능의 소유자인 프리드리히 빌헬름 4세는 대중의 시야에서 거의 완전히 사라졌다.

이 두 왕의 치세 기간은 나치가 신화 작업을 벌이기에 딱 들어맞았다. 바로 7년전쟁과 해방전쟁에 해당하는 시기였기 때문이다. 반대로 나치는 프로이센 계몽주의에 대해서는 관심이 없었다. 나치는 민족주의적 공약 때문에 프로이센의 개혁가인 슈타인을 높이 평가했지만, 대조적으로 친프랑스 성향의 '현실정치가'이자 프로이센 유대인의 해방론자인 하르덴베르크는 완전히 무시했다. 또 피히테와 슐라이어마허에게는 열광했지만 헤겔에 대해서는 공식적인 관심을 별로 보이지 않았다. 국가의 초월적인 위엄을 강조하는 헤겔의 견해가 나치의 '민족주의적' 인종차별에 적합하지 않았기 때문이다. 요컨대 나치가 내세우는 프로이센은 전설적인 과거의 파편 중에 번쩍이는 것들을 모아놓은 물신 숭배에 지나지 않았다. 그것은 가공된 기억이고 정권의 가식에 대한 부적 기능을 하는 장식품 같은 것이었다.

아무튼 '프로이센 정신'에 대한 이러한 공식적 열광은 실제 프로이센의 운을 되살리는 데 아무런 기여를 하지 못했다. 새 선거에서 나치가 절대 다수 의석을 획득하는 데 실패한 뒤, 1933년에 프로이센 주의회는 해산되었다. 1934년 1월의 제국 재편에 관한 법에 따라 지방 정부와 신설 국가판무관은 제국 내무부 직할 체제로 편입되었다. 프로이센 내각의 각 부처는 차츰 제국의 해당 부처로 합병되었다(기술적인 문제로 재무부는 예외였다). 그리고 주를 개개의 지방으로 분할하는 계획이 수립되었다(물론 1945년까지도 실현되지 않은 상태였지만). 프로이센은 여전히 지도에 올라 있는 공식 지명이었고 실제로 제3제국에 흡수되지 않은 유일한 주였다. 하지만 사실상 엄밀한 의미로 주로서의 존재는 끝난 상태였다. 따라서 나치 정권의 존립을 위해서라도 프로이센의 유산을 공식적으로 찬양해야 했다. '프로이센 정신'이라는 산만하고 추상적인 개념은 어떤 특별한 형태의 국가나 특수한 사회 상황을 의미하는 것이 아니라 실체가 없는 미덕 목록일 뿐이었다. 그것은 프리드리히 대왕 치하에서 그랬던 것처럼 적어도 제3제국의 '총통-민주주의' 체제에서 역사를 초월해 번성할 수 있는 정신이었다. 1933년 4월, 파펜 후임으로 프로이센 임시 수상에 취임한 헤르만 괴링은 1934년 6월 프로이센 추밀원에서의 연설을 통해 이런 특성을 예로 들었다. "프로이센 주의 개념은 제국에 포함돼왔습니다"라고 그는 말했다. "남아 있는 것은 프로이센 정신의 영원한 윤리입니다."[105]

전통을 중시하는 많은 귀족가문은 새로 들어선 정권이 1933년 이후, 과거의 군주제를 회복시키려는 노력을 하지 않는 것을 보고 경악했다. 예전의 왕실 측근들과 제국에서 일했던 인사들은 1920년대 내내 도른에서 긴밀한 접촉을 유지했다. 공화국 내의 보수파와 왕당파 사이에는 (주로 프로이센인들의) 느슨한 네트워크가 형성되어 있었다. 1920년대 후반에 이르러서는 민족사회주의 운동과 비공식적으로 더 긴밀한 유대가 이루어졌다. 예컨대 빌헬름 2세의 아들인 아우구스트 빌헬름은 1928년에 나치 돌격대에 가입했는데 이것은 전임 황제의 승낙을 받은 행위였다. 전임 황제의 두 번째 부인인 헤르미네 폰 셴아이히-카롤라트 황후는 나치의 고위 당 간부 중에 친구들이 있었고, 심지어 1929년의 뉘른베르크 전당대회에 참석하기까지 했다. 1930년 총선에서 보수 진영의 붕괴와 나치의 성공은 도른의 왕정복고파를 자극해 민족사회주의 진영과 공식적인 접촉을 시도하게 만들었다. 그 결실로 1931년 1월에 도른에서 빌헬름 2세와 헤르만 괴링의 만남이 이루어졌다. 이날의 만남에 대한 기록은 남아 있지 않지만, 여러 정황으로 보아 괴링은 빌헬름 전임 황제의 독일 귀환에 대하여 긍정적인 메시지를 준 것으로 보인다.[106]

그러나 이런 우호적인 조짐(히틀러로부터 고무적인 소문이 들리기도 했고 1932년에는 괴링과의 2차 회담이 있었다)에도 불구하고 나치가 집권한 뒤로는 일체의 계획이 취소되었다. 히틀러가 전임 황제의 희망에 불을 지핀 것은 오로지 프로이센–독일의 군주제 전통을 잇는 합법적인 후계자로서 자신의 자격을 강화하고 싶었기 때문이다. 1934년 1월 27일, 히틀러가 황제의 75회 탄신일 기념행사를 취소했을 때 진실이 드러났다. 군주제 회복운동은 며칠 후 모든 군주제 조직을 불법화하는 새 법령에 의해 봉쇄되었다. 왕실의 돌격대원인 아우구스트 빌헬름은 '장검의 밤'(Nacht der langen Messer) 사건이 일어난 동안 연금 상태에 놓였고, 이후에는 일체의 정치적 발언을 삼가라는 지시를 받았다. 나치 정권은 제국의 이미지나 기억할 만한 사건을 보여주는 것을 금하고 동시에 예전 황실 가족에게는 말썽이 나지 않도록 적잖은 자금을 지원하면서 차츰 프로이센과 독일의 군주제에 대한 기억을 지웠다.[107] 이에 강력하게 반대한 사람 중에 동프로이센의 '독일귀족연합회' 지부장인 에발트 폰 클라이스트-벤디시-티호 백작이 있었다. 1937년 1월, 그는 프로이센-독일의 황실 복위를 거부하는 정권과 '귀족의 전통 및 명예는 양립할 수 없다'는 선언을 하며 자신의 지부를 해체했다.[108]

히틀러 정권과 프로이센의 전통적이고 기능적인 엘리트 계층 간의 관계를 특징짓기는 어렵다. 지금까지 제3제국의 집권 기간에 독일의 지방 귀족이 보여준 태도와 행동에 대한 체계적인 연구는 없었다. 다만 한 가지 분명한 것은 시골 귀족에 대한 전통적인 시각, 즉 그들이 오만하게 자신들의 장원으로 물러나 호화로운 생활을 하면서 나치의 광풍이 지나가기를 기다렸다는 생각은 잘못되었다는 점이다. 엘베강 동부 지역 귀족의 경우, 적어도 가족 중에 나치 당원이 한 명도 없는 집안은 단 하나도 없었다. 유서 깊은 슈베린 가문은 무려 52명이나 당원을 배출했으며 하르덴베르크가는 27명, 트레스코가는 30명, 슐렌부르크가는 41명이었는데 이들 중에 17명은 이미 1933년 이전에 입당한 사람들이었다. 많은 귀족이 나치당에 끌렸다. 히틀러의 민족사회주의 운동과 연대하는 것이야말로 귀족의 전통적인 사회적 역할을 새로운 방식으로 유지하는 데 핵심이라고 보았기 때문이다.[109] 나머지는 당의 이념과 분위기가 마음에 들었기 때문에 이 대열에 합류했다. 사실 귀족 계층과 민족사회주의 운동의 사고방식은 흔히 생각하는 것보다 그 간격이 좁았다.

프로이센 귀족층 내부에서는 새 정권이 표방한 외교정책 목표에 대하여, 특히 베르사유 조약의 개정과 폴란드인에게 귀속된 영토 문제와 관련해 광범위한 공감대가 있었다. 단, 처음엔 일부 가문이 당황할 정도로 나치당 지도층에 프로이센 출신이 무척 적었다. 한 자료에 따르면 1933년 나치 고위간부 500명 중에 프로이센 출신은 고작 17명밖에 되지 않았다.[110] 하지만 당 활동의 중심이 (또 선거 기반도) 북쪽으로 이동하면서 이런 염려는 가셨다. 프리츠-디트로프 폰 데어 슐렌부르크 백작은 처음에 본질적으로 나치의 속성이 남부에 본거지를 둔 운동이라고 보고 나치당을 의심했다. 하지만 나중에 '새로운 형태의 프로이센 정신'으로 보고 나치를 수용했는데, 여기서 다시 실질적으로 난해한 추상적 경향을 엿볼 수 있다.[111]

융커 가문의 아들들이 실세 집단을 형성한 국가방위군 장교단은 처음에 민족사회주의 운동에 회의적인 반응을 보였지만, 1933년 3월 총선 이후에 새 지도부와의 동맹정책을 추구했다. 고급 장교들 중에서는 1934년 6월 31일의 '장검의 밤' 사건에 연루된 갈색셔츠단에 대하여 히틀러가 단호한 조처를 취하는 것을 보고 안심하는 사람이 많았다. 1935년 3월에 라인란트 진주 및 재무장에 착수한 것도 이들의 유대를 공고히 하는 데 도움이 되었다. 이런 변화를 단적으로 보여주는 예는 베를린 사관학교장 요하네스 블라스코비츠 중장이었다. 그는 동프로이센의 페터슈발데 출신으로서 쾨슬린과 베를린-리히터펠데 사관학교에서 교육받은 인물이었다. 1932년만 해도 블라스코비츠는 훈련 기간에 휘하의 연대 병력을 향해 "만일 나치가 잘못을 저지른다면, [우리는] 전력을 다해 그들과 싸울 것이며 유혈충돌도 불사할 것"이라고 경고했다.[112] 하지만 1935년 봄에는 다른 말을 했다. 제1차 세계대전 전몰용사 기념비 제막식 연설에서 동프로이센 목사의 아들인 그는 독일이 필요한 순간에 하늘이 보내주신 사람으로 히틀러를 치켜세우며 다음과 같이 덧붙였다. "하늘의 도움으로 우리는 온 국가의 역량을 강력한 운동

59 한때 프로이센령 리투아니아였던 메멜 지역에서 추방되는 유대인.
독일 및 유럽의 유대인을 학살하는 운동을 벌이며 나치 정권은
프로이센의 유산에서 매우 독특한 요소 한 가지를 파괴했다.

으로 결집한 지도자를 얻었습니다. […] 어제 그 지도자는 독일 국민의 군사적 주권을 회복함으로써 떠나간 우리 영웅들의 유언을 이행했습니다."[113]

프로이센인이 친위대와 게슈타포(비밀경찰), 독일 국방군(Wehrmacht)이 저지른 잔학 행위에 깊이 연루된 것은 말할 나위가 없다. 전시 범죄와 거리가 멀다는 그들의 주장은 허구임이 만천하에 드러났다. 하지만 프로이센인이라고 해서 반드시 민족사회주의 운동에 열광했던 것은 아니다. 바이에른인, 작센인, 뷔르템베르크인도 나치 정권의 온갖 행위와 관련해 눈에 띄게 열성껏 지지했다. 크리스토퍼 브라우닝이 쓴 『평범한 사람들』(Ordinary Men)에서 끔찍하게 소개된, 유대인과 여성, 아이들을 집단 사살한 경찰대는 프로이센인이 아니라 전통적으로 자유주의와 부르주아지 성향에 영국을 좋아하는 함부르크 토박이들이었다.[114] 역사적으로나 문화적으로 프로이센인과 정반대의 위치에 있는 오스트리아인의 경우, 학살을 자행한 나치 조직의 상층부에 지나치게 많이 분포해 있었다. 죽음의 수용소 감독관인 오딜로 글로보흐니크, 점령지 네덜란드의 판무관인 아르투어 자이스-잉크바르트, 10만 명의 네덜란드 유대인을 동부로 이송한 친위대 및 경찰 관리 한스 라우터, 소비보르 수용소장 프란츠 슈탕글(후에 트레블링카 수용소로 옮겼다) 등은 홀로코스트에 연루된 오스트리아인 중에 조금 더 유명한 몇몇 예에 지나지 않는다.[115] 물론 이런 사실 때문에 제3제국의 범죄에서 프로이센인이 맡은 역할이 경감되는 것은 아니다. 다만 프로이센의 가치나 사고방식이 그 자체로 특별히 나치에 열광적인 부역을 하게 만든 자질은 아니라는 것이다.

프로이센인(특히 전통적인 프로이센의 엘리트 계층)은 동시에 나치 정권에 대한 독일 보수파 저항 운동 지도부에서 중요한 역할을 하기도 했다. 포메른의 유서 깊은 경건주의 가문 중에 상당수는 (그중에도 타덴가, 클라이스트가, 비스마르크가) 독일 기독교를 개조하려는 정권에 대한

886

저항에서 출현한 고백교회(Bekennende Kirche)를 후원했다.[116] 적극적인 군사적 저항의 경우, 극히 소규모의 무장활동 수준을 벗어나지 못했다는 것은 분명하다. 하지만 1944년 7월 20일의 히틀러 제거작전을 모의한 사람 중에 3분의 2가 프로이센 일대 출신이고 다수가 유서 깊은 군인가문이라는 것은 의미심장하다. 히틀러 암살모의에 실패한 뒤 즉시 체포된 사람 중에 전 베를린 경찰청 부청장인 프리츠-디틀로프 폰 데어 슐렌부르크는 수백 년 동안 자손들이 브란덴부르크-프로이센군의 장교로 복무한 가문의 후손이었다. 다른 인물로는 변호사이자 장교인 페터 요르크 폰 바르텐부르크 백작을 들 수 있는데, 이 사람은 1812년 12월에 타우로겐에서 러시아군과 손잡고 나폴레옹에 맞선 요르크 장군의 직계 후손이었다. 공모자 중에 유명한 또 한 명의 프로이센인으로는 에르빈 폰 비츨레벤 원수가 있다. 거사를 음모한 진영에서 그를 끌어들인 것은 히틀러 암살 이후 국방군의 총지휘를 맡기려고 했기 때문이다. 비츨레벤 원수는 7월 21일 체포된 뒤, 게슈타포로부터 몇 주 동안 고문을 받으며 수모를 당했다. 1944년 8월 7일 그는 고문의 흔적이 역력한 모습으로 민족재판소(Volksgerichtshof)에 호송되어 왔는데, 법정에서 허리띠가 없는 바지를 움켜쥐고 히틀러 치하에서 사형선고를 잘 내리기로 악명이 높은 롤란트 프라이슬러의 모욕을 견디는 모습이었다. 그는 이튿날 베를린 플뢰첸제에서 교수형을 당했다.[117]

독일 국방군에서 포츠담의 제9보병연대만큼 저항활동에 깊이 관련된 부대는 없었다. 프로이센의 전통적인 연대라고 할 이 부대(프로이센 제1보병근위대를 공식적으로 계승하는 부대였다)는 포츠담 위수교회와 강한 유대가 있었다. 그리고 1943년 3월에 히틀러가 탑승한 비행기에 폭발물을 밀반입한(폭탄 꾸러미는 폭발되지 않았고 뒤에 회수되었다) 헤닝 폰 트레스코 소장의 지휘를 받는 연대이기도 했다. 슈타우펜베르크 및 다른 음모자들과 긴밀한 협력을 한 뒤에, 트레스코는 1944년 7월 21일 수류탄으로 자살했다. 제9보병연대의 악셀 폰 뎀 부셰 대위는 1943년 새 제복을 전시하는 행사를 이용해 자신의 몸에 폭탄을 묶은 상태로 히틀러를 제거하는 자살 공격을 계획했지만, 동부전선의 지휘관이 행사 참석을 허가해주지 않았다. 에발트 폰 클라이스트-슈멘친 중위가 부셰 대신 가겠다고 나섰지만, 행사 자체가 취소되는 바람에 거사는 물거품이 되었고 기회는 다시 찾아오지 않았다. 제9보병연대의 다른 장교들은 7월 거사에 직접 연루되기도 했는데, 그중에는 전임 참모총장 루트비히 폰 하머슈타인-에크보르트의 아들을 포함해 포츠담 보충대대의 한스 프리체 대위, 베를린에서 동쪽으로 50킬로미터 떨어진 알트프리틀란트에 가문의 토지가 있는 게오르크 지기스문트 폰 오펜 중위 등이 있었다. 오펜과 프리체는 제때에 이목을 피해 연대본부로 돌아와 암살 실패 이후의 보복으로부터 살아남았다. 그것은 무엇보다 프리츠-디틀로프 폰 데어 슐렌부르크가 게슈타포의 혹독한 고문에도 가담자의 이름을 발설하기를 거부했기 때문이다. 연대의 나머지 연루자들은 7월의 암살 음모가 실패한 뒤에 광란의 보복이 이어지는 동안 처형되거나 자살을 택했다.[118]

저항의 동기는 다양했다. 핵심 인물 중 다수는 민족사회주의 운동에 열광한 전력이 있는 사람들이었고 일부는 나치 범죄에 연루되기도 했다. 유대인과 폴란드인, 러시아인의 집단 살육에 넌더리를 내는 사람도 있었고 종교적인 의구심을 품는 사람도 있었다. 일부는 네덜란드로 도피했다는 점에서 잊을 수도 없고 용서할 수도 없는 빌헬름 2세가 아니더라도 군주제의 회복을 모색하기도 했다. 프로이센이라는 공동체적 요인은 여러 가지 차원에서 그들의 가슴속에 저항심을 주입했다. 예를 들어 슐레지엔 크라이슬라우의 몰트케 장원을 중심으로 주로 민간인과 군의 저항 인사들로 구성된 크라이슬라우 모임은 민주주의의 가치에 회의적이었다(그들은 민주주의가 히틀러의 출현으로부터 독일을 보호하지 못했다고 봤다). 대신 그들은 선출되지 않은 구프로이센 주의회의 상원을 근대 의회정치에 대한 권위주의적 대안으로 우러러보았다.[119] 많은 저항 인사에게 프로이센은 사라지고 없는, 보다 나은 세계의 상징이었다. 다만 제3제국의 강경파 때문에 그 전통이 뒤집혔다고 본 것이다. 헤닝 폰 트레스코는 1943년 봄 위수교회에서 두 아들의 견진성사가 있을 때 가족들에게 "진정한 프로이센 정신은 결코 자유의 개념과 분리될 수 없다"라고 말했다. 그러면서 '자유'와 '이해', '동정'이라는 규범에서 벗어날 때 자기단련과 의무 이행이라는 프로이센의 이상은 "영혼이 없는 군대와 편협한 편견으로 타락할 것"이라고 경고했다.[120]

프로이센 엘리트의 저항에 담긴 역사적 상상력은 신화처럼 떠오르는 해방전쟁에 대한 기억에 뿌리를 두고 있었다. 이때 반복해서 인용되는 인물은 배신자라는 비난을 무릅쓰고 타우로겐에서 눈 덮인 러시아로 건너가 협상을 한 요르크 장군이었다.[121] 군부의 저항 운동에 가담한 민간인 중에서는 최고위급 인사라고 할 카를 괴르델러는 1940년 여름에 히틀러 제거작전을 위해 군을 설득하는 문서를 작성할 때, 슈타인 남작이 1808년 10월 12일에 작성한 편지를 자세하게 인용하며 끝을 맺었다. 슈타인은 프리드리히 빌헬름 3세를 상대로 나폴레옹에 대해 단호한 조처를 취하라고 설득한 편지에서 다음과 같이 강조했다. "만일 기대할 것이 불행과 고통밖에 없고 어차피 결과가 좋지 않을 거라면, 차라리 마음을 편하게 달래주는, 명예롭고 고귀한 결정을 내리소서."[122] 몇 년 뒤, 그는 북아프리카와 스탈린그라드의 패배를, 재난치고는 유익했던 예나와 아우어슈테트의 패전에 비유하기도 했다.[123] 특히 주목할 만한 예는 1943년 봄에 히틀러에 대한 자살 공격을 감행했다가 실패한 루돌프 폰 게르스도르프와 에리히 폰 만슈타인 원수가 주고받은 편지에서 찾을 수 있다. 만슈타인이 게르스도르프의 선동적인 견해를 꾸짖으며 프로이센의 원수는 반란을 꾀하지 않는다고 하자, 게르스도르프는 타우로겐에서 러시아 진영으로 건너간 요르크 장군의 고사를 인용했다.[124]

저항 인사들에게 프로이센은 실질적인 조국이자 제3제국에서는 그 대상을 찾을 수 없는 애국활동의 중심이 되었다. 이렇게 신화적인 프로이센의 매력은 비록 프로이센인이 아니라고 해도 저항 운동을 한 사람이라면 돌아서지 못하게 만드는 흡인력이 있었다. 알자스에서 태어나 뤼베크에서 성장하고, 1945년 1월 5일 반히틀러 음모에 가담한 죄로 처형당한 사민당원 율리우스 레버는 슈타인과 그나이제나우, 샤른호르스트가 '시민의 자유의식 속에서' 국가를 재건한 시절을 감동적으로 회고했다.[125] 나치의 선전에 나타나는 프로이센과 민간 및 군의 저항 운동에서 나타나는 프로이센은 극단적으로 대치되었다. 괴벨스는 독일의 적들에 대한 대대적인 투쟁에서 없어서는 안 되는 수단으로서 충성, 복종, 의지를 강조하기 위해서 프로이센이라는 주제를 이용했다. 반대로 저항 인사들은 그런 이차적인 프로이센의 미덕은 윤리적·종교적 뿌리와 단절되는 순간 의미를 상실하는 것이라고 생각했다. 요르크 장군은 나치에게 외국의 '폭정'에 맞서 떨치고 일어난 억압받는 독일의 상징이었다면, 저항 인사들에게는 어떤 상황에서도, 심지어 반역 행위로라도 스스로를 표현하는 초월적인 의무감을 상징하는 존재였다. 물론 사람마다 이 프로이센의 두 가지 신화에서 선호하는 쪽이 다르겠지만, 두 가지 모두 매혹적이고 유익한 것이라고 볼 수 있다. 다만 '프로이센 정신'은 너무도 추상적이고 너무도 빛이 바랜, 그리하여 누구나 접근할 수 있는 것으로 변했다. 그것은 이제 정체성도 아니고 기억의 대상도 아니다. 이제 그것은 구체성을 상실한 신화적 속성들의 목록일 뿐이었다. 그 역사적이고 윤리적 의미는 논쟁거리로 남았다.

엑소시스트

결국 끝까지 남은 것은 프로이센에 대한 나치의 시각이었다. 서방 연합군은 나치즘이 다름 아닌 프로이센 정신의 최신판이라고 확신했다. 그들은 제1차 세계대전이 일어난 당시로 거슬러 올라가는 논박의 여지 없는 반프로이센 지적 전통에 의존할 수 있었다. 1914년 8월, 유명한 자유주의 운동가이자 맨체스터 대학교 근대사 교수인 램지 뮤어는 당대 분쟁의 '역사적 배경'을 분석하는 연구서를 발간해서 널리 주목을 받았다. 여기서 뮤어는 이렇게 썼다. "이 갈등은 200년 이상 유럽 체제에 작용해온 독약의 결과다. 그 독성의 주요 원천은 프로이센이다."[126] 전쟁 초기에 나온 또 다른 연구서에서 사회자유주의 노선의 시사평론가이자 독일사와 영국의 20세기 전반의 정치에 대해 가장 영향력이 있는 해설자 중 한 명인 윌리엄 하버트 도슨은 평소에는 상냥한 독일 국민의 마음속에 자리 잡은 '프로이센 정신'에 대한 군사적 영향을 지적하면서 다음과 같이 말했다. "이 정신은 독일의 삶에서 견고한 불굴의 요소로 기능해왔다. 프로이센 정신은 여전히 참나무의 옹이나 부드러운 흙속의 뿌리혹처럼 단단하다."[127]

많은 분석의 공통점은 사실상 두 개의 독일이 있다고 보았다는 데 있다. 자유롭고 푸근한 인상에 평화로운 남부 및 서부의 독일과 반동적이고 군국주의적인 북부 및 동부의 독일이다.[128] 이 두 개의 독일 사이에 감돌던 긴장이 1871년 비스마르크에 의해 세워진 제국에서 해소되지 않은 채로 남았다는 것이다. 일찍이 이 문제를 파고든 미국의 사회학자 소스타인 베블런은 가장 정교하고 영향력이 큰 분석가 중 한 명이다. 1915년에 출간되고 1939년에 재발간된 독일 산업사회에 대한 연구에서 베블런은 한쪽으로 치우친 근대화 과정이 독일의 정치문화를 일그러뜨렸다고 주장했다. '모더니즘'이 산업조직의 영역을 변화시키기는 했지만 국가조직에 강력하고 지속적인 거점을 확보하는 데는 실패했다는 것이다. 베블런은 그 이유를 근대 이전의 프로이센에 본질적이라고 할 '영방국가'(territorial state)가 살아남은 데 있다고 진단하고, 이런 국가는 거의 끊임없이 전쟁을 일으키는 공격적인 역사를 보여준다고 주장했다. 이 결과 극단적 굴종이라는 정치문화가 나타났다는 것이다. "전쟁 추구는 지도자에 대한 추종 훈련이자 자의적인 명령의 집행이고, 그것은 열광적인 굴종과 권위에 대한 맹종으로 이어지기 때문이다." 이런 체제에서 국민의 충성심은 '끊임없는 적응'과 '그런 목표를 향해 나아가는 기민하고 지칠 줄 모르는 단련' 그리고 '관료 사회의 감시와 국민의 사생활에 대한 지속적인 간섭'을 통해서만 유지될 수 있다고 분석했다.[129]

베블런의 설명은 경험적 데이터와 그것을 뒷받침하는 증거는 충분치 않아도 정밀한 이론으로 무장되어 있다. 그의 분석은 단순한 기술에 그치지 않고 프로이센-독일의 정치문화에서 드러나는 기형성을 설명한다. 무엇보다 그의 이론적 근거에는 '근대'(modern)라는 개념이 내포되어 있다. 이 개념에 비춰볼 때 프로이센은 과거의 낡은 티를 못 벗어났고 시대착오적이며 부분적으로만 근대화되었다고 간주할 수 있다. 1960년대 후반과 1970년대의 독일 역사 서술에 많은 영향을 준 '특수노선'이라는 논제가 이미 베블런의 설명에서 충분히 예견된 것은 놀랍기만 하다. 비판적 역사 연구의 기본 교재 중 하나라고 할 랄프 다렌도르프의 개괄적인 연구서 『독일의 사회와 민주주의』(*Gesellschaft und Demokratie in Deutschland*, 1965)가 베블런의 저술에 상당 부분 의존하는 것은 우연이 아니다.[130]

제2차 세계대전 기간의 근대 독일을 역사적으로 분석하는 다소 거친 설명조차 독일의 '민족적 특징'을 일반화하기보다 역사적 관점을 견지했다. 한 저자는 1941년에 "17세기부터 독일의 정복 의지는 점점 더 의도적으로 '프로이센 정신'이라고 알려진 심리 구조에 따라 전개되었다"라고 말했다. 프로이센의 역사는 "군국주의와 절대주의의 특징을 띤 관료주의가 냉혹한 정치 체제하에서 물리력에 의해 연속적으로 팽창한 기간"이었다는 것이다. 전직 부사관 계급에서 교사를 모집하여 의무교육을 실시한 가혹한 정권 밑에서 아이들은 '전형적인 프로이센의 복종문화'를 주입받았다. 고달픈 학교 생활 다음에는 장기간의 병영

생활이나 현역 군복무가 이어졌다. 군대는 독일적인 사고방식이 마지막으로 단련되는 곳이었다. 학교에서 완성되지 못한 부분은 군대에서 마무리되었다.[131]

당대의 많은 사람이 볼 때, '프로이센주의'와 나치즘의 경계는 불분명했다. 독일 망명객인 에드가 슈테른 루바르트는 오스트리아 태생인 히틀러를 가리켜 '최악의 프로이센인'으로 표현하며 '그가 꿈꾼 제국의 전체 구조'는 단순히 프로이센의 물질적 업적보다 '프로이센 정신의 철학적 기초 위에' 기반을 두고 있다고 설명했다.[132] 훗날 미국 관리로서 뉘른베르크의 거대한 화공 복합기업인 파르벤을 상대로 한 재판 준비를 도와준 조지프 보킨은 1943년에 독일의 산업계획 연구서를 출간했다. 그는 여기서 독일의 정치적 진화가 "사회가 변해도 절대 말에서 내려오지 않는" 프로이센 융커 계급에 의해 오랫동안 지체되어왔다고 말하며 "정치·경제적으로 세계를 지배한다"는 프로이센의 목표가 "호엔촐레른가의 제국주의와 나치즘에서 흘러오는 수원지" 역할을 했다고 결론지었다. 그런 설명이 대개 그렇듯이, 이 책은 프로이센 역사와 독일의 정치문화를 비판적으로 설명해온 전통에 좀 더 의존했다고 볼 수 있다.[133]

전반적으로 독일의 전후 운명에 대한 정책 결정권자들이 이처럼 독일인의 권력욕과 굴종, 정치적 복고주의의 시나리오를 중심으로 사태를 들여다보았다는 것은 아무리 강조해도 지나치지 않을 것이다. 1939년 12월에 행한 연설에서 영국 외무장관 앤서니 이든은 "히틀러는 예상만큼 특이한 존재가 아니다. 그는 단순히 군사 지배라는 프로이센 정신의 최신 표현일 뿐이다"라는 말을 했다. 『데일리 텔레그래프』는 「히틀러의 통치는 프로이센 전제 정치의 전통」이라는 제목으로 그의 연설에 대한 논평을 했는데, 이 타블로이드판 신문의 논조는 전체적으로 긍정적이었다.[134] 1941년 독일군이 소련을 침공한 날, 윈스턴 처칠은 나치 '군대의 끔찍한 맹공'이라는 말을 하며 "요란하게 발자국 소리를 내는 번드르르한 차림의 프로이센 장교들"과 "터벅터벅 기어가는 메뚜기 떼처럼 칙칙하고 순종적이며 강하게 훈련받은 거칠고 훈족 병사 같은 모습"이라는 기억에 남을 만한 표현을 썼다.[135] 1941년 11월, 『데일리 헤럴드』에 게재한 기사에서 처칠 전시내각의 노동부장관인 어니스트 베빈은, 현재 벌어지는 전쟁을 위해 독일은 히틀러 출현 훨씬 전부터 준비해왔다고 설명했다. 그러면서 베빈은 설사 히틀러나 괴링을 비롯해 나치 지도부 누군가를 제거한다고 해도 독일 문제는 해결되지 않을 것이라고 경고했다. "유럽에서 영구적으로 제거되어야 했던 것은 바로 끔찍한 철학을 깔고 있는 프로이센 군국주의였다."[136] 이어 그는 나치 정권을 격퇴하는 것만으로는 전쟁을 만족스럽게 마무리하는 데 충분치 않을 것이라고 덧붙였다.

1943년 여름에 내각에 제출된 보고서에서 노동당 대표 겸 부총리인 클레멘트 애틀리는, 나치 정권이 붕괴된 뒤 독일 사회의 전통적인 엘리트로 구성된 차기 독일 정부와 거래할 수 있을 것이라는 발상을 강력하게 경고했다. 그는 독일 사회에 내재한 '현실적인 공격 요소'는 프로이센 융커 계급이라고 주장했다. 그리고 가장 위험한 것은 베스트팔렌의 중공업과 밀착된 이 계급이 나치 지도부를 물러나게 하고 차기 정부를 구성한 다음 연합군과 강화회담을 준비할 수도 있다는 점이라고 했다. 그는 1918년의 과오는 볼셰비즘을 막느라고 이런 요소를 방치한 것이라면서 이런 실수를 되풀이해서는 안 된다고 주장했다. 애틀리는 "계급으로서 융커를 타파하는 것만이 프로이센이라는 바이러스를 박멸하는 길"이라고 했다.[137]

프로이센이 역사적으로 독일의 군국주의와 공격성의 원천이라는 가정은, 프랭클린 루스벨트가 대독일 정책을 구상하는 데에도 핵심 역할을 했다. 1943년 9월 17일, 그는 하원에 나가 다음과 같이 말했다. "본인이 분명하게 짚고 넘어가고 싶은 것 한 가지는, 히틀러와 나치가 물러날 때 프로이센 군벌도 같이 사라져야 한다는 것입니다. 우리가 미래의 평화를 실질적으로 보장하려면, 전쟁을 일으키는 군국주의 갱단을 독일에서 뿌리 뽑아야 합니다."[138] 그에게는 1918년에 우드로 윌슨이 '독일의 군 지휘부 및 전제군주들'과의 협상을 거부한 기억이 여전히 생생했다.[139] 1914~18년에 전쟁을 지속한 군사기구는 베르사유 조약에 따른 고난에도 불구하고 불과 20년 만에 새로운 정복전쟁으로 되살아나지 않았던가.

따라서 루스벨트가 볼 때(애틀리도 마찬가지지만), 전통적인 프로이센 군부는 나치 못지않게 평화에 위협이었다. 그런 의미에서 나치 정권이 내부에서 교체되거나 붕괴되는 경우에도 군 지휘부와의 휴전 협상은 있을 수 없었다. 이런 식으로 1943년 1월의 카사블랑카 회담에서 '프로이센 정신'이라는 요소는 연합군이 채택한 무조건 항복이라는 정책에 지대한 공헌을 했다.[140]

연합군 중에서는 오직 소련만이 프로이센의 전통과 나치 정권 사이에 놓인 긴장을 알고 있었다. 1944년 7월의 암살 음모가 서방 정치인들 사이에서 별다른 공감을 받지 못했지만, 소련의 공식 매체는 음모에 가담한 사람들을 높이 평가했다.[141] 소련의 선전기구는 서구 열강의 공식 매체와 달리 지속적으로 프로이센 문제를 활용했다. 예컨대 1943년에 선전 수단의 일환으로, 포로가 된 독일군 장교들로 구성된 자유독일 국민위원회(Nationalkomitee Freies Deutschland)는 프로이센의 개혁가들, 누구보다 그나이제나우와 슈타인, 클라우제비츠에 대한 기억을 불러일으켰다. 이들은 모두 프랑스 점령 기간에 프로이센의 장교 지위를 포기하고 러시아군에 합류한 공통점이 있었다. 1812년에 국왕의 명령을 무시하고 얼음벌판을 지나 러시아 진영으로 건너간 요르크는 당연히 그 중심에 있었다.[142]

물론 이런 선전 전략은 모두 속임수였으나, 동시에 프로이센의 역사에 대한 러시아의 시각을 잘 반영하는 것이었다. 양국의 관계를 둘러싼 역사는 결코 끊임없는 상호 증오의 연대기가 아니었다. 스탈린이 영웅시하는 표트르 대제는 대선제후의 프로이센을 열렬히 숭배했고 대선제후의 혁신적인 행정을 자신의 개혁 모델로 삼을 정도였다. 러시아와 프로이센은 폴란드의 분할에 긴밀히 협력했고 러시아와의 동맹은 1812년 이후 나폴레옹에 맞선 프로이센의 회복기에 결정적인 역할을 했다. 신성동맹(Heilige Allianz)이 프리드리히 빌헬름 3세의 딸 샬로테와 차르 니콜라이 1세의 혼인으로 탄탄해지면서 나폴레옹 전쟁 이후 양국은 우호적인 관계를 유지했다. 물론 1848~50년의 프로이센-오스트리아 이원 체제 시기에 러시아가 오스트리아를 지원한 것은 사실이지만, 1866년의 전쟁 기간에 프로이센을 상대로 호의적인 중립을 유지한 것도 사실이다. 상호 교류와 협력의 긴 역사에서 최근의 예로는 1917~18년에 독일이 궁지에 몰린 볼셰비키를 지원했다든가 바이마르 공화국 시절에 국가방위군과 붉은 군대가 군사적으로 긴밀하게 협력한 것을 들 수 있다.

하지만 이렇게 긴 우호적인 역사에도 불구하고 프로이센이 승전 연합군에 의해 해체되는 운명을 피할 수는 없었다. 1945년 가을이 되자, 점령지 독일을 다스리는 영국의 여러 행정기관에서는 (확실히 쓸모없는 형태로) '송장이나 다름없이 빈사 상태에 빠진 프로이센의 마지막 숨통'을 끊어야 한다는 공감대가 형성되었다.[143] 명줄을 유지해봤자 '위험한 시대착오 정신'만 조장하리라는 것이었다.[144] 1946년 여름, 이런 생각은 재독일 영국행정부의 확고한 정책이 되었다. 1946년 8월 8일, 베를린 연합국 관리위원회의 영국 대표가 작성한 각서는 다음과 같이 프로이센 문제를 간결하게 정리했다.

프로이센이 지난 200년간 유럽 안보의 위협이 되어왔다는 것을 지적할 필요는 없을 것이다. 설사 명목상으로라도 프로이센이 주로 살아남는다면, 독일 국민이 훗날 제기할지도 모르는 민족 통일에 대한 기반을 제공할 것이고 독일 군국주의자들의 야망을 키워줄 것이며 모든 당사국의 이해관계에서 볼 때 반드시 막아야 할 권위주의적이고 중앙집권화된 독일의 부활을 자극할 것이다.[145]

미국과 프랑스 대표도 이런 견해에 전적으로 동조했다. 단지 소련만이 꾸물거리며 결정을 미뤘는데, 주로 소련이 궁극적으로 통제권을 확보할지도 모르는 통일 독일의 중심축으로 프로이센을 이용할 수 있다는 희망을 스탈린이 여전히 버리지 않았기 때문이다. 하지만 1947년 2월 초가 되자, 그들도 보조를 맞추면서 프로이센 주를 법적으로 종료시키기 위한 길이 열렸다.

　그사이에 사회 환경으로서의 프로이센을 소멸시키는 작업은 이미 착착 진행되고 있었다. 소련 점령 구역 내의 독일공산당 중앙위원회는 1945년 8월에 '봉건지주 및 융커 계급'은 언제나 '군국주의와 국수주의의 전달자'였다는 발표를 했다(이 표현은 연합국 관리위원회의 제46조 법안에 들어가게 되었다). 그들의 '사회·경제적 힘'을 제거하는 것은 '프로이센 군국주의의 근절'을 위한 일차적이고 근본적인 전제조건이라는 것이었다. 재산 몰수의 물결이 뒤를 이었다. 재산 소유자들의 정치적 성향이나 저항 운동에서의 역할은 고려 대상이 아니었다. 토지를 몰수당한 지주 중에는 1944년 8월 21일에 7월 암살 음모에 가담한 혐의로 이미 처형당한 울리히-빌헬름 슈베린 폰 슈바넨펠트 백작도 있었다.[146]

　이런 변화는 독일이 유럽에 정착한 이래 최대의 이주 물결을 일으켰다. 전쟁 막바지 수개월간, 엘베강 동부 지역의 프로이센인 수백만 명은 몰려오는 붉은 군대를 피해 서쪽으로 피난을 갔다. 남은 사람들 중 일부는 자살했고 일부는 피살되거나 기아와 추위, 질병 등으로 목숨을 잃었다. 독일인들은 동프로이센과 서프로이센, 동포메른, 슐레지엔에서 추방되었고 그 과정에서 또 수십만 명이 목숨을 잃었다. 이주와 재정착은 1950년대와 1960년대까지 계속되었다. 엘베강 동부 지역의 대저택을 상대로 자행된 약탈과 방화는 사회·경제적 엘리트 계층의 종말

60 제2차 세계대전 종전 5년 후인 1950년 동베를린,
바닥에 떨어진 황제 빌헬름 1세 동상의 상반신과 머리, 그가 탄 말의 파편.

뿐 아니라 독특한 문화와 생활방식의 종말을 알리는 신호였다. 수많은 시골의 대저택 중에서 나폴레옹의 기념품을 소장한 핑켄슈타인, 고미술품 컬렉션이 있는 바이누넨, 로코코식 도서관이 있는 발트부르크, 폰 셴과 폰 슈뢰터 등 자유주의 노선 장관들의 흔적이 담긴 블룸베르크와 그로스 본스도르프 등의 저택이 독일인의 흔적을 깡그리 지우기 위해 작정하고 달려드는 적군에 의해 약탈되고 파괴되었다.[147] 이리하여 프로이센인들 또는 적어도 20세기 중반에 살던 그들의 후손은 히틀러의 독일이 동유럽에서 자행한 말살전쟁에 대한 혹독한 대가를 치르게 되었다.

독일 국민의 집단의식에서 프로이센을 말끔히 씻어내는 작업은 전쟁이 끝나기 전에 포츠담에 대한 대대적인 공습으로 시작되었다. 문화유산의 본거지로서 전략적으로나 산업적인 측면에서 큰 의미가 없는 포츠담은 연합군의 공격 목표에서 꽁무니에 있었기 때문에 전쟁 중에는 심각한 폭격을 면했다. 하지만 1945년 4월 14일 토요일 저녁 늦게 영국 폭격부대의 폭격기 491대가 도시 상공에서 폭탄을 투하하면서 시가지가 불바다로 변했다. 30분 남짓 이어진 폭격으로 구시가지의 유서 깊은 건물들 거의 절반이 흔적도 없이 사라졌다. 불이 꺼지고 연기가 걷히자 57미터 높이의 위수교회 탑은 폐허로 변한 도시를 상징하듯 검게 그을린 모습으로 우뚝 솟아 있었다.「다 같이 감사드리세」(Leuthen Chorale)의 자동 연주로 유명한 전설적인 편종(Glockenspiel)은 달랑 금속 한 덩어리만 남았다. 이런 과거 말살 행위는 구시가지 전체가 사회주의 재건을 위해 말끔히 치워지면서 1945년 이후에도 계속되었다. 전후 도시계획의 기준은 공산당 당국의 반프로이센 우상파괴정책에 의해 강화되었다.[148]

동프로이센보다 과거 파괴가 더 광범위하게 일어난 곳은 없었다. 쾨니히스베르크를 포함해 이 지역의 북동부는 전리품으로 소련의 수중에 떨어졌다. 1946년 7월 4일, 이 도시는 스탈린이 몹시 신임하는 부

61 소련군이 점령한 쾨니히스베르크, 1945.

하 한 명의 이름을 따서 칼리닌그라드로 이름이 바뀌었고 소련 땅이
된 그 주변 지역은 칼리닌그라드 주가 되었다. 전쟁 막바지 수개월간 이
도시는 격렬한 전투 현장이었고 전쟁이 끝난 뒤에도 한동안 황량한 폐
허로 남았다. "폐허가 된 풍경이라니!" 1951년에 이 도시를 찾은 소련
의 한 방문객은 황폐해진 도시 모습을 직접 눈으로 확인했다. "전차는
옛날 쾨니히스베르크의 좁고 울퉁불퉁한 거리를 지나간다. '옛날'이라
고 하는 것은 쾨니히스베르크가 옛날 도시이기 때문이다. 쾨니히스베
르크는 존재하지 않는다. 사방 수 킬로미터가 온통 폐허가 된 모습이다.
옛 쾨니히스베르크는 죽은 도시다."[149] 구시가지 중심에 있는 유서 깊
은 건물은 대부분 역사적 흔적을 지우려는 의도로 인해 앙상하게 표면
이 벗겨지거나 허물어진 상태였다. 어떤 거리에는 19세기 후반 하수시
설의 일부로 맨홀 뚜껑에 새겨진 라틴어 문자만이 옛날 역사를 말해주
었다. 폐허 주변으로 새로 나타난 소비에트 도시는 출입이 금지된 군사
구역으로 인해 외부세계와 차단된 단조롭고 촌스러운 모습이었다.

　　서방 점령지에서도 과거 말살 작업은 신속하게 진행되었다. 프랑
스 정책 추진자들은 전후 초기에 대대적인 '탈프로이센화'가 필요하
다는 말들을 했다.[150] 베를린 전승기념탑은 독일 통일전쟁에서 프로이
센군이 덴마크와 오스트리아, 프랑스에 거둔 승리를 기념하기 위해
1873년에 세워진 것이다. 그런데 프랑스 점령 당국은 이 기념탑의 기단
에 있는 청동 부조를 해체해서 파리로 보냈다. 오랜 시간이 지나 베를
린시 창립 750주년이 되는 1986년이 되어서야 이것은 다시 베를린으로
돌아왔다. 한때 지게스알레에 줄지어 서 있던, 호엔촐레른가의 역사적
통치자를 묘사한 거대한 석상들에게는 훨씬 가혹한 운명이 기다리고
있었다. 이 기념물들(거대한 흰 돌로 과장해서 만든 조각상)은 나치 당국
에 의해 히틀러 정권의 건축총감독 알베르트 슈페어가 설계한 제국의
미래 수도의 한 축인 그로세 슈테른알레로 옮겨졌다. 전쟁 기간에 그것
들은 그물망으로 가려져 있었다. 그러다가 1947년에 베를린 연합국 관

62 인부들이 벨뷔 궁의 뜰에 호엔촐레른가 조상들의 조각상을 묻고 있다, 1954.

리위원회의 명령으로 철거되었고, 1954년에 비밀리에 브란덴부르크의 모래밭에 파묻혔다. 이런 조치가 독일인들이 조상들의 프로이센 토템 주변에서 전쟁을 위해 재결집하는 것을 막는 데 필요하기라도 한 것 같았다.[151]

이런 충격적인 조치는 점령 지역에서 연합군이 실시한 독일인 재교육정책의 일환이었다. 여기서 목표는 독일인의 사고를 대상으로 '탈프로이센화'를 실시하고 '심리 구조'로서 프로이센을 머리에서 지워버리는 것이었다. 이것이 정확하게 어떤 의미인지에 대하여 연합군 사이에 합의된 적도 없고 개별 점령 정부에 의해서 그 의미가 규정된 적도 없었지만, 이런 발상은 영향력이 있었다. 전후 독일의 역사교육에서 프로이센은 가볍게 취급되었다. 전통적인 교과서는 1871년 비스마르크 제국의 성립으로 절정에 오른 민족주의적 서술에 도표가 곁들여진 형태였다. 이런 교과서가 특히 프랑스 점령 구역에서는 1871년 이전의 역사와 유럽 나머지 국가(특히 프랑스)와의 다양한 관계에 초점을 맞춘 서술로 바뀌었다. 구프로이센 중심의 역사를 주 내용으로 하는 전투와 외교 연대기 형식은 지역과 문화에 대한 학습에 자리를 내주었다. 프로이센에 대한 언급이 불가피한 대목에서는 유난히 부정적인 기술로 변화를 주었다. 프랑스 점령 구역의 새 교과서는 프로이센을 프랑스혁명의 유익한 영향을 가로막는 탐욕스럽고 반동적인 세력으로, 독일의 계몽주의와 민주주의를 파괴한 세력으로 묘사했다. 특히 비스마르크의 명망은 재설정 과정에서 심하게 훼손되었다.[152] 보수적 역사학자인 게르하르트 리터가 계몽군주로 복원시키기 위해 각고의 노력을 기울인 프리드리히 대왕 또한 대중의 기억에 우뚝 솟은 특별한 이미지에서 격하되었다.[153] 연합군의 이런 정책이 성공을 거둔 것은, 바로 그것이 프로이센에 반감을 가진 독일(특히 가톨릭의 라인 지방과 남부 독일)의 토착 전통과 조화를 이루었기 때문이다.

게다가 이런 노력은 1949년에 두 개의 독일이 건국된 이후, 독일 정치를 좌우한 세계의 지정학적 규범으로 강화되었다. 이제 독일연방공화국(서독)과 독일민주주의공화국(동독)이 철의 장막 양쪽에 포진한 상태에서 자본주의와 공산주의 세계를 가르고 있었다. 연방공화국의 초대 총리인 콘라트 아데나워가 무조건적인 친서방정책을 추구했다면, 공산주의 동독은 '소련이라는 시험관에서 나온 아기'라는 말처럼 모스크바의 정치적 속국이 되었다. 전후 세계의 영구적인 특징으로 보이게 된 이런 억압적인 분단 구조에서 프로이센이라는 과거는 대중의 기억 저편으로 사라졌다. 그사이에 동독 안에 간힌 섬처럼 되어버린 서베를린은 새롭고 카리스마가 있는 정체성을 획득했다. 1949년, 소련이 베를린의 서방 점령 지역에 대한 물자 보급을 차단했을 때, 서방 연합군은 대규모 공수작전으로 봉쇄를 뚫었다. 서방 세계 전역에서는 이렇게 포위된 전초 기지와의 연대감이 대폭 상승했다. 그것은 국제 사회의 일원으로서 서독이 지위를 회복하는 데 결정적인 첫걸음이 되었다. 이 도시의 중요성은 1961년 8월에 양극화된 냉전 체제의 특별한 기념물이라고 할 베를린장벽이 세워지면서 한층 더 부각되었다. 1960년대와 1970년대 들어, 서베를린은 네온 빛이 찬란한 고고장과 각종 고급문화 및 정치적 격동 등 서구의 자유와 소비자 문화를 보여주는 쇼윈도가 되었다. 그것은 더 이상 프로이센이나 독일이 아니라 서구 세계에 속한 모습이었다. 1963년 6월 16일, 베를린을 방문한 존 F. 케네디 대통령은 자신도 '베를린 시민'(ein Berliner)이라는 기억에 남을 선언을 했다.

다시 브란덴부르크로

프로이센의 소설가 테오도르 폰타네는 나이가 지긋해진 1894년에 쓴 뛰어난 글에서 자신이 첫 작품을 쓰던 당시를 회고했다. 여기서 그의 기억은 60년 전인 1833년으로 거슬러 올라간다. 14세의 학생인 폰타네가 베를린의 삼촌 댁에 살 때였다. 8월의 어느 더운 일요일 오후였다. 폰타네는 자유 주제로 내준 독일어 작문 숙제를 뒤로 미루고 뢰벤브루흐 마을에 사는 친구 집을 방문하기로 했다. 베를린 시내에서 남쪽으로 5킬로미터쯤 떨어진 곳이었다. 오후 3시 무렵에 그는 시 경계에 있는 할레 문에 도착했다. 거기서 길은 남쪽의 텔토 언덕을 거치고 크로이츠베르크와 템펠호프를 지나 그로스베렌으로 이어졌다. 그로스베렌 변두리에 다다랐을 때, 폰타네는 잠시 쉬어 가기 위해 포플러 나무 아래에 앉았다. 시간은 저녁이 가까웠고 눈앞에 보이는 새로 쟁기질을 한 밭은 안개로 덮여 있었다. 그 아래 길 쪽으로 고지대의 그로스베렌 공동묘지와 석양 속에서 반짝이는 교회 탑이 눈에 들어왔다.

평화로운 풍경을 보고 있자니, 폰타네의 머릿속에는 바로 그 자리에서 일어난 사건들이 떠오르기 시작했다. 20년 전, 나폴레옹과의 전쟁이 한창일 때였다. 뷜로 장군이 대부분 향토방위군으로 이루어진 프로이센 병사들과 함께 우디노 장군이 이끄는 프랑스군과 작센군을 공격한 곳이 바로 이곳이었다. 뷜로 장군은 베를린으로 접근하려는 적군을 저지하면서 1813년 여름의 전세를 아군 쪽으로 돌려놓았다. 그 전투에 대하여 폰타네는 학교에서 배운 대강의 지식밖에 없었지만, 눈앞의 풍경을 보며 과거의 장면을 머릿속에 그릴 만큼은 기억이 생생했다. 당시 지휘관으로부터 수도 배후로 퇴각한 다음 프랑스군의 진격을 기다리라는 명령을 받은 뷜로는 "방위군의 유골이 베를린 뒤보다 앞에 묻히기를 바란다"고 말하면서 명령을 거부했다. 폰타네가 앉아 있는 곳에서 오른쪽으로는 풍차가 돌고 있었다. 헤센-홈부르크 왕자가 페르벨린에서 조상들처럼 몇몇 의용군 대대를 이끌고 프랑스군 진지를 습격한 곳도 바로 그곳이었다. 이 모든 것보다 훨씬 더 생생한 것은 그가 어릴 때 어머니가 되풀이해서 들려준 이야기였다. 그것은 집안에 구전되어 오는 '작은 사건'이었다. (훗날 폰타네 가문으로 출가한) 에밀리 라브리는 베를린의 위그노 거주지에 사는 집안의 딸로서 프랑스어를 사용했다.

1813년 8월 24일, 15세의 에밀리는 전투 직후에 들판에 누워 있는 부상병들을 돌보러 시내에서 교외로 나가고는 했다. 그녀가 처음으로 마주친 남자는 중상을 입은 프랑스군으로서 '몸에 숨이라곤 붙어 있는 것 같지 않았다'. 누군가 자신의 모국어로 말을 하는 소리가 들리자, 그 병사는 '마치 딴 사람처럼' 벌떡 일어나 한 손으로는 에밀리가 들고 있는 포도주 병을 잡고 또 한 손으로는 그녀의 손목을 움켜쥐었다. 하지만 그 병사는 포도주를 입에 대보기도 전에 죽었다고 한다. 그날 밤 뢰벤브루흐에서 잠자리에 들었을 때, 폰타네는 작문 숙제의 주제를 깨달았다. 그로스베렌 전투에 관하여 쓰기로 한 것이다.[154]

작문의 주제는 프로이센에 관한 것이었을까, 아니면 브란덴부르크에 관한 것이었을까? 폰타네가 떠올린 것은 (비록 단편적이기는 해도) 누구나 쉽게 알 수 있는 프로이센의 역사 이야기였지만, 기억을 직접 환기시켜준 것은 쟁기질을 한 밭이나 포플러 나무, 나지막한 언덕, 석양에 빛나는 교회 탑 등 지역 환경에 대한 친밀감이었다. 그것은 프로이센의 과거를 향한 기억의 문을 열어주는 브란덴부르크의 풍경이었다. 장소에 대한 강렬한 인식은 작가로서 폰타네의 작품에서 눈에 띄는 특징이었다. 실제로 1833년의 그로스베렌 나들이는 (그가 주장한 대로) 훗날 그가 문학 장르로 확립한 시골여행기의 원형이었다. 폰타네는 오늘날 (19세기 사회를 날카롭게 관찰한) 소설로 아주 유명하지만 그의 생전에 가장 유명하고 인기를 끈 작품은 『브란덴부르크 방랑기』(*Wanderungen durch die Mark Brandenburg*)로서 그가 자신의 고향산천에 대한 경의의 표현이라고 한 네 권짜리 책이었다.

『방랑기』는 다른 작품들과는 전혀 다른 작업이었다. 폰타네는 변경 지방을 돌아보는 이 긴 방랑 중에 기록한 것을 곳곳의 명문이나 지방의 기록보관소에서 얻은 자료와 적절히 조합했다. 방랑기는 1859년 여름에 루핀과 슈프레발트 두 개 지구로 향한 여행으로 시작해 1860년대 내내 계속되었다. 처음에는 여러 신문에 기고문으로 발표한 이 수상록을 지역별로 편집해서 수정한 다음 1860년대 초부터 장정본으로 출간했다. 독자들은 지형 관찰과 비문, 곳곳의 물품 목록과 건축 스케치, 과거의 낭만적 일화가 마부나 여인숙 주인, 지주, 하인, 마을면장, 건축 노동자들과의 대화에서 얻은 비공식적 기억의 조각들과 낯설게 조합된 글과 마주쳤다. 소박하게 묘사한 산문과 시골생활의 풍자적 삽화가 울창한 숲으로 둘러싸인 묘지나 잔잔한 호수, 잡초 속에 폐허가 된 성벽, 새로 깎은 풀밭에서 뛰노는 아이들을 바라보는 명상 장면과 교차된다. 전편에는 향수와 우울 같은 근대적 문학 감수성이 표현되었다. 폰타네의 브란덴부르크는 과거와 현재 사이에서 반짝이는 기억의 풍경이다.

어쩌면 이 『방랑기』에서 가장 주목할 만한 것은 지방에 초점을 맞추는 공감 능력일 것이다. 폰타네 자신도 잘 알았다시피, 당대의 많은 사람에게는 네 권이나 되는, 별 특징이 없는 평범한 브란덴부르크 오지의 역사적 여행기에 관심을 쏟는 것이 상식에서 벗어나는 일처럼 보였다. 하지만 그는 자신이 하는 일의 의미를 알았다. 그는 1863년에 한 친구에게 다음과 같이 말했다. "변경의 모래밭에도 생명의 샘은 지금껏 흘렀고 여전히 사방에서 흐르고 있다네. 땅바닥 부분 부분에는 자체의 이야기가 있고 또 그것을 말하고 있어. 그 조용한 소리에 귀를 기울일 줄 알아야 해."[155] 그가 1861년 10월의 한 편지에서 쓴 대로, 그 글의 목표는 프로이센 역사의 '대단한 이야기'를 쓰는 것이 아니라 '지역을 되살리는 것'이었다.[156] 이 목표를 위해 그는 향토에 '숨겨진 아름다움'을 밝혀내거나 소박한 지형의 미묘한 차이를 포착하려고 애를 쓰면서 차츰 브란덴부르크를 프로이센의 정치적 정체성에서 끌어올리는, 마땅찮은 일을 해야 했다. 변경 지방이 개성을 드러내려면 프로이센의 역사에서 분리되어야 했다.[157] 따라서 『방랑기』에서 프로이센의 역사가 표현되기는 하지만, 멀리 떨어진 전투 현장의 소문이 그렇듯 현실과는 먼 얘기처럼 보인다. 최종결정권은 활기찬 유머와 소박한 말씨의 주인공인 브란덴부르크 사람들에게 주어진다.

『방랑기』가 현학적인 역사학자들의 비난에서 자유롭지는 않지만 이 작품은 대중에게 엄청난 인기를 끌었고, 이후 이것을 모방하는 사람이 많았다. 이 작품의 성공은 우리의 관심을 프로이센 땅의 지역성에 대한 강력하고 지속적인 애착심으로 돌리게 만든다. 프로이센은 처음과 마찬가지로 수명이 다할 때까지도, 정체성이 본질적으로 프로이센이라는 국가의 소속 여부와 무관한 지역의 연합으로 남았다. 이런 현상은 후대에 편입된 지역일수록 강했다. 라인 지방과 베를린의 관계는 프로이센을 계승하는 정부의 비교적 실용적이고 유연한 통치에도 불구하고 '정략결혼' 같은 성격으로 남았다.[158] 엄밀하게 말해, 단일한 역사적 통일체라기보다 문화적으로 다양한 땅의 조각그림이라고 할 베스트팔렌의 경우, 19세기 후반은 종파적 양극성으로 고조된 강렬한 지역소속감을 보여주었다. 파더보른 주교구 같은 베스트팔렌의 가톨릭 구역에서는 1870년의 프로이센-프랑스 전쟁에 의욕이 별로 없었다. 따라서 의용군이 많지 않았고 징집 대상자들은 군복무를 피해 네덜란드로 피하는 일이 많았다.[159] 1815년 이후 라인 지방이 '동화'되었다는 말들을 하지만 그것은 오해에서 비롯한 것이다. 실제로 서부 영토는 프로이센 합성물의 일부로서 국가의 새로운 기반을 굳혀주었다고 할 수 있다. 역설적으로 (비단 라인란트뿐 아니라) 프로이센은 지방 정부와 주의회를 유지한 채 연방 통치를 함으로써 사실상 뚜렷한 지방의 정체성 의식을 키웠다.[160]

이런 효과는 대오스트리아 전쟁 이후 프로이센의 영토 확장 과정에서 강화되었다. 프로이센에 수용된 지방에서는 1866년의 고압적인 합병에 분개하는 사람이 많았다. 특히 문제는 고대에 벨프(Welfen) 왕조가 다스렸던 하노버에서 불거졌다. 이곳의 토지 재산은 비스마르크 정부에 의해 몰수되었는데, 이것은 많은 보수파가 볼 때 강도짓이나 '불경죄'와 다름없었다.[161] 이런 우려는 벨프 왕조의 회복을 주장하면서 동시에 광범위한 보수적·지방주의적 목표를 추구하는 독일-하노버당(벨프당)에서 터져 나왔다. 벨프 당원들은 궁극적으로 열광적인 독일인을 지향하면서도 마음속으로 프로이센인이 되려는 생각은 추호도 없었다. 하노버의 벨프 지역주의자들이 비스마르크의 새 국가를 열렬히 지지하며 이 지역에서 강력한 세력을 형성한 민족-자유주의 운동을 반대한 것은 분명했다. 그러나 이름이 암시하듯이, 민족-자유주의자들은 프로이센보다 독일에 열광하는 사람들이었다. 그들은 프로이센보다 독일의 사명을 완수하는 도구로서 비스마르크에게 환호한 것이다.

프로이센이 빠르게 팽창하던 마지막 단계는 독일 전역에 지역주의 정서가 팽배하던 시기와 겹쳤다. 지방 유지를 중심으로 형성된 고고학적·역사적 유대감은 수많은 독일의 '풍경'에 담긴 언어적·문화적·정치적 역사를 발굴하는 데 매달리도록 했다. 이런 추세는 슐레스비히-홀슈타인의 경우, 1866년에 프로이센에 합병되면서 강화되었다. 지역에 대한 충성심은 새 질서와 화해하지 못한 채 1919년에 기회가 오자 이탈해 나간 북슐레스비히의 덴마크어를 사용하는 '프로이센인들' 사이에서만 고조된 것이 아니다. 그것은 슐레스비히-홀슈타인을 독립국가로 인정하는 방안을 지지하는 독일어를 쓰는 주민들 사이에서도 마찬가지였다. 1867년 국회에서 북독일 연방을 대표하는 의원은 대부분 지방자치를 지지했다. 이들의 염원은 강연과 출판물을 통해 지방의 주제를 강조하는 슐레스비히-홀슈타인 역사학회를 통해 학술적인 신뢰를 쌓았다.[162]

물론 이런 경향을 과대평가해서는 안 된다. 지역주의 정서가 프로이센 당국에 직접적인 위협이 된 것은 아니었다. 슐레스비히-홀슈타인 주민들에게 불만이 있을 수는 있지만, 그들은 세금을 꼬박꼬박 납부했고 군복무도 마쳤다. 하지만 지방의 정체성이 강하다는 것은 심각한 문제였다. 지방색이 중요하다는 것은, 체제전복적인 정치적 잠재력보다 지역에 대한 애착과 국가에 대한 애착 사이에서 발전할 수 있는 시너지 효과 때문이었다. 고국(Heimat)이라는 전통적인 근대의 이데올로기는 단일한 독일 국민이라는 문화적·민족적 개념과 매끄럽게 하나로 이어졌지만 새로 부가된 프로이센 주(Preußen Staat)라는 비유기적인 구조는 피해 갔다.[163] 프로이센이라는 정체성은 위로부터의 요인(민족주의)과 아래로부터의 요인(경쟁적 지역주의)에 의해 동시에 침식되었다. 오로지 마르크 브란덴부르크에서만 (그리고 포메른에서는 좀 더 좁은 범위에서) 지역주의 정체성이 발전하여 프로이센 및 그 독일적인 사명에 대한 충성심을 직접 자극했다(마르크의 농촌 풍토에서 볼 때 낯선 도시의 성장으로 비치기도 한 베를린에 대한 충성이라고까지 말할 수는 없지만 말이다).

하지만 폰타네의 예에서 암시되듯이, 여기서도 지방의 재발견과 그곳 주민들의 정서에 대한 주장은 프로이센을 등진 것일 수 있다. 흔히 '프로이센 정신'의 옹호자로 간주되는 폰타네조차 프로이센 주에 대해서는 사실상 극히 양면적인 태도를 취했으며 때로는 날카로운 비판을 하기도 했다.[164] 그는 1848년 혁명 기간에 발표된 신랄한 비평의 첫 문장에서 "프로이센은 거짓말이었다"(Preußen war eine Lüge)라고 선언하며 덧붙였다. "오늘날의 프로이센에는 역사가 없다."[165] 폰타네는 또 독일 통일은 반드시 프로이센의 소멸을 수반해야 한다고 (1848년뿐 아니라 1871년 제2제국의 건국 이후에도) 주장한 사람 중 한 명이다.[166] 그가 특별한 역사와 특징을 공들여 기록한 브란덴부르크는 비록 그 토양에서 도약한 왕조국가가 해체된다고 해도 살아남는다는 것은 말할 필요도 없었다.

주로서 종말을 맞은 1947년 이후, 집단 정체성의 현장으로서 프로이센의 가장 두드러진 특징은 흡인력이나 그에 상응하는 지역적인 결속력이 취약했다는 것이다. 예를 들어, 제2차 세계대전 이후 추방되어 강제로 엘베강 동부 지역을 떠난 1천만 명의 이익을 대변하기 위해 서독에 세워진 여러 기구의 공식 성명에서 프로이센이라는 표현이 별로 등장하지 않는 것은 주목할 만하다. 이 난민들은 대체로 스스로를 프로이센인이 아니라 동프로이센인, 상부 및 하부 슐레지엔인, 포메른인 등으로 인식했다. 그리고 폴란드어를 사용하는 동프로이센 남부 출신의 마주르인이나 프로이센령 리투아니아 출신의 잘츠부르크인(1730년대 초에 프로이센 동부에 재정착한 잘츠부르크 출신의 프로테스탄트 난민 지역의 후손), 그 밖에 다양한 하위 지역의 집단을 대표하는 기구들도 있었다. 하지만 '프로이센'의 정체성을 공유한 증거는 거의 찾아볼 수 없으며 서로 다른 집단들 사이에서 협력이나 교류를 했다는 흔적은 놀라우리만치 적다. 이런 의미에서 난민들의 운동은 구프로이센 주의 연합적이면서도 고도로 지역화한 성격을 반영하는 것이었다.

프로이센이 전후의 동서 독일에서 지대한 대중적 관심의 대상이었다는 것은 확실하다. 동독의 공식 역사에서는 나이 든 공산당 간부들의 좌파적 반프로이센주의를 이내 포기하고, 나폴레옹 시대의 군사개혁가들을 1952년에 준군사기구로 신설된 인민경찰(Volkspolizei)의 아버지로 받아들였다. 1953년에 동독 당국은 대나폴레옹 전쟁 140주년을 이용해 1813년의 사건을 공산당 조직의 이익에 기여하도록 재구성하는 선전활동을 시작했다. 당연히 그 중심에는 '러시아-독일 우호'라는 주제가 자리 잡았고 1813년은 독재와 군주제에 맞선 '인민봉기'로 해석되었다.[167] 1966년에 국가인민군(Nationale Volksarmee)의 공훈을 대상으로 유명한 샤른호르스트 훈장을 제정한 것이나 1970년대 후반에 샤른호르스트와 클라우제비츠를 다룬 텔레비전 시리즈 방영, 1979년 잉그리드 미텐츠바이의 대단한 베스트셀러 『프로이센의 프리드리히 2세』(Friedrich II von Preußen)의 출간 그리고 크리스티안 다니엘 라우흐가 제작한 프리드리히 대왕의 눈부신 기마동상을 눈에 잘 띄는 운터 덴 린덴 거리로 옮긴 것 등은 모두 프로이센 주 역사에 점진적으로 공감을 갖고 차별화된 접근을 시도한 획기적인 사건의 일부였을 뿐이다. 목적은 (적어도 당국으로서는) 프로이센의 역사와 전통 중에서 특별한 측면을 동독과 접합해서 인민들이 국가와 일체감을 느끼도록 하는 것이었다. 1981년에 서베를린 당국과 서독의 후원자들이 서베를린의 그로피우스 빌딩에서 대대적으로 프로이센 전시회를 개최한 것은 이런 동독의 흐름에 대한 대응책의 일환이었다. 온갖 논란에도 불구하고, 또 동서독 국경 양쪽에서 일어난 순수한 대중적 관심사라고 해도 이런 행사는 '정치적 교양'이나 '사회적 교육'이라는 지상명령에 의해 추진된 하향식 프로젝트로 남았다. 그것은 인민의 정체성이 아니라 국가의 정체성에 관한 것이었다.

다만 프로이센에 대한 정서적 공감대가 흐릿해진 반면에 브란덴부르크에 대한 애착은 강하게 유지되었다. 1945년 이후, 동독 당국은 사회주의 국가 이전에 존재했던 지역적 정체성을 지우기 위해 일관된 노력을 기울였다. (브란덴부르크를 포함해) 동부의 다섯 개 '주'(Länder)는 1952년에 폐지되고 그 자리에는 완전히 새로운 14개 '지구'(Bezirke)가 들어섰다. 그 목적은 단순히 동독 행정부의 중앙집권화를 촉진하는 데 그치지 않고 전통적인 지역 정체성을 '새로운 사회주의 정체성'으로 대체하기 위해 '대중의 새로운 충성을 확보'하는 데 있었다.[168] 그러나 지역 정체성을 근절하는 것은 지극히 어렵다는 것이 드러났다. 중앙 정부의 양면적인 태도와 간헐적인 적대정책에도 불구하고 지역 박람회와 음악, 요리, 문학적 전통은 변함없이 번성했다. 1952년에 새롭게 명명된 '사회주의 향토지방'(Heimatländer)에 대한 정서적 일체감을 촉진하기 위한 공식적인 노력도 동독 주민 다수로부터 피상적인 반응밖에 얻지 못했다.

전통적인 소속감이 얼마나 뿌리 깊은가는 1990년에 각 지구를 폐지하고 예전의 '주'를 되살렸을 때 명확해졌다. 베를린 북동쪽에 있는 프리그니츠의 페를레베르크는 14세기 이래로 마르크 브란덴부르크의 일부였다. 그러다가 1952년의 구역 개편 때 이곳은 메클렌부르크의 세 개 마을을 포함하는 지역으로 확대되고 슈베린 지구로 분류되었다(이것은 전통적으로 브란덴부르크가 아니라 더 북쪽에 있는 메클렌부르크-슈베린 공국과 어울리는 명칭이었다). 이후 1990년, 메클렌부르크에서 40년간의 타향살이 끝에 페를레베르크 주민들은 브란덴부르크와의 연고를 주장할 수 있는 기회를 잡았다. 주민투표에서 페를레베르크 유권자의 78.5퍼센트는 예전의 고향을 선택했고 페를레베르크는 다시 브란덴부르크 행정구역으로 편입되었다. 하지만 이 결과는 1952년에 페를레베르크에 합병된 메클렌부르크 마을 주민들에게는 실망을 안겨주었다. 담베크와 브루노 주민들은 조상 대대로 살아온 메클렌부르크로의 재편입을 강력하게 요구했다. 1991년 말, 수많은 시위와 협상 끝에 그들의 소원은 이루어졌다. 모두에게 만족스러운 결과였다. 단 공식적으로는 브루노에 속하지만 실제로는 구브란덴부르크 경계에 바싹 붙은 인구 150명의 클뤼스 주민은 예외였다. 18세기 이래, 클뤼스는 국경무역(특히 수지가 맞는 밀무역)에 의존해 생활해왔다. 주민들은 전통적으로 묶여 있던 마르크를 잘라내는 것이 내키지 않았다.[169]

결국 브란덴부르크만 남았다.

주

들어가며

1   Control Council Law No. 46, 25 February 1947, *Official Gazette of the Control Council for Germany*, No. 14, Berlin, 31 March 1947.

2   처칠의 1943년 9월 21일 의회 연설, Winston S. Churchill, *The Second World War*, vol. 5, *Closing the Ring* (6 vols., London, 1952), p. 491.

3   Ludwig Dehio, *Gleichgewicht oder Hegemonie. Betrachtungen über ein Grundproblem der neueren Staatengeschichte* (Krefeld, 1948), p. 223; id., 'Der Zusammenhang der preussisch - deutschen Geschichte, 1640–1945,' in Karl Forster (ed.), *Gibt es ein deutsches Geschichtsbild?* (Würzburg, 1961), pp. 65–90, 여기서는 p. 83. 데히오와 프로이센-독일 연속성에 관한 논의는 다음을 참고하라. Thomas Beckers, *Abkehr von Preussen. Ludwig Dehio und die deutsche Geschichtswissenschaft nach 1945* (Aichach, 2001), 특히 pp. 51–9; Stefan Berger, *The Search for Normality. National Identity and Historical Consciousness in Germany since 1800* (Providence, RI and Oxford, 1997), pp. 56–71; Jürgen Mirow, *Das alte Preussen im deutschen Geschichtsbild seit der Reichsgründung* (Berlin, 1981), pp. 255–60.

4   비판적 학파 일반에 대해서는, Berger, *Search for Normality*, pp. 65–71. 독일의 특수노선에 대해서는 Jürgen Kocka, 'German History before Hitler: The Debate about the German Sonderweg,' *Journal of Contemporary History*, 23(1988), pp. 3–16. 비판적인 입장은 David Blackbourn and Geoff Eley, *The Peculiarities of German History. Bourgeois Society and Politics in Nineteenth - century Germany* (Oxford, 1984). 프로이센의 특이성에 관한 최근 논의로는, Hartwin Spenkuch,

'Vergleichsweise besonders? Politisches System und Strukturen Preussens als Kern des "deutschen Sonderwegs," *Geschichte und Gesellschaft*, 29(2003), pp. 262–93.

5   이런 유의 예로는 Hans - Joachim Schoeps, *Preussen. Geschichte eines Staates* (Frankfurt/Berlin, 1966; repr. 1981); Sebastian Haffner, *Preussen ohne Legende* (Hamburg, 1978); Gerd Heinrich, *Geschichte Preussens. Staat und Dynastie* (Frankfurt, 1981). 이런 경향에 대한 논평으로는 Ingrid Mittenzwei, 'Die zwei Gesichter Preussens' in *Forum 19* (1978); 다음에 재수록 *Deutschland - Archiv*, 16(1983), pp. 214–18; Hans - Ulrich Wehler, *Preussen ist wieder chic. Politik und Polemik in zwanzig Essays* (Frankfurt/Main, 1983), 특히 ch. 1; Otto Büsch (ed.), *Das Preussenbild in der Geschichte. Protokoll eines Symposions* (Berlin, 1981).

6   특히 Manfred Schlenke, 'Von der Schwierigkeit, Preussen auszustellen. Rückschau auf die Preussen - Ausstellung, Berlin 1981,' in id. (ed.), *Preussen. Politik, Kultur, Gesellschaft* (2 vols., Hamburg, 1986), vol. 1, pp. 12–34. 이 전시가 촉발한 논쟁에 대해서는 Barbara Vogel, 'Bemerkungen zur Aktualität der preussischen Geschichte,' *Archiv für Sozialgeschichte*, 25 (1985), pp. 467–507; T. C. W. Blanning, 'The Death and Transfiguration of Prussia,' *Historical Journal*, 29 (1986), pp. 433–59.

7   요즘 보수주의 프로이센 애호가 조직의 허브는 '프로이센 협회'(Preussische Gesellschaft)다. 이 협회는 잡지 *Preussische Nachrichten von Staats - und Gelehrten - Sachen*을 발간하는데, 독자는 1만 명이라고 말한다. 웹사이트는 http://www.preussen.org/page/frame.html 에서 볼 수 있다. 협회는 중도에서 우파까지 다양한 영역에 걸쳐져 있는데, 권위주의적 신자유주의에서 프로이센 연방 독립주의자, 극우 극단주의, 초보수적 군주주의자까지 아우른다.

8   프리드리히 대왕의 유해는 제2차 세계대전이 끝나갈 무렵 진격해 오던 러시아군에 의해 파헤쳐지는 것을 막기 위해 호엔촐레른-헤힝겐으로 옮겨졌다. 유해는 상수시 테라스에 자신의 그레이하운드와 함께 묻혀야 한다는 왕의 유언에 따라 1991년 다시 제자리로 돌아갔다. 이장하던 때에 당시 총리였던 헬무트 콜이 참석하자 상당한 논란이 되었다. 도시 내 궁 설치 계획에 대해서는, 'Wir brauchen zentrale Akteure,' *Süddeutsche Zeitung*, 10 January 2002, p. 17; Peter Conradi, 'Das Neue darf nicht verboten werden,' *Süddeutsche Zeitung*, 8 March 2002, p. 13; Josep. Paul Kleihues, 'Respekt vor dem Kollegen Schlüer,' *Die Welt*, 30 January 2002, p. 20. 왕궁 복원에 관한 자세한 사항은 http://www.berliner - stadtschloss.de/index1.htm; http://www.stadtschloss - berlin.del.

9   Hans - Ulrich Wehler, 'Preussen vergiftet uns. Ein Glük, dass es vorbei ist!,' *Frankfurter Allgemeine Zeitung*, 23 February 2002, p. 41; 다음과 비교해보라. Tilman Mayer, 'Ja zur Renaissance. Was Preussen aus sich machen kann,' *Frankfurter Allgemeine Zeitung*, 27 February 2002, p. 49; Florian Giese, 'Preussens Sendung und Gysis Mission' in Die Zeit, September 2002, http://www.zeit.de/archiv/2002/09/200209 preussen.xml에서 확인할 수 있다.

10   예를 들어, Linda Colley, *Britons. Forging the Nation* (New Haven, CT, 1992) 그리고 더 일반론으로, James C. Scott, *Seeing Like a State. How Certain Schemes to Improve the Human Condition Have Failed* (New Haven, CT, 1998), 특히 pp. 11, 76–83, 183. '구성된' 민족주의 성격에 관한 논쟁으로는 Oliver Zimmer and Len Scales (eds.), *Power and the Nation in European History* (Cambridge, 2005).

11   Voltaire to Nicolas Claude Theriot, au Chêne, 26 October [1757], in Theodor Bestermann (ed.), *Voltaire's Correspondence*, trans. Julius R. Ruff (51 vols., Geneva, 1958), vol. 32, p. 135.

1 / 브란덴부르크의 호엔촐레른가(家)

1   'Regio est plana, nemorosa tamen, & ut plurimus paludosa …,' Nicolaus Leuthinger, *Topographia prior Marchiae regionumque vicinarum* … (Frankfurt/Oder, 1598), repr. in J. G. Kraus (ed.), *Scriptorum de rebus marchiae brandenburgensis maxime celebrium* … (Frankfurt, 1729), p. 117. 다른 예로는, Zacharias Garcaeus, *Successiones amiliarum et Res gestae illustrissimum praesidium Marchiae Brandenburgensis ab anno DCCCCXXVII ad annum MDLXXXII*, repr. in ibid., pp. 6–7.

2   William Howitt, *The Rural and Domestic Life of Germany* (London, 1842), p. 429.

3   Tom Scott, *Society and Economy in Germany, 1300–1600* (London, 2002), pp. 24, 119.

4   Dirk Redies, 'Zur Geschichte des Eisenhütenwerkes Peitz,' in Museumsverband des Landes Brandenburg (ed.), *Ortstermine. Stationen Brandenburg - Preussens auf dem Weg in die moderne Welt* (Berlin, 2001), Part 2, pp. 4–16.

5   F. W. A. Bratring, *Statistisch - Topographische Beschreibung der gesamten Mark Brandenburg* (Berlin, 1804), repr. edn. by Otto Büsch and Gerd Heinrich (2 vols., Berlin, 1968), vol. 1, pp. 28, 30, vol. 2, p. 1108. 브라트링은 수치를 제시하지만, 마르크의 상당 부분이 개간되고 난 뒤의 수치다. 어느 쪽도 정확한 수치라고 보기 힘들다.

6   William W. Hagen, *Ordinary Prussians. Brandenburg Junkers and Villagers, 1500–1840* (Cambridge, 2002), p. 44.

7   '제국'의 '신성함'에 관해서는, Hans Hattenhauer, 'Üer die Heiligkeit des Heiligen Römischen Reiches,' in Wilhelm Brauneder (ed.), *Heiliges Römisches Reich und moderne Staatlichkeit* (Frankfurt/Main, 1993), pp. 125–46. 용어의 다면성에 대해서는, Georg Schmidt, *Geschichte des alten Reiches, Staat und Nation in der frühen Neuzeit 1495–1806* (Munich, 1999), p. 10.

8   1742~45년이라는 예외적 환경 속에서만, 제국이란 타이틀은 바이에른의 비텔스바흐 왕조로 넘어갔었다.

9   왕조 분할에 대해서는 Paula Sutter Fichtner, *Protestantism and Primogeniture in Early Modern Germany* (New Haven, CT, 1989), 특히 pp. 4–21; Geoffrey Parker, *The Thirty Years' War* (London, 1984), p. 15.

10   엘리자베스의 드라마틱한 출발은 종교적 박해에 대한 두려움보다 루터가 공개된 편지에서 요하임 1세를 욕보인 혼외 관계와 더 관련이 있었다. Manfred Rudersdorf and Anton Schindling, 'Kurbrandenburg,' in Anton Schindling and Walter Ziegler (eds.), *Die Territorien des Reiches im Zeitalter der Reformation und Konfessionalisierung. Land und Konfession 1500–1650* (6 vols., Münster, 1990), vol. 2, *Der Nordosten*, pp. 34–67, 여기서는 p. 40.

11   Axel Gotthard, 'Zwischen Luthertum und Calvinismus (1598–1640),' in Frank-Lothar Kroll (ed.), *Preussens Herrscher. Von den ersten Hohenzollern bis Wilhelm II* (Munich, 2000), pp. 74–94, 여기서는 p. 75; Otto Hintze, *Die Hohenzollern und ihr Werk. Fünfhundert Jahre Vaterländischer Geschichte* (7th edn, Berlin, 1916), p. 153.

12   Walter Mehring, *Die Geschichte Preussens* (Berlin, 1981), p. 37.

13   이 문제와 관련된 상속법에 대해서는 Heinz Ollmann-Kösling, *Der Erbfolgestreit um Jülich-Kleve (1609–1614). Ein Vorspiel zum Dreissigjährigen Krieg* (Regensburg, 1996), pp. 52–4.

14   전반적인 개관은 다음을 보라. Rudolf Endres, *Adel in der frühen Neuzeit* (Munich, 1993), 특히 pp. 23–30, 83–92.

15   Peter-Michael Hahn, 'Landesstaat und Städetum im Kurfüstentum Brandenburg während des 16. und 17. Jahrhunderts,' in Peter Baumgart (ed.), *Ständetum und Staatsbildung in Brandenburg-Preussen. Ergebnisse einer international Fachtagung* (Berlin, 1983), pp. 41–79, 여기서는 p. 42.

16   이 설명은 1604년 12월 13일 추밀원 법안(Geheimratsordnung)의 텍스트에 기초했다. 다음에 전재되어 있다. Siegfried Isaacsohn, *Geschichte des preussischen Beamtenthums vom Anfang des 15. Jahrhunderts bis auf die Gegenwart* (3 vols., Berlin, 1874–84), vol. 2, pp. 24–8.

17   Ibid., p. 28; Johannes Schultze, *Die Mark Brandenburg* (4 vols., Berlin, 1961–69), vol. 4, p. 188; Hintze, *Die Hohenzollern*, pp. 154–5.

18   Gotthard, 'Zwischen Luthertum und Calvinismus,' in Kroll (ed.), *Preussens Herrscher*, pp. 85–7; Schultze, *Die Mark Brandenburg*, vol. 4, pp. 176–9.

19   Hintze, *Die Hohenzollern*, p. 162. Alison D. Anderson, *On the Verge of War. International Relations and the Jülich-Kleve Succession Crisis (1609–1614)* (Boston, 1999), pp. 18–40.

20   Parker, *Thirty Years' War*, pp. 28–37; Schultze, *Die Mark Brandenburg*, vol. 4, p. 185.

21   Gotthard, 'Zwischen Luthertum und Calvinismus,' p. 84.

22   Friedrich Schiller, *The History of the Thirty Years War in Germany*, trans. Capt. Blacquiere (2 vols., London, 1799), vol. 1, p. 93.

23 Gotthard, 'Zwischen Luthertum und Calvinismus,' p. 84에서 인용.

2 / 참화

1   30년전쟁의 기원과 전개에 관한 영어 문헌은 대단히 많다. Geoffrey Parker, *The Thirty Years' War* (London, 1988)을 표준으로 삼을 만하다; Ronald G. Asch, *The Thirty Years War: The Holy Roman Empire and Europe, 1618-1648* (London, 1997)는 이 이슈에 대한 유용한 최근 개론을 제공한다; Peter H. Wilson은 현재 일반사를 준비중이다. Sigfrid Henry Steinberg, *The 'Thirty Years War' and the Conflict for European Hegemony, 1600-1660* (London, 1966) and Georges Pagès, *The Thirty Years War, 1618-1648*, trans. David Maland and John Hooper (London, 1970)는 신앙고백 문제에 대해 독일에 대한 유럽의 우위를 강조하는 오래된 작업이다.

2   Frederick II, *Mémoires pour servir à l'Histoire de la Maison de Brandebourg* (2 vols., London, 1767), vol. 1, p. 51.

3   아담 폰 슈바르첸베르크 백작이 기록한 노트에서. 그리고 프루크만 수상(Chancellor Pruckmann)의 선제후에 관한 요약은 다음 문헌에서 언급된다. J. W. C. Cosmar, *Beiträge zur Untersuchung der gegen den Kurbrandenburgischen Geheimen Rath Grafen Adam zu Schwarzenberg erhobenen Beschuldigungen. Zur Berichtigung der Geschichte unserer Kurfürsten Georg Wilhelm und Friedrich Wilhelm* (Berlin, 1828), p. 48.

4   슈바르첸베르크 백작이 프루크만 수상에게 보낸 1626년 7월 22일 편지에는 선제후의 언질을 기록하고 있다. Johann Gustav Droysen, *Geschichte der preussischen Politik* (14 vols., Berlin, 1855-6), vol. 3, part I, *Der Staat des Grossen Kurfürsten*, p. 41; Cosmar, *Beiträge*, p. 50.

5   가톨릭 점령지는 파사우 조약(1552년)을 기점으로 변하지 않은 것으로 계산되었다. 원상복구 칙령의 영어 번역은 다음을 보라. E. Reich (ed.), *Select Documents* (London, 1905), pp. 234-5.

6   스웨덴의 목표와 전쟁 개입에 대해서는, Michael Roberts, *Gustavus Adolphus: A History of Sweden 1611-1632* (2 vols., London, 1953-8), vol. 1, pp. 220 28, vol. 2, pp. 619-73.

7   L. Hüttl, *Friedrich Wilhelm von Brandenburg, der Grosse Kurfürst* (Munich, 1981), p. 39에서 언급함.

8   Frederick II, *Mémoires*, p. 73.

9   W. Lahne, *Magdeburgs Zerstörung in der zeitgenössischen Publizistik* (Magdeburg, 1931), 특히 pp. 7-24; 110-47.

10 Roberts, *Gustavus Adolphus*, vol. 2, pp. 508-13.

11 Hintze, *Die Hohenzollern*, p. 176.

12 Frederick II, *Mémoires*, p. 51; J. A. R. Marriott and C. Grant Robertson, *The*

Evolution of Prussia. The Making of an Empire (Oxford, 1917), p. 74; Gotthard, 'Zwischen Luthertum und Calvinismus,' pp. 87–4.

13 Droysen, Der Staat des Grossen Kurfürsten, p. 38.

14 Roberts, Gustavus Adolphus, vol. 1, pp. 174–81.

15 Droysen, Der Staat des Grossen Kurfürsten, p. 39.

16 Christop. Fürbringer, Necessitas und Libertas. Staatsbildung und Landstände im 17. Jahrhundert in Brandenburg (Frankfurt/Main, 1985), p. 34.

17 Hahn, 'Landesstaat und Städetum,' p. 59.

18 Droysen, Der Staat des Grossen Kurfürsten, p. 118.

19 Fürbringer, Necessitas und Libertas, p. 54.

20 Ibid., pp. 54–7.

21 Otto Meinardus (ed.), Protokolle und Relationen des Brandenburgischen Geheimen Rates aus der Zeit des Kurfürsten Friedrich Wilhelm (4 vols., Leipzig, 1889–1919), vol. 1 (Publicationen aus den K. Preussischen Staatsarchiven 시리즈의 41권과 동일), p. xxxiv.

22 Ibid., p. xxxv; August von Haeften (ed.), Ständische Verhandlungen, vol. 1: Kleve - Mark (Berlin, 1869) (Urkunden und Acktenstücke zur Geschichte des Kurfürsten Friedrich Wilhelm von Brandenburg 시리즈 5권과 동일; 이하 UuA), pp. 58–82.

23 Fritz Schröer, Das Havelland im dreissigjährigen Krieg. Ein Beitrag zur Geschichte der Mark Brandenburg (Cologne, 1966), p. 32.

24 Ibid., p. 37.

25 Geoff Mortimer, Eyewitness Accounts of the Thirty Years' War 1618–1648 (Houndmills, 2002), p. 12.

26 부담금에 대해서는, ibid., pp. 47–50, 89–92; Parker, Thirty Years' War, pp. 197, 204.

27 Schröer, Havelland, p. 48.

28 Ibid., p. 34.

29 B. Seiffert (ed.), 'Zum dreissigjärigen Krieg: Eigenhädige Aufzeichnungen von Stadtschreibern und Ratsherren der Stadt Strausberg,' Jahresbericht des Königlichen Wilhelm - Gymnasiums zu Krotoschin, 48 (1902), Supplement, pp. 1–47, Mortimer, Eyewitness Accounts, p. 91에서 언급.

30 Herman von Petersdorff, 'Beiträe zur Wirtschafts - Steuer - und Heeresgeschichte der Mark im dreissig - Jährigen Kriege,' Forschungen zur Brandenburgischen und Preussischen Geschichte (이하 FBPG), 2 (1889), pp. 1–73, 여기서는 pp. 70–73.

31 Robert Ergang, The Myth of the All - Destructive Fury of the Thirty Years' War (Pocono Pines, Pa, 1956); Steinberg, The Thirty Years' War, pp. 2–3, 91. 수정주의적 분석: Ronald G. Asch, '"Wo der Soldat hinköbt, da ist alles sein": Military Violence and Atrocities in the Thirty Years War Re - examined,' German History, 18 (2000), pp. 291–309.

32 Philip Vincent, The Lamentations of Germany (London, 1638).

33 30년전쟁의 서사와 경험된 트라우마의 관계에 대해서는, Bernd Roeck,
    'Der dreissigjärige Krieg und die Menschen im Reich. überlegungen zu den
    Formen psychischer Krisenbewältigung in der ersten Hälfte des siebzehnten
    Jahrhunderts,' in Bernhard R. Kroener and Ralf Pröe (eds.), *Krieg und Frieden.*
    Militär und Gesellschaft in der frühen Neuzeit (Paderborn, 1996), pp. 265–79;
    Geoffrey Mortimer, 'Individual Experience and Perception of the Thirty Years
    War in Eyewitness Personal Accounts,' *German History*, 20 (2002), pp. 141–60.

34 플라우에 변두리 거주자의 1639년 1월 12일 기록. *Schröer, Havelland*, p. 94에서
    언급.

35 B. Elsler (ed.), *Peter Thiele's Aufzeichnung von den Schicksalen der Stadt Beelitz im*
    Dreissigjährigen Kriege (Beelitz, 1931), p. 12.

36 Ibid., p. 13.

37 Ibid., pp. 12, 15.

38 Georg Grüneberg, *Die Prignitz und ihre städtische Bevölkerung im 17. Jahrhundert*
    (Lenzen, 1999), pp. 75–6.

39 Meinardus (ed.), *Protokolle und Relationen*, vol. 1, p. 13.

40 슈바르첸베르크가 브란덴부르크 연대의 여러 장군들에게 한 연설.
    쾰른(Cölln), 1639년 2월 22일/ 3월 1일. Otto Meinardus, 'Schwarzenberg und die
    brandenburgische Kriegführung in den Jahren 1638–1640,' *FBPG*, 12/2 (1899),
    pp. 87–139, 여기서는 pp. 127–8.

41 Meinardus (ed.), *Protokolle und Relationen*, vol. 1, p. 181, doc. no. 203, 12 March
    1641.

42 Mortimer, *Eyewitness Accounts*, pp. 45–58, 174–8.

43 M. S. Anderson, *War and Society in Europ. of the Old Regime 1618–1789* (Phoenix
    Mill, 1998), pp. 64–6.

44 Werner Vogel (ed.), *Prignitz - Kataster 1686–1687* (Cologne, Vienna, 1985), p. 1.
    사망자에 관한 표준 작업은 여전히 Günther Franz, *Der dreissigjährige Krieg und*
    das deutsche Volk (3rd edn, Stuttgart, 1961), pp. 17–21. 프란츠는 민족사회주의
    체제를 노골적으로 옹호한 것으로 인해 역사학계에서 복잡한 위상을 지닌다.
    그 흔적은 전후 판본에서 지독한 문장들을 조심스럽게 수정했음에도 여전히
    분간할 수 있다. 1960년대, 사울 슈타인베르크는 프란츠의 계산을 가차없이
    거부했다. 슈타인베르크는 그 계산은 세금 부과를 회피하기 위해 과장된
    부재자와 사망자 수치에 근거한 것이라고 주장했다. 그는 '1648년 독일은
    1609년에 비해 좋지도 나쁘지도 않았다'는 논쟁적인(다소 이상한) 결론을
    내렸다(Steinberg, *The Thirty Years War*, p. 3); Hans - Ulrich Wehler는 *Deutsche*
    Gesellschaftsgeschichte (5 vols., Munich, 1987–2003) 1권 54쪽에서 이 주장을
    받아들였다. 그러나 최근 연구들은 프란츠를 지지하는 쪽으로 기울었다,
    브란덴부르크에 관한 완전하고도 믿을 만한 자료로는, J. C. Thiebault, 'The
    Demography of the Thirty Years War Revisited: Güther Franz and his Critics,'
    German History, 15 (1997), pp. 1–21.

45 Lieselott Enders, *Die Uckermark. Geschichte einer kurmärkischen Landschaft vom 12. bis zum 18. Jahrhundert* (Weimar, 1992), p. 527.

46 예컨대 다음을 보라. A. Kuhn, 'Üer das Verhätniss Mäkischer Sagen und Gebräche zur altdeutschen Mythologie,' *Märkische Forschungen*, 1 (1841), pp. 115–46.

47 Samuel Pufendorf, *Elements of Universal Jurisprudence in Two Books* (1660), Book 2, Observation 5, in Craig L. Carr (ed.), *The Political Writings of Samuel Pufendorf*, trans. Michael J. Seidler (New York, 1994), p. 87.

48 Samuel Pufendorf, *On the Law of Nature and Nations in Eight Books* (1672), Book 7, ch. 4, in ibid., p. 220.

49 Ibid., p. 221.

50 Samuel Pufendorf, *De rebus gestis Friderici Wilhelmi Magni Electoris Brandenburgici commentatiorum*, book XIX (Berlin, 1695).

51 Johann Gustav Droysen, 'Zur Kritik Pufendorfs,' in id., *Abhandlungen zur neueren Geschichte* (Leipzig, 1876), pp. 309–86, 여기서는 p. 314.

3 / 독일의 특별한 빛

1 Ferdinand Hirsch, 'Die Armee des Grossen Küfüsten und ihre Unterhaltung wärend der Jahre 1660–1666,' *Historische Zeitschrift*, 17 (1885), pp. 229–75.

2 Helmut Börsch - Supan, 'Zeitgenösische Bildnisse des Grossen Kurfüsten,' in Gerd Heinrich (ed.), *Ein Sonderbares Licht in Teutschland. Beiträge zur Geschichte des Grossen Kurfürsten von Brandenburg (1640–1688)* (Berlin, 1990), pp. 151–66.

3 Otto Meinardus, 'Beiträe zur Geschichte des Grossen Kurfüsten,' *FBPG*, 16/2 (1903), pp. 173–99, 여기서는 p. 176.

4 프리드리히 선제후의 정치적 사유와 행위, 더 일반적으로 초기 근대 군주들에 미친 신스토아학파의 영향에 관해서는, Gerhard Oestreich, *Neostoicism and the Early Modern State*, ed. B. Oestreich and H. G. Koenigsberger, trans. D. McLintock (Cambridge, 1982).

5 Derek McKay, *The Great Elector, Frederick William of Brandenburg - Prussia* (Harlow, 2001), pp. 170–71.

6 1686년 칙령은 다음에서 언급. Martin Philippson, *Der Grosse Kurfürst Friedrich Wilhelm von Brandenburg* (3 vols., Berlin, 1897–1903), vol. 3, p. 91.

7 선제후의 해군과 식민지 계획에 관해서는 Ernst Opgenoorth, *Friedrich Wilhelm der Grosse Kurfürst von Brandenburg* (2 vols., Göttingen, 1971–8), vol. 2, pp. 305–11; E. Schmitt, 'The Brandenburg Overseas Trading Companies in the 17th Century,' in Leonard Blussé and Femme Gaastra (eds.), *Companies and Trade. Essays on European Trading Companies During the Ancien Regime* (Leiden, 1981), pp. 159–76; Hüttl, *Friedrich Wilhelm*, pp. 445–6; Heinz Duchhardt,

'Afrika und die deutschen Kolonialprojekte der 2.Hälfte des 17. Jahrhunderts,' *Archiv für Kulturgeschichte*, 68 (1986), pp. 119-33; 유용한 역사서술적 논의로는 Klaus - Jürgen Matz, 'Das Kolonialexperiment des Grossen Kurfürsten in der Geschichtsschreibung des 19. und 20. Jahrhunderts,' in Heinrich (ed.), *Ein Sonderbares Licht*, pp. 191-202.

8   Albert Waddington, *Le Grand Électeur Frédéric Guillaume de Brandenbourg: sa politique extérieure, 1640-1688* (2 vols., Paris, 1905-8), vol. 1, p. 43; Götze and Leuchtmar, Stettin, 23 April 1643, in Bernhard Erdmannsdörffer (ed.), *Politische Verhandlungen* (4 vols., Berlin, 1864-84), vol. 1 (= UuA, vol. 1), pp. 596-7.

9   리졸로가 발더로데에게 보낸 서한, 1663년 11월 30일 베를린, in Alfred Pribram (ed.), *Urkunden und Aktenstücke zur Geschichte des Kurfürsten Friedrich Wilhelm von Brandenburg*, vol. 14 (Berlin, 1890), pp. 171-2.

10   Hermann von Petersdorff, *Der Grosse Kurfürst* (Gotha, 1926), p. 40.

11   McKay, *Great Elector*, p. 21; Philippson, *Der Grosse Kurfürst*, vol. 1, pp. 41-2.

12   에르네스트 변경백이 프리드리히 빌헬름에게 보낸 1641년 5월 18일 서한은 다음에 수록. Erdmannsdörffer(ed.), *Politische Verhandlungen*, vol. 1, pp. 451-2.

13   프리비 의원이 프리드리히 빌헬름에게 1642년 9월 6일에 보낸 서한과 변경백의 죽음에 관한 요한네스 마기리우스 박사의 1642년 9월 26일 보고서는, Erdmannsdöffer (ed.), *Politische Verhandlungen*, vol. 1, pp. 499-502, 503-5.

14   Alexandra Richie, *Faust's Metropolis. A History of Berlin* (London, 1998), pp. 44-5.

15   Philippson, *Der Grosse Kurfürst*, vol. 1, pp. 56-8.

16   Hirsch, 'Die Armee des grossen Kurfüsten,' pp. 229-5; Waddington, *Grand Électeur*, vol. 1, p. 89; McKay, *Great Elector*, pp. 173-5.

17   Curt Jany, 'Lehndienst und Landfolge unter dem Grossen Kurfüsten,' *FBPG*, 8 (1895), pp. 419-67.

18   도표를 곁들인 전투 분석은, Robert I. Frost, *The Northern Wars 1558-1721* (Harlow, 2000), pp. 173-6.

19   프리드리히 빌헬름이 슈바인푸르트에 있는 오토 폰 슈베린에게 1675년 2월 10일에 보낸 서한. Ferdinand Hirsch (ed.), *Politische Verhandlungen* (Berlin 1864-1930) vol. 11 (= UuA, vol. 18), pp. 824-5; Jany, 'Lehndienst und Landfolge unter dem Grossen Kurfüsten' (Fortsetzung), in *FBPG*, 10 (1898), pp. 1-30, 여기서는 p. 7, note 3.

20   Droysen, *Der Staat des Grossen Kurfürsten*, p. 351.

21   *Diarium Europeaeum XXXII*, Jany, 'Lehndienst und Landfolge' (Fortsetzung), p. 7에서 언급.

22   Pufendorf, *Rebus gestis*, Book VI, § 36-9; Leopold von Orlich, *Friedrich Wilhelm der Grosse Kurfürst. Nach bisher noch unbekannten Original - Handschriften* (Berlin, 1836), pp. 79-81; 선제후의 설명은 부록 pp. 139-42에 재수록되어 있다.

23   Peter Burke, *The Fabrication of Louis XIV* (New Haven, CT, 1992), p. 152.

24 프리드리히 빌헬름의 1667년 정치적 유언은, Richard Dietrich (ed.), *Die politischen Testamente der Hohenzollern* (Cologne, 1986), pp. 179–204, 여기서는 pp. 191–2.

25 Heinz Duchhardt and Bogdan Wachowiak, *Um die Soveränität des Herzogthums Preussen: Der Vertrag von Wehlau, 1657* (Hanover, 1998); 이 조약에 관한 현대 폴란드의 시선에 관해서는, Barbara Szymczak, Stosunki Rzeczypospolitej z Brandenburgią i Prusami Książęcymi w latach 1648–1658 w opinii i działaniach szlachty koronnej (Warsaw, 2002), 특히 pp. 229–58.

26 파리 주재 오스트리아 대사가 루이 14세에게 한 코멘트는, Orlich, *Friedrich Wilhelm*, p. 158.

27 라이몬도 몬테쿠콜리 백작의 *Treatise on War* (1680), Johannes Kunisch, 'Kurfüst Friedrich Wilhelm und die Grossen Mähte' in Heinrich (ed.), *Ein Sonderbares Licht*, pp. 9–32에 수록. 여기서 인용한 부분은 pp. 30–31.

28 발데크 백작의 회고는 Bernhard Erdmannsdörffer, *Graf Georg Friedrich von Waldeck. Ein preussischer Staatsmann im siebzehnten Jahrhundert* (Berlin, 1869), pp. 361–2과 pp. 354–5에 수록.

29 W. Troost, 'William III, Brandenburg, and the construction of the anti - French coalition, 1672–88,' in Jonathan I. Israel, *The Anglo - Dutch Moment: Essay on the Glorious Revolution and Its World Impact* (Cambridge, 1991), pp. 299–334, 여기서는 p. 322.

30 Philippson, *Der Grosse Kurfürst*, vol. 3, pp. 252–3.

31 Peter Baumgart, 'Der Grosse Kurfüst. Staatsdenken und Staatsarbeit eines europäischen Dynasten,' in Heinrich (ed.), *Ein Sonderbares Licht*, pp. 33–57, 여기서는 p. 45.

32 Dietrich (ed.), *Die politischen Testamente*, p. 191.

33 현재 서술의 기반이 되는 맹세 서약에 관한 설명은, Bruno Gloger, *Friedrich Wilhelm, Kurfürst von Brandenburg. Biografie* (Berlin, 1985), pp. 152–4.

34 André Holenstein, *Die Huldigung der Untertanen. Rechtskultur und Herrschaftsordnung (800–1800)*, (Stuttgart and New York, 1991), pp. 512–3.

35 손가락을 올리는 것에 대한 해석은 15세기 초부터 독일 지역에서 널리 기록되어 있으나, 실제 사용은 더 거슬러 올라간다. ibid., pp. 57–8; Gloger, *Friedrich Wilhelm* (p. 153)의 묘사는 전통적인 인사에서 손을 드는 대표단을 보여준다. 브란데부르크 지방의 프리그니츠 지역 영주의 신하가 한 맹세 텍스트는, Hagen, *Ordinary Prussians*, p. 79.

36 F. L. Carsten, *The Origins of the Junkers* (Aldershot, 1989), p. 17.

37 17세기 통치 위기에 관해서는 다음을 보라. Trevor Aston (ed.), *Crisis in Europe, 1560–1660* (New York, 1966); Geoffrey Parker and Lesley M. Smith, *The General Crisis of the Seventeenth Century* (London, 1978); Theodor K. Rabb, *The Struggle for Stability in Early Modern Europ.* (New York, 1975).

38 프리드리히 빌헬름이 프로이센 공국의 클레베 총독에게 1648년 9월 18일 보낸

서한. Erdmannsdörffer (ed.), *Politische Verhandlungen*, vol. 1, pp. 281–2.

39 Fürbringer, *Necessitas und Libertas*, p. 59; 이 논쟁 방식에 관해서는
    쾨니히스베르크에 있는 프리드리히 빌헬름에게 보낸 프로이센 공국의 클레베
    총독의 1648년 9월 12일 서한, ibid., pp. 292–3.

40 마르크, 에메리히 신분제 의원들의 1641년 3월 22일 결의안, Haeften (ed.),
    Ständische Verhandlungen, vol. 1; pp. 140–45, 여기서는 p. 142.

41 예컨대, 프리드리히 빌헬름이 베젤, 칼카르, 뒤셀도르프, 잔텐, 리스에 1643년
    5월 15일에 보낸 서한과 클레베의 신분제의회가 클레베에 있던 네덜란드
    신분제의회에 1647년 4월 2일에 보낸 서한은, ibid., pp. 205, 331–4.

42 Helmuth Croon, *Stände und Steuern in Jülich - Berg im 17. und vornehmlich im
    18. Jahrhundert* (Bonn, 1929), p. 250; 예를 들어, 마르크 신분제의회가 항의하는
    클레베 신분제의회에 보낸 서한, 1641년 8월 10일 우나; 마르크 신분제의회가
    클레베 신분제의회에 보낸 서한, 1650년 12월 10일 우나, in Haeften (ed.),
    Ständische Verhandlungen, vol. 1, pp. 182, 450.

43 프로이센 공국의 총독 보구스와프 라지비우의 코멘트, McKay, *Great Elector*,
    p. 135.

44 쾨니히스베르크 신분제의회의 1655년 4월 24일 코멘트, Kurt Breysig (ed.),
    Ständische Verhandlungen (Berlin, 1894–9), vol. 3: *Preussen*, Part 1 (= UuA,
    vol. 15), p. 354. 프로이센 공국에서 이 문제에 관해서는, Stefan Hartmann,
    'Gefärdetes Erbe. Landesdefension und Landesverwaltung in Ostpreussen zur
    Zeit des Grossen Kurfürsten Friedrich Wilhelm von Brandenburg (1640–1688),'
    in Heinrich (ed.), *Ein Sonderbares Licht*, pp. 113–36; Hugo Rachel, *Der Grosse
    Kurfürst und die Ostpreussischen Stände (1640–1688)* (Leipzig, 1905),
    pp. 299–304.

45 E. Arnold Miller, 'Some Arguments Used by English Pamphleteers, 1697–1700,
    Concerning a Standing Army,' *Journal of Modern History* (henceforth *JMH*)
    (1946), pp. 306–13, 여기서는 pp. 309–10; Lois G. Schwoerer, 'The Role of King
    William III in the Standing Army Controversy: 1697–1699,' *Journal of British
    Studies* (1966), pp. 74–94.

46 David Hayton, 'Moral Reform and Country Politics in the Late Seventeenth -
    century House of Commons,' *Past & Present*, 128 (1990), pp. 48–91, 여기서는
    p. 48.

47 '부유한 사람의 편지'라는 제목이 붙은 1675년 익명의 팸플릿, J. G. A. Pocock,
    'Machiavelli, Harrington and English Political Ideologies in the Eighteenth
    Century,' *William and Mary Quarterly*, 22/4 (1965), pp. 549–84, 여기서는 p. 560.

48 Fürbringer, *Necessitas und Libertas*, p. 60.

49 F. L. Carsten, *Die Entstehung Preussens* (Cologne, 1968), pp. 209–12; Kunisch,
    'Kurfüst Friedrich Wilhelm,' in Heinrich (ed.), *Ein Sonderbares Licht*, pp. 9–32,
    여기서는 pp. 21–2.

50 쾰른(베를린)에 있는 선제후를 대신한 추밀고문관의 1650년 12월 2일 답변.

Siegfried Isaacsohn (ed.), *Ständische Verhandlungen*, vol. 2 (= UuA, vol. 10) (Berlin, 1880), pp. 193-4.

51 Patent of Contradiction by the Estates of Kleve, Jülich, Berg and Mark, Wesel, 14 July 1651; Union of the Estates of Kleve and Mark, Wesel, 8 August 1651, in Haeften (ed.), *Ständische Verhandlungen*, vol. 1, pp. 509, 525-6. F. L. Carsten, 'The Resistance of Cleves and Mark to the Despotic Policy of the Great Elector,' *English Historical Review*, 66 (1951), pp. 219-41, 이 책에서 인용한 부분은 p. 224; McKay, *Great Elector*, p. 34; Waddington, *Grand Électeur*, vol. 1, pp. 68-9.

52 Karl Spannagel, *Konrad von Burgsdorff. Ein brandenburgischer Kriegs - und Staatsmann aus der Zeit der Kurfürsten Georg Wilhelm und Friedrich Wilhelm* (Berlin, 1903), pp. 265-7.

53 클레베의 과세 수치에 대해서는, Sidney B. Fay, 'The Beginnings of the Standing Army in Prussia,' *American Historical Review*, 22 (1916/17), pp. 763-77, 여기서는 p. 772; McKay, *Great Elector*, p. 132. 요한 모리츠의 보고는, Carsten, 'Resistance of Cleves and Mark,' p. 235. 북방전쟁이 클레베의 조건에 미친 영향에 관해서는, Haeften (ed.), *Ständische Verhandlungen*, vol. 1, pp. 773-93. 활동가들의 체포에 관해서는, 프리드리히 빌헬름이 쾰른 안 데어 슈프레의 야코프 폰 슈파엔에게 1654년 7월 3일에 보낸 서한, ibid., pp. 733-4; Carsten, 'Resistance of Cleves and Mark,' p. 231.

54 McKay, *Great Elector*, p. 62; Volker Press, 'Vom Städestaat zum Absolutismus: 50 Thesen zur Entwicklung des Ständewesens in Deutschland,' in Baumgart (ed.), *Ständetum und Staatsbildung*, pp. 280-336, 여기서는 p. 324.

55 Fay, 'Standing Army,' p. 772.

56 McKay, *Great Elector*, pp. 136-7; Philippson, *Der Grosse Kurfürst*, vol. 2, p. 165; Otto Nugel, 'Der Schoppenmeister Hieronymus Roth,' *FBPG*, 14/2 (1901), pp. 19-105, 여기서는 p. 32.

57 로트와 슈베린은 회동에 관해서 완전히 상반된 설명을 내놓았다. 오토 폰 슈베린이 총독과 바르토슈체 프로이센 최고의원단에 보낸 1661년 10월 21일 서한과 알데르만 로트의 개인 회람용 문서(1661년 11월 초), Kurt Breysig (ed.), *Ständische Verhandlungen, Preussen*, pp. 595, 611, 614-19. 상세한 이야기는 다음을 보라. Nugel, 'Hieronymus Roth,' pp. 40-4; Andrzej Kamieński, *Polska a Brandenburgia - Prusy w drugiej połowie XVII wieku. Dzieje polityczne* (Poznan, 2002), 특히 pp. 61-4. 로트에 덜 동조적인 설명으로는, Droysen, *Der Staat des Grossen Kurfürsten*, vol. 2, pp. 402-3.

58 Cited in Nugel, 'Hieronymus Roth,' p. 100.

59 폴란드군에서 복무하고 1688년 선제후 암살 음모 후 자신의 영지로 도망간 크리스티안 루트비히 폰 클라크슈타인의 사형집행이다. 클라크슈타인 사건에 관해서는, Josef Paczkowski, 'Der Grosse Kurfüst und Christian Ludwig von Kalckstein,' *FBPG*, 2 (1889), pp. 407-513 and 3 (1890), pp. 419-63; Petersdorff, *Der Grosse Kurfürst* (Gotha, 1926), pp. 113-16; Droysen, *Der Staat des Grossen*

Kurfürsten, vol. 3, pp. 191–212; Opgenoorth, *Friedrich Wilhelm*, vol. 2, pp. 115–18; Kamieński, *Polska a Brandenburgia - Prusy*, pp. 65–71, 177–9.

60   지역 공무원의 불평에 관해서는, McKay, *Great Elector*, p. 144.

61   Dietrich (ed.), *Die politischen Testamente*, p. 185; Erdmannsdörffer, *Waldeck*, p. 45; Rachel, *Der Grosse Kurfürst*, pp. 59–62; Peter Bahl, *Der Hof des Grossen Kirfürsten. Studien zur höheren Amtsträgerschaft Brandenburg - Preussens* (Cologne, 2001), pp. 196–217.

62   McKay, *Great Elector*, p. 114. 귀족의 경제력과 영향의 감소에 관해서는, Frank Göse, *Ritterschaft - Garnison - Residenz. Studien zur Sozialstruktur und politischen Wirksamkeit des brandenburgischen Adels 1648-1763* (Berlin, 2005), pp. 133, 414, 421, 424.

63   매우 다른 독일 지역에 적용된 이 구분에 관해서는 Michaela Hohkamp. *Herrschaft in Herrschaft. Die vorderösterreichische Obervogtei Triberg von 1737 bis 1780* (Göttingen, 1988), 특히 p. 15.

64   예를 들어, 콘라트 폰 부르크스도르프가 뒤셀도르프 추밀의원 에라스무스 자이델에게 1647년 2월 20일 보낸 서한, Erdmannsdörffer (ed.), *Politische Verhandlungen*, vol. 1, p. 300; 클레베 정부가 프리드리히 빌헬름에게 1650년 11월 23일 보낸 서한, Haeften (ed.), *Ständische Verhandlungen*, vol. 1, pp. 440–41; Spannagel, *Burgsdorff*, pp. 257–60.

65   예를 들어, 오토 폰 슈베린이 바르토쇼체에 있는 프리드리히 빌헬름에게 1661년 11월 30일에 보낸 서한. 슈베린은 신분제의회의의 저항에 직면해서 소비세를 낮추라고 촉구했다. Breysig (ed.), *Ständische Verhandlungen, Preussen*, pp. 667–9.

66   추밀원의 의전에 관해서는, Meinardus (ed.), *Protokolle und Relationen*. 신분제의회에서 제기된 항의의 처리에 관해서는 Hahn, 'Landesstaat und Städetum,' p. 52.

67   Peter - Michael Hahn, 'Aristokratisierung und Professionalisierung. Der Aufstieg der Obristen zu einer militärischen und höfischen Elite in Brandenburg - Preussen von 1650-1725,' in *FBPG*, 1 (1991), pp. 161–208.

68   Otto Hötzsch, *Stände und Verwaltung von Kleve und Mark in der Zeit von 1666 bis 1697* (= *Urkunden und Aktenstücke zur inneren Politik des Kurfürsten Friedrich Wilhelm von Brandenburg*, Part 2) (Leipzig, 1908), p. 740에서 언급.

69   Peter Baumgart, 'Wie absolut war der preussische Absolutismus?,' in Manfred Schlenke (ed.), *Preussen. Beiträge zu einer politischen Kultur* (Reinbek, 1981), pp. 103–19.

70   Otto Hötzsch, 'Füst Moritz von Nassau - Siegen als brandenburgischer Staatsmann (1647 bis 1679),' *FBPG*, 19 (1906), pp. 89–114, 여기서는 pp. 95–6, 101–2; 다음도 참조하라. Ernst Opgenoorth, 'Johan Maurits as the Stadtholder of Cleves under the Elector of Brandenburg' in E. van den Boogaart (ed.), *Johan Maurits van Nassau - Siegen, 1604-1679: A Humanist Prince in Europ. and Brazil. Essays on the Tercentenary of his Death* (The Hague, 1979), pp. 39–53, 여기서는

p. 53. 조스트에 관해서는, Ralf Günther, 'Stätische Autonomie und füstliche Herrschaft. Politik und Verfassung im frühneuzeitlichen Soest,' in Ellen Widder (ed.), *Soest. Geschichte der Stadt. Zwischen Bürgerstolz und Fürstenstaat. Soest in der frühen Neuzeit* (Soest, 1995), pp. 17–123, 여기서는 pp. 66–71.

71 프리드리히 빌헬름 1세는 이 합의를 기각하려고 시도했다. 그러나 지방의회의 지역 선출은 프리드리히 2세 치하에서 복원되었다. Baumgart, 'Wie absolut war der preussische Absolutismus?,' p. 112.

72 McKay, *Great Elector*, p. 261.

73 이는 영국 특사 스테프니가 1698년 7월 19/29일에 베를린의 버넌(Vernon) 비서관에게 보고했다. PRO SP 90/1, fo. 32.

74 Dietrich (ed.), *Die politischen Testamente*, p. 189.

75 Ibid., p. 190.

76 Ibid., pp. 190, 191.

77 Ibid., p. 187.

78 Ibid., p. 188.

79 Cited in McKay, *The Great Elector*, p. 210. 무력함에 대해서는, Droysen, *Der Staat des grossen Kurfürsten*, vol. 2, p. 370, Philippson, *Der Grosse Kurfürst*, vol. 2, p. 238; Waddington, *Histoire de Prusse* (2 vols., Paris, 1922), vol. 1, p. 484.

4 / 왕권

1 대관식 묘사와 분석에 관해서는, Peter Baumgart, 'Die preussische Königskrönung von 1701, das Reich und die europäische Politik,' in Oswald Hauser (ed.), *Preussen, Europ. und das Reich* (Cologne and Vienna, 1987), pp. 65–86; Heinz Duchhardt, 'Das preussische Köigtum von 1701 und der Kaiser,' in Heinz Duchhardt and Manfred Schlenke (eds.), *Festschrift für Eberhard Kessel* (Munich, 1982), pp. 89–101; Heinz Duchhardt, 'Die preussische Köigskröung von 1701. Ein europäsches Modell?' in id. (ed.), *Herrscherweihe und Königskrönung im Frühneuzeitlichen Europ.* (Wiesbaden, 1983), pp. 82–95; Iselin Gundermann, 'Die Salbung Köig Friedrichs I. in Königsberg,' *Jahrbuch für Berlin - Brandenburgische Kirchengeschichte*, 63 (2001), pp. 72–88.

2 Johann Christian Lünig, *Theatrum ceremoniale historico - politicum oder historischund politischer Schau - Platz aller Ceremonien* etc. (2 vols., Leipzig, 1719–20), vol. 2, pp. 96.

3 조지 스테프니가 제임스 버넌에게 보낸 서한, 1698년 7월 19/19일, PRO SP 90/1, fo. 32.

4 Burke, *Fabrication of Louis XIV*, pp. 23, 25, 29, 76, 153, 175, 181, 185, 189.

5 라비 경이 찰스 헤지스에게 보낸 서한, 1703년 7월 14일 베를린, PRO SP 90/2, fo. 39.

6   Ibid., 30 June 1703, PRO SP 90/2, fo. 21.

7   라비 경이 할리 장관에게 1705년 2월 10일에 보낸 서한, PRO SP 90/3, fo. 195.

8   18세기 후반에 이런 기관의 설립이 이어졌다. 프리드리히 3세(1세)에게 가장
    중요한 모델은 파리의 과학아카데미(1666), 런던의 왕립학회(1673), 파리
    아카데미(1700)이었다. 라이프니츠는 왕립학회와 파리 아카데미의 회원이었다.
    R. J. W. Evans, 'Learned Societies in Germany in the Seventeenth Century,'
    European Studies Review, 7 (1977), pp. 129–51.

9   아카데미와 그 역사에 대한 고전적 연구로는 기념비적인 Adolf Harnack,
    Geschichte der Königlich Preussischen Akademie der Wissenschaften zu Berlin (3
    vols., Berlin, 1900).

10 Frederick II, 'Méoires pour servir àl'histoire de la maison de Brandebourg,' in
    J.D. E. Preuss (ed.), *Oeuvres de Frédéric II, Roi de Prusse* (33 vols., Berlin, 1846–
    57), vol. 1, pp. 1–202, 여기서는 pp. 122–3.

11 Christian Wolff, *Vernünfftige Gedancken von dem Gesellschafftlichen Leben
    der Menschen und insonderheit dem gemeinen Wesen zur Beförderung
    der Glückseligkeit des menschlichen Geschlechts* (Frankfurt, 1721 repr.
    Frankfurt/Main 1971), p. 500. 왕국이 당대에 적법성을 얻는 데 평판과
    보여지는 것의 중요성에 관해서는, Jörg Jochen Berns, 'Der nackte Monarch
    und die nackte Wahrheit,' in A. Buck, G. Kauffmann, B. L. Spahr et al. (eds.),
    Europäische Hofkultur im 16. und 17. Jahrhundert (Hamburg, 1981); Andreas
    Gestrich, 'Höisches Zeremoniell und sinnliches Volk: Die Rechtfertigung des
    Hofzeremoniells im 17. und frühen 18. Jahrhundert,' in Jög Jochen Berns and
    Thomas Rahn (eds.), *Zeremoniell als höfische ästhetik in Spätmittelalter und
    früher Neuzeit* (Tübingen, 1995), pp. 57–73; Andreas Gestrich, *Absolutismus
    und öffentlichkeit: Politische Kommunikation in Deutschland zu Beginn des 18.
    Jahrhunderts* (Göttingen, 1994).

12 Linda and Marsha Frey, *Frederick I: The Man and His Times* (Boulder, CO, 1984),
    p. 225. 영국 대사에 따르면, 2만 명 이상의 외국 방문객이 1705년 6월 여왕의
    장례식에 참석했다; 라비 경이 할리 장관에게 보낸 서한, PRO SP 90/3, fo. 333.

13 A. Winterling, *Der Hof der Kurfürsten von Köln 1688–1794: Eine Fallstudie zur
    Bedeutung 'absolutistischer' Hofhaltung* (Bonn, 1986), pp. 153–5.

14 David E. Barclay, *Frederick William IV and the Prussian Monarchy 1840–1861*
    (Oxford, 1995), pp. 73–4, 287–8.

15 Schultze, *Die Mark Brandenburg, vol. 4, Von der Reformation bis zum
    Westfälischen Frieden* (1535–1648), pp. 206–7; Gotthard, 'Zwischen Luthertum
    und Calvinismus,' p. 93. 배우자가 훗날 주변부화되는 것에 대해서는, Thomas
    Biskup. 'The Hidden Queen: Elisabeth Christine of Prussia and Hohenzollern
    Queenship in the Eighteenth Century,' in Clarissa Campbell - Orr (ed.),
    Queenship in Europ. 1660–1815. The Role of the Consort (Cambridge, 2004),
    pp. 300–332.

16 Frey and Frey, *Frederick I*, pp. 35–6.

17 Carl Hinrichs, *Friedrich Wilhelm I. König in Preussen. Eine Biographie* (Hamburg, 1941), pp. 146–7; Baumgart, 'Die preussische Köigskröung' in Hauser (ed.) *Preussen*, pp. 65–86.

18 Wolfgang Neugebauer, 'Friedrich III/I (1688–1713),' in Kroll, *Preussens Herrscher*, pp. 113–33, 여기서는 p. 129.

19 Cited in Frey and Frey, *Frederick I*, p. 247.

20 Hans - Joachim Neumann, *Friedrich Wilhelm I. Leben und Leiden des Soldatenkönigs* (Berlin, 1993), pp. 51–5.

21 윌 브레튼이 스트래퍼드 백작에게 보낸 서한, 1713년 2월 28일, PRO SP 90/6; Carl Hinrichs, 'Der Regierungsantritt Friedrich Wilhelms I,' in id., *Preussen als historisches Problem*, ed. Gerhard Oestreich (Berlin, 1964), pp. 91–137, 여기서는 p. 106.

22 위트워스가 타운센드 경에게 보낸 서한, 1716년 8월 15일, PRO SP 90/7, fo. 9.

23 1728년 10월 2일 보고, Richard Wolff, *Vom Berliner Hofe zur Zeit Friedrich Wilhems I. Berichte des Braunschweiger Gesandten in Berlin, 1728–1733* (= *Schriften des Vereins für die Geschichte Berlins*) (Berlin, 1914), pp. 20–21.

24 이 시(번역은 필자)와 군틀링의 생애에 관한 모든 세부 사항은, Martin Sabrow, *Herr und Hanswurst. Das tragische Schicksal des Hofgelehrten Jacob Paul von Gundling* (Munich, 2001), 특히 pp. 62–7, 80–81, 150–51.

25 Gustav Schmoller, 'Eine Schilderung Berlin aus dem Jahre 1723,' *FBPG*, 4 (1891), pp. 213–16. 육군원수 폰 플레밍 백작의 설명이다. 백작은 1723년 5~6월에 베를린에 있었다.

26 이 유형화는 조너선 스타인버그 덕이다. 스타인버그는 1970~80년대에 팀 블래닝과 함께 진행한 '1740~1914년 독일에서 지배를 위한 분투'라는 제목의 케임브리지 우등 논문 강연에서 이를 적용했다. 나를 비롯한 현재 영국에서 활동하는 많은 독일 역사학자들은 이 인상적인 강의에서 큰 도움을 입었다.

27 Wolfgang Neugebauer, 'Zur neueren Deutung der preussischen Verwaltung im 17. und 18. Jahrhundert in vergleichender Sicht,' in Otto Büch and Wolfgang Neugebauer (eds.), *Moderne preussische Geschichte 1648–1947. Eine Anthologie* (3 vols., Berlin, 1981), vol. 2, pp. 541–97, 여기서는 p. 559.

28 Reinhold Dorwart, *The Administrative Reforms of Frederick William I of Prussia* (Cambridge, Mass., 1953), p. 118. 크니프하우젠 재조직화에 대한 개괄은 Kurt Breysig (ed.), *Urkunden und Aktenstücke zur Geschichte der Inneren Politik des Kurfürsten Friedrich Wilhelm von Brandenburg*, Part 1, *Geschichte der brandenburgischen Finanzen in der Zeit von 1660 bis 1697* vol. 1, *Die Centralstellen der Kammerverwaltung* (Leipzig, 1895), pp. 106–50.

29 왕실 영지는 이전에 다양한 지역 행정부에 의해 관리되었다. 새로운 중앙기구는 왕실 재무부(Hofrentei)로 불렸다. 훗날 영지 총괄부(Generaldomänenkasse)로 알려진 것이다. Richard Dietrich, 'Die Anfäge des preussischen Staatsgedankens

in politischen Testamenten der Hohenzollern,' in Friedrich Benninghoven and Céile Lowenthal - Hensel (eds.), *Neue Forschungen zur Brandenburg - Preussischen Geschichte* (= Veröffentlichungen aus den Archiven Preussischen Kulturbesitz, 14; Cologne 1979), pp. 1–60, 여기서는 p. 12.

30   Andreas Kossert, *Masuren. Ostpreussens vergessener Süden* (Berlin, 2001), p. 86에서 언급.

31   Hinrichs, *Friedrich Wilhelm I*, pp. 454–7, 464–8, 473–87; Frey and Frey, *Frederick I*, pp. 89–90; Rodney Gotthelf, 'Frederick William I and Prussian Absolutism, 1713–1740,' in Philip G. Dwyer (ed.), *The Rise of Prussia 1700–1830* (Harlow, 2000), pp. 47–67, 여기서는 pp. 50–51; Fritz Terveen, *Gesamtstaat und Retablissement. Der Wiederaufbau des nördlichen Ostpreussen unter Friedrich Wilhelm I (1714–1740)* (Göttingen, 1954), pp. 17–21.

32   Hans Haussherr, *Verwaltungseinheit und Ressorttrennung. Vom Ende des 17. bis zum Beginn des 19. Jahrhunderts* (Berlin, 1953), 특히 ch. 1: 'Friedrich Wilhelm I und die Begründung des Generaldirektoriums in Preussen,' pp. 1–30.

33   Ibid.; Hinrichs, 'Die preussische Staatsverwaltung in den Anfägen Friedrich Wilhelms I.,' in id., *Preussen als historisches Problem*, pp. 138–60, 여기서는 p. 149; Hinrichs, *Friedrich Wilhelm I*, pp. 609–21 (프리드리히 빌헬름이 전쟁위원회 합의기구를 재조직한 것에 대해서); Dorwart, *Administrative Reforms*, pp. 138–44.

34   Gotthelf, 'Frederick William I,' pp. 58–9.

35   Reinhold August Dorwart, *The Prussian Welfare State before 1740* (Cambridge, Mass., 1971), p. 16; Gerhard Oestreich, *Friedrich Wilhelm I. Preussischer Absolutismus, Merkantilismus, Militarismus* (Göttingen, 1977), pp. 65–70, 프리드리히 빌헬름 1세 치하 경제정책의 비체계적인 성격을 강조한다.

36   Kossert, *Masuren*, pp. 88–91.

37   Peter Baumgart, 'Der Adel Brandenburg - Preussens im Urteil der Hohenzollern des 18. Jahrhunderts,' in Rudolf Endres (ed.), *Adel in der Frühneuzeit. Ein regionaler Vergleich* (Cologne and Vienna, 1991), pp. 141–61, 여기서는 pp. 150–51.

38   Oestreich, *Friedrich Wilhelm I*, pp. 62, 65.

39   Gustav Schmoller, 'Das Brandenburg - preussische Innungswesen von 1604–1806, hauptsächlich die Reform unter Friedrich Wilhelm I.,' *FBPG*, 1/2 (1888), pp. 1–59.

40   1772년 발효된 폴란드 곡물 수입 금지에 관해서는, Wilhelm Naudé and Gustav Schmoller (eds.), *Die Getreidehandelspolitik und Kriegsmazinverwaltung Brandenburg- Preussens bis 1740* (Berlin, 1901), pp. 208–9 (introduction by Naudé), and doc. no. 27, p. 373; Lars Atorf, *Der König und das Korn. Die Getreidehandelspolitik als Fundament des Brandenburg - preussischen Aufstiegs zur europäischen Grossmacht* (Berlin, 1999), p. 106.

41 Atorf, *Der König und das Korn*, pp. 113–14.

42 Naudé and Schmoller (eds.), *Getreidehandelspolitik*, p. 292; Atorf, *Der König und das Korn*, pp. 120–33.

43 F. Schevill, *The Great Elector* (Chicago, 1947), p. 242에서 인용.

44 Hugo Rachel, 'Der Merkantilismus in Brandenburg - Preussen,' *FBPG*, 40 (1927), pp. 221–66, 여기서는 pp. 236–7, 243; Otto Hintze, 'Die Hohenzollern und die wirtschaftliche Entwicklung ihres Staates,' *Hohenzollern - Jahrbuch*, 20 (1916), pp. 190–202, 여기서는 p. 197; Oestreich, *Friedrich Wilhelm I*, p. 67.

45 Baumgart, 'Der Adel Brandenburg - Preussens,' p. 147에서 인용.

46 Haussherr, *Verwaltungseinheit*, p. 11.

47 프리드리히 빌헬름 1세의 후계자 교육(1772)은, Dietrich (ed.), *Die politischen Testamente*, pp. 221–43, 여기서는 p. 229.

48 윌리엄 브레튼이 스태르포드 백작에게 보낸 서한, 1713년 2월 28일, PRO, SP 90/6.

49 Hinrichs, *Friedrich Wilhelm I*, p. 364.

50 Oestreich, *Friedrich Wilhelm I*, p. 30.

51 Otto Büsch, *Militärsystem und Sozialleben im alten Preussen* (Berlin, 1962), p. 15.

52 윌리엄 브레튼이 스태르포드 백작에게 보낸 서한, 1713년 5월 18일, PRO, SP 90/6, fo. 105.

53 Hartmut Harnisch, 'Preussisches Kantonsystem und lädliche Gesellschaft,' in Kroener and Pröve (eds.), *Krieg und Frieden*, pp. 137–65, 여기서는 p. 148.

54 Max Lehmann, 'Werbung, Wehrpflicht und Beurlaubing im Heere Friedrich Wilhelms I.,' *Historische Zeitschrift*, 67 (1891), pp. 254–89; Büsch, *Militärsystem*, p. 13.

55 Carsten, *Origins of the Junkers*, p. 34.

56 Gordon Craig, *The Politics of the Prussian Army, 1640–1945* (London and New York, 1964), p. 11.

57 귀족 모병의 동기에 대해서는, Hahn, 'Aristokratisierung und Professionalisierung'; 귀족 계급의 상징으로서 군복무에 관해서는, Göe, Ritterschaft, p. 232; Harnisch, 'Preussisches Kantonsystem,' p. 147에서 언급.

58 Büsch의 *Militärsystem*이 이런 일반적인 주장을 한다. 그러나 이 가치 있는 연구에서 제시된 증거는 좀 더 모호한 결론을 제기한다.

59 Harnisch, 'Preussisches Kantonsystem,' p. 155.

60 Hagen, *Ordinary Prussians*, pp. 468–9.

61 Büsch, *Militärsystem*, pp. 33–4.

62 Harnisch, 'Preussisches Kantonsystem,' pp. 157, 162; Büch, *Militärsystem*, p. 55.

63 Frederick the Great, *History of My Own Times* (발췌), in Jay Luvaas (ed. and trans.), *Frederick the Great on the Art of War* (New York, 1966), p. 75. 동일한 주장이 1768년 정치적 유언에서 좀 더 자세하게 개진된다. Dietrich, *Die politischen Testamente*, p. 517을 보라.

64   Philippson, *Der Grosse Kurfürst*, vol. 1, p. 20; 1667년 대선제후의 정치적 유언에
      대해서는, Dietrich, *Die politischen Testamente*, pp. 179-204, 이 책에서는 p. 203;
      McKay, *Great Elector*, pp. 14-15.

65   이 언급은 프랑스 특사 레브나(Rébenac)에게 한 것이다; McKay, *Great Elector*,
      p. 238에서 언급

66   Ibid., pp. 239-40.

67   Carl Hinrichs, 'Der Konflikt zwischen Friedrich Wilhelm I. und Kronprinz
      Friedrich', in id., *Preussen als historisches Problem*, pp. 185-202, here, p. 189.

68   Reinhold Koser, *Friedrich der Grosse als Kronprinz* (Stuttgart, 1886), p. 26에서
      언급.

69   Hinrichs, 'Der Konflikt,' p. 191; Carl Hinrichs, *Preussentum und Pietismus.*
      Der Pietismus in Brandenburg - Preussen als religiös - soziale Reformbewegung
      (Göttingen, 1971), p. 60.

70   Hinrichs, 'Der Konflikt,' p. 193.

71   점점 커진 부자간의 소원함에 관해서는 Johannes Kunisch, *Friedrich der Grosse.*
      Der König und seine Zeit (Munich, 2004), pp. 18-28.

72   Karl Ludwig Pöllnitz, *Mémoires pour servir à l'histoire des quatre derniers*
      souverains de la Maison de Brandebourg Royale de Prusse (2 vols., Berlin, 1791),
      vol. 2, p. 209. 이 회상록은 여러 면에서 신빙성이 적지만, 이 관찰 내용은 다른
      기술들에 의해 입증되며, 지금 우리가 왕자에 대해 아는 것과 일치한다.

73   Kunisch, *Friedrich der Grosse*, pp. 34-5.

74   Theodor Schieder, *Frederick the Great*, trans. Sabina Berkeley and H. M. Scott
      (Harlow, 2000), p. 25.

75   Ibid., p. 25.

76   Theodor Fontane, *Wanderungen durch die Mark Brandenburg*, ed. Edgar Gross
      (2nd edn, 6 vols., Munich, 1963), vol. 2, *Das Oderland*, p. 281; 카테 이야기 일반에
      관해서는, pp. 267-305.

77   ibid., pp. 286-7에서 언급.

78   Kunisch, *Friedrich der Grosse*, pp. 43-4.

79   Schieder, *Frederick the Great*, p. 29; Kunisch, *Friedrich der Grosse*, p. 46.

80   Peter Baumgart, 'Friedrich Wilhelm I (1713-1740),' in Kroll (ed.), *Preussens*
      Herrscher, pp. 134-59, 여기서는 p. 158.

81   Hintze, *Die Hohenzollern*, p. 280.

82   Edgar Melton, 'The Prussian Junkers, 1600-1786,' in H. M. Scott (ed.), *The*
      European Nobilities in the Seventeenth and Eighteenth Centuries (2 vols., Harlow,
      1995), vol. 2, *Northern Central and Eastern Europe*, pp. 71-109, 여기서는 p. 92.

83   Rainer Prass, 'Die Brieftasche des Pfarrers. Wege der üermittlung von
      Informationen in ländliche Kirchengemeinden des Fürstentums Minden,'
      in Ralf Pröe and Norbert Winnige (eds.), *Wissen ist Macht. Herrschaft und*
      Kommunikation in Brandenburg - Preussen 1600-1850 (Berlin, 2001), pp. 69-82,

여기서는 pp. 78-9.

84 Wolfgang Neugebauer, *Absolutistischer Staat und Schulwirklichkeit in Brandenburg - Preussen* (Berlin, 1985), pp. 172-3.

85 Rodney Mische Gothelf, 'Absolutism in Action. Frederick William I and the Government of East Prussia, 1709-1730,' Ph.D. dissertation, University of St Andrews, St Andrews (1998), p. 180.

86 Ibid., pp. 239-42.

87 Ibid., pp. 234-5.

88 Wolfgang Neugebauer, *Politischer Wandel im Osten. Ost - und Westpreussen von den alten Ständen zum Konstitutionalismus* (Stuttgart, 1992), pp. 65-86.

89 Carsten, *Origins of the Junkers*, p. 41.

90 Peter Baumgart, 'Zur Geschichte der kurmäkischen Städe im 17. und 18. Jahrhundert,' in Büch and Neugebauer (eds.), *Moderne Preussische Geschichte*, vol. 2, pp. 509-40, 여기서는 p. 529; Melton, 'The Prussian Junkers,' pp. 100-1.

91 Fritz Terveen, 'Stellung und Bedeutung des preussischen Etatministeriums zur Zeit Friedrich Wilhelms I. 1713-1740,' in *Jahrbuch der Albertus - Universitätzu Königsberg/Preussen*, 6 (1955), pp. 159-79.

5 ╱ 프로테스탄트

1 Andreas Engel, *Annales Marchiae Brandenburgicae, das ist Ordentliche Verzeichniss und beschreibung der fürnemsten… Mäckischen… Historien… vom 416 Jahr vor Christi Geburt, bis… 1596*, etc. (Frankfurt, 1598).

2 Bodo Nischan, *Prince, People and Confession. The Second Reformation in Brandenburg* (Philadelphia, 1994), pp. 111-43. 선제후의 고백정책에 대한 이 설명은 니샨의 연구에 크게 도움을 받았다.

3 Ibid., pp. 186-8. '베를린 폭동'에 관한 유용한 다른 설명으로는 Eberhard Faden, 'Der Berliner Tumult von 1615,' in Martin Henning und Heinz Gebhardt (eds.), *Jahrbuch für brandenburgische Landesgeschichte*, 5 (1954), pp. 27-45; Oskar Schwebel, *Geschichte der Stadt Berlin* (Berlin, 1888), pp. 500-13.

4 Nischan, *Second Reformation*, p. 209에서 언급.

5 이런 종류의 권력 충돌에서 하나의 요소로서 감정 자체가 지니는 중요성에 대해서는, Ulinka Rublack, 'State - formation, gender and the experience of governance in early modern Württemberg,' in id. (ed.), *Gender in Early Modern German History* (Oxford, 2003), pp. 200-217, 여기서는 p. 214.

6 Bodo Nischan, 'Reformation or Deformation? Lutheran and Reformed Views of Martin Luther in Brandenburg's "Second Reformation",' in id., *Lutherans and Calvinists in the Age of Confessionalism* (Variorum repr., Aldershot, 1999), pp. 203-15, 여기서는 p. 211. 피스토리스 인용은 id., *Second Reformation*, p. 84.

7   Ibid., p. 217.

8   Droysen, *Geschichte der preussischen Politik*, vol. 3/1, *Der Staat des Grossen Kurfürsten*, p. 31.

9   Schultze, *Die Mark Brandenburg*, vol. 4, p. 192.

10 프리드리히 빌헬름이 1642년 4월 26일 쾨니히스베르크 프로이센 공국의 총독에게 보낸 서한(폰 괴체 수상이 가지고 있던 초고), Erdmannsdörffer (ed.), Politische Verhandlungen, vol. 1, pp. 98–103.

11 쾨니히스베르크 서기가 프로이센 공국 총독에게 보낸 서한[일시 미상; 4월 26일 선제후의 서한에 대한 답신], Erdmannsdöffer (ed.), *Politische Verhandlungen*, vol. 1, pp. 98–103에 수록. 여기서 언급된 '법'은 공국 내에서 루터파의 우위는 변함없어야 한다고 규정한 알베르흐트 공작의 정치적 유언을 말한다.

12 Klaus Deppermann, 'Die Kirchenpolitik des Grossen Kurfüsten,' *Pietismus und Neuzeit*, 6 (1980), pp. 99–114, 여기서는 pp. 110–12.

13 베를린 주재 헤센 외교관의 관찰을 근거로 한 이 사건에 대한 설명은 다음을 보라. Walther Ribbeck, 'Aus Berichten des hessischen Sekretärs Lincker vom Berliner Hofe während der Jahre 1666–1669,' *FBPG*, 12/2 (1899), pp. 141–58.

14 Gerd Heinrich, 'Religionstoleranz in Brandenburg - Preussen. Idee und Wirklichkeit', in Manfred Schlenke (ed.), *Preussen. Politik, Kultur, Gesellschaft* (Reinbek, 1986), pp. 83–102; 여기서는 p. 83.

15 McKay, *Great Elector*, p. 156, n. 40.

16 에르네스트 백작이 쾰른의 프리드리히 빌헬름에게 1641년 7월 1일에 보낸 서한; 프리드리히 빌헬름, 결의안, 쾨니히스베르크, 1641년 7월 30일, Erdmannsdörffer (ed.), *Politische Verhandlungen*, vol. 1, p. 479.

17 McKay, *Great Elector*, p. 186에서 언급.

18 docs. nos. 121–30 in Selma Stern, *Der preussische Staat und die Juden* (8 vols. in 4 parts, Tübingen, 1962–75), part 1, *Die Zeit des Grossen Kurfürsten und Friedrichs 1.*, vol. 2, pp. 108–16.

19 Martin Lackner, *Die Kirchenpolitik des Grossen Kurfürsten* (Witten, 1973), p. 300에서 언급.

20 M. Brecht, 'Philip. Jakob Spener, Sein Programm und dessen Auswirkungen,' in id. (ed.), *Geschichte des Pietismus* (4 vols., Göttingen, 1993), vol. 1, *Der Pietismus vom 17. bis zum frühen 18. Jahrhundert*, pp. 278–389, 여기서는 pp. 333–8; H. Leube, 'Die Geschichte der pietistischen Bewegung in Leipzig,' in id., *Orthodoxie und Pietismus. Gesammelte Studien* (Bielefeld, 1975), pp. 153–267.

21 함부르크에서의 경건주의-루터파 충돌에 대해서는, Klaus Deppermann, *Der Hallesche Pietismus und der preussische Staat unter Friedrich III (I)* (Göttingen, 1961), pp. 49–50; Brecht, 'Philip. Jakob Spener,' pp. 344–1.

22 Johannes Wallmann, 'Das Collegium Pietatis,' in M. Greschat (ed.), *Zur neueren Pietismusforschung* (Darmstadt, 1977), pp. 167–223; Brecht, 'Philip. Jakob Spener,' pp. 316–19.

23 Philip. Jakob Spener, *Theologische Bedencken* (4 Parts in 2 vols., Halle, 1712–15), part 3, vol. 2, p. 293.

24 Philip. Jakob Spener, *Letzte Theologische Bedencken* (Halle, 1711), part 3, pp. 296–7, 428, 439–40, 678; 인용은, Dietrich Blaufuss and P. Schicketanz, *Philip. Jakob Spener Letzte Theologische Bedencken und andere Brieffliche Antworten* (Hildesheim, 1987).

25 T. Kervorkian, 'Piety Confronts Politics: Philip. Jakob Spener in Dresden 1686–1691,' *German History*, 16 (1998), pp. 145–64에서 언급.

26 필리프 야코프 슈페너에 관한 글, Klaus - Gunther Wesseling, *Biographisch - Bibliographisches Kirchenlexikon*, vol. 10 (1995), cols. 909–39, http://www.bautz.de/bbk1/s/spener — p — j.shtml; 2003년 10월 29일 접속.

27 R. L. Gawthrop. *Pietism and the Making of Eighteenth - century Prussia* (Cambridge, 1993), p. 122.

28 Philip. Jakob Spener, *Pia Desideria: Oder hertzliches Verlangen nach gottgefälliger Besserung der wahren evangelischen Kirchen*, 2nd edn (Frankfurt/Main, 1680). 인용은, 재출간된 E. Beyreuther (ed.), *Speners Schriften*, vol. 1 (Hildesheim, 1979), pp. 123–308; 여기서는 pp. 267–71.

29 Spener, *Pia Desideria*, pp. 250–52.

30 Ibid., p. 257.

31 Brecht, 'Philip. Jakob Spener,' p. 352.

32 Deppermann, *Der Hallesche Pietismus*, p. 172.

33 Ibid., pp. 74, 172; Brecht, 'Philip. Jakob Spener,' p. 354.

34 Kurt Aland, 'Der Pietismus und die soziale Frage,' in id. (ed.), *Pietismus und moderne Welt* (Witten, 1974), pp. 99–137; 여기서는 p. 101.

35 Brecht, 'Philip. Jakob Spener,' p. 290; Deppermann, *Der Hallesche Pietismus*, pp. 58–61.

36 E. Beyreuther, *Geschichte des Pietismus* (Stuttgart, 1978), p. 155.

37 W. Oschlies, *Die Arbeits - und Berufspädagogik August Hermann Franckes (1663–1727). Schule und Leben im Menschenbild des Hauptvertreters des halleschen Pietismus* (Witten, 1969), p. 20.

38 『발자취』와 프랑케의 프로그램 문헌에 관해서는, M. Brecht, 'August Hermann Francke und der Hallesche Pietismus,' in id. (ed.), *Geschichte des Pietismus*, vol. 2, pp. 440–540; 여기서는 p. 475.

39 F. Ernest Stoeffler (ed.), *Continental Pietism and Early American Christianity* (Grand Rapids, 1976); Mark A. Noll, 'Evangelikalismus und Fundamentalismus in Nordamerika', in Ulrich Gäbler (ed.), *Der Pietismus im neunzehnten und zwanzigsten Jahrhundert* (Göttingen, 2000), pp. 465–531. 편지 네트워크와 종교 부흥에 대해서는, W. R. Ward, *The Protestant Evangelical Awakening* (Cambridge, 1992), 특히 ch. 1.

40 Carl Hinrichs, 'Die universalen Zielsetzungen des Halleschen Pietismus,' in id.,

Preussentum und Pietismus, pp. 1–125, 특히 pp. 29–47.

41 Martin Brecht, 'August Hermann Francke und der Hallische Pietismus' in id. (ed.) *Der Pietismus vom siebzehnten bis zum frühen achtzehnten Jahrhundert (Geschichte des Pietismus*, vol. 1) (Göttingen, 1993), pp. 440–539, 여기서는 pp. 478, 485.

42 Gawthrop. Pietism, pp. 137–49, 211, 213와 곳곳에; 대조적으로 관계의 실용적 측면을 강조한 것으로는, Mary Fulbrook, *Piety and Politics: Religion and the Rise of Absolutism in England, Württemberg and Prussia* (Cambridge, 1983), pp. 164–7. 또 다음도 참조하라. W. Stolze, 'Friedrich Wilhelm I. und der Pietismus,' *Jahrbuch für Brandenburgische Kirchengeschichte*, 5 (1908), pp. 172–205; K. Wolff, 'Ist der Glaube Friedrich Wilhelms I. von A. H. Francke beeinflusst?,' *Jahrbuch für Brandenburgische Kirchengeschichte*, 33 (1938), pp. 70–102.

43 Deppermann, *Der Hallesche Pietismus*, p. 168.

44 Schoeps, *Preussen*, p. 47; Gawthrop. *Pietism*, p. 255.

45 Fulbrook, *Piety and Politics*, p. 168. 이 필수과정은 1736년 쾨니히스베르크 대학에서도 가능해졌다.

46 Hartwig Notbohm, *Das evangelische Kirchen - und Schulwesen in Ostpreussen während der Regierung Friedrichs des Grossen* (Heidelberg, 1959), p. 15.

47 M. Scharfe, *Die Religion des Volkes. Kleine Kultur - und Sozialgeschichte des Pietismus* (Gütersloh, 1980), p. 103; *Beyreuther, Geschichte des Pietismus*, pp. 338–9; Gawthrop. *Pietism*, pp. 215–46.

48 Carl Hinrichs, 'Pietismus und Militarismus im alten Preussen' in id., *Preussentum und Pietismus*, pp. 126–73, 여기서는 p. 155.

49 Gawthrop. Pietism, p. 226; Hinrichs, 'Pietismus und Militarismus,' pp. 163–4.

50 Benjamin Marschke, *Absolutely Pietist: Patronage, Factionalism, and State - building in the Early Eighteenth - century Prussian Army Chaplaincy* (Halle, 2005), p. 114. 출간 전에 이 책의 원고를 보여준 마르쉬크에게 감사를 전한다.

51 이러한 노선을 따르는 논변에 관해서는, Gawthrop. *Pietism*, p. 228.

52 Ibid., pp. 236–7.

53 A. J. La Vopa, *Grace, Talent, and Merit. Poor Students, Clerical Careers and Professional Ideology in Eighteenth - century Germany* (Cambridge, 1988), pp. 137–64, 386–8.

54 학교 교육 영역에서 일어난 경건주의 혁신의 유산의 개요에 관해서는, J. Van Horn Melton, *Absolutism and the Eighteenth - century Origins of Compulsory Schooling in Prussia and Austria* (Cambridge, 1988), pp. 23–50.

55 Terveen, *Gesamtstaat und Retablissement*, pp. 86–92. 리투아니아 선교에 대한 프리드리히 빌헬름 1세의 관심에 관해서는, Hinrichs, *Preussentum und Pietismus*, p. 174; Notbohm, *Das evangelische Schulwesen*, p. 16.

56 Kurt Forstreuter, 'Die Anfäge der Sprachstatistik in Preussen,' in id., *Wirkungen des Preussenlandes* (Cologne, 1981), pp. 312–33.

57 M. Brecht, 'Der Hallische Pietismus in der Mitte des 18. Jahrhunderts –seine
Ausstrahlung und sein Niedergang,' in id. and Klaus Deppermann (eds.), *Der
Pietismus im achtzehnten Jahrhundert* (Göttingen, 1995), pp. 319–57, 여기서는
p. 323.

58 유대인 대상의 경건주의 선교에 대해서는, Christopher Clark, *The Politics of
Conversion. Missionary Protestantism and the Jews in Prussia 1728–1941* (Oxford,
1995), pp. 9–82.

59 Scharfe, *Die Religion des Volkes*, p. 148.

60 H. Obst, *Der Berliner Beichtstuhlstreit* (Witten, 1972); Gawthrop. *Pietism*,
pp. 124–5; Fulbrook, *Piety and Politics*, pp. 160–62.

61 Marschke, *Absolutely Pietist*.

62 Gawthrop. *Pietism*, pp. 275–6.

63 위선과 연관해서는, Johannes Wallmann, 'Was ist der Pietismus?', *Pietismus und
Neuzeit*, 20 (1994), pp. 11–27, 여기서는 pp. 11–12.

64 Brecht, 'Der Hallesche Pietismus,' p. 342.

65 Justus Israel Beyer, *Auszüge aus den Berichten des reisenden Mitarbeiters beym
jüdischen Institut* (15 vols., Halle, 1777–91), vol. 14, p. 2.

66 예를 들어, W. Bienert, *Der Anbruch der christlichen deutschen Neuzeit dargestellt
an Wissenschaft und Glauben des Christian Thomasius* (Halle, 1934), p. 151.

67 Martin Schmidt, 'Der Pietismus und das moderne Denken,' in Aland (ed.),
Pietismus und Moderne Welt, pp. 9–74, 여기서는 pp. 21, 27, 53–61.

68 예를 들어, J. Geyer-Kordesch, 'Die Medizin im Spannungsfeld zwischen
Aufkläung und Pietismus: Das unbequeme Werk Georg Ernst Stahls und dessen
kulturelle Bedeutung', in N. Hinske (ed.), *Halle, Aufklärung und Pietismus*
(Heidelberg, 1989).

69 경건주의에 대한 칸트의 모호한 태도에 관해서는, Immanuel Kant, *Religion
and Rational Theology*, ed. and trans. Allen W. Wood and George di Giovanni
(Cambridge, 1996)의 탁월한 인트로덕션을 보라.

70 Richard van Dülmen, *Kultur und Alltag in der frühen Neuzeit* (3 vols., Munich,
1994), vol. 3, *Religion, Magie, Aufklärung 16.–18. Jahrhundert*, pp. 132–4.

71 W. M. Alexander, *Johann Georg Hamann. Philosophy and Faith* (The Hague,
1966), 특히 pp. 2–3; I. Berlin, *The Magus of the North. Johann Georg Hamann and
the Origins of Modern Irrationalism*, ed. H. Hardy (London, 1993),
pp. 5–6, 13–14, 91.

72 L. Dickey, *Hegel. Religion, Economics and the Politics of Spirit* (Cambridge, 1987),
특히 pp. 149, 161.

73 이 비교는, Fulbrook, *Piety and Politics*.

74 1667년의 정치적 유언은, Dietrich (ed.), *Die Politischen Testamente*, p. 188.

75 슈트리페가 프리드리히 빌헬름에게 보낸 메모(1648년 1월 중순), in
Erdmannsdörffer (ed.), *Politische Verhandlungen*, vol. 1, pp. 667–73.

76 예를 들어, 루이 14세에 보낸 프리드리히 빌헬름의 1666년 8월 13일 서한 in B. Eduard Simson, *Auswärtige Acten. Erster Band (Frankreich)* (Berlin, 1865), pp. 416–17.

77 McKay, *Great Elector*, p. 154.

78 베를린 주재 대사에게 보낸 분노 어린 문서에서, 프랑스 왕은 개혁적 종교를 믿던 자신의 백성들이 죄를 인정하고 프랑스로 돌아오려고 하는 것을 프리드리히 빌헬름이 강압적으로 막고 있다고 비난했다. 그리고 이 잔인무도한 일을 그만 두지 않으면 "나(루이 14세)는 그가 좋아하지 않을 결정을 내릴 수밖에 없다"고 경고했다(Waddington, *Prusse*, vol. 1, p. 561).

79 오라네 공국은 1672년부터 스타트허우더(stadhouder, 저지대 통치자를 부르는 용어)이자 1689년부터 영국 왕이던 빌럼 3세(윌리엄 3세)가 통치했다. 독자였던 빌럼 3세는 후손 없이 1702년에 세상을 떠났다. 왕위 후계자 1순위는 프리드리히 1세였다. 그의 어머니인 오라네의 루이서 헨리에터는 빌럼의 할아버지 프레데리크 헨드리크의 맏딸이었다. 헨드리크는 1625년부터 1647년까지 공국의 스타트허우더였다. 그런데 다른 수많은 사례처럼 여성 상속권을 둘러싼 논쟁이 있었다. 루이 14세는 1682년 공국을 병합했고, 상속을 둘러싼 갈등은 1713년 위트레히트 조약에 이르러서야 해소되었다.

80 라비가 헤지스에게 보낸 성명서 문구, 1704년 1월 19일 베를린, PRO SP 90/2.

81 Ibid.

6 ╱ 땅에 있는 권력

1 Andreas Nachama, *Ersatzbürger und Staatsbildung. Zur Zerstörung des Bürgertums in Brandenburg - Preussen* (Frankfurt/Main, 1984). 슐레지엔 도시 생활에 대한 매우 부정적인 또 다른 평가로는, Johannes Ziekursch, *Das Ergebnis der friderizianischen Städteverwaltung und die Städteordnung Steins. Am Beispiel der schlesischen Städte dargestellt* (Jena, 1908), pp. 80, 133, 135 등을 보라; 도시화에 대해서는, Jörn Sieglerschmidt, 'Social and Economic Landscapes,' in Sheilagh Ogilvie (ed.), *Germany. A New Social and Economic History* (3 vols., London, 1995–2003), pp. 1–38, 여기서는 p. 17.

2 Nachama, *Ersatzbürger und Staatsbildung*, pp. 66–7; McKay, *Great Elector*, pp. 162–4.

3 Karin Friedrich, 'The Development of the Prussian Town, 1720–1815,' in Dwyer (ed.), *Rise of Prussia*, pp. 129–50, 여기서는 pp. 136–7.

4 Horst Carl, *Okkupation und Regionalismus. Die preussischen Westprovinzen im Siebenjährigen Krieg* (Mainz, 1993), p. 41; Dieter Stievermann, 'Preussen und die Städte der westfälischen Grafschaft Mark,' *Westfälische Forschungen*, 31 (1981), pp. 5–31.

5 Carl, *Okkupation und Regionalismus*, pp. 42–4.

6 Martin Winter, 'Preussisches Kantonsystem und stätische Gesellschaft,' in Ralf Pröe and Bernd Kölling (eds.), *Leben und Arbeiten auf märckischem Sand. Wege in die Gesellschaftsgeschichte Brandenburgs 1700-1914* (Bielefeld, 1999), p. 243-65, 여기서는 p. 262.

7 Olaf Gründel, 'Bügerrock und Uniform. Die Garnisonstadt Prenzlau 1685-1806,' in Museumsverband des Landes Brandenburg (ed.), *Ortstermine. Stationen Brandenburg-Preussens auf den Weg in die moderne Welt* (Berlin, 2001), pp. 6-23, 여기서는 p. 14.

8 이 문제를 부각시킨 스웨덴령 포메른 지방 연구로는, Stefan Kroll, *Stadtgesellschaft und Krieg. Sozialstruktur, Bevölkerung und Wirtschaft in Stralsund und Stade 1700 bis 1715* (Göttingen, 1997).

9 Ralf Pröve, 'Der Soldat in der "guten Bügerstube". Das früneuzeitliche Einquartierungssystem und die sozioökonomischen Folgen,' in Kroener and Pröe (eds.), *Krieg und Frieden*, pp. 191-217, 여기서는 p. 216.

10 Friedrich, 'Prussian Town,' p. 139.

11 Martin Winter, 'Preussisches Kantonsystem,' p. 249.

12 이런 방식을 둘러싼 논의로는, 'Ausfürlicher Auszug und Bemerkungen üer den militärischen Theil des Werks De la monarchie prussienne sous Frédéric le Grand, p. M. le Comte de Mirabeau 1788,' *Neues Militärisches Journal*, 1 (1788), pp. 31-94, 여기서는 pp. 48-9.

13 이 공생관계에서 생긴 '주둔지 사회'에 관한 탁월한 논의로는, Beate Engelen, 'Warum heiratet man einen Soldaten? Soldatenfrauen in der lädlichen Gesellschaft Brandenburg-Preussens im 18. Jahrhundert,' in Stefan Kroll and Kristiane Krüger (eds.), *Militär und ländliche Gesellschaft in der frühen Neuzeit* (Münster, 2000), pp. 251-74; Beate Engelen, 'Fremde in der Stadt. Die arnisonsgesellschaft Prenzlaus im 18. Jahrhundert,' in Klaus Neitmann, Jügen Theil and Olaf Grundel (eds.), *Die Herkunft der Brandenburger. Sozial - und Mentalitätsgeschichtliche Beiträge zur Bevölkerung Brandenburgs von hohen Mittelalter bis zum 20. Jahrhundert* (Potsdam, 2001); Ralf Pröve, 'Vom Schmuddelkind zur anerkannten Subdisziplin? Die "neue Militägeschichte" in der frühen Neuzeit. Entwicklungen, Perspektiven, Probleme,' *Geschichte in Wissenschaft und Unterricht*, 51 (2000), pp. 597-613.

14 Brigitte Meier, 'Stätische Verwaltungsorgane in den brandenburgischen Kleinund Mittelstädten des 18. Jahrhunderts,' in Wilfried Ehbrecht (ed.), *Verwaltung und Politik in den Städten Mitteleuropas. Beiträge zu Verfassungsnorm und Verfassungswirklichkeit in altständischer Zeit* (Cologne, 1994), pp. 177-81, 여기서는 p. 179; Gerd Heinrich, 'Staatsaufsicht und Stadtfreiheit in Brandenburg-Preussen unter dem Absolutismus (1660-1806),' in Wilhelm Rausch (ed.), *Die Städte Mitteleuropas im 17. und 18. Jahrhundert* (Linz, 1981), pp. 155-72, 여기서는 pp. 167-8.

15 새로운 경제 엘리트에 관해서는 Kurt Schwieger, *Das Bürgertum in Preussen vor der Französischen Revolution* (Kiel, 1971), pp. 167–9, 173, 181.

16 여기서 제시한 모든 예는 다음 문헌을 참조했다. Rolf Straubel, *Kaufleute und Manufakturunternehmer. Eine Empirische Untersuchung über die sozialen Träger von Handel und Grossgewerbe in den mittleren preussischen Provinzen (1763 bis 1815)* (Stuttgart, 1995), pp. 10, 431–3.

17 Rolf Straubel, *Frankfurt (Oder) und Potsdam am Ende des Alten Reiches. Studien zur städtischen Wirtschafts - und Sozialstruktur* (Potsdam, 1995), p. 137; Günther, 'Stätische Autonomie,' p. 108.

18 Monika Wienfort, 'Preussisches Bildungsbügertum auf dem Lande 1820–1850', *FBPG*, 5 (1995), pp. 75–98.

19 Neugebauer, *Absolutistischer Staat*, pp. 545–52. 노이게바우어는 이런 많은 시도들이 시민 계급들이 설립한 서클의 활동에 좌우되며, 이들이 죽거나 이주하고 난 뒤 약화되고 사라져버린다고 지적했다.

20 Brigitte Meier, 'Die "Sieben Schöheiten" der brandenburgischen Stäte,' in Pröe and Kölling (eds.), *Leben und Arbeiten*, pp. 220–42, 여기서는 p. 225.

21 Philip Julius Lieberkühn, *Kleine Schriften nebst dessen Lebensbeschreibung* (Züllichau and Freystadt, 1791), p. 9. 노이루핀에서 리버퀸의 활동에 대해서는, Brigitte Meier, *Neuruppin 1700 bis 1830. Sozialgeschichte einer kurmärkischen Handwerker - und Garnisonstadt* (Berlin, 1993).

22 Hanna Schissler, 'The Junkers: Notes on the Social and Historical Significance of the Agrarian Elite in Prussia,' in Robert G. Moeller (ed.), *Peasants and Lords in Modern Germany. Recent Studies in Agricultural History* (Boston, 1986), pp. 24–51.

23 Carsten, *Origins of the Junkers*, pp. 1–3.

24 Dietrich, *Die politischen Testamente*, pp. 229–31.

25 Edgar Melton, 'The Prussian Junkers, 1600–786,' in Scott (ed.), *The European Nobilities, vol. 2, Northern, Central and Eastern Europe*, pp. 71–109, 여기서는 p. 72.

26 이러한 것들에 대해서는 에드거 멜턴의 탁월한 글을 참조하라. Edgar Melton, 'The Prussian Junkers,' 특히 pp. 95 이하.

27 C. F. R. von Barsewisch, *Meine Kriegserlebnisse während des Siebenjährigen Krieges 1757-1763. Wortgetreuer Abdruck aus dem Tagebuche des Kgl. Preuss. GeneralQuartiermeister - Lieutenants* (2nd edn, Berlin, 1863).

28 Craig, *Politics of the Prussian Army*, p. 17.

29 Hanna Schissler, *Preussische Agrargesellschaft im Wandel. Wirtschaftliche, gesellschaftliche und politische Transformationsprozesse von 1763 bis 1847* (Göttingen, 1978), p. 217; Johannes Ziekursch, *Hundert Jahre Schlesischer Agrargeschichte* (Breslau, 1915), pp. 23–6; Robert Berdahl, *The Politics of the Prussian Nobility. The Development of a Conservative Ideology 1770-1848*

(Princeton, NJ, 1988), pp. 80–85. 마르크 브란덴부르크의 지역 평의회(Kreistage)
내 비귀족 토지주의 존재에 대해서는, Klaus Vetter, 'Zusammensetzung,
Funktion und politische Bedeutung der kurmäkischen Kreistage im 18. Jh,'
Jahrbuch für die Geschichte des Feudalismus, 3 (1979), pp. 393–416; Peter
Baumgart, 'Zur Geschichte der kurmäkischen Städe im 17. und 18. Jh,' in
Dieter Gerhard, *Ständische Vertretungen in Europ. im 17. und 18. Jahrhundert*
(Göttingen, 1969), pp. 131–61.

30　Gustavo Corni, *Stato assoluto e società agraria in Prussia nell'etàdi Federico II*
(= *Annali dell'Istituto storico italo - germanico*, 4; Bologna, 1982),
pp. 283–4, 288, 292, 299–300.

31　Melton, 'Prussian Junkers,' pp. 102–3; Schissler, 'Junkers,' pp. 24–1; Berdahl,
Politics, p. 79.

32　Hans - Ulrich Wehler, *Deutsche Gesellschaftsgeschichte* (4 vols., Munich,
1987–2003), vol. 1, *Vom Feudalismus des alten Reiches bis zur defensiven
Modernisierung der Reformära 1700–1815*, pp. 74, 82.

33　Hans Rosenberg, *Bureaucracy, Aristocracy & Autocracy. The Prussian Experience,
1660–1815* (Cambridge, MA, 1966), pp. 30, 60.

34　Ibid., p. 49; Hans Rosenberg, 'Die Auspräung der Junkerherrschaft
in Brandenburg– Preussen 1410–1648,' in id., *Machteliten und
Wirtschaftskonjunkturen* (Göttingen, 1978), pp. 24–82, 여기서는 p. 82; Francis I.
Carsten, *The Origins of Prussia* (Oxford, 1954), p. 277.

35　특수노선에 대한 가장 날카롭고 영향력 있는 것으로는, Hans - Ulrich Wehler,
Das deutsche Kaiserreich 1871–1918 (Göttingen, 1973). 특히 토지 문제에
관해서는 pp. 15, 238. 벨러의 가장 중요한 참조점는 사회학자 막스 베버다.
융커 계급에 대한 베버의 강력한 국가 자유주의적 비판이 벨러의 종합에서
나타난다: Max Weber, 'Capitalism and Rural Society in Germany' (1906), and
'National Character and the Junkers' (1917), in H. H. Gerth and C. Wright Mills
(eds.), *From Max Weber: Essays in Sociology* (Oxford, 1946), pp. 363–95. 반-융커
전통 일반에 대해서는, Heinz Reif, 'Die Junker,' in Etienne François and Hagen
Schulze (eds.), *Deutsche Erinnerungsorte* (3 vols., Munich, 2001), vol. 1,
pp. 520–36, 특히 pp. 526–8.

36　Jan Peters, Hartmut Harnisch and Lieselott Enders, *Märkische Bauerntagebücher
des 18. und 19. Jahrhunderts. Selbstzeugnisse von Milchviehbauern aus Neuholland*
(Weimar, 1989), p. 54.

37　Carsten, *Origins of the Junkers*, pp. 12, 54, 56.

38　Hagen, *Ordinary Prussians*, pp. 47, 56.

39　Ibid., pp. 65, 78. 이 문제를 집중해서 다룬 것으론, 윌리엄 하겐의 고전적
논문을 보라. William Hagen, 'Seventeenth - century Crisis in Brandenburg: The
Thirty Years' War, the Destabilization of Serfdom, and the Rise of Absolutism,'
American Historical Review, 94 (1989), pp. 302–35; 또한 William W. Hagen, 'Die

brandenburgischen und grosspolnischen Bauern im Zeitalter der Gutsherrschaft 1400–1800,' in Jan Peters (ed.), *Gutsherrschaftsgesellschaften im europäischen Vergleich* (Berlin, 1997), pp. 17–28, 여기서는 pp. 22–3.

40 Enders, *Die Uckermark*, p. 462.

41 Hagen, *Ordinary Prussians*, p. 72.

42 'Bauernunruhen in der Priegnitz,' Geheimes Staatsarchiv (이하 GStA) Berlin - Dahlem, HA I, Rep. 22, Nr. 72a, Fasz. 11.

43 이 사건들은 리젤로트 엔더스의 우커마르크의 역사에 재구성되어 있다. Enders, *Die Uckermark*, pp. 394–6.

44 Ibid., p. 396.

45 'Klagen der Ritterschaft in Priegnitz gegen aufgewiegelte Unterthanen, 1701–1703', in GStA Berlin - Dahlem, HA I, Rep. 22, Nr. 72a, Fasz. 15; 'Beschwerde von Döfern üer die Nöte und Abgaben, 1700–1701'. 이 문서들은 다음에서 다루어진다. Hagen, *Ordinary Prussians*, p. 85.

46 Enders, *Die Uckermark*, p. 446.

47 Hagen, *Ordinary Prussians*, pp. 89–93.

48 Friedrich Otto von der Gröben to Frederick William, Amt Zechlin, 20 January, 1670, in Breysig (ed.), *Die Centralstellen*, pp. 813–16, 여기서는 p. 814.

49 Hagen, *Ordinary Prussians*, p. 120.

50 이는 Hagen의 *Ordinary Prussians*의 중심 주제 중 하나다. 좀 더 간결한 논의는, William Hagen, 'The Junkers' Faithless Servants,' in Richard J. Evans and W. Robert Lee (eds.), *The German Peasantry* (London, 1986), pp. 71–101; Robert Berdahl, 'Christian Garve on the German Peasantry,' Peasant Studies, 8 (1979), pp. 86–102; id., *The Politics of the Prussian Nobility*, pp. 47–54.

51 Enders, *Die Uckermark*, p. 467.

52 이 문학에 관해서는, Wehler, *Deutsche Gesellschaftsgeschichte*, vol. 1, *Vom Feudalismus des Alten Reiches*, p. 82; Berdahl, *Politics of the Prussian Nobility*, pp. 45–6.

53 Veit Valentin, *Geschichte der deutschen Revolution von 1848–49* (2 vols., Berlin, 1931), vol. 2, pp. 234–5.

54 '기억의 저장소'로서 융커의 이미지가 발전해온 것에 대해서는 Heinz Reif의 번뜩이는 에세이, 'Die Junker,' 특히 pp. 521 이하.

55 Hagen, *Ordinary Prussians*, pp. 292–7.

56 이 사건의 기록과 분석은, Heinrich Kaak, 'Untertanen und Herrschaftgemeinschaftlich im Konflikt. Der Streit um die Nutzung des Kietzer Sees in der östlichen Kurmark 1792–1797,' in Peters, *Gutsherrschaftsgesellschaften*, pp. 323–42.

57 예컨대, 1756년 루핀 지역의 부스트라우, 자이텐 영지의 일부를 구입하고 근대적 영지 경영 기법으로 단 시일 내에 산출을 높인 폰 도소 부인의 예는 다음을 보라. Carl Brinkmann, *Wustrau. Wirtschafts - und Verfassungsgeschichte*

eines brandenburgischen Rittergutes (Leipzig, 1911), pp. 82–3.

58 따라서, Veit Ludwig von Seckendorff의 *Teutscher Fürstenstaat*를 보라. 다음 문헌에서 언급된다. Johannes Rogalla von Bieberstein, *Adelherrschaft und Adelskultur in Deutschland* (Limburg, 1998), p. 356.

59 Ute Frevert, *Women in German History. From Bourgeois Emancipation to Sexual Liberation* (Oxford, 1989), pp. 64–5; Heide Wunder, *He is the Sun, She is the Moon: Women in Early Modern Germany*, trans. Thomas Dunlap (Cambridge, MA, 1998), pp. 202–8.

60 이 현상을 더 일반적으로 다루는 것으로, Sheilagh Ogilvie, *A Bitter Living. Women, Markets and Social Capital in Early Modern Germany* (Oxford, 2003), pp. 321–2.

61 Hagen, *Ordinary Prussians*, pp. 167, 368.

62 Ibid., p. 256.

63 Ulrike Gleixner, 'Das Mensch' und 'Der Kerl'. *Die Konstruktion von Geschlecht in Unzuchtsverfahren der Frühen Neuzeit (1700–1760)* (Frankfurt, 1994), p. 15.

64 Hagen, *Ordinary Prussians*, p. 499.

65 Gleixner, *Unzuchtsverfahren*, pp. 116, 174.

66 Ibid., p. 172.

67 Hagen, *Ordinary Prussians*, pp. 177, 257, 258.

68 Gleixner, *Unzuchtsverfahren*, pp. 176–210.

69 Frederick II, 1752년 정치적 유언, in Dietrich, *Die politischen Testamente*, p.261.

70 '산업'이 국가의 문명적인 성취의 지표라는 생각에 대해서는, Florian Schui, 'Early debates about industrie: Voltaire and his Contemporaries (c 1750–78),' Ph. D. thesis, Cambridge (2005); Hugo Rachel, *Wirtschaftsleben im Zeitalter des Frühkapitalismus* (Berlin, 1931), pp. 130–32; Rolf Straubel, 'Bemerkungen zum Verhätnis von Lokalbehörde und Wirtschaftsentwicklung. Das Berliner Seiden - und Baumwollgewerbe in der 2.Hälfte des 18. Jahrhunderts,' *Jahrbuch für Geschichte*, 35 (1987), pp. 119–49, 여기서는 pp. 125–7.

71 William O. Henderson, *Studies in the Economic Policy of Frederick the Great* (London, 1963), pp. 36, 159–60; Ingrid Mittenzwei, *Preussen nach dem Siebenjährigen Krieg. Auseinandersetzungen zwischen Bürgertum und Staat um die Wirtschaftsgeschichte* (Berlin, 1979), pp. 71–100.

72 Clive Trebilcock, *The Industrialisation of the Continental Powers 1780–1914* (Harlow, 1981), p. 27.

73 August Schwemann, 'Freiherr von Heinitz als Chef des Salzdepartements (1786–96),' *FBPG*, 8 (1894), pp. 111–59에서 언급, 여기서는 p. 112.

74 Ibid., pp. 112–13.

75 Schieder, *Frederick the Great*, p. 209.

76 Honoré - Gabriel Riquetti, Comtede Mirabeau, *De la monarchie Prussienne sous Frédéric le Grand* (8 vols., Paris, 1788), vol. 3, pp. 2, 7–8, 9–15, 17, 18.

944

77 Ibid., vol. 3, p. 191.

78 Ibid., vol. 3, pp. 175–6, vol. 5, pp. 334–5, 339.

79 Trebilcock, *Industrialisation*, p. 28; Walther Hubatsch, *Friedrich der Grosse und die preussische Verwaltung* (Cologne, 1973), pp. 81–2.

80 Johannes Feig, 'Die Begrüdung der Luckenwalder Wollenindustrie durch Preussens Könige im achtzehnten Jahrhundert,' *FBPG*, 10 (1898), pp. 79–103, 여기서는 pp. 101–2; 슈몰러로부터의 인용은 p. 103.

81 이 문제에 대한 논의는 Wehler, *Deutsche Gesellschaftsgeschichte*, vol. 1, p. 109.

82 Ingrid Mittenzwei, *Preussen nach dem Siebenjährigen Krieg*, pp. 71–100; Max Barkhausen, 'Government Control and Free Enterprise in Western Germany and the Low Countries in the Eighteenth Century,' in Peter Earle (ed.), *Essays in European Economic History* (Oxford, 1974), pp. 241–57; Stefan Gorissen, 'Gewerbe, Staat und Unternehmer auf dem rechten Rheinufer,' in Dietrich Ebeling (ed.), *Aufbruch in eine neue Zeit. Gewerbe, Staat und Unternehmer in den Rheinlanden des 18. Jahrhunderts* (Cologne, 2000), pp. 59–85, 특히 pp. 74–6; Wilfried Reininghaus, *Die Stadt Iserlohn und ihre Kaufleute (1700–1815)* (Dortmund, 1995), p. 19.

83 Rolf Straubel, *Kaufleute und Manufakturunternehmer*, pp. 11, 24, 26, 29–30, 32, 95, 97. 이 시기 프로이센의 산업 성장에 대한 나의 개요는 슈트라우벨의 독보적인 선구적 작업에 깊이 의존했다. (중심지에만 초점을 맞춘 슈트라우벨과 달리) 프로이센 전 지역 통계와 함께 산업 부문의 자본주의적 생산 형식의 이행에 관한 더 오래된 유용한 연구로는, Karl Heinrich Kaufhold, *Das Gewerbe in Preussen um 1800* (Göttingen, 1978).

84 Straubel, *Kaufleute und Manufakturunternehmer*, pp. 399–400; id., 'Berliner Seidenund Baumwollgewerbe,' pp. 134–5; Mittenzwei, *Preussen nach dem Siebenjährigen Krieg*, pp. 39–50.

85 Straubel, *Kaufleute und Manufakturunternehmer*, pp. 397–8, 408–9; 지역, 개발에 세무 감독관이 미친 긍정적인 평가에 관해서는 Heinrich, 'Staatsaufsicht und Stadtfreiheit,' in Rausch (ed.), *Städte Mitteleuropas*, pp. 155–72, 특히 p. 165.

7 / 지배권을 위한 투쟁

1 H. M. Scott, 'Prussia's Emergence as a European Great Power, 1740–1763,' in Dwyer (ed.), *Rise of Prussia*, pp. 153–76, 여기서는 p. 161.

2 Frederick II, *De la Littérature Allemande; des defauts qu'on peut lui reprocher; quelles en sont les causes; et par quels moyens on peut les corriger* (Berlin, 1780; repr. Heilbronn, 1883), pp. 4–5, 10.

3 T. C. W. Blanning, *The Culture of Power and the Power of Culture. Old Regime Europ. 1660–1789* (Oxford, 2002), p. 84.

4   Frederick II, *The Refutation of Machiavelli's Prince, or Anti - Machiavel*, intro. and trans. Paul Sonnino (Athens, O, 1981), pp. 157–62.

5   Dietrich, *Die politischen Testamente*, pp. 657–9.

6   Wolfgang Pyta, 'Von der Entente Cordiale zur Aufküdigung der Büdnispartnerschaft. Die preussisch - britischen Beziehungen im Siebenjährigen Krieg 1758–1762,' *FBPG*, New Series 10 (2000), pp. 1–48, 여기서는 pp. 41–2.

7   역사적 작업에 대한 논의로는, Kunisch, *Friedrich der Grosse*, pp. 102–3, 119, 218–23.

8   Frederick William I, *Instruction for his Successor* (1722); 프리드리히 2세의 1752년 정치적 유언, 둘 모두, Dietrich, *Die politischen Testamente*, pp. 243, 255.

9   Ibid., p. 601.

10   Jacques Brenner (ed.), *Mémoires pour servir à la vie de M. de Voltaire, écrits par luimême* (Paris, 1965), p. 45.

11   Ibid., p. 43.

12   Kunisch, *Friedrich der Grosse*, p. 60.

13   David Wootton, 'Unhapp. Voltaire, or "I shall Never Get Over it as Long as I Live",' *History Workshop Journal*, no. 50 (2000), pp. 137–55.

14   Giles MacDonogh, *Frederick the Great. A Life in Deed and Letters* (London, 1999), pp. 201–4.

15   Paul Noack, *Elisabeth Christine und Friedrich der Grosse. Ein Frauenleben in Preussen* (Stuttgart, 2001), p. 107.

16   Ibid., p. 142; Biskup. 'Hidden Queen,' 여러 곳에서.

17   Noack, *Elisabeth Christine*, pp. 185–6.

18   프리드리히가 뒤앙 드 장당에게 1734년 3월 19일에 보낸 서한, Preuss (ed.), *Oeuvres de Frédéric II* (31 vols., Berlin, 1851), vol. 17, p. 271.

19   PRO SP 90/2, 90/3, 90/4, 90/5, 90/6, 90/7.

20   Charles Ingrao, *The Habsburg Monarchy 1618–1815* (Cambridge, 1994), p. 152.

21   Frederick William I, 'Last Speech' (28 May 1740), in Dietrich (ed.), *Die politischen Testamente*, p. 246. 이 연설은 국가와 각료 하인리히 백작 폰 포데빌스에 의해 회의록으로 작성되었다.

22   Walter Hubatsch, *Friedrich der Grosse und die preussische Verwaltung* (Cologne, 1973), p. 70.

23   H. M. Scott, 'Prussia's Emergence,' in Dwyer (ed.), *Rise of Prussia*, pp. 153–76.

24   Schieder, *Frederick the Great*, p. 95; Hubatsch, *Friedrich der Grosse*, p. 70; Kunisch, *Friedrich der Grosse*, p. 167.

25   Schieder, *Frederick the Great*, p. 235.

26   두 슐레지엔 전쟁의 전투 분석은, David Fraser, *Frederick the Great. King of Prussia* (London, 2000), pp. 91–5, 116–9, 178–84; Christopher Duffy, *Frederick the Great. A Military Life* (London, 1985), pp. 21–75; Dennis Showalter, *The Wars of Frederick the Great* (Harlow, 1996), pp. 38–89.

27   Johannes Kunisch, 'Friedrich II., der Grosse (1740–1786),' in Kroll (ed.), *Preussens Herrscher*, pp. 160–78, 여기서는 p. 166.

28   T. C. W. Blanning, 'Frederick the Great and Enlightened Absolutism,' in H. M. Scott (ed.), *Enlightened Absolutism. Reform and Reformers in Later Eighteenth-century Europ.* (London, 1990), pp. 265–88, 여기서는 p. 281.

29   Kunisch, *Friedrich der Grosse*, p. 332.

30   William J. McGill, 'The Roots of Policy: Kaunitz in Vienna and Versailles 1749–1753,' *Journal of Modern History*, 43 (1975), pp. 228–44.

31   Frederick II, *Anti-Machiavel*, pp. 160–62. 반 마키아벨리의 모호성은, Schieder, *Frederick the Great*, pp. 75–89; Kunisch, *Friedrich der Grosse*, pp. 126–8.

32   Kaunitz의 1778년 9월 7일 상황 보고, Karl Otmar von Aretin, *Heiliges Römisches Reich 1776–1806. Reichsverfassung und Staatssouveränität* (2 vols., Wiesbaden, 1967), vol. 2, p. 2.

33   이 패배의 이유와 프리드리히의 역할에 관해서는, Reinhold Koser, 'Bemerkung zur Schlacht von Kolin,' in *FBPG*, 11 (1898), pp. 175–200.

34   Scott, 'Prussia's Emergence,' p. 175.

35   전쟁이 끝날 무렵 몇 년 동안, 프로이센 일반 사병의 질은 보병들의 높은 사망률이라는 압력 때문에 바닥을 치기 시작했다. 프리드리히는 프로이센 포병의 훈련과 배치를 개선해 이를 벌충했다.

36   C. F. R. von Barsewisch, *Meine Kriegserlebnisse während des Siebenjährigen Krieges 1757–1763. Wortgetreuer Abdruck aus dem Tagebuche des Kgl. Preuss. GeneralQuartiermeister-Lieutenants C. F. R. von Barsewisch* (2nd edn, Berlin, 1863), pp. 75, 77.

37   Helmut Bleckwenn (ed.), *Preussische Soldatenbriefe* (Osnabrück, 1982), p. 18.

38   프란츠 라이스가 아내 로보지츠에게 1756년 10월 6일 보낸 서한, Bleckwenn (ed.), *Preussische Soldatenbriefe*, p. 30.

39   Barsewisch, *Meine Kriegserlebnisse*, pp. 46–51.

40   [Johann] Wilhelm von Archenholtz, *The history of the Seven Years War in Germany*, trans. F. A. Catty (Frankfurt/Main, 1843), p. 102.

41   Horst Carl, 'Unter fremder Herrschaft. Invasion und Okkupation im Siebenjärigen Krieg,' in Kroener and Pröe (eds.), *Krieg und Frieden*, pp. 331–48, 여기서는 p. 335.

42   생 제르맹 백작이 파리 뒤 베르네에게 보낸 서한, 1757년 11월 19일 밀하우젠, Carl, 'Invasion und Okkupation,' pp. 331–2.

43   von Archenholtz, *Seven Years War*, p. 92.

44   Horst Carl, 'Invasion und Okkupation,' p. 341.

45   외교 혁명의 오스트리아–프랑스 배경에 관한 주요 참고 문헌은 여전히 다음을 보라. Max Braubach, *Versailles und Wien von Ludwig XIV bis Kaunitz. Die Vorstadien der diplomatischen Revolution im 18 Jahrhundert* (Bonn, 1952).

46   Michel Antoine, *Louis XV* (Paris, 1989), p. 743.

47   이 인용문은 각각 Jean‑Louis Soulavie와 Charles de Peyssonnel and Louis
     Philipp. Comte de Ségur에서. 다음 문헌에서 언급됨. T. C. W. Blanning, *The
     French Revolutionary Wars, 1787–1802* (London, 1996), p. 23.

48   마리 앙투아네트의 악마화에 관해서는, Dena Goodman (ed.), *Marie Antoinette:
     Writings on the Body of a Queen* (London, 2003).

49   Manfred Hellmann, 'Die Friedenschlüse von Nystad (1721) und Teschen (1779)
     als Etappen des Vordringens Russlands nach Europa,' *Historisches Jahrbuch*,
     97/8 (1978), pp. 270–88. 더 일반적으로는, Walther Mediger, *Moskaus Weg
     nach Europe. Der Aufstieg Russland zum europäischen Machtstaat im Zeitalter
     Friedrichs des Grossen* (Brunswick, 1952); 7년전쟁이 유럽 국가 체계에 미친
     광범위한 영향에 대한 분석으로는, H. M. Scott, *The Emergence of the Eastern
     Powers, 1756–1756* (Cambridge, 2001), 특히 pp. 32–67.

50   Christopher Duffy, *Russia's Military Way to the West: Origins and Nature of
     Russian Military Power 1700–1800* (London, 1981), p. 124에서 언급.

51   T. C. W. Blanning, *Josep. II* (London, 1994), 곳곳에서; Ingrao, *Habsburg
     Monarchy*, p. 182; Werner Bein, *Schlesien in der habsburgischen Politik. Ein
     Beitrag zur Entstehung des Dualismus im Alten Reich* (Sigmaringen, 1994),
     pp. 295–322.

52   Kossert, *Masuren*, p. 93.

53   프리드리히 2세의 1768년 정치적 유언, Dietrich, *Die politischen Testamente*,
     p. 554.

54   Atorf, *Der König und das Korn*, pp. 208–22.

55   Gustav Schmoller and Otto Hintze (eds.), *Die Behördenorganisation und die
     allgemeine Staatsverwaltung Preussens im 18. Jahrhundert* (15 vols., Berlin,
     1894–1936), vol. 7 (1894), no. 9, pp. 21–3 and no. 69, pp. 107–8.

56   Atorf, *Der König und das Korn*, pp. 202–3.

57   Carl, *Okkupation und Regionalismus*, p. 415.

58   프리드리히 2세의 1768년 정치적 유언, Dietrich, *Die politischen Testamente*,
     p. 647.

59   Kunisch, *Friedrich der Grosse*, pp. 244–5.

60   Frederick II, 'Reflections on the Financial Administration of the Prussian
     Government,' in Dietrich, *Die politischen Testamente*, p. 723.

61   H. M. Scott, '1763–1786: The Second Reign of Frederick the Great,' in Dwyer (ed.),
     Rise of Prussia, pp. 177–200.

62   Blanning, *French Revolutionary Wars*, p. 8에서 언급. 베렌호르스트가 한
     말이라는 것에 관해서는 ibid., p. 32, n. 18.

63   Kunisch, 'Friedrich II.,' p. 171.

64   프리드리히 2세의 1752년 정치적 유언, Dietrich, *Die politischen Testamente*,
     pp. 254–461, 여기서는 pp. 331–3.

65   프로이센과 합스부르크 모두에 반대하는 소국가 연합이 시작되는, 영주동맹의

정치에 대해서는, Maiken Umbach, 'The Politics of Sentimentality and the German Fürstenbund, 1779-1785,' *Historical Journal*, 41, 3 (1998), pp. 679-704.

66 Karl Otmar von Aretin, *Heiliges Römisches Reich: 1776-1806: Reichsverfassung und Staatssouveränität* (2 vols., Weisbaden, 1967), vol. 1, pp. 19-23; Gabriele Haug - Moritz, *Württembergischer Ständekonflikt und deutscher Dualismus: ein Beitrag zur Geschichte des Reichsverbands in der Mitte des 18. Jahrhunderts* (Stuttgart, 1992), pp. 163-99, 344-5; ead., 'Friedrich der Grosse als "Gegenkaiser": Üerlegungen zur preussischen Reichspolitik, 1740-1786,' in Haus der Geschichte Baden - Wüttemberg (ed.), *Vom Fels zum Meer. Preussen und Südwestdeutschland* (Tübingen, 2002), pp. 25-44; Volker Press, 'Friedrich der Grosse als Reichspolitiker,' in Heinz Duchhardt (ed.), *Friedrich der Grosse, Franken und das Reich* (Cologne, 1986), pp. 25-56, 특히 pp. 42-4.

67 Hans - Martin Blitz, *Aus Liebe zum Vaterland. Die deutsche Nation im 18. Jahrhundert* (Hamburg, 2000), pp. 160-63.

68 Haug - Moritz, *Württembergischer Ständekonflikt*, p. 165.

69 라믈러가 글라임에게 1757년 12월 11일에 보낸 서한, Carl Schüddekop. (ed.), *Briefwechsel zwischen Gleim und Ramler* (2 vols., Tübingen, 1907), vol. 2, pp. 306-7.

70 Johann Wilhelm Archenholtz, *Geschichte des Siebenjährigen Krieges in Deutschland* (5th edn; 1 vol. in 2 parts, Berlin, 1840), part 2, pp. 165-6.

71 August Friedrich Wilhelm Sack, 'Danck - Predigt üer 1. Buch Mose 50v. 20 wegen des den 6 ten May 1757 bey Prag von dem Allmächtigen unsern Könige verliehenen herrlichen Sieges,' in id., *Drei Danck - Predigten über die von dem grossen Könige Friedrich II. im Jahre 1757 erfochtenen Siege bei Prag, bei Rossbach und bei Leuthen, in demselben Jahre im Dom zu Berlin gehalten. Zum hundertjährigen Gedächtniss der genannten Schlachten wider herausgegeben* (Berlin, 1857), p. 14.

72 Cited in Blitz, *Aus Liebe zum Vaterland*, p. 179.

73 Schüddekop. (ed.), *Briefwechsel*, pp. 306-7; Blitz, *Aus Liebe zum Vaterland*, pp. 171-86.

74 Thomas Biskup. 'The Politics of Monarchism. Royalty, Loyalty and Patriotism in Later 18th - century Prussia,' Ph.D. thesis, Cambridge (2001), p. 55.

75 Thomas Abbt, 'Vom Tode fü das Vaterland (1761)' in Franz Brügemann (ed.), *Der Siebenjährige Krieg im Spiegel der zeitgenössischen Literatur* (Leipzig, 1935), pp. 47-94, 여기서는 p. 92.

76 Christian Ewald von Kleist, 'Grabschrift auf den Major von Blumenthal, der den 1sten Jan. 1757 bey Ostritz in der Oberlausitz in einem Scharmützel erschossen ward,' in id., *Des Herrn Christian Ewald von Kleist sämtliche Werke* (2 parts, Berlin, 1760), part 2, p. 123. 이 시는 다음에서도 언급된다. Abbt's 'Vom Tode'.

77 Johannes Kunisch (ed.), *Aufklärung und Kriegserfahrung. Klassische Zeitzeugen*

zum Siebenjährigen Krieg (Frankfurt/Main, 1996), 압트에 대한 설명은, p. 986.

78   Friedrich Nicolai, *Das Leben und die Meinungen des Herrn Magister Sebaldus Nothanker* (Leipzig, 1938), p. 34.

79   Helga Schultz (ed.), *Der Roggenpreis und die Kriege des grossen Königs. Chronik und Rezeptsammlung des Berliner Bäckermeisters Johann Friedrich Heyde 1740 bis 1786* (Berlin, 1988).

80   Carl, *Okkupation und Regionalismus*, pp. 366-7.

81   Abbt, 'Vom Tode,' p. 53.

82   Nicolai, *Sebaldus Nothanker*, p. 34.

83   Johann Wilhelm Ludwig Gleim, 'Siegeslied nach der Schlacht bei Rossbach,' in Brüggemann (ed.), *Der Siebenjährige Krieg*, pp. 109-17.

84   Abbt, 'Vom Tode,' p. 66.

85   Johann Wilhelm Ludwig Gleim, 'An die Kriegsmuse nach der Niederlage der Russen bei Zorndorf,' in Brügemann (ed.), *Der Siebenjährige Krieg*, pp. 129-36, 여기서는 p. 135.

86   Anna Louise Karsch, 'Dem Vater des Vaterlandes Friedrich dem Grossen, bei triumphierender Zurückkunft gesungen im Namen Seiner Bürger. Den 30.März 1763', in C.L.von Klenke (ed.), *Anna Louisa Karschin 1722-1791. Nach der Dichterin Tode nebst ihrem lebenslauff Harausgegeben von Ihrer Tochter* (Berlin, 1792); 다음에서 텍스트를 다운로드할 수 있다. 'Bibliotheca Augustana' http://www.fhaugsburg.de/~harsch/germanica/Chronologie/18Jh/Karsch/karintr.html; 2003년 11월 26일 마지막 접속.

87   Schultz, *Der Roggenpreis*, p. 98; Kunisch, *Friedrich der Grosse*, p. 443.

88   Biskup. *Politics of Monarchism*, p. 42; Kunisch, *Friedrich der Grosse*, p. 446.

89   Biskup. *Politics of Monarchism*, p. 43.

90   Bruno Preisendörfer, *Staatsbildung als Königskunst. Ästhetik und Herrschaft im preussischen Absolutismus* (Berlin, 2000), pp. 83-110, 특히 pp. 107-9.

91   Helmut Börsch - Supan, 'Friedrich der Grosse im zeitgenösischen Bildnis,' in Oswald Hauser (ed.), *Friedrich der Grosse in seiner Zeit* (Cologne, 1987), pp. 255-70, 여기서는 pp. 256, 266.

92   Eckhart Hellmuth, 'Die "Wiedergeburt" Friedrichs des Grossen und der "Tod füs Vaterland". Zum patriotischen Selbstverstädnis in Preussen in der zweiten häfte des 18. Jahrhunderts,' *Aufklärung*, 10/2 (1998), pp. 22-54.

93   Friedrich Nicolai, *Anekdoten von König Friedrich dem Zweiten von Preussen* (Berlin and Stettin, 1788-1792; reprint Hildesheim, 1985), pp. i - xvii.

94   이런 일화의 측면에 대해서는, Volker Weber, *Anekdote. Die andere Geschichte. Erscheinungsformen der Anekdote in der deutschen Literatur, Geschichtsschreibung und Philosophie* (Tübingen, 1993), pp. 25, 48, 59, 60, 62-5, 66.

95   Carl, 'Invasion und Okkupation,' p. 347.

96   Colley, *Britons*, 특히 pp. 11-54.

97 Hellmuth, 'Die "Wiedergeburt",' p. 26.

98 이는 '프로이센령 폴란드'(전에는 왕령 프로이센이라 불린)를 병합한 결과였다. 이 병합으로 프리드리히는 오래된 공국을 프로이센이 온전히 소유할 수 있게 했다. 그리고 그의 선조 프리드리히 1세에게 부여된 이상한 타이틀이 필요없게 되었다.

99 Norman Davies, *God's Playground. A History of Poland* (2 vols., Oxford, 1981), vol. 1, pp. 339–40, 511.

100 Dietrich, *Die politischen Testamente*, pp. 369–75, 654–5. 목적이 불분명한 사색인지, 구성된 '계획'을 반영하는 것인가를 두고 일어난 역사적 논쟁에 관해서는 이 책의 pp. 128–47을 보라.

101 엘빙시는 1660년 이래 프로이센 행정 아래 있었다; 엘빙 지역의 땅은 1698~1703년에 프리드리히 1세가 임차권을 획득했다. Jerzy Lukowski, *The Partitions of Poland. 1772, 1793, 1795* (Harlow, 1999), pp. 16–17. 프리드리히도 알고 있었듯이, 아티초크 비유는 샤르데냐의 비토리오 아마데오가 밀라노에 사용한 표현을 인용한 것이다.

102 다음을 참조하시오. Ingrid Mittenzwei, *Friedrich II von Preussen: eine Biographie* (Cologne, 1980), p. 172; Wolfgang Plat, *Deutsche und Polen. Geschichte der deutsch - polnischen Beziehungen* (Cologne, 1980), pp. 85–7; Davies, *God's Playground*, p. 523.

103 Ernst Opgenoorth (ed.), *Handbuch der Geschichte Ost - und Westpreussens. Von der Teilung bis zum Schwedisch - Polnischen Krieg, 1466–1655* (Lüneburg, 1994), p. 22.

104 Davies, *God's Playground*, p. 521.

105 Willi Wojahn, *Der Netzedistrikt und die sozialökonomischen Verhältnisse seiner Bevölkerung um 1773* (Münster, 1996), pp. 16–17.

106 예를 들어, Heinz Neumeyer, *Westpreussen. Geschichte und Schicksal* (Munich,1993).

107 William W. Hagen, *Germans, Poles and Jews. The Nationality Conflict in the Prussian East, 1772–1914*(Chicago, 1980), pp. 39–41, 43. 폴란드가 열등하다는 당대 독일의 통념에 관해서는 Jörg Hackmann, *Ostpreussen und Westpreussen in deutscher und polnischer Sicht. Landeshistorie als beziehungsgeschichtliches Problem* (Wiesbaden, 1996), p. 66.

108 Peter Baumgart, 'The Annexation and Integration of Silesia into the Prussian State of Frederick the Great,' in Mark Greengrass (ed.), *Conquest and Coalescence. The Shaping of the State in Early Modern Europ.* (London, 1991), pp. 155–81, 여기서는 p. 167; Hubatsch, *Friedrich der Grosse*, p. 77.

109 Hans - Jürgen Bömelburg, *Zwischen polnischer Ständegesellschaft und preussischem Obrigkeitsstaat. Vom Königlichen Preussen zu Westpreussen (1756–1806)* (Munich, 1995), pp. 254–5.

110 Brigitte Poschmann, 'Verfassung, Verwaltung, Recht, Militä im Ermland,' in

Opgenoorth (ed.), *Geschichte Ost - und Westpreussens*, pp. 39–43, 여기서는 p. 42.

111 Wojahn, *Netzedistrikt*, p. 25.

112 세율에 관해서는, Max Bär, *Westpreussen unter Friedrich dem Grossen* (2 vols., Leipzig, 1909), vol. 2, p. 422, 특히 n. 1; Hagen, *Germans, Poles and Jews*, p. 40.

113 Corni, *Stato assoluto*, pp. 304–5.

114 Bär, *Westpreussen*, vol. 2, pp. 465–6; Corni, *Stato assoluto*, p. 305.

115 Bär, *Westpreussen*, vol. 1, pp. 574–81.

116 Bömelburg, *Zwischen polnischer Ständegesellschaft*, pp. 411, 413.

117 August Carl Holsche, *Der Netzedistrikt. Ein Beitrag zur Länder - und Völkerkunde mit statistischen Nachrichten* (Königsberg, 1793), Wojahn, *Netzedistrikt*, p. 29에서 인용.

118 Neumeyer, *Westpreussen*, pp. 313–14; Bömelburg, *Zwischen polnischer Ständegesellschaft*, p. 367.

119 See Bär, *Westpreussen*, vol. 2, 곳곳에서.

120 프리드리히 2세의 1752년 정치적 유언, Dietrich, *Die politischen Testamente*, p. 283.

121 Cited in Kunisch, *Friedrich der Grosse*, p. 245.

122 프리드리히 2세의 1752년 정치적 유언, Dietrich, *Die politischen Testamente*, p. 329.

123 Kunisch, *Friedrich der Grosse*, p. 128.

124 프로이센에서 강력한 국가 개념이 생겨나는 데에 볼프의 자리에 관해서는, Blanning, *The Culture of Power*, p. 200. 볼프는 1721년 할레 대학교에서 경건주의자들과 논쟁이 일어난 뒤 프로이센에서 추방되었다. 최초의 조치는 프리드리히 2세가 취했고 이후 즉위 후 볼프를 다시 불러들였다. Christian Freiherr von Wolff, *Vernünfftige Gedanken von dem gesellschaftlichen Leben der Menschen und insonderheit dem gemeinen Wesen* (Halle, 1756), pp. 212–14, 216–17, 238, 257, 345, 353, 357.

125 Hubatsch, *Friedrich der Grosse*, p. 75에서 언급.

126 Ibid., p. 85.

127 Blanning, *The Culture of Power*, p. 92; Hans - Joachim Giersberg, 'Friedrich II und die Architektur,' in Hans - Joachim Giersberg and Claudia Meckel (eds.), *Friedrich II und die Kunst* (2 vols., Potsdam, 1986), vol. 2, p. 54; Hans - Joachim Giersberg, *Friedrich II als Bauherr. Studien zur Architektur des 18. Jahrhunderts in Berlin und Potsdam* (Berlin, 1986), p. 23.

128 오페라하우스는 이론상 초대객 전용이었다. 그러나 현실상 오페라하우스는 입장을 하기 위해 도어맨에게 팁을 준 많은 베를린 사람과 도시 방문객에게 후원을 받았다. 왕실 도서관 역시 특정 시간에 일반 대중에게 개방되었다.

129 Martin Engel, *Das Forum Fridericianum und die monumentalen Residenzplätze des 18. Jahrhunderts*, Ph.D. thesis in art history, Freie Universität Berlin (2001), pp. 302–3. 이 논문은 다윈 디지털 학위논문 사이트에서만 열람 가능하다.

http://www.diss.fu - berlin.de/2004/161/indexe.html information; 2005년 2월 24일 마지막 접속. 포럼에 관해서는, Kunisch, *Friedrich der Grosse*, pp. 258-9, 282.

130 Hubatsch, *Friedrich der Grosse*, p. 233; Reinhart Koselleck, *Preussen zwischen Reform und Revolution. Allgemeines Landrecht, Verwaltung und soziale Bewegung von 1791 bis 1848* (Stuttgart, 1967), pp. 23-149; Hans Hattenhauer, 'Preussen auf dem Weg zum Rechtsstaat,' in Jög Wolff (ed.), *Das Preussische Allgemeine Landrecht: politische, rechtliche und soziale Wechsel - und Fortwirkungen* (Heidelberg, 1995), pp. 49-67.

131 ALR Einleitung §75, Hans Hattenhauer (ed.), *Allgemeines Landrecht für diepreussischen Staaten von 1794* (Frankfurt/Main, 1970).

132 프리드리히 2세의 1752년 정치적 유언, Dietrich, *Die politischen Testamente*, p. 381.

133 Kunisch, *Friedrich der Grosse*, pp. 293-9.

134 프리드리히 2세의 1768년 정치적 유언, Dietrich, *Die politischen Testamente*, p. 519.

135 뇌샤텔은 1857년까지 호엔촐레른 소유로 있었다. 이후 스위스에 속하게 된다. Wolfgang Stribrny, *Die Könige von Preussen als Fürsten von Neuenburg - Neuchâtel (1707-1848)* (Berlin, 1998), p. 296.

136 프리드리히 2세의 1768년 정치적 유언, Dietrich, *Die politischen Testamente*, p. 619.

137 Ibid., pp. 510-11. 동프로이센 수복은 1743년까지 중지되었다. Notbohm, *Das evangelische Schulwesen*, p. 186.

138 Walter Mertineit, *Die friedericianische Verwaltung in Ostpreussen. Ein Beitrag zur Geschichte der preussischen Staatsbildung* (Heidelberg, 1958), p. 179.

139 Ibid., pp. 183-5.

140 프리드리히 2세의 1752년 정치적 유언, Dietrich, *Die politischen Testamente*, pp. 325-7.

8 / 감히 알려고 하라!

1 Immanuel Kant, 'Beantwortung der Frage: Was ist Aufkläung?,' *Berlinische Monatsschrift* (1784년 9월 30일로 기록, 출판은 같은 해 12월). *Berlinische Monatsschrift* (1783-1796) (Leipzig, 1986)에 재수록, pp. 89-96, 여기서는 p. 89.

2 Ibid., p. 90.

3 Richard van Dülmen, *The Society of the Enlightenment. The Rise of the Middle Class and Enlightenment Culture in Germany*, trans. Anthony Williams (Oxford, 1992), pp. 47-8. 칸트와 '이성의 언어'에 대해서는, Hans Saner, *Kant's Political Thought. Its Origins and Development*, trans. E. B. Ashton (Chicago, 1973), p. 76.

4   Ferdinand Runkel, *Geschichte der Freimaurerei in Deutschland* (3 vols., Berlin, 1931–2), vol. 1, pp. 154–8. 프리메이슨에 대한 더 일반적인 사항은, Ulrich Im Hof, *The Enlightenment*, trans. William E. Yuill (Oxford, 1994), pp. 139–45.

5   Norbert Schindler, 'Freimaurerkultur im 18. Jahrhundert. Zur sozialen Funktion des Geheimwissens in der entstehenden bürgerlichen Gesellschaft,' in Robert Berdahl et al. (eds.), *Klassen und Kultur* (Frankfurt/Main, 1982), pp. 205–62, 여기서는 p. 208.

6   *Berlinische Monatsschrift*, 2 (1783), p. 516.

7   Friedrich Gedike and J. E. Biester, 'Vorrede,' *Berlinische Monatsschrift*, 1 (1783), p. 1.

8   Im Hof, *Enlightenment*, pp. 118–22.

9   Josep. Kohnen, 'Druckerei-, Verlags- und Zeitungswesen in Köigsberg zur Zeit Kants und Hamanns. Das Unternehmen Johann Jakob Kanters,' in id. (ed.), *Königsberg. Beiträge zu einem besonderen Kapitel der deutschen Geistesgeschichte des 18. Jahrhunderts* (Frankfurt/Main, 1994), pp. 1–30, 특히 pp. 9–10, 12–13, 15.

10   레오폴트 프리드리히 폰 괴킨크(Leopold Friedrich Günther von Goeckingh, 1748–1828)가 쓴 부고, Eberhard Fromm, 'Der poetische Exerziermeister,' in *Deutsche Denker*, pp. 58–63에서 인용, http://www. luise - berlin.de/bms/bmstext/9804 deua.htm; 2003년 12월 8일 마지막 접속.

11   '시민 사회의 활동가'에 관해서는, Isobel V. Hull, *Sexuality, State and Civil Society in Germany, 1700–1815* (Ithaca, NY, 1996), 특히 ch. 5.

12   Horst Möller, *Vernunft und Kritik. Deutsche Aufklärung im 17. und 18. Jahrhundert* (Frankfurt/Main, 1986), pp. 295–6.

13   Kant, 'Was ist Aufkläung?,' p. 95.

14   Otto Bardong (ed.), *Friedrich der Grosse* (Darmstadt, 1982), p. 542. 이 부분은 'Frederick the Great,' in Scott (ed.), *Enlightened Absolutism*, pp. 265–88에서 논의된다. 여기서는 p. 282.

15   Mittenzwei, *Friedrich II*, pp. 44–5.

16   Richard J. Evans, *Rituals of Retribution. Capital Punishment in Germany, 1600–1987* (London, 1997), p. 113.

17   Matthias Schmoeckel, *Humanität und Staatsraison. Die Abschaffung der Folter in Europ. und die Entwicklung des gemeinen Strafprozess- und Beweisrechts seit dem hohen Mittelalter* (Cologne, 2000), pp. 19–33.

18   Evans, *Rituals*, p. 122.

19   Blanning, 'Frederick the Great,' p. 282.

20   Jonathan I. Israel, *Radical Enlightenment. Philosophy and the Making of Modernity 1650–1750* (Oxford, 2001), pp. 659–63.

21   Kant, 'Was ist Aufkläung?,' p. 96. 비슷한 주장이 칸트의 글 "'그것은 이론상 맞을지 몰라도 실제 적용되지 않는다"라는 흔히들 하는 말에 관해서'에서 개진된다 (Berlinische Monatsschrift, 1793); Immanuel Kant, *Political Writings*,

ed. Hans Reiss, trans. H. B. Nisbet (2nd edn, Cambridge, 1991), pp. 61–92,
여기서는 특히 pp. 79, 81, 84–5.

22 Blanning, *The Culture of Power*, pp. 103–82.

23 Möller, *Vernunft und Kritik*, p. 303.

24 이 인용은 프로이센의 선임 사법재판관 레오폴트 폰 키르차이젠의 1792년
문장이다. 프리드리히 2세 사망 6년 뒤 시점이다. 이는 Hull, *Sexuality, State and Civil Society*, p. 215.

25 John Moore, *A View of Society and Manners in France, Switzerland and Germany* (2 vols., 4th edn, Dublin, 1789; first pub. anon., 1779), vol. 2, p. 130, Blanning, 'Frederick the Great,' p. 287에서 인용.

26 Friedrich Nicolai, *Beschreibung der Königlichen Residenzstädte Berlin und Potsdam, aller daselbst befindlicher Markwürdigkeiten und der umliegenden Gegend* (2 vols., Berlin, 1786), vol. 2, pp. 839–40.

27 Hilde Spiel, *Fanny von Arnstein. Daughter of the Enlightenment 1758–1818*, trans. Christine Shuttleworth (Oxford, 1991), pp. 15–16.

28 Stern, *Der preussische Staat*, part 3, vol. 2, *Die Zeit Friedrichs II.* (Tübingen, 1971), 곳곳에서.

29 프리드리히 1세의 1722년 정치적 유언, Dietrich (ed.), *Die politischen Testamente*, pp. 221–43, 여기서는 p. 236.

30 프리드리히 2세의 1768년 정치적 유언, Dietrich (ed.), *Die politischen Testamente*, pp. 462–697, 여기서는 p. 507.

31 Mordechai Breuer, 'The Early Modern Period,' in Michael A. Meyer and Michael Brenner (eds.), *German-Jewish History in Modern Times* (4 vols., New York, 1996), vol. 1, *Tradition and Enlightenment 1600–1780*, pp. 79–260, 여기서는 pp. 146–9.

32 Stefi Jersch-Wenzel, 'Minderheiten in der preussischen Gesellschaft,' inBüch and Neugebauer (eds.), *Moderne preussische Geschichte*, vol. 1, part 2, pp. 486–506, 여기서는 p. 492.

33 Dorwart, *Prussian Welfare State*, p. 129; Stern, *Der preussische Staat*, part 2, *Die Zeit Friedrich Wilhelms I.*, Part 2, Akten, doc. nos. 7, 8, 211, 그리고 곳곳에서.

34 J. H. Callenberg, *Siebente Fortsetzung seines Berichts von einem Versuch, das arme jüdische Volck zur Annehmung der christlichen Wahrheit anzuleiten* (Halle, 1734), pp. 92–3, 126, 142. 같은 저자의 *Relation von einer weiteren Bemühung, Jesum Christum als den Heyland des menschlichen Geschlechts dem Jüdischen Volcke bekannt zu machen* (Halle, 1738), pp. 134, 149도 보라.

35 Michael Graetz, 'The Jewish Enlightenment,' in Meyer and Brenner (eds.), *German-Jewish History*, vol. 1, pp. 261–380, 여기서는 p. 311.

36 Charlene A. Lea, 'Tolerance Unlimited: The "Noble Jew" on the German and Austrian Stage (1750–1805),' *The German Quarterly*, 64/2 (1991), pp. 167–77.

37 Spiel, *Fanny von Arnstein*, p. 19; David Sorkin, *The Transformation of German*

Jewry, 1780–1840 (New York, 1987), p. 8 그리고 곳곳에서.

38 Michael Graetz, 'The Jewish Enlightenment,' in Meyer and Brenner (eds.), German - Jewish History, vol. 1, p. 274에서 인용.

39 Deborah Hertz, Jewish High Society in Old - regime Berlin (New Haven and London, 1988), pp. 95–118; Steven M. Lowenstein, The Berlin Jewish Community. Enlightenment, Family and Crisis, 1770–1830 (New York, 1994), pp. 104–10.

40 Christian Wilhelm Dohm, Über die bürgerliche Verbesserung der Juden (2 vols., Berlin and Stettin, 1781–3), vol. 1, p. 130.

41 Dohm, Über die bürgerliche Verbesserung, vol 1, p. 28. 이 책과 그 맥락에 관해서는 특히 다음을 보라. R. Liberles, 'The Historical Context of Dohm's Treatise on the Jews,' in Friedrich - Naumann - Stiftung (ed.), Das deutsche Judentum und der Liberalismus – German Jewry and Liberalism (Königswinter, 1986), pp. 44–69; Horst Möller, 'Aufkläung, Judenemanzipation und Staat. Ursprung und Wirkung von Dohms Schrift über die bürgerliche Verbesserung der Juden,' in W. Grab (ed.), Deutsche Aufklärung und Judenemanzipation. Internationales Symposium anlässlich der 250. Geburtstage Lessings und Mendelssohns (Jahrbuch des Instituts für deutsche Geschichte, Suppl. 3; Tel Aviv, 1980), pp. 119–49.

42 Spiel, Fanny von Arnstein, p. 183.

43 Ibid., p. 184.

44 이 극은 Michael A. Meyer, 'Becoming German, Remaining Jewish', in Meyer and Brenner (eds.), German - Jewish History, vol. 2, pp. 199–250에서 논의된다. 여기서는 pp. 204–6. 반유대주의 풍자 일반에 대해서는, Charlene A. Lea, Emancipation, Assimilation and Stereotype. The Image of the Jew in German and Austrian Drama (1800–1850) (Bonn, 1978); Mark H. Gelber, 'Wandlungen im Bild des "gebildeten Juden" in der deutschen Literatur,' Jahrbuch des Instituts für deutsche Geschichte, 13 (1984), pp. 165–78.

45 개종 문제는, Hertz, Jewish High Society; 또 ead., 'Seductive Conversion in Berlin, 1770–1809,' in Todd Endelman (ed.), Jewish Apostasy in the Modern World (New York and London, 1990), pp. 48–82; Lowenstein, The Berlin Jewish Community, pp. 120–33.

46 James Sheehan, German History 1770–1866 (Oxford, 1993), p. 293에서 인용.

47 프리드리히의 후손이 없자, 계승권은 1758년 세상을 떠난 동생의 아들에게로 넘어갔다.

48 Kunisch, Friedrich der Grosse, p. 285.

49 David E. Barclay, 'Friedrich Wilhelm II (1786–1797),' in Kroll (ed.), Preussens Herrscher, pp. 179–96.

50 Thomas P. Saine, The Problem of Being Modern. Or, the German Pursuit of Enlightenment from Leibniz to the French Revolution (Detroit, Michigan, 1997), p. 300.

51 Dirk Kemper (ed.), *Missbrauchte Aufklärung? Schriften zum preussischen Religionsedikt vom 9. Juli 1788* (Hildesheim, 1996); Ian Hunter, 'Kant and the Prussian Religious Edict. Metaphysics within the Bounds of Political Reason Alone,' Working Paper, Centre of the History of European Discourses, University of Queensland, 온라인은 http://eprint.uq.edu.au/archive/00000396/01/hunterkant.pdf; 2003년 12월 30일 마지막 접속.

52 다음책의 편집자와 번역가의 주석을 보라. A. W. Wood and G. Di Giovanni (eds.), *Immanuel Kant: Religion and Rational Theology* (Cambridge, 1996); Saine, *The Problem of Being Modern*, pp. 289–309; Paul Schwartz, *Der erste Kulturkamp. in Preussen um Kirche und Schule (1788–1798)*, (Berlin 1925), pp. 93–107; Klaus Epstein, *The Genesis of German Conservatism* (Princeton, NJ, 1966), pp. 360–68.

53 뵐너의 이 견해는 다음에서 설득력 있게 개진되었다. Michael J. Sauter, 'Visions of the Enlightenment: The Edict on Religion of 1788 and Political Reaction in Eighteenth - century Prussia,' Ph.D. thesis, Department of History, University of California, Los Angeles (2002).

54 Kemper, *Missbrauchte Aufklärung?*, p. 227.

55 이 칙령을 프로이센 법조항의 문구와 비교한 흥미로운 논의로 Nicholas Hope, *German and Scandinavian Protestantism, 1700 to 1918* (Oxford, 1995), pp. 312–13를 보라. 칙령의 계몽주의 흔적은 특히, Fritz Valjavec, 'Das Woellnersche Religionsedikt und seine geschichtliche Bedeutung,' *Historisches Jahrbuch*, 72 (1952), pp. 386–400. 종교의 도구적 기능에 관해서는 Epstein, *Genesis*, p. 150.

56 Kurt Nowak, *Geschichte des Christenthums in Deutschland. Religion, Politik undGesellschaft vom Ende der Aufklärung bis zur Mitte des 20. Jahrhunderts* (Munich, 1995), pp. 15–36.

57 Hunter, 'Kant and the Prussian Religious Edict,' p. 7.

58 Ibid. pp. 11–12.

59 프리드리히 빌헬름 2세의 1788년 9월 10일 내각명령. Klaus Berndl, 'Neues zur Biographie von Ernst Ferdinand Klein,' in Eckhart Hellmuth, Immo Meenken and Michael Trauth (eds.), *Zeitenwende? Preussen um 1800* (Stuttgart, 1999), pp. 139–82에서 인용, 여기서는 p. 161, n. 118.

60 Saine, *The Problem of Being Modern*, pp. 294–308.

61 Berndl, 'Ernst Ferdinand Klein,' pp. 162–4.

62 Wilhelm Schrader, *Geschichte der Friedrichs - Universität zu Halle* (2 vols., Berlin, 1894), vol. 1, p. 521; Epstein, *Genesis*, pp. 364–7; Berndl, 'Ernst Ferdinand Klein,' pp. 167–70.

63 Horst Möller, *Aufklärung in Preussen. Der Verleger, Publizist und Geschichtsschreiber Friedrich Nicolai* (Berlin, 1974), p. 213.

64 Axel Schumann, 'Berliner Presse und Französische Revolution: Das Spektrum

der Meinungen unter preussischer Zensur 1789–1806,' Ph.D. thesis, Technische Universitä, Berlin (2001), 온라인은 http://webdoc.gwdg.de/ebook/p/2003/tu - berlin/schumannaxel.pdf; 2003년 12월 31일 마지막 접속, 특히 pp. 227–41.

65   *Journal des Luxus*, 11 (1796), p. 428, Hellmuth, 'Die "Wiedergeburt",' pp. 21–52에서 인용, 여기서는 p. 22.

66   당시 베를린의 사회적 삶에 대한 훌륭한 조사는 Florian Maurice, *Freimaurerei um 1800. Ignaz Aurelius Fessler und die Reform der Grossloge Royal York in Berlin* (Tübingen, 1997), pp. 129–66. 다음 두 단락은 이 내용을 근거로 한 것이다.

67   Gerhard Ritter, *Stein. Eine politische Biographie (Stuttgart, 1958)*, pp. 29, 31, 34, 37, 39, 40; Guy Stanton Ford, *Stein and the Era of Reform in Prussia, 1807–1815* (2nd edn, Gloucester, MA, 1965), pp. 4–26, 31–2.

68   Ford, *Stein*, pp. 33–4.

69   Ritter, *Stein*, p. 71.

70   Silke Lesemann, 'Präende Jahre. Hardenbergs Herkunft und Amtstäigkeit in Hannover und Braunschweig (1771–1790),' in Thomas Stamm - Kuhlmann (ed.), *'Freier Gebrauch der Kräfte'. Eine Bestandaufnahme der Hardenberg - Forschung* (Munich, 2001), pp. 11–30, 여기서는 pp. 11–18.

71   Lesemann, 'Präende Jahre,' pp. 18–5.

72   호엔촐레른 변경백의 치세가 끝나면 안스바흐와 바이로이트가 프로이센에 들어간다는 것은 오래전에 합의된 것이다. 그러나 1792년 프랑스에서 일어난 사건과 프랑스의 엄청난 부채 때문에 베를린에 영구히 넘기게 된다.

73   Andrea Hofmeister - Hunger, *Pressepolitik und Staatsreform. Die Institutionalisierungstaatlicher öffentlichkeitsarbeit bei Karl August von Hardenberg (1792–1822)* (Göttingen, 1994), pp. 32–47; Rudolf Endres, 'Hardenbergs fräkisches Reformmodell,' in *Stamm - Kuhlmann (ed.), Hardenberg - Forschung*, pp. 31–49, 여기서는 p. 38.

74   Rudolf Endres, 'Hardenbergs fräkisches Reformmodell,' pp. 45–6.

75   Rolf Straubel, *Carl August von Struensee. Preussische Wirtschafts - und Finanzpolitik im ministeriellen Kräftespiel (1786–1804/06)* (Potsdam, 1999), pp. 112–17.

76   Manfred Gailus, '"Moralische öonomie" und Rebellion in Preussen vor 1806: Havelberg, Halle und Umgebung,' *FBPG* (New Series), 11 (2001), pp. 77–100, 특히 pp. 95–7.

77   남부와 신(新)동프로이센의 폴란드 접경 지역을 행정개혁의 '실험실'로 활용한 것에 대해서는, Ingeborg Charlotte Bussenius, *Die Preussische Verwaltung in Süd - und Neuostpreussen 1793–1806* (Heidelberg, 1960), pp. 314–15.

78   Hans Hattenhauer, 'Das ALR im Widerstreit der Politik,' in Jög Wolff (ed.), *DasPreussische Allgemeine Landrecht. Politische, rechtliche und soziale Wechsel - und Fortwirkungen* (Heidelberg, 1995), pp. 31–48, 여기서는 p. 48.

79   ALR § 1 Einleitung. 이 구절에 대한 논의는, Hattenhauer, 'Preussen auf dem

Weg' in Wolff (ed.), *Das Preussische Allgemeine Landrecht*, pp. 49–67, 여기서는 p. 62.

80 ALR § 22 Einleitung.

81 Thilo Ramm, 'Die friderizianische Rechtskodifikation und der historische Rechtsvergleich,' in Wolff (ed.), *Das Preussische Allgemeine Landrecht*, pp. 1–30, 여기서는 p. 12.

82 이에 관해서는, Günther Birtsch, 'Die preussische Sozialverfassung im Spiegel des Allgemeinen Landrechts für die preussischen Staaten von 1794,' in Wolff (ed.), *Das Preussische Allgemeine Landrecht*, pp. 133–47, 여기서는 p. 133. 조합주의에 관한, 특히 법규 논의는, Andreas Schwennicke, *Die Entstehung der Einleitung des Preussischen Allgemeinen Landrechts von 1794* (Frankfurt/Main, 1993), pp. 34–43, 70–105.

83 ALR §§ 147, 161–2, 185–7, 227–30, 308, 309. Birtsch, 'Die preussische Sozialverfassung,' p. 143. ALR을 절대주의와 조합주의 원칙을 결합하려는 시도로 여기는 것에 관해서는, Günther Birtsch, 'Gesetzgebung und Representation im späen Absolutismus. Die Mitwirkung der preussischen Provinzialstände bei der Entstehung des Allgemeinen Landrechts,' *Historische Zeitschrift*, 202 (1969), pp. 265–94; Koselleck, *Preussen zwischen Reform und Revolution*, pp. 23–149.

84 ALR Einleitung, 'Quelle des Rechts'; Monika Wienfort, 'Zwischen Freiheit und Fürsorge. Das Allgemeine Landrecht im. 19. Jahrhundert,' in Patrick Bahners and Gerd Roellecke (eds.), *Preussische Stile. Ein Staat als Kunstück* (Stuttgart, 2001), pp. 294–309.

85 이러한 노선을 따르는 주장에 대해서는, Detlef Merten, 'Die Rechtsstaatlichkeit im Allgemeinen Landrecht,' in Friedrich Ebel (ed.), *Gemeinwohl – Freiheit – ernunft – Rechtsstaat. 200 Jahre Allgemeines Landrecht für die preussischen Staaten* (Berlin, 1995), pp. 109–38.

86 Heinrich Treitschke, *Deutsche Geschichte im neunzehnten Jahrhundert* (5 vols., Leipzig, 1927), vol. 1, p. 77.

87 Madame de Staël, *De L'Allemagne* (2nd edn, Paris, 1814), pp. 141–2.

9 ╱ 오만과 인과응보: 1789~1806년

1 Ernst Wangermann, 'Preussen und die revolutionäen Bewegungen in Ungarn und den österreichischen Niederlanden zur Zeit der französischen Revolution,' in Otto Büsch and Monika Neugebauer-Wölk (eds.), *Preussen und die revolutionäre Herausforderung seit 1789* (Berlin, 1991), pp. 22–85, 여기서는 pp. 81, 83.

2 Monika Neugebauer-Wölk, 'Preussen und die Revolution in Lütich. Zur Politik

des Christian Wilhem von Dohm, 1789/90,' in Büsch and Neugebauer - Wölk (eds.), *Preussen und die revolutionäre Herausforderung*, pp. 59–76, 여기서는 p. 63.

3   Wangermann, 'Preussen und die revolutionäen Bewegungen,' p. 82.

4   Paul W. Schroeder, *The Transformation of European Politics 1763–1848* (Oxford, 1994), pp. 66, 76; Brendan Simms, *The Struggle for Mastery in Germany, 1779–1850* (London, 1998), pp. 56–7.

5   선언문은 다음에서 확인할 수 있다. NapoleonSeries.org, Reference Library of Diplomatic Documents, Declaration of Pillnitz, ed. Alex Stavropoulos, http://www.napoleonseries.org/reference/diplomatic/pillnitz.cfm; 2004년 1월 13일 마지막 접속.

6   Ibid.

7   필니츠의 여파에 대해서는, Gary Savage, 'Favier's Heirs. The French Revolution and the Secret du Roi,' *Historical Journal*, 41/1 (1998), pp. 225–58; Gunther E. Rothenberg, 'The Origins, Causes and Extension of the Wars of the French Revolution and Napoleon', *Journal of Interdisciplinary History*, 18/4 (1988), pp. 771–93, 특히 pp. 780–81; T. C.W. Blanning, *Origins of the French Revolutionary Wars* (London, 1986), pp. 100–101; Patricia Chastain Howe, 'Charles - Françis Dumouriez and the Revolutionizing of French Foreign Affairs in 1792,' *French Historical Studies*, 14/3 (1986), pp. 367–90, 여기서는 pp. 372–3.

8   브라운슈바이크 공작의 선언, J. H. Robinson (ed.), *Readings in European History* (2 vols., Boston, 1906), vol. 2, pp. 443–5. 온라인은, Hanover Historical Texts Project, http://history.hanover.edu/texts/bruns.htm; 2004년 1월 13일 마지막 접속. 선언의 배경에 관해서는, Hildor Arnold Barton, 'The Origins of the Brunswick Manifesto,' *French Historical Studies*, 5 (1967), pp. 146–69.

9   Lukowski, *Partitions*, p. 140에서 인용.

10   헤르츠베르크 루케지니에게, ibid., p. 143에서 인용.

11   두 번째 분할에 관한 전반적인 설명은, Michael G. Müller, *Die Teilungen Polens: 1772, 1793, 1795* (Munich, 1984), 특히 pp. 43–50; Lukowski, *Partitions*, pp. 128–58.

12   이 인용들은 Heinrich von Sybel, *Geschichte der Revolutionszeit von 1789 bis 1800* (5 vols., Stuttgart, 1898), vol. 3, p. 276; Heinrich von Treitschke, *Deutsche Geschichte im neunzehnten Jahrhundert* (5 vols., Leipzig, 1894), vol. 1, p. 207; Rudolf Ibbeken, *Preussen, Geschichte eines Staates* (Stuttgart, 1970), pp. 106–7; Golo Mann, *Deutsche Geschichte des 19. und 20. Jahrhunderts* (Frankfurt/Main, 1992). 이 견해에 관한 논의와 분석은, Philip G. Dwyer, 'The Politics of Prussian Neutrality 1795–1805,' *German History*, 12 (1994), pp. 351–73.

13   금융 위기에 관해서는, Aretin, *Reich*, vol. 1, p. 318. 강화를 주장하는 이들과의 연결고리에 관해서는, Willy Real, 'Die preussischen Staatsfinanzen und die Anbahnung des Sonderfriedens von Basel 1795,' *FBPG*, 1 (1991), pp. 53–100.

14   Dwyer, 'Politics,' p. 357.

15   Schroeder, *Transformation*, 특히 pp. 144–50.

16   Brendan Simms, *The Impact of Napoleon. Prussian High Politics, Foreign Policy and Executive Reform, 1797–1806* (Cambridge, 1997), pp. 101–5.

17   Aretin, *Reich*, vol. 1, p. 277; Sheehan, *German History*, p. 278; Simms, *Struggle for Mastery*, p. 62.

18   bid., pp. 60–61에서 인용.

19   [S.?] Leszczinski (ed.), *Kriegerleben des Johann von Borcke, weiland Kgl. Preuss. Oberstlieutenants. 1806–1815* (Berlin, 1888), pp. 46–8.

20   Hermann von Boyen, *Denkwürdigkeiten und Erinnerungen* (2 vols.; rev. edn Leipzig, 1899), vol. 1, pp. 171–2, 다음에서 참조. Sheehan, *German History*, p. 234.

21   Dwyer, 'Politics,' p. 361에서 인용. 중립노선이 임시방편에서 원칙으로 바뀌어간 과정에 대해서는 pp. 358–67.

22   Simms, *Impact of Napoleon*, pp. 148–56; Dwyer, 'Politics' p. 365.

23   Gregor Schöllgen, 'Sicherheit durch Expansion? Die aussenpolitischen Lageanalysen der Hohenzollern im 17. und 18. Jahrhundert im Lichte des Kontinuitätsproblems in der preussischen und deutschen Geschichte,' *Historisches Jahrbuch*, 104 (1984), pp. 22–45.

24   Klaus Zernack, 'Polen in der Geschichte Preussens,' in Otto Büch et al. (eds.), *Handbuch der preussischen Geschichte*, vol. 2, *Das Neunzehnte Jahrhundert und grosse Themen der Geschichte Preussens* (Berlin, 1992), pp. 377–448, 여기서는 p. 430; id., 'Preussen - Frankreich - Polen. Revolution und Teilung,' in Büsch and Neugebauer - Wölk (eds.), *Preussen*, pp. 22–40; William W. Hagen, 'The Partitions of Poland and the Crisis of the Old Regime in Prussia, 1772–1806,' *Central European History*, 9 (1976), pp. 115–28.

25   이 이슈의 논의는, Torsten Riotte, 'Hanover in British Policy 1792–815', Ph.D. thesis, University of Cambridge (2003).

26   이 점에 대해서는 Reinhold Koser in 'Die preussische Politik, 1786–1806' in id., *Zur preussischen und deutschen Geschichte* (Stuttgart, 1921), pp. 202–68, 여기서는 pp. 248–9.

27   럼볼드 위기에 대해서는, Simms, *The Impact of Napoleon*, pp. 159–67, 277, 285.

28   McKay, *Great Elector*, p. 105에서 인용.

29   Brendan Simms, 'The Road to Jena: Prussian High Politics, 1804–6,' *German History*, 12 (1994), pp. 374–94. 경쟁이 수행한 역할에 관한 좀 더 자세한 분석은, id., *Impact of Napoleon*, 특히 pp. 285–91.

30   하우그비츠가 1806년 6월 15일 루케지니에게 보낸 서한, Simms, 'The Road to Jena,' p. 386에서 인용.

31   이러한 경쟁은 Simms, ibid에서 분석된다.

32   이 요약은 Ford, *Stein*, pp. 105–6에서 빌려왔다.

33   ibid., p. 106에서 인용.

34   하르덴베르크의 1806년 6월 18일 메모, Simms, 'The Road to Jena,' pp. 388–

9에서 인용.

35 Thomas Stamm - Kuhlmann, *König in Preussens grosser Zeit. Friedrich Wilhelm III., der Melancholiker auf dem Thron* (Berlin, 1992), pp. 229–31.

36 프리드리히 빌헬름 3세가 1806년 9월 26일 나움부르크에 있는 나폴레옹에게 보낸 서한, Leopold von Ranke (ed.), *Denkwürdigkeiten des Staatskanzlers Fürsten von Hardenberg* (5 vols., Leipzig, 1877), vol. 3, pp. 179–87.

37 나폴레옹이 1806년 10월 12일 프리드리히 빌헬름에게 보낸 서한, Eckart Klessmann (ed.), *Deutschland unter Napoleon in Augenzeugenberichten* (Munich, 1976), pp. 123–6.

38 군사력 증진과 프랑스의 역량과의 비교를 명쾌하게 논한 것으로, Dennis Showalter, 'Hubertusberg to Auerstät: The Prussian Army in Decline?,' *German History*, 12 (1994), pp. 308–33.

39 Michel Kérautret, 'Frédéic II et l'opinion françise (1800–870). La compéition posthume avec Napoléon,' *Francia*, 28/2 (2001), pp. 65–84, 여기서는 p. 69.

40 작센 장교 카를 하인리히 폰 아인지델(Karl Heinrich von Einsiedel)의 회고, Klessmann (ed.), *Deutschland unter Napoleon*, pp. 147–8에서 인용; Karl - Heinz Blaschke, 'Von Jena 1806 nach Wien 1815: Sachsen zwischen Preussen und Napoleon,' in Gerd Fesser and Reinhard Jonscher (eds.), *Umbruch im Schatten Napoleons. Die Schlachten von Jena und Auerstedt und ihre Folgen* (Jena, 1998), pp. 143–56.

10 / 관료들이 만든 세계

1 Lady Jackson, *The Diaries and Letters of Sir George Jackson from the Peace of Amiens to the Battle of Talavera* (2 vols., London, 1872), vol. 2, p. 53.

2 Frederick William III, 'Eigenhädiges Konzep. des Köigs zu dem Publicandum betr. Abstellung verschiedener Missbräuche bei der Armee, Ortelsburg,' 1 December 1806, GStA Berlin - Dahlem, HA VI, NL Friedrich Wilhelm III, Nr. 45/1, ff. 13–17.

3 Ibid., f. 17; 문서의 이 측면에 관해서는 Stamm - Kuhlmann, *König in Preussens grosser Zeit*, pp. 245–6에서 다룬다. 의무 불이행이 발견된 장교들에게 부과된 처벌에 대해서는 Craig, *Politics of the Prussian Army*, p. 42. 군대개혁에 왕이 개입한 것에 관한 전반적인 설명은, Alfred Herrmann, 'Friedrich Wilhelm III und sein Anteil an der Heeresreform bis 1813,' *Historische Vierteljahrsschrift*, 11 (1908), pp. 484–516.

4 Berdahl, *Politics of the Prussian Nobility*, pp. 107–8; Bernd Münchow - Pohl, *Zwischen Reform und Krieg. Untersuchungen zur Bewusstseinslage in Preussen 1809–1812* (Göttingen, 1987), pp. 94–131, 특히 pp. 108–9.

5 개혁이 패배가 프로이센에 미친 충격 때문인지 프로이센 고유의 개혁 전통

때문인지는 논쟁거리다. 논쟁의 개요는 다음을 참조하라. T. C. W. Blanning, 'The French Revolution and the Modernisation of Germany,' *Central European History*, 22 (1989), pp. 109–29; Paul Nolte, 'Preussische Reformen und preussische Geschichte: Kritik und Perspektiven der Forschung,' *FBPG*, 6 (1996), pp. 83–95. '트라우마 경험'으로서의 패배에 대해서는, Ludger Herrmann, 'Die Schlachten von Jena und Auerstedt und die Genese der politischen öffentlichkeit in Preussen,' in Fesser and Jonscher (eds.), *Umbruch im Schatten Napoleons*, pp. 39–52.

6   J. R. Seeley, *Life and Times of Stein, or Germany and Prussia in the Napoleonic Age* (3 vols., Cambridge, 1878), vol. 1, p. 32.

7   Stamm - Kuhlmann, *König in Preussens grosser Zeit*, p. 255에서 인용.

8   'Nicht dem Purpur, nicht der Krone/rämt er eitlen Vorzug ein./Er ist Büger auf dem Throne,/und sein Stolz ist's Mensch zu sein' (번역은 필자). 이 시에 관해서는, Thomas Stamm - Kuhlmann, 'War Friedrich Wilhelm III. von Preussen ein Bügerköig?', *Zeitschrift für Historische Forschung*, 16 (1989), pp. 441–60.

9   ibid에서 인용.

10   Joachim Bennewitz, 'Köigin Luise in Berlin,' *Berlinische Monatsschrift*, 7/2000, pp. 86–92에서 인용, 여기서는 p. 86, 온라인은 http://www.berlinischemonatsschrift.de/bms/bmstxt00/0007 gesa.htm; 2004년 3월 21일 마지막 접속.

11   Rudolf Speth, 'Köigin Luise von Preussen – deutscher Nationalmythos im 19. Jahrhundert,' in Sabine Berghahn and Sigrid Koch (eds.), *Mythos Diana – von der Princess of Wales zur Queen of Hearts* (Giessen, 1999), pp. 265–85.

12   Thomas Stamm - Kuhlmann, 'War Friedrich Wilhelm III. von Preussen ein Bürgerkönig?,' p. 453에서 인용.

13   Philip. Demandt, *Luisenkult. Die Unsterblichkeit der Königin von Preussen* (Cologne, 2003), p. 8을 보라.

14   Cited in Paul Bailleu, *Königin Luise. Ein Lebensbild* (Berlin, 1908), p. 258.

15   Stamm - Kuhlmann, *König in Preussens grosser Zeit*, p. 318.

16   Richard J. Evans, *Tales from the German Underworld* (New Haven, CT, 1998), pp. 31–5, 46. 이 무렵 형법개혁에 대해서는, Jürgen Regge, 'Das Reformprojekt eines "Allgemeinen Criminalrechts fur die preussischen Staaten" (1799–1806),' in Hans Hattenhauer and Götz Landwehr (eds.), *Das nachfriderizianische Preussen 1786–1806* (Heidelberg, 1988), pp. 189–233.

17   프리드리히 빌헬름을 인용한 것, Rudolf Stadelmann, *Preussens Könige in ihrer Tätigkeitfür die Landescultur* (4 vols., Leipzig, 1878–87, repr. Osnabrück, 1965), vol. 4, pp. 209–10, 213–14; 1800년 3월 15일 관리총국의 보고, Stamm - Kuhlmann, *König in Preussens grosser Zeit*, p. 156에서 인용.

18   Otto Hintze, 'Preussische Reformbestrebungen vor 1806,' *Historische Zeitschrift*, 76 (1896), pp. 413–43; Hartmut Harnisch, 'Die agrarpolitischen

Reformmassnahmen der preussischen Staatsführung in dem Jahrzehnt vor 1806–1807,' *Jahrbuch für Wirtschaftsgeschichte*, 1977/3, pp. 129–54.

19 Thomas Welskopp. 'Sattelzeitgenossen. Freiherr Karl vom Stein zwischen Bergbauverwaltung und gesellschaftlicher Reform in Preussen,' *Historische Zeitschrift*, 271/2 (2000), pp. 347–72.

20 1806년 이전 냉담하고 유동적인 하르덴베르크 외교정책에 관해서는, Reinhold Koser, 'Umschau auf dem Gebiete der brandenburg - preussischen Geschichtsforschung,' *FBPG*, 1 (1888), pp. 1–56, 여기서는 p. 50.

21 Hans Schneider, *Der preussische Staatsrat, 1817–1914. Ein Beitrag zur Verfassungsund Rechtsgeschichte Preussens* (Munich, 1952), pp. 21–2.

22 개혁이 프로이센 군주국의 관료화를 촉진했다는 주장은 Rosenberg, *Bureaucracy*, 곳곳에서. 관료제 개혁이 군주국의 권위를 약화시키기 위한 '제4의 신분제의회' 역할을 한 관료제의 조합주의적 시도를 대변한다는 로젠버그의 주장을 심스는 설득력 있게 비판했다(Simms in *Impact of Napoleon*, pp. 25, 306–12).

23 Ritter, *Stein*, pp. 145–55.

24 Ernst Rudolf Huber, *Heer und Staat in der deutschen Geschichte* (Heidelberg, 1938), pp. 115–23, 312–20.

25 Craig, *Politics of the Prussian Army*, p. 31; Simms, *Impact of Napoleon*, pp. 132, 323.

26 William O. Shanahan, *Prussian Military Reforms* (1786–1813) (New York, 1945), pp. 75–82; Craig, *Politics of the Prussian Army*, pp. 24, 28.

27 Craig, *Politics of the Prussian Army*, pp. 29–32. 프리드리히 빌헬름이 아들의 가정교사 요한 하인리히 폰 미누톨리 장군과 나눈 대화는 다음을 보라. Stamm - Kuhlmann, *König in Preussens grosser Zeit*, pp. 340–41. 군부개혁에 대한 왕의 지원에 관해서는, Seeley, *Stein*, vol. 2, p. 118.

28 Emil Karl Georg von Conrady, *Leben und Wirken des Generals Carl von Grolman* (3 vols., Berlin, 1894–6), vol. 1, pp. 159–62.

29 Huber, *Heer und Staat*, p. 128.

30 Showalter, 'Hubertusberg to Auerstät,' p. 315; Manfred Messerschmidt, 'Menschenfürung im preussischen Heer von der Reformzeit bis 1914,' in Militärgeschichtliches Forschungsamt (ed.), *Menschenführung im Heer* (Herford, 1982), pp. 81–112, 특히 pp. 84–5.

31 Peter Paret, 'The Genesis of On War,' and Michael Howard, 'The influence of Clausewitz,' in Carl von Clausewitz, *On War*, ed. and trans. Michael Howard and Peter Paret (London, 1993), pp. 3–28, 29–49.

32 Cited in Stadelmann, *Preussens Könige*, vol. 4, p. 327.

33 Hagen, *Ordinary Prussians*, p. 598.

34 농업 체계의 이 측면을 분명히 하는 데에, 나는 1750~1850년경 프로이센의 재정 역사에 관해 지금 박사학위 논문을 준비 중인 션 에디(Sean Eddie)에게 도움을

얻었다.

35 Karl Heinrich Kaufhold, 'Die preussische Gewerbepolitik im 19. Jahrhundert (bis zum Erlass der Gewerbeordnung für den norddeutschen Bund 1869) und ihre Spiegelung in der Geschichtsschreibung der bundesrepublik Deutschland,' in Bernd Söemann (ed.), *Gemeingeist und Bürgersinn. Die preussischen Reformen* (Berlin, 1993), pp. 137–60, 여기서는 p. 141.

36 Hagen, *Ordinary Prussians*, pp. 612, 614; Berdahl, *Politics of the Prussian Nobility*, p. 118.

37 Hartmut Harnisch, 'Vom Oktoberedikt des Jahres 1807 zur Deklaration von 1816. Problematik und Charakter der preussischen Agrarreformgesetzgebung zwischen 1807 und 1816,' *Jahrbuch für Wirtschaftsgeschichte* (Sonderband, 1978), pp. 231–93.

38 이 효과에 대한 당대의 논의를 조사한 것으로는, Georg Friedrich Knapp. *Die Bauernbefreiung und der Ursprung der Landarbeiter in den älteren Theilen Preussens* (2 vols., Leipzig, 1887), vol. 2, p. 213. 쉰의 경제적 자유주의에 관해서는, Berdahl, *Politics of the Prussian Nobility*, pp. 116–17.

39 레오폴트 폰 게를라흐의 1816년 5월 1일 일기, BA Potsdam, NL von Gerlach, 90 Ge 2, Bl. 9.

40 Ewald Frie, *Friedrich August Ludwig von der Marwitz, 1777-1837. Biographien eines Preussen* (Paderborn, 2001), 특히 pp. 333–41.

41 알텐슈타인이 리가의 하르덴베르크에게 보낸 1807년 9월 11일 메모, Clemens Menze, *Die Bildungsreform Wilhelm von Humboldts* (Hanover, 1975), p. 72.

42 Martina Bretz, 'Blick in Preussens Blüe: Wilhelm von Humboldt und die "Bildung der Nation",' in Bahners and Roellecke (eds.), *Preussische Stile*, pp. 235–48, 여기서는 p. 230; Tilman Borsche, *Wilhelm von Humboldt* (Munich, 1990), p. 26.

43 Borsche, *Humboldt*, p. 60.

44 Wilhelm von Humboldt, 'Der Köigsberger und der litauische Schulplan,' in Albert Leitzmann (ed.), *Gesammelte Schriften* (17 vols., Berlin, 1903–36), vol. 13, pp. 259–83, 여기서는 pp. 260–61.

45 Menze, *Bildungsreform*, pp. 320–21; Borsche, *Humboldt*, pp. 62–5.

46 Koselleck, *Preussen*, p. 194.

47 하르덴베르크의 1809년 3월 5일 메모, Ernst Klein, *Von der Reform zur Restauration. Finanzpolitik und Reformgesetzgebung des preussischen Staatskanzlers Karl August von Hardenberg* (Berlin, 1965), p. 23에서 인용.

48 Ilja Mieck, 'Die verschlungenen Wege der Stätereform in Preussen (1806–856),' in Bernd Sösemann (ed.), *Gemeingeist und Bürgersinn*, pp. 53–83, 특히 pp. 82–3.

49 Stefi Jersch - Wenzel, 'Legal Status and Emancipation,' in Michael A. Meyer and Michael Brenner (eds.), *German - Jewish History in Modern Times*, vol. 2, *Emancipation and Acculturation: 1780-1871* (New York, 1997), pp. 5–49,

여기서는 pp. 24-7.

50 훔볼트, 1809년 7월 17일의 보고서, in Ismar Freund (ed.), *Die Emanzipation der Juden in Preussen unter besonderer Berücksichtigung des Gesetzes vom 11. Marz 1812. Ein Beitrag zur Rechtsgeschichte der Juden in Preussen* (2 vols., Berlin, 1912), vol. 2, pp. 269-82, 여기서는 p. 276.

51 인용은, *Sulamith* in Bildarchiv preussischer Kulturbesitz (ed.), *Juden in Preussen. Ein Kapitel deutscher Geschichte* (Dortmund, 1981), p. 159.

52 Horst Fischer, *Judentum, Staat und Heer in Preussen im frühen 19. Jahrhundert. Zur Geschichte der staatlichen Judenpolitik* (Tübingen, 1968), pp. 28-9.

53 칙령의 원문은 아래에서 확인할 수 있다. Anton Doll, Hans - Josef Schmidt, Manfred Wilmanns, *Der Weg zur Gleichberechtigung der Juden* (= Veröffentlichungen der Landesarchivverwaltung Rheinland - Pfalz, 13, Coblenz, 1979), pp. 45-8.

54 추밀원 고문관 쾰러의 1809년 5월 13일 메모, Freund, Emanzipation der Juden in Preussen, vol. 2, pp. 251-2.

55 1780~1847년경에 사회적이고 행정적인 장기적 성격을 강조한 설명으로는 다음을 보라. Koselleck, *Preussen.* 개혁 시기 바이에른의 개혁에 대한 유사한 장기적 관점으로는, Walter Demel, *Der bayerische Staatsabsolutismus 1806/08- 1817. Staats - und Gesellschaftspolitische Motivationen und Hintergründe der Reformära in der ersten Phase des Königreichs Bayern* (München, 1983). 이 책은 강제적인 '개혁 절대주의' 아래에서 순응과 협의의 긴 시기를 다룬다. 이 질문과 관련한 역사서술적 논쟁을 다룬 것으로는, Paul Nolte, 'Vom Paradigma zur Peripherie der historischen Forschung? Geschichten der Verfassungspolitik in der Reformzeit,' in Stamm - Kuhlmann, 'Freier Gebrauch der Kräfte,' pp. 197-16.

56 관료조직 내부의 마찰과 불화를 중점적으로 다루는 문헌으로는, Barbara Vogel, *Allgemeine Gewerbefreiheit. Die Reformpolitik des preussischen Staatskanzlers Hardenberg (1810-1810)* (Göttingen, 1983), pp. 224-25, 그리고 곳곳에서.

57 테오도르 폰 쉰(Theodor von Schön)의 주석, Monika Wienfort, *Patrimonialgerichte in Preussen. Ländliche Gesellschaft und bürgerliches Recht 1770-1848/49* (Göttingen, 2001), p. 86에서 인용.

58 개혁을 저지하는 요소로서 농민들의 저항을 다룬 것으로는 Clemens Zimmermann, 'Preussische Agrarreformen in neuer Sicht,' in Söemann (ed.), *Gemeingeist und Bürgersinn*, pp. 128-36, 여기서는 p. 132.

59 Wienfort, *Patrimonialgerichte*, p. 92.

60 Manfred Botzenhart, 'Landgemeinde und staatsbürgerliche Gleichheit. Die auseinandersetzungen um eine allgemeine Kreis - und Gemeindeordnung während der preussischen Reformzeit,' in Söemann (ed.), *Gemeingeist und Bürgersinn*, pp. 85-105, 여기서는 pp. 99-100.

61 Wienfort, *Patrimonialgerichte*, p. 94.

62 Botzenhart, 'Landgemeinde und staatsbürgerliche Gleichheit,' pp. 104-5.

63   Cited in Klein, *Von der Reform zur Restauration*, pp. 34–52.

64   국가 재정과 관련한 칙령과 세금과 관련한 1810년 10월 27일의 새로운 조정, *Preussische Gesetzsammlung 1810*, p. 25.

65   이 대조에 관한 분석은, Paul Nolte, *Staatsbildung als Gesellschaftsreform. Politische Reform in Preussen und den süddeutschen Staaten 1800 bis 1820* (Frankfurt/Main), 1990, p. 124; Horst Moeller, *Fürstenstaat oder Bürgernation. Deutschland 1763–1815* (Berlin, 1998), pp. 620–21.

66   Hagen, *Ordinary Prussians*, pp. 595–6, 632; Helmut Bleiber, 'Die preussischen Agrarreformen in der Geschichtsschreibung der DDR,' in Söemann (ed.), *Gemeingeist und Bürgersinn*, pp. 109–25, 여기서는 p. 122. 해방 이후의 농민 조건에 대한 비슷하게 긍정적인 평가로는, Horst Mies, *Die preussische Verwaltung des Regierungsbezirks Marienwerder (1830–1870)* (Cologne, 1972), p. 109; Wehler, *Deutsche Gesellschaftsgeschichte*, vol. 1, pp. 409–28.

67   달성된 것의 한계에 관해서는, Menze, *Bildungsreform*, pp. 337–468. 프로이센의 기관이 모델 역할을 한 것에 관해서는 Hermann Lübbe, 'Wilhelm von Humboldts Bildungsziele im Wandel der Zeit,' in Bernfried Schlerath (ed.), *Wilhelm von Humboldt. Vortragszyklus zum 150. Todestag* (Berlin, 1986), pp. 241–58.

68   Stefan Hartmann, 'Die Bedeutung des Hardenbergschen Edikts von 1812 fü den Emanzipationsprozess der preussischen Juden im 19. Jahrhundert,' in Söemann, *Gemeingeist und Bürgersinn*, pp. 247–60.

69   세습재판소의 변화하는 기능을 분석한 빈포르트의 분석을 보라. *Patrimonialgerichte*, 곳곳에서.

70   Schneider, *Staatsrat*, pp. 47, 50; Paul Haake, 'Köig Friedrich Wilhelm III., Hardenberg und die preussische Verfassungsfrage,' *FBPG*, 26 (1913), pp. 523–73, 28 (1915), pp. 175–220, 29 (1916), pp. 305–69, 30 (1917), pp. 317–65, 32 (1919), pp. 109–80, 여기서는 29 (1916), pp. 305–10; id., 'Die Errichtung des preussischen Staatsrats im Mäz 1817,' *FBPG*, 27 (1914), pp. 247–65, 여기서는 pp. 247, 265.

71   Andrea Hofmeister - Hunger, *Pressepolitik*, pp. 195–209.

72   Hermann Granier, 'Ein Reformversuch des preussischen Kanzleistils im Jahre 1800,' *FBPG*, 15 (1902), pp. 168–80, 특히 pp. 169–70, 179–80.

73   특히 슈타인에 관해서는, Andrea Hofmeister, 'Presse und Staatsform in der Reformzeit,' in Heinz Duchhardt and Karl Tepp. (eds.), *Karl vom und zum Stein: Der Akteur, der Autor, seine Wirkungs - und Rezeptionsgeschichte* (Mainz, 2003), pp. 29–48.

74   Matthew Levinger, 'Hardenberg, Wittgenstein and the Constitutional Question in Prussia, 1815–22,' *German History*, 8 (1990), pp. 257–77.

1 1809년 4월 15일 베를린의 내무대신 도나에게 제출, Hermann Granier, *Berichte aus der Berliner Franzosenzeit 1807–1809* (Leipzig, 1913), p. 401.

2 Stamm - Kuhlmann, *König in Preussens grosser Zeit*, p. 299.

3 Münchow - Pohl, *Zwischen Reform und Krieg*, pp. 133–4.

4 프리드리히 빌헬름 3세의 1809년 6월 24일 친필 메모, Stamm - Kuhlmann, *König in Preussens grosser Zeit*, p. 302에서 인용.

5 이 사건에 관해서는, Münchow - Pohl, *Zwischen Reform und Krieg*, p. 139; Heinz Heitzer, *Insurrectionen zwischen Weser und Elbe. Volksbewegungen gegen die französische Fremdherrschaft im Königreich Westfalen (1806–1813)* (Berlin, 1959), pp. 158–60.

6 Münchow - Pohl, *Zwischen Reform und Krieg*, p. 140에서 인용.

7 아래의 분석은 대체로 Georg Bärsch, *Ferdinand von Schill's Zug und Tod im Jahre 1809. Zur Erinnerung an den Helden und die Kampfgenossen* (Berlin, [1860])에서 도출해낸 것이다.

8 Ibid., p. 25.

9 Klessmann (ed.), *Deutschland unter Napoleon*, p. 358.

10 1809년 5월 2일 경찰국장 그루너가 내무대신 도나에게 제출한 보고서, Stamm - Kuhlmann, *König in Preussens grosser Zeit*, p. 308.

11 Bärsch, *Schill*, pp. 55, 72, 74, 100–112. 실의 머리 처분에 관해서는, Wolfgang Menzel, *Germany from the Earliest Period with a Supplementary Chapter of Recent Events by Edgar Saltus*, trans. Mrs George Horrocks (4th edn, 3 vols., London, 1848–9; Germ. orig., Zurich, 1824–5), vol 3, p. 273.

12 1809년 5월 9일 폰 데오 골츠에게 내린 내각명령 Stamm - Kuhlmann, *König in Preussens grosser Zeit*, p. 309.

13 ibid., p. 306에서 인용.

14 1809년 10월 9일 블뤼허가 슈타르가르트에 있는 프리드리히 빌헬름에게 보낸 서한, Wilhelm Capelle, *Blüchers Briefe* (Leipzig, [1915]), pp. 32–3.

15 1811년 8월 8일 메모 전체 내용은, Georg Heinrich Pertz, *Das Leben des Generalfeldmarschalls General Grafen Neidhardt von Gneisenau* (5 vols., Berlin, 1864–9), vol. 2, pp. 108–42.

16 Heinrich von Kleist, 'Germanien an ihre Kinder' (1809–4; 필자의 번역), 주해와 함께 아래에 재수록되었다. Helmut Sembdner, 'Kleists Kriegslyrik in unbekannten Fassungen,' in id., *In Sachen Kleist. Beiträge zur Forschung* (3rd edn, Munich, 1994), pp. 88–98, 온라인은 http://www.textkritik.de/bka/dokumente/materialien/sembdnerkk.htm; 2004년 4월 21일 마지막 접속.

17 Friedrich Ludwig Jahn, *Die deutsche Turnkunst* (2nd edn, Berlin, 1847), pp. vii, 97.

18 Ibid., p. 97.

19 투르너(Turner) 유니폼의 평등주의적 성격에 대해서는, George L. Mosse, *The Nationalization of the Masses. Political Symbolism and Mass Movements in Germany from the Napoleonic Wars through the Third Reich* (Ithaca, NY, 1975), p. 28.

20 Simms, *Struggle for Mastery*, p. 95에서 인용.

21 Pertz, *Gneisenau*, vol. 2, pp. 121, 137.

22 프랑스-러시아 충돌의 배경에 관한 탁월한 종합은, Schroeder, *Transformation*, pp. 416-26.

23 이 인용 모두는 Münchow-Pohl, *Zwischen Reform und Krieg*, pp. 352-6.

24 옴프테다가 1812년 6월 26일 베를린의 뮌스터에게 보낸 서한, Friedrich von Ompteda, *Politischer Nachlass des hannoverschen Staats- und Cabinetts- Ministers Ludwig v. Ompteda aus den Jahren 1804 bis 1813* (5 vols., Jena, 1862-9), vol. 2, p. 281.

25 1812년 11월 12일 보고서 초안, Münchow-Pohl, *Zwischen Reform und Krieg*, pp. 373-4.

26 1825년 출간된 회고록에서 인용. Johann Theodor Schmidt, in Münchow-Pohl, *Zwischen Reform und Krieg*, p. 377.

27 쇤의 1821년 12월 21일 보고서, ibid., p. 378.

28 Stamm-Kuhlmann, *König in Preussens grosser Zeit*, p. 362.

29 프리드리히 빌헬름의 1812년 12월 28일 노트, ibid., pp. 362-4.

30 Wilhelm von Schramm, *Clausewitz. Leben und Werk* (Esslingen, 1977), pp. 401, 406-8.

31 요르크의 행위를 정당화하는 것이 가능한지에 대한 논쟁에 관해서는, Theodor Schiemann, 'Zur Wüdigung der Konvention von Tauroggen,' *Historische Zeitschrift*, 84 (1900), p. 231, 여기서는 p. 231. 요르크의 동기와 계획에 대한 상세 설명은, Peter Paret, *Yorck and the Era of Prussian Reform 1807-1815* (Princeton, NJ, 1966), 특히 pp. 192-4.

32 요르크가 프리드리히 빌헬름에게 1813년 1월 3일 보낸 서한. 전문은 Schiemann, 'Wüdigung,' pp. 229-2, 여기서는 p. 231.

33 Johann Gustav Droysen, *Das Leben des Feldmarschalls Grafen Yorck von Wartenburg* (3 vols., 7th edn, Berlin, 1875), vol. 1, pp. 209, 215, 226; Paret, *Yorck*, pp. 155-7.

34 요르크가 1813년 1월 13일 뷜로우에게 보낸 서한. Droysen, *Yorck von Wartenburg*, vol. 1, p. 426.

35 Ibid., pp. 426, 428-9, 434, 439-43.

36 Stamm-Kuhlmann, *König in Preussens grosser Zeit*, p. 369.

37 ibid., p. 371.

38 「나의 백성에게」전문을 온라인으로 볼 수 있다. http://www.davier.de/anmeinvolk.htm; 2004년 4월 5일 마지막 접속.

39   Stamm - Kuhlmann, *König in Preussens grosser Zeit*, p. 373.

40   Carl Euler, *Friedrich Ludwig Jahn. Sein Leben und Wirken* (Stuttgart, 1881),
     pp. 225, 262–80; Thomas Nipperdey, *Deutsche Geschichte, 1800–1860. Bürgerwelt
     und starker Staat*, (Munich, 1983), pp. 83–5; Eckart Klessmann (ed.), *Die
     Befreiungskriege in Augenzeugenberichten* (Düsseldorf, 1966), p. 41.

41   레오폴트 폰 게를라흐의 1813년(2/3월) 일기, 1813, Bundesarchiv Potsdam, 90 Ge
     6 Tagebuch Leopold von Gerlach, 1, fo. 42.

42   Schroeder, *Transformation*, p. 457.

43   여기서 논한 이 군사 작전의 단계에 대한 분석은, Michael V. Leggiere, *Napoleon
     and Berlin. The Franco - Prussian War in North Germany, 1813* (Norman, OK,
     2002), 특히 pp. 256–77.

44   Klessmann, *Befreiungskriege*, p. 168.

45   Etienne - Jacques - Joseph - Alexandre Macdonald, *Souvenirs du maréchal
     Macdonald, duc de Tarente* (Paris, 1892), cited in ibid., p. 173.

46   Leggiere, *Napoleon and Berlin*, p. 293.

47   Craig, *Politics of the Prussian Army*, pp. 64–5.

48   자세한 전투 분석은 다음을 참고했다. Peter Hofschroer, *1815. The Waterloo
     Campaign. Wellington, His German Allies and the Battles of Ligny and Quatre
     Bras* (London, 1999); id., *1815. The Waterloo Campaign. The German Victory:
     From Waterloo to the Fall of Napoleon* (London, 1999), 특히 pp. 116–29; David
     Hamilton - William, *Waterloo. New Perspectives. The Great Battle Reappraised*
     (London, 1993), pp. 332–53.

49   Hans - Wilhelm Möser, 'Commandement et problèmes de commandement dans
     l'armée prussienne de Basse - Rhénanie,' in Marcel Watelet and Pierre Courreur
     (eds.), *Waterloo. Lieu de Mémoire européenne: histoires et controverses (1815–2000)*
     (Louvain - la - Neuve, 2000), pp. 51–7.

50   Craig, *Politics of the Prussian Army*, p. 62에서 인용.

51   Dennis Showalter, 'Prussia's Army: Continuity and Change, 1713–1830,' in
     Dwyer (ed.), *Rise of Prussia*, pp. 234–5.

52   Hofschroer, *Waterloo Campaign. The German Victory*, pp. 59–60.

53   Leggiere, *Napoleon and Berlin*, p. 290.

54   Hagen Schulze, *Der Weg zum Nationalstaat. Die deutsche Nationalbewegung vom
     18. Jahrhundert bis zur Reichsgründung* (Munich, 1985), pp. 67–8; Ute Frevert, *Die
     kasernierte Nation. Militärdienst und Zivilgesellschaft in Deutschland* (Munich,
     2001), pp. 39–41.

55   Eugen Wolbe, *Geschichte der Juden in Berlin und in der Mark Brandenburg*
     (Berlin, 1937), p. 238.

56   Spiel, *Fanny von Arnstein*, p. 276.

57   철십자에 관해서는, Stamm - Kuhlmann, *König in Preussens grosser Zeit*, pp. 389–
     93.

58 Jean Quataert, *Staging Philanthropy. Patriotic Women and the National Imagination in Dynastic Germany* (Ann Arbor, MI, 2001), p. 30.

59 훈장 제정에 관한 문서의 텍스트를 다룬 것으로는, 'Preussische Order,' http://www.preussenweb.de/prorden.htm; 2006년 1월 10일 마지막 접속.

60 체조선수와 남성성에 관해서는, David A. McMillan, "'… die höhste und heiligste Pflicht…" Das Männlichkeitsideal der deutschen Turnbewegung, 1811-871,' in Thomas Kühne (ed.), *Männergeschichte, Geschlechtergeschichte* (Frankfurt/Main, 1996), pp. 88-100. 아른트에 관해서는, Karen Hagemann, 'Der "Büger" als Nationalkrieger. Entwüfe von Militär, Nation und Männlichkeit in der Zeit der Freiheitskriege,' in Karen Hagemann and Ralf Pröve (eds.), *Landsknechte, Soldatenfrauen und Nationalkrieger* (Frankfurt/Main, 1998), pp. 78-89.

61 이는 Karen Hagemann, 'Mänliche Muth und Teutsche Ehre': *Nation, Militä und Geschlecht zur Zeit der Antinapoleonischen Kriege Preussens (Paderborn, 2002)*의 주요한 논쟁적 주장 중 하나다. 군복무와 남성성에 관해서는, Frevert, *Die kasernierte Nation*, pp. 43-9; 여성의 참여에 대해서는, pp. 50-62.

62 T. A. H. Schmalz, *Berichtigung einer Stelle in der Bredow - Venturinischen Chronik vom Jahre 1808* (Berlin, 1815), p. 14. 이 팸플릿은 아래의 전기적 문헌의 오류를 교정하는 텍스트로 출간되었다. Bredow - Venturini almanac.

63 슈말츠에 관한 아티클로는, *Allgemeine Deutsche Biographie*, vol. 31 (Leipzig, 1890), pp. 624-7, 여기서는 p. 626

64 'Es ist kein Krieg, von dem die Kronen wissen;/Es ist ein Kreuzzug, s'ist ein heil'ger Krieg!,' from the poem 'Aufruf' (1813), in T. Köner, *Sämmtliche Werke*, ed. K. Streckfuss (3rd edn, Berlin, 1838), p. 21.

65 George Mosse, *Fallen Soldiers. Reshaping the Memory of the World Wars* (New York, Oxford, 1990), pp. 19-20.

66 Friedrich von Gentz, *Schriften von Friedrich von Gentz. Ein Denkmal*, ed. G. Schlesier (5 vols., Mannheim, 1838-40), vol. 3, pp. 39-40.

67 Nipperdey, *Deutsche Geschichte*, pp. 83-5.

68 조지 헨리 로즈가 1816년 1월 6일 베를린의 카슬레이에게 보낸 서한. PRO FO 64 101, fo. 8. '모든 국가 질서 안에서 일어난 소요'와 1815년 적대 행위가 끝난 후 정규군 안에서 일어난 불복종에 관해서는 카슬레이가 1815년 12월 28일 영국 블리클링에 있는 로즈에게 보낸 편지를 보라. PRO FO 64 100, fo. 241.

69 레오폴트 폰 게를라흐의 'Familiengeschichte'를 보라 (1850년대 레오폴트 폰 게를라흐가 썼고, 1859년 그가 세상을 뜨자 동생 루트비히가 이어서 작성했다), in Hans - Joachim Schoep. (ed.), *Aus den Jahren preussischer Not und Erneuerung. Tagebücher und Briefe der Gebrüder Gerlach und ihres Kreises 1805-1820* (Berlin, 1963), p. 95.

70 예를 들어 다음을 보라, Friedrich Keinemann, *Westfalen im Zeitalter der Restauration und der Juli - Revolution 1815-1833. Quellen zur Entwicklung der Wirtschaft, zur materiellen Lage der Bevölkerung und zum Erscheinungsbild der*

Volksstimmung (Münster, 1987), 특히 pp. 22–3, 31, 94, 95, 100, 273. 또 애국자 카를 하인리히 빌헬름 호프만이 에른스트 모리츠 아른트의 발의에 따라 집대성한 기념식에 대한 당대의 기사는 다음을 보라. Karl Heinrich Wilhelm Hoffmann, *Des Teutschen Volkes Feuriger Dank und Ehrentempel* (Offenbach, 1815).

71 1813~15년의 '세대 경험'을 기념하는 데에 이 그룹이 한 역할에 관해서는 Eckhard Trox, *Militärischer Konservatismus. Kriegervereine und 'Militärpartei' in Preussen zwischen 1815 und 1848/49* (Stuttgart, 1990), 특히 pp. 56–7.

72 *Vossische Zeitung*, no. 132 (5 June 1845), no. 147 (27 June 1847).

73 Theodor Fontane, *Meine Kinderjahre. Autobiographischer Roman* (Frankfurt/Main, 1983), pp. 126–30.

74 Schiemann, 'Wüdigung…,' p. 217.

75 전쟁 기억을 형성하는 데에 미친 지역성의 역할과 제1차 세계대전 후 기억화의 '국가적' 형식과 '지역적' 형식 차이의 상호관계에 대해서는 A. Prost, 'Méoires locales et méoires nationales. Les monuments de 1914–8 en France,' *Guerres Mondiales et Conflits Contemporains*, 42 (July 1992), pp. 42–50.

76 Fischer, *Judentum, Staat und Heer*, pp. 33, 38.

77 Moshe Zimmermann, *Hamburgischer Patriotismus und deutscher Nationalismus. Die Emanzipation der Juden in Hamburg 1830–1865* (Hamburg, 1979), p. 27; Frevert, *Die kasernierte Nation*, pp. 95–103.

78 예를 들어, *Der Orient*, 4 (1843), no. 47, 21 November 1843, pp. 371–2; ibid., no. 48, 28 November 1843, pp. 379, 387; ibid., no. 51, 19 December 1843, p. 403. *Allgemeine Zeitung des Judentums*과 *Aachener Zeitung, Vossische Zeitung* 같은 다른 자유주의적 저널의 반응에 관해서는 Fischer, *Judentum, Staat und Heer*, pp. 47–53.

79 Ziva Amishai-Maisels, 'Innenseiter, Aussenseiter: Moderne Jüische Küstler im Portrait,' in Andreas Nachama, Julius Schoeps, Edward von Voolen (eds.), *Jüdische Lebenswelten. Essays* (Frankfurt/Main, 1991), pp. 165–84, 여기서는 p. 166.

80 오펜하이머의 작업에 대해서는, I. Schorsch, 'Art as Social History: Moritz Oppenheimer and the German Jewish Vision of Emancipation,' in id., *From Text to Context. The Turn to History in Modern Judaism* (Hanover, NH, 1994), pp. 93–117.

81 Helmut Börsch-Supan and Lucius Griesebach (eds.), *Karl Friedrich Schinkel. Architektur, Malerei, Kunstgewerbe* (Berlin, 1981), p. 143.

82 Mosse, *Fallen Soldiers*, p. 20.

83 Börsch-Supan and Griesebach, *Schinkel*, p. 143.

84 Cited in Jost Hermand, 'Dashed Hopes: On the Painting of the Wars of Liberation', trans. J. D. Steakley, in S. Drescher, D. Sabean and A. Sharlin (eds.) *Political Symbolism in Modern Europe. Essays in Honor of George L. Mosse* (New

Brunswick, London, 1982), pp. 216-38; 여기서는 p. 224. 프리드리히와 아른트의 교신 가운데 이 구절은 마인츠 프로이센 왕립조사위원회의 수사에서 발각되어, 1821년경 아른트의 조사에서 범죄 증거로 제시되었다. Sommerhage, *Caspar David Friedrich. Zum Portrait des Malers als Romantiker* (Paderborn, Munich, Vienna, Zurich, 1993), p. 127.

85 Reinhart Koselleck, 'Kriegerdenkmale als Identitässtiftungen der überlebenden,' in Odo Marquard and Karlheinz Stierle (eds.), *Identität* (Munich, 1979), pp. 255-76, 여기서는 p. 269. 1822년 8월 30일 슈테게만에게 보낸 편지에서 인용한 것이다. 이어 다음과 같이 질문한다. "왕의 친구 전부 동상으로 만들면, 어디서 끝내야 하는가?"

86 예를 들어, Otto Dann, *Nation und Nationalismus in Deutschland 1770-1990* (Munich, 1993), pp. 86-7; Schulze, *Der Weg zum Nationalstaat*, pp. 63-5; Dieter Langewiesche, '"Fü Volk und Vaterland krätig zu wirken": Zur politischen und gesellschaftlichen Rolle der Turner zwischen 1811 und 1871,' in Ommo Grup. (ed.), *Kulturgut oder Körperkult? Sport und Sportwissenschaft im Wandel* (Tübingen, 1990), pp. 22-61; Dieter Düding, *Organisierter gesellschaftlicher Nationalismus in Deutschland (1808-1847). Bedeutung und Funktion der Turner- und Sängervereine für die deutsche Nationalbewegung* (Munich, 1984), pp. 85-6. 체조운동에 대한 나의 설명은 초기 국가주의운동에 관한 뒤딩의 탁월한 분석에 기대고 있다.

87 'Grundsäze und Beschlüse der Wartburgfeier, den studierenden Brüern auf anderen Hochschulen zur Annahme, dem gesamten Vaterlande zur Würdigung vorgelegt von den Studierenden in Jena,' Principles §3. 이 문서는 1817년 12월 예나의 역사가 하인리히 루덴의 제안으로 씌어졌다. 아래의 책에 전재되어 있다. H. Ehrentreich, 'Heinrich Luden und sein Einfluss auf die Burschenschaft,' in Herman Haup. (ed.), *Quellen und Darstellungen*, (17 vols., Heidelberg, 1910-40), vol. 4 (1913), pp. 48-129 (text on pp. 113-29, quotation from pp. 114, 117).

88 낭만주의와 '경험의 예술'(Erlebniskunst)의 등장에 관해서는, Josep. Leo Koerner, *Caspar David Friedrich and the Subject of Landscap.* (London, 1990), pp. 13, 109.

89 Nipperdey, *Deutsche Geschichte*, p. 280.

90 Dietmar Klenke, 'Nationalkriegerisches Gemeinschaftsideal als politische Religion. Zum Vereinsnationalismus derSänger, Schützen und Turner am Vorabend der Einigungskriege,' *Historische Zeitschrift*, 260 (1995), pp. 395-448.

91 브레슬라우의 레오폴트 폰 게를라흐의 1813년 2월 다이어리, Bundesarchiv Potsdam, 90 Ge 6 Tagebuch Leopold von Gerlach, 1, fo. 60.

92 슈타인이 1812년 12월 1일 뮌스터 백작(런던 주재 하노버 공사)에게 보낸 편지. John R. Seeley, *The Life and Times of Stein, or: Germany and Prussia in the Napoleonic Age* (3 vols., Cambridge, 1878), vol. 3, p. 17에서 인용.

93 예를 들어, Johann Gustav Droysen, *Vorlesungen über die Freiheitskriege* (Kiel,

1846); Heinrich Sybel, *Die Erhebung Europas gegen Napoleon I* (Munich, 1860). 다음도 함께 참조하라. Joachim Streisand, 'Wirkungen und Beurteilungen der Befreiungskriege,' in Fritz Straube (ed.), *Das Jahr 1813. Studien zur Geschichte und Wirkung der Befreiungskriege* (Berlin [East], 1963), pp. 235–51. 19세기 말에서 20세기 초에 프로이센 상징이 국가화되는 것에 관해서는, Demandt, Luisenkult, pp. 379–430; Svenja Goltermann, *Körper der Nation: Habitusformierung und die Politik des Turnens, 1860–1890* (Göttingen, 1998) 그리고 Rainer Lübbren, *Swinegel Uhland. Persönlichkeiten im Spiegel von Strassennamen* (Heiloo, 2001), pp. 32–41. 뤼브렌이 지적한 대로, 독일의 역사적 인물 가운데 실러를 제외하고는 프리드리히 루트비히 얀의 이름을 딴 거리가 가장 많다. Jürgen John, 'Jena 1806: Symboldatum der Geschichte des 19. und 20. Jahrhunderts,' in Fesser and Jonscher (eds.), *Umbruch im Schatten Napoleons*, pp. 177–95.

12 ╱ 역사를 통한 신의 행진

1   폴란드와 작센의 위기에 대해서는, Schroeder, *Transformation, pp. 523–38;* Stamm - Kuhlmann, *König in Preussens grosser Zeit*, pp. 399–401.

2   Michael Rowe, *From Reich to State. The Rhineland in the Revolutionary Age, 1780–1830* (Cambridge, 2003), p. 214.

3   Schroeder, *Transformation*, p. 544.

4   메테르니히가 1828년 3월 18일 트라우트만스도르프에게 보낸 서한, Lawrence J. Baack, *Christian Bernstorff and Prussia. Diplomacy and Reform Conservatism 1818–1832* (New Brunswick, NJ, 1980), p. 126.

5   Wehler, *Deutsche Gesellschaftsgeschichte*, vol. 2, pp. 125–39, 여기서는, p. 129.

6   Rolf Dumke, 'Tariffs and Market Structure: the German Zollverein as a Model for Economic Integration,' in W. Robert Lee (ed.), *German Industry and Industrialisation* (London, 1991), pp. 77–115, 여기서는 p. 84.

7   Wolfram Fischer, 'The German Zollverein. A Study in Customs Union,' *Kyklos*, 13 (1960), pp. 65–89; William O. Henderson, *The Zollverein* (London, 1968); W. Robert Lee, '"Relative Backwardness" and Long - run Development. Economic, Demographic and Social Changes,' in Philip G. Dwyer (ed.), *Modern Prussian History 1830–1947* (Harlow, 2001), pp. 61–87, 여기서는 pp. 81–3.

8   이 전통에 대한 전통적인 연구는, Helmut Böhme, *Deutschlands Weg zur Grossmacht* (Cologne, 1966), 특히 pp. 211–15; id., *Introduction to the Social and Economic History of Germany: Politics and Economic Change in the Nineteenth and Twentieth Centuries*, trans. and ed. W. Robert Lee (Oxford, 1978). 관세동맹이 프로이센 산업이 우위를 갖게 되어 프로이센이 다른 독일 국가를 지배하게 된 토대가 되었다는 것에 대한 더 최근의 논의로는 다음을 보라. Wehler, *Deutsche Gesellschaftsgeschichte*, vol. 2, pp. 134–5, vol. 3, pp. 288–9, 556.

9   최근 문헌을 포함해 관세동맹의 경제적 충격에 관한 수정주의적 분석으로는, Hans - Joachim Voth, 'The Prussian Zollverein and the Bid for Economic Superiority,' in Dwyer (ed.), *Modern Prussian History*, pp. 109–25.

10   Baack, *Christian Bernstorff*, p. 337.

11   1830년 위기에 관해서는, Robert D. Billinger Jr, *Metternich and the Germans. States' Rights and Federal Duties, 1820–34* (Newark, Del., 1991), pp. 50–109; Jürgen Angelow, *Von Wien nach Königgrätz. Die Sicherheitspolitik des deutschen Bundes im europäischen Gleichgewicht (1815–1866)* (Munich, 1996), pp. 97–106.

12   Johann Gustav Droysen, 'Zur Geschichte der preussischen Politik in den Jahren 1830–1832,' in id., *Abhandlungen zur neueren Geschichte*, pp. 3–131, 여기서는 p. 50.

13   루트비히 1세가 프리드리히 빌헬름에게 보낸 1831년 3월 17일 서한, Anton Chroust (ed.), *Gesandt schaftsberichte aus München 1814–1848, Abteilung III., Die Berichte der preussischen Gesandten* (5 vols., Munich, 1950) (= *Schriftenreihe zur bayerischen Landesgeschichte*, vol. 40), vol. 2, pp. 196–7, n. 1.

14   뮐르 폰 릴리엔슈테른이 프리드리히 빌헬름 3세에게 보낸 1831년 3월 21일 서한, Baack, *Christian Bernstorff*, pp. 271–2.

15   Ibid., pp. 284–94.

16   Robert D. Billinger, 'They Sing the Best Songs Badly: Metternich, Frederick William IV and the German Confederation during the War Scare of 1840–41,' in Heinrich Rumpler (ed.), *Deutscher Bund und Deutsche Frage 1815–1866* (Vienna, Munich, 1990), pp. 94–113; Angelow, *Von Wien nach Königgrätz*, pp. 114–25.

17   헤스가 베를린의 메테르니히에게 보낸 1841년 2월 5일 서한, Billinger, 'They Sing the Best Songs,' p. 103.

18   Ibid., 1841년 3월 4일, ibid., pp. 109–10에서 인용.

19   윌리엄 러셀이 베를린의 팔머스턴 자작에게 보낸 1839년 9월 18일 서한, Markus Mösslang, Sabine Freitag and Peter Wende (eds.), *British Envoys to Germany, 1816–1866* (3 vols., Cambridge, 2002–), vol. 2, 1830–1847, p. 180.

20   윌리엄 러셀이 베를린의 팔머스턴 자작에게 보낸 1837년 5월 3일 서한, ibid., p. 160.

21   프로이센 군주국을 절대주의 체제에 영구적으로 묶어두려는 시도에 차르가 개입한 것에 관해서는, Stamm - Kuhlmann, *König in Preussens grosser Zeit*, p. 557.

22   Winfried Baumgart, *Europäisches Konzert und nationale Bewegung 1830–1878* (= *Handbuch der Geschichte der Internationalen Beziehungen*, vol. 6, Paderborn, 1999), p. 243.

23   이 사건에 대한 나의 설명은 조지 윌리엄슨의 분석에 기대고 있다. George S. Williamson, 'What killed August von Kotzebue?,' *Journal of Modern History*, 72 (2000), pp. 890–943. 또 다음도 보라. Nipperdey, *Deutsche Geschichte*, pp. 281–2.

24   드 베테가 잔트의 어머니에게 보낸 1819년 3월 31일 서한, Matthew Levinger, *Enlightened Nationalism. The Transformation of Prussian Political Culture*

1808–1848 (Oxford, 2000), p. 142.

25 Edith Ennen, *Ernst Moritz Arndt 1769–1860* (Bonn, 1968), pp. 22–8; Karl Heinz Schäfer, *Ernst Moritz Arndt als politischer Publizist. Studien zur Publizistik, Pressepolitik und kollektivem Bewusstsein im frühen 19. Jahrhundert* (Bonn, 1974), pp. 143, 212–16.

26 Schoeps, *Not und Erneuerung*, pp. 35, 210–11.

27 Thomas Stamm - Kuhlmann, 'Restoration Prussia, 1786–848,' in Dwyer (ed.), *Modern Prussian History*, pp. 43–65; Levinger, *Enlightened Nationalism*, pp. 135–6; Eric Dorn Brose, *The Politics of Technological Change in Prussia. Out of the Shadow of Antiquity* (Princeton, NJ, 1993), pp. 53–6.

28 예를 들어 하르덴베르크가 비트겐슈타인에게 1819년 4월 4일에 보낸 서한, Hans Branig (ed.), *Briefwechsel des Fürsten Karl August v. Hardenberg mit dem Fürsten Wilhelm Ludwig von Sayn - Wittgenstein, 1806–1822* (= *Veröffentlichungen aus den Archiven Preussischer Kulturbesitz*, vol. 9) (Cologne, 1972), p. 248; Levinger, 'Hardenberg, Wittgenstein and the Constitutional Question'.

29 Levinger, *Enlightened Nationalism*, p. 151에서 인용.

30 Jonathan Sperber, *Rhineland Radicals. The Democratic Movement and the Revolution of 1848–1849* (Princeton, NJ, 1991), pp. 39–40.

31 Gustav Croon, *Der Rheinische Provinziallandtag bis zum Jahre 1874. Im Auftrage des Rheinischen Provinzialauschusses* (Düsseldorf, 1918, repr. Bonn, 1974), pp. 30–41.

32 Neugebauer, *Politischer Wandel*, p. 318.

33 Koselleck, *Preussen zwischen Reform und Revolution*; cf. for Bavaria, Demel, *Der bayerische Staatsabsolutismus 1806/08–1817*. 개혁의 역사에 대한 글들에 관해서는, Paul Nolte, 'Vom Paradigma zur Peripherie der historischen Forschung? Geschichten der Verfassungspolitik in der Reformzeit,' in Stamm - Kuhlmann, 'Freier Gebrauch der Kräte', pp. 197–216.

34 Jörg van Norden, *Kirche und Staat im preussischen Rheinland 1815–1838. Die Genese der Rheinisch - Westfälischen Kirchenordnung vom 5.3.1835* (Cologne, 1991).

35 Dirk Blasius, 'Der Kamp. um die Geschworenengerichte im Vormäz,' in Hans - Ulrich Wehler (ed.), *Sozialgeschichte heute. Festschrift für Hans Rosenberg zum 70. Geburtstag* (Göttingen, 1974); Christina von Hodenberg, *Die Partei der Unparteiischen.Der Liberalismus der preussischen Richterschaft 1815–1848/49* (Göttingen, 1996), p. 80.

36 Kenneth Barkin, 'Social Control and Volksschule in Vormäz Prussia,' *Central European History*, XVI (1983), pp. 31–52.

37 Horace Mann, *Report on an Educational Tour in Germany and Parts of Great Britain and Ireland* (London, 1846), p. 163.

38 Karl - Ernst Jeismann, *Das preussische Gymnasium in Staat und Gesellschaft* (2

vols., Stuttgart, 1996), vol. 2, pp. 114–5.

39 이는 Levinger, *Enlightened Nationalism*의 주요 주제 중 하나다.

40 1848년 이전의 프로이센 의회 정치에 관한 표준적인 저작은 여전히
헤르베르트 오베나우스의 포괄적인 연구다. Herbert Obenaus, *Anfänge
des Parlamentarismus in Preussen bis 1848* (Düsseldorf, 1984), pp. 202–9.;
Neugebauer, *Politischer Wandel*, pp. 312–17.

41 Neugebauer, *Politischer Wandel*, pp. 174, 179, 인용은 p. 390.

42 Ibid., pp. 390, 396–7, 399, 401, 404. 또 다음도 보라. Obenaus, *Anfänge*,
pp. 407–10, 583–94.

43 Neugebauer, *Politischer Wandel*, pp. 430–31.

44 Hagen, Germans, *Poles and Jews*, p. 79.

45 Thomas Serrier, *Entre Allemagne et Pologne. Nations et Identités Frontalières,
1848–1914* (Paris, 2002), 특히 pp. 37–51.

46 Georg W. Strobel, 'Die liberale deutsche Polenfreundschaft und die
Erneuerungsbewegung Deutschlands,' in Peter Ehlen (ed.), *Der polnische
Freiheitskamp. 1830/31* (Munich, 1982), pp. 31–47, 여기서는 p. 33.

47 언급한 것은 전부, Hagen, *Germans, Poles and Jews*, pp. 87–91; Irene Berger, *Die
preussische Verwaltung des Regierungsbezirks Bromberg (1815–1847)* (Cologne,
1966) p. 71.

48 Alfred Hartlieb von Wallthor, 'Die Eingliederung Westfalens in den preussischen
Staat,' in Peter Baumgart (ed.), *Expansion und Integration. Zur Eingliederung
neugewonnener Gebiete in den preussischen Staat* (Cologne, 1984), pp. 227–54,
여기서는 p. 251.

49 Croon, *Der Rheinische Provinziallandtag*, p. 116.

50 James M. Brophy, *Joining the Political Nation. Popular Culture and the Public
Sphere in the Rhineland, 1800–1850* (Cambridge, 2006). 이 책이 아직 출간되기
전 초고의 인용을 허락해준 브로피 박사에게 감사를 전한다.

51 Treitschke, *Deutsche Geschichte*, vol. 5, p. 141.

52 R. 스미스가 유대인 기독교 부흥을 위한 런던 협회 위원회에 보낸 1827년 12월
17일 편지, *The Jewish Expositor and Friend of Israel*, 13 (1828), p. 266.

53 F. Fischer, *Moritz August von Bethmann Hollweg und der Protestantismus* (Berlin,
1937), p. 70에서 언급.

54 Adalbert von der Recke, *Tagebuch für die Rettungsanstalt zu Düsselthal 1822–
1823*, Archiv der Graf - Recke - Stiftung Düsselthal 1822–3, fo. 8 (19 January
1822).

55 Ibid., fo. 29 (3 February 1822).

56 Gerlach, 'Das Köigreich Gottes,' *Evangelische Kirchenzeitung*, 68 (1861), cols.
438–54, 여기서는 cols. 438–9.

57 J. von Gerlach (ed.), *Ernst Ludwig von Gerlach. Aufzeichnungen aus seinem Leben
und Wirken 1795–1877* (Schwerin, 1903), pp. 132, 149–50.

58 Friedrich Wiegand, 'Eine Schwämerbewegung in Hinterpommern vor hundert Jahren,' *Deutsche Rundschau*, 189 (1921), pp. 323–36, 여기서는 p. 333.

59 Christopher Clark, 'The Napoleonic Moment in Prussian Church Policy,' in David Laven and Lucy Riall (eds.), *Napoleon's Legacy. Problems of Government in Restoration Europ.* (Oxford, 2000), pp. 217–35, 여기서는 p. 223; Christopher Clark, 'Confessional Policy and the Limits of State Action: Frederick William III and the Prussian Church Union 1817–1840,' *Historical Journal*, 39 (1996), pp. 985–1004.

60 예를 들어 다음을 보라. GStA Berlin - Dahlem, HA I Rep. 76 III, Sekt. 1, Abt. XIIIa, Nr. 5, vol. 1.

61 프로이센 연합교회와 정교협약의 비교 논의는, Clark, 'The Napoleonic Moment,' in Laven and Riall (eds.), *Napoleon's Legacy*, pp. 217–35.

62 Helga Franz - Duhme and Ursula Röper - Vogt (eds.), *Schinkels Vorstadtkirchen. Kirchenbau und Gemeindegründung unter Friedrich Wilhelm III. In Berlin* (Berlin, 1991), pp. 30–60.

63 Rulemann Friedrich Eylert, *Charakter - Züge und historische Fragmente aus dem Leben des Königs von Preussen Friedrich Wilhelm III* (3 vols., Magdeburg, 1844–6), vol. 3, p. 304.

64 프랑크푸르트(오데르) 정부가 로호에 보낸 서한, 1836년 6월 9일, 프랑크푸르트(오데르), GStA Berlin - Dahlem, HA I, Rep. 76 III, Sekt. I, Abt. XIIIa, Nr. 5, vol. 2, Bl. 207–8.

65 후스케, 슈테펜스, 겜플러, 폰 하우크비츠, 빌리시, 헬링, 슐라이허, 뮈잠, 케스트너, 마게, 보르네가 프리드리히 빌헬름 3세에게 보낸 1830년 6월 23일 서한, GStA Berlin - Dahlem, HA I, Rep. 76 III, Sekt. 15, Abt. XVII, Nr. 44, vol. 1. 이전 세대의 목사들을 참조하는 것은 루터파 청원서에서 공통적으로 나타났다.

66 *Neue Würzburger Zeitung*, 22 June 1838, 다음에 전재되어 있다. GStA Berlin - Dahlem, HA I, Rep. 76 III, Sekt. I, Abt. XIIIa, Nr. 5, vol. 2, Bl. 135.

67 Stamm - Kuhlmann, *König in Preussens grosser Zeit*, p. 544에서 인용.

68 Nils Freytag, *Aberglauben im 19. Jahrhundert. Preussen und die Rheinprovinz zwischen Tradition und Moderne (1815–1918)* (Berlin, 2003), pp. 117–18.

69 Christop. Weber, *Aufklärung und Orthodoxie am Mittelrhein 1820–1850* (Munich, 1973), pp. 46–7.

70 Freytag, *Aberglauben*, pp. 322–33.

71 Ibid., pp. 333–44.

72 쉔헤르에 관해서는, H. Olshausen, *Leben und Lehre des Königsberger Theosophen Johann Heinrich Schoenherr* (Königsberg, 1834).

73 디스텔 목사가 쾨니히스베르크 종교법정에 보낸 1835년 10월 15일 서한, GStA Berlin - Dahlem, HA I, Rep. 76 III, Sekt. 2, Abt. XVI, Nr. 4, vol. 1.

74 당대 언론 보도에 근거한 설명으로, Samuel Laing, *Notes of a Traveller on the Social and Political State of France, Prussia, Switzerland, Italy and Other Parts of*

Europ. during the Present Century (London, 1854), pp. 109–10.

75   쉔헤르-에벨 논쟁의 자세한 내용에 관해서는, GStA Berlin - Dahlem, HA I,
     Rep. 76 III, Sekt. 2, Abt. XVI, Nr. 4, vols. 1 and 2. 또 다음을 보라. P. Konschel, *Der
     Königsberger Religionsprozess gegen Ebel und Diestel* (Königsberg, 1909), 그리고
     Ernst Wilhelm Graf von Kanitz, *Aufklärung nach Actenquellen. über den 1835 bis
     1842 zu Königsberg in Preussen geführten Religionsprozess für Welt - und Kirchen -
     Geschichte* (Basel, 1862).

76   1816년 11월 28일 재무부의 권고, Freund, *Die Emanzipation der Juden*, vol. 2,
     pp. 475–96, 여기서는 pp. 482–3.

77   Fischer, *Judentum, Staat und Heer*, p. 95.

78   프리드리히 빌헬름 3세의 내각명령, 1824년 6월 14일, *Bildarchiv Preussischer
     Kulturbesitz, Juden in Preussen: Ein Kapitel deutscher Geschichte* (Dortmund,
     1981), p. 195; Nathan Samter, *Judentaufen im 19. Jahrhundert* (Berlin, 1906), p. 37.
     부르크 전반에 관해서는 그의 회고 최신판을 참조하라. Meno Burg, *Geschichte
     meines Dienstlebens. Erinnerungen eines jüdischen Majors der preussischen Armee*
     (Berlin, 1998).

79   이 정책에 관해서는, Christopher Clark, 'The Limits of the Confessional State:
     Conversions to Judaism in Prussia 1814–1843,' *Past & Present*, 147 (1995),
     pp. 159–79.

80   Clark, *Politics of Conversion*.

81   프리드리히 빌헬름 3세의 내각명령, 1821년 10월 18일 모든 교회 관리자에게
     보낸 공람에서, Evangelisches Zentralarchiv, Berlin, 9/37.

82   Friedrich Julius Stahl, *Der christliche Staat und sein Verhältniss zum Deismus
     und Judenthum. Eine durch die Verhandlungen des vereinigten landtages
     hervorgerufene Abhandlung* (Berlin, 1847), pp. 7, 27, 31–3. 연합 의회에서의
     논쟁에 관해서는, Wanda Kampmann, *Deutsche und Juden. Studien zur
     Geschichte des deutschen Judentums* (Heidelberg, 1963), pp. 189–205. 슈탈의 정치
     이론 일반에 관해서는 Willi Füsl, *Professor in der Politik. Friedrich Julius Stahl*
     (1802–1861) (Göttingen, 1988).

83   'Ulm, 12. September,' *Der Orient*, 3 (1842), pp. 342–3; 'Vorwäts in der
     Judenemancipation: Ein offenes Sendschreiben,' *Der Orient*, 4 (1843), p. 106;
     'Tüingen, im Februar,' *Der Orient*, 5 (1844), p. 68.

84   Heinrich, *Staat und Dynastie*, p. 316.

85   Thomas Stamm - Kuhlmann, 'Pommern 1815 bis 1875,' in Werner Buchholz (ed.),
     Deutsche Geschichte im Osten Europas: Pommern (Berlin, 1999), pp. 366–422,
     여기서는 p. 369; Ilja Mieck, 'Preussen von 1807 bis 1850. Reformen, Restauration
     und Revolution,' in Büch et al. (eds.), *Handbuch der preussischen Geschichte*, vol.
     2, pp. 3–292, 여기서는 pp. 104–6.

86   Karl Georg Faber, 'Die kommunale Selbstverwaltung in der Rheinprovinz im
     neunzehnten Jahrhundert,' *Rheinische Vierteljahrsblätter*, 30/1 (1965), pp. 132–51.

87   Manfred Jehle (ed.), *Die Juden und die jüdischen Gemeinden Preussens in amtlichen Enquêten des Vormärz* (4 vols., Munich, 1998), vol. 1, pp. 140–41.

88   베스트팔렌 개혁에 관해서는, Norbert Wex, *Staatliche Bürokratie und städtische Autonomie. Entstehung, Einführung und Rezeption des Revidierten Städteordnung von 1831 in Westfalen* (Paderborn, 1997).

89   Theodor Schieder, 'Partikularismus und nationales Bewusstsein im Denken des Vormärz,' in Werner Conze (ed.), *Staat und Gesellschaft im deutschen Vormärz 1815–1848* (Stuttgart, 1962), pp. 9–38, 여기서는 p. 20. 프로이센 국가의 '연방' 성격에 관해서는, Abigail Green, 'The Federal Alternative: A New View of Modern German History?' in *Historical Journal* (forthcoming); 출간 전 원고를 보여준 그린 박사에게 감사를 표한다.

90   Klaus Pabst, 'Die preussischen Wallonen – eine staatstreue Minderheit im Westen,' in Hans Henning Hahn and Peter Kunze (eds.), *Nationale Minderheiten und staatliche Minderheitenpolitik in Deutschland im 19. Jahrhundert* (Berlin, 1999), pp. 71–9.

91   Otto Friedrichs, *Das niedere Schulwesen im linksrheinischen Herzogtum Kleve 1614–1814. Ein Beitrag zur Regionalgeschichte der Elementarschulen in Brandenburg-Preussen* (Bielefeld, 2000). 쿠렌에 관해서는, Andreas Kossert, *Ostpreussen. Geschichte und Mythos* (Berlin, 2005), pp. 190–95.

92   Forstreuter, 'Die Anfäge der Sprachstatistik' in id., *Wirkungen*, pp. 313, 315, 316.

93   Kurt Forstreuter, *Die Deutsche Kulturpolitik im sogenannten Preussisch-Litauen* (Berlin, 1933), p. 341.

94   Samuel Laing, *Notes of a Traveller*, p. 67.

95   법을 언급하는 분리주의자들의 탄원서의 예들은 다음에 전재되어 있다. Johann Gottfried Scheibel, *Actenmässige Geschichte der neuesten Unternehmungen einer Union zwischen der reformirtes und der lutherischen Kirche vorzüglich durch gemeinschaftliche Agende in Deutschland und besonders in dem preussischen Staate* (2 vols., Leipzig, 1834), vol. 2, pp. 95–104, 106–7, 197–208, 211–12. 통일된 정체성의 핵심으로서 법에 관해서는, Koselleck, *Preussen Zwischen Reform und Revolution*, pp. 23–51.

96   'Hier bei uns im Preussenlande/Ist der Köig Herr;/Durch Gesetz und Ordnungsbande/Stänkert man nicht kreuz und quer.' 다음 문헌에서 인용. Brophy, *Joining the Political Nation*, chap. 2.

97   Rudolf Lange, *Der deutsche Schulgesang seit fünfzig Jahren. Ein Beitrag zur Schulbuchliteratur* (Berlin, 1867), pp. 50–51. 「프로이센의 노래」는 1945년 이후 서베를린에서 동프로이센 추방자들에게 유행했다. 그들이 노래한 프로이센은 프로이센 왕국이 아니라 사라진 발트해 연안의 동프로이센란트였지만 말이다.

98   Georg Wilhelm Friedrich Hegel, *Elements of the Philosophy of Right*, trans. H. B. Nisbet, ed. Allen W. Wood, §258, p. 279. 헤겔 국가 이론에 대한 나의 이해는 Gareth Stedman Jones의 미출간 원고 'Civilizing the People: Hegel'에 빚지고

있다; 출간 전에 이 원고를 보여준 스테드먼 존스 교수에게 감사를 표한다.

99 Ibid., §273, p. 312.

100 Georg Wilhelm Friedrich Hegel, *Die Philosophie des Rechts. Die Mitschriften Wannen mann (Heidelberg, 1817-1818) und Homeyer (Berlin 1818-1819)*, ed. K.-H. Ilting (Stuttgart, 1983), §70, p. 132.

101 Horst Althaus, *Hegel. An Intellectual Biography*, trans. Michael Tarsh (Oxford, 2000), p. 186에서 인용.

102 Gareth Stedman Jones의 Karl Marx and Friedrich Engels, *The Communist Manifesto* (London, 2002) 서문, pp. 74-82.

103 Althaus, *Hegel*, p. 159에서 인용.

104 헤겔주의가 좌파와 우파로 분할되는 것에 관해서는, John Edward Toews, *Hegelianism. The Path Toward Dialectical Humanism, 1805-1841* (Cambridge, 1985), pp. 71-140.

105 Althaus, *Hegel*, p. 161에서 인용.

106 George G. Iggers, *The German Conception of History. The National Tradition of Historical Thought from Herder to the Present* (Middletown, CT, 1968), pp. 82, 88-9.

107 Sheehan, *German History*, p. 568에서 인용.

13 / 정치적 혼란의 확산

1 Christopher Bayly, *The Birth of the Modern World 1780-1914* (Oxford, 2004), p. 147.

2 윌리엄 러셀이 팔머스턴에게 보낸 서한, 1840년 6월 18일 베를린, Mösslang, Freitag and Wende (eds.), *British Envoys, vol. 2, 1830-1847*, p. 184.

3 Walter Bussmann, *Zwischen Preussen und Deutschland. Friedrich Wilhelm IV. Eine Biographie* (Berlin, 1990), pp. 50-51, 94-6; Dirk Blasius, *Friedrich Wilhelm IV, 1795-1861. Psychopathologie und Geschichte* (Göttingen, 1992), pp. 14-17, 55; David E. Barclay, *Friedrich Wilhelm IV and the Prussian Monarchy 1840-1861* (Oxford, 1995), pp. 29-30, 32-5.

4 Bussmann, *Zwischen Preussen und Deutschland*, pp. 130-52.

5 Bärbel Holtz et al. (eds.), *Die Protokolle des preussischen Staatsministeriums, 1817-1943/38* (12 vols., Hildesheim, 1999-2004), vol. 3, *9. Juni 1840 bis 14. März 1848*, p. 15 (introduction by Holtz).

6 Robert Blake, 'The Origins of the Jerusalem Bishopric,' in Adolf M. Birke and Kurt Kluxen (eds.), *Kirche, Staat und Gesellschaft. Ein deutsch - englischer Vergleich* (Munich, 1984), pp. 87-97; Bussmann, *Friedrich Wilhelm*, pp. 153-73; Barclay, *Frederick William IV*, pp. 84-92.

7 Frank - Lothar Kroll, 'Monarchie und Gottesgnadentum in Preussen 1840-1861,'

in id, *Das geistige Preussen. Zur Ideengeschichte eines Staadtes* (Paderborn, 2001), pp. 55–74. 그리고 같은 책의 다음도 보라. 'Politische Romantik und Romantische Politik bei Friedrich Wilhelm IV,' pp. 75–86.

8   레오폴트 폰 게를라흐의 일기, 1842년 6월 3일 프랑크푸르트, Bundesarchiv Potsdam, 90 Ge 6 Tagebuch Leopold von Gerlach, Bd 1842–6, fo. 21.

9   Treitschke, *Deutsche Geschichte*, vol. 5, p. 138.

10   Neugebauer, *Politischer Wandel*, pp. 446–9.

11   Hagen, *Germans, Poles and Jews*, pp. 91–2.

12   Holtz et al. (eds.), *Protokolle*, vol. 3 (introduction), p. 17.

13   Treitschke, *Deutsche Geschichte*, vol. 5, pp. 154–6.

14   Barclay, *Friedrich Wilhelm IV*, pp. 54–5.

15   Obenaus, *Anfänge*, pp. 532–3; Neugebauer, *Politischer Wandel*, p. 450.

16   1808년 정치적 유언의 전문은, Heinrich Scheel and Doris Schmidt (eds.), *Das Reformministerium Stein. Akten zur Verfassungs - und Verwaltungsgeschichte aus den Jahren 1807/08* (3 vols., Berlin, 1966–8), vol. 3, pp. 1136–8.

17   Neugebauer, *Politischer Wandel*, pp. 257–8, 329, 372.

18   Theodor von Schön, *Woher und Wohin? oder der preussische Landtag im Jahre 1840. Ausschliesslich für den Verfasser, in wenigen Exemplaren abgedruckt* (Königsberg, 1840), Hans Fenske (ed.), *Vormärz und Revolution 1840–1848* (Darmstadt, 1976), pp. 34–40에 재수록, 여기서는 pp. 36–40. 왕이 쇤에게 1840년 12월 26일에 보낸 편지 전문은, Hans Rothfels, *Theodor von Schön, Friedrich Wilhelm IV und die Revolution von 1848* (Halle, 1937), pp. 213–8; commentary pp. 111–3.

19   쇤을 둘러싼 논쟁의 후속 설명은 기본적으로 다음을 참조했다. Treitschke, *Deutsche Geschichte*, vol. 5, pp. 158–67. 다음도 보라. Hans Rothfels, *Theodor von Schön, Friedrich Wilhelm IV und die Revolution von 1848* (Halle, 1937), pp. 107–23.

20   Sheehan, *German History*, p. 625.

21   Karl Obermann, 'Die Volksbewegung in Deutschland von 1844 bis 1846,' *Zeitschrift für Geschichte*, 5/3 (1957), pp. 503–25; James Sheehan, *German Liberalism in the Nineteenth Century* (Chicago, 1978), pp. 12–14.

22   Nipperdey, *Deutsche Geschichte*, p. 398; Dirk Blasius, 'Der Kamp. um das Geschworenengericht in Vormärz,' in Hans - Ulrich Wehler (ed.), *Sozialgeschichte heute. Festschrift für Hans Rosenberg* (Göttingen, 1974), pp. 148–61.

23   Sperber, *Rhineland Radicals*, p. 104.

24   Hagen, *Germans, Poles and Jews*, p. 93.

25   R. Arnold, 'Aufzeichnungen des Grafen Carl v. Voss - Buch üer das Berliner Politische Wochenblatt,' *Historische Zeitschrift*, 106 (1911), pp. 325–40, 특히 pp. 334–9; Berdahl, *Politics of the Prussian Nobility*, pp. 158–81, 246–63; Epstein, *German Conservatism*, p. 66; Fritz Valjavec, *Die Entstehung der politischen*

Strömungen in Deutschland, 1770–1815 (Munich, 1951), pp. 310, 322, 414.

26 Bärbel Holtz, 'Wider Ostrakismos und moderne Konstitutionstheorien.
Die preussische Regierung im Vormärz zur Verfassungsfrage,' in ead. and
Hartin Spenkuch (eds.), *Preussens Weg in die politische Moderne. Verfassung –
Verwaltung – politische Kultur zwischen Reform und Reformblockade* (Berlin,
2001), pp. 101–39; ead., 'Der vormärzliche Regierungsstil von Friedrich Wilhelm
IV.,' *FBPG*, 12 (2002), pp. 75–113.

27 레오폴트 폰 게를라흐의 일기, 1843년 10월 28, 29일, 상수시, Bundesarchiv
Potsdam, 90 Ge 6 Tagebuch Leopold von Gerlach, Bd 1842–6, fos. 98–101.

28 이 보고서는 다음에 전재되어 있다. Jehle (ed.), *Die Juden und die jüdischen
Gemeinden Preussens*, 특히 vol. 1, pp. 81 (Königsberg), 84–5 (Danzig),
97 (Gumbinnen), 118 (Marienwerder), 139 (Stettin), 147 (Köslin), 174 (Stralsund),
260 (Bromberg), 271 (Province of Silesia), 275 (Breslau), 283 (Liegnitz),
441 (Minden), 457 (Cologne), 477 (Düsseldorf), 497 (Coblenz). 완전한 해방을
요구한 쾰른 정부에 관해서는, p. 446. 정책 일반의 공동 결정자로서 지역
행정부의 역할에 대해서는, Berger, *Die preussische Verwaltung*, p. 260.

29 '⋯ Das von den Extremen unserer Zeit/Ein närisches Gemisch ist⋯' 하인리히
하이네의 풍자시 'Der neue Alexander,'에서 인용, Heinrich Heine, *Sämtliche
Schriften*, ed. Klaus Briegleb (6 vols., Munich, 1968–76), vol. 4, p. 458.

30 David Friedrich Strauss, *Der Romantiker auf dem Thron der Cäsaren, oder Julian
der Abtrünnige. Ein Vortrag* (Mannheim, 1847), 특히 p. 52.

31 이 달력에 대한 반응과 성격에 관해서는, Brophy, *Joining the Political Nation*,
chap. 1.

32 Freytag, *Aberglauben*, pp. 179–82.

33 Brophy, *Joining the Political Nation*; Ann Mary Townsend, *Forbidden Laughter.
Popular Humour and the Limits of Repression in Nineteenth-century Prussia* (Ann
Arbor, MI, 1992), pp. 24–5, 27, 48–9, 93, 137.

34 James M. Brophy, 'Carnival and Citizenship. the Politics of Carnival Culture
in the Prussian Rhineland, 1823–1848,' *Journal of Social History*, 30 (1997),
pp. 873–904; id., 'The Politicization of Traditional Festivals in Germany,
1815–1848,' in Karin Friedrich (ed.), *Festival Culture in Germany and Europ. from
the Sixteenth to the Twentieth Century* (Lampeter, 2000), pp. 73–106.

35 Sperber, *Rhineland Radicals*, pp. 98–100.

36 이 예는 Barclay, *Friedrich Wilhelm IV*, p. 113에 나온다.

37 Ibid., p. 118; Townsend, *Forbidden Laughter*, pp. 162–70.

38 Treitschke, *Deutsche Geschichte*, vol. 5, pp. 267–70.

39 'Hatt' wohl je ein Mensch so'n Pech/Wie der Bügermeister Tschech,/Dass er
diesen dicken Mann/Auf zwei Schritt nicht treffen kann!,' Brophy, Joining the
Political Nation, chap. 1. 체코 노래의 정치적 중요성에 관해서는, Treitschke,
Deutsche Geschichte, vol. 5, pp. 268–70.

40　Anon., 'Das Blutgericht (1844),' 페터스발다우와 랑겐빌라우의 직조공의 노래는 Lutz Kroneberg and Rolf Schloesser (eds.), *Weber-Revolte 1844. Der schlesische Weberaufstand im Spiegel der zeitgenössischen Publizistik und Literatur* (Cologne, 1979), pp. 469–72에 재수록되어 있다.

41　이 사건들에 대한 나의 설명은 대체로 아래 당대의 기록에 근거하고 있다. Wilhelm Wolff, 'Das Elend und der Aufruhr in Schlesien 1844,' 1844년 6월에 작성되어 같은 해 12월 *Deutsches Bürgerbuch für 1845*에 수록되어 출간되었다. 이 에세이는 Kroneberg and Schloesser (eds.), *Weber-Revolte*, pp. 241–64에 재수록되어 있다.

42　Sheehan, *German History*, p. 646에서 인용.

43　Wehler, *Deutsche Gesellschaftsgeschichte*, vol. 2, p. 288; Sperber, *Rhineland Radicals*, p. 35.

44　'Erfahrungen eines jungen Schweizers im Vogtlande,' in Bettina von Arnim, *Politische Schriften, ed. Wolfgang Bunzel* (Frankfurt Main, 1995), pp. 329–68, 그리고 pp. 1039–40.

45　Heinrich Grunholzer, Bettina von Arnim, *Dies Buch gehört dem König* (1843)의 부록, Kroneberg and Schloesser (eds.), Weber-Revolte, pp. 40–53에서 발췌. 그룬홀처의 이야기는 아르님이 의뢰한 것이다. 아르님은 직접 쓴 개요에서 개진한 주장을 뒷받침하기 위해 이 이야기를 이용했고, 왕이 프로이센 왕국에서 사회적 전망을 설정해야 한다고 탄원했다.

46　Friedrich Wilhelm Wolff, 'Die Kasematten von Breslau,' in Franz Mehring (ed.), *Gesammelte Schriften von Wilhelm Wolff* (Berlin, 1909), pp. 49–56.

47　Sheehan, *German History*, p. 645에서 인용.

48　Alexander Schneer, *über die Not der Leinen-Arbeiter in Schlesien und die Mittel ihr abzuhelfen* (Berlin, 1844).

49　바이에른에 관한 맬서스 이론을 옹호하는 논의로는, William Robert Lee, *Population Growth, Economic Development and Social Change in Bavaria 1750– 1850* (New York, 1977), p. 376.

50　Manfred Gailus, 'Food Riots in Germany in the Late 1840s,' *Past & Present*, 145 (1994), pp. 157–93, 여기서는 p. 163.

51　E. P. Thompson, 'The Moral Economy of the English Crowd in the Eighteenth Century,' *Past & Present*, 5 (1971), pp. 76–136; Hans-Gerhard Husung, *Protest und Repression im Vormärz* (Göttingen, 1983), pp. 244–7; Gailus, 'Food Riots,' pp. 159–60.

52　Hermann Beck, 'Conservatives and the Social Question in Nineteenth-century Prussia,' in Larry Eugene Jones and James Retallack (eds.), *Between Reform, Reaction and Resistance: Studies in the History of German Conservatism from 1789 to 1945* (Providence, RI, 1993), pp. 61–94; id., 'State and Society in pre-March Prussia: the Weavers' Uprising, the Bureaucracy and the Association for the Welfare of Workers,' *Central European History*, 25 (1992), pp. 303–31; id., *The*

Origins of the Authoritarian Welfare State in Prussia. Conservatives, Bureaucracy and the Social Question, 1815–70 (Ann Arbor, MI, 1995); Wolfgang Schwentker, 'Victor AiméHuber and the Emergence of Social Conservatism,' in Jones and Retallack (eds.), *Between Reform, Reaction and Resistance*, pp. 95–121.

53 Kroneberg and Schloesser (eds.), *Weber - Revolte*, pp. 24–5.

54 Karl Marx, 'Kritische Randglossen zu dem Artikel "Der Köig von Preussen und die Sozialreform",' *Vorwärts!*, 10 August 1844, Kroneberg and Schloesser (eds.), *Weber - Revolte*, pp. 227–8에서 발췌.

55 국가부채법, 프로이센 재정상 필요, 헌법개혁 사이의 연결고리에 관해서는, Niall Ferguson, *The World's Banker. The History of the House of Rothschild* (London, 1998), p. 133.

56 Brose, *Technological Change in Prussia*, pp. 223–4, 235–9; Barclay, *Friedrich Wilhelm IV*, p. 120.

57 Geoffrey Wawro, *The Austro - Prussian War. Austria's War with Prussia and Italy in 1866* (Cambridge, 1996), p. 31.

58 [Agnes von Gerlach] (ed.), *Denkwürdigkeiten aus dem Leben Leopold von Gerlachs, nach seinen Aufzeichnungen* (2 vols., Berlin, 1891–2), vol. 1, p. 99. 다음도 보라. Berdahl, *Politics of the Prussian Nobility*, pp. 324–5.

59 Obenaus, *Anfänge*, pp. 556–63; Friedrich Keinemann, *Preussen auf dem Wege zur Revolution: Die Provinziallandtags - und Verfassungspolitik Friedrich Wilhelms IV. Von der Thronbesteigung bis zum Erlass des Patents vom 3. Februar 1847. Ein Beitrag zur Vorgeschichte der Revolution von 1848* (Hamm, 1975), pp. 45–51; Barclay, *Friedrich Wilhelm IV*, p. 121; Berdahl, *Politics of the Prussian Nobility*, pp. 325–6.

60 Wehler, *Deutsche Gesellschaftsgeschichte*, vol. 2, p. 615. 철로 건설의 정치에 대해서는, Brose, *Technological Change in Prussia*, chap. 7.

61 Simms, *Struggle for Mastery*, pp. 169–70.

62 Eduard Bleich (ed.), *Der erste vereinigte Landtag in Berlin 1847* (4 vols., Berlin, 1847, repr. Vaduz - Liechtenstein, 1977), vol. 1, pp. 3–10.

63 Berdahl, *Politics of the Prussian Nobility*, p. 336.

64 연설문은, Bleich (ed.), *Der erste vereinigte Landtag*, vol. 1, pp. 22, 25–6.

65 Obenaus, *Anfänge*, pp. 704–5; Ernst Rudolf Huber, *Deutsche erfassungsgeschichte seit 1789* (7 vols., Stuttgart, 1957–82), vol. 2, *Der Kamp. um Einheit und Freiheit. 1830 bis 1850*, p. 494.

66 1840년대에 '보수적'이라는 용어 사용에 대해서는, Rudolf Vierhaus, 'Konservatismus,' in Otto Brunner, Werner Conze, Reinhard Koselleck (eds.), *Geschichtliche Grundbegriffe. Historisches Lexikon zu politisch - sozialer Sprache in Deutschland* (Stuttgart, 1972), pp. 531–65, 특히 pp. 540–51; Alfred von Martin, 'Weltanschauliche Motive im altkonservativen Denken,' in Gerd - Klaus Kaltenbrunner, *Rekonstruktion des Konservatismus* (Freiburg, 1972), pp. 139–80.

67 Gerlach, *Denkwürdigkeiten*, vol. 1, p. 118.

68 1836년 6월 22일, 1836년 1월 21일, 1837년 6월 17일, 1839년 11월 14일 일기. Karl Varnhagen von Ense, *Aus dem Nachlass Varnhagen's von Ense. Tagebücher von K. A. Varnhagen von Ense* (14 vols., Leipzig, 1861–70), vol. 1 (1861), pp. 5, 34–5, 151–3, 384–5.

69 1837년 8월 27일 자 일기, in ibid., pp. 58–9.

70 Freytag, *Aberglauben*, pp. 151–2.

71 프리드리히 엥겔스가 빌헬름 그레버에게 1839년 11월 13일에 보낸 서한, *Marx and Engels Collected Works* (50 vols., London, 1975–2004), vol. 2, pp. 476–81, 여기서는 p. 481.

72 엥겔스는 그레버에게 보낸 1839년 10월 29일 자 서한에서 이 실천에 관해서는 논의한다. ibid., p. 476.

73 Brophy, *Joining the Political Nation*; id., 'Violence between Civilians and State Authorities in the Prussian Rhineland, 1830–1848,' *German History*, 22 (2004), pp. 1–35.

74 Alf Lüdtke, *Police and State in Prussia 1815–1850*, trans. Pete Burgess (Cambridge, 1989), pp. 72, 73.

75 Evans, *Rituals of Retribution*, pp. 228–9.

76 Simms, *Struggle for Mastery*, p. 199에서 인용.

14 / 프로이센 혁명의 찬란함과 비참함

1 *Vossische Zeitung (Extrablatt)*, 28 February 1848, http://www.zlb.de/projekte/1848/vorgeschichte — image.htm; 2004년 6월 11일 마지막 접속.

2 Karl August Varnhagen von Ense, 'Darstellung des Jahres 1848' (written in the autumn of 1848), in Konrad Feilchenfeld (ed.), *Karl August Varnhagen von Ense. Tageblätter* (5 vols., Frankfurt/Main, 1994), vol. 4, *Biographien, Aufsätze, Skizzen, Fragmente*, pp. 685–734, 여기서는 p. 724.

3 Wolfram Siemann, 'Public Meeting Democracy in 1848,' in Dieter Dowe, Heinz-Gerhard Haupt, Dieter Langewiesche and Jonathan Sperber (eds.), *Europ. in 1848. Revolution and Reform* (New York, 2001), pp. 767–76; Schulze, *Der Weg zum Nationalstaat*, pp. 3–48; 베를린의 3월에 관해서는 슐체의 호소력 있는 초기 혁명 연대기에 빚지고 있다.

4 Alessandro Manzoni, *The Betrothed*, trans. Archibald Colquhoun (orig. 1827, London, 1956), pp. 188–9.

5 3월 15일 궁성 광장에서 있은 사건에 관해서는, Karl Ludwig von Prittwitz, *Berlin 1848. Das Erinnerungswerk des Generalleutnants Karl Ludwig von Prittwitz und andere Quellen zur Berliner Märzrevolution und zur Geschichte Preussens um die Mitte des 19. Jahrhunderts*, ed. Gerd Heinrich (Berlin, 1985), pp. 71–3.

986

6   카를 아우구스트 파른하겐 폰 엔제의 1848년 3월 15일 자 일기, Feilchenfeld
        (ed.), Varnhagen von Ense, vol. 5, *Tageblätter*, pp. 429–30.

7   Prittwitz, *Berlin 1848*, p. 116.

8   ibid., p. 120에서 인용.

9   Ibid., pp. 129–30.

10   Varnhagen, *Tageblätter*, 18 March 1848, p. 433.

11   Prittwitz, *Berlin 1848*, p. 174에서 인용.

12   Ibid., p. 232.

13   연설문은, ibid., p. 259.

14   베를린 철수에서 군부와 프리드리히 빌헬름 4세의 역할에 관한 다양한
        설명으로는, Felix Rachfahl, *Deutschland, König Friedrich Wilhelm IV. und
        die Berliner Märzrevolution von 1848* (Halle, 1901); Friedrich Thimme, 'Köig
        Friedrich Wilhelm IV., General von Prittwitz und die Berliner Märzrevolution,'
        FBPG, 16 (1903), pp. 201–38; Friedrich Meinecke, 'Friedrich Wilhelm IV. und
        Deutschland,' *Historische Zeitschrift*, 89 (1902), pp. 17–53, 여기서는 pp. 47–9.

15   Heinrich, *Geschichte Preussens*, p. 364.

16   David Blackbourn, *History of Germany 780–1918. The Long Nineteenth Century*
        (2nd edn, Oxford, 2003), p. 107.

17   Ralf Rogge, 'Umriss des Revolutionsgeschehens 1848/49 in Solingen,' in Wilfried
        Reininghaus (ed.), *Die Revolution 1848/49 in Westfalen und Lipp.* (Münster, 1999),
        pp. 319–44, 여기서는 pp. 322–3.

18   Manfred Beine, 'Sozialer protest und kurzzeitige Politisierung,' in Reininghaus
        (ed.), *Die Revolution*, pp. 171–215, 여기서는 p. 172.

19   Theodore S. Hamerow, *Restoration, Revolution, Reaction. Economics and Politics
        in Germany 1815–1871* (Princeton, NJ, 1958), pp. 103–6.

20   Christof Dipper, 'Rural Revolutionary Movements. Germany, France, Italy,' in
        Dowe et al., (eds.), *Europ. in 1848*, pp. 416–42, 여기서는 p. 421.

21   Manfred Gailus, 'The Revolution of 1848 as Politics of the Streets,' in Dowe et al.,
        (eds.), *Europ. in 1848*, pp. 778–96, 여기서는 p. 781.

22   베를린 시장 크라우스니크의 목격자 보고, Prittwitz, Berlin 1848, pp. 229–
        30에서 인용; Barclay, *Friedrich Wilhelm IV*, p. 145.

23   왕의 베를린 행진에 관한 묘사는, Karl Haenchen (ed.), *Revolutionsbriefe
        1848: Ungedrucktes aus dem Nachlass König Friedrich Wilhelms IV. von
        Preussen* (Leipzig, 1930), pp. 53–53 (August von Schöler의 설명); Adolf Wolff,
        *Revolutions-Chronik. Darstellung der Berliner Bewegungen im Jahre 1848 nach
        politischen, sozialen und literarischen Beziehungen* (3 vols., Berlin, 1851, 1852,
        1854), vol. 1, pp. 294–9.

24   Prittwitz, *Berlin 1848*, pp. 440–41에서 인용.

25   Otto von Bismarck, *Gedanken und Erinnerungen* (Stuttgart and Berlin, 1928),
        p. 58.

26 이 시기 군부의 음모에 대해서는, Manfred Kliem, *Genesis der Führungskräfte der feudal - militaristischen Konterrevolution 1848 in Preussen* (Berlin, 1966).

27 국민의회에 관해서는, Hans Mähl, *Die überleitung Preussens in das konstitutionelle System durch den zweiten Vereinigten Landtag* (Munich, 1909), pp. 123–227; Wolfram Siemann, *Die deutsche Revolution von 1848/49* (Frankfurt/ Main, 1985), p. 87; Manfred Botzenhart, *Deutscher Parlamentarismus in der Revolutionszeit 1848–1850* (Düsseldorf, 1977), pp. 132–41, 441–53.

28 프리드리히 빌헬름 4세가 내무부에 보낸 서한, 1848년 6월 4일, Erich Brandenburg (ed.), *König Friedrich Wilhelms IV. Briefwechsel mit Ludolf Camphausen* (Berlin, 1906), pp. 144–7.

29 Barclay, *Friedrich Wilhelm IV*, p. 164.

30 Rüdiger Hachtmann, *Berlin 1848. Eine Politik - und Gesellschaftsgeschichte der Revolution* (Bonn, 1997), pp. 561–6, 인용은, p. 562.

31 Botzenhart, *Parlamentarismus*, pp. 538–41; Huber, *Verfassungsgeschichte* (8 vols., Stuttgart, 1957–90), vol. 2, pp. 730–32.

32 게를라흐가 브란젠부르크에게 보낸 1848년 11월 2일 서한, Barclay, *Friedrich Wilhelm IV*, p. 179에서 인용.

33 Hachtmann, *Berlin 1848*, pp. 749–52; Botzenhart, *Parlamentarismus*, pp. 545–50; Barclay, *Friedrich Wilhelm IV*, pp. 179–81; Sabrina Müller, *Soldaten in den deutschen Revolutionen von 1848/49* (Paderborn, 1999), p. 299.

34 Sperber, *Rhineland Radicals*, pp. 314–36.

35 Reinhard Vogelsang, 'Minden - Ravensberg im Vormäz und in der Revolution von 1848/49; in Reininghaus (ed.), *Die Revolution*, pp. 141–69, 여기서는 p. 154.

36 Sperber, *Rhineland Radicals*, pp. 360–86.

37 Barclay, *Friedrich Wilhelm IV*, 특히 138–84; Bussmann, *Friedrich Wilhelm IV*, 여러 곳에서; cf. Blasius, *Friedrich Wilhelm IV*.

38 Wolfgang Schwentker, *Konservative Vereine und Revolution in Preussen, 1848/49. Die Konstituierung des Konservativismus als Partei* (Düsseldorf, 1988), pp. 142, 156–74, 176, 336–8.

39 Trox, *Militärischer Konservativismus*, pp. 207–9.

40 Müller, *Soldaten in der deutschen Revolution*, pp. 124 and 곳곳에서.

41 Trox, *Militärischer Konservativismus*, pp. 162–4 and 곳곳에서.

42 Müller, *Soldaten in der deutschen Revolution*, pp. 81, 83, 85, 299, 300.

43 Albert Förderer, *Erinnerungen aus Rastatt 1849* (Lahr, 1899), p. 104, 아래에서 인용. Müller, *Soldaten in der deutschen Revolution*, p. 310.

44 '자유주의적 지정학'에 관한 프로이센의 몰두에 대해서는, Simms, *Struggle for Mastery*, pp. 168–94; Harald Müller, 'Zu den aussenpolitischen Zielvorstellungen der gemäsigten Liberalen am Vorabend und im Verlauf der bürgerlich - demokratischen Revolution von 1848/49 am Beispiel der "Deutschen Zeitung",' in Helmut Bleiber (ed.), *Bourgeoisie und bürgerliche Umwälzung in Deutschland,*

1789-1871 (Berlin, 1977), pp. 229–66, 인용은 p. 233, n. 25; id., 'Der Blick üer die deutschen Grenzen. Zu den Forderungen der bürgerlichen Opposition in Preussen nach aussenpolitischer Einflussnahme am Vorabend und während des ersten preussischen vereinigten Landtags von 1847,' *Jahrbuch für Geschichte*, 32 (1985), pp. 203–38.

45   Text in Wilhelm Angerstein, *Die Berliner Märzereignisse im Jahre 1848* (Leipzig, 1865), p. 65.

46   프리드리히 빌헬름, 내각명령, 1848년 3월 21일, Prittwitz, *Berlin 1848*, p. 392에 전재. 베를린 행진에 대한 자세한 묘사는, Schulze, *Der Weg zum Nationalstaat*, p. 47.

47   Frederick William IV, 'An Mein Volk und an die deutsche Nation,' Prittwitz, *Berlin 1848*, p. 392에 전재.

48   성당 축하연에 대한 상세한 설명은, Thomas Parent, *Die Hohenzollern in Köln* (Cologne, 1981), pp. 50–61.

49   프리드리히 빌헬름 4세가 메테르니히에게 보낸 서한, 1842년 3월 7일, Barclay, *Friedrich Wilhelm IV*, p. 188.

50   프리드리히 빌헬름 4세가 프리드리히 크리스토프 달만에게 보낸 서한, 1848년 4월 24일, Anton Springer, *Friedrich Christop. Dahlmann* (2 vols., Leipzig, 1870, 1872), vol. 2, pp. 226–8.

51   프리드리히 빌헬름 4세가 슈톨베르크에게 보낸 서한, 1848년 5월 3일, Otto Graf zu Stolberg - Wernigerode, *Anton Graf zu Stolberg - Wernigerode: Ein Freund und Ratgeber König Friedrich Wilhelms IV.* (Munich, 1926), p. 117.

52   프리드리히 빌헬름 4세가 작센의 프리드리히 아우구스투스 2세에게 보낸 서한, 1848년 5월 5일, Hellmut Kretzschmar, 'Köig Friedrich Wilhelms IV. Briefe an Köig Friedrich August II. von Sachsen,' *Preussische Jahrbücher*, 227 (1932), pp. 28–50, 142–53, 245–63, 여기서는 p. 46; Barclay, *Friedrich Wilhelm IV*, p. 190.

53   Baumgart, *Europäisches Konzert, pp. 324–5*; Werner Mosse, *The European Powers and the German Question, 1848–1871: with special Reference to England and Russia* (Cambridge, 1958), pp. 18–19.

54   Bussmann, *Friedrich Wilhelm IV*, p. 289에서 인용.

55   Roy A. Austensen, 'The Making of Austria's Prussian Policy, 1848–1851,' *Historical Journal*, 27 (1984), pp. 861–76, 여기서는 p. 872.

56   Karl Marx and Friedrich Engels, 'Review: May - ctober 1850,' *Neue Rheinische Zeitung. Politisch - ökonomische Revue* (London, 1 November 1850), 온라인에서 열람 가능하다. http://www.marxists.org/archive/marx/works/1850/11/01.htm; 2004년 6월 23일 마지막 접속.

57   Ibid.

58   Heinrich von Sybel, *Die Begrüding des Deutschen Reiches durch Wilhelm I.* (6 vols., 3rd pop. edn, Munich and Berlin, 1913), vol. 2, pp. 48–9.

59   Bismarck, *Gedanken und Erinnerungen*, p. 95.

60 Felix Gilbert, *Johann Gustav Droysen und die preussisch - deutsche Frage* (Munich and Berlin, 1931), p. 122에서 인용.

61 Johann Gustav Droysen, 'Zur Charakteristik der europäschen Krisis,' Minerva (1854), reprinted in id., *Politische Schriften*, ed. Felix Gilbert (Munich and Berlin, 1933), pp. 302–42, 여기서는 p. 341. '전진'이라는 단어는 '전진 원수'라고 격정적으로 알려진 블뤼허를 참조한 것이다.

62 이 시기 동안의 투표 패턴 분석을 포함한 프로이센의 3계급 선거권의 시행에 관해서는, Thomas Kühne, *Handbuch der Wahlen zum preussischen Abgeordnetenhaus 1867–1918. Wahlergebnisse, Wahlbündnisse und Wahlkandidaten* (Düsseldorf, 1994).

63 Eberhard Naujoks, *Die parlamentarische Entstehung des Reichspressegesetzes in der Bismarckzeit (1848/74)* (Düsseldorf, 1975); Wolfram Siemann, *Gesellschaft im Aufbruch 1849–1871* (Frankfurt/Main, 1990), pp. 42, 65–7.

64 Cf. G. R. Elton, *The Tudor Revolution in Government. Administrative Changes in the Reign of Henry VIII* (Cambridge, 1969). 이 책은 매우 다른 주제를 다루지만 "좋은 정부에 대한 필요가 자유로운 정부의 요구를 능가한 시기"와 "질서와 평화가 원칙과 권리보다 더 중요해 보이는 시기"(p. 1), 그리고 "통제된 격변" 과정에서의 행정 혁신을 다룬다.(p. 427)

65 유럽 전역의 헌법 혁신에 대한 유용한 비교 연구로는, Martin Kisch and Pierangelo Schiera (eds.), *Verfassungswandel um 1848 im europäischen Vergleich* (Berlin, 2001); 특히 키시의 인트로덕션을 보라. Kisch, 'Verfassungswandel um 1848 – Aspekte der Rezeption und des Vergleichs zwischen den europäischen Staaten,' pp. 31–2.

66 Barclay, *Friedrich Wilhelm IV*, p. 183.

67 H. Wegge, *Die Stellung der Öffentlichkeit zur oktroyierten Verfassung und die preussische Parteibildung 1848/49* (Berlin, 1932), pp. 45–8; 인용은 p. 48.

68 Barclay, *Friedrich Wilhem IV*, p. 221.

69 Günther Grünthal, *Parlamentarismus in Preussen 1848/49–1857/58: Preussischer Konstitutionalismus – Parlament und Regierung in der Reaktionsära* (Düsseldorf, 1982), p. 185.

70 Ibid., p. 392.

71 William J. Orr, 'The Prussian Ultra Right and the Advent of Constitutionalism in Prussia,' *Canadian Journal of History*, 11 (1976), pp. 295–310, 여기서는 p. 307; Heinrich Heffter, 'Der Nachmäzliberalismus: Die Reaktion der füfziger Jahre,' in Hans - Ulrich Wehler (ed.), *Moderne deutsche Sozialgeschichte* (Cologne, 1966), pp. 177–96, 여기서는 pp. 181–3; Hans Rosenberg, 'Die Pseudodemokratisierung der Rittergutsbesitzerklasse,' in id., *Machteliten und Wirtschaftskonjunkturen. Studien zur neueren deutschen Sozialund Wirtschaftsgeschichte* (Göttingen, 1978), p. 94.

72 프로이센과 오스트리아의 보수주의-자유주의 근대화를 탁월하게 비교

논의한 것으로, Arthur Schlegelmilch, 'Das Projekt der konservativ - liberalen Modernisierung und die Einführung konstitutioneller Systeme in Preussen und österreich, 1848/49,' in Kisch and Schiera (eds.), *Verfassungswandel*, pp. 155–77.

73   James Brophy, *Capitalism, Politics and Railroads in Prussia, 1830–1870* (Columbus, OH, 1998), pp. 165–75.

74   Grünthal, *Parlamentarismus*, pp. 281–6.

75   왕세자 빌헬름이 캄프하우젠 아래에서 외무부를 지휘하던 오토 폰 만토이펠에게 보낸 서한, 1848년 4월 7일. Karl - Heinz Börner, Wilhelm I Deutscher Kaiser und König von Preussen. *Eine Biographie* (Berlin, 1984), p. 81.

76   Grünthal, *Parlamentarismus*, p. 476.

77   Charles Tilly, 'The Political Economy of Public Finance and the Industrialization of Prussia 1815–1866,' *Journal of Economic History*, 26 (1966), pp. 484–97, 여기서는 p. 490.

78   Ibid., p. 494.

79   Ibid., p. 492.

80   Brophy, *Capitalism, Politics and Railroads*, p. 58.

81   Grünthal, *Parlamentarismus*, p. 476.

82   H. Winkel, *Die deutsche Nationalökonomie im 19. Jahrhundert* (Darmstadt, 1977), pp. 86–7, 95. 독일이 아담 스미스주의에 기울인 관심을 다룬 문헌으로는, E. Rothschild, '"Smithianismus" and Enlightenment in Nineteenth - century Europe', King's College Cambridge: Centre for History and Economics, October 1998.

83   다비트 한제만, Brophy, *Capitalism, Politics and Railroads*, p. 50.

84   Brophy, *Capitalism, Politics and Railroads*, pp. 50, 56, 58. 폰 데어 하이트의 국유화정책은 1860년대에 뒤집어졌다.

85   James Brophy, 'The Political Calculus of Capital: Banking and the Business Class in Prussia, 1848–1856,' *Central European History*, 25 (1992), pp. 149–76; id., 'The Juste Milieu: Businessmen and the Prussian State during the New Era and the Constitutional Conflict,' in Holtz and Spenkuch (eds.), *Preussens Weg*, pp. 193–224.

86   테헨 스캔들에 관해서는, Barclay, *Friedrich Wilhelm IV*, pp. 252–5.

87   D. Fischer, *Handbuch der politischen Presse in Deutschland, 1480–1980. Synopserechtlicher, struktureller und wirtschaftlicher Grundlagen der Tendenzpublizistik im Kommunikationsfeld* (Düsseldorf, 1981), pp. 60–61, 65; Kurt Koszyk, *Deutsche Presse im 19. Jahrhundert* (Berlin, 1966), p. 123; F. Schneider, *Pressefreiheit und politische öffentlichkeit* (Neuwied, 1966), p. 310.

88   Kurt Wappler, *Regierung und Presse in Preussen. Geschichte der amtlichen Pressestellen, 1848–62* (Leipzig, 1935), p. 94.

89   R. Kohnen, *Pressepolitik des deutschen Bundes. Methoden staatlicher Pressepolitik nach der Revolution von 1848* (Tübingen, 1995), p. 174.

90 Wappler, *Regierung und Presse*, pp. 3–4.

91 Ibid., pp. 16–17.

92 Barclay, *Friedrich Wilhelm IV*, p. 262.

93 Wappler, *Regierung und Presse*, p. 5.

94 만토이펠이 로호에게 보낸 서한, 1851년 7월 3일, 다음에서 인용했다. Wappler, *Regierung und Presse*, p. 91. 저지대 독일 국가들에서 검열이 뉴스 관리로 바뀐 것에서 관해서는, Abigail Green, Fatherlands. *Statebuilding and Nationhood in Nineteenth- century Germany* (Cambridge, 2001), pp. 148–88.

15 / 네 개의 전쟁

1 *The Times*, 1860년 10월 23일 자, Raymond James Sontag, *Germany and England. Background of Conflict 1848–1898* (New York, 1938, reprint, 1969), p. 33에서 인용.

2 Ernst Portner, *Die Einigung Italiens im Urteil liberaler deutscher Zeitgenossen* (Bonn, 1959), pp. 65, 119–22, 172–8; Angelow, *Von Wien nach Königgrätz*, pp. 190–200.

3 Mosse, *The European Great Powers*, pp. 49–77.

4 Dierk Walter, *Preussische Heeresreformen 1807–1870. Militärische Innovation und der Mythos der "Roonschen Reform"* (Paderborn, 2003).

5 영문으로 수록되어 있는 것으로는, Helmut Böhme (ed.), *The Foundation of the German Empire. Select Documents*, trans. Agatha Ramm (Oxford, 1971), pp. 93–5.

6 Börner, *Wilhelm I*, pp. 17, 21.

7 빌헬름 왕자가 폰 나츠머 장군에게 보낸 편지, 베를린, 1849년 5월 20일, Ernst Berner (ed.), *Kaiser Wilhelm des Grossen Briefe, Reden und Schriften* (2 vols., Berlin, 1906), vol. 1, pp. 202–3. 1850년 5월 일기 인용은 Börner, *Wilhelm I*, p. 115. 빌헬름의 민족주의 전반에 대해서는, pp. 96–101.

8 Craig, *Politics of the Prussian Army*, pp. 136–79. 오랫동안 지속된 많은 신화 (그중에서도 1859년 동원은 대실패라는 견해)를 깨뜨리는 군사개혁에 관한 강력한 수정주의적 해석으로는, Walter, *Heeresreformen*.

9 만토이펠에 관해서는, Otto Pflanze, *Bismarck and the Development of Germany* (2nd edn, 3 vols., Princeton, NJ, 1990), vol. 1, *The Period of Unification, 1815–1871*, pp. 171–3, 182–3, 208; Ritter, *Staatskunst*, vol. 1, pp. 174–6, 231–4; Craig, *Politics of the Prussian Army*, pp. 149–50, 232–5.

10 Craig, *Politics of the Prussian Army*, pp. 151–7.

11 Sheehan, *German History*, p. 879.

12 이 편지에 관한 논의로는, Lothar Gall, *The White Revolutionary*, trans. J. A. Underwood (2 vols., London, 1986), vol. 1, p. 16.

13 Ibid., vol. 1, pp. 3–34; cf. Ernst Engelberg, *Bismarck. Urpreusse und Reichsgründer*

(2 vols., Berlin, 1998), vol. 1, pp. 39–40. 이 책은 멩켄과 연결되는 것이 비스마르크의 체면을 전혀 손상시키지 않았으며, 비스마르크 선조 가운데 '부르주아 자의식'을 지닌 경우가 거의 없었다고 지적한다.

14 Gall, *White Revolutionary*, vol. 1, p. 57에서 인용.

15 그의 사촌에게 보낸 편지, 1847년 2월 13일, ibid., pp. 18–19.

16 Pflanze, *The Period of Unification*, p. 82에서 인용.

17 Allen Mitchell, 'Bonapartism as a Model for Bismarckian Politics,' *Journal of Modern History*, 49 (1977), pp. 181–99.

18 비스마르크가 프리드리히 왕자에게 보낸 서한 1862년 10월 13일, Kaiser Friedrich III, *Tagebücher von 1848–1866*, ed. H. O. Meisner (Leipzig, 1929), p. 505.

19 Craig, *Politics of the Prussian Army*, p. 167.

20 1848년 독일-덴마크 전쟁이 말뫼의 교착으로 끝난 후에, 이 이슈는 1851~52년에 맺어진 일련의 국제 조약으로 정리되었다. 이 조약들은 프레데리크 빌헬름 7세의 후계자 글뤽스부르크의 크리스티안 왕자가 덴마크 왕국과 공국을 통치할 권리가 있다고 인정했다. 그 대가로, 덴마크 사람들은 슐레스비히를 병합하지 않으며 분쟁 당국의 영지(대부분 독일)를 먼저 협의하지 않고는 공국의 헌법적 지위를 훼손하지 않는다고 약속해야 했다.

21 비스마르크의 판단에 대한 온전한 분석은, Pflanze, *Bismarck*, vol. 1, pp. 237–67. 전쟁 준비에 대한 유용한 개괄로는, Dennis Showalter, *The Wars of German Unification* (London, 2004), pp. 117–22; Craig, *Politics of the Prussian Army*, pp. 180–84.

22 Showalter, *Wars of German Unification*, p. 126.

23 Wolfgang Förster (ed.), *Prinz Friedrich Karl von Preussen, Denkwürdigkeiten aus seinem Leben* (2 vols., Stuttgart, 1910), vol. 1, pp. 307–9.

24 Albrecht von Roon, *Denkwürdigkeiten*, (5th edn, 3 vols., Berlin, 1905), vol. 2, pp. 244–6.

25 Pflanze, *Bismarck*, vol. 1, pp. 271–9.

26 Siemann, *Gesellschaft im Aufbruch*, pp. 99–123; Wehler, *Deutsche Gesellschaftsgeschichte*, vol. 3, *Von der 'Deutschen Doppelrevolution' bis zum Beginn des Ersten Weltkrieges 1849–1914*, pp. 66–97.

27 Pflanze, *Bismarck*, vol. 1, p. 290.

28 비스마르크가 카를 폰 베르터에게 보낸 서한, 베를린, 1864년 8월 6일, Böhme (ed.), *Foundation of the German Empire*, pp. 128–9.

29 Mosse, *European Powers*, p. 133에서 인용.

30 이 회합에 관해서는, Pflanze, Bismarck, vol. 1, p. 292; Ernst Engelberg, *Bismarck*, p. 570. 종종 주장되듯, 비스마르크는 전쟁으로 가기 위해서 자유주의자들을 격퇴해야 할 필요를 제시하지 않았다. 회의에 참여한 다른 이가 제기한 이 주장을 비스마르크는 분명히 거절했다.

31 Heinrich von Srbik, 'Der Geheimvertrag Österreichs und Frankreichs vom

12. Juni 1866,' *Historisches Jahrbuch*, 57 (1937), pp. 454–507; Gerhard Ritter, 'Bismarck und die Rheinpolitik Napoleons III.,' *Rheinische Vierteljahrsblätter*, 15–16 (1950–51), pp. 339–70; E. Ann Pottinger, *Napoleon III and the German Crisis. 1856–1866* (Cambridge, MA, 1966), pp. 24–150; Pflanze, *Bismarck*, vol. 1, pp. 302–3.

32 러시아의 관점에 대해서는, Dietrich Beyrau, *Russische Orientpolitik und die Entstehung des deutschen Kaiserreichs 1866–1870/71* (Wiesbaden, 1974); id., 'Russische Interessenzonen und europäisches Gleichgewicht 1860–1870,' in Eberhard Kolb (ed.), *Europ. vor dem Krieg von 1870* (Munich, 1987), pp. 67–76; id., 'Der deutsche Komplex. Russland zur Zeit der Reichsgründung,' in Eberhard Kolb (ed.), *Europ. und die Reichsgründung. Preussen - Deutschland in der Sicht der grossen europäischenMächte 1860–1880* (= Historische Zeitschrift, Beiheft New Series, vol. 6; Munich, 1980), pp. 63–108.

33 1866년 전쟁 준비에 대해서는, Showalter, *Wars of German Unification*, pp. 132–59; Sheehan, *German History*, pp. 899–908; Pflanze, *Bismarck*, vol. 1, pp. 292–315.

34 Frank J. Coppa, *The Origins of the Italian Wars of Independence* (London, 1992), pp. 122, 125.

35 Walter, *Heeresreformen*.

36 이 점에 대해서는 Voth, 'The Prussian Zollverein,' pp. 122–4.

37 Showalter, *Wars of German Unification*, p. 168.

38 Wawro, *Austro - Prussian War*, pp. 130–35, 145–7.

39 Ibid., p. 134.

40 폰 데어 골츠에 전한 공식 성명, 베를린, 1866년 3월 30일, Herman von Petersdorff et al. (eds.), *Bismarck: Die gesammelten Werke* (15 vols., Berlin 1923–33), vol. 5, p. 429.

41 Koppel S. Pinson, *Modern Germany* (New York, 1955), pp. 139–40에서 인용. 지멘스에 대해서는, Jürgen Kocka, *Unternehmerverwaltung und Angestelltenschaft am Beispiel Siemens, 1847–1914. Zum Verhältnisvon Kapitalismus und Bürokratie in der deutschen Industrialisierung* (Stuttgart, 1969), pp. 52–3.

42 Rudolf Stadelmann, *Moltke und der Staat* (Krefeld, 1950), p. 73; Sheehan, *German Liberalism*, pp. 109–18.

43 빌헬름 1세가 1866년 8월 5일 주의회에서 보상금 예산을 제안한 연설의 영어 번역은 다음을 보라. Theodor Hamerow, *The Age of Bismarck. Documents and Interpretations* (New York, 1973), pp. 80–82.

44 Pflanze, *Bismarck*, vol. 1, p. 335.

45 Hagen Schulze, 'Preussen von 1850 bis 1871. Verfassungsstaat und Reichsgrüdung', in Büsch et al. (eds.), *Handbuch der preussischen Geschichte*, vol. 2, pp. 293–374.

46 이 대화를 게즐러가 베를린의 대공 프리드리히에게 1866년 8월 20일 보고했다.

Hermann Oncken (ed.), *Grossherzog Friedrich I von Baden und die deutsche Politik von 1854 bis 1871: Briefwechsel, Denkschriften, Tagebücher* (2 vols., Stuttgart, 1927), vol. 2, pp. 23–5, 여기서는 p. 25.

47 Ibid., p. 25.

48 Katherine Lerman, *Bismarck* (Harlow, 2004), p. 145.

49 David Wetzel, *A Duel of Giants. Bismarck, Napoleon III and the Origins of the Franco-Prussian War* (Madison, WI, 2001), p. 93.

50 비스마르크의 계획에 대해서는, Jochen Dittrich, *Bismarck, Frankreich und die spanische Thronkandidatur der Hohenzollern* (Munich, 1962); Eberhard Kolb, *Der Kriegsausbruch 1870* (Göttingen, 1970); Josef Becker, 'Zum Problem der Bismarckschen Politik in der spanischen Thronfrage,' *Historische Zeitschrift*, 212 (1971), pp. 529–605 and id., 'Von Bismarcks "spanischer Diversion" zur "Emser Legende" des Reichsgrüders,' in Johannes Burkhardt et al. (eds.), *Lange und Kurze Wege in den Ersten Weltkrieg. Vier Augsburger Beiträge zur Kriegsursachenforschung* (Munich, 1996), pp. 87–113. 베커는 이를 전쟁 방지 계획으로 본다; 반대 입장은, Eberhard Kolb, 'Mähtepolitik und Kriegsrisiko am Vorabend des Krieges von 1870: Anstelle eines Nachwortes,' in id. (ed.), *Europ. vor dem Krieg von 1870. Mächtekonstellation, Konfliktfelder, Kriegsausbruch* (Munich, 1987), pp. 203–9.

51 Martin Schulze Wessel, *Russlands Blick nach Preussen, Die polnische Frage in der Diplomatie und der politischen Öffentlichkeit des Zarenreiches und des Sowjetstaates 1697–1947* (Stuttgart, 1995), pp. 131–2; Barbara Jelavich, 'Russland und die Einigung Deutschlands unter preussischer Führung,' *Geschichte in Wissenschaft und Unterricht*, 19 (1968), pp. 521–38; Klaus Meyer, 'Russland und die Grüding des deutschen Reiches', *Jahrbuch für die Geschichte Mittel- und Ostdeutschlands*, 22 (1973), pp. 176–95.

52 William Flardle Moneypenny George Earl Buckle, *The Life of Benjamin Disraeli, Earl of Beaconsfield* (new and revised edn, 2 vols. New York, 1920), vol. 2, pp. 473–4.

53 J.-P. Bled, *Franz Josep.* (Oxford, 1994), p. 178에서 인용. 다음도 보라. Steven Beller, *Francis Josep.* (Harlow, 1996), pp. 107–10.

54 Claude Digeon, *La Crise allemande dans la pensée française 1870–1914* (Paris, 1959), pp. 535–42.

55 Volker Ullrich, *Otto von Bismarck* (Hamburg, 1998), p. 93.

56 Eckhard Buddruss, 'Die Deutschlandpolitik der Französischen Revolution zwischen Tradition und revolutionärem Bruch,' in Karl Otmar von Aretin and Karl Häter (eds.), *Revolution und Konservatives Beharren. Das Alte Reich und die Französische Revolution* (Mainz, 1990), pp. 145–52, 여기서는 p. 147; Simms, *Struggle for Mastery*, pp. 44–5.

57 Martin Schulze Wessel, 'Die Epochen der russisch-preussischen Beziehungen,' in Neugebauer (ed.), *Handbuch der preussischen Geschichte*, vol. 3, p. 713.

58   Paul W. Schroeder, 'Lost intermediaries'; Rainer Lahme, *Deutsche Aussenpolitik 1890–1894: von der Gleichgewichtspolitik Bismarcks zur Allianzstrategie Caprivis* (Göttingen, 1990), pp. 488–90 그리고 곳곳에서; Wolfgang Canis, *Von Bismarck zur Weltpolitik. Deutsche Aussenpolitik 1890–1902* (Berlin, 1997), pp. 400–401 그리고 곳곳에서.

16 / 독일로 합병되다

1   1871년 제국 헌법 텍스트와 유용한 주해로, E. M. Hucko (ed.), *The Democratic Tradition. Four German Constitutions* (Leamington Spa, Hamburg, New York, 1987), p. 121. 모든 인용은 이 번역이다. 독일어 전문은 다음에서 볼 수 있다. http://www.deutsche - schutzgebiete.de/verfassung — deutsches — reich.htm; 2004년 9월 1일 마지막 접속.

2   제3조에 의거. 시민권에 대한 정의에 대해서는, Andreas Fahrmeir, *Citizens and Aliens. Foreigners and the Law in Britain and the German States, 1789–1870* (New York, 2000), 특히 pp. 39–43, 232–6.

3   1871년 제국헌법 제6조, Hucko (ed.), *Democratic Tradition*, p. 123.

4   Michael Stürmer, 'Eine politische Kultur –oder zwei? Betrachtungen zur Regierungsweise des Kaiserreichs,' in Oswald Hauser (ed.), *Zur Problematik Preussen und das Reich* (Cologne, 1984), pp. 35–48, 여기서는 pp. 39–40.

5   Friedrich - Christian Stahl, 'Preussische Armee und Reichsheer 1871–1914,' in Hauser (ed.), *Preussen und das Reich*, pp. 181–246, 여기서는 p. 234.

6   Thomas Kühne, *Dreiklassenwahlrecht und Wahlkultur in Preussen 1867–1914. Landtagwahlen zwischen korporativer Tradition und politischem Massenmarkt* (Düsseldorf, 1994), pp. 57–8.

7   상원과 프로이센의 사회적·정치적 체제에서 그 역할에 대해서, 현재 표준이 되는 저작은, Hartwin Spenkuch, *Das Preussische Herrenhaus. Adel und Bürgertum in der Ersten Kammer des Landtags 1854–1918* (Düsseldorf, 1998). 상원의 바닥짐(ballast) 역할에 대해서는 p. 552.

8   Kühne, *Dreiklassenwahlrecht*, pp. 59, 62, 71–3, 79–80.

9   Bernhard von Bülow, *Memoirs*, trans. F. A. Voigt (4 vols., London and New York, 1931–2), vol. 1, pp. 233–4, 291; H. Horn, *Der Kamp. um den Bau des Mittellandkanals. Eine politologische Untersuchung über die Rolle eines wirtschaftlichen Interessenverbandes im Preussen Wilhelms II* (Cologne and Opladen, 1964), pp. 40–43.

10   Lothar Gall, 'Zwischen Preussen und dem Reich: Bismarck als Reichskanzler und Preussischer Minister - Präsident,' in Hauser (ed.), *Preussen und das Reich*, pp. 155–64. 프로이센의 '제동 역할'에 관해서는, Hagen Schulze, 'Preussen von

1850 bis 1871' in Büsch et al. (eds.), *Handbuch der preussischen Geschichte*, vol. 2, pp. 293–373, 여기서는 pp. 367–70; Spenkuch, 'Vergleichsweise besonders?,' 곳곳에서.

11   Simone Lässig, 'Wahlrechtsreform in den deutschen Einzelstaaten. Indikatoren für Modernisierungstendenzen und Reformfähigkeit im Kaiserreich,' in id. et al. (eds.), *Modernisierung und Region im wilhelminischen Deutschland* (Bielefeld, 1995), pp. 127–69.

12   Helmut Croon, 'Die Anfäge der Parlamentarisierung im Reich und die Auswirkungen auf Preussen,' in Hauser (ed.), *Preussen und das Reich*, pp. 105–54, 여기서는 p. 108.

13   프로이센 정치문화의 동서 차이점에 대해서는, Heinz Reif, 'Der katholische Adel Westfalens und die Spaltung des Adelskonservatismus in Preussen während des 19. Jahrhunderts,' in Karl Tepp. (ed.), *Westfalen und Preussen* (Paderborn, 1991), pp. 107–24.

14   Shelley Baranowski, 'East Elbian Landed Elites and Germany's Turn to Fascism: The Sonderweg revisited,' in *European History Quarterly* (1996), pp. 209–40; Ilona Buchsteiner, 'Pommerscher Adel im Wandel des 19. Jahrhunderts,' *Geschichte und Gesellschaft*, 25 (1999), pp. 343–74.

15   James Sheehan, 'Liberalism and the City in Nineteenth - century Germany,' *Past & Present*, 51 (1971), pp. 116–37; Dieter Langewiesche, 'German Liberalism in the Second Empire,' in Konrad Jarausch and Larry Eugene Jones (eds.), *In Search of Liberal Germany. Studies in the History of German Liberalism from 1789 to the Present* (New York, 1990), pp. 217–35, 특히 pp. 230–33.

16   베른하르트 폰 뷜로가 필리프 추 오일렌부르크에게 보낸 서한, 부쿠레슈티, 1893년 1월 9일, John Röhl (ed.), *Philip. Eulenburgs Politische Korrespondenz* (3 vols., Boppard am Rhein, 1976–83), vol. 2, pp. 1000–1001.

17   Wolfgang Mommsen, 'Culture and Politics in the German Empire,' in id., *Imperial Germany 1867–1918. Politics, Culture and Society in an Authoritarian State*, trans. Richard Deveson (London, 1995), pp. 119–40, 여기서는 pp. 129–30.

18   Rudolf Braun and David Guggerli, *Macht des Tanzes – Tanz der Mächtigen. Hoffeste und Herrschaftszeremoniell 1550–1914* (Munich, 1993), p. 318.

19   Bernd Nicolai, 'Architecture and Urban Development,' in Gert Streidt and Peter Feierabend (eds.), *Prussia. Art and Architecture* (Cologne, 1999), pp. 416–55.

20   Margrit Bröhan, *Walter Leistikow, Maler der Berliner Landschaft* (Berlin, 1988).

21   프로이센 스타일로 된 건물의 예로는 메셀의 베르트하임 백화점(1896–8), 국가 보험 청사(1903–4), 베렌스의 AEG 엔진 공장(1910–13)과 AEG 터빈 공장(1909) 등이 있다. 모두 베를린에 있다.

22   Margaret Lavinia Anderson, *Windthorst. A Political Biography* (Oxford, 1981), 특히 pp. 130–200; David Blackbourn, *Marpingen: Apparitions of the Virgin Mary in Bismarckian Germany, 1871–1887* (Oxford, 1993), pp. 106–20; Ronald J. Ross,

The Failure of Bismarck's Kulturkampf. Catholicism and State Power in Imperial Germany, 1871–87 (Washington, 1998), pp. 49, 95–157.

23 Pflanze, *Bismarck*, vol. 1, p. 368, and vol. 2, p. 188.

24 Christa Stache, *Bürgerlicher Liberalismus und katholischer Konservatismus in Bayern 1867–1871: kulturkämpferische Auseinandersetzungen vor dem Hintergrund von nationaler Einigung und wirtschaftlich - sozialem Wandel* (Frankfurt, 1981), pp. 66–108.

25 Lerman, *Bismarck*, p. 176.

26 Michael Gross, *The War Against Catholicism. Liberalism and the Anti - Catholic Imagination in Nineteenth - century Germany* (Ann Arbor, MI, 2004); Roisín Healy, *The Jesuit Spectre in Imperial Germany* (Leiden, 2003).

27 Pflanze, *Bismarck*, vol. 2, p. 205.

28 Gordon Craig, *Germany 1866–1945* (Oxford, 1981), p. 71.

29 예는 다음에서 빌어왔다. Ross, *Failure*, pp. 53–74, 95–101.

30 Günther Dettmer, *Die Ost- und Westpreussischen Verwaltungsbehörden im Kulturkamp.* (Heidelberg, 1958), p. 117.

31 Jonathan Sperber, *The Kaiser's Voters. Electors and Elections in Imperial Germany* (Cambridge, 1997); Margaret Lavinia Anderson, *Practicing Democracy. Elections and Political Culture in Imperial Germany* (Princeton, NJ, 2000), pp. 69–151.

32 제국의회 연설, 1881년 2월 24일, H. von Petersdorff (ed.), *Bismarck. Die gesammelten Werke* (15 vols., Berlin, 1924–35), vol. 12, Reden, 1878–1885, ed. Wilhelm Schüssler, pp. 188–95, 여기서는 p. 195.

33 1870년 2월 24일 포젠주 소재 이노브로츠와프-모길노의 칸타크 의원의 연설, *Stenographische Berichte über die Verhandlungen des Reichstages des Norddeutschen Bundes*, vol. 1 (1870), p. 74.

34 Hagen, *Germans, Poles and Jews*, p. 106.

35 Klaus Helmut Rehfeld, *Die preussische Verwaltung des Regierungsbezirks Bromberg* (1848–1871) (Heidelberg, 1968), p. 25. 내부의 민족 갈등에 관해서는, Kasimierz Wajda, 'The Poles and the Germans in West Prussia province in the 19th and the beginning of the 20th century,' in Jan Sziling and Mieczysław Wojciechowski (eds.), Neighbourhood Dilemmas. *The Poles, the Germans and the Jews in Pomerania along the Vistula River in the 19th and the 20th century* (Toruń, 2002), pp. 9–19.

36 Siegfried Baske, *Praxis und Prinzipien der preussischen Polenpolitik vom Beginn der Reaktionszeit bis zur Gründung des deutschen Reiches* (Berlin, 1963), p. 209.

37 Hagen, *Germans, Poles and Jews*, p. 121; Baske, *Praxis*, p. 78.

38 Baske, *Praxis*, pp. 186–8.

39 Ibid., pp. 123, 224; Manfred Laubert, *Die preussische Polenpolitik von 1772–1914* (3rd edn, Cracow, 1944), pp. 131–2.

40 1870년 8월 16일 보고, Pflanze, *Bismarck*, vol. 2, p. 108.

41 비스마르크 내각 회의, 1871년 11월 1일, Adelheid Constabel (ed.), *Die Vorgeschichte des Kulturkampfes* (Berlin, 1956), pp. 136–41.

42 Lech Trzeciakowski, *The Kulturkamp. in Prussian Poland*, trans. Katarzyna Kretkowska (Boulder, CO, 1990), pp. 88–95.

43 Kossert, *Masuren*, pp. 196–205. 리투아니아 사람들에 대해서는, Forstreuter, 'Die Anfägeder Sprachstatistik'; id., 'Deutsche Kulturpolitik im sogenannten Preussisch - Litauen,' in id., *Wirkungen*, pp. 312–33 and 334–44.

44 Pflanze, *Bismarck*, vol. 2, p. 111; Hagen, *Germans, Poles and Jews*, pp. 128–30, 145.

45 Serrier, *Entre Allemagne et Pologne*, p. 286.

46 Hagen, *Germans, Poles and Jews*, pp. 180–207.

47 역사가들에 대해서는, Michael Burleigh, *Germany Turns Eastwards. A Study of Ostforschung in the Third Reich* (Cambridge, 1988), pp. 4–7; Wolfgang Wippermann, *Der deutsche "Drang nach Osten". Ideologie und Wirklichkeit eines politischen Schlagwortes* (Darmstadt, 1981).

48 Werner T. Angress, 'Prussia's Army and the Jewish Reserve Officer Controversy Before World War I,' *Leo Baeck Institute Yearbook*, 17 (1972), pp. 19–42; Norbert Kampe, 'Jüische Professoren im deutschen Kaiserreich,' in Rainer Erb and Michael Schmidt (eds.), *Antisemitismus und jüdische Geschichte. Studien zu Ehren von Herbert A. Strauss* (Berlin, 1987), pp. 185–211.

49 Till van Rahden, 'Mingling, Marrying and Distancing. Jewish Integration in Wilhelmine Breslau and its Erosion in Early Weimar Germany,' in Wolfgang Benz, Arnold Paucker and Peter Pulzer (eds.), *Jüdisches Leben in der Weimarer Republik – Jews in the Weimar Republic* (Tübingen, 1988), pp. 193–216; id., *Juden und andere Breslauer. Die Beziehungen zwischen Juden, Protestanten und Katholiken in einer deutschen Grossstadt, 1860–1925* (Göttingen, 2000).

50 Stephanie Schueler - Springorum, *Die jüdische Minderheit in Königsberg/Pr. 1871– 1945* (Göttingen, 1996), p. 192. 또 다음을 참고하라. Anderas Gotzmann, Rainer Liedtke and Till van Rahden (eds.), *Juden, Bürger, Deutsche: Zur Geschichte von Vielfalt und Differenz 1800–1933* (Tübingen, 2001).

51 Moritz Lazarus, 'Wie wir Staatsbüger wurden,' *Im Deutschen Reich*, 3 (1897), pp. 239–47, 여기서는 p. 246; Reinhard Rürup. 'The Tortuous and Thorny Path to Legal Equality. "Jew Laws" and Emancipation Legislation in Germany from the Late Eighteenth Century,' Leo Baeck Institute Yearbook, 31 (1986), pp. 3–33. On 'state citizenship,' 특히 anon., 'Der Centralverein deutscher Staatsbüger jüischen Glaubens am Schlusse seines ersten Lustrums,' Im Deutschen Reich, 4 (1898), pp. 1–6; anon., 'Die Bestrebungen und Ziele des Centralvereins,' Im Deutschen Reich, 1 (1895), pp. 142–58; anon., 'Unsere Stellung,' Im Deutschen Reich, 1 (1895), pp. 5–6.

52 Christopher Clark, 'The Jews and the German State in the Wilhelmine Era,' in Michael Brenner, Rainer Liedtke and David Rechter (eds.), *Two Nations. British*

and German Jews in Comparative Perspective (Tübingen, 1999), pp. 163–84.

53 Ernst Hamburger, *Juden im öffentlichen Leben Deutschlands* (Tübingen, 1968), p. 47; anon., 'Justizminister a.D. Schöstedt,' *Im Deutschen Reich*, 11 (1905), pp. 623–6.

54 헤링겐의 제국의회 연설, 1911년 2월 10일, Angress, 'Prussia's Army,' p. 35.

55 Norbert Kampe, *Studenten und 'Judenfrage' im deutschen Kaiserreich. Die Entstehung einer akademischen Trägerschicht des Antisemitismus* (Göttingen, 1988), pp. 34–7.

56 Dietz Bering, *The Stigma of Names. Anti - Semitism in German Daily Life, 1812– 1933* (Oxford, 1992), 특히 pp. 87–118.

57 Werner T. Angress, 'The German Army's Judenzälung of 1916. Genesis – Consequences – Significance,' *Leo Baeck Institute Yearbook*, 23 (1978), pp. 117–37.

58 Werner Jochmann, 'Die Ausbreitung des Antisemitismus,' in Werner E. Mosse and Arnold Paucker (eds.), *Deutsches Judentum in Krieg und Revolution, 1916–1923* (Tübingen, 1971), pp. 409–510, 여기서는 pp. 411–13. 유대인 통계 조사 포고령의 원문은, Werner T. Angress, 'Das deutsche Militä und die Juden im Ersten Weltkrieg,' *Militärgeschichtliche Mitteilungen*, 19 (1976), pp. 77–146; Helmut Berding, *Moderner Antisemitismus in Deutschland* (Frankfurt/Main, 1988), p. 169. 논평 부분은, R. Lewin, 'Der Krieg als jüdisches Erlebnis,' in *Monatsschrift für Geschichte und Wissenschaft des Judentums*, 63 (1919), pp. 1–14.

59 Helmut Walser Smith, *The Butcher's Tale. Murder and Antisemitism in a German Town* (New York, 2002), 특히 pp. 180–84; Christop. Nonn, *Eine Stadt sucht einen Mörder: Gerücht, Gewalt und Antisemitismus im Kaiserreich* (Göttingen, 2002), pp. 169–87.

60 Christop. Cobet, *Der Wortschatz des Antisemitismus in der Bismarckzeit* (Munich, 1973), p. 49.

61 Michael Stürmer, *Das Ruhelose Reich* (Berlin, 1983), p. 238. 비스마르크가 빌헬름 1세를 압도한 것에 관해서는, Böner, *Wilhelm I*, pp. 182–5, 218–20.

62 Börner, *Wilhelm I*, pp. 239, 265; Franz Herre, *Kaiser Wilhelm I. Der letzte Preusse* (Cologne, 1980), pp. 439–40, 487.

63 Christopher Clark, *Kaiser Wilhelm II* (Harlow, 2000), p. 161.

64 Thomas Kohut, *Wilhelm II and the Germans. A Study in Leadership* (New York and Oxford, 1991), pp. 235–8. 민간 내각(the civil cabinet)이 연설문을 관리한 것에 관해서는, 코멘트가 달린 아이젠하르트가 발렌티니에게 보낸 1910년 8월 11일 서한을 보라, GStA Berlin - Dahlem, HA I, Rep. 89, Nr. 678. 황태자로서 프리드리히의 연설에 관해서는, 프리드리히 황비가 빅토리아 여왕에게 보낸 1891년 9월 서한을 보라. Frederick E. G. Ponsonby (ed.), *Letters of the Empress Frederick* (London, 1928), pp. 427–9.

65 Thomas Kohut, *Wilhelm II and the Germans: A Study in Leadership* (New York, 1991), p. 138. '카리스마'에 관해서는, Isobel V. Hull, 'Der kaiserliche Hof als

Herrschaftsinstrument,' in Hans Wilderotter and Klaus D. Pohl (eds.), *Der Letzte Kaiser. Wilhelm II im Exil* (Berlin, 1991), pp. 26–7.

66 예를 들어, 1907년 8월 31일 뮌스터 갈라 리셉션에서 행한 연설, GStA Berlin - Dahlem, HA I, Rep. 89, Nr. 673, folder 28.

67 1907년 9월 23일 메멜에서 행한 연설, GStA Berlin - Dahlem, HA I, Rep. 89, Nr. 673, folder 30.

68 Pflanze, *Bismarck*, vol. 3, *The Period of Fortification, 1880–1898* (Princeton, NJ, 1990), p. 394; 발더제 공작의 1891년 4월 21일 자 일기, Meisner (ed.), *Denkwürdigkeiten des General - Feldmarschalls Alfred Grafen von Waldersee* (3 vols., Stuttgart and Berlin, 1923–5), vol. 2, p. 206. 배타주의자들의 반응에 대해서는, Röhl (ed.), *Politische Korrespondenz*, vol. 1, p. 679, n. 2.

69 예를 들어, 빌헬름의 1892년 2월 24일과 1894년 2월 24일 의회 연설, Louis Elkind (ed.), *The German Emperor's Speeches. Being a Selection from the Speeches, Edicts, Letters and Telegrams of the Emperor William II* (London, 1904), pp. 292, 295.

70 오일렌부르크가 빌헬름 2세에게 보낸 서한, 뮌헨, 1892년 3월 10일, Röhl (ed.), *Politische Korrespondenz*, vol. 2, p. 798, 원본의 강조.

71 오일렌부르크가 빌헬름 2세에게 보낸 서한, 뮌헨, 1891년 11월 28일, Röhl (ed.), *Politische Korrespondenz*, vol. 1, p. 730.

72 Olaf Gulbransson, 'Kaisermanöer,' *Simplicissimus*, 1909년 9월 20일. 이 이미지는 다음의 책에서 논의된 바 있다. Jost Rebentisch, *Die Vielen Gesichter des Kaisers. Wilhelm II. in der deutschen und britischen Karikatur (1888–1918)* (Berlin, 2000), pp. 86, 299.

73 홀슈타인이 오일렌부르크에게 보낸 서한, 1892년 2월 27일, in Röhl (ed.), *Politische Korrespondenz*, vol. 2, p. 780.

74 Helga Abret and Aldo Keel, *Die Majestätsbeleidigungsaffäre des 'Simplicissimus'- Verlegers Albert Langen. Briefe und Dokumente zu Exil und Begnadigung, 1898– 1903* (Frankfurt/Main, 1985), 특히 pp. 40–1.

75 장로회 고문관 블라우가 루카누스에게 보낸 서한 베르니게로데, 1906년 4월 4일, GStA Berlin - Dahlem, HA I, Rep. 89, Nr. 672, folder 17; 카를 폰 베델의 1891년 4월 20일, 22일 일기, in id. (ed.), *Zwischen Kaiser und Kanzler. Aufzeichnungen des Generaladjutanten Grafen Carl von Wedel aus den Jahren 1890–1894* (Leipzig, [1943]), pp. 176–7.

76 Bernd Sösemann, 'Die sogenannte Hunnenrede Wilhelms II. Textkritische und interpretatorische Bemerkungen zur Ansprache des Kaisers vom 27. Juli 1900 in Bremerhaven,' *Historische Zeitschrift*, 222 (1976), pp. 342–58; Clark, *Kaiser Wilhelm II*, pp. 169–71.

77 Bernd Sösemann, ' "Pardon wird nicht gegeben; Gefangene nicht gemacht". Zeugnisse und Wirkungen einer rhetorischen Mobilmachung,' in John Röl (ed.), *Der Ort Kaiser Wilhelms II. in der deutschen Geschichte* (Munich, 1991), pp. 79– 94, 여기서는 p. 88.

78 Walther Rathenau, *Der Kaiser. Eine Betrachtung* (Berlin, 1919), pp. 28–9.

79 Isobel Hull, 'Persöliches Regiment,' inRöl (ed.), Der Ort, pp. 3–24.

80 예를 들어, *Norddeutsche Allgemeine Zeitung*, 30 August 1910 (cutting in GStA Berlin - Dahlem HA I, Rep. 89, Nr. 678, folder 43).

81 'Der schweigende Kaiser,' *Frankfurter Zeitung*, 14 September 1910.

82 게베르스가 네덜란드 외무장관에게 보낸 서한, 1908년 11월 12일, *Algemeen Rijksarchief Den Haag*, 2.05.19, Bestanddeel 20.

83 Willibald Guttsmann, *Art for the Workers. Ideology and the Visual Arts in Weimar Germany* (Manchester, 1997).

84 Werner K. Blessing, 'The Cult of Monarchy, Political Loyalty and the Workers' Movement in Imperial Germany,' *Journal of Contemporary History*, 13 (1978), pp. 357–73, 여기서는 pp. 366–9.

85 M. Cattaruzza, 'Das Kaiserbild in der Arbeiterschaft am Beispiel der Werftarbeiter in Hamburg und Stettin,' inRöl (ed.), Der Ort, pp. 131–44.

86 Richard J. Evans (ed.), *Kneipengespräche im Kaiserreich. Stimmungsberichte der Hamburger Politischen Polizei 1892–1914* (Reinbek, 1989), pp. 328, 329, 330.

87 F. Wilhelm Voigt, *Wie ich Hauptmann von Köpenick wurde: Mein Lebensbild* (Leipzig and Berlin, 1909). 이 사건의 상세한 내용에 대해서는, 특히 pp. 107–27; Wolfgang Heidelmeyer, *Der Fall Köpenick. Akten und zeitgenössische Dokumente zur Historie einer preussischen Moritat* (Frankfurt/Main, 1967); Winfried Löschburg, *Ohne Glanz und Gloria. Die Geschichte des Hauptmanns von Köpenick* (Berlin, 1998). 유용한 많은 자료들을 다음의 웹사이트에서 확인할 수 있다. http://www.koepenickia.de/index.htm; 2004년 9월 16일 마지막 접속.

88 *Vorwärts!*, 1906년 10월 18, 19, 20, 21, 23, 28일.

89 Nicholas Stargardt, *The German Idea of Militarism. Radical and Socialist Critics, 1866–1914* (Cambridge, 1994), p. 3.

90 *Vorwärts!*, 1906년 10월 19일.

91 Philip. Müller, '"Ganz Berlin ist Hintertreppe". Sensationen des Verbrechens und die Umwälzung der Presselandschaft im wilhelminischen Berlin (1890–1914),' Ph.D. dissertation, European University Institute, Florence (2004), pp. 341–53.

92 Franz Mehring, 'Das Zweite Jena,' *Neue Zeit* (Berlin), 25 January 1906, pp. 81–4.

93 Stache, *Bürgerlicher Liberalismus*, pp. 91–2.

94 Werner Conze, Michael Geyer and Reinhard Stumpf, 'Militarismus,' in Otto Brunner et al. (eds.), *Geschichtliche Grundbegriffe. Historisches Lexikon zur politisch - sozialen Sprache in Deutschland* (8 vols., Stuttgart, 1972–97), vol. 4, pp. 1–47; Bernd Ulrich, Jakob Vogel and Benjamin Ziemann (eds.), *Untertan in Uniform. Military und Militarismus im Kaiserreiche 1871–1914* (Frankfurt/Main, 2001), p. 12; Stargardt, German Idea, pp. 24–5.

95 군대 전통과 의식이 대중에 어떻게 스며들었는지에 관해서는, Klaus Tenfelde,

Ein Jahrhundertfest. Das Krupp-Jubiläum in Essen 1912 (Essen, 2004).

96 Dieter Düding, 'Die Kriegervereine im wilhelminischen Reich und ihr Beitrag zur Militarisierung der deutschen Gesellschaft,' in Jost Dulffer and Karl Holl (eds.), *Bereit zum Krieg. Kriegsmentalität im wilhelminischen Deutschland 1890–1914* (Göttingen, 1986), pp. 99–212; Thomas Rohrkrämer, *Der Gesinnungsmilitarismus der 'kleinen Leute'. Die Kriegervereine im deutschen Kaiserreich 1871–1914* (Munich, 1990); id., 'Der Gesinnungsmilitarismus der "kleinen Leute" im deutschen Kaiserreich,' in Wolfram Wette (ed.), *Der Krieg des kleinen Mannes* (Munich, 1992), pp. 95–109.

97 Wehler, *Deutsche Gesellschaftsgeschichte*, vol. 3, pp. 880–85.

98 Jakob Vogel, *Nationen im Gleichschritt. Der Kult der 'Nation in Waffen' in Deutschland und Frankreich, 1871–1914* (Göttingen, 1997).

99 Anne Summers, 'Militarism in Britain before the Great War,' *History Workshop Journal*, 2 (1976), pp. 104–23; John M. Mackenzie (ed.), *Popular Imperialism and the Military, 1850–1950* (Manchester, 1992).

100 Ulrich, Vogel and Ziemann, *Untertan in Uniform*, p. 21.

101 Stargardt, *German Idea*, pp. 132–3, 142; Jeffrey Verhey, *The Spirit of 1914. Militarism, Myth and Mobilisation in Germany* (New York, 2000).

102 Robert von Friedeburg, 'Klassen–, Geschlechter– oder Nationalidentitä? Handwerker und Tagelöhner in den Kriegervereinen der neupreussischen Provinz Hessen-Nassau 1890–1914,' in Ute Frevert (ed.), *Militär und Gesellschaft im 19. und 20. Jahrhundert* (Stuttgart, 1997), pp. 229–44.

103 Roger Chickering, 'Der "Deutsche Wehrverein" und die Reform der deutschen Armee 1912–1914,' *Militärgeschichtliche Mitteilungen*, 25 (1979), pp. 7–33; Stig Förster, *Der doppelte Militarismus. Die deutsche Heeresrüstungspolitik zwischen Status-quo-Sicherung und Aggression 1890–1913* (Stuttgart, 1985), pp. 208–96; Volker Berghahn, *Germany and the Approach of War in 1914* (London, 1973), 특히 pp. 5–24.

104 Hucko (ed.), *Democratic Tradition*, pp. 139, 141.

105 제국의 헌법 체계에서 '구조적 약점'으로서의 군비 문제에 대해서는, Huber, *Verfassungsgeschichte*, vol. 4, *Struktur und Krisen des Kaiserreichs*, pp. 545–9; Dieter C. Umbach, *Parlamentsauflösung in Deutschland. Verfassungsgeschichte und Verfassungsprozess* (Berlin, 1989), pp. 221, 1227–9; John Iliffe, *Tanganyika Under German Rule, 1905–1912* (Cambridge, 1969), p. 42.

106 Stahl, 'Preussische Armee,' in Hauser (ed.), *Preussen und das Reich*, pp. 181–246.

107 Wilhelm Deist, 'Kaiser Wilhelm II in the context of his military and naval entourage', in John C. G. Röhl and Nicholas Sombart (eds.), *Kaiser Wilhelm II. New Interpretations* (Cambridge, 1982), pp. 169–92, 여기서는 pp. 182–3.

108 Wilhelm Deist, 'Kaiser Wilhelm II als Oberster Kriegsherr,' in Röl (ed.), *Der Ort*, p. 30; id., 'Entourage' in Röl and Sombart (eds.), *Wilhelm II*, pp. 176–8.

109 Huber, *Heer und Staat* (2nd edn, Hamburg, 1938), p. 358.

110 Deist, 'Oberster Kriegsherr,' in Röl (ed.), *Der Ort*, pp. 25–42, 여기서는 p. 26. 빌헬름의 통치권에서 군사적 측면에 관해서는, Elisabeth Fehrenbach, *Wandlungen des Kaisergedankens 1871–1918* (Munich, 1969), pp. 122–4, 170–72.

111 로이트바인이 총참모부에 보낸 서한, 오카한자, 1904년 4월 25일, Reichskolonialamt: 'Aktenbetreffend den Aufstand der Hereros im Jahre 1904, Bd. 4, 16 April 1904–4. Juni 1904', Bundesarchiv Berlin, R1001/2114, Bl. 52 SWA와 관련한 서한들을 베를린 연방기록보관소에서 전사한 것을 참조하게 해준 마르쿠스 클라우시우스에게 감사를 표하고자 한다.

112 선언, 식민지 군대 사령부, 오좀보-빈트후크, 1904년 10월 2일, 사본이 다음에 수록되어 있다. Reichskanzlei, 'Differenzen zwischen Generalleutnant v. Trotha und Gouverneur Leutwein bezügl. der Aufstände in Dtsch. Süwestafrika im Jahre 1904,' Bundesarchiv Berlin, R1001/2089, Bl. 7.

113 트로타가 총참모부장에게 보낸 서한, 오카타로바카, 1904년 10월 4일, ibid., Bl. 5–6. 그의 목표에 대한 더 극단적인 공식적 표현에 대해서는 트로타가 로이트바인에게 보낸 서한, 빈트후크, 1904년 11월 5일(사본)을 보라. ibid., Bl. 100–102: "나는 아프리카 부족들에 대해 충분히 알고 있다. 그들은 폭력에만 머리를 숙인다는 점에서 언제나 똑같다. 노골적인 테러와 잔인한 행위를 자행하고 폭력을 행사하는 것이 나의 정책이었고, 지금도 그러하다. 반란을 일으키는 부족을 피와 돈의 강물로 절멸시킬 것이다. 오직 이 토대 위에서 끈질긴 것들을 근절시킬 수 있다."

114 로이트바인이 외무부 식민지국에 보낸 서한, 빈트후크 1904년 10월 28일, ibid., Bl. 21–2.

115 로이트바인이 외무부에 보낸 서한, 빈트후크, 1904년 10월 23일, ibid에서 발췌.

116 트로타에게 온 (암호로 된) 전신, 베를린, 1904년 12월 8일, ibid., Bl. 48. 이 전신의 내용에 관한 논쟁은, Bl. 14–20. 정확한 사망자 수는 확정하기 힘들다. 충돌 전 헤레로 인구수 추정치가 3만 5천 명에서 8만 명까지 오가기 때문이다. 1905년 식민지 인구조사는 헤레로 인구를 2만 4천 명으로 산출했다. 수천 명의 사람이 국경을 건너 돌아오지 않은 것으로 보인다. 적으면 6천 명, 많으면 4만 5천 명에서 5만 명이 사망한 것으로 추정된다. 전투 중 독일 캠프에 항복하려고 접근하다가, 또는 붙잡혀 형식적인 즉결 심판 후 교수형을 당해 죽었다. 수천 명이 넘는 남성, 여성 그리고 어린이가 강제 이주한 사막에서 물을 찾으러 헤매다가 굶주리고 목말라 죽거나 병으로 죽었다. 독일 측의 사망자는 1,282명이고, 다수는 전투 기간에 걸린 질환으로 사망했다. 헤레로 전쟁에 관해서는 특히, Jan Bart Gewald, *Towards Redemption. A Socio-political History of the Herero of Namibia between 1890 and 1923* (Leiden, 1996); Horst Drechsler, *Südwestafrika unter deutscher Kolonialherrschaft: Der Kamp. der Herero und Nama gegen den deutschen Imperialismus* (Berlin [GDR], 1966); Helmut Bley, *South-West Africa under German Rule 1894–1914, trans. Hugh Ridley* (London, 1971); Jürgen Zimmerer and Joachim Zeller (eds.), *Völkermord in Deutsch-Südwestafrika.*

Der Kolonialkrieg (1904–1908) in Namibia und seine Folgen (Berlin, 2003), 특히 Zimmerer, Zeller와 Caspar W. Erichsen의 에세이를 보라.

117 Hans‐Günter Zmarzlik, *Bethmann Hollweg als Reichskanzler, 1908–1914. Studien zu Möglichkeiten und Grenzen seiner innerpolitischen Machtstellung* (Düsseldorf, 1957), pp. 103–29; David Schoenbaum, *Zabern 1913. Consensus Politics in Imperial Germany* (London, 1982), pp. 87–105, 118–19, 148–9; Konrad Jarausch, *Enigmatic Chancellor. Bethmann Hollweg and the Hubris of Imperial Germany* (Madison, WI, 1966), p. 101; Lamar Cecil, *Wilhelm II* (2 vols., Chapel Hill, NC, 1989 and 1996), vol. 2, *Emperor and Exile: 1900–1941*, pp. 189–92.

118 Johannes Burkhardt, 'Kriegsgrund Geschichte? 1870, 1813, 1756 – historische Argumente und Orientierungen bei Ausbruch des Ersten Weltkrieges,' in id. et al. (eds.), *Lange und Kurze Wege*, pp. 9–86, 여기서는 pp. 19, 36, 37, 56, 57, 60–61, 63.

119 Kossert, *Masuren*, p. 241.

120 Benjamin Ziemann, *Front und Heimat. Ländliche Kriegserfahrungen im südlichen Bayern 1914–1923* (Essen, 1997), pp. 265–74.

121 Gerald D. Feldman, *Army, Industry and Labor in Germany, 1914–1918* (Princeton, NJ, 1966), pp. 31–3; '그림자 정부'에 대한 참조는, Crown Prince Rupprecht von Bayern, *In Treue fest. Mein Kriegstagebuch* (3 vols., Munich, 1929), vol. 1, p. 457, ibid., p. 32에서 언급.

122 파트너십에 대한 개괄은, John Lee, *The Warlords. Hindenburg and Ludendorff* (London, 2005).

123 1916년 2월 6일 트로이틀러에서 실업가 두이스베르크가 베트만 홀베크에게 한 말, GStA Berlin‐Dahlem, HA I, Rep. 92, Valentini, No. 2. On the Hindenburg cult, see Roger Chickering, *Imperial Germany and the Great War 1914–1918* (Cambridge, 1988), p. 74; Matthew Stibbe, 'Vampire of the Continent. German Anglophobia during the First World War, 1914–1918,' Ph.D. thesis, University of Sussex (1997), p. 100.

124 랜싱이 외딜런에게 보낸 서한, 1918년 10월 14일, US Department of State (ed.), Papers Relating to the Foreign Relations of the United States (suppl. I, vol. 1, 1918), p. 359.

125 Cecil, *Wilhelm II*, vol. 2, p. 286.

126 에른스트 폰 하이데브란트 운트 데어 라사의 주의회 연설, 1917년 12월 5일 Croon, 'Die Anfäge des Parlamentarisierung,' p. 124.

127 Toews, *Hegelianism*, p. 62.

128 Hermann Beck, *The Origins of the Authoritarian Welfare State in Prussia. Conservatives, Bureaucracy and the Social Question, 1815–1870* (Providence, RI, 1993), pp. 93–100.

129 바게너와 게를라흐에 대해서는, Hans‐Julius Schoeps, *Das andere Preussen. Konservative Gestalten und Probleme im Zeitalter Friedrich Wilhelms IV* (3rd edn, Berlin, 1966), pp. 203–28.

130 슈타인과 슈몰러 사이의 연결고리에 대해서는, Giles Pope, 'The Political Ideas of Lorenz Stein and their Influence on Rudolf Gneist and Gustav Schmoller,' D. Phil. thesis, Oxford University (1985); Karl Heinz Metz, 'Preussen als Modell einer Idee der Sozialpolitik. Das soziale Königtum,' in Bahners and Roellecke (eds.), Preussische Stile, pp. 355-63, 여기서는 p. 358.

131 James J. Sheehan, The Career of Lujo Brentano: A Study of Liberalism and Social Reform in Imperial Germany (Chicago, 1966), pp. 48-52, 80-84.

132 Erik Grimmer - Solem, The Rise of Historical Economics and Social Reform in Germany 1864-1894 (Oxford, 2003), 특히 pp. 108-18.

133 Hans - Peter Ullmann, 'Industrielle Interessen und die Entstehung der deutschen Sozialversicherung,' Historische Zeitschrift, 229 (1979), pp. 574-610; Gerhard Ritter, 'Die Sozialdemokratie im Deutschen Kaiserreich in sozialgeschichtlicher Perspektive,' Historische Zeitschrift, 249 (1989), pp. 295-362; Wehler, Deutsche Gesellschaftsgeschichte, vol. 3, pp. 907-15.

134 Gerhard Ritter, Arbeiter im Deutschen Kaiserreich, 1871 bis 1914 (Bonn, 1992), 특히 p. 383; J. Frerich and M. Frey, Handbuch der Geschichte der Sozialpolitik in Deutschland, vol. 1, Von der vorindustriellen Zeit bis zum Ende des Dritten Reiches (3 vols., Munich, 1993), pp. 130-32, 141-2.

135 Andreas Kunz, 'The State as Employer in Germany, 1880-918: From Paternalism to Public Policy,' in W. Robert Lee and Eve Rosenhaft (eds.), State, Society and Social Change in Germany, 1880-1914 (Oxford, 1990), pp. 37-63, 여기서는 pp. 40-41.

17 / 종말

1 하리 케슬러 백작, 마그데부르크, 1918년 11월 7일 자 일기, Tagebücher 1918-1937, ed. Wolfgang Pfeiffer - Belli (Frankfurt/Main, 1961), p. 18.

2 Ibid., p. 24.

3 Jürgen Kloosterhuis (ed.), Preussisch Dienen und Geniessen. Die Lebenszeiterzählung des Ministerialrats Dr Herbert du Mesnil (1857-1947) (Cologne, 1998), p. 350.

4 Bocholter Volksblatt, 14 November 1918, 다음에서 인용.
Hugo Stehkamper, 'Westfalen und die Rheinisch - Westfälische Republik 1918/19. Zenturmsdiskussionen über einen bundesstaatlichen Zusammenschluss der beiden preussischen Westprovinzen,' in Karl Dietrich Bracher, Paul Mikat, Konrad Repgen, Martin Schumacher and Hans - Peter Schwarz (eds.), Staat und Parteien. Festschrift für Rudolf Morsey (Berlin, 1992), pp. 579-634.

5 Edgar Hartwig, 'Welfen, 1866-1933,' in Dieter Fricke (ed.), Lexikon zur Parteiengeschichte (4 vols., Leipzig, Cologne, 1983-6), vol. 4, pp. 487-9.

6   Peter Les iewski, 'Three Insurrections: Upper Silesia 1919–1,' in Peter Stachura
    (ed.), *Poland between the Wars, 1918–1939* (Houndsmills, 1998), pp. 13–42.

7   프로이센은 1918년 패배에 따른 영토 조정의 결과로 약 16퍼센트의 땅을 잃었다.
    메멜 지역(리투아니아), 서프로이센에서 떨어져 나와 형성된 단치히 자유시, 서
    프로이센과 포젠의 옛 영토 상당 부분, 포메른과 동프로이센의 일부(폴란드로),
    알젠과 뢰섬을 포함한 북슐레스비히(덴마크로), 오이펜과 말메디(벨기에로),
    자르 지역 일부(국제 관리 지역, 탄광은 프랑스 통치), 오버슐레지엔의 홀친
    구역(체코슬로바키아로), 오버슐레지엔의 일부(지역 투표에 따라 폴란드로)에
    이른다. 프로이센은 도합 5만 6,058제곱킬로미터의 땅을 잃었다. 휴전 직전인
    1918년 11월 1일까지 프로이센은 총 34만 8,780제곱킬로미터의 땅을 잃은
    상태였다.

8   Horst Möller, 'Preussen von 1918 bis 1947: Weimarer Republik, Preussen und der
    Nationalsozialismus,' in Wolfgang Neugebauer (ed.), *Handbuch der preussischen
    Geschichte*, vol. 3, *Vom Kaiserreich zum 20. Jahrhundert und Grosse Themen der
    Geschichte Preussens* (Berlin, 2001), pp. 149–301, 여기서는 p. 193.

9   Gisbert Knopp. *Die preussische Verwaltung des Regierungsbezirks Düsseldorf in
    den Jahren 1899–1919* (Cologne, 1974), p. 344.

10 Möller, 'Preussen,' pp. 177–9; Henry Friedlander, *The German Revolution of 1918*
    (New York, 1992), pp. 242, 244.

11 Heinrich August Winkler, *Weimar 1918–1933. Die Geschichte der ersten
    deutschen Demokratie* (Munich, 1993), p. 66.

12 Hagen Schulze, 'Democratic Prussia in Weimar Germany, 1919–3,' in Dwyer
    (ed.), *Modern Prussian History*, pp. 211–29, 여기서는 p. 213.

13 Gerald D. Feldman, *The Great Disorder. Politics, Economics and Society in the
    German Inflation 1914–1924* (Oxford, 1997), pp. 134, 161.

14 제1차 세계대전 후 독일의 민간 정부와 군대의 관계에 관한 고전적 연구에서,
    존 휠러 베넷은 에버트-그뢰너 협정이 바이마르 공화국의 운명을 결정지었다고
    주장한다. 다른 대부분의 역사학자들은 더 중도적인 견해를 취한다.
    John Wheeler Bennett, *The Nemesis of Power. The German Army and Politics
    1918–1945* (London, 1953), p. 21; cf. Craig, *Prussian Army*, p. 348; Wehler,
    Deutsche Gesellschaftsgeschichte, vol. 4, *Vom Beginn des Ersten Weltkriegs bis zur
    Gründung der beiden deutschen Staaten* (Munich, 2003), pp. 69–72.

15 Craig, *Politics of the Prussian Army*, p. 351.

16 내각 또는 인민대표평의회는 새로운 사민당/독립사민당이 구프로이센-독일의
    운영을 계승한다고 보았다. 11월 10일 선출된 베를린의 노동자 및 병사
    평의회에서 모은 다양한 이해를 대변했다. 이 두 기구의 관계는 공화국의 초기에
    논란거리였다.

17 이 연설은 *Die Freiheit* (베를린), 1918년 12월 16, 17일 자에 수록되었다. 다음의
    웹사이트에서도 열람할 수 있다. http://www.marxists.org/deutsch/archiv/
    luxemburg/1918/12/uspdgb.htm; last accessed 26 October 2004.

18 Möller, 'Preussen,' pp. 188-9.

19 Susanne Miller, *Die Bürde der Macht. Die deutsche Sozialdemokratie 1918-1920* (Düsseldorf, 1979), p. 226.

20 Hagen Schulze, *Weimar. Deutschland 1917-1933* (Berlin, 1982), p. 180.

21 1월 6, 7일 자 일기, Kessler, Tagebücher, pp. 97, 95.

22 Annemarie Lange, *Berlin in der Weimarer Republik* (Berlin/GDR, 1987), pp. 47, 198-9.

23 이 이미지는 좌익 출판사 말리크(Malik Verlag)에서 발행한 잡지 『파산』(*Die Pleite*)의 3판에 수록되었다. 말리크 출판사는 바이마르 공화국 공산주의 지식인들에게 가장 중요한 출판사 가운데 하나였다.

24 할레, 마그데부르크, 뮐하임, 뒤셀도르프, 드레스덴, 라이프치히, 뮌헨에서 더 심한 탄압이 있었다. 공산주의자들이 잠시 권력을 획득하고 바이에른 소비에트 공화국을 표방했던 뮌헨에서 억압은 예외적으로 잔혹했다.

25 Craig, *Prussian Army*, p. 388.

26 Hans von Seeckt, 'Heer im Staat' in id., *Gedanken eines Soldaten* (Berlin, 1929), pp. 101-16, 여기서는 p. 115.

27 연합정당들의 프로이센 '국가사회주의'(étatisme)에 대해서는, Dietrich Orlow, Weimar Prussia, 1918-1925. *The Unlikely Rock of Democracy* (Pittsburgh, 1986), pp. 247, 249; Hagen Schulze, *Otto Braun oder Preussens demokratische Sendung* (Frankfurt/Main, 1977), pp. 316-23; Winkler, Weimar, pp. 66-7. 가톨릭 정당에 관해서는, Möller, 'Preussen,' p. 237.

28 Schulze, 'Democratic Prussia' in Dwyer (ed), *Modern Prussian History*, pp. 211-29, 여기서는 p. 214.

29 Heinrich Hannover and Christine Hannover - Druck, *Politische Justiz 1918-1933* Bornheim - Merten, 1987), pp. 25-7 그리고 곳곳에서.

30 Peter Lessmann, *Die preussische Schutzpolizei in der Weimarer Republik. Streifendienst und Strassenkamp.* (Düsseldorf, 1989), p. 82.

31 Ibid., p. 88.

32 Hsi - Huey Liang, *The Berlin Police Force in the Weimar Republic* (Berkeley, 1970), pp. 73-81; Schulze, 'Democratic Prussia,' p. 215.

33 Lessmann, *Schutzpolizei*, pp. 211-14; Christop. Graf, *Politische Polizei zwischen Demokratie und Diktatur* (Berlin, 1983), pp. 43-8; Eric D. Kohler, 'The Crisis in the Prussian Schutzpolizei 1930-32,' in George Mosse (ed.), *Police Forces in History* (London, 1975), pp. 131-50.

34 Henning Grunwald, 'Political Trial Lawyers in the Weimar Republic,' Ph.D. thesis, University of Cambridge (2002).

35 Orlow, *Weimar Prussia*, pp. 16-7. '신'우파와 '구'우파에 대해서는, Hans Christof Kraus, 'Altkonservativismus und moderne politische Rechte. Zum Problem der Kontinuitä rechter politischer Strömungen in Deutschland,' in Thomas Nipperdey et al. (eds.), *Weltbürgerkrieg der Ideologien. Antworten an Ernst Nolte*

(Berlin, 1993), pp. 99–121. 전통적인 프로이센 보수주의의 경계를 벗어던진 급진적 '보수주의 혁명'이라는 개념에 대한 우익의 열광에 대해서는, Jeffrey Herf, *Reactionary Modernism. Technology, Culture and Politics in Weimar and the Third Reich* (Cambridge, 1984), 특히 pp. 18–48; Armin Mohler, *Die konservative Revolution in Deutschland, 1918–1932* (Darmstadt, 1972); George Mosse, 'The Corporate State and the Conservative Revolution' in id., *Germans and Jews: the Right, the Left and the Search for a "Third Force" in Pre-Nazi Germany* (New York, 1970), pp. 116–43.

36 1918년 이후 농업 분야에 대해서는, Shelley Baranowski, 'Agrarian transformation and right radicalism: economics and politics in rural Prussia,' in Dwyer (ed.), Modern Prussian History, pp. 146–65; id., *The Sanctity of Rural Life. Nobility, Protestantism and Nazism in Weimar Prussia* (New York, 1995), pp. 128–44.

37 바이마르 농업과 정치에 대해서는, Wolfram Pyta, *Dorfgemeinschaft und Parteipolitik 1918–1933: Die Verschränkung von Milieu und Parteien in den protestantischen Landgebieten Deutschlands in der Weimarer Republik* (Düsseldorf, 1996); Dieter Gessner, *Agrarverbände in der Weimarer Republik. Wirtschaftliche und soziale Voraussetzungen agrarkonservativer Politik vor 1933* (Düsseldorf, 1976); id., 'The Dilemma of German Agriculture during the Weimar Republic,' in Richard Bessel and Edward J. Feuchtwanger (eds.) *Social Change and Political Development in Weimar Germany* (London, 1981), pp. 134–54; John E. Farquharson, *The Plough and the Swastika. The NSDAP and Agriculture in Germany 1918–1945* (London, 1976), pp. 25–42; Robert G. Moeller, 'Economic Dimensions of Peasant Protest in the Transition from the Kaiserreich to Weimar,' in id. (ed.), *Peasants and Lords*, pp. 140–67.

38 Klaus Erich Pollmann, 'Wilhelm II und der Protestantismus,' in Stefan Samerski (ed.), *Wilhelm II. und die Religion. Facetten einer Persönlichkeit und ihres Umfelds* (Berlin, 2001), pp. 91–104.

39 Nicholas Hope, 'Prussian Protestantism,' in Dwyer, Modern Prussian History, pp. 188–208. 이 시기의 연합교회에 대한 표준적인 연구로는 Daniel R. Borg, *The Old Prussian Church and the Weimar Republic. A Study in Political Adjustment 1917–1927* (Hanover and London, 1984), 그리고 Kurt Nowak, *Evangelische Kirche und Weimarer Republik: zum politischen Weg des deutschen Protestantismus zwischen 1918 und 1932* (Göttingen, 1981).

40 총감독관 발터 켈러의 코멘트, Baranowski, *Sanctity of Rural Life*, p. 96에서 인용.

41 이들 그룹에 관한 연구로는, Friedrich Wilhelm Kantzenbach, *Der Weg der evangelischen Kirche vom 19. bis zum 20. Jahrhundert* (Gütersloh, 1968), 특히 pp. 176–8.

42 Doris L. Bergen, *Twisted Cross. The German Christian Movement in the Third Reich* (Chapel Hill, WI, 1996), p. 28.

43 Clark, *Politics of Conversion*, pp. 286–7.

44 모든 종교 회의와 지방 교회 협의회에 대한 유대인 기독교 부흥을 위한 베를린 협회 위원회, 1930년 12월 5일. Evangelisches Zentralarchiv Berlin, 7/3648.

45 Richard Gutteridge, *Open Thy Mouth for the Dumb! The German Evangelical Church and the Jews* (Oxford, 1976), p. 42. 1927년 컨퍼런스와 민족(völkisch) 종교 발전에 대해서는, Kurt Scholder, *The Churches and the Third Reich, 1. Preliminary History and the Time of Illusions 1918–1934*, trans. J. Bowden (London, 1987), pp. 99–119. 독일 기독교에 대한 탁월한 연구는 Bergen, *Twisted Cross*. 프로테스탄트 학자들에 대해서는, Marijke Smid, 'Protestantismus und Antisemitismus 1930–930,' in Jochen - Christop. Kaiser und Martin Greschat (eds.), *Der Holocaust und die Protestanten* (Frankfurt/Main, 1988), pp. 38–72, 특히 pp. 50–55; Hans - Ulrich Thamer, 'Protestantismus und "Judenfrage" in der Geschichte des Dritten Reiches,' in ibid., pp. 216–40. 프로테스탄트 언론에 관해서는, Ino Arndt, 'Die Judenfrage im Lichte der evangelischen Sonntagsblätter 1918–1933,' Ph.D. thesis, University of Tüingen (1960).

46 Manfred Gailus, *Protestantismus und Nationalsozialismus. Studien zur Durchdringung des protestantischen Sozialmilieus in Berlin* (Cologne, 2001); id., 'Deutsche, Christen, Olias, Olias! Wie Nationalsozialisten die Kirchengemeinde Alt - Schöneberg eroberten,' in id. (ed.), *Kirchgemeinden im Nationalsozialismus: sieben Beispiele aus Berlin* (Berlin, 1990), pp. 211–46.

47 Stephan Malinowski, *Vom König zum Führer: Sozialer Niedergang und politische Radikalisierung im deutschen Adel zwischen Kaiserreich und NS - Staat* (Berlin, 2003), p. 208.

48 ibid., p. 221.

49 Kossert, *Ostpreussen*, p. 267.

50 Malinowski, *Vom König zum Führer*, pp. 212–28; Klaus Theweleit, *Männerhantasien* (Hamburg, 1980), 테벨라이트는 엄청난 수의 귀족들의 자기-서사를 분석했다. 농촌 정서의 침투에 대해서는, Baranowski, Sanctity of Rural Life, pp. 145–76.

51 Malinowski, *Vom König zum Führer*, p. 239.

52 프로이센 귀족 사이에서 '지도자' 개념이 발휘한 힘에 대해서는, ibid., pp. 246, 247, 251, 253, 257–9.

53 1926년 6월부터 1928년 3월까지의 일기, Eckart Conze, *Von deutschem Adel. Die Grafen von Bernstoff im zwanzigsten Jahrhundert* (Munich, 2000), pp. 164, 166.

54 Jürgen W. Falter, *Hitlers Wähler* (Munich, 1991), pp. 110–23.

55 Marcus Funck, 'The Meaning of Dying: East - Elbian Noble Families as "Warrior - Tribes" in the Nineteenth and Twentieth Centuries,' trans. Gary Shockey, in Greg Eghigian and Matthew Paul Berg, *Sacrifice and National Belonging in Twentieth - century Germany* (Arlington, TX, 2002), pp. 26–63, 여기서는 p. 53. 엘베강 동부 지역의 나치 투표에 대해서는, Falter, *Hitlers Wähler*, pp. 154–63.

56   Kossert, *Ostpreussen*, p. 266.

57   Gotthard Jasper, *Die gescheiterte Zähmung. Wege zur Machtergreifung Hitlers 1930-1934* (Frankfurt/Main, 1986), pp. 55-87; Schulze, 'Democratic Prussia,' pp. 224-5.

58   Lessmann, *Schutzpolizei*, p. 285.

59   Richard Bessel, *Political Violence and the Rise of Nazism. The Storm Troopers in Eastern Germany* (1925-1934) (London, 1984), pp. 29-31; Ulrich Herbert, *Best: Biographische Studien über Radikalismus, Weltanschauung und Vernunft 1903-1989* (Bonn, 1996), pp. 249-51.

60   이 시기 폭력의 규모와 정치 풍토에 미친 영향에 대해서는, Richard J. Evans, *The Coming of the Third Reich* (London, 2003), pp. 269-75.

61   Heinrich August Winkler, *Der Weg in die Katastrophe. Arbeiter und Arbeiterbewegungen in der Weimarer Republik 1930 bis 1933* (Bonn, 1987), p. 514.

62   Karl Dietrich Bracher, *Die Auflösung der Weimarer Republik: Eine Studie zum Problem des Machtverfalls in der Demokratie* (Villingen, 1960), pp. 511-17.

63   바이마르 헌법의 조항에 따르면, 제국의회는 비인민적인 긴급명령을 무한정 승인할 의무가 없었다. 특정한 시기가 지나면, 이 명령은 다수결에 의해 폐기될 수 있었다.

64   Hagen Schulze, *Otto Braun oder Preussens demokratische Sendung. Eine Biographie* (Frankfurt/Main, 1981), pp. 623, 627.

65   Schulze, 'Democratic Prussia'에서 인용. 가일의 역할에 대해서는, Horst Möler, *Weimar. Die unvollendete Demokratie* (Munich, 1997), p. 304; Martin Broszat, *Die Machtergreifung. Der Aufstieg der NSDAP und die Zerstörung der Weimarer Republik* (Munich, 1984), pp. 145-56; Schulze, *Otto Braun*, pp. 735-44.

66   Möller, 'Weimar,' p. 304.

67   해산에 대해서는, Möller, *Weimar*, pp. 57-78; Bracher, *Die Auflösung der Weimarer Republik*, pp. 491-526; Rudolf Morsey, 'Zur Geschichte des "Preussenschlags",' *Vierteljahrshefte für Zeitgeschichte*, 9 (1961), pp. 430-39; Andreas Dorpalen, *Hindenburg and the Weimar Republic* (Princeton, NJ, 1964), pp. 341-7.

68   Heinrich, *Geschichte Preussens*, p. 496; cf. Otto Braun, *Von Weimar zu Hitler* (2nd edn, New York, 1940), pp. 409-11.

69   Kloosterhuis (ed.), *Preussisch Dienen und Geniessen*, p. 433; Schulze, *Otto Braun*, pp. 584-60, 689-71.

70   Lessmann, *Schutzpolizei*, pp. 302-18.

71   Josef Goebbels, *Vom Kaiserhof zur Reichskanzlei. Eine historische Darstellung in Tagebuchblättern (Vom 1. Januar 1932 bis zum 1. Mai 1933)*, pp. 131, 132-3.

72   Evans, *Coming of the Third Reich*, p. 284.

73   Evans, *Rituals of Retribution*, pp. 613-14.

74   괴벨스의 1932년 7월 22일 일기, id., *Vom Kaiserhof zur Reichskanzlei*, p. 133.

75 파펜의 계획은 지금 보이는 것처럼 어리석지는 않았다. 그는 내각이 꾸려지자마자, 새로운 내각이 제국의회보다 먼저 법제정권(Ermächtigungsgesetz), 즉 특정 시간 동안 행정부가 법률을 제정하는 권한을 주는 법을 부여할 수 있다고 생각했다. 히틀러의 도움으로, 파펜은 제국의회를 통해 법을 제정할 수 있는 3분의 2 의석을 확보하는 데 문제가 없다고 보았다. 내각과 제국의회의 교착은 마지막에 풀 수 있는 것이었다. 법률이 내각 '안에서' 투표로 통과되면, 보수 다수파는 나치가 보수연합 안에서 우선권을 쥘 수 있도록 보수 다수파가 보증한다는 것이다. 파펜은 제국의회 화재 사건 이후의 과격화와 보수파 애국주의 정치 지도자들을 협박하고 밀어내는 나치 정치 기계의 역할을 예측하지 못했다.

76 Ewald von Kleist - Schmenzin, 'Die letzte Mölichkeit,' *Politische Studien*, 10 (1959), pp. 89–92, 여기서는 p. 92.

77 Allan Bullock, *A Study in Tyranny* (rev. edn, London, 1964), p. 253.

78 Spenkuch, *Herrenhaus*, pp. 561–2.

79 Dietz Bering, '"Geboren im Hause Cohn". Namenpolemik gegen den preussischen Innenminister Albert Grzesinski,' in Dietz Bering and Friedhelm Debus (eds.), *Fremdes und Fremdheit in Eigennamen* (Heidelberg, 1990), pp. 16–52.

80 그르체진스키의 자전적 회고는, Eberhard Kolb (ed.), *Albert Grzesinski. Im, Kamp. um die deutsche Republik. Erinnerungen eines Sozialdemokraten* (Munich, 2001). 가장 최근의 전기로는, Thomas Albrecht, *Für eine Wehrhafte Demokratie. Albert Grzesinski und die preussische Politik in der Weimarer Republik* (Bonn, 1999).

81 Heinrich, *Geschichte Preussens*, p. 497.

82 Schulze, *Otto Braun*, pp. 488–98.

83 '변두리 프로이센인'(Randpreussen)은 게르트 하인리히가 1932년 음모자들을 묘사하기 위해 만들어낸 용어다. *Geschichte Preussens*, p. 495.

84 슐라이허와 그의 동기에 대해서는, Henry Ashby Turner, Jr, *Hitler's Thirty Days to Power. January 1933* (London, 1996), pp. 19–21; Theodor Eschenburg, 'Die Rolle der Persönlichkeit in der Krise der Weimarer Republik: Hindenburg, Brüning, Groener, Schleicher,' *Vierteljahrshefte für Zeitgeschichte*, 9 (1961), pp. 1–29. 슐라이허의 민주적 헌법적 헌신을 강조하는 반대 의견으로는, Wolfram Pyta, 'Konstitutionelle Demokratie statt monarchischer Restauration: Die verfassungspolitische Konzeption Schleichers in der Weimarer Staatskrise', *Vierteljahrshefte für Zeitgeschichte*, 47 (1999), pp. 417–41.

85 이 에피소드에 대해서는, Craig, *Politics of the Prussian Army*, p. 372; cf. John Wheeler - Bennett, *Hindenburg: the Wooden Titan* (London, 1967), pp. 220–21.

86 *Vorwarts!*, 10 March 1932, Winkler, *Der Weg*, p. 514; Evans, *Coming of the Third Reich*, p. 279에서 인용.

87 프리드리히 빌헬름 1세는 자신과 자신의 부인이 나란히 포츠담의 주둔지 교회

지하에 안장되도록 계획해두었다. 그러나 1757년 아내 조피 도로테아 왕비가 사망하자 베를린 성당에 안치되었다. 왕의 옆자리는 비어 있다가, 1786년 8월 18일 그의 아들의 유해가 안치되었다.

88   Elke Fröhlich (ed.), *Die Tagebücher von Josep. Goebbels. Sämtliche Fragmente*, Part 1, *Aufzeichnungen, 1924–1941*, vol. 2 (4 vols., Munich, 1987), pp. 393–4.

89   Brendan Simms, 'Prussia, Prussianism and National Socialism,' in Dwyer (ed.), *Modern Prussian History*, pp. 253–73.

90   Werner Freitag, 'Nationale Mythen und kirchliches Heil: Der "Tag von Potsdam",' in *Westfälische Forschungen*, 41 (1991), pp. 379–430.

91   괴벨스의 1933년 3월 21일 일기 *Vom Kaiserhof*, pp. 285–6.

92   Fritz Stern, *The Politics of Cultural Despair: a Study in the Rise of the Germanic Ideology* (Berkeley, 1974), pp. 211–13.

93   Adolf Hitler, *Mein Kampf*, trans. Ralp. Manheim (London, 1992; reprint of the orig. edn of 1943), pp. 139, 141. 『나의 투쟁』 외교 정치 섹션의 부록으로 1928년 히틀러가 작성했으나 출판되지는 못한, 히틀러의 '두 번째 책'에는 프로이센이 자주 언급된다. 아래를 참조하라. Manfred Schlenke, 'Das "preussische Beispiel" in Propaganda und Politik des Nationalsozialismus,' *Aus Politik und Zeitgeschichte. Beilage zur Wochenzeitung Das Parlament*, 27 (1968), pp. 15–27, 여기서는 p. 16.

94   Alfred Rosenberg, *Der Mythus des 20. Jahrhunderts* (Munich, 1930), p. 198.

95   Schlenke, 'Das "preussische Beispiel",' p. 17.

96   사진과 함께 힌덴부르크석 발굴에 관한 당대의 자세한 설명은, Alfred Postelmann, 'Der "Hindenburgstein" fü das Reichsehrenmal Tannenberg,' *Zeitschrift für Geschiebeforschung und lachlandsgeologie*, 12 (1936), pp. 1–32, quotation p. 1. 이 아티클은 온라인으로 열람할 수 있다. http://www.rapakivi.de/posthi/anfang.htm.

97   Josef Schmid, *Karl Friedrich Schinkel. Der Vorläufer neuer deutscher Baugesinnung* (Leipzig, 1943).

98   바이마르 공화국 시절 프로이센을 다룬 영화에서 애국주의적 주제에 관해서는, Helmut Regel, 'Die Fridericus - Filme der Weimarer Republik,' in Axel Marquardt and Hans Rathsack (eds.), *Preussen im Film. Eine Retrospective der Stiftung Deutsche Kinemathek* (Hamburg, 1981), pp. 124–34.

99   Friedrich P. Kahlenberg, 'Preussen als Filmsujet in der Propagandasprache der NSZeit', in Marquardt and Rathsack (eds.), *Preussen im Film*, pp. 135–77, 256–7.

100   예를 들자면, *Der höhere Befehl* (1935), *Kadetten* (1941), *Kameraden* (1941), *Der grosse König* (1942), *Affäre Roedern* (1944) and *Kolberg* (1945).

101   Ian Kershaw, *Hitler. Nemesis 1936–1945* (London, 2000), p. 277.

102   Schlenke, 'Das "preussische Beispiel",' p. 23.

103   Kershaw, *Hitler. Nemesis*, p. 581.

104   Schlenke, 'Das "preussische Beispiel",' p. 23.

105 'Aus der Rede des Ministerpräidenten Göing vor dem preussischen Staatsrat vom
18. Juni 1934 über Preussen und die Reichseinheit,' in Herbert Michaelis and
Ernst Schraepler (eds.), *Ursachen und Folgen. Vom deutschen Zusammenbruch
1918 und 1945 bis zur staatlichen Neuordnung Deutschlands in der Gegenwart, vol.
9, Das Dritte Reich. Die Zertrümmerung des Parteienstaats und die Grundlegung
der Diktatur* (29 vols., Berlin, 1958), pp. 122–4, 여기서는 p. 122.

106 Sigurd von Ilsemann, *Der Kaiser in Holland. Aufzeichnungen des letzten
Flügeladjutanten Kaiser Wilhelm II.*, ed. by Harald von Königswald (2 vols.,
Munich, 1968), vol. 2, p. 154.

107 Clark, *Kaiser Wilhelm II*, p. 251.

108 Georg H. Kleine, 'Adelsgenossenschaft und Nationalsozialismus,'
Vierteljahrshefte für Zeitgeschichte, 26 (1978), pp. 100–143, 여기서는 p. 125;
Stephan Malinowski, '"Fürertum" und "neuer Adel". Die Deutsche
Adelsgenossenschaft und der Deutsche Herrenklub in der Weimarer Republik,'
in Heinz Reif (ed.), *Adel und Bürgertum in Deutschland. Entwicklungslinien und
Wendepunkte im 20. Jahrhundert* (2 vols., Berlin, 2001), vol. 2, pp. 173–211.

109 Malinowski, *Vom König zum Führer, pp. 476–500; Heinz Reif, Adel im 19. und 20.
Jahrhundert* (Munich, 1999), pp. 54–5, 115–18.

110 Christian Count Krockow, *Warnung vor Preussen* (Berlin, 1981), p. 8.

111 Ulrich Heinemann, *Ein konservativer Rebell. Fritz - Dietlof Graf von der
Schulenburg und der 20. Juli* (Berlin, 1990), pp. 25, 27–34.

112 슈티프 대위(블라스코비츠를 보좌하던 장교였다)가 아내에게 보낸 편지.
Truppenübungsplatz Ohrdruf, 21 August 1932, in Horst Mühleisen (ed.),
Hellmuth Stieff, Briefe (Berlin, 1991), letter no. 36, p. 71.

113 요하네스 블라스코비츠의 1935년 3월 17일 일요일 봄멜젠에서 열린
세계대전 전몰용사 기념비 제막식 연설(사본), BA - MA Freiburg, MSg 1/1814.
블라스코비츠는 1935년 3월 히틀러의 라인란트 재무장을 언급했다.

114 Christopher Browning, *Ordinary Men. Reserve Police Battalion 101 and the Final
Solution* (New York, 1992).

115 사이먼 비젠탈은 나치와 그 휘하에 의해 300~600만 명의 유대인이 살해된 것에
오스트리아 사람들의 책임이 있다고 평가한다. Andreas Maislinger,
'"Vergangenheitsbewätigung" in der Bundesrepublik Deutschland, der DDR
und österreich. Psychologisch - Pädagogische Massnahmen im Vergleich,'
in Uwe Backes, Eckhard Jesse and Rainer Zitelmann (eds.), *Die Schatten der
Vergangenheit. Impulse zur Historisierung des Nationalsozialismus* (Berlin, 1990),
pp. 479–96, 여기서는 p. 482.

116 Eckart Conze, 'Adel und Adeligkeit im Widerstand des 20. Juli 1944,' in Reif (ed.),
Adel und Bürgertum, vol. 2, pp. 269–95; Baranowski, *Sanctity of Rural Life*, p. 183.

117 히틀러는 사형집행의 속도를 높이기 위해 1936년 기요틴을 다시 도입하기도
했다.

118 1944년 6월 20일 이후 저항 행위에 가담한 포츠담 제9보병연대 소속 한스-오트프리트 폰 린스토 대령, 알렉시스 폰 뢴넨 대령, 하소 폰 뵈머 중령은 교수형을 당했다. 알렉산더 폰 포스 중령은 11월 8일 자살했다. 중장이었던 한스 폰 슈네크 백작 역시 1941~42년 케르치 반도 임무에서 명령에 불복종했다는 혐의로(7월 음모에 연루되지 않았음에도) 1944년 6월 23일 총살형 집형대에 의해 총살당했다. 독일의 저항 활동에서 제9보병연대의 위치에 관해서는, Ekkehard Klausa, 'Preussische Soldatentradition und Widerstand,' in Jügen Schmäeke and Peter Steinbach (eds.), *Der Widerstand gegen den Nationalsozialismus. Die deutsche Gesellschaft und der Widerstand gegen Hitler* (Munich, 1985), pp. 533-45.

119 Spenkuch, *Herrenhaus*, p. 562.

120 Bodo Scheurig, *Henning von Tresckow. Ein Preusse gegen Hitler. Biographie* (Frankfurt, 1990), p. 167. 다음도 보라. Ger van Roon, *Neuordnung im Widerstand. Der Kreisauer Kreis innerhalb der deutschen Widerstandsbewegung* (Munich, 1967); Wolfgang Wippermann, 'Nationalsozialismus und Preussentum,' in *Aus Politik und Zeitgeschichte. Beilage zur Wochenzeitung das Parlament*, 52-3 (1981), pp. 13-22, 여기서는 p. 17.

121 Annedore Leber, *Conscience in Revolt. Sixty-four Stories of Resistance in Germany 1933-45*, trans. Rosemary O'Neill (Boulder, CO., 1994), p. 161.

122 Gerhard Ritter, *Carl Goerdeler und die deutsche Widerstandsbewegung* (3rd edn, Stuttgart, 1956), p. 274; Eberhard Zeller, *The Flame of Freedom. The German Struggle against Hitler*, trans. R. P. Heller and D. R. Masters (Boulder, CO, 1994), pp. 50-51, 127.

123 Ritter, *Carl Goerdeler*, p. 352.

124 Christian Schneider, 'Denkmal Manstein. Psychogramm eines Befehlshabers,' in Hannes Heer and Klaus Neumann (eds.), *Vernichtungskrieg. Verbrechen der Wehrmacht 1941-1944* (Hamburg, 1995), pp. 402-17.

125 Julius Leber, *Ein Mann geht seinen Weg* (Berlin, 1952), p. 173.

126 Ramsay Muir, *Britain's Case Against Germany. An Examination of the Historical Background of the German Action in 1914* (Manchester, 1914), p. 3.

127 Stefan Berger, 'William Harbutt Dawson: The Career and Politics of an Historian of Germany,' *English Historical Review*, 116 (2001), pp. 76-113에서 미묘한 차이가 있는 논의를 보라.

128 S. D. Stirk, *The Prussian Spirit. A Survey of German Literature and Politics 1914-1940* (Port Washington, NY, 1941), p. 16.

129 Thorstein Veblen, *Imperial Germany and the Industrial Revolution* (2nd edn, London, 1939), pp. 66, 70, 78, 80.

130 Ralf Dahrendorf, *Society and Democracy in Germany* (London, 1968), 특히 pp. 55-6.

131 Verrina (pseud.), *The German Mentality* (2nd edn, London, 1946), pp. 10, 14.

132 Edgar Stern - Rubarth, *Exit Prussia. A Plan for Europ.* (London, 1940), p. 47.

133 Josep. Borkin and Charles Welsh, *Germany's Master Plan. The Story of Industrial Offensive* (London, New York, [1943]), p. 31.

134 Stirk, *Prussian Spirit*, p. 18.

135 Lothar Kettenacker, 'Preussen in der alliierten Kriegszielplanung. 1939–1947,' in L. Kettenacker, M. Schlenke and H. Seier (eds.), *Studien zur Geschichte Englands und der deutsch - britischen Beziehungen. Festschrift für Paul Kluke* (Munich, 1981), pp. 312–40, 여기서는 p. 323.

136 T. D. Burridge, British Labour and Hitler's War (London, 1976), p. 60.

137 Burridge, British Labour, p. 94; '휴전과 전후 위원회'(APW) 의장이었던 애틀리의 1944년 7월 11일에 관한 보고도 참조하라. PRO CAB 86/67, fo. 256.

138 Anne Armstrong, *Unconditional Surrender. The Impact of the Casablanca Policy upon World War II* (Westport, CT, 1961), pp. 20–21.

139 J. A. Thompson, *Woodrow Wilson* (Harlow, 2002), pp. 176–7.

140 Kettenacker, 'Preussen in der alliierten Kriegszielplanung'.

141 Martin Schulze - Wessel, *Russlands Blick auf Preussen. Die polnische Frage in der Diplomatie und der politischen Öffentlichkeit des Zahrenreiches und des Sowjetstaates, 1697–1947* (Stuttgart, 1995), p. 345.

142 Gerd R. Ueberschär (ed.), *Das Nationalkommittee Freies Deutschland und der Bund deutscher Offiziere* (Frankfurt, 1995), pp. 268, 272; Schulze - Wessel, *Russlands Blick auf Preussen*, pp. 334, 373.

143 (영국 측) 독일 관리위원회 정치부 C. E. 스틸의 메모, Advance HQ BAOR, 1945년 10월 11일, PRO FO 1049/226.

144 1945년 9월 27일 메모, HQ IA&C Division C. C. for Germany, BAOR, PRO 1049/595.

145 연합국 관리위원회, 프로이센 주의 폐지, 영국 측 인사의 1946년 8월 6일 메모, PRO FO 631/2454, p. 1.

146 Arnd Bauerkämper, 'Der verlorene Antifaschismus. Die Enteignung der Gutsbesitzer und der Umgang mit dem 20. Juli 1944 bei der Bodenreform in der sowjetischen Besatzungszone,' *Zeitschift für Geschichtswissenschaft*, 42 (1994), pp. 623–34; id., 'Die Bodenreform in der Provinz Mark Brandenburg,' in Werner Stang (ed.), *Brandenburg im Jahr 1945* (Potsdam, 1995), pp. 265–96.

147 엘베강 동부 귀족 가문과 그 재산의 운명에 관한 장대한 설명은, Walter Görlitz, *Die Junker. Adel und Bauer im deutschen Osten. Geschichtliche Bilanz von 7 Jahrhunderten* (Glücksburg, 1957), pp. 410–24.

148 Heiger Ostertag, 'Vom strategischen Bombenkrieg zum sozialistischen Bildersturm. Die Zerstörung Potsdams 1945 und das Schicksal seiner historischen Gebäude nach dem Kriege,' in Bernhard R. Kroener (ed.), *Potsdam: Staat, Armee, Residenz in der preussisch - deutschen Militärgeschichte* (Berlin, 1993), pp. 487–99; Andreas Kitschke, *Die Potsdamer Garnisonkirche* (Potsdam,

1991), p. 98; Olaf Groehler, 'Der Luftkrieg gegen Brandenburg in den letzten Kriegsmonaten,' in Stang (ed.), *Brandenburg*, pp. 9–37.

149 Kossert, *Ostpreussen*, p. 341.

150 Henning Köhler, *Das Ende Preussens in französischer Sicht* (Berlin, 1982), pp. 13, 18, 20, 23, 25, 29, 40, 43, 47, 75, 96.

151 Uta Lehnert, *Der Kaiser und die Siegesallee: réclame royale* (Berlin, 1998), pp. 337–40.

152 연합국 교육정책에서 이 조류에 대해서는, Riccarda Torriani, 'Nazis into Germans: Re - education and Democratisation in the British and French Occupation Zones, 1945–1949,' Ph.D. thesis, Cambridge (2005). 완성 전에 원고를 보여준 토리아니 박사에게 감사를 표한다. 비스마르크에 관해서는, 특히 Lothar Machtan, 'Bismarck,' in Françis and Schulze (eds.), *Deutsche Erinnerungsorte*, vol. 2, pp. 620–35, 여기서는 p. 101.

153 Franz - Lothar Kroll, 'Friedrich der Grosse,' in Françis and Schulze (eds.), *Deutsche Erinnerungsorte*, vol. 2, pp. 86–104, 여기서는 p. 634.

154 Theodor Fontane, 'Mein Erstling: Das Schlachtfeld von Gross - Beeren,' in Kurt Schreinert and Jutta Neuendorf - Fürstenau (eds.), *Meine Kinderjahre* (= *Sämtliche Werke*, vol. XIV) (Munich, 1961), pp. 189–91.

155 테오도르 폰타네가 하인리히 폰 뮐러에게 보낸 서한, 베를린, 1863년 12월 2일, Otto Drude et al. (eds.), *Theodor Fontane. Briefe* (5 vols., Munich, 1976–94), vol. 2, pp. 110–11.

156 Kenneth Attwood, *Fontane und das Preussentum* (Berlin, 1970), p. 146.

157 Gordon A. Craig, *Theodor Fontane. Literature and History in the Bismarck Reich* (New York, 1999), p. 50.

158 Rüdiger Schütz, 'Zur Eingliederung der Rheinlande,' in Peter Baumgart (ed.), *Expansion und Integration. Zur Eingliederung neugewonnener Gebiete in den preussischen Staat* (Cologne, 1984), pp. 195–226, 여기서는 p. 225.

159 Kurt Jürgensen, 'Die Eingliederung Westfalens in den preussischen Staat,' in Baumgart (ed.), *Expansion*, pp. 227–54, 여기서는 p. 250.

160 Walter Geschler, *Das Preussische Oberpräsidium der Provinz Jülich - Kleve - Berg in Köln 1816–1822* (Cologne, 1967), pp. 200–201; Oswald Hauser, *Preussische Staatsräson und nationaler Gedanke. Auf Grund unveröffentlichter Akten aus dem Schleswig - Holsteinischen Landesarchiv* (Neumünster, 1960); Arnold Brecht, *Federalism and Regionalism in Germany. The Division of Prussia* (New York, 1945).

161 Hans - Georg Aschoff, 'Die welfische Bewegung und die Deutsch - Hannoversche Partei zwischen 1866 und 1914,' *Niedersächsisches Jahrbuch für Landesgeschichte*, 53 (1981), pp. 41–64.

162 Kurt Jürgensen, 'Die Eingliederung der Herzogtüer Schleswig, Holstein und Lauenburg in das preussische Königreich,' in Baumgart (ed.), *Expansion*,

pp. 327–56, 여기서는 pp. 350–52.

163 Georg Kunz, *Verortete Geschichte. Regionales Geschichtsbewusstsein in den deutschen Historischen Vereinen des 19. Jahrhunderts* (Göttingen, 2000), pp. 312–22. 고국(Heimat)의 지역적·국가적·민족적 개념의 상호교환 가능성에 대해서는, Alon Confino, Federalism and the Heimat Idea in Nineteenth - century Germany,' in Maiken Umbach (ed.), *German Federalism* (London, 2002), pp. 70–90.

164 Attwood, *Fontane und das Preussentum*, pp. 15–30. A nuanced monographic study is Gerhard Friedrich, *Fontanes preussische Welt. Armee – Dynastie – Staat* (Herford, 1988).

165 이 에세이(그리고 같은 주제의 다른 두 에세이는 1848년에 출간되었다)는 다음 책에서 볼 수 있다. Albrecht Gaertner (ed.), *Theodor Fontane. Aus meiner Werkstatt. Unbekanntes und Unveröffentlichtes* (Berlin, 1950), pp. 8–15.

166 Attwood, *Fontane und das Preussentum*, pp. 166–7.

167 Andreas Dorpalen, 'The German Struggle Against Napoleon: The East German View', *Journal of Modern History*, 41 (1969), pp. 485–516.

168 Jan Palmowski, 'Regional Identities and the Limits of Democratic Centralism in the GDR,' in *Journal of Contemporary History* (forthcoming). 출판되기 전에 훌륭한 원고를 보여준 얀 팔모스키에게 감사를 전한다.

169 Ibid. On Klüss, see also the informative notes in Karl - Heinz Steinbruch, 'Gemeinde Brunow. History of the Villages of Gemeinde Brunow,' at http://www.thiessite.com/loc/brunow/steinbruch — history — kluess - en.htm; 2004년 12월 23일 마지막 접속.

옮긴이의 글

역사적으로 '적잖이 논의되는 주제의 하나'이자 근대사에서 말썽 많은 나라 독일의 핵심으로 인식되는 프로이센.

　　300년이 넘는 프로이센의 역사를 완벽하리만치 매끄럽게 서술했다는 찬사를 듣는 크리스토프 클라크의 『강철왕국 프로이센』은 프로이센에 관해 이중적인 태도를 보이는 유럽의 시각에서 벗어나 오스트레일리아 출신 케임브리지대학교 교수가 가질 수 있는 거리감을 보여준다. 가령 합리적인 행정을 실현한 진보적 기관이자 나폴레옹의 올가미에서 프로테스탄트 독일을 구해준 해방자로서 본 '프로이센 학파'의 관점, 독일의 특수한 근대화 노선을 가장 명백하게 증명하는 예가 프로이센이라며 호들갑을 떠는 영미권의 시각, 양자를 모두 비판하는 태도는 "박식하고 편견에서 벗어난 역사 탐사"라는 평가를 받는다. 역사 인식에 대한 패러다임의 변화를 반영한 이런 시각은, 프로이센을 권위주의와 굴종의 관습에서 파악하던 노선에서 벗어나 프로이센 계몽주의의 역동성에 주목하는 전후의 성찰과 무관치 않다.

프로이센의 역사를 이해하는 데 "20세기에 발생한 재앙이 정확하게 프로이센과 얼마나 관계가 있는가?" 이것은 전후의 현대라는 고정된 위치에서 제기되는 틀에 박힌 물음이다. 저자 클라크는 그것을 이 나라의 역사에 대한 평가의 일부일 수밖에 없다고 본다. 그는 프로이센을, 선행을 칭찬하고 악행을 비난하는 이원적인 윤리적 기준에서, 혹은 전후 승전국의 획일화된 관점에서 평가하지 않는다. 또 오늘날의 논쟁에 만연한(역사문헌을 포함해) 양극화된 평가를 그는 거부한다. 단순히 프로이센의 경험에 축적된 복잡한 문제를 무력화시킨다는 이유에서뿐 아니라 프로이센의 역사를 '독일은 유죄'라는 국가적 틀 씌우기로 압축한다는 점에서 문제가 많다고 보기 때문이다. 프로이센이 독일의 국가가 되기 오래 전부터 유럽의 국가였다는 것, 독일은 프로이센의 완성이 아니라 프로이센의 몰락의 결과라는 것이 진실이라고 클라크는 강조한다.

16세기 브란덴부르크라는 변방을 기반으로 하는 호엔촐레른가의 역사는 발트해 동부 연안의 프로이센 공국과 불가분의 관계였다. 동시에 프로이센의 정체성에서 엘베 동부의 융커라는 신분적 전통과 지방분권주의라는 특징은 늘 역사의 상수로 작용했다. 이후 프로이센 선제후국을 거쳐 프로이센 왕국(1701)으로 확대되고 19세기 들어 강력한 중앙집권국가 프랑스에 승전한 여파로 최초의 통일 국가로서 독일제국을 수립할 때까지, 나아가 제1차 세계대전을 일으킬 때까지(외부적 시각에서는 제2차 세계대전에 이르기까지), 국가의 중심에는 늘 프로이센이라는 어떤 역사적·정신적인 주체성이 자리 잡고 있었다. 또 근대 독일의 역사를 천재와 광기의 출현으로 보는 관점이 있듯이, 각 분야에서 명멸한 수많은 천재, 예컨대 프리드리히 대왕이나 비스마르크 같은 인물이 등장한 풍토를 조성했다는 것도 과소평가할 수 없을 것이다.

그러다가 1947년, 연합군 점령 당국에 의해 프로이센 주가 해체되고 나서 300년간 지속된 프로이센은 과거의 역사가 되었다. 그러나 "바로크 이후 히틀러의 등장 이전까지 찬란했던 독일의 역사는 나치 12년 집권에 가려 망각되었다"는 최근의 인식은 프로이센이라는 과거를 빼놓고는 상상할 수 없을 것이다. 철저히 중세의 잔재라고 할 "독일민족의 신성로마제국"과 프로이센의 복잡한 관계, 밀고 당기는 선제후와 황제의 끝없는 전략싸움, 타협과 대립, 동맹과 배반의 흐름은 물론, 17세기의 가톨릭, 루터파, 칼뱅파라는 종교적 대립을 거쳐 강대국으로 부상하는 과정 역시 그 역사의 핵심을 이룬다. 호엔촐레른 가문에서 프로이센 왕조로 확대되어가는 중에 경험한 수많은 전쟁의 경험과 마찬가지로 나폴레옹의 침략과 대프랑스 전쟁의 승리로 대표되는 프로이센의 영광과 좌절도 과거의 기억에서 배제할 수 없을 것이다.

프로이센의 기록에서 선과 악을 추출해내거나 그것을 저울질하려고 하지 않는 저자는 프로이센의 기록을 애석해 하거나 찬양하는 의무에서 기꺼이 벗어나, 프로이센을 만들거나 파괴한 힘을 이해하는 것을 서술의 목표로 삼는다. 그는 일반적으로 '프로이센'이란 말에 배어있는 권위주의적 질서라는, 틀에 박힌 서사 구조를 타파하는데 주안점을 둔다. 동시에 국가를 정치문화의 인공물로, 반성적 의식의 한 가지 형태로 이해해야 한다고 주장하며 프로이센을 그 대표적인 예로 본다. 또한 영국의 역사를 왕조 국가와 시민사회의 대립으로 본 빅토리아 시대 영국의 역사 서술과 달리, 클라크는 구 귀족의 자의적이고 개인화된 정권에서 합리적인 질서를 전개하며 융성한 국가라는 역동적인 과정으로 프로이센을 파악한다. 예컨대 제1차 세계대전 직전에 프로이센은 전 분야에서 최첨단 사회복지를 제공했다는 점에서 호엔촐레른 왕조의 몰락과 상관없이 얼마든지 살아남을 수 있었다는 것이 그가 보는 프로이센의 모습이다. 저자는 최신 연구 성과와 수백 년에 걸쳐 쌓인 문서고를 낱낱이 파헤친다. 그는 "지금도 놀라우리만치 학문적인 깊이를 간직한 프로이센 역사학의 고전시대"에 나온 기사와 논문을 참조할 뿐만 아니라

1989년 이후 새롭게 평가받는 동독 역사학자들의 견해도 수용한다. 그리고 그들이 프로이센 사회의 진화 구조를 조명하는데 많은 기여를 했다는 찬사를 잊지 않는다.

　　브란덴부르크의 황무지에서부터 세계대전을 일으킬 만큼 최강대국으로 발돋움하기까지 거시적인 통사로서의 이 '프로이센 이야기'는 생생하고 흥미진진한 미시적 묘사와 정교하게 맞물려 끊임없이 페이지를 넘기게 만든다. 국왕의 부부관계에서의 여성 주도권, 융커계급 여성의 역할, 1920년대 베를린의 카바레 문화와 패션 풍조, 상상할 수 없을 정도로 잔인하고 구체적인 침략군의 만행, 황제와 선제후의 숨 막히는 탐색전, 30년전쟁과 7년전쟁, 나폴레옹 침략, 프랑스와 오스트리아와의 전쟁을 둘러싼 비화 등, 그 자체로 독립된 이야기로 충분한 수없이 많은 에피소드가 이어진다. 이런 구조적 특징은 주제의 무게를 서술의 힘과 기교로 매끄럽게 뒷받침하는 균형추 역할을 한다. 이중적인 서사 구조를 기반으로 "생동감이 넘치고 빈틈없는 매력을 갖추었다"는 클라크의 '프로이센 이야기'는 왜 프로이센이 독일어권의 수많은 국가 중에서 가장 중요한지를 설득력 있게 들려준다. 한 마디로 요약하자면, 이 책은 어떻게 프로이센이 융성하고 어떻게 몰락했는지에 관한 이야기다. 그리고 저자가 독자에게 바라는 기대가 있다면, 책을 읽고 "많은 사람에게 그토록 위풍당당해 보였던 나라가 어떻게 애석해 할 틈도 없이 그토록 빠른 시간에 감쪽같이 정치무대에서 사라졌는지"를 이해하는 것이다.

찾아보기

크리스토퍼 클라크(Christopher Clark) 지음

영국 케임브리지대학교 역사학과 교수. 시드니대학교, 베를린자유대학교에서 수학했고 케임브리지대학교에서 박사학위를 받았다. 『강철왕국 프로이센』으로 울프슨 역사상, 퀸즈랜드 문학상, 뉴사우스웨일스 역사상 등의 상을 받았다. 이 책의 독일어판 출간으로 비독일어권 학자 최초로 독일역사학자상을 수상했고, 독일에서 유일한 연방 훈장인 독일연방공화국 공로장을 받았다. 그 밖의 저서로는 『몽유병자들: 1914년 유럽은 어떻게 전쟁에 이르게 되었는가』(*Sleepwalkers: How Europe went to War in 1914*)를 비롯해, 『카이저 빌헬름 2세: 권력의 삶』(*Kaiser Wilhelm II, A Life in Power*), 『개종의 정치: 프로이센의 선교 개신교와 유대인, 1728~1941』(*The Politics of Conversion: Missionary Protestantism and the Jews in Prussia, 1728–1941*) 등이 있다. 2015년 영국과 독일의 관계에 기여한 공로로 훈작사 작위를 받았다.

박병화 옮김

고려대학교 대학원을 졸업하고 독일 뮌스터대학교에서 문학박사 과정을 수학했다. 고려대학교와 건국대학교에서 독문학을 강의했고 현재는 전문번역가로 일하고 있다. 옮긴 책으로 『공정사회란 무엇인가』, 『유럽의 명문서점』, 『하버드 글쓰기 강의』, 『에바 브라운, 히틀러의 거울』, 『저먼 지니어스』 등 다수가 있다.